リッピンコット シリーズ

イラストレイテッド
生化学
[原書8版]

Lippincott® Illustrated Reviews

Biochemistry
Eighth Edition

Emine Ercikan Abali
Susan D. Cline
David S. Franklin
Susan M. Viselli

監訳
石崎泰樹／丸山　敬

石崎　泰樹
西田　　満
丸山　　敬
南　　康博
南嶋　洋司
山本　秀幸
依田　成玄

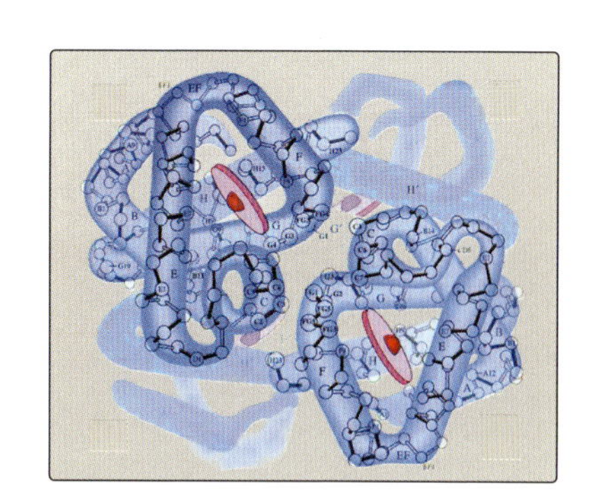

丸善出版

Lippincott® Illustrated Reviews: Biochemistry
Eighth Edition

Emine Ercikan Abali, PhD
Susan D. Cline, PhD
David S. Franklin, PhD
Susan M. Viselli, PhD

本書は正確な適応症（効能），副作用（有害作用），および投薬スケジュールを記載していますが，これらは変更される可能性があります．読者は医薬品の製造販売業者の添付文書をご参照ください．
本書の著者，編集者，出版社と頒布する者および翻訳者は，その記載内容に関しては最新かつ正確を来すように努めておりますが，読者が本書の情報を利用するに当り，過誤あるいは遺漏あるいはいかなる結果についても責任をもつものではありません．また，出版物の内容に関して明示的又は黙示的ないかなる保証をいたしません．
本書の著者，編集者，出版社と頒布する者および翻訳者は，この出版物から生じる，身体および／または財産に対するいかなる損傷および／または損害に対していかなる責任も負わないものとします．

Wolters Kluwer Health did not participate in the translation of this title and therefore it does not take any responsibility for the inaccuracy or errors of this translation.

Printed in Japan

原書 8 版翻訳にあたって

我々がLippincott's Illustrated Reviews：Biochemistryの翻訳を開始したのは 2004 年の夏で，そのときは原書 3 版でした．原書 2 版まではイラストが豊富ではあるものの単色刷でそれほどインパクトのあるものではありませんでした．しかし，3 版はフルカラーのイラスト・写真入りで見違えるようにインパクトの大きな教科書になっていて，医学部の学生向けの生化学教科書を探していた我々は迷わずこれを翻訳することに決めました．3 版の「翻訳にあたって」に記したように，学生諸君には生化学の教科書を少なくとも 1 冊は通読していただきたいと思います．生化学の面白さを味わうためには生化学という学問の全体を俯瞰(review)することが必要です．そして，生化学の面白さを味わえば，自然に生化学的知識を(それも使える知識として)身に付けることができます．本書は生化学の全体をコンパクトに，しかも豊富なイラスト・写真を用いてわかりやすく，かつ，疾患との関連を含めて具体的に説明していることから，医学領域の生化学を俯瞰するのに最適な教科書だと思います．大学での講義の予習・復習や試験前のまとめとして，またCBT対策として(アメリカの医学生の間ではUSMLE Step 1への準備のための"a must-have"(必携アイテム)という評判だそうです)，さらには臨床医になってからも生化学的疑問を持ったときにすぐに繙ける座右の書として，大いに活用していただきたいと思います．

2008 年 10 月に原書 4 版，2011 年 9 月に原書 5 版，2015 年 4 月に原書 6 版，2019 年 1 月に原書 7 版を翻訳刊行しました．3 版，4 版，5 版，6 版，7 版のいずれも読者の方々から望外のご支持を得，さらに適切なコメントもいただき，深く感謝しております．おかげさまで，さまざまなご意見に対応しつつ，ここに原書 8 版を翻訳し，上梓することができました．7 版から 8 版への 4 年間に生化学も長足の進歩を遂げています．多くの場合，教科書もそれに伴って改訂ごとに増ページされますが，本書は肥大化することなく(臨床の現場で重要な血液凝固に関する新たな章が加わりましたが)，8 版でも最新の知見を取り入れつつ，生化学の全体をコンパクトに俯瞰する姿勢が貫かれています．また 6 版からの大きな特徴である巻末付録の「臨床症例」では，合計 14 の症例を通して，生化学的知識を駆使して設問を考えていけば，臨床の現場での応用力の確認ができます．ぜひ，この「臨床症例」にチャレンジして，自分の理解度をチェックしてください．

原著の明らかな誤りはできるだけ訂正しましたが，未だ見逃している箇所があると思います．また翻訳上の誤りもあるかもしれません．読者各位にご指摘いただいて，本書をよりよいものにしていきたいと思っています．その他のご意見やご要望も丸善出版株式会社編集部までご連絡いただければ幸いです．

最後に本書の翻訳にあたり多大の労をとられた丸善出版株式会社企画・編集部の諏佐海香氏に深く感謝いたします．

2023 年 10 月

訳者を代表して（監訳）

石 崎 泰 樹

丸 山　　敬

原書３版翻訳にあたって

医学部で生化学の講義を担当していて，よく学生諸君から「もっと簡単な教科書は無いでしょうか？」という質問を受けます．私自身が学生だった時には，ハーパーの「生化学」，レーニンジャーの「生化学」，ストライヤーの「生化学」，ワトソンの「遺伝子の分子生物学」などのうち何冊かを通読する学生が結構多かったように思います．現在の学生諸君に比べて学ぶべき情報量が少なく，時間的余裕が有ったからでしょう．今の学生諸君は端から見ていても非常に忙しそうで，とても分厚い教科書を何冊も読破する時間的余裕は無さそうです．しかし，少なくとも１冊は本格的な教科書を通読していただきたいと思います．生化学の面白さを味わうためにはそれが必要だからです．そして生化学的知識が本当に身に付くためには，生化学の面白さを味わうことが必要だと思います．

本格的な教科書をどれか１冊通読することを前提条件とすれば，この「イラストレイテッド生化学」はとても良い教科書で，生化学の全領域にわたって，必要不可欠な知識をコンパクトにまとめていますし，フルカラーの図が多用されていて理解を助けてくれます．また各章の終わりには概念図とアメリカのUSMLE Step 1試験（日本のCBTに相当）タイプの設問があって，知識のまとめに活用することができます．またこのシリーズでは他に「薬理学」「微生物学」も刊行されていますが，それらとの相互参照も付いていて総合的理解を深めてくれます．大学での講義の予習・復習（より専門的な書籍を読む前に全体の概観や必須知識をつかむために読むのも良いでしょう）や試験前のまとめとして，またCBT対策として（アメリカの医学生の間ではUSMLE Step 1への準備のための“a must-have”（必須アイテム）という評判だそうです），さらには臨床医になってからも生化学的な疑問を持ったときにすぐに繙ける座右の書として大いに活用していただきたいと思います．

インターネットでも情報量は英文のものが圧倒的に多いのが現状です．この『イラストレイテッド生化学』の英語は簡明で，英語専門書の読本としても最適です．訳本でだいたいの内容を理解したら，ぜひ医学英語の題材として原書の１章でも十分ですので読破してみてください．そうすれば，今後訳本が出る前にいち早く生化学に限らず原著で勉強できるようになるでしょう．

原著の明らかな誤りはできるだけ訂正しましたが，未だ見逃している箇所があるかもしれません．また翻訳上の誤りもあるかもしれません．読者諸氏にご指摘いただいて，本書をよりよいものにしていきたいと思っています．その他ご意見・ご要望も石崎泰樹までご連絡いただければ幸いです．

最後に本書の翻訳にあたり多大の労をとられた丸善株式会社出版事業部の添田京子氏に深く感謝いたします．

2005年1月

訳者を代表して（監訳者）
石崎泰樹
丸山　敬

原 書 献 辞

この版を，私たちが教える人たち，そして私たちに教えてくれた人たちに捧げます．

Emine Ercikan Abali, PhD
Susan D. Cline, PhD
David S. Franklin, PhD
Susan M. Viselli, PhD

原 書 謝 辞

本書の創刊者で最初の4つの版を作成した故Pamela Champe博士と故Richard Harvey博士，ならびに次の3版を共著または執筆したDenise Ferrier博士に感謝を捧げます．我々は，今版で彼らの伝統を受け継ぐよう努力しました．

我々は，生化学教育者協会の多くの会員が，この版のために作られた新しい教材を注意深く査読してくれたことを高く評価しています．

我々はWolters Kluwer社のチームに感謝しています．Lindsey Poramboの励ましとこのプロジェクトを通しての貴重な支援，Andrea Vosburghの指導と熟練した開発編集，そしてSean Hanrahanの巧みな編集統括に感謝します．

原書査読者

James D. Baleja, PhD
Associate Professor,
Departments of Medical Education and Developmental,
Molecular, and Chemical Biology
Tufts University School of Medicine
Boston, Massachusetts

Katelyn Carnevale, PhD
Assistant Professor,
Division of Biochemistry,
Department of Medical Education
Dr. Kiran C. Patel College of Allopathic Medicine
Nova Southeastern University
Fort Lauderdale, Florida

Gergana Deevska, PhD
Assistant Professor of Biochemistry
Idaho College of Osteopathic Medicine
Meridian, Idaho

Joseph Fontes, PhD
Professor,
Department of Biochemistry and Molecular Biology
Assistant Dean of Foundational Sciences,
Office of Medical Education
University of Kansas School of Medicine
Kansas City, Kansas

N. Kevin Krane, MD, FACP, FASN
Vice Dean for Academic Affairs
Professor of Medicine
Tulane University School of Medicine
New Orleans, Louisiana

Michael A. Lea, PhD
Professor,
Department of Biochemistry and Molecular Biology
Rutgers New Jersey Medical School
Newark, New Jersey

Pasquale Manzerra, PhD
Assistant Dean,
Medical Student Affairs and Admissions
Assistant Professor of
Biochemistry and Director of Medical Student Research
Sanford School of Medicine
The University of South Dakota
Vermillion, South Dakota

Richard O. McCann, PhD
Associate Dean of Admissions
Professor of Biochemistry
Mercer University School of Medicine

Macon, Georgia

Darla McCarthy, PhD
Assistant Dean of Curriculum
Associate Teaching Professor, Biochemistry
Department of Basic Medical Sciences
School of Medicine
University of Missouri-Kansas City
Kansas City, Missouri

Gwynneth Offner, PhD
Assistant Dean of Admissions
Director, Medical Sciences Program
Associate Professor of Medicine
Boston University School of Medicine
Boston, Massachusetts

Chante Richardson, PhD
Associate Professor of Biochemistry
Alabama College of Osteopathic Medicine
Dothan, Alabama

Scott Severance, PhD
Assistant Professor of Biochemistry
Department of Molecular and Cellular Science
College of Osteopathic Medicine
Liberty University
Lynchburg, Virginia

Luigi Strizzi, MD, PhD
Associate Professor of Pathology
College of Graduate Studies
Midwestern University
Downers Grove, Illinois

Tharun Sundaresan, PhD
Associate Professor of Biochemistry
Director,
Molecular and Cellular Biology (MCB)
Graduate Program
Uniformed Services University of the
Health Sciences (USUHS)
Bethesda, Maryland

原 書 序 文

生化学は人体がどのようにして食事中の栄養物質を利用して，細胞の構成要素，燃料，情報伝達分子を作るのかを学ぶ学問である．生化学には，人体が体内で化学物質を変換し体外へ排出する過程も含まれる．本書はこれらの複雑な機構を図を用いて簡潔に概観するものである．その際，本書では概念図という有用な系統化ツールの例を提供している．ここでは概念図を説明して，読者が生化学を学ぶ際にそれを利用し，学ぶ間に自身の概念図を創造する手助けとする．

概 念 図

学生は生化学というものを，人体全体の文脈のなかで理解すべき一連の概念であるとは考えずに，記憶すべき事実や式のリストとしてとらえることが多い．概念の理解を深めるために記載された細かい事実に気をとられがちである．ここで必要なのは，さまざまなトピックがどのように組み合わさって，“1つのストーリーを語る”のかを学生が理解するためのガイドとなるロードマップであろう．本書では，概念の間の関連を図示するために，一連の**生化学の概念図 biochemical concept map**を作成した．概念図を各章末に提示し，どのように情報が分類され統合されるかを示す．つまり，この概念図は概念の間の関連を視覚化するツールである．事柄は階層的な方法で示され，最も包含的でありかつ一般的な概念は地図の一番上に，そして，より特殊で，より一般的ではない概念は下のほうに配置される．概念図は理想的には情報を統合するための枠組みあるいはガイドとして機能し，それを利用することで学生は新たな情報をすでに持っている知識と一体化し，整理するために役立ててほしい．概念図の構成は下記の通りである．

A. 概念ボックスとリンク

教育専門家は，概念を“事象あるいは対象について理解された規則性”と規定する．生化学地図では，概念は(自由エネルギーのような)抽象概念，(酸化的リン酸化のような)過程，(グルコース 6-リン酸のような)物質を含んでいる．これらのなかで，最も広い定義の概念は中心的概念として高い優先順位をつけられ，ページの一番上に置かれる．この中心的概念に続く概念が，その下のボックスのなかに描かれる(図のA参照)．活字の大きさはそれぞれの概念の相対的な重要性を示す．概念ボックス間の線は概念の関連性を示し，線上の表示は2つの概念間の関係を示す．したがって，その表示は重要な説明である(すなわち，両者の関連を意味づける)．線の矢印は関連性の方向を示す．

B. 概念図の他の部分へのリンク(クロスリンク)

線状につながる関係だけを表すフローチャートあるいは概要と異なり，ここに示す概念図にはクロスリンクがある．このクロスリンクは，読者が多くの概念ボックス間の複雑な関係を理解するためのものである(図のB参照)．クロスリンクが，本書の他の章の概念図との間の関係を示すこともあるし(図のC参照)，リッピンコットシリーズの他の書籍(例えば『イラストレイテッド細胞分子生物学』)の概念図との間の関係を示すこともある．このクロスリンクによって，生化学の1つ以上のトピックに共通する重要な概念を特定することが可能になる．これは学生にとって，臨床の場や，米国医師免許試験(USMLE)のような統合された概念の理解を要求する試験にも役立つ(訳注：日本のCBTあるいは医師国家試験にも役立つと考えられる)．これらのリンク付き概念図は，線形のテキストと概念を相互参照するのとは対照的に，事実間の非線形の関連を思い描く視覚的な手助けになる．完全な概念図の最初の例は，1章の最後に見出せる(図1.13)．

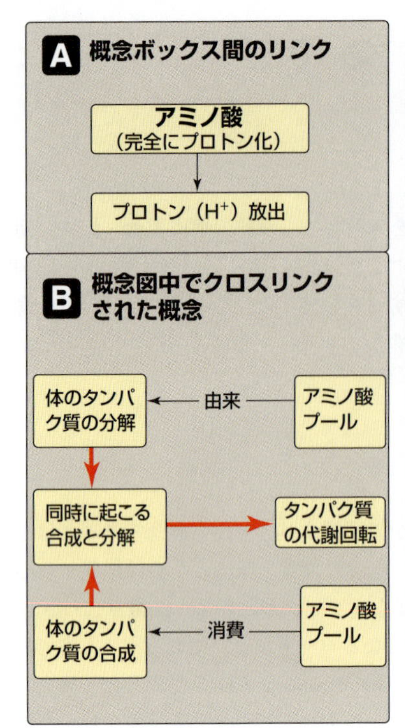

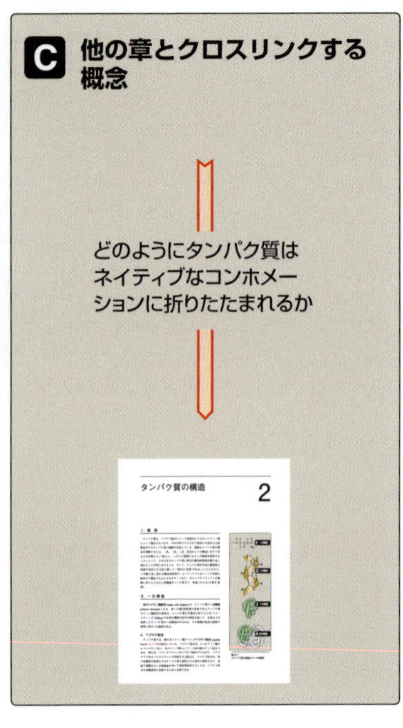

本書および他の資料の利用法

本書は生化学の包括的な概説書である．概念図と図に加えて，学生に概念の生物学的・医学的応用を提供するために「臨床応用」コラムを設けている．学生諸君は学んだ知識の理解を試すために，各章の末尾にある学習問題にチャレンジしてほしい．

監訳者および訳者

■監訳者

石　崎　泰　樹	群馬大学　学長
丸　山　　　敬	埼玉医科大学医学部薬理学教室　教授

■訳　者

石　崎　泰　樹	群馬大学　学長
西　田　　　満	福島県立医科大学医学部生化学講座　教授
丸　山　　　敬	埼玉医科大学医学部薬理学教室　教授
南　　　康　博	神戸大学大学院医学研究科細胞生理学分野　教授
南　嶋　洋　司	群馬大学大学院医学系研究科生化学講座　教授
山　本　秀　幸	医療法人おもと会沖縄リハビリテーション福祉学院　学院長
依　田　成　玄	京都大学大学院医学研究科次世代腫瘍分子創薬講座　特定准教授

（五十音順，2023 年 10 月現在）

歴代訳者一覧

原書 3 版（2005）

石崎　泰樹／丸山　敬　監訳

石崎　泰樹　　井上　順雄　　丸山　敬　　南　康博　　渡邊　卓

原書 4 版（2008）

石崎　泰樹／丸山　敬　監訳

浅井　将　　石崎　泰樹　　井上　順雄　　西田　満　　丸山　敬

南　康博　　吉河　歩　　依田　成玄

原書 5 版（2011）

石崎　泰樹／丸山　敬　監訳

浅井　将　　石崎　泰樹　　井上　順雄　　西田　満　　丸山　敬

南　康博　　吉河　歩　　依田　成玄

原書 6 版（2015）

石崎　泰樹／丸山　敬　監訳

浅井　将　　石崎　泰樹　　井上　順雄　　西田　満　　丸山　敬

南　康博　　山本　秀幸　　吉河　歩　　依田　成玄

原書 7 版（2019）

石崎　泰樹／丸山　敬　監訳

浅井　将　　石崎　泰樹　　井上　順雄　　西田　満　　丸山　敬

南　康博　　山本　秀幸　　吉河　歩　　依田　成玄

目　次

V：代謝の統合

VI：臨床栄養学

VII：遺伝情報の維持と発現

主な略号表

●（　）内は初出ページを表す.
●他の略号については巻末索引を参照.

Aβ　amyloid-β
アミロイドβ（p.24）

AAT　α_1-antitrypsin
α_1アンチトリプシン（p.61）

ACC　acetyl CoA carboxylase
アセチルCoAカルボキシラーゼ（p.239）

ACE　angiotensin-converting enzyme
アンギオテンシン変換酵素（p.77）

ACP　acyl carrier protein
アシル基運搬タンパク質（p.241）

ACTH　adrenocorticotropic hormone
副腎皮質刺激ホルモン（p.309）

ADA　adenosine deaminase
アデノシンデアミナーゼ（p.387）

ADH　alcohol dehydrogenase
アルコールデヒドロゲナーゼ（p.86）
（ADH＝antidiuretic hormone も頻用される.）

ADP　adenosine 5′-diphosphate
アデノシン5′-二リン酸（p.92）

AFP　α-fetoprotein
α-フェトプロテイン（p.631）

ALA　δ-aminolevulinic acid
δ-アミノレブリン酸（p.362）

ALAS　ALA synthase
ALAシンターゼ（p.363）

ALT　alanine aminotransferase
アラニンアミノトランスフェラーゼ（p.82）

AMP　adenosine 5′-monophosphate
アデノシン5′-一リン酸（p.93）
（別名：5′-アデニル酸 5′-adenylic acid）

AMPK　AMP-activated protein kinase
AMP活性化プロテインキナーゼ（p.240）

APRT　adenine phosphoribosyltransferase
アデニンホスホリボシルトランスフェラーゼ（p.385）

araA　adenine arabinoside
アデニンアラビノシド（p.546）

araC　cytosine arabinoside
シトシンアラビノシド（p.546）

AST　aspartate aminotransferase
アスパラギン酸アミノトランスフェラーゼ（p.81）

ATP　adenosine 5′-triphosphate
アデノシン5′-三リン酸（p.92）

BCAA　branched chain amino acid
分枝鎖アミノ酸（p.322）

BH_2　dihydrobiopterin
ジヒドロビオプテリン（p.348）

BH_4　tetrahydrobiopterin
テトラヒドロビオプテリン（p.342）

BMI　body mass index
ボディマス指数（p.453）

BMT　bone marrow transplantation
骨髄移植（p.391）

bp　base pair
塩基対（p.533）

BPG　bisphosphoglycerate
ビスホスホグリセリン酸（p.36）

BSE　bovine spongiform encephalopathy
ウシ海綿状脳症（p.25）

BUN　blood urea nitrogen
血中尿素窒素（p.325）

CAH　congenital adrenal hyperplasia
先天性副腎過形成（p.309）

cAMP　cyclic adenosine 3′,5′-monophosphate
サイクリックアデノシン3′,5′-一リン酸（p.121）

CAP　catabolite gene activator protein
カタボライト（遺伝子）活性化タンパク質（p.599）

CCK cholecystokinin
コレシストキニン（p.230）

Cdk cyclin-dependent kinase
サイクリン依存性キナーゼ（p.544）

cDNA complementary DNA
相補的DNA（p.621）

CDP cytidine 5′-diphosphate
シチジン 5′-二リン酸（p.263）

CF cystic fibrosis
嚢胞性線維症（p.228）

CFTR cystic fibrosis transmembrane conductance regulator
嚢胞性線維症膜貫通コンダクタンス制御タンパク質
（p.228）

cGMP cyclic guanosine 3′,5′-monophosphate
サイクリックグアノシン 3′,5′-一リン酸
（p.200）

CHD coronary heart disease
冠動脈性心疾患（p.469）

CK creatine kinase
クレアチンキナーゼ（p.82）
（CPK＝クレアチンホスホキナーゼも頻用される.）

CMP cytidine 5′-monophosphate
シチジン 5′-一リン酸（p.211）
（別名：5′-シチジル酸 5′-cytidylic acid）

CNS central nervous system
中枢神経系（p.263）

CoA coenzyme A
補酵素 A（p.67）

COMT catechol-*O*-methyltransferase
カテコール-*O*-メチルトランスフェラーゼ（p.372）

COPD chronic obstructive pulmonary disease
慢性閉塞性肺疾患（p.38）

CoQ coenzyme Q
補酵素 Q（p.95）

COX fatty acid cyclooxygenase
脂肪酸シクロオキシゲナーゼ（p.77）

CPS carbamoyl phosphate synthetase
カルバモイルリン酸シンテターゼ
（p.327）

CRE cAMP-response element
cAMP 応答配列（p.606）

CREB cAMP-response element binding protein
cAMP応答配列結合タンパク質
（p.606）

CRH corticotropin-releasing hormone
副腎皮質刺激ホルモン放出ホルモン
（p.309）

CRP cAMP regulatory protein
cAMP 調節タンパク質（p.599）
（CRP＝C-reactive protein も頻用される.）

CTP cytidine 5′-triphosphate
シチジン 5′-三リン酸（p.211）

CYP cytochrome P450
シトクロム P450（p.197）

DAG diacylglycerol
ジアシルグリセロール（p.261）

DHA docosahexaenoic acid
ドコサヘキサエン酸（p.472）

DHAP dihydroxyacetone phosphate
ジヒドロキシアセトンリン酸（p.129）

DHF dihydrofolate
ジヒドロ葉酸（p.393）

DKA diabetic ketoacidosis
糖尿病性ケトアシドーシス（p.255）

DNA deoxyribonucleic acid
デオキシリボ核酸（p.1）

DOPA 3,4-dihydroxyphenylalanine
ジヒドロキシフェニルアラニン
（p.372）

DPPC dipalmitoylphosphatidylcholine
ジパルミトイルホスファチジルコリン
（p.265）

ECM extracellular matrix
細胞外基質（p.53）

EDRF endothelium-derived relaxing factor
内皮由来弛緩因子（p.199）

EDS Ehlers-Danlos syndrome
エーラス・ダンロス症候群（p.59）

EF elongation factor
伸長因子（p.588）

ELISA enzyme-linked immunosorbent assay
エンザイムイムノアッセイ（p.640）

EPA eicosapentaenoic acid
エイコサペンタエン酸（p.275）

ER endoplasmic reticulum
小胞体（p.158）

ERT enzyme replacement therapy
酵素補充療法（p.214）

FAD flavin adenine dinucleotide
フラビンアデニンジヌクレオチド
(p.68)

FBG fasting blood glucose
空腹時血糖値(p.439)
(臨床的には空腹時血糖値fasting blood sugarとしてFBSも用いられる．また基礎研究では，FBSは培養で用いるウシ胎児血清fetal bovine serumをしばしば意味する．)

FFA free fatty acid
遊離脂肪酸(p.227)

FIGLU *N*-formiminoglutamate
N-ホルムイミノグルタミン酸(p.341)

FMN flavin mononucleotide
フラビンモノヌクレオチド(p.95)

FSH follicle-stimulating hormone
卵胞刺激ホルモン(p.310)

G6PD glucose-6-phosphate dehydrogenase
グルコース-6-リン酸デヒドロゲナーゼ
(p.193)

GAG glycosaminoglycan
グリコサミノグリカン(p.207)

GalNAc *N*-acetylgalactosamine
N-アセチルガラクトサミン(p.207)

GDP guanosine 5′-diphosphate
グアノシン5′-二リン酸(p.121)

GlcNAc *N*-acetylglucosamine
N-アセチルグルコサミン(p.207)

GLUT glucose transpoter
グルコース輸送体(p.112)

GMP guanosine 5′-monophosphate
グアノシン5′-一リン酸(p.381)
(別名：5′-グアニル酸5′-guanylic acid)

GnRH gonadotropin-releasing hormone
性腺刺激ホルモン放出ホルモン(p.310)

GPCR G protein-coupled receptor
Gタンパク質共役受容体(p.121)

GPI glycosylphosphatidylinositol
グリコシルホスファチジルイノシトール
(p.267)

GSD glycogen storage disease
糖原病(p.166)

G-SH reduced glutathione
還元型グルタチオン(p.197)

GSK3β glycogen synthase kinase 3β
グリコーゲンシンターゼキナーゼ3β
(p.174)

GTP guanosine 5′-triphosphate
グアノシン5′-三リン酸(p.121)

Hb hemoglobin
ヘモグロビン(p.33)

HDAC histone deacetylase
ヒストン脱アセチル化酵素(p.563)

HDL high-density lipoprotein
高密度リポタンパク質(p.232)

HFI hereditary fructose intolerance
遺伝性フルクトース不耐症(p.182)

HGPRT hypoxanthine-guanine phosphoribosyltransferase
ヒポキサンチン-グアニンホスホリボシルトランスフェラーゼ(p.385)

HIV human immunodeficiency virus
ヒト免疫不全ウイルス(p.365)

HMG CoA 3-hydroxy-3-methylglutaryl CoA
3-ヒドロキシ-3-メチルグルタリルCoA
(p.76)

HNPCC hereditary nonpolyposis colorectal cancer
遺伝性非ポリポーシス大腸がん
(p.549)

hnRNA heterogeneous nuclear RNA
ヘテロ核RNA(p.567)

HRE hormone-response element
ホルモン応答配列(p.310)

HSL hormone-sensitive lipase
ホルモン感受性リパーゼ(p.246)

5-HT 5-hydroxytryptamine
5-ヒドロキシトリプタミン(p.373)
(別名：セロトニンserotonin)

IDL intermediate-density lipoprotein
中密度リポタンパク質(p.295)

IgG immunoglobulin G
免疫グロブリンG(p.187)

IMP inosine 5′-monophosphate
イノシン5′-一リン酸(p.381)
(別名：5′-イノシン酸5′-inosinic acid)

IP_3 inositol 1,4,5-trisphosphate
イノシトール1,4,5-トリスリン酸
(p.267)

IRP iron regulatory protein
鉄調節タンパク質(p.608)

K_m Michaelis constant
ミカエリス定数(p.73)

LCAT　lecithin : cholesterol acyltransferase
レシチン-コレステロールアシルトランスフェラーゼ（p.304）

LDL　low-density lipoprotein
低密度リポタンパク質（p.295）

LH　luteinizing hormone
黄体形成ホルモン（p.310）

LT　leukotriene
ロイコトリエン（p.275）

MAO　monoamine oxidase
モノアミンオキシダーゼ（p.372）

Mb　myoglobin
ミオグロビン（p.35）

miRNA　microRNA
マイクロRNA（p.558）

mRNA　messenger RNA
メッセンジャーRNA（p.41）

α-MSH　α-melanocyte stimulating hormone
α-メラノサイト刺激ホルモン（p.457）

MSUD　maple syrup urine disease
メープルシロップ尿症（p.346）

mtDNA　mitochondrial DNA
ミトコンドリアDNA（p.94）

NAD^+/NADH　nicotinamide adenine dinucleotide
ニコチンアミドアデニンジヌクレオチド（p.67）

$NADP^+$/NADPH　nicotinamide adenine dinucleotide phosphate
ニコチンアミドアデニンジヌクレオチドリン酸（p.184）

NANA　*N*-acetylneuraminic acid
N-アセチルノイラミン酸（p.210）

NMDA　*N*-methyl-D-asparate
N-メチル-D-アスパラギン酸（p.7）

NMP　nucleoside monophosphate
ヌクレオシド一リン酸（p.380）

NOS　NO synthase
NOシンターゼ（p.199）

NSAID　nonsteroidal anti-inflammatory agent
非ステロイド性抗炎症薬（p.276）

NTP　nucleoside triphosphate
ヌクレオシド三リン酸（p.384）

OAA　oxaloacetic acid
オキサロ酢酸（p.134）

OI　osteogenesis imperfecta
骨形成不全症（p.60）

OMP　orotidine 5′-monophosphate
オロチジン5′-一リン酸（p.391）
（別名：5′-オロチジル酸 5′-orotidylic acid）

PA　phosphatidic acid
ホスファチジン酸（p.262）

PAF　platelet-activating factor
血小板活性化因子（p.263）

PAPS　3′-phosphoadenosyl-5′-phosphosulfate
3′-ホスホアデノシン5′-ホスホ硫酸（p.213）

PC　phosphatidylcholine
ホスファチジルコリン（p.262）

PCNA　proliferating cell nuclear antigen
増殖細胞核抗原（p.545）

pCO_2　pressure of carbon dioxide
二酸化炭素分圧（p.36）

PCR　polymerase chain reaction
ポリメラーゼ連鎖反応（p.619）

PDH　pyruvate dehydrogenase
ピルビン酸デヒドロゲナーゼ（p.142）

PE　phosphatidylethanolamine
ホスファチジルエタノールアミン（p.263）

PEP　phosphoenolpyruvate
ホスホエノールピルビン酸（p.131）

PEPCK　PEP carboxykinase
PEPカルボキシキナーゼ（p.154）

PFK　phosphofructokinase
ホスホフルクトキナーゼ（p.126）

PG　prostaglandin
プロスタグランジン（p.266）

PGI_2　prostacyclin
プロスタサイクリン（p.276）

P_i　inorganic phosphate
無機リン酸（p.93）

PI　phosphatidylinositol
ホスファチジルイノシトール（p.262）

PIP_2　phosphatidylinositol 4,5-bisphosphate
ホスファチジルイノシトール4,5-ビスリン酸（p.266）

PK　pyruvate kinase
ピルビン酸キナーゼ（p.126）

pK_a　acidic index
酸性度指数（p.7）

PKA　protein kinase A
プロテインキナーゼA（p.122）

PKU　phenylketonuria

フェニルケトン尿症（p.342）

PLP pyridoxal phosphate
ピリドキサールリン酸（p.169）

***p*O_2** pressure of oxygen
酸素分圧（p.35）

PP_i pyrophosphate
ピロリン酸（p.167）

PrP prion protein
プリオンタンパク質（p.25）

PRPP 5-phosphoribosyl 1-pyrophosphate
5-ホスホリボシル 1-ピロリン酸（p.381）

PS phosphatidylserine
ホスファチジルセリン（p.262）

PTH parathyroid hormone
副甲状腺ホルモン（p.508）

RBC red blood cell
赤血球（p.33）

RBP retinol-binding protein
レチノール結合タンパク質（p.503）

RDA recommended dietary allowance
栄養所要量（p.465）

RDS respiratory distress syndrome
呼吸窮迫症候群（p.265）

RER rough endoplasmic reticulum
粗面小胞体（p.57）

RFLP restriction fragment length polymorphism
制限断片長多型（p.629）

RMR resting metabolic rate
安静時代謝率（p.468）

RNA ribonucleic acid
リボ核酸（p.68）

RNAi RNA interference
RNA干渉（p.569）

ROS reactive oxygen species
活性酸素種（p.96）

rRNA ribosomal RNA
リボソームRNA（p.557）

SAM *S*-adenosylmethionine
S-アデノシルメチオニン（p.265）

SCID severe combined immunodeficiency disease
重症複合免疫不全症（p.391）

SER smooth endoplasmic reticulum
滑面小胞体（p.231）

SGLT sodium-dependent glucose cotransporter
ナトリウム依存性グルコース共輸送体（p.112）

siRNA short interfering RNA
低分子干渉RNA（p.569）

SLE systemic lupus erythematosus
全身性エリテマトーデス（p.569）

SLOS Smith-Lemli-Opits syndrome
スミス・レムリ・オピッツ症候群（p.289）

SNP single nucleotide polymorphism
一塩基多型（p.629）

snRNA small nuclear RNA
核内低分子RNA（p.558）

snRNP small nuclear ribonucleoprotein particle
核内低分子リボ核タンパク質（p.569）

SOD superoxide dismutase
スーパーオキシドジスムターゼ（p.96）

SRE sterol regulatory element
ステロール調節配列（エレメント）（p.290）

SREBP sterol regulatory element-binding protein
ステロール調節配列（エレメント）結合タンパク質（p.240）

SSB single-strand DNA-binding protein
一本鎖DNA結合タンパク質（p.537）

STR short tandem repeat
短縦列反復（p.638）

TAG triacylglycerol
トリアシルグリセロール（p.119）
（別名：トリグリセリド triglyceride, TG）

TCA tricarboxylic acid
トリカルボン酸（p.69）

THF tetrahydrofolic acid
テトラヒドロ葉酸（p.67）

***T*m** melting temperature
融解温度（p.238）

TMP thymidine 5′-monophosphate
チミジン 5′-一リン酸（p.347）
（別名：5′-チミジル酸 5′-thymidylic acid）

TNF tumor necrosis factor
腫瘍壊死因子（p.200）

TPP thiamine pyrophosphate

	チアミンピロリン酸（p.135）
tRNA	transfer RNA トランスファーRNA（p.380）
TSE	transmissible spongiform encephalopathy 伝染性海綿状脳症（p.25）
TX	thromboxane トロンボキサン（p.275）
UCP	uncoupling protein 脱共役タンパク質（p.99）
UDP	uridine 5′-diphosphate ウリジン5′-二リン酸（p.109）
UMP	uridine 5′-monophosphate ウリジン5′-一リン酸（p.392） （別名：5′-ウリジル酸 5′-uridylic acid）
UTP	uridine 5′-triphosphate ウリジン5′-三リン酸（p.166）
UUN	urinary urea nitrogen 尿中尿素窒素（p.332）
VEGF	vascular endothelial growth factor 血管内皮増殖因子（p.512）
VLDL	very-low density lipoprotein 超低密度リポタンパク質（p.246）
VMA	vanillylmandelic acid バニリルマンデル酸（p.372）
V_{max}	maximal velocity 最大速度（p.73）
VNTR	variable number of tandem repeat 縦列反復配列多型（p.629）
XO	xanthine oxidase キサンチンオキシダーゼ（p.388）
XP	xeroderma pigmentosum 色素性乾皮症（p.520）

第Ⅰ編：
タンパク質の構造と機能

アミノ酸とpHの役割 1

Ⅰ．概　要

タンパク質は，生体に最も多量に存在し，多様な機能を果たす分子である．ほとんどすべての生命現象は，この高分子に依存するといってよい．例えば，筋肉の収縮性タンパク質によって体の運動が可能になるのに対して，酵素やポリペプチドホルモンは体の代謝を指揮し調節する．骨では，鉄筋コンクリートにおける鉄筋のように，コラーゲンが骨組みとなりリン酸カルシウムの結晶が沈着する．血液中では，ヘモグロビンやアルブミンが生きていくために不可欠な分子を輸送し，免疫グロブリンは細菌やウイルス感染と戦う．このように，タンパク質は信じられないほど多様な機能を発揮する．しかし，すべてのタンパク質は，アミノ酸が線状につながった重合体であるという共通の構造を持つ．本章では，アミノ酸の性質と，正常なタンパク質と身体機能に対するpHの重要性について述べる．2章では，この単純なアミノ酸がどのように結合して，固有の三次元構造を持ち，特有の生物学的機能を果たすタンパク質が形成されるかについてふれる．

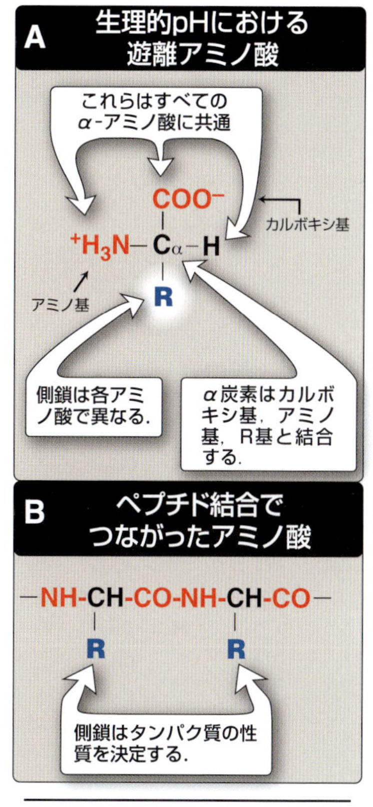

図 1.1
A，B．アミノ酸の構造的特徴．

Ⅱ．構　造

自然界には300種類以上の異なるアミノ酸が存在するが，わずか20種類のアミノ酸だけが，哺乳動物のタンパク質の構成要素として共通して存在する．これら20種類の標準アミノ酸だけが細胞の遺伝物質であるDNAによってコードされる．非標準アミノ酸は，標準アミノ酸の化学的修飾によって作られる．それぞれのアミノ酸は，α炭素原子に結合する**カルボキシ基** **carboxyl group**，(**第二級アミノ基** **secondary amino group**を持つプロリン以外は)**第一級アミノ基** **primary amino group**，そして固有の側鎖(**R基** **R group**)を持つ(図1.1A)(訳注：鎖式有機化合物では主要な官能基(アミノ酸の場合は，カルボキシ基)が結合する炭素をα炭素と呼ぶ．そのα炭素に，アミノ基(α-アミノ基)が結合するアミノ酸はα-アミノ酸である)．

生理的なpH(～約7.4)では，アミノ酸のカルボキシ基は解離し，負の電荷を持つカルボキシラートイオンcarboxylate ion($-COO^-$)になり，α-アミノ基はプロトン化($-NH_3^+$)する．タンパク質では，これらのカルボキシ基とアミノ基のほとんどすべてはペプチド結合を形成してつながり，一般的には，水素結合やイオン結合を形成する以外に化学的な反応に関与しない(図1.1B)．タンパク質中のアミノ酸のことを，ペプチド鎖内の連続したアミノ酸間でペプチド結合を形成した後に残る構造を指して「残基」と呼ぶが，各アミノ酸残基がタンパク質で果たす役割を最終的に決めるのは，側鎖side chainの性質になる．したがって，アミノ酸を側鎖の性質，すなわち，電子が均等に分布している非極性か，電子が不均等に分布している極性かによって，酸や塩基のように分類することができる(図1.2，図1.3)．

A．非極性側鎖を持つアミノ酸

このグループに分類されるアミノ酸のそれぞれが持つ非極性側鎖は，プロトンを受け取ったり与えたりしないし，水素結合やイオン結

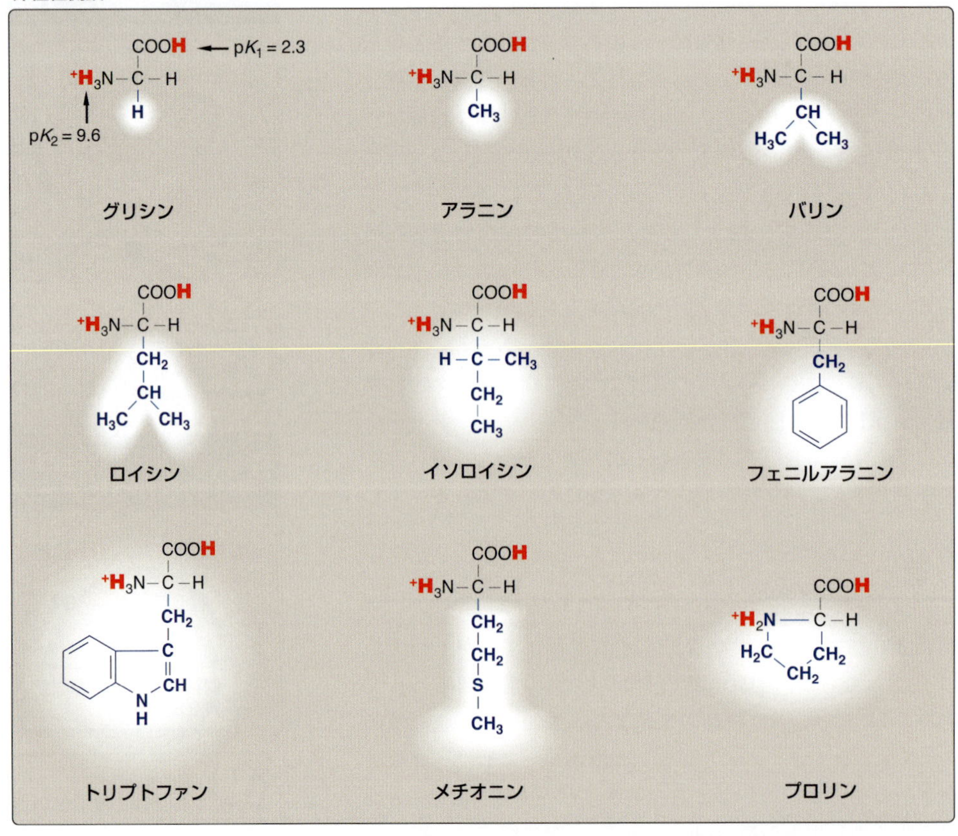

図 1.2
酸性のpHにおける側鎖の電荷および極性に基づく，20種類の標準アミノ酸の分類(図1.3に続く)．各アミノ酸は，完全にプロトン化した形で示され，解離可能な水素イオンは赤色で示されている．非極性アミノ酸のα-カルボキシ基とα-アミノ基のpKの値はグリシンの値に近い．

無電荷極性側鎖

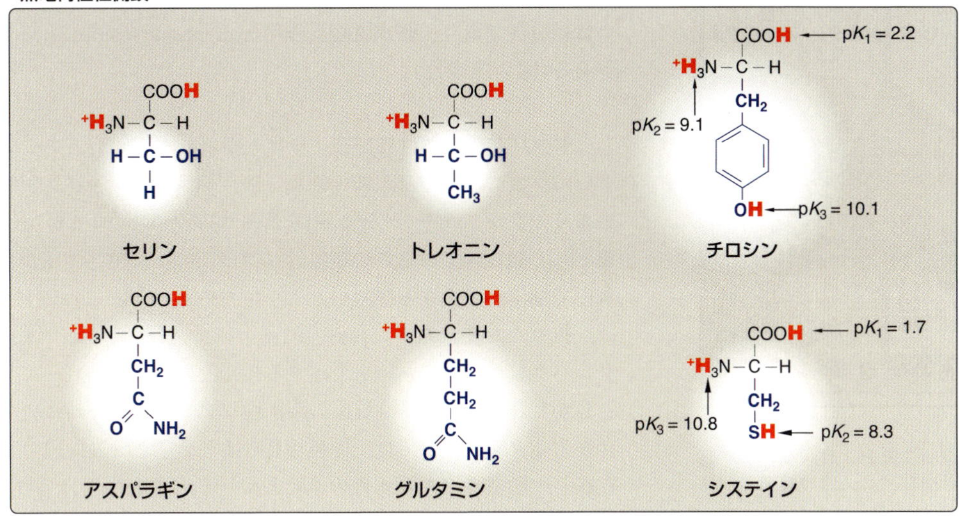

酸性側鎖

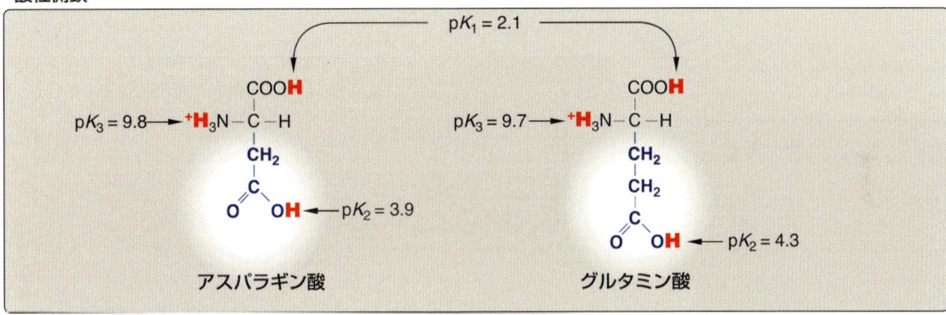

塩基性側鎖

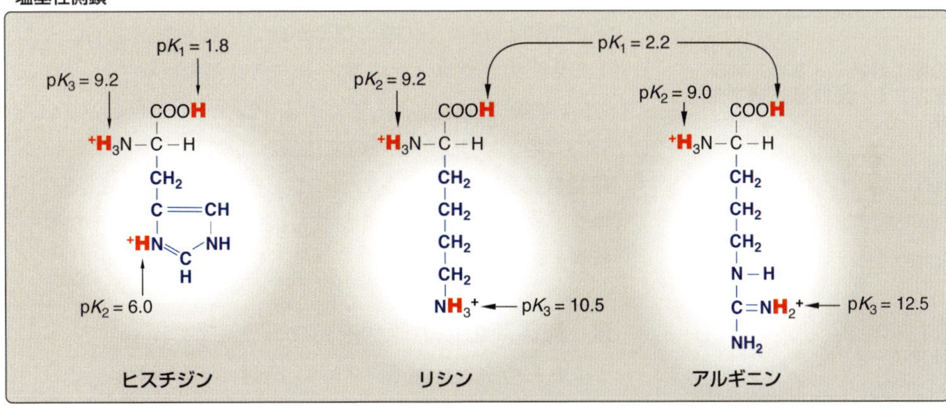

図 1.3

酸性のpHにおける側鎖の電荷および極性に基づく，20種類の標準アミノ酸の分類（図1.2からの続き）．

合にも関与しない（図1.2参照）．これらのアミノ酸側鎖は“油性”あるいは脂質性であり，**疎水性相互作用 hydrophobic interaction**を促す性質がある（図2.10参照）．

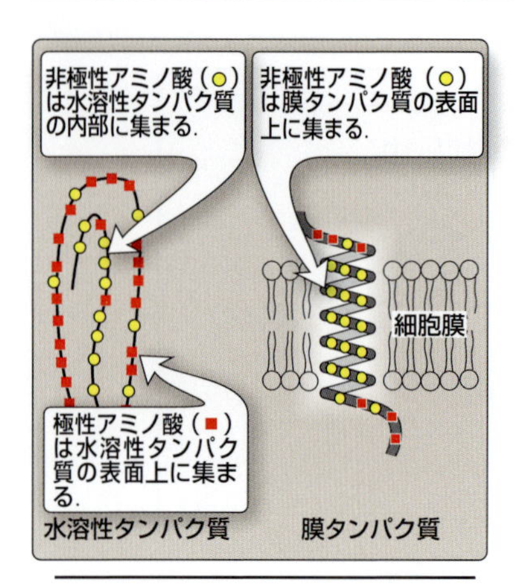

図1.4
水溶性タンパク質および膜タンパク質における非極性アミノ酸の局在.

1．タンパク質における局在：極性の環境である水溶液中に存在するタンパク質のなかでは，非極性アミノ酸の側鎖はタンパク質の内部で集まり，クラスター（かたまり）を作る傾向がある（図1.4）．疎水性効果として知られているこの現象は，非極性R基の疎水性の結果であり，水中で油滴が融合する振舞いとよく似ている．これらの非極性のR基は，折りたたまれたタンパク質内部を完全に充塡することによって，タンパク質が三次元形状を形成するのに役立つ．

しかしながら，リン脂質膜の疎水性コア内のような疎水的な環境に存在するタンパク質では，非極性R基はタンパク質の外側の表面上に存在し，脂質などの疎水性の環境と相互作用する（図1.4参照）．タンパク質構造を安定化するこの疎水性相互作用の重要性については，2章で説明する．

赤血球の形態が円板状から鎌状（三日月形）に変形してしまう鎌状赤血球貧血は，ヘモグロビンAのβ鎖の6番目の位置の極性のグルタミン酸が非極性のバリンで置換されたことによって起こる（4章参照）．

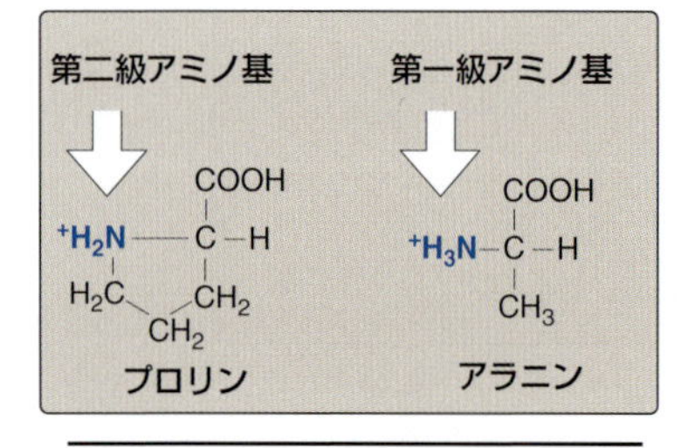

図1.5
プロリンの第二級アミノ基と，アラニンなど他のアミノ酸の第一級アミノ基の比較.

2．プロリン固有の特徴：プロリン prolineは他のアミノ酸と異なり，その側鎖とα-アミノ基の窒素が硬い五員環構造を形成する（図1.5）．したがって，プロリンは（第一級アミノ基ではなく），第二級アミノ基（イミノ基）を持つ．そして，イミノ酸 imino acidと呼ばれることが多い．このプロリンの独特の立体的な形は，コラーゲンがピンと張った線維状構造を形成することに寄与している一方で（4章Ⅱ.B.参照），コンパクトな球状タンパク質にみられるαヘリックス構造をそこで中断させる（2章Ⅲ.参照）．

B．無電荷の極性側鎖を持つアミノ酸

これらのアミノ酸は，生理的なpHである7.4前後では正味の電荷が0である．ただし，システインとチロシンはアルカリ性ではプロトンを失うこともある（図1.3参照）．セリン，トレオニン，チロシンの極性のヒドロキシ基（水酸基）は，**水素結合 hydrogen bond**を形成することができる（図1.6）．また，アスパラギンとグルタミンの側鎖のカルボニル基とアミド基のどちらも水素結合に関与できる．

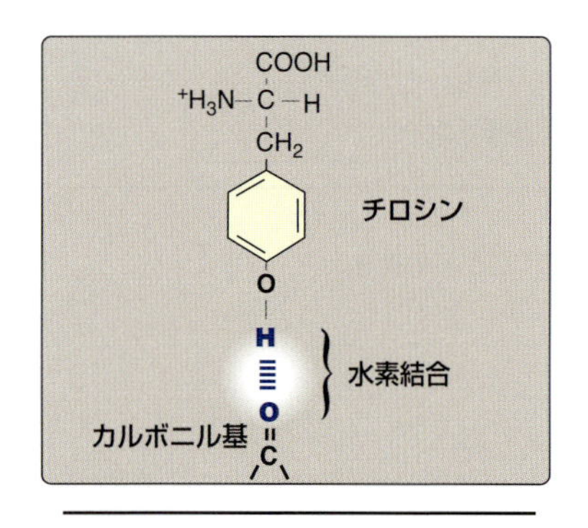

図1.6
チロシンのフェノール性ヒドロキシ基と，カルボニル基を持つ他の分子との間の水素結合.

1．ジスルフィド結合 disulfide bondの形成：**システイン cysteine**の側鎖の**スルフヒドリル（チオール）基 sulfhydryl（thiol）group**（-SH基）は，多くの酵素の活性部位で重要な構成要素となっている．また，タンパク質のなかでは，2つのシステインの-SH基が酸化され，ジスルフィ

ド結合(-S-S-)と呼ばれる共有結合性の架橋を形成できる. 2分子のシステインがジスルフィド結合したものは**シスチン cystine**と呼ばれる(ジスルフィド結合形成の詳しい内容は2章Ⅳ.B.参照).

> 多くの細胞外タンパク質はジスルフィド結合により安定化される. 多様な分子の輸送体として機能する, 血液中のタンパク質であるアルブミンも, 血栓を安定させるためにフィブリンに変換される血液中のタンパク質であるフィブリノーゲンも, その一例である.

2. **他の化合物との結合部位になる側鎖**：セリン, トレオニン, そして(まれに)チロシンの**極性ヒドロキシ基 polar hydroxyl group**は, リン酸基などの結合部位になる可能性がある. キナーゼ kinaseはリン酸化反応を触媒する酵素である. ホスファターゼ phosphataseは, リン酸基を除去する酵素である. タンパク質のリン酸化状態の変化(リン酸化の有無)により, 特に酵素の活性化状態が変化し, リン酸化されると活性が上がる酵素と下がる酵素がある. さらに, セリンやトレオニンのヒドロキシ基だけでなく, アスパラギンの**アミド基 amide group**も糖タンパク質においてオリゴ糖鎖の結合部位になることがある(14章Ⅶ.参照).

C. 酸性側鎖を持つアミノ酸

アスパラギン酸とグルタミン酸は**プロトン供与体 proton donor**である. 生理的なpHにおいて, これらのアミノ酸の側鎖は完全にイオン化しており, 負の電荷を持つ**カルボキシ基 carboxylate group**($-COO^-$)を有する. これらの完全にイオン化した形のものは**アスパラギン酸塩 aspartate**, **グルタミン酸塩 glutamate**と呼ばれる(図1.3参照).

D. 塩基性側鎖を持つアミノ酸

塩基性アミノ酸の側鎖はプロトンを受容する(図1.3参照). 生理的pHでは, リシンとアルギニンのR基は完全にイオン化し正電荷を持つ. その一方, 遊離アミノ酸としてのヒスチジンは弱塩基であり, 生理的pHではほとんど電荷を持たない. しかし, タンパク質に組み込まれたヒスチジンの側鎖は, タンパク質のポリペプチド鎖が作り出すイオン環境に依存して, 正に荷電(プロトン化)したり中性になったりする. このヒスチジンの重要な特性は緩衝剤としての役割に寄与し, 例えばヘモグロビンなどのようなタンパク質の機能において重要である(3章参照). [注：ヒスチジンは, 生理的pHの範囲内(pH 7.35～7.45)でイオン化できる側鎖を持つ唯一のアミノ酸である.]

E. 一般的なアミノ酸の略号と表記

各アミノ酸の名称には, 三文字表記と一文字表記がある(図1.7). 一文字表記は次のような規則で決められる.

1 唯一の頭文字：

システイン (Cysteine)	= Cys	= C	
ヒスチジン (Histidine)	= His	= H	
イソロイシン (Isoleucine)	= Ile	= I	
メチオニン (Methionine)	= Met	= M	
セリン (Serine)	= Ser	= S	
バリン (Valine)	= Val	= V	

2 最も普通に存在するアミノ酸が優先権を持つ：

アラニン (Alanine)	= Ala	= A	
グリシン (Glycine)	= Gly	= G	
ロイシン (Leucine)	= Leu	= L	
プロリン (Proline)	= Pro	= P	
トレオニン (Threonine)	= Thr	= T	

3 名前の発音に似た発音の文字：

アルギニン (Arginine)	= Arg	= R	(“aRginine”)
アスパラギン (Asparagine)	= Asn	= N	(contains N)
アスパラギン酸 (Aspartate)	= Asp	= D	("asparDic")
グルタミン酸 (Glutamate)	= Glu	= E	("glutEmate")
グルタミン (Glutamine)	= Gln	= Q	(“Q-tamine”)
フェニルアラニン (Phenylalanine)	= Phe	= F	(“Fenylalanine”)
チロシン (Tyrosine)	= Tyr	= Y	(“tYrosine”)
トリプトファン (Tryptophan)	= Trp	= W	(“tWyptophan”, 構造のダブル(W)リング)

4 頭文字に近い文字：

アスパラギン酸 (Aspartate) あるいは アスパラギン (asparagine)	= Asx	= B	(Aに近い)
グルタミン酸 (Glutamate) あるいは グルタミン (glutamine)	= Glx	= Z	
リシン (Lysine)	= Lys	= K	(Lに近い)
未確定アミノ酸	=	X	

図 1.7
一般的なアミノ酸の略号と表記.

臨床応用 1.1：アミノ酸を置換することにより作製された，よりゆっくり，より長く作用するインスリン

インスリン グラルギンは，2000年に米国で初めて使用が承認された．これは，インスリンのA鎖21位のアスパラギン残基をグリシン残基に置換し，カルボキシ末端にアルギニン残基を2つ追加することによって実験室で人工的に作られた遅効性インスリンである．この結果，正味荷電が＋0.2と0に近づき，注射部位からのインスリン グラルギンの吸収が遅くなり水溶性の低いタイプのインスリンとなった．グリシン残基へ置換することによって，中性環境の皮下組織でpHが酸性に傾いたときにアスパラギン残基が脱アミド化してしまうのを回避することができる．アルギニン残基の追加により，等電点がpH 5.4からpH 6.7にシフトし，酸性pHではより溶解しやすく，中性pHではより溶解しにくくなる．したがって，インスリン グラルギンは，ゆっくりと作用し，活性が長く，注射の頻度が少なくて済むタイプのインスリンである．このタイプのインスリンは，糖尿病の治療に有用であり，患者がより良好に血糖をコントロールするのに役立つ(インスリンの構造については23章を参照)．

1．**唯一の頭文字**：あるアミノ酸の頭文字が特有のものならば，その文字が一文字表記として使われる．例えば，V：valine(バリン)．

2．**最も一般的に存在するアミノ酸が優先権を持つ**：1つ以上のアミノ酸が同じ頭文字ではじまるとき，そのなかで最も一般的に存在するアミノ酸が，その文字を一文字表記として使う．例えば，グリシンはグルタミン酸よりも一般的なので，G：glycine(グリシン)となる．

3．**名前の発音に似た発音の文字**：いくつかの一文字表記の文字は，例えば，F：phenylalanine(フェニルアラニン)のように，その文字が表すアミノ酸と音が似ているものがある．

4．**頭文字に近い文字**：その他のアミノ酸には，アミノ酸の頭文字にできるだけ近いアルファベットを一文字表記に割り当てる．例えば，lysineはKにする．さらに，アスパラギン酸あるいはアスパラギンを示すAsxにはBを，グルタミン酸あるいはグルタミンを示すGlxにはZを，トリプトファンにはWを，未同定のアミノ酸を表すのにはXが使われる．

F. アミノ酸の異性体

アミノ酸のα炭素は，4つの異なる置換基と結合しているので，非対称性(**キラル chiral**)原子である．しかし，グリシンのα炭素は水素を2つ結合しているので例外である．キラルα炭素を持つアミノ酸には，D体，L体と呼ばれる2つの異性体がある．これらは**鏡像異性体**(**エナンチオマー enantiomer**)と呼ばれ，鏡像関係にある(図1.8)．[注：鏡像異性体には光学活性 optically activeがある．もし，DかLのどちらかの異性体が偏光面を時計回りに回転させるとき，その異性体は(＋)型と呼ばれる．] 哺乳類のタンパク質を構成するアミノ酸は(グリシンを除いて)すべてL型立体配置である．しかし，**D-アミノ酸**

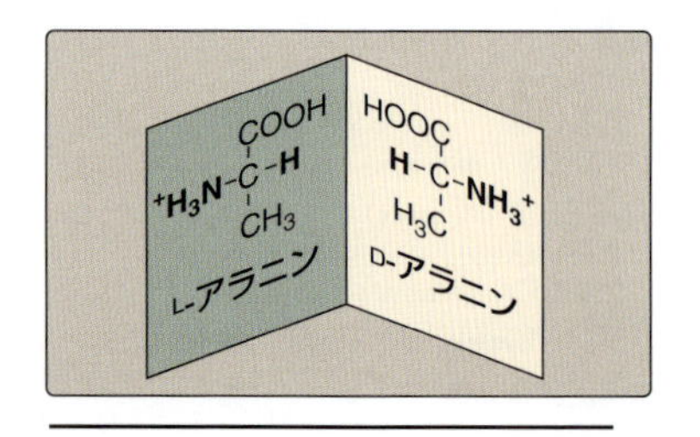

図 1.8
アラニンのD体とL体は鏡像体(エナンチオマー)である．

D-amino acidも，ある種の抗生物質や細菌の細胞壁にみられる．［注：ラセミ化酵素 rasemaseは，D-およびL-異性体の遊離アミノ酸を酵素的に相互変換して，ラセミ体（両異性体の等量混合物）にする．］（訳注：哺乳類の中枢神経系にはD-セリンが高濃度で存在し，グルタミン酸受容体の一種である*N*-メチル-D-アスパラギン酸（NMDA）受容体に働くことにより神経伝達に関与するのではないかと考えられている．また，統合失調症などの精神神経疾患との関連も示唆され，老化に伴ってD-アミノ酸が増加することも知られている．）

Ⅲ．酸および塩基としての性質

アミノ酸は水溶液中で弱酸性のα-カルボキシ基と弱塩基性のα-アミノ基を持つ．さらに，酸性および塩基性アミノ酸の側鎖もイオン化することができる．したがって，遊離アミノ酸溶液およびペプチド結合でつながるある種のアミノ酸の溶液は，**緩衝液 buffer**となる．酸はプロトン供与体，塩基はプロトン受容体と定義される．弱酸（あるいは，塩基）はほんのわずかしかイオン化しない．

A．pH

水溶液中のプロトン濃度（$[H^+]$）はpHで表される．

$$pH = \log 1/[H^+] \quad \text{または} \quad -\log[H^+]$$

1．解離定数：塩あるいは共役塩基であるA^-は，弱酸のイオン化形である．酸の解離定数であるK_aは以下のように定義される．

$$K_a = [H^+]\,[A^-]/[HA]$$

K_aが大きいほど，HAのほとんどがH^+とA^-に解離するので，酸は強い．逆に，K_aが小さいほど，酸の解離は少なく，酸は弱い．

2．ヘンダーソン・ハッセルバルヒの式 Henderson-Hasselbalch equation：上の式を$[H^+]$について解き，式の両辺の対数をとり，両辺に-1を掛け，そして$pH = -\log[H^+]$および$pK_a = -\log K_a$に置き換えることによって，ヘンダーソン・ハッセルバルヒの式が得られる．

$$pH = pK_a + \log\,[A^-]\,/\,[HA]$$

この式は，溶液のpHと弱酸（HA）およびその共役塩基（A^-）の濃度との定量的な関係を示すものである．

B．緩　衝　液

緩衝液 bufferは，酸あるいは塩基を添加してもpHが変化しにくい溶液である．緩衝液は弱酸（HA）とその共役塩基（A^-）を混ぜて作るこ

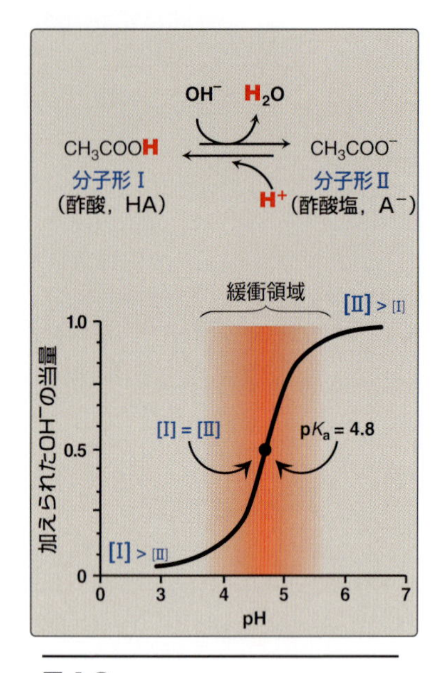

図 1.9
酢酸の滴定曲線.

とができる．もし，緩衝液にHClのような酸が加えられると，A^-はHAに変化する過程で酸を中和する．逆に，塩基が加えられると，HAはA^-に変化する過程で塩基を同様に中和する．

最大の緩衝力はpHがpK_aに等しいときに得られる．しかし，溶液のpHがpK_aのおよそ±1単位以内であれば，共役酸・塩基対は十分な緩衝作用を示す．HAとA^-の濃度が等しいとき，pHはpK_aに等しい．図1.9に示すように，pK_aが4.8である酢酸と酢酸塩を含む溶液は，pH 3.8 ～ 5.8の間で緩衝作用を示し，その作用はpH 4.8で最大となる．pK_a以下のpHでは，溶液中にはプロトン化した酸型(CH_3-COOH)のほうが多い．pK_a以上のpHでは，脱プロトン化した塩基型(CH_3-COO^-)のほうが多い．

1．カルボキシ基の解離：アミノ酸のカルボキシ基の解離定数は，分子が第2の滴定基を含むため，K_aではなく，K_1と呼ばれる．アラニンのカルボキシ基の解離はヘンダーソン・ハッセルバルヒの式で解析することができる．

$$K_1 = [H^+][Ⅱ]/[Ⅰ]$$

ここで，Ⅰはアラニンの完全プロトン化体，Ⅱはアラニンの等電点化体である(図1.10)．この式を対数変換すると，次のようになる．

$$pH = pK_1 + \log [Ⅱ]/[Ⅰ]$$

2．アミノ基の解離：アラニンの2番目の解離基は，図1.10に示すようにアミノ($-NH_3^+$)基である．これは-COOH基よりもはるかに弱い酸なので，はるかに小さな解離定数すなわちK_2を持つ．[注：したがって，そのpK_aは大きい.] 分子形Ⅱのプロトン化したアミノ基からH^+が遊離すると，アラニンが完全に脱プロトン化した形，分子形Ⅲになる．

3．pKと連続的な解離：カルボキシ基とアミノ基からの連続的なプロトンの解離は，アラニンを例に挙げて図1.10にまとめられている．

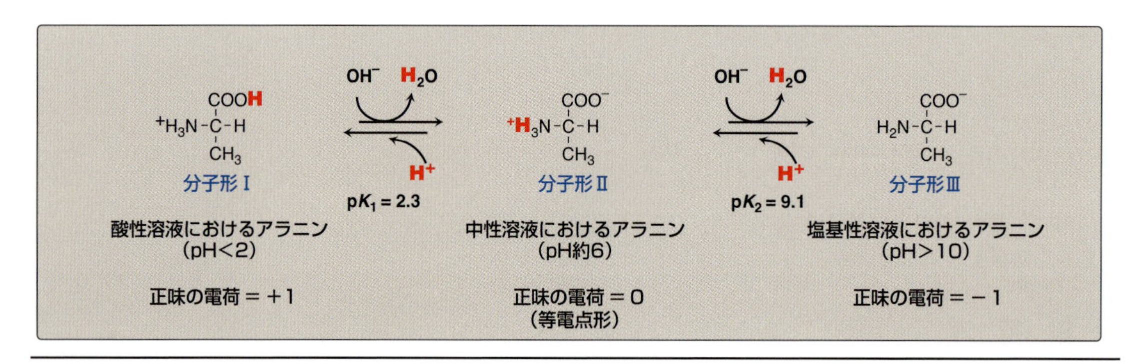

図 1.10
アラニンの酸性，中性，塩基性溶液におけるイオン形.

それぞれの滴定可能な解離基は，そのちょうど半分のプロトンが基から遊離するpHと等しいpK_aを持つ．最も酸性の解離基(-COOH)のpK_aはpK_1であり，次に酸性の基($-NH_3^+$)のpK_aはpK_2である．[注：アミノ酸のα-カルボキシ基のpK_aは約2であるが，α-アミノ基のpK_aは約9である．]

ヘンダーソン・ハッセルバルヒの式をそれぞれの解離可能な酸性基に適用することで，弱酸の完全な滴定曲線を計算できる．図1.11は，完全にプロトン化したアラニン(分子形Ⅰ)に，塩基を添加して完全に脱プロトン化した形(分子形Ⅲ)を生成するときのpHの変化を示している．

a. **緩衝液の対**：$-COOH/-COO^-$の対はpK_1付近のpHで緩衝液になり，$-NH_3^+/-NH_2$の対はpK_2付近のpHで緩衝液になる．

b. **pH＝pKのとき**：pHがpK_1(＝2.3)に等しいとき，溶液中でアラニンの分子形Ⅰと分子形Ⅱの量が等しい．pHがpK_2(9.1)に等しいとき，溶液中でアラニンの分子形Ⅱと分子形Ⅲの量が等しい．

c. **等電点 isoelectric point (p*I*)**：アラニンは，中性のpHでは主に双極子形Ⅱとして存在し，アミノ基とカルボキシ基がイオン化しているが正味の電荷は0である．等電点(p*I*)はアミノ酸が電気的に中性であるpHである．すなわち，等電点では正の電荷の和と負の電荷の和が等しい．図1.11に示すように，解離基を2つ(1つはα-カルボキシ基，もう1つはα-アミノ基)を持つアラニンのようなアミノ酸では，p*I*はpK_1とpK_2との平均値になる($pI = [2.3 + 9.1]/2 = 5.7$)．つまり，p*I*はpK_1(＝2.3)とpK_2(＝9.1)の中間にある．そのp*I*は(正味の電荷が0の)分子形Ⅱが最も多いpHに相当しており，また，(正味の電荷が＋1の)分子形Ⅰと(正味の電荷が－1の)分子形Ⅲが等しい量存在するpHでもある．

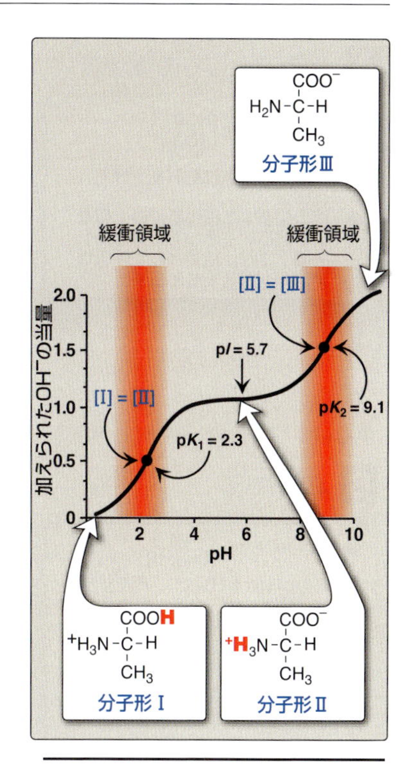

図 1.11
アラニンの滴定曲線.

> 実験室で血漿タンパク質を電荷の違いで分離するとき，一般的には主要なタンパク質のp*I*よりも高いpHで行う．したがって，高いpH(アルカリ性)では，タンパク質の電荷は負になる．電場内では，タンパク質はそれぞれの正味の負の電荷によって決まる速度で陽極に移動する．移動パターンの変化によって，疾患の存在が示唆されることがある．

4. **中性のpHにおける正味の電荷**：生理的なpHにおいて，アミノ酸はα炭素に結合する負の電荷を持つ基($-COO^-$)と，正の電荷を持つ基($-NH_3^+$)を持つ．グルタミン酸，アスパラギン酸，ヒスチジン，アルギニン，リシンは，そのほかに電荷を持つ可能性のある基を側鎖に持つ．アミノ酸のように酸あるいは塩基どちらにもなりうる物質は**両性電解質 ampholyte (amphoteric electrolyte)**と呼ばれる．

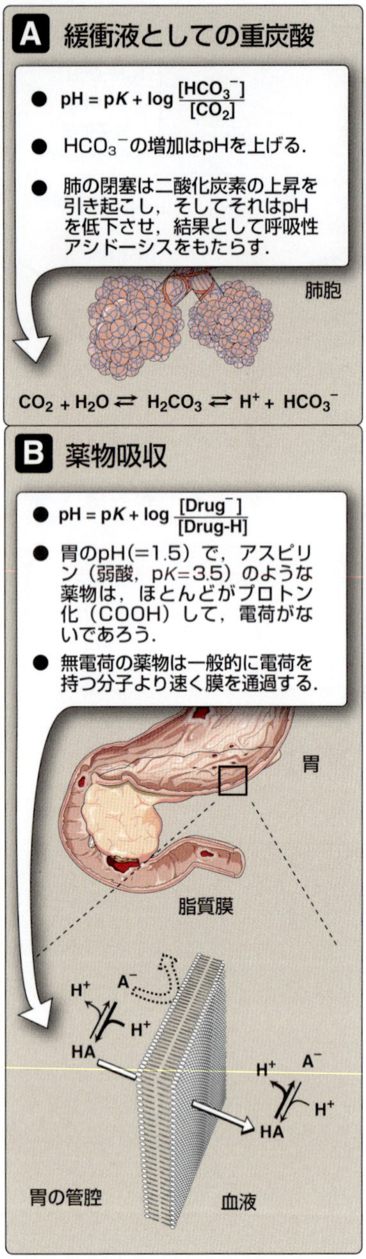

A 緩衝液としての重炭酸

● $pH = pK + \log \frac{[HCO_3^-]}{[CO_2]}$

● HCO_3^-の増加はpHを上げる.

● 肺の閉塞は二酸化炭素の上昇を引き起こし，そしてそれはpHを低下させ，結果として呼吸性アシドーシスをもたらす.

肺胞

$CO_2 + H_2O \rightleftarrows H_2CO_3 \rightleftarrows H^+ + HCO_3^-$

B 薬物吸収

● $pH = pK + \log \frac{[Drug^-]}{[Drug\text{-}H]}$

● 胃のpH(=1.5)で，アスピリン（弱酸，pK=3.5）のような薬物は，ほとんどがプロトン化（COOH）して，電荷がないであろう.

● 無電荷の薬物は一般的に電荷を持つ分子より速く膜を通過する.

胃

脂質膜

H^+ A^- H^+ HA

H^+ A^- H^+ HA

胃の管腔　血液

図 1.12
ヘンダーソン・ハッセルバルヒの式は，(A)重炭酸(HCO_3^-)あるいは二酸化炭素(CO_2)の濃度が変化したときのpHの変化，そして(B)薬物のイオン形を予測するのに用いられる.

C. 血液を緩衝する重炭酸緩衝系

血液中のpHは，重炭酸塩緩衝系によって7.35から7.45の弱アルカリ性に保たれている．ほとんどのタンパク質はこの生理的pHで最適に機能し，胃の酸性pHであるpH 1.5〜3.5の間で機能する一部の消化酵素を除けばアミノ酸の構成成分が通常の化学構造のままで存在する．リソソーム酵素もまた，pH 4.5〜5.0の間の酸性のpH領域で機能する．動脈血のpHを7.40±0.5に保つことは健康にとって重要で，通常，重炭酸緩衝系はpHを生体の許容範囲内に維持することができる.

図1.12Aのように，重炭酸イオン濃度$[HCO_3^-]$と炭酸ガス濃度$[CO_2]$は血液のpHに影響を与える．緩衝系の必要性は，代謝中に有機酸(例えば乳酸)が生成され，グルコースと脂肪酸の酸化によりH_2CO_3(炭酸)の無水型であるCO_2が生成されることを考慮すれば理解できる．比較的水に溶けにくいCO_2は，炭酸脱水酵素 carbonic anhydraseによって水に溶けやすいHCO_3^-(重炭酸)に変換され，血液を通して肺に運ばれ，溶存CO_2が排出される．そのため，肺は呼吸数を変化させることで，CO_2の損失と保持を調節している．腎臓もまた酸塩基平衡の調節に重要である．腎臓は，重炭酸塩，H^+，アンモニア，血液中のその他の酸/塩基を保持または排泄する.

D. pHと薬物の吸収

多くの薬物は経口投与され，血液中に吸収されるためには，腸管上皮細胞を通過する必要がある．ほとんどの薬物は弱酸か弱塩基のどちらかである(図1.12B)．酸性の薬物(HA)はH^+を遊離し電荷を持つアニオン(A^-)を生成する．弱塩基(BH^+)もH^+を遊離する．塩基性薬物のプロトン化された形は通常電荷を持ち，H^+を失うことによって電荷のない塩基(B)が生成される.

$$HA \rightleftarrows H^+ + A^-$$
$$BH^+ \rightleftarrows B + H^+$$

薬物は，側鎖の解離により最も中性的な分子となるpHで最もよく吸収される．吸収部位における透過可能な形の各薬物の有効濃度は，電荷のある(非透過性の)形と電荷のない(透過性の)形の相対濃度によって決められる(図1.12B)．薬物の輸送は輸送タンパク質を介して行われ，多くの場合，能動輸送で行われると考えられているが，そのシステムの特性は十分に解明されていない．そして，2つの形の比は，吸収部位のpHと解離基のpK_aで表される弱酸あるいは弱塩基の強さで決定される．ヘンダーソン・ハッセルバルヒの式は，どれくらいの薬物が，pHの異なる2つの区画，例えば，胃(pH 1.0〜1.5)と血漿(pH 7.4)を隔てる膜の両側に存在するかを決定するために有効である*.

* 薬物輸送の詳細については，『イラストレイテッド細胞分子生物学』(丸善出版)16章参照.

表 1.1 酸塩基平衡の乱れ

pH	[H^+]	初発症状	生体の応答反応	異 常
減少	増加	低換気；CO_2 貯留量の増加(酸の増加)	腎臓でのHCO_3^-の保持が増加する(塩基の増加)	呼吸性アシドーシス：COPDのように肺から十分な酸がCO_2 として放出されない状態
増加	減少	過換気；CO_2 の放出増加(酸の減少)	腎臓からのHCO_3^-の再吸収の減少(塩基の減少	呼吸性アルカローシス：過呼吸や喘息のように肺が過剰の酸をCO_2 として放出している状態
減少	増加	酸の産生増加	呼気中へのCO_2 排出低下(低換気)；酸を緩衝するためにHCO_3^-が減少	代謝性アシドーシス：乳酸アシドーシス，糖尿病性ケトアシドーシス，酸の摂取のように，肺から排出できない酸が体内で生成される状態
増加	減少	HCO_3^-の増加	呼気中へのCO_2 排出増加(過換気)：腎からのHCO_3^-排泄	代謝性アルカローシス：呼吸器系による平衡失調ではなく，嘔吐や塩基の摂取による酸の過剰喪失などによって血液がアルカリ性になった状態

E. 血液ガスとpH

ある種の疾病の進行過程や毒物摂取の結果として，血液のpHが異常になることがある．酸血症は動脈血pHが7.35未満，アルカリ血症は動脈血pHが7.45以上と定義され，重炭酸塩緩衝系では，CO_2が酸，重炭酸塩が塩基となる．重炭酸塩緩衝系は開放系であり，CO_2は呼吸で放出されるため，呼吸数の変化が体内の酸塩基平衡に影響を与える可能性がある．過呼吸は過剰な酸の放出を引き起こし，アルカローシスを引き起こす．一方，過剰な代謝酸の生成は，アシドーシスを引き起こす可能性がある(例えば，1型糖尿病に伴う乳酸アシドーシスやケトアシドーシス)．嘔吐による過剰な酸の喪失も，酸塩基平衡障害を引き起こす可能性がある．過剰な代謝酸が生成された場合，腎臓による代償も呼吸数の変化による代償(呼吸性代償)も，pHを正常な生理的範囲に戻すことはできない．肺も腎臓もpHの不均衡を完全に代償したり，過剰に代償したりすることはできないことに注意する必要がある．pHとともにCO_2と重炭酸塩を測定することで，患者に存在する酸塩基平衡異常の判定に役立つ(表1.1)．

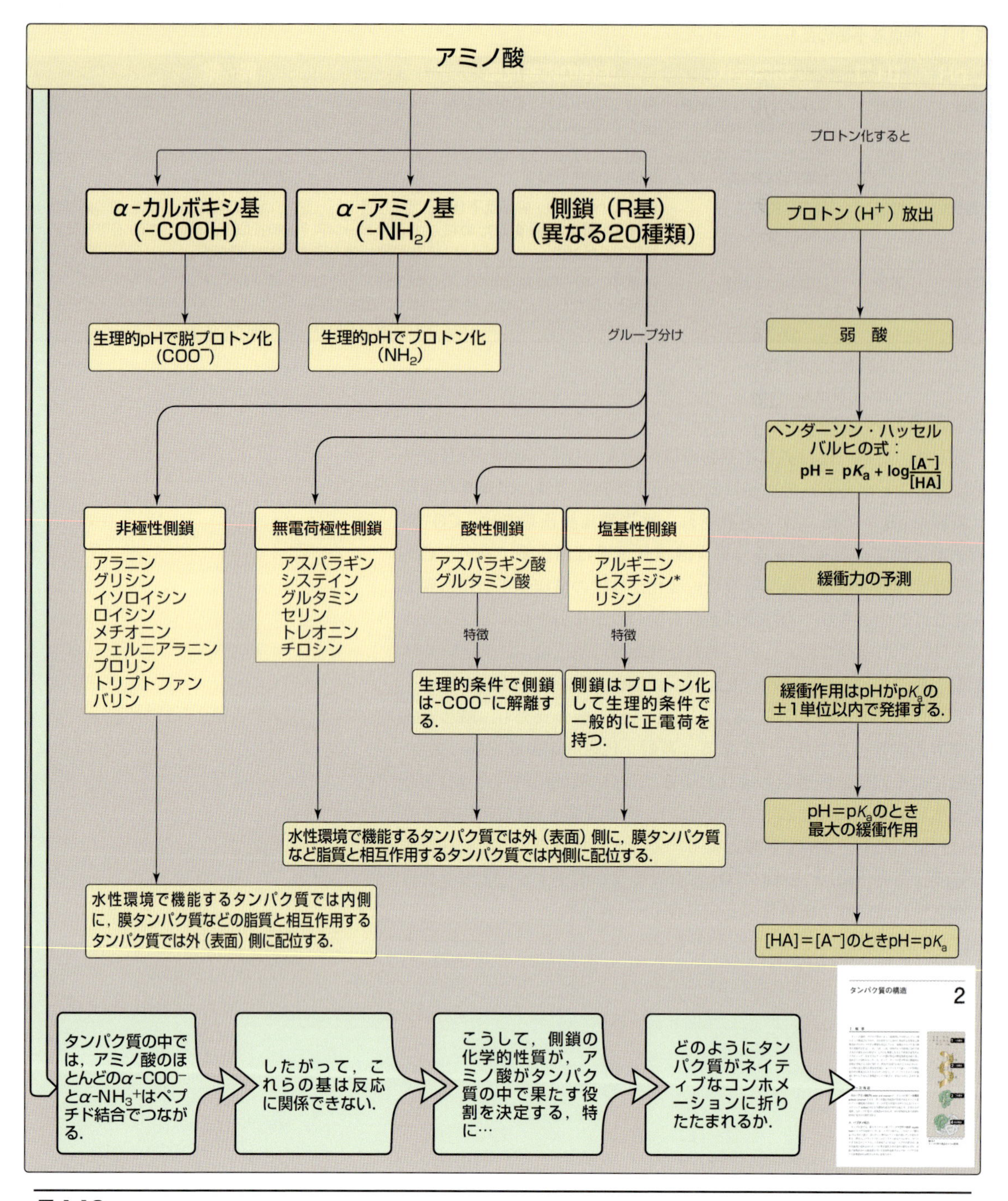

図 1.13
アミノ酸の概念図.［注：遊離のヒスチジンは生理的 pH では大部分脱プロトン化しているが，タンパク質の中に組み込まれているときは，局所環境に応じてプロトン化あるいは脱プロトン化しうる.］

1章の要約

- 各アミノ酸は，**α-カルボキシ基**と，(**第二級アミノ基**を持つ**プロリン**以外は)**第一級α-アミノ基**を持つ(図1.13).
- グリシンを除く各アミノ酸のα炭素は4つの異なる化学基と結合しているため，不斉(**キラル**)であり，アミノ酸には鏡像(**エナンチオマー**)であるD体とL体の光学異性体が存在する．アミノ酸のL体は，人体で合成されるタンパク質に含まれている.
- 生理的なpHでは，α-カルボキシ基は解離し，負の電荷を持つカルボキシラートイオン($-COO^-$)になり，α-アミノ基はプロトン化($-NH_3^+$)する.
- それぞれのアミノ酸はα炭素原子に結合する20種類の異なった**側鎖**のうちの1つの側鎖も持つ.
- この**R基**の化学的性質がタンパク質におけるアミノ酸の機能を決定し，**非極性**，**無電荷極性**，**酸性**(**負の極性**)あるいは**塩基性**(**正の極性**)という，アミノ酸の分類の基本となる.
- すべての遊離アミノ酸とペプチド鎖内の電荷を持つアミノ酸側鎖は**緩衝作用を持つ**.
- 溶液のpH，弱酸(HA)の濃度，さらにその共役塩基(A^-)の濃度との関係は，**ヘンダーソン・ハッセルバルヒの式**で表される．緩衝作用はpHがpK_aの±1単位以内で発揮され，$[A^-] = [HA]$であるpH = pK_aのときに最大になる.
- 血液中のpHは重炭酸緩衝系によって7.4±0.5の弱アルカリ性に保たれる．肺は呼吸数を変化させることで酸となるCO_2量を調整し，腎臓は酸と塩基を保持したり排泄したりしている.

学習問題

最適な答えを1つ選びなさい.

1.1　Val-Cys-Glu-Ser-Asp-Arg-Cysというペプチドについて当てはまるものを挙げよ.

A. ペプチドにはアスパラギンが含まれている.
B. ペプチドの側鎖には第二級アミノ基がある.
C. ペプチドの側鎖にはリン酸化されうるものがある.
D. ペプチド内でジスルフィド結合を作ることができない.
E. pH 5で電気泳動すると，このペプチドは陽極へは移動できない.

正解　C. セリンのヒドロキシ基はリン酸基を受容できる．Aspはアスパラギン酸であり，アスパラギンではない．プロリンは第二級アミノ基を持つが，このペプチドには含まれていない．2つのシステイン残基は酸化条件下で，ジスルフィド(共有)結合を形成できる．ペプチドのpH 5における正味の電荷は負であるので，ペプチドは陽極へ移動するだろう.

1.2　このアミノ酸には，αヘリックスの右巻きらせんと幾何学的に相容れない第二級アミノ基が存在する．これは，アミノ酸鎖に「ねじれ」を挿入することによって，本来なら滑らかなαヘリックスの構造を妨害することが観察されており，コラーゲン中に高濃度で見出されている．ここで記載されているアミノ酸はどれか.

A. Ala
B. Cys
C. Gly
D. Pro
E. Ser

正解　D. プロリンは他のアミノ酸と異なり，側鎖とα-アミノ窒素が硬い五員環構造を形成しており，第二級アミノ基を持つ．球状タンパク質のαヘリックスに割り込んで妨害し，コラーゲンの構造決定に寄与する．また，コラーゲン中に高濃度で存在する．他のアミノ酸にはこのような特性はない.

1.3 キナーゼの作用により側鎖がリン酸化される可能性のあるアミノ酸はどれか.

A. Arg
B. Cys
C. Gly
D. Thr
E. Val

正解 D. Ser(セリン), Thr(スレオニン), Tyr(チロシン)の極性を持った水酸基は, リン酸基の結合部位となる. キナーゼはリン酸化反応を触媒する酵素である. 他のアミノ酸には, キナーゼによるリン酸化を受けやすい水酸基は存在しない.

1.4 非極性のアミノ酸の滴定曲線に対する下記の記述のなかで正しいものはどれか. AからDの文字は下記の曲線のそれぞれの領域を示す.

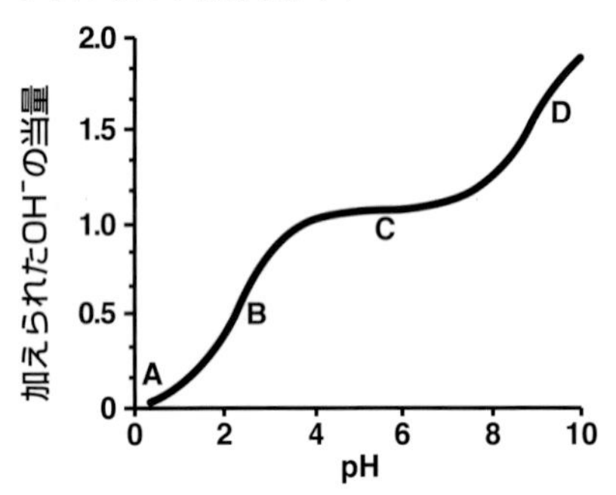

A. A点はアミノ酸が脱プロトン化されている領域を示す.
B. B点は緩衝力が最小の領域を示す.
C. C点はアミノ酸の正味の電荷が0の領域を示す.
D. D点はアミノ酸のカルボキシ基のp*K*を示す.
E. このアミノ酸はリシンかもしれない.

正解 C. C点は等電点(p*I*)を示し, 非極性アミノ酸のpK_1とpK_2の中間になる. グリシンはA点では完全にプロトン化されている. B点は緩衝力が最大の領域であり, D点も同様である. リシンは塩基性アミノ酸で, 遊離のときはイオン化可能なα-アミノ基とα-カルボキシ基のほかに, イオン化可能な側鎖を持つ.

1.5 1型糖尿病の既往歴15年の18歳女性が, 悪心, 嘔吐, 意識障害の評価のため救急外来に搬送されてきた. 血糖値は560 mg/dLであった(任意時のグルコースの基準値は200 mg/dL未満). 動脈血pHは7.15(基準値：7.35～7.45), 重炭酸イオンは12 mEq/L(基準値：22～28 mEq/L), 動脈血pHは7.15であった. この酸塩基平衡異常に対する彼女の体内の代償反応として予想されるのはどれか.

A. 呼吸数の増加
B. 腎からの酸の排泄の増加
C. 腎における塩基の保持の増加
D. 呼吸数の減少
E. 腎からの酸の排泄の増加

正解 A. 代謝性アシドーシスへの応答反応は, 呼吸性の代償である. 呼吸数が増加すると, 体内からCO_2の形で酸が排出される. 酸は代謝的に生成されているため(糖尿病性ケトアシドーシス疑い), 腎臓からの酸の放出や塩基の保持では代償できない.

タンパク質の構造

2

Ⅰ. 概　要

タンパク質は，ペプチド結合によって直鎖状につながったアミノ酸によって構成されており，それが折りたたまれて形成する固有な立体構造がそのタンパク質の機能を決定している．複雑なタンパク質の構造を理解するには，一次，二次，三次，四次の4つの階層に分けて考えるのが最もよい(図2.1)．しだいに複雑になるこの階層を研究することによって，さまざまなタンパク質に特定の構造的要素が繰り返し現れることが明らかになった．そして，タンパク質が本来の機能的な形態を形成する方法に関して一般的な“法則”があることも示された．この繰り返し現れる構造的要素は，αヘリックスとβシートの単純な組合せで構成される小さなモチーフから，ポリペプチドドメインが複雑に折りたたまれた多機能タンパク質まで，多岐にわたる(2章Ⅳ.参照)．

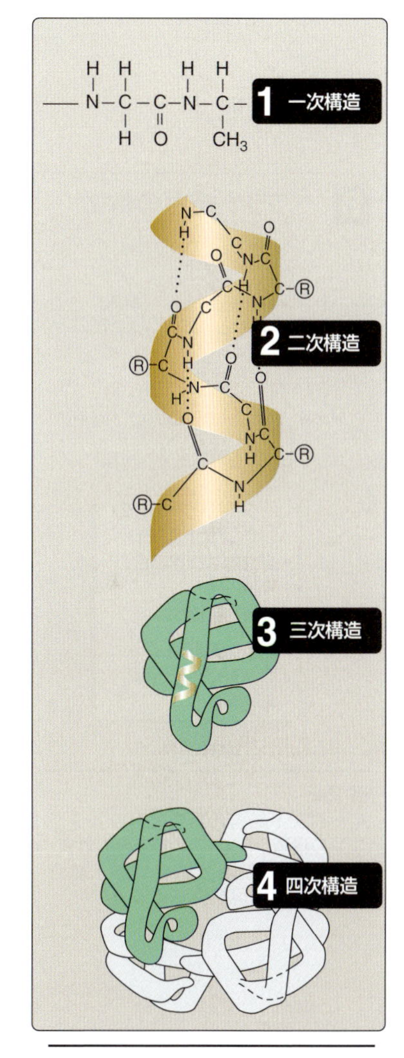

図 2.1
タンパク質の構造の4つの階層．

Ⅱ. 一次構造

線状の**アミノ酸配列 amino acid sequence**が，タンパク質の**一次構造 primary structure**となる．多くの遺伝的疾患の原因であるタンパク質のアミノ酸配列の異常は，タンパク質の不適当な折りたたみ(フォールディング folding)や正常な機能の喪失や障害を起こす．正常および変異したタンパク質の一次構造がわかれば，その情報が疾患の診断や研究に役立つ可能性がある．

A. ペプチド結合

タンパク質では，隣り合うアミノ酸どうしが**ペプチド結合 peptide bond**によって共有結合している．ペプチド結合は，1つのアミノ酸のα-カルボキシ基と，次のアミノ酸のα-アミノ基の間のアミド結合である．例えば，バリンとアラニンはペプチド結合でつながり，ジペプチドであるバリルアラニンを形成する(図2.2)．ペプチド結合は，熱や高濃度の尿素などのタンパク質を変性させる条件に耐性を示す．高温で強酸あるいは強塩基を用いて長時間処理することが，ペプチド結合を非酵素的に切断するために必要である．

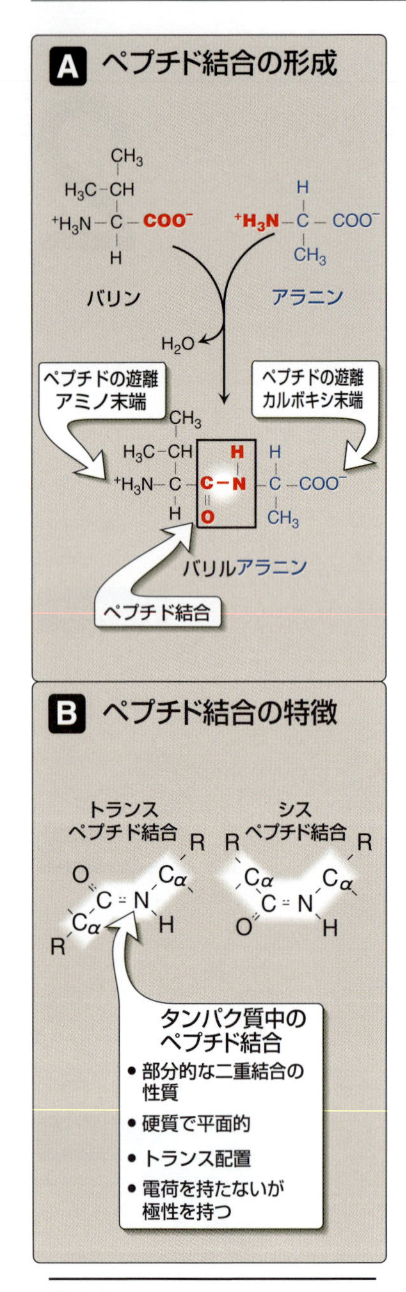

図 2.2
A. ペプチド結合の形成とバリルアラニンの構造．B. ペプチド結合の性質．[注：プロリンを含むペプチド結合はシス配置の可能性がある．]

1．**ペプチドの命名**：慣習によって，ペプチド鎖の遊離アミノ末端（N末端）を左に，遊離カルボキシ末端（C末端）を右に書く．したがって，すべてのアミノ酸配列はN末端からC末端へ読まれる．図2.2 Aの例では，ジペプチドのアミノ酸の順序はバリン，アラニンである．50以上のアミノ酸がペプチド結合でつながり，**ポリペプチド polypeptide** あるいはタンパク質と呼ばれる枝分かれのない鎖になる．各アミノ酸の要素は，ペプチド結合の形成で失われる水分子を除いた残りの部分に相当するので，**残基 residue**と呼ばれる．ペプチドに名前をつけるとき，アミノ酸残基の接尾辞は，C末端のアミノ酸以外すべて，-ine, -an, -ic，あるいは-ateから-ylになる．したがって，N末端がバリン，次にグリシン，そしてC末端がロイシンのトリペプチドは，バリルグリシルロイシンと呼ばれる．

2．**ペプチド結合の特徴**：ペプチド結合は**部分的な二重結合の性質 partial double-bond character**を持つ．すなわち，単結合より短く，**硬質で rigid**，**平面的 planar**である（図2.2 B）．この性質は，ペプチド結合のカルボニル基の炭素原子と窒素原子の間の結合の自由な回転を妨げるが，α炭素とα-アミノ基あるいはα-カルボキシ基との間の結合は自由に回転できる（R基の大きさと性質で制限を受けるが）．その結果，ポリペプチド鎖は多様なコンホメーション（立体構造）をとることができる．ペプチド結合は，ほぼ必ず**トランス結合 trans bond**（シスではなく，図2.2 B参照）である．これは主に，シスの位置にあるときのR基（側鎖）の立体障害のためである．

3．**ペプチド結合の極性**：すべてのアミド結合と同様に，ペプチド結合の-C＝O基と-NH基は荷電せず，pH 2～12の領域にわたって，プロトンの受容も供与もしない．したがって，ポリペプチド鎖に存在する電荷を持つ基は，N末端のα-アミノ基，C末端のα-カルボキシ基，そしてポリペプチド鎖を構成するアミノ酸の側鎖のイオン化した基である．しかしながら，ペプチド結合の-C＝O基と-NH基は極性があり，p.18に示されるように（例えば，αヘリックスやβシートでは）水素結合を形成する．

B．ポリペプチド鎖のアミノ酸組成の決定

ポリペプチド鎖の一次構造を決めるための最初の一歩は，構成アミノ酸を同定して定量することである．解析用に精製されたポリペプチド試料は，最初に強酸を用いて分解する．この処理でペプチド結合を切断して，個々のアミノ酸に分解する．アミノ酸の混合液は，負電荷の基を結合する樹脂を持つ**陽イオン交換カラムクロマトグラフィー cation-exchange chromatography**で分離される．そして，溶液のイオン強度やpHを高くすることで樹脂から離れ，順番にカラムから溶出される（図2.3）．それぞれのアミノ酸の量は，ニンヒドリン誘導体が吸収する光量を分光学的に測光して決定する．図2.3に示すように，この分析は**アミノ酸分析計 amino acid analyzer**を使用して一連の解析を自動的に行い定量する．

C. N末端からのペプチド鎖の配列決定

配列決定は，ペプチド鎖のN末端から開始して，それぞれの位置のアミノ酸を次々に同定していく過程である．現在は自動化されたシーケンサー(配列決定装置)が使用されている．図2.4に，N末端のアミノ酸を誘導体化して切断することによる歴史的なアミノ酸配列決定工程を示す．

D. 小さな断片へのポリペプチドの分解

ポリペプチドの多くは100以上のアミノ酸で構成される．このように大きな分子では，一度に端から端まで配列を決定することができない．しかし，大きな分子も特異的部位で切断して，得られる短い断片の配列を決定することができる(図2.5)．ペプチド結合を加水分解する酵素はペプチダーゼ peptidase またはプロテアーゼ protease と呼ばれる．[注：エキソペプチダーゼ exopeptidase はタンパク質の端のペプチド結合を切断する酵素であり，アミノペプチダーゼ aminopeptidase とカルボキシペプチダーゼ carboxypeptidase に分類される．カルボキシペプチダーゼはC末端のアミノ酸の決定に使用される．エンドペプチダーゼ endopeptidase はタンパク質の内部のペプチド結合を切断する．]

E. DNAの塩基配列によるタンパク質の一次構造の決定

DNAのタンパク質翻訳領域の塩基配列はポリペプチド鎖のアミノ酸配列を規定する．したがって，もし塩基配列が決定できれば，遺伝暗号の知識から，塩基配列を対応するポリペプチド鎖のアミノ酸配列に翻訳することができる．この間接的な方法は，タンパク質のアミノ酸配列を決定するために日常的に行われている．しかし，この方法には，折りたたまれたペプチド鎖のなかにおけるジスルフィド結合の場所が予測できないという限界がある．さらに，ポリペプチド鎖に組み込まれたあと，修飾(翻訳後修飾)されたアミノ酸を同定することもできない．したがって，直接タンパク質のアミノ酸配列を決定することは，多くのタンパク質において実際の一次配列を知るために欠かすことができない重要な手段である(関連技術については34章も参照のこと)．

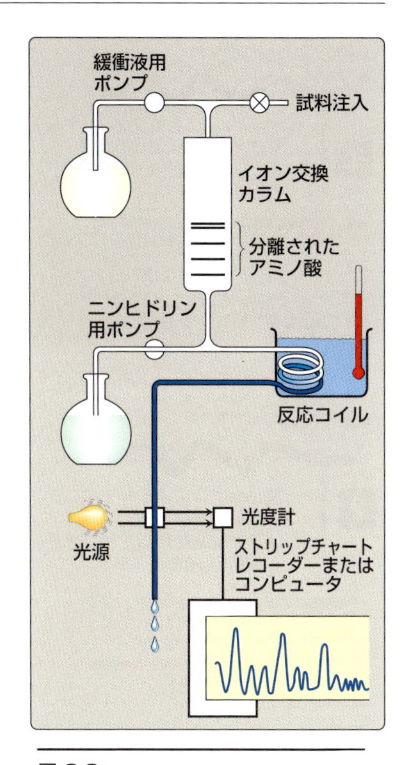

図2.3
アミノ酸分析計を用いるポリペプチドのアミノ酸組成の決定．

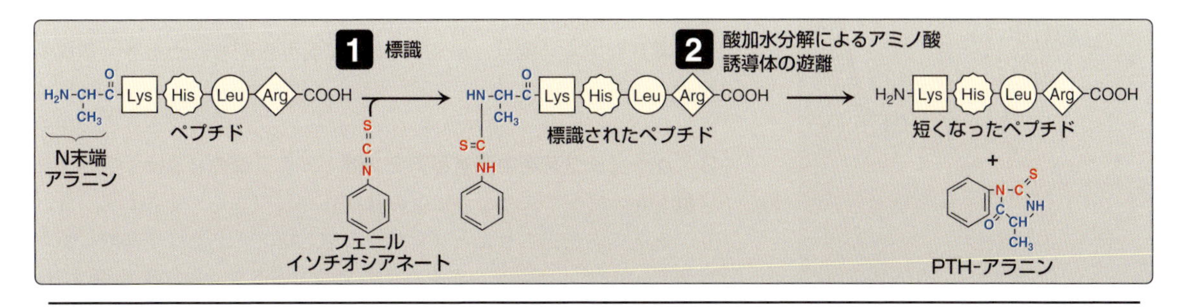

図2.4
エドマン分解によるポリペプチド鎖のアミノ(N)末端残基の決定．PTH：フェニルチオヒダントイン．

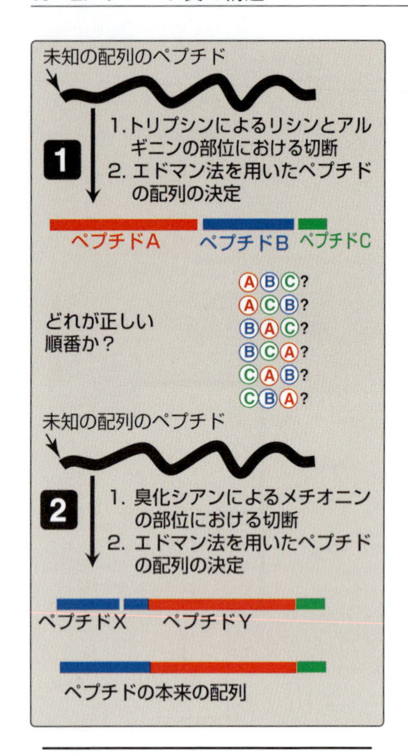

図 2.5
トリプシンと臭化シアンの切断作用で生成したペプチドの重複.

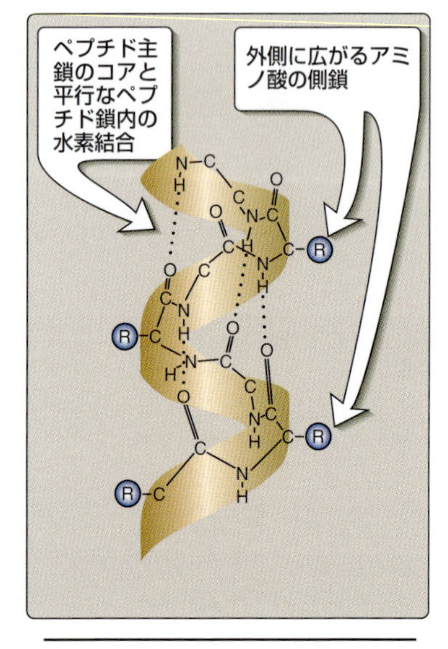

図 2.6
αヘリックス構造.

Ⅲ. 二次構造

ポリペプチド鎖の主鎖は，一次配列上で互いに近いアミノ酸で形成される規則的な配置をとるのが一般的であり，ランダムな三次元構造はとらない．この規則的な配置がタンパク質の**二次構造 secondary structure**である．αヘリックス，βシート，βベンド（βターン）などが，タンパク質のなかでよくみられる二次構造の例である．それぞれはペプチドの主鎖の原子の間の水素結合で安定化される．［注：コラーゲンのα鎖が形成するヘリックスは二次構造の別の例である．4章で扱う.］

A. αヘリックス

ポリペプチド鎖には何種類かのヘリックス（らせん）構造が存在するが，最も一般的なのが**αヘリックス α-helix**である．それは，密に詰まったコイル状の主鎖のコアと，互いの立体障害を避けるために中心軸から外側に広がる構成要素のL-アミノ酸の側鎖とから構成される，硬直した右巻きらせん状の構造である（図 2.6）．非常に多様な種類のタンパク質にαヘリックスが存在する．例えば，ケラチンは非常によく似た一群の硬直した線維状タンパク質であるが，その構造はほとんど完全なαヘリックスである．ケラチンは毛や皮膚などの組織の主要な成分である．同様にその構造にαヘリックスが多いミオグロビンは，ケラチンとは異なり，筋肉に存在する球状の柔軟なタンパク質である（3章Ⅱ.B.参照）．

1．水素結合 hydrogen bond：αヘリックスを安定化するのは，主鎖の一部であるペプチド結合のカルボニル基の酸素とアミド基の水素の間で形成される多数の水素結合である（図 2.6 参照）．水素結合は，あるペプチド結合のカルボニル基の酸素と，ポリペプチド鎖のらせんを上方に4残基登ったペプチド結合の-NH-基の水素との間に，らせんと平行に作られる．これは，αヘリックス部分の最初と最後のペプチド結合の要素以外は，すべて互いにペプチド鎖内で水素結合することを意味する．個々の水素結合は弱いが，集合的に作用することでヘリックスを安定化できる．

2．1回転あたりのアミノ酸：αヘリックスが1回転するのに3.6残基のアミノ酸が必要である．したがって，一次構造上で3あるいは4残基離れたアミノ酸は，αヘリックスに折りたたまれたとき，空間的に近くなる．

3．αヘリックスを中断するアミノ酸：アミノ酸のR基は，そのアミノ酸がαヘリックスのなかにどの程度存在しやすいかを決める．αヘリックスの右巻きらせんとプロリンの第二級アミノ基は空間的に両立できないので，プロリンが存在する部位でαヘリックスが中断する．すなわち，プロリンはペプチド鎖に，滑らかならせん構造の中断と折れ曲がりを挿入する．グリシンはR基が水素であるため，ペプチド鎖に高い柔軟性をもたらすアミノ酸である．さらに，電荷を持つ，あるいは，かさばる側鎖のアミノ酸(例えば，それぞれグルタミン酸とトリプトファン)，そして，R基の最初の炭素であるβ炭素が分枝するアミノ酸(例えば，バリン)は，αヘリックス内にはあまりみられない．

B. βシート

すべてのペプチド結合の要素が水素結合を形成する二次構造のもう1つの例は，**βシート β-sheet**である(図2.7 A)．βシートの表面は折れているようにみえたり，ひだ状にみえるので，この構造は"**βひだ状シート β-pleated sheet**"と呼ばれることもある．α炭素がシートの平面のわずかに上と下に連続して存在するため，ひだになる．タンパク質の構造の図では，βストランドは幅広い矢印で描かれる(図2.7 B)．

1．**構成**：βシートは，横に整列する2本あるいはそれ以上の本数のペプチド鎖(βストランド)から形成され，アミノ酸のカルボキシ基とアミノ基の間の水素結合で安定化される．この水素結合は，単一のポリペプチド鎖上の遠く離れたアミノ酸の間の鎖内の結合 intrachain bondの場合，あるいは，異なるポリペプチド鎖のアミノ酸の間の鎖間の結合interchain bondの場合のどちらかである．隣り合うβ鎖は，(図2.7 Bに示されるようなN末端が逆の)互いに逆平行antiparallelに配列するか，(図2.7 Cに示されるようなN末端が同じ向きの)互いに平行parallelに配列する．それぞれのβストランド上の隣り合うアミノ酸のR基は，βシート平面の上と下との逆方向へ広がる．[注：βシートは平らではなく，ポリペプチド鎖の主鎖に沿って眺めると，右方向に巻いて(ねじれて)いる．]

2．**αヘリックスとβシートの比較**：βシートでは，βストランドはほとんど完全に広がり，ストランドの間の水素結合はポリペプチドの主鎖に垂直である(図2.7 A参照)．それに対して，αヘリックスでは，ポリペプチド鎖はらせん状であり，水素結合は主鎖のコアの方向と平行である(図2.6 参照)．

αヘリックス構造においてもβシート構造においても，アミノ酸残基のR基の向きがタンパク質の二次構造に極性面・非極性面を形成し，その構造が両親媒性となる．

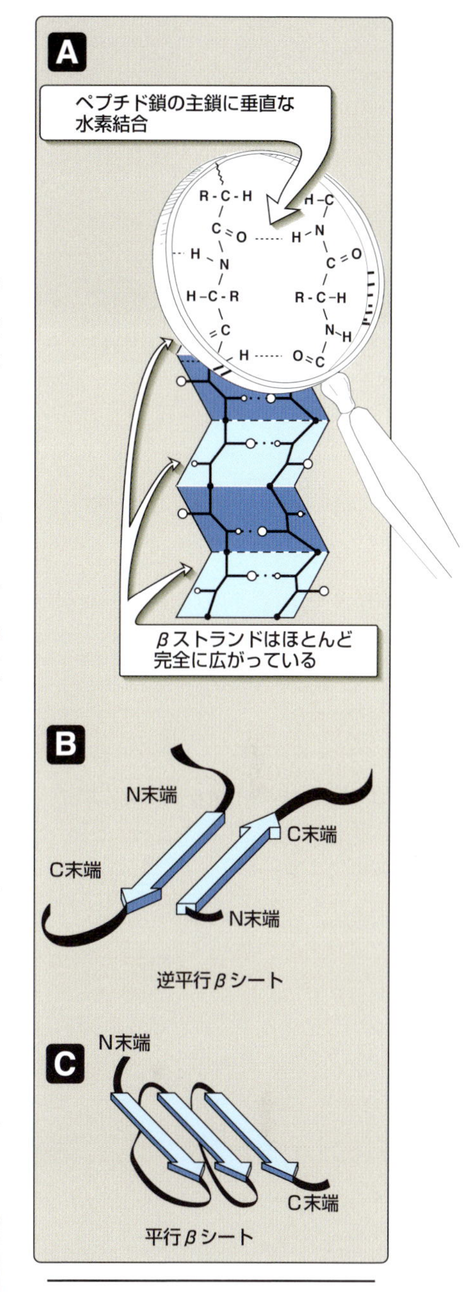

図2.7
A. βシート構造. B. βストランドを広い矢印で表した逆平行βシート. C. 単一のペプチド鎖がもとに折り返して形成する平行βシート.

C. βベンド

βベンド β-bendは逆向きターンやβターンとも呼ばれ，ポリペプチド鎖の方向を反転して，コンパクトな球状の形を形成するのに寄与する．通常，この構造はタンパク質分子の表面にみられ，電荷を持つ残基を含むことが多い．βベンドは，βシートの逆平行のβストランドを連結する部位にしばしばみられるので，この名前をつけられた．

βベンドは，一般的に4つのアミノ酸で構成され，その1つは，ポリペプチド鎖に折れ曲がりを作るアミノ酸であるプロリンの可能性がある．最小のR基を持つアミノ酸であるグリシンも，βベンドにしばしばみられる．βベンドは，ベンドの最初と最後の残基の間で水素結合が生成することによって安定化する．

D. 非繰り返し二次構造

平均的な球状タンパク質の構造の約半分は，αヘリックスおよびβシートのような繰り返し構造で構成される．ポリペプチド鎖の残りは，ループあるいはコイル状のコンホメーション conformation（訳注：三次元的な立体構造．立体配座ともいい，共有結合の回転により，その結合の両端の原子団を構成する原子の相互位置が変化して生じる形態のこと）をとる．これらの**非繰り返し二次構造 nonrepetitive secondary structure**はランダムではなく，ただ単に，これまで述べた規則的構造より規則性が少ないだけである．“ランダムコイル”という用語は，タンパク質が変性したときの無秩序な構造をさす（2章Ⅳ.D.参照）．

E. 超二次構造（モチーフ）

球状タンパク質は，αヘリックス，βシート，コイルなどの二次構造の要素を組み合わせた特有の幾何学的なパターンあるいは**モチーフ motif**によって構成されている．これらは主として，タンパク質のコア（内部）を形成し，表面のループ部分（例えば，βベンド）によって連結されている．**超二次構造 supersecondary structure**は通常，隣接した二次構造の要素の側鎖を最密充塡することで形成される．例えば，アミノ酸配列で近接するαヘリックスとβシートは，（常にではないが）普通，最終的に折りたたまれたタンパク質のなかでも近接する．通常みられるモチーフのいくつかを図2.8に示す．

モチーフは特定の機能と関連する可能性がある．DNAと結合するタンパク質は，限られた数のモチーフしか持たない．ヘリックス・ループ・ヘリックスモチーフは，転写因子として機能する多くのタンパク質でみられるモチーフの一例である（31章参照）．

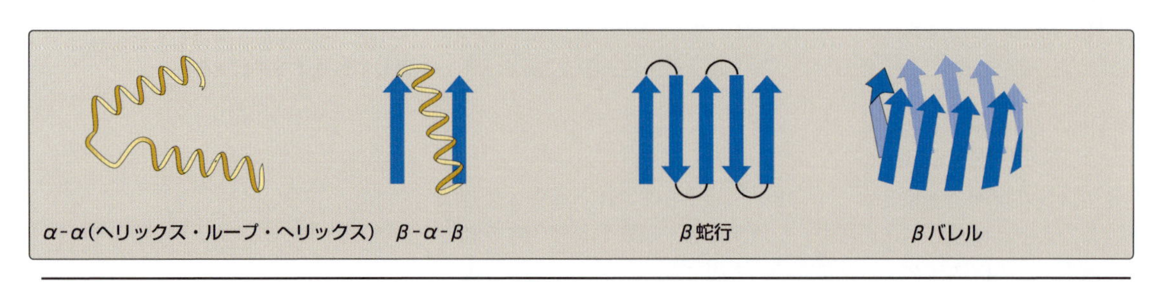

図 2.8
αヘリックスとβシート，あるいは，αヘリックスまたはβシートを組み合わせて形成される共通構造モチーフ．名前はそれぞれの模式的外観を表す．

Ⅳ. 三次構造

ポリペプチド鎖の一次構造が**三次構造 tertiary structure** を決定する．"三次"という言葉はポリペプチド鎖における，ドメイン(構造と機能の基本単位，下記A.参照)の折りたたみと，ドメインの配置の両方を意味する．**水溶液 aqueous solution** 中の球状タンパク質の三次構造は，コンパクトであり，分子のコアの部分には原子が高密度に(緊密に充塡されて)存在する．**疎水性側鎖 hydrophobic side chain** は**内部 interior** に埋まり，一方，**親水性基 hydrophilic group** は一般的に分子の**表面 surface** にみられる．

A. ドメイン

ドメイン domain は，ポリペプチド鎖の機能と三次元構造の基本的な単位である．200以上のアミノ酸の長さのポリペプチド鎖は，普通2つあるいはそれ以上のドメインで構成される．ドメインのコアの部分は**超二次構造要素 supersecondary structural element**(**モチーフ motif**)の組合せで構成される．あるドメイン内のペプチド鎖の折りたたみは，通常，他のドメイン内の折りたたみとは無関係である．したがって，それぞれのドメインは，そのポリペプチド鎖内の他のドメインとは構造的に無関係な，小さくコンパクトな球状タンパク質の性質を示す．

B. 安定化相互作用

それぞれのタンパク質に特有の三次元構造は，そのアミノ酸配列で決定される．アミノ酸の側鎖の間の相互作用が，コンパクトな構造を作るためのポリペプチド鎖の折りたたみを導く．下記の4種類の相互作用が協同的に働き，球状タンパク質の三次構造を安定化する．

1. ジスルフィド結合 disulfide bond：ジスルフィド結合(-S-S-)は，2つの**システイン残基 cysteine residue** のそれぞれのスルフヒドリル基(-SH基)の間で形成される共有結合であり，1つの**シスチン cystine** 残基を生成する(図2.9)．この2つのシステイン残基は，ポリペプチドの一次構造において多くのアミノ酸で隔てられて互いに遠かったり，あるいは，2本の別のポリペプチドに存在している場合さえある．しかし，ポリペプチドの折りたたみが，この2つのシステイン残基を近接させ，側鎖の間で共有結合を形成することが可能になる．ジスルフィド結合はタンパク質分子の三次元的な形を安定化するのに寄与し，細胞外の環境において変性するのを防ぐ．その例として，細胞から分泌される免疫グロブリンのようなタンパク質には，多くのジスルフィド結合が存在する．なお，**タンパク質ジスルフィドイソメラーゼ protein disulfide isomerase** は，タンパク質の折りたたみの過程で，ジスルフィド結合の切断と再結合を行う．

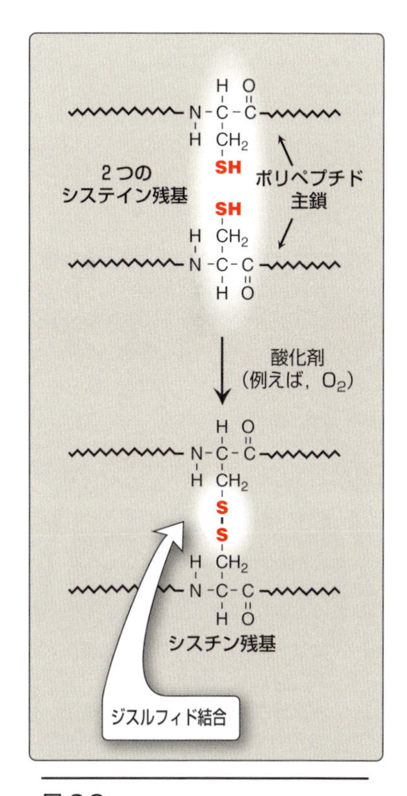

図2.9
1つのシスチン残基を生成する，2つのシステイン残基の酸化によるジスルフィド結合の形成．O_2：酸素．

2. 疎水性相互作用 hydrophobic interaction：非極性側鎖を持つアミノ酸はポリペプチド分子の内部に存在し，そこで他の疎水性アミノ酸と結合する傾向がある(図 2.10). 一方，極性あるいは電荷がある側鎖を持つアミノ酸は，極性の溶媒と接して，分子の表面に存在する傾向がある．どちらの場合も，性質の異なるそれぞれのR基を分離することがエネルギー的に最も有利となる．

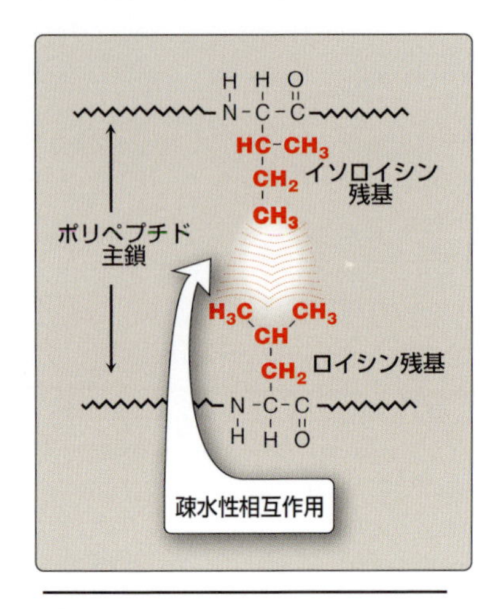

図 2.10
非極性側鎖のアミノ酸の間の疎水性相互作用.

3．水素結合 hydrogen bond：セリンおよびトレオニンのヒドロキシ基にみられるように，酸素あるいは窒素に結合した水素が存在するアミノ酸の側鎖は，カルボキシ基あるいはペプチド結合のカルボニル基の酸素のような電子に富む原子と，水素結合を形成することができる(図 2.11，図 1.6 も参照)．タンパク質表面の極性基と水溶性溶媒との間の水素結合の形成は，タンパク質の溶解度を高める．

4．イオン性相互作用 ionic interaction：アスパラギン酸あるいはグルタミン酸の側鎖のカルボキシ基($-COO^-$)のように負の電荷を持つ基は，リシンの側鎖のアミノ基($-NH_3^+$)のような正の電荷を持つ基と相互作用できる(図 2.11 参照)．

C．タンパク質の折りたたみ protein folding

長いポリペプチド鎖がどのように折りたたまれ，複雑な三次元構造を持つ機能タンパク質になるかを決定するのは，アミノ酸の側鎖の間の相互作用である．数秒から数分の間に細胞内で起こるタンパク質の折りたたみの過程は，ランダムではない順序づけられた過程で行われる．ペプチド鎖が折りたたまれるときに水が遊離するとともに疎水基が集まるような疎水性効果によって二次構造は形成される．そして，小さな二次構造が結合してより大きな構造をつくる．さらに，二次構造は安定化が進み，三次構造の形成が始まる．最後の段階で，ペプチドは十分に折りたたまれたネイティブな(native，自然な状態の；機能を持つ)形，すなわち，低エネルギー状態という性質を持つ形を完成する(図 2.12)．いくつかの生物学的活性を持つタンパク質，あるいはその断片には安定した三次構造を持たないものもあり，**不定形タンパク質 intrinsically disordered protein** と呼ばれる．

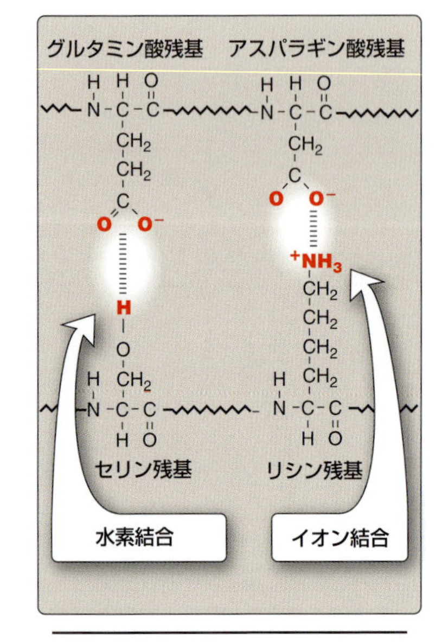

図 2.11
水素結合およびイオン結合(塩橋)によるアミノ酸側鎖の相互作用.

D．タンパク質の変性

変性 denaturation とは，ペプチド結合を加水分解することなく，タンパク質の二次構造および三次構造の折りたたみを解き破壊することである．変性を起こす要因は，熱，尿素，有機溶媒，強い酸あるいは塩基，界面活性剤，鉛のような重金属イオンである．理想的な条件下では変性が可逆的であることもある．その場合は，変性の要因が除かれるとタンパク質はもとのネイティブな構造に再び折りたたまれる．しかし，ほとんどのタンパク質は，いったん変性すると永久に無秩序なままである(不可逆)．変性したタンパク質はしばしば不溶性であり沈殿する．

E．タンパク質の折りたたみにおけるシャペロン

タンパク質を正しく折りたたむために必要な情報は，ポリペプチド

鎖の一次構造のなかにある．しかし，ほとんどの変性したタンパク質は，望ましい環境条件下でさえ，**ネイティブなコンホメーション native conformation**を取り戻さない．その理由は，多くのタンパク質の折りたたみの過程が促進されるためには，ATPの加水分解と，**分子シャペロン molecular chaperone**と呼ばれる特殊化したタンパク質群が必要であるためである．**熱ショックタンパク質 heat shock protein**(HSP)としても知られるシャペロンは，折りたたみの過程のさまざまな段階でポリペプチドと相互作用する．ある種のシャペロンは伸びたポリペプチド鎖の疎水性領域に結合して，タンパク質の合成が終了するまで，タンパク質が折りたたまれないように維持する(例えば，HSP70)．また，あるものは2つのリングが積み重なったシリンダー状の巨大分子構造体を形成する．部分的に折りたたまれたタンパク質は，シリンダー内に入って疎水性相互作用により中心腔と結合し，折りたたまれて遊離する(例えば，ミトコンドリアのHSP60)．つまり，シャペロンは，新生(および変性)ポリペプチド鎖のなかの露出した凝集しやすい疎水性領域に結合して安定化することによって，タンパク質の正しい折りたたみを促進し，未熟な折りたたみが起こるのを防ぐ．

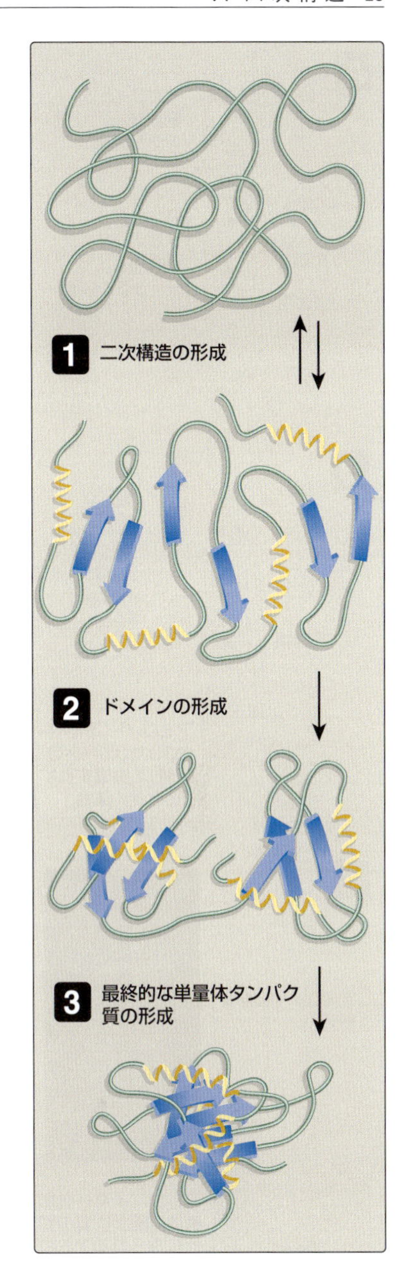

図 2.12
タンパク質の折りたたみの道筋（簡易図）．

V. 四次構造

多くのタンパク質は，単一のポリペプチド鎖から構成される**単量体タンパク質 monomeric protein**である．しかし，同じあるいは全く異なる構造の，2つあるいはそれ以上のポリペプチド鎖(サブユニット)で構成されるタンパク質もある．これらのタンパク質におけるサブユニットの空間的な配置を，タンパク質の**四次構造 quaternary structure**という．サブユニットは主として水素結合，イオン結合，疎水性相互作用などの共有結合ではない相互作用で結合する．サブユニットはそれぞれ独立して機能することもあるし，協同的に働くこともある．例えば，ヘモグロビンでは，四量体は協同的であり，1つのサブユニットへの酸素の結合が，他のサブユニットの酸素への親和性を増加させる(3章Ⅱ.E.参照)．

アイソフォームとは，同じ機能を果たすが一次構造が異なるタンパク質のことである．異なった遺伝子から生成することもあるし，1つの遺伝子の産物が組織特異的なプロセシングを受けてアイソフォームになることもある．そのタンパク質が酵素として機能するとき，アイソフォームはアイソザイムまたはアイソエンザイムと呼ばれる(p.82参照)．

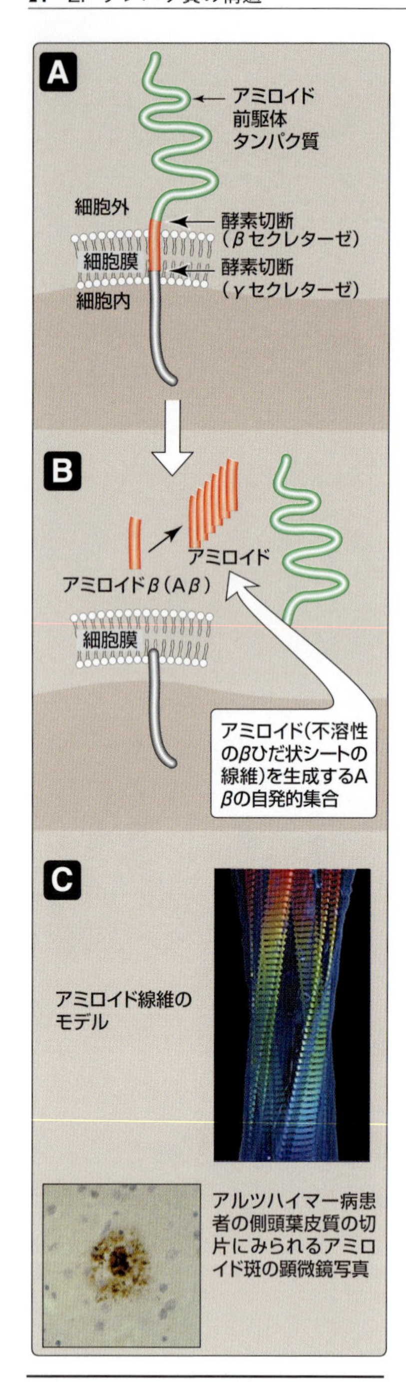

図 2.13
A～C. アルツハイマー病(AD)でみられるアミロイド斑の形成. [注：γセクレターゼの触媒サブユニットであるプレセニリン presenilin の突然変異が, 家族性 AD の原因として最も多い.]

Ⅵ. タンパク質のミスフォールディング(誤った折りたたみ)

タンパク質の折りたたみは複雑な過程であり, ときには不適切に折りたたまれた分子になる可能性がある. この折りたたみに誤りのあるタンパク質(ミスフォールドタンパク質 misfold protein)は, 通常は細胞内で標識がつけられて分解される(19 章Ⅱ.参照). しかし, この品質管理システムは完全ではなく, 折りたたみに誤りのあるタンパク質が集合体を形成して, 特に年齢とともに, 細胞内あるいは細胞外に蓄積する可能性がある. ミスフォールドタンパク質の沈着物は, 多くの疾患と関係している.

A. アミロイド病 amyloid disease

タンパク質の**ミスフォールディング misfolding**(訳注：アルツハイマー病やプリオン病など, タンパク質の立体構造が変化することが原因とされる疾患(変性疾患が多い)をコンホメーション病という)は自然に起こる可能性がある. あるいは, 特別な遺伝子の変異による異常なタンパク質の生成で起こる可能性もある. さらに, 本来は正常なタンパク質が異常なタンパク質分解の結果, 独特のコンホメーションになり, βシートから構成される長い線維性タンパク質集合体を自然発症的に形成する場合もある. **アルツハイマー病 Alzheimer's disease** (AD)や**パーキンソン病 Parkinson's disease** などの神経変性疾患においては, この**アミロイド amyloid** と呼ばれる, 不溶性の線維状タンパク質凝集体が蓄積していることが知られている. AD で蓄積する**アミロイド斑 amyloid plaque** の主要な成分は**アミロイドβ amyloid-β**(Aβ)で, 枝分かれのない線維中に二次構造としてβシートを持つ 40 ～ 42 のアミノ酸残基からなる細胞外ペプチドである. このペプチドは, βシートのコンホメーションの集合体になると神経毒性があり, この疾患の特徴である認知障害をもたらす病因の主体になる. AD の脳に沈着する Aβは, より大きい**アミロイド前駆体タンパク質 amyloid precursor protein** から(**セクレターゼ secretase** による)酵素的分解によって生成される(図 2.13). この前駆体タンパク質は脳および他の組織の細胞膜に発現する 1 回膜貫通型タンパク質である. Aβは会合し, 脳実質および血管周囲にみられるアミロイドを生成する. AD は少なくとも 5% が家族性(訳注：家族性の一部ではセクレターゼやアミロイド前駆体タンパク質にアミノ酸置換を伴う変異が見出されている)ではあるが, ほとんどの場合遺伝性ではない. AD の進行に関係する第二の生物学的要因は, 神経細胞内の**神経原線維変化 neurofibrillary tangle** の蓄積である. これらの神経原線維変化形成の鍵となるのは過剰にリン酸化されて不溶性になった異常な形態の**タウ(τ)タンパク質 tau protein** である. 正常な形態のタウタンパク質は微小管構造の構築と安定化に寄与している. 異常型のタウタンパク質は正常なタウタンパク質の機能を妨げるようである. パーキンソン病では, アミロイドはαシヌクレイン α-synuclein から生成される.

B. プリオン病 prion disease

プリオン **prion** またはタンパク質性感染性粒子 proteinaceous infectious particle はある種の病気に関与している．**プリオンタンパク質** **prion protein**（PrP）は，ヒトの**クロイツフェルト・ヤコブ病** **Creutzfeldt-Jakob disease** やヒツジの**スクレイピー** **scrapie**，**ウシ海綿状脳症** **bovine spongiform encephalopathy**（BSE，通称“**狂牛病** **mad cow disease**”）などの，**伝染性海綿状脳症** **transmissible spongiform encephalopathy**（TSE）の病原物質である．ヒツジにスクレイピーを引き起こす物質の感染性は，検出可能な量の核酸と複合体を形成していない単一のタンパク質と関連している．この感染性タンパク質は PrP^{Sc}（Sc：scrapie，スクレイピー）と名づけられた．このタンパク質は非常に分解されにくく，他のいくつかの神経系疾患でみられるアミロイドと同じように，不溶性線維の集合体を形成する傾向にある．感染性物質と同じ遺伝子でコードされる非感染性の PrP^{C}（C：cellular，細胞）は，健常者の脳で神経細胞およびグリア細胞の表面に存在する．したがって，PrP^{C} は本来は宿主タンパク質 host protein である．一次構造の相違あるいは翻訳後修飾の変化は，正常形と感染形タンパク質の間で見つかっていない．感染性になる鍵は明らかに PrP^{C} の三次元コンホメーションの変化にある．非感染性の PrP^{C} に存在する多くの α ヘリックスが，PrP^{Sc}（感染形）では β シートに置き換わっていることが明らかにされた（図 2.14）．おそらく，このコンホメーションの違いが PrP^{Sc} のタンパク質分解に対する抵抗性を高め，さらに，感染した組織で感染性の PrP^{Sc} と正常な PrP^{C} とを区別することを可能にするのだろう．つまり，感染性物質は正常タンパク質が変化したものであり，正常タンパク質を病原性のコンホメーションに変換するための“鋳型”として働く．TSE はほぼ致死的であり，この結果を変えられる治療法は現在ない．

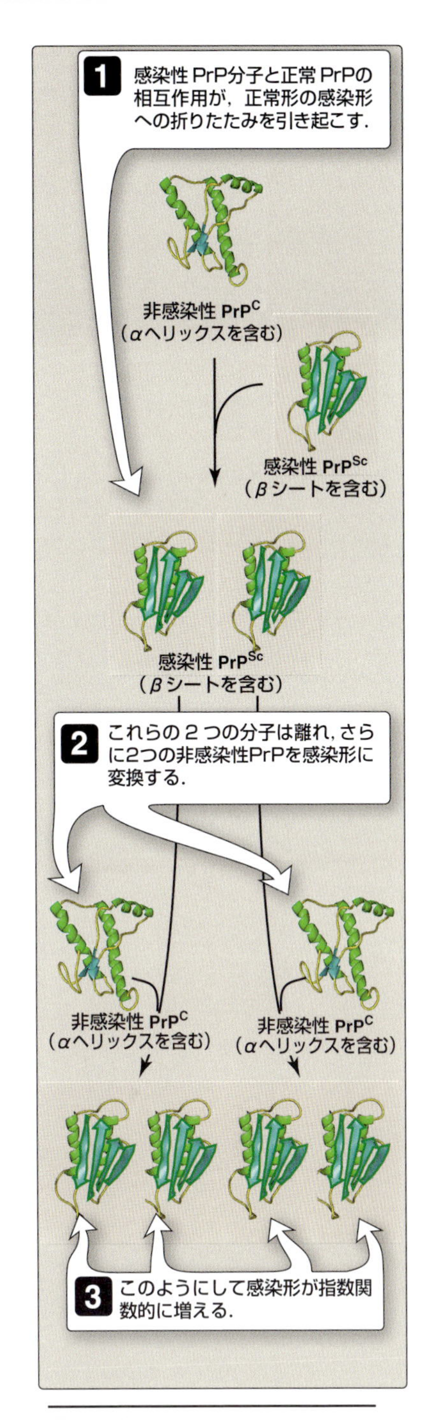

図 2.14
感染性プリオンの増加機構の説．
PrP：プリオンタンパク質，PrP^{C}：細胞プリオンタンパク質，PrP^{Sc}：スクレイピー異常プリオンタンパク質．

2章の要約

- タンパク質のネイティブなコンホメーションとは，機能的で完全に折り畳まれたタンパク質構造のことである(図2.15).
- タンパク質の固有な立体構造は，その**一次構造**，すなわちアミノ酸配列によって決定される.
- アミノ酸側鎖間の相互作用は，ポリペプチド鎖の折りたたみを誘導し，**二次構造**，**三次構造**，ときには**四次構造**を形成し，これらが協同してタンパク質の本来のコンホメーションを安定化させる.
- 多くの種類のタンパク質が適切に折りたたまれるためには，**シャペロン**と呼ばれる特殊なタンパク質群が必要である.
- **タンパク質の変性**は，ペプチド結合の加水分解を伴わずに，タンパク質の折りたたみを解き，タンパク質の構造を破壊する.
- **アルツハイマー病**(**AD**)や**クロイツフェルト・ヤコブ病**などの**伝染性海綿状脳症**(**TSE**)のように，一見正常にみえるタンパク質が細胞毒性を持つ構造をとることで病気が発生することがある.
- アルツハイマー病では，正常なタンパク質が異常な化学的過程を経て独特のコンホメーション状態になり，神経毒性を持つβシートで構成される**アミロイドβペプチド**(**Aβ**)集合体を形成する．TSEでは，病原性物質は正常な**プリオンタンパク質**(PrP^{C})が変形した形(PrP^{Sc})であり，PrP^{Sc}はPrP^{C}を病原性のコンホメーションに変換するための鋳型として働く.

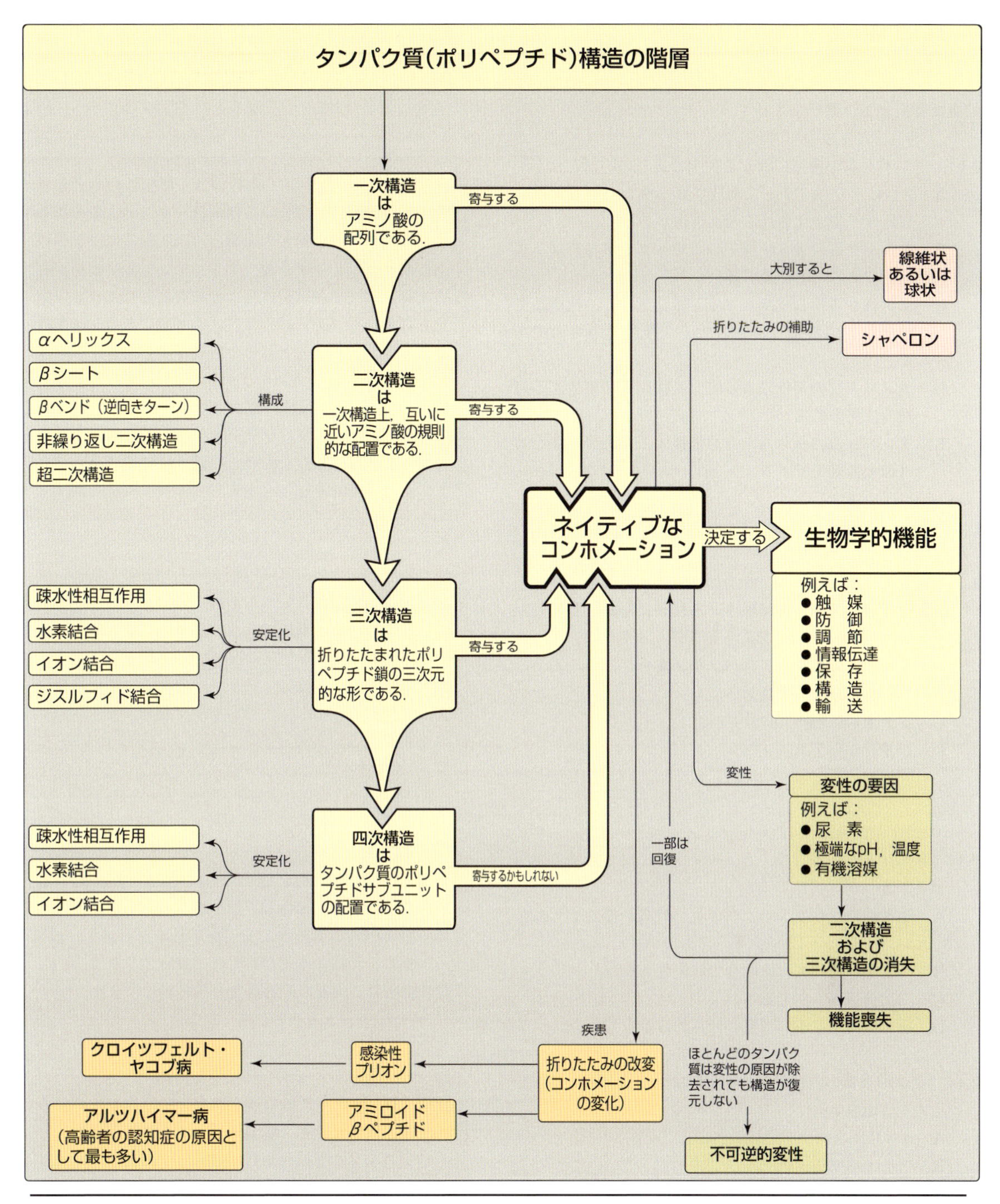

図 2.15
タンパク質の構造の概念図.

学習問題

最適な答えを1つ選びなさい.

2.1 タンパク質の構造に関する説明で正しいのはどれか.
A. 1つのポリペプチドで構成されるタンパク質には共有結合で安定化される四次構造がある.
B. タンパク質のアミノ酸をつなぐペプチド結合はシス配置であることが最も多い.
C. タンパク質中のジスルフィド結合とは, 一次構造で隣接している2つのシステイン残基間のものである.
D. タンパク質の変性によって, 二次構造の要素が不可逆的に失われる.
E. タンパク質の折りたたみを推進するための主要な力は疎水性効果である.

正解 E. 疎水性効果, あるいは, 非極性の物質が極性の環境において結合する傾向は, タンパク質の折りたたみの根本的な推進力である. 四次構造には2つ以上のポリペプチドが必要である. そして四次構造が存在するとき, その構造は主に非共有結合によって安定化される. ペプチド結合はほとんど常にトランス配置である. ジスルフィド結合の形成に関与するシステイン残基は, ポリペプチドのアミノ酸配列では遠く離れている(あるいは, 2つの別のポリペプチドにある)かもしれないが, ポリペプチドの三次元的な折りたたみによってそばに接近している. 変性は可逆であることも, 不可逆であることもある.

2.2 特定の点突然変異が, タンパク質のある部分に存在したαヘリックス構造を崩壊させる結果になる. 変異したタンパク質の一次構造で最も起こりうる変化は,
A. グルタミン酸からアスパラギン酸へ.
B. リシンからアルギニンへ.
C. メチオニンからプロリンへ.
D. バリンからアラニンへ.

正解 C. 第二級アミノ基を持つので, プロリンはαヘリックス構造を形成できない. グルタミン酸, アスパラギン酸, リシン, アルギニンは電荷を持つアミノ酸であり, バリンは分枝アミノ酸である. 電荷を持つアミノ酸や分枝(かさばった)アミノ酸は, αヘリックスを中断する可能性がある. [注：グリシンのR基(水素)の柔軟性もまたαヘリックスを中断しうる.]

2.3 αヘリックスではなくβシートだけに当てはまる説明はどれか.
A. 典型的な球状タンパク質で見つけられるかもしれない.
B. ペプチド鎖間の水素結合で安定化される.
C. 二次構造の一例である.
D. 超二次構造において見つけられるかもしれない.

正解 C. βシートは, 別のポリペプチド鎖の間で形成される鎖間水素結合と, 単一ポリペプチド鎖内で形成される鎖内水素結合で安定化される. しかし, αヘリックスは鎖内の水素結合だけで安定化される. A, C, Dの説明は, 両方の二次構造要素に当てはまる.

2.4 タンパク質の三次構造の安定性は下記のどれによってもたらされるか.
A. αヘリックス
B. アミノペプチダーゼ
C. βシート(β蛇行)
D. ジスルフィド結合

正解 D. タンパク質の三次構造を安定化させるために, 疎水性相互作用, 水素結合, イオン相互作用とともにジスルフィド結合が利用される. 二次構造の例として, αヘリックスとβシート(β蛇行)がある. アミノペプチダーゼは, タンパク質のN末端からアミノ酸を切断する酵素であり, 三次構造を安定化させない.

2.5 80 歳の男性が，知的機能の障害と行動の変化を示した．家族は過去 6 カ月以上におよぶ，進行性の見当識障害と記憶喪失を訴えた．認知症の家族歴はない．患者はアルツハイマー病(AD)の疑いと診断された．もし診断が正しければ，この患者の状態について正しく記述しているのは以下のどれか．

A. アミノ酸配列が変化した異常タンパク質，アミロイドβペプチドが関与している．

B. ランダムなコンホメーションを持つ変性タンパク質の蓄積の結果である．

C. アミロイド前駆体タンパク質の蓄積によって発症する．

D. 神経毒性を持つアミロイドβペプチド集合体の沈着に関連する．

E. 遺伝とは関係なく，環境破壊により後天的に引き起こされる疾患である．

正解 D．AD は，脳およびその他の組織に存在し，βシートで構成される長い線維性タンパク質と関連している．正常なタンパク質の異常なプロセシングに関係する．蓄積する変形したタンパク質は神経毒性を持つβシート配置をとる．AD の脳に沈着するアミロイドβペプチドは，脳および他の組織の細胞膜に発現する 1 回膜貫通型タンパク質である，より大きいアミロイド前駆体タンパク質からタンパク質分解によって生成する．症例の少なくとも 5% が家族性ではあるが，AD のほとんどの症例は孤発性である．

球状タンパク質

3

Ⅰ．概　要

前章では，タンパク質の構造を形作るための基本的要素ともいうべき二次構造と三次構造について述べた．これらの基本的構造の要素を異なる組合せで配置することによって，さまざまな特殊化した機能を発揮する多様なタンパク質を形成することができる．球状タンパク質と線維状タンパク質（硬状タンパク質）の2つが重要なタンパク質構造である．その名の通り，球状タンパク質とは形状が総じて球状（地球様）である．多くの場合ある程度水溶性で，水溶性の外界に接する外表面に水溶性アミノ酸残基を持っている．より多くの非極性アミノ酸残基がタンパク質の内側を向き，疎水結合によって球状の構造をより安定化させている．これは長い棒状のフィラメントを形成し，やや不活性または不溶性で，細胞外環境の構造を支持している線維状タンパク質とは対照的である．

本章では臨床的に重要な球状タンパク質であるヘモグロビンやミオグロビンなどのヘムタンパク質について，構造と機能の関係を論じる．コラーゲンやエラスチンのような線維状タンパク質については4章で解説する．

Ⅱ．球状のヘムタンパク質

ヘムタンパク質 hemeproteinは，固く結合する**補欠分子族 prosthetic group**である**ヘム heme**を持つ一群の特殊化した球状タンパク質である（補欠分子族についてはp.69 参照）．ヘム基の機能は，その三次元構造によって決定される．ミトコンドリアの電子伝達系では，シトクロムのタンパク質構造により，ヘム配位した鉄が鉄（Fe^{2+}）と鉄（Fe^{3+}）の状態の間を可逆的に移行し，酸化・還元電子伝達を速やかに行う（p.95 参照）．一方，酵素である**カタラーゼ catalase**では，ヘム基は構造的に酵素の活性中心の一部であり，過酸化水素の分解を触媒する（p.197 参照）．ヘモグロビンのタンパク質構造は，ヘム補欠基が作る平面上の鉄（Fe^{2+}）の配置に影響を与えることがあり，この配置の変化は，ヘモグロビンによる肺と組織の間の酸素の結合親和性と輸送に影響を及ぼす可能性がある．

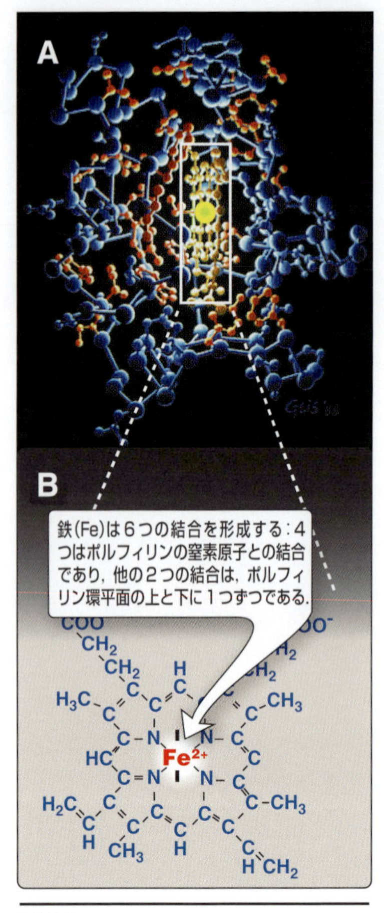

図 3.1
A. ヘムタンパク質(シトクロム*c*).
B. ヘムの構造.

A. ヘムの構造

ヘムは，図3.1に示されるように，ポルフィリン環の中心に**二価鉄(鉄(Ⅱ))イオンferrous iron** (Fe^{2+})が配位した平面構造である．鉄はポルフィリン環の4つの窒素と結合して，ヘム分子の中央に保持される．ヘムのFe^{2+}は，ポルフィリン環の平面の両側にそれぞれ1つずつ，さらに2つの結合を形成できる．ヘモグロビンでは，このうちの1つはグロビン分子のヒスチジン残基の側鎖と結合し，もう1つはO_2と結合する(図3.2)．

B. ミオグロビンの構造と機能

心筋 heart muscleと**骨格筋 skeletal muscle**に存在するヘムタンパク質であるミオグロビンは，酸素の貯蔵部位oxygen reservoirとして，さらに筋細胞内部で酸素を輸送する速度を上げる酸素の輸送体oxygen carrierとして機能する．ミオグロビンはただ1本のポリペプチド鎖で構成されるが，その構造は四量体のヘモグロビン分子を構成する個々のポリペプチド鎖と似ている．この両者の相同性homologyによって，ミオグロビンはヘモグロビンの複雑な性質を理解するためのモデルとして役立つ．

1．αヘリックス含量：ミオグロビンはコンパクトな分子であり，その構造の約80%が8本のαヘリックスで構成される．このαヘリックス領域は図3.2 AのAからHで示され，αヘリックスが終わるのは五員環構造のためにαヘリックスに収容できないプロリンの位置か(p.18参照)，水素結合とイオン結合で安定化されるβベンドやループが形成されている部位である(p.19参照)．[注：イオン結合は静電相互作用あるいは塩橋とも呼ばれる．]

2．極性および非極性残基の局在：球状のミオグロビン分子の内部はほとんど非極性アミノ酸だけで構成される．**非極性アミノ酸 nonpolar amino acid**は互いに密に詰まり，ひとかたまり(クラスター cluster)となった残基間の疎水性相互作用によって，安定化した構造になる(p.21

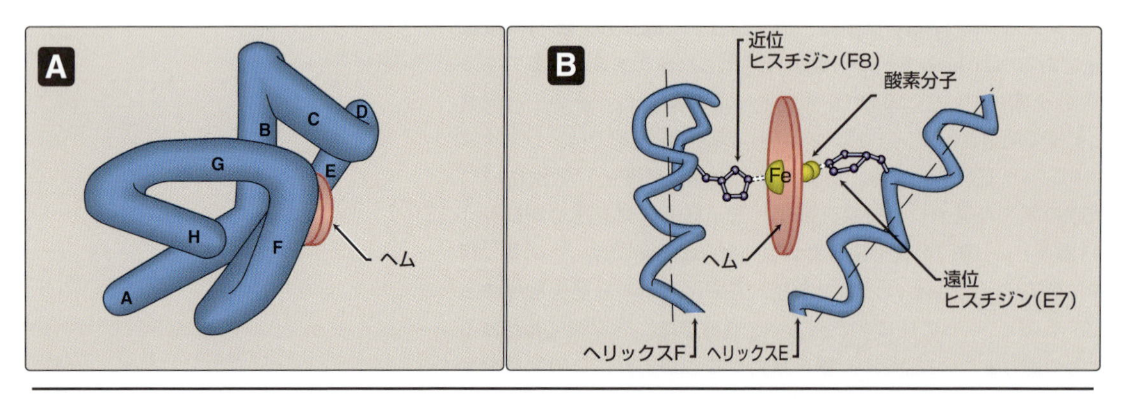

図 3.2
A. AからHまでのαヘリックスを示すミオグロビンのモデル．B. ミオグロビンの酸素結合部位の概略図．

参照）．一方，電荷を持つアミノ酸はほとんど分子の表面だけに位置し，相互に，あるいは水と水素結合を作る．

3．ヘム基の結合：ミオグロビン分子のヘム補欠基は，内側が非極性アミノ酸で覆われたクレバス（裂け目）のなかに存在する．その例外は2つの塩基性アミノ酸であるヒスチジン残基である（図3.2 B参照）．2つのヒスチジン残基のうちの1つ，**近位ヒスチジン proximal histidine**（F8）はヘムのFe^{2+}と直接結合する．もう一つの**遠位ヒスチジン distal histidine**（E7）はヘム基と直接相互作用せず，O_2とFe^{2+}の結合の安定に一役買う．このようにして，ミオグロビンのタンパク質部分すなわちグロビン部分は，ヘムのための特殊な微小環境を作り出し，酸素化（1分子の酸素が可逆的に結合することを可能にすること）する．そのときに，Fe^{2+}から電子が失われること（三価鉄（鉄（Ⅲ），Fe^{3+}）への酸化）はほとんど起こらない．

C．ヘモグロビンの構造と機能

赤血球 red blood cell（RBC）だけに存在するヘモグロビンの主な機能は，O_2を肺から組織の毛細血管へ運搬することである．成人の主要なヘモグロビンは**ヘモグロビン A hemoglobin A**（HbA）であり，非共有結合性相互作用で結合する4本のポリペプチド鎖（2本のα鎖と2本のβ鎖）から構成される（図3.3）．それぞれのポリペプチド鎖（サブユニット）はミオグロビンと似た構造であり，αヘリックスの直線的な領域とヘムを結合する疎水性ポケットを持つ．しかし，四量体（テトラマー）のヘモグロビン分子は構造的にも機能的にもミオグロビンより複雑である．例えば，ヘモグロビンは組織から肺へプロトン（H^+）と二酸化炭素（CO_2）を運搬し，肺から全身の細胞へ4分子のO_2を運ぶことができる．さらに，ヘモグロビンとO_2との結合の性質は，**アロステリック調節因子 allosteric effector**との相互作用によって調節される（p.36参照）．

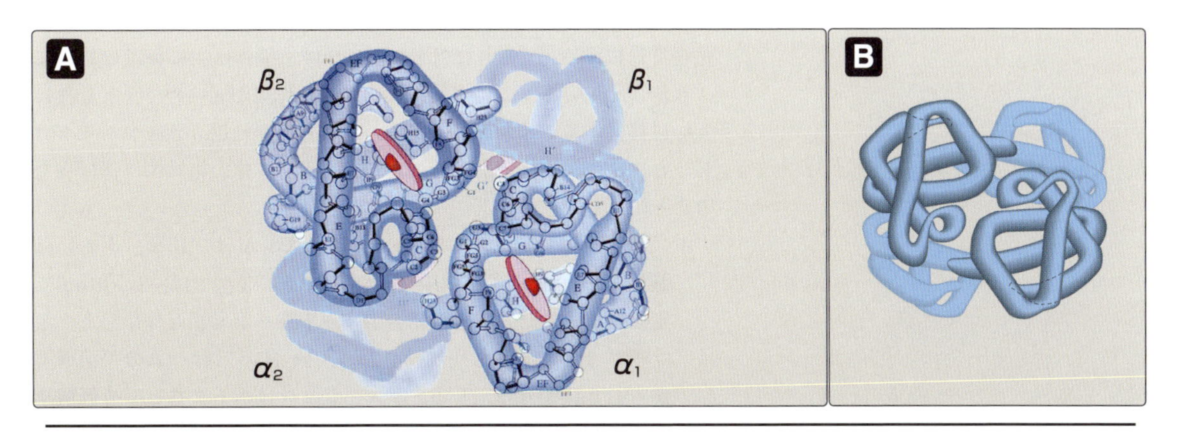

図 3.3
A. ポリペプチド主鎖を示すヘモグロビンの構造．B. αヘリックスを示す単純化されたヘモグロビン．

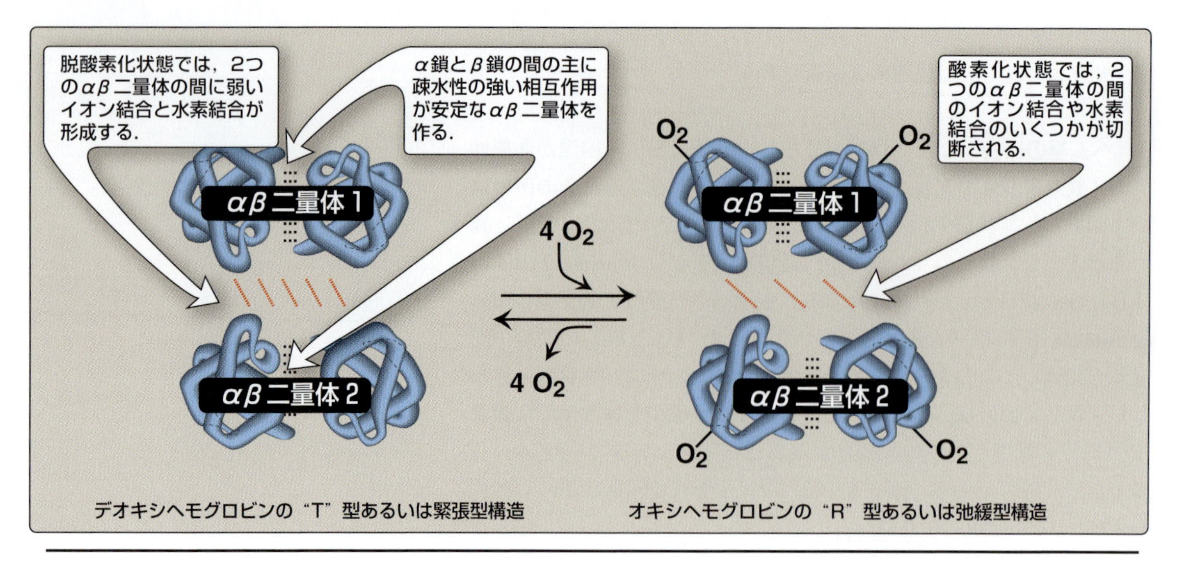

図 3.4
ヘモグロビンの酸素化および脱酸素化によって起こる構造変化の概略図.

大気からO_2を拡散だけで獲得しようとすると，生物の体は，ある一定の大きさ以上にはなりえない．より大きな体を維持するためには，O_2は血液のような水溶液にほんのわずかしか溶解しないので，ヘモグロビンのような運搬分子と循環器系が必要になる.

1．**四次構造**：ヘモグロビン四量体は，2つの等しい二量体(ダイマー)，$(\alpha\beta)_1$と$(\alpha\beta)_2$から構成されると考えてよい．二量体の2本のポリペプチド鎖，α鎖とβ鎖は，主に疎水性相互作用によって硬く結合している(図 3.4)．[注：この場合，疎水性アミノ酸残基は分子の内部だけに存在するのではなく，それぞれのサブユニット間の互いが接触する部分の表面にも存在する．このサブユニット間の多数の疎水性相互作用が，二量体のαサブユニットとβサブユニットの間の強い結合を形成する.] これに対して，2つの二量体は主に極性の結合により結合している．この二量体の間の相互作用が弱いので，二量体は互いに移動することが可能である．その移動の結果，オキシヘモグロビンとデオキシヘモグロビンでは，2つの二量体の相対的位置は異なることになる(図 3.4 参照).

a. **T型 T form**：ヘモグロビンのデオキシ型は，"T"型，あるいは**張りつめた taut**(**緊張 tense**)**型**と呼ばれる．T型では，2つのαβ二量体がイオン結合や水素結合のネットワークで相互作用して，ポリペプチド鎖の動きが制約される．鉄 (Fe^{2+})はヘムの平面構造から引き抜かれる．Tコンホメーションはヘモグロビンの**低酸素親和性型 low oxygen-affinity form**である.

b. **R型 R form**：ヘモグロビンへのO_2の結合によって，2つの

$\alpha\beta$二量体の間の極性結合のいくつかが壊され，ヘムの平面構造にFe^{2+}が移動できるようになる．特に，ヘム鉄Fe^{2+}にO_2が結合することで，鉄がより直接的にヘム環状構造の平面内に引き込まれる(図3.5B)．鉄は近位ヒスチジン(F8)とも結合しているので，グロビン鎖の移動が起こり，$\alpha\beta$二量体の間の接触面を変化させる．それにより，"R"型，あるいは**弛緩relaxed型**と呼ばれる構造になる(図3.4参照)．Rコンホメーションはヘモグロビンの**高酸素親和性型 high oxygen-affinity form**である．

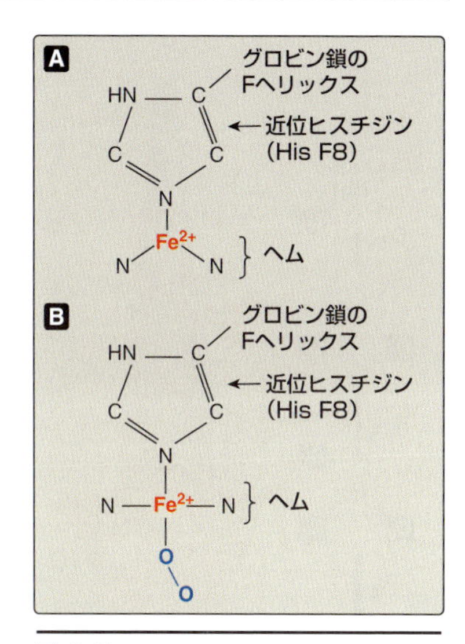

図3.5
ヘム鉄(Fe^{2+})の動き．A．酸素(O_2)が結合していないときは，ヘムの平面の外へ動く．B．O_2との結合により，ヘムの平面内に動く．

D．ミオグロビンとヘモグロビンへの酸素結合

ミオグロビンはヘム基を1つしか持たないので，1分子のO_2とだけ結合できる．これに対して，ヘモグロビンは，その4つのヘム基それぞれに1つずつ，4分子のO_2と結合できる．ミオグロビンあるいはヘモグロビン分子の上の酸素結合部位の**飽和度(degree of) saturation** (Y)は，図3.6に示されるように，0%（すべての部位が空）から100%（すべての部位が結合）まで変化しうる．[注：**パルス酸素飽和度測定法pulse oximetry**は，オキシヘモグロビンとデオキシヘモグロビンの光吸収の違いに基づいて，動脈血の酸素飽和度を非侵襲的かつ間接的に測定する方法である．]

1．**酸素解離曲線 oxygen-dissociation curve**：異なる酸素分圧(pO_2)で測定されたY(酸素飽和度)のプロットは，酸素解離曲線と呼ばれる．[注：pO_2はPO_2とも表される．]ミオグロビンとヘモグロビンの解離曲線には重要な相違がある(図3.6参照)．グラフから，すべての酸素分圧(pO_2)においてミオグロビンはヘモグロビンよりも高い酸素親和性を持つことが示される．結合部位の半分が飽和する酸素分圧(P_{50})は，ミオグロビンでは約1 mmHgであり，ヘモグロビンでは26 mmHgである．酸素親和性が高いほど(すなわち，O_2がよりしっかり結合するほど)，P_{50}は低くなる．

a．**ミオグロビン**：ミオグロビンの酸素解離曲線は**双曲線形 hyperbolic**である(図3.6参照)．これはミオグロビンが1分子のO_2と結合することを反映する．したがって，酸素化したミオグロビン(MbO_2)と脱酸素化したミオグロビン(Mb)の間には，単純な平衡式が成り立つ：

$$Mb + O_2 \rightleftarrows MbO_2$$

O_2が系に加えられたり，系から取り除かれたりすると，平衡は右へあるいは左へ変わる．[注：ミオグロビンは低いpO_2の筋肉内において，ヘモグロビンから放出されたO_2と結合するようにできている．その後，ミオグロビンは筋細胞の酸素の需用に応えてO_2を放出する．]

b．**ヘモグロビン**：ヘモグロビンの酸素解離曲線は**シグモイド形 sigmoidal**であり，これはサブユニットが協同的にO_2と結合することを示す(図3.6参照)．O_2がヘモグロビンの4つのサブユニッ

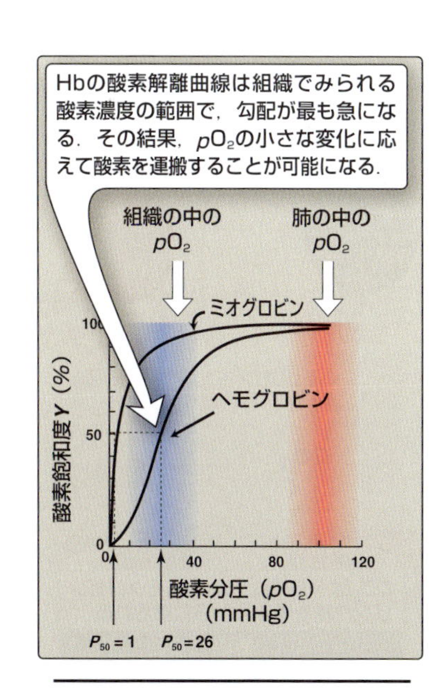

図3.6
ミオグロビンとヘモグロビン(Hb)の酸素解離曲線．

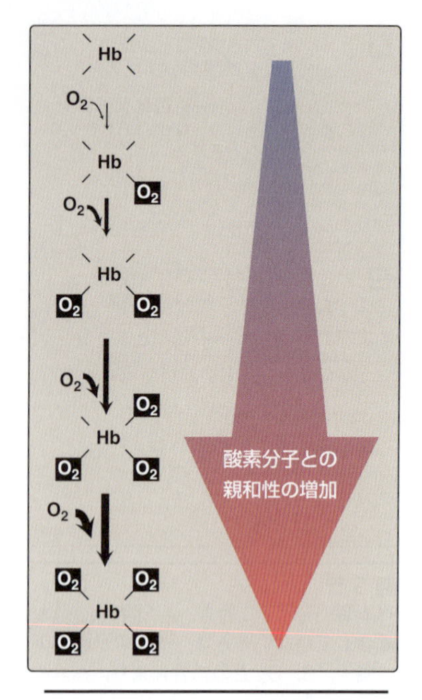

図 3.7
ヘモグロビン(Hb)と酸素(O_2)分子との連続的な結合における親和性の増加.

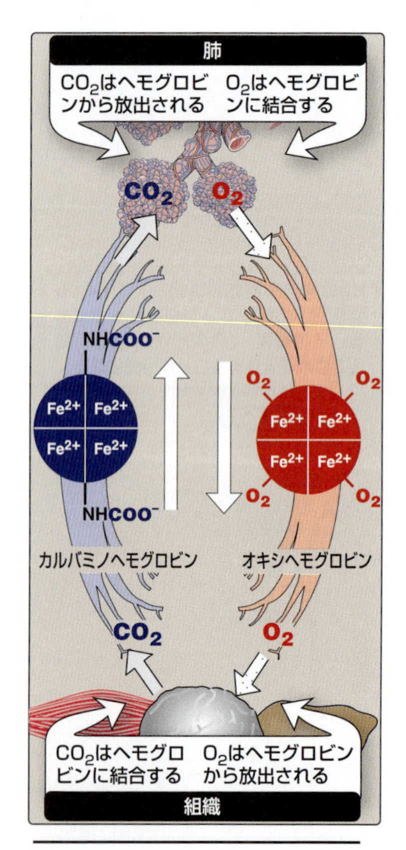

図 3.8
ヘモグロビンによる酸素と二酸化炭素の運搬．Fe：鉄.

トに**協同的結合 cooperative binding**するということは，1つのサブユニットに1分子の酸素が結合すると，同じヘモグロビン分子の残りのサブユニットへの酸素分子の親和性が増加することを意味する(図3.7)．最初の酸素分子はヘモグロビンに結合することは非常に困難であるが，それに続く酸素分子の結合は，20～30 mmHg付近の領域において曲線が急に上昇することで示されるように，高親和性で起こる(図3.6参照)．

E. アロステリック調節因子 allosteric effector

ヘモグロビンがO_2と可逆的に結合する能力は，(上に述べたようにヘム間相互作用によって)pO_2や，まわりの環境のpH，二酸化炭素分圧(pCO_2)，さらに**2,3-ビスホスホグリセリン酸 2,3-bisphosphoglycerate**(2,3-BPG)の濃度によって影響を受ける．これらの物質は，ヘモグロビン四量体分子上の1つの部位で相互作用することによって構造の変化を引き起こし，分子上の別の部位でヘム鉄へのO_2の結合に影響を与えることから，アロステリック("別の部位")調節因子 allosteric effectorと総称される．[注：単量体のミオグロビンへのO_2の結合は，アロステリック調節因子によっては影響を受けない．]

1．**酸素**：酸素解離曲線がシグモイド形であることは，ヘモグロビン四量体の1つのサブユニットからはじまり，他のサブユニットへ伝播する特別な構造変化を反映する．この協同性の最終的な影響として，最後に結合する酸素分子へのヘモグロビンの親和性は，最初に結合する酸素分子に対する親和性の約300倍になる．したがって，酸素はヘモグロビンのアロステリック調節因子である．酸素はR型を安定化する．

a. **酸素の積み降ろし**：O_2が協同的に結合することによって，比較的小さなpO_2の差であっても多くのO_2を組織に運搬することが可能になる．この関係を理解するためには，肺胞と組織の毛細血管のpO_2を示す図3.6をみればよい．つまり，肺では酸素濃度が高く，ヘモグロビンは事実上酸素で飽和する(あるいは，酸素を"積み込む")．一方，pO_2が肺よりもはるかに低い末梢組織におけるオキシヘモグロビンは，組織の酸化的代謝で使用するために，大部分の酸素を放出する(あるいは，"積み降ろす"，図3.8)．

b. **シグモイド形酸素解離曲線の意義**：肺と組織の間でみられる酸素濃度の範囲内で，ヘモグロビンの酸素解離曲線の傾斜は急である．したがって，酸素分圧の高い部位から低い部位へ，効率的に酸素を運び届けることが可能になる．一方，ミオグロビンのように双曲線形の酸素解離曲線を示す分子は，この酸素分圧の範囲内でヘモグロビンと同程度の酸素を遊離することはできない．それどころか，この範囲内で酸素に対する親和性は最大であるので，組織に酸素を届けることができない．

2．**ボーア効果 Bohr effect**：pHが低下する(プロトン濃度[H^+]が増加する)とき，あるいは，ヘモグロビンがより高いpCO_2下に存在するとき，ヘモグロビンからのO_2の遊離が増進する．どちらの場合もヘモグロビンの酸素への親和性が低下し，結果的に酸素解離曲線は右に移動し(図3.9)，そして，どちらもT(デオキシ)型を安定化する．この酸素の結合の変化をボーア効果と呼ぶ．逆に，pHが上がるときあるいはCO_2濃度が下がるときは，酸素に対する親和性が大きくなり，酸素解離曲線が左に移動し，R(オキシ)型を安定化する．

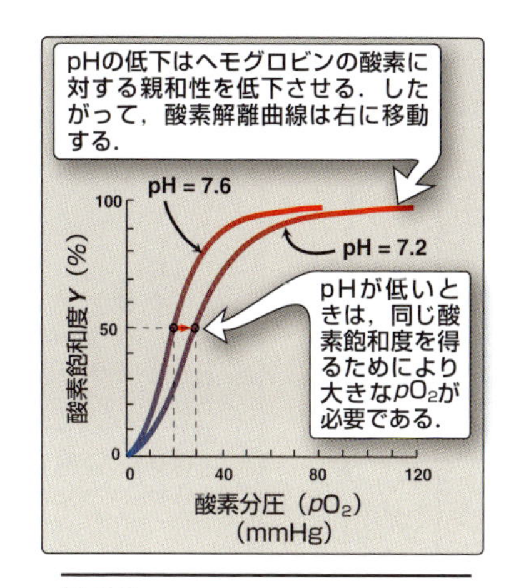

図 3.9
ヘモグロビンの酸素親和性に対するpHの影響．プロトンはヘモグロビンのアロステリック調節因子である．

a. **pHを下げるプロトンの源**：H^+とCO_2の濃度はどちらも，代謝が活発な組織の毛細血管のほうが，CO_2が呼気へ遊離される肺胞の毛細血管よりも高い．組織ではCO_2は亜鉛含有の炭酸脱水酵素carbonic anhydraseによって炭酸に変化する．

$$CO_2 + H_2O \rightleftarrows H_2CO_3$$

次に，炭酸は自動的に重炭酸塩(血液中の重要な緩衝液)とH^+に電離する．

$$H_2CO_3 \rightleftarrows HCO_3^- + H^+$$

この2つの反応で生成するH^+はpHを低下させる．このpH勾配の差(すなわち，肺のより高いpHと，組織のより低いpH)は，末梢組織でO_2を降ろし，肺でO_2を積み込むのに有利に働く．こうして，ヘモグロビン分子の酸素親和性が，肺と酸素を消費する組織間のわずかなpH変動の影響を受けることによって，ヘモグロビンは効率的にO_2を運搬できる．

b. **ボーア効果の機構**：ボーア効果は，デオキシヘモグロビン(ヘモグロビンの緊張(T)型)が弛緩(R)型(オキシヘモグロビン)よりもH^+に対してより大きな親和性を持つことで起こる．これは特別なヒスチジン側鎖のような，イオン化可能な官能基によって引き起こされる．このヒスチジンは，オキシヘモグロビンよりもデオキシヘモグロビンにおいて高いpK_aを持つ(p.7参照)．したがって，H^+濃度の増加は(pHを低下させ)，これらの基をプロトン化し(荷電させ)，イオン結合(塩橋)を形成しやすくする．これらのイオン結合はヘモグロビンの緊張(T)型を優先的に安定化し，酸素親和性を低下させる．[注：したがって，ヘモグロビンは血液中の重要な緩衝剤である．]

ボーア効果の概略は次のように示される．

$$\underset{\text{オキシヘモグロビン}}{HbO_2} + H^+ \rightleftarrows \underset{\text{デオキシヘモグロビン}}{HbH} + O_2$$

ここで，H^+濃度が増加する(あるいはpO_2が低下する)と，平衡は右に移動し(デオキシヘモグロビンになりやすくなり)，逆に，pO_2が増加する(あるいはH^+濃度が低下する)と平衡は左に移動する．

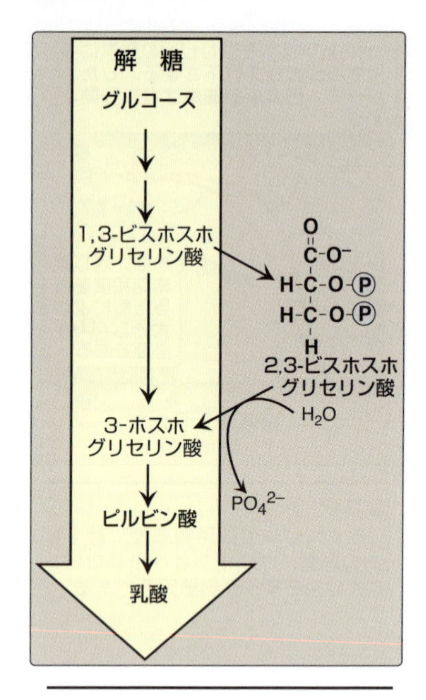

図 3.10
2,3-ビスホスホグリセリン酸の合成．［注：Ⓟはリン酸基，PO_3^{2-}である．］2,3-ビスホスホグリセリン酸（2,3-BPG）は，古い文献では2,3-ジホスホグリセリン酸（2,3-DPG）と記載されていることもある．

3．2,3-BPGの酸素親和性に対する影響：2,3-BPGは，ヘモグロビンへのO_2結合の重要な調節因子である．この物質は赤血球における最も多量に存在する有機酸であり，その濃度はヘモグロビンと同程度である．2,3-BPGは解糖経路の中間体として合成される（図3.10，解糖における2,3-BPG合成についてはp.130参照）．

a．デオキシヘモグロビンへの2,3-BPG結合：2,3-BPGはオキシヘモグロビンとは結合せず，デオキシヘモグロビンのみと結合することによって，ヘモグロビンの酸素親和性を下げる．この優先的な結合はヘモグロビンのTコンホメーションを安定化する．2,3-BPG結合の影響は以下のように概略的に示される．

$$\underset{\text{オキシヘモグロビン}}{HbO_2} + 2,3\text{-BPG} \rightleftarrows \underset{\text{デオキシヘモグロビン}}{Hb - 2,3\text{-BPG}} + O_2$$

b．2,3-BPG結合部位：1分子の2,3-BPGが，デオキシヘモグロビン四量体の中央の2本のβグロビン鎖によって形成されるポケットに結合する（図3.11）．このポケットには数個の正の電荷を持つアミノ酸残基が存在し，2,3-BPGの負の電荷を持つリン酸基とイオン結合する．［注：これらのアミノ酸の1つの置換が，異常に高い酸素親和性を持つヘモグロビンへの変異を引き起こす可能性があるが，それは赤血球産生が増加することで代償されることがある（多血症，赤血球増加症）．］ヘモグロビンの酸素化は，ポケットを狭くして2,3-BPGを遊離させる．

c．酸素解離曲線の移動：2,3-BPGを取り除いたヘモグロビンは酸素に高親和性である．一方，2,3-BPGが存在するとヘモグロビンの酸素親和性は著しく下がり，酸素解離曲線が右に移動する（図3.12）．この親和性の低下によって，組織における分圧でO_2を効率よく遊離することが可能になる．

d．慢性的低酸素あるいは貧血における2,3-BPG濃度：肺気腫のような慢性閉塞性肺疾患chronic obstructive pulmonary disease（COPD）にみられる慢性的低酸素に応答して，あるいは，循環するヘモグロビンが十分にO_2を受け取ることが困難な高地において，赤血球内の2,3-BPG濃度は増加する．細胞内の2,3-BPG濃度は，赤血球数が正常より少なく，体が必要とする酸素供給ができない，慢性的な貧血anemiaのときにも上昇する．上昇した2,3-BPGレベルはヘモグロビンの酸素親和性を低下させ，組織の毛細血管内でより多くのO_2を遊離することができる（図3.12参照）．

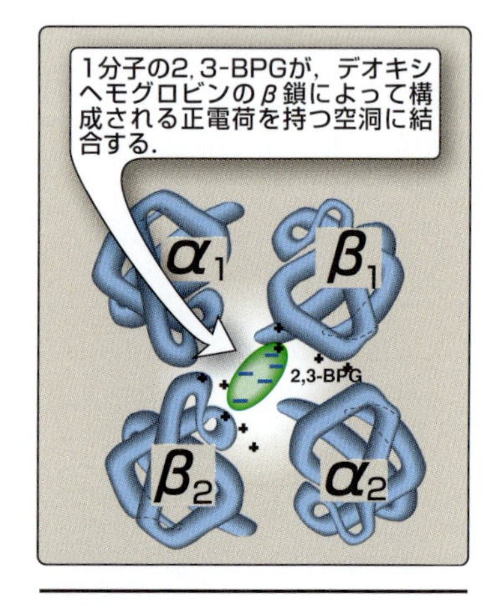

図 3.11
デオキシヘモグロビンによる2,3-ビスホスホグリセリン酸（2,3-BPG）の結合．

e．輸血用血液における2,3-BPG：2,3-BPGはヘモグロビンの正常な酸素運搬機能に必須である．しかし，血液バンクに貯蔵された血液からは，徐々に2,3-BPGが減少してしまう．保存血液は，異常に高い酸素親和性を示し，結合したO_2を適切に組織で遊離することができない．したがって，2,3-BPGを欠如した赤血球は酸素配送系としてよりも，むしろ酸素“トラップ”として働いてしまうことになる．輸血された赤血球は，6～24時間以内で枯渇した2,3-BPGを回復することが可能である．しかし，重症患者に，そのような2,3-BPGが“枯渇した”血液を多量に輸血すると，障害が引き起こされる可能性がある．したがって，保存血液は2,3-BPGを急速に回復させる“若返り rejuvenation”溶液で処理される．[注：この若返りの処置は保存の間になくなったATPも回復する．]

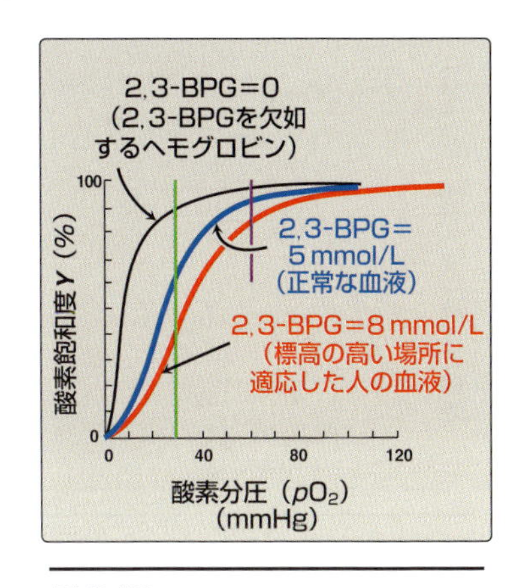

図 3.12
ヘモグロビンの酸素親和性に対する2,3-ビスホスホグリセリン酸(2,3-BPG)のアロステリック効果．組織中の酸素分圧を緑色の線で，高高度における肺の酸素分圧を紫色の線で示す．

4．CO_2 結合：代謝で生成するCO_2のほとんどは水和され，重炭酸イオンとして運搬される(図1.12，p.10参照)．しかし，CO_2のいくらかはヘモグロビンの末端のアミノ基と結合し(図3.8に示すように，**カルバミノヘモグロビン carbamino-hemoglobin**を形成して)，**カルバミン酸 carbamate**として運ばれる．以下にその概要を示す．

$$\text{Hb} - \text{NH}_2 + \text{CO}_2 \rightleftarrows \text{Hb} - \text{NH} - \text{COO}^- + \text{H}^+$$

CO_2の結合はヘモグロビンのT型，すなわちデオキシ型を安定化し，酸素親和性を低下させ(p.35参照)，酸素解離曲線を右に移動させる．CO_2は肺でヘモグロビンから解離し，呼気中に放出される．

5．CO結合：一酸化炭素(CO)は，ヘモグロビンの鉄と(可逆的ではあるが)強く結合して，**カルボキシヘモグロビン carboxyhemoglobin**を生成する．COが4つのヘム部位のうち，1つあるいはそれ以上に結合すると，ヘモグロビンはRコンホメーションに変わり，残りのヘム部位をO_2に対して高親和性にする．これにより酸素飽和曲線は左に移動し，正常のシグモイド形から双曲線形に変化する．その結果，COの影響を受けたヘモグロビンは組織でO_2を遊離することができない(図3.13)．[注：ヘモグロビンのCOに対する親和性は，O_2に対する親和性より220倍高い．その結果，環境中にごく低い濃度のCOが存在しても，血液中にカルボキシヘモグロビンを生成させ，中毒を

臨床応用 3.1：2,3-BPG による組織への酸素の供給促進

2,3-BPGによる組織への酸素の供給促進を説明するために，次の2つの条件：標高が低い土地に住んでいて2,3-BPGが5 mmol/Lの人が，pO_2の低い高地へ行く場合と，高地に住んでいて2,3-BPGレベルを8 mmol/Lまで上げて補正している場合を考えてみよう．2,3-BPGが5 mmol/Lの人の肺のヘモグロビンは，低地では完全に酸素で飽和している(図3.12)．末梢組織では，ヘモグロビンは約60% 酸素で飽和(緑色の線で示す)しており，結合酸素の約40% が組織に供給される．2,3-BPGが5 mmol/Lの人が高地へ行く場合，この人のヘモグロビンは肺で90% しか酸素で飽和されない(紫色の線で示す)ので，末梢組織へは30% 程度しか酸素が供給されないことになる．しかし，高地に住む人は2,3-BPGが8 mmol/Lへと上昇することで適応しており，酸素結合曲線は右側にシフトしている．肺での酸素飽和度は約80% (紫色の線)しかないが，末梢組織での酸素飽和度は約40% (緑色の線)となり，2,3-BPGの増加により結合した酸素が低地とほぼ同等の40% 程度組織に供給されるようになる．酸素結合親和性の変化により，末梢組織へ，低地と同様の約40% の酸素が供給されるようになる．

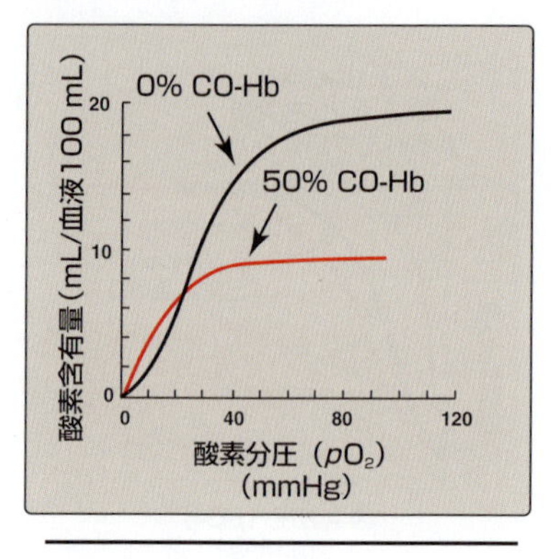

図 3.13
ヘモグロビンの酸素親和性に対する一酸化炭素（CO）の影響．CO はヘム鉄との結合を O_2 と競合する．CO-Hb はカルボキシヘモグロビン（一酸化炭素ヘモグロビン）である．

引き起こしてしまう．例えば，喫煙者の血液中には高いレベルのCOがみられる．COの毒性は組織の低酸素と，細胞レベルのCOによる直接的な損傷とが複合した結果であるように思われる．］CO中毒は，ヘモグロビンからのCOの遊離を促進するために，高圧の100% O_2 で治療する（高圧酸素療法）．［注：COは電子伝達鎖の複合体Ⅳも阻害する（p.97 参照）．］一酸化窒素（NO）ガスもヘモグロビンで運ばれる．NOは強力な血管拡張作用を持つ（p.200 参照）．NOは赤血球の中に取り込まれ（サルベージされ）たり，赤血球から放出されたりすることが可能であるので，NO入手可能性を調節して，血管の直径を変化させる．

F. 微量ヘモグロビン minor hemoglobin

ヒト**ヘモグロビン A hemoglobin A**（HbA）が，機能的および構造的に関連するたくさんのヘモグロビンファミリーのなかの，1つのメンバーにすぎないことを知っていることは重要である（図 3.14）．このファミリーの酸素運搬タンパク質はすべて四量体であり，2本のαグロビン（あるいはα様グロビン）ポリペプチド鎖と，2本のβグロビン（あるいはβ様グロビン）ポリペプチド鎖で構成される．**胎児ヘモグロビン fetal hemoglobin**（HbF）は，通常，胎児の発育時期だけ合成される．HbFはほとんどの成人で全ヘモグロビンの2% 以下にすぎず，F細胞として知られる赤血球に存在する．一方，**ヘモグロビンA2**（HbA_2）などのヘモグロビンは，成人でHbAより低いレベルで合成される．HbAもヘキソースが共有結合で付加して修飾されることがある（HbA_{1c}，下記Ⅱ.F.3. 参照）．

型	構成する鎖	ヘモグロビン全体における割合
HbA	$\alpha_2\beta_2$	90%
HbA_2	$\alpha_2\delta_2$	2%～3%
HbF	$\alpha_2\gamma_2$	<2%
HbA_{1c}	$\alpha_2\beta_2$-グルコース	4%～6%

図 3.14
成人のヒトのヘモグロビンのタイプ．HbA_{1C} は HbA（あるいは HbA_1）のサブタイプである．［注：これらのヘモグロビンのα鎖は同一である．］Hb：ヘモグロビン．

1．**胎児ヘモグロビン**：HbFは，HbAの構成サブユニットであるα鎖が2本と，2本のγ鎖で構成される四量体である（$\alpha_2\gamma_2$，図 3.14 参照）．γ鎖はβグロビン遺伝子ファミリーの一員である（p.42 参照）．

a．**発育中のHbF合成**：妊娠後最初の1カ月間では，2本のα様グロビンのゼータ（ζ）鎖と2本のβ様グロビンのイプシロン（ε）鎖（$\zeta_2\varepsilon_2$）で構成されるHb Gower1 のような**胚性ヘモグロビン embryonic hemoglobin**が，胚の卵黄嚢で合成される．妊娠5週目になると，グロビン合成の部位が最初は肝臓に，その後骨髄に移動し，主にHbFを産生するようになる．HbFは**胎児 fetus**と**新生児 newborn**における主要なヘモグロビンであり，胎児期の最後の月では赤血球のヘモグロビンの約60% を占める（図 3.15）．HbA合成は妊娠8カ月頃に骨髄ではじまり，しだいにHbFと置き換わる．図 3.15 は，胎児期と新生児期におけるそれぞれの型のヘモグロビンの相対的な生成量を示す．

b．**HbFへの2,3-BPG結合**：生理的条件下では，HbFの2,3-BPGへの結合が弱い結果，HbFはHbAよりも高い酸素親和性を持つ．［注：HbFのγグロビン鎖には，βグロビン鎖において2,3-BPGの結合に関係する正電荷のアミノ酸がない．］2,3-BPGはヘモグロビンの酸素親和性を低下させるので，2,3-BPGとHbFの相互作用が弱いことは，HbFをHbAよりも高い酸素親和性にする．その一方，HbAとHbFの両方が2,3-BPGを失うと，どちらも同じような酸素親和性になる．HbFのほうがHbAより酸素親和性が高いので，母親の血液循環から胎盤を介する胎児へのO_2の運搬が促進される．

2．ヘモグロビンA_2(HbA_2)：HbA_2は正常の成人のヘモグロビンの微量成分である．出生の少し前にはじめて出現し，全体の約2％を占める．2本のαグロビン鎖と2本のδグロビン鎖で構成される($\alpha_2\delta_2$，図3.14参照)．

3．ヘモグロビンA_{1c}(HbA_{1c})：生理的条件下では，グルコースを主とする糖の分子が非酵素的にHbAに付加され，糖化と呼ばれる過程を経ている．糖化の程度は特定のヘキソースの血漿濃度に依存する．糖化ヘモグロビンのなかで最も多量にあるのはHbA_{1c}であり，HbA_{1c}は主にβグロビンのN末端のバリンのアミノ基にグルコース基が結合したものである(図3.16)．**糖尿病 diabetes mellitus**患者の赤血球では，HbA_{1c}の量が増加する．この理由は，患者のHbAが細胞の寿命の120日間ずっと，高濃度のグルコース濃度にさらされているためである(HbA_{1c}濃度を用いて，糖尿病患者の平均血糖値を推定することができる，p.441参照)．

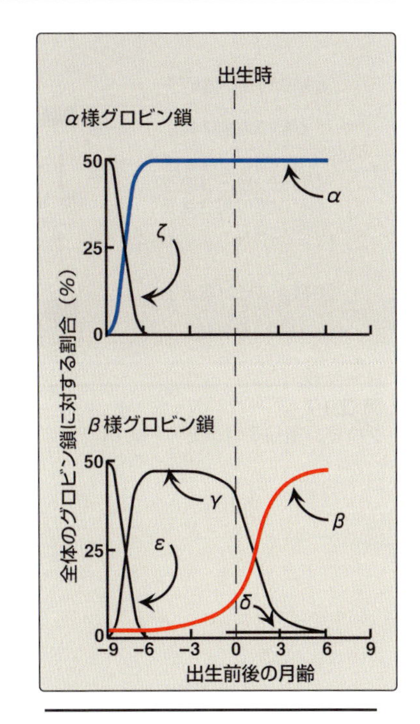

図3.15
発育に伴うグロビン生産量の変化．

Ⅲ．グロビン遺伝子の構造

ヘモグロビンの構造あるいは合成における遺伝的な変異が原因となって起こる病気を理解するためには，異なるグロビン鎖の合成を指令するヘモグロビン遺伝子が，どのように遺伝子ファミリーとして構造的に組織化されているか，さらにまたどのように発現するかを理解することが必要である．グロビン遺伝子の発現は，赤血球前駆体において，遺伝子をコードするDNA配列からこの遺伝子が転写されるところからはじまる．2つのイントロンがスプライシングによって除去され，3つのエクソンが結合して成熟mRNAとなり，翻訳される．遺伝子発現のより詳細な説明は，第Ⅶ編の30，31，32章に示されている．

A．α遺伝子ファミリー α-gene family

ヘモグロビンの，αグロビンサブユニットとβグロビンサブユニットの遺伝子は，異なる2つの染色体に，2つの別の遺伝子クラスター(あるいは，ファミリー)として存在する(図3.17)．**第16染色体 chromosome 16**上のα遺伝子クラスターは，**αグロビン鎖 α-globin chain**の遺伝子を2つ含む．また，胚性ヘモグロビンのα様グロビンサブユニットとして発生の早い時期に発現する**ζ遺伝子 ζ gene**も含む．[注：グロビン遺伝子ファミリーには，多くの発現しないグロビン様遺伝子，すなわち，遺伝情報がグロビン鎖を産生するのに使用されないものも含まれる．これらは，**偽遺伝子 pseudogene**と呼ばれる．]

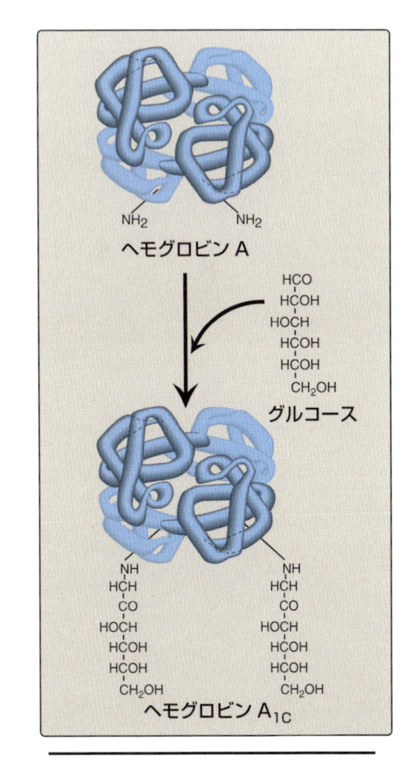

図3.16
ヘモグロビンへのグルコースの非酵素的付加．タンパク質への糖の非酵素的付加は糖化と呼ばれる．

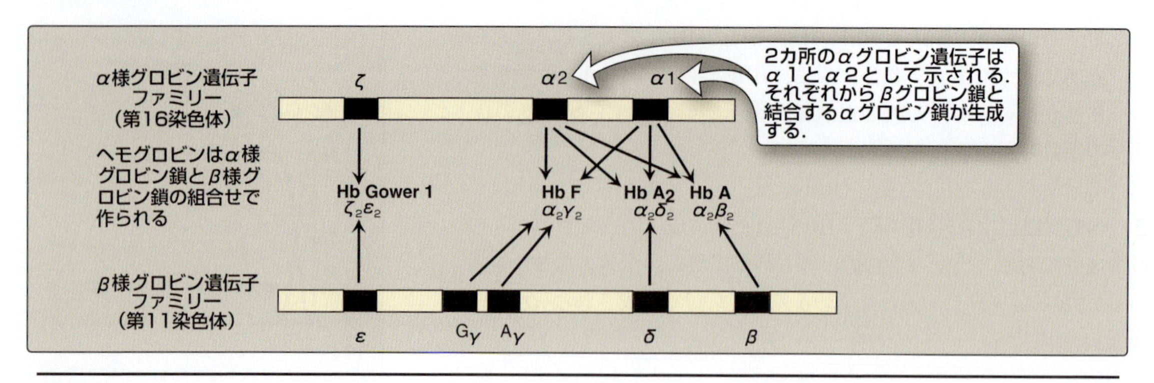

図 3.17
グロビン遺伝子ファミリーの構成.

B. β遺伝子ファミリー β-gene family

β遺伝子群には，第11染色体上に存在する**βグロビン鎖 β-globin chain**の1つの遺伝子が含まれている(図3.17参照). この遺伝子群内にはさらに,(ζ遺伝子と同様に胚発育の初期に発現する)**ε遺伝子 ε gene**, 2つの**γ遺伝子 γ gene**(HbFに発現するG_γとA_γ), そして成人の微量ヘモグロビンであるHbA_2に存在するδグロビンをコードする**δ遺伝子 δ gene**, これらの4種類のβ様グロビン遺伝子が存在する.

Ⅳ. 異常ヘモグロビン症

異常ヘモグロビン症 hemoglobinopathyは，**構造的に異常なヘモグロビン structurally abnormal hemoglobin**分子を合成するか，あるいは正常なヘモグロビンを不十分な量しか合成しないかのどちらか，あるいは，まれにはその両方が原因となる遺伝病群である. 深刻な臨床的結果に至る代表的な異常ヘモグロビン症には，**鎌状赤血球貧血 sickle cell anemia**(HbS症), **ヘモグロビンC症 hemoglobin C disease**(HbC症), **ヘモグロビンSC症 hemoglobin SC disease**(HbS症＋HbC症＝HbSC症), **サラセミア thalassemia**がある. 鎌状赤血球貧血，およびヘモグロビンC症とヘモグロビンSC症はアミノ酸に異常があるヘモグロビンが生成することに起因し(質的異常ヘモグロビン症), サラセミアは正常なヘモグロビンの生成が減少するのが原因の疾患である(量的異常ヘモグロビン症).

A. 鎌状赤血球貧血(ヘモグロビンS症)

鎌状赤血球貧血 sickle cell anemiaはβグロビンの遺伝子における単一の塩基変異(**点(突然)変異 point mutation**, p.577参照)によって引き起こされる遺伝病である. HbSのアミノ酸配列の変化により，赤血球の形態が，正常なHbAを発現している正常な赤血球の丸い両凹面形状ではなく，鎌や三日月のような形になる. この異常な細胞形態は鎌状化と呼ばれる. 鎌状赤血球貧血は，米国で最も一般的な血液の遺伝病であり，5万人の米国人が発症する. 主にアフリカ系アメリカ人に起こり，その500人に1人が発症する. 鎌状赤血球貧血は常染色体劣性疾患である. グロビン分子のβ鎖をコードする変異対立遺伝子を2

つ(両親から1つずつ)受け継ぐと病気になる．[注：変異βグロビン鎖をβ^Sと表し，その結果として生じるヘモグロビン$\alpha_2\beta^S{}_2$はHbSと呼ばれる．] 乳児は，HbFがHbSで十分に置き換えられて鎌状赤血球化が起こるまで，病気が発症しない(下記2.参照)．鎌状赤血球貧血の特徴的な症状は，一生続く激痛発作("**クリーゼ crisis**")，高ビリルビン血症(p.369参照)を伴う**慢性溶血性貧血 chronic hemolytic anemia**，通常幼児期にはじまる感染症への感受性増大である．[注：正常な赤血球の寿命が120日であるのと比べて，鎌状赤血球貧血の赤血球の寿命は20日以下であり，その結果，貧血になる．] その他の症状には，急性胸部症候群，脳梗塞，脾臓や腎臓の機能障害，骨髄の過形成による骨変化がある．平均余命は短くなる(中央値が40歳台半ば)．アフリカ系アメリカ人の12人に1人に相当するヘテロ接合体は，1つは正常の，もう1つは鎌状赤血球貧血の対立遺伝子を持ち，その赤血球にはHbSとHbAの両方が存在するので，これらの人は鎌状赤血球症ではなく，**鎌状赤血球傾向 sickle cell trait**を呈し，(脱水を伴う過激な身体運動を行うと臨床症状が現れるかもしれないが)，通常は臨床症状が現れずに健康な一生を送ることができる．

1．HbSのβ鎖におけるアミノ酸置換：鎌状赤血球貧血患者では，HbS分子は正常な2本のαグロビン鎖と，6番目のグルタミン酸がバリンに置換された2本のβグロビン鎖(β^S)で構成される(図3.18)．その結果，2本のβ鎖のうち，負電荷を持つ極性グルタミン酸残基が中性非極性バリン残基に置換され，HbSはHbAよりも負電荷が少なくなる．したがって，アルカリ性のpHで電気泳動すると，HbSはHbAよりもゆっくりと陽極(正の電極)に移動する(図3.19)．赤血球を溶解して行うヘモグロビンの電気泳動は，鎌状赤血球傾向および鎌状赤血球貧血(あるいは鎌状赤血球症)の診断のために日常的に使われる．鎌状赤血球貧血の診断には，DNA解析も用いられている(p.631参照)．

2．鎌状赤血球化と組織の酸素欠乏症(アノキシアanoxia)：電荷を持つグルタミン酸残基から非極性のバリン残基へ置換したことによって，β鎖の上に疎水性の突起が形成される．この突出部は，細胞中の他のHbS分子のβ鎖の疎水性ポケットにぴったりフィットする(図3.20)．低い酸素圧では，脱酸素化されたHbSは赤血球内で不溶性の線維状重合体のネットワークを形成する．その結果，細胞をこわばらせ，歪めて，硬直した鎌状の赤血球にする．このようにして生成した鎌状赤血球は，頻繁に狭い毛細血管に詰まり血流を遮断する．こうして起こるO_2供給障害が局所的な酸素欠乏症(アノキシア)をもたらし，疼痛，そして最終的には閉塞の付近の虚血性細胞死(**梗塞 infarction**)を引き起こす．酸素欠乏症はHbSの脱酸素化も進行させる．[注：赤血球の平均直径は7.5 μmであるのに対して，毛細血管の平均直径は3～4 μmである．正常な赤血球と比べると，鎌状赤血球は変形する能力が低く，血管壁に付着する傾向が強い．その結果，細い血管を通ることが難しくなり，微小血管の**閉塞occlusion**を引き起こす．]

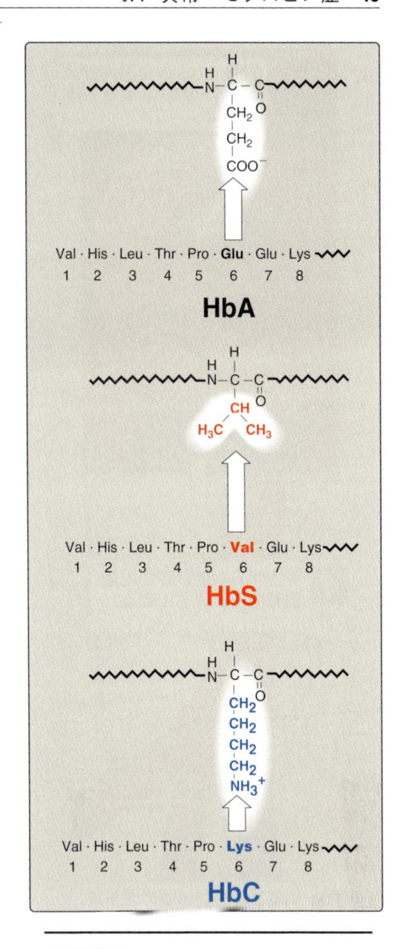

図 3.18
ヘモグロビンS(HbS)とヘモグロビンC(HbC)におけるアミノ酸置換．

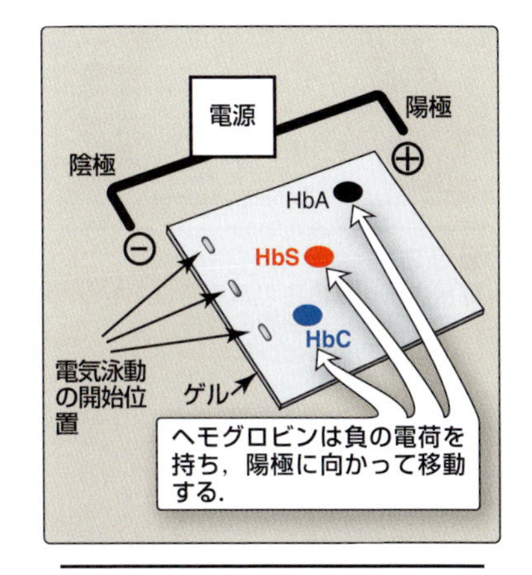

図 3.19
電気泳動後のヘモグロビンA(HbA)，ヘモグロビンS(HbS)，ヘモグロビンC(HbC)の図解．

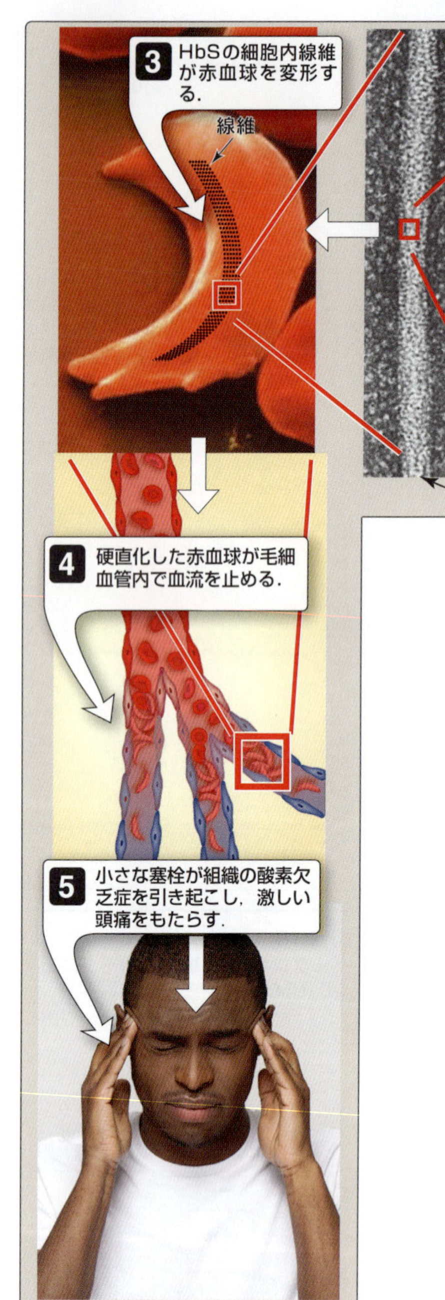

図 3.20
鎌状赤血球貧血症の激痛発作をもたらす分子および細胞の機構．
HbS：ヘモグロビンS．

3．鎌状赤血球化を促進する要因：デオキシ状態にあるHbSの割合を増加させる（すなわち，HbSの酸素親和性を低下させる）要因はすべて，鎌状赤血球化の程度，つまり，疾患の重篤度を増す．このような要因として，pO_2 の低下，pCO_2 の増加，pHの低下，脱水症，赤血球中の2,3-BPG濃度の上昇が挙げられる．

4．治療：治療法として，適切な**水分補給 hydration**，**鎮痛薬 analgesic** の投与，感染がみられるときには積極的な**抗生物質治療 antibiotic therapy**，そして致命的な血管の閉塞のリスクの高い患者には**輸血 transfusion** が行われる．間欠的な濃縮赤血球の注入によって発作の危険性を減らすことができる．しかし，その利点は，**ヘモジデリン沈着症 hemosiderosis**（p.523参照）をもたらす可能性がある鉄過剰，血液媒介感染症，免疫学的合併症などの，輸血に伴う併発症と天秤にかける必要がある．抗がん薬（抗腫瘍薬）である**ヒドロキシ尿素 hydroxyurea**（**ヒドロキシカルバミド hydroxycarbamide**）によって，鎌状赤血球化を減少させるHbFの血中濃度を増加させるので，治療として有効である．そして，痛みを伴う発作（クリーゼ）の頻度を減らし，死亡率を低下させる幹細胞移植は有効かもしれない．［注：鎌状赤血球貧血に関連する罹患率と死亡率を考慮して，鎌状赤血球貧血のスクリーニングを新生児マススクリーニングの項目に含めて，患児誕生後すぐに，予防的な抗生物質治療をはじめるようになった．］

5．ヘテロ接合体状態の淘汰における優位性の可能性：ホモ接合体状態における非常に不利な影響にもかかわらず，アフリカの黒人にβ^{S}変異が高頻度で存在するという事実は，ヘテロ接合体であるヒトに淘汰におけるなんらかの優位性があることを示唆する．その例として，鎌状赤血球遺伝子のヘテロ接合体であるヒトが重症のマラリアにかかりにくいことは注目に値する．この疾患は熱帯熱マラリア原虫

Plasmodium falciparum によって引き起こされるが，この生物は生活環の一時期を赤血球中で過ごさなければならない．一説では，HbSヘテロ接合体であるヒトの赤血球は，ホモ接合体であるヒトの赤血球と同様に正常のものより寿命が短いので，寄生虫はその赤血球内における発育の段階を完了することができないといわれている．これが，マラリアが主要な死因である地域に生きるヘテロ接合体に淘汰における優位性を与えたのかもしれない．例として，アフリカにおいて鎌状赤血球貧血とマラリアの地理分布は似ている．

B. ヘモグロビンC症

HbSと同じように，HbCはβグロビン鎖の6番目の部位の1つのアミノ酸が置換されたヘモグロビンの変異体である(図3.18参照)．しかし，HbCでは(HbSではバリン置換であったのと比べて)，リシンがグルタミン酸を置換する．[注：この置換はHbCを，HbAやHbSよりもゆっくり陽極に移動させる(図3.19参照)．] まれなHbCのホモ接合体患者は，一般的に軽い慢性の溶血性貧血になるが，心筋梗塞などの発作を起こすことはなく，特殊な治療は必要ない．

C. ヘモグロビンSC症

HbSC症はもう1つの鎌状赤血球症である．この疾患では，βグロビン鎖のいくつかが鎌状赤血球変異を起こすのに対して，その他のヘモグロビンはHbC症でみられる変異を持つ．[注：HbSC症の患者は二重のヘテロ接合体である．さらに，それぞれのβグロビン遺伝子は，互いに異なるが，両方とも異常であるので，この患者は**複合ヘテロ接合体 compound heterozygote**と呼ばれる．] HbSC症では鎌状赤血球貧血よりもヘモグロビン濃度が高く，正常範囲内の最低値程度であることもある．HbSC貧血の成人の臨床経過は鎌状赤血球貧血の経過とは異なり，痛みを伴う発作の頻度は少なく症状も軽い．しかし，臨床症状はかなり多様である．

D. メトヘモグロビン血症 methemoglobinemia

ヘモグロビンのヘム鉄がFe^{2+}からFe^{3+}に酸化されると，O_2を結合できないメトヘモグロビン methemoglobin (HbM)が生成する．この酸化は硝酸塩のような薬物，あるいは活性酸素種(p.196参照)のような内在性物質の作用で引き起こされる可能性がある．あるいは，酸化が遺伝性の異常により起こることもある．例えば，メトヘモグロビン(Fe^{3+})からヘモグロビン(Fe^{2+})への変換酵素である，NADH-シトクロムb_5レダクターゼ NADH-cytochrome b_5 reductase (NADH-メトヘモグロビンレダクターゼ NADH-methemoglobin reductaseとも呼ばれる)の欠損症によってもメトヘモグロビンが蓄積する(図3.21)．[注：新生児の赤血球はメトヘモグロビンを還元する能力が成人の約半分である．] メトヘモグロビン血症は，暗色のメトヘモグロビンによる"**チョコレートチアノーゼ chocolate cyanosis**"(青紫色の皮膚と粘膜と茶色の血液)が特徴である．組織の低酸素状態の程度によって，不安，頭痛，さらに呼吸困難の症状が現れるが，まれな例として，昏睡

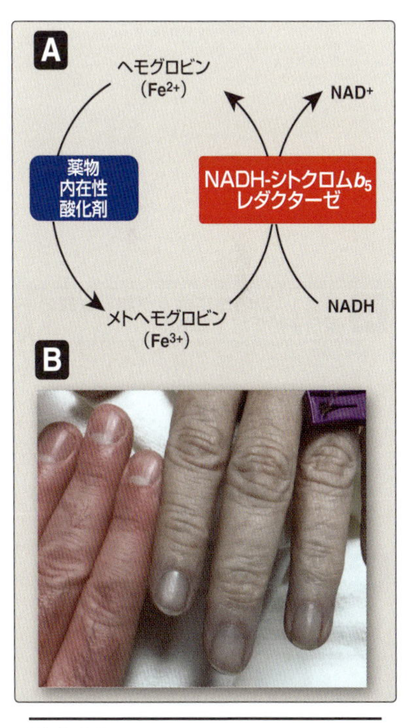

図3.21
A. メトヘモグロビンの生成とNADH-シトクロムb_5レダクターゼによるヘモグロビンへの還元．B. メトヘモグロビン血症患者の手指．

や死に至る．メチレンブルーによる治療では，メチレンブルーが酸化されることによりFe^{3+}がFe^{2+}に還元される．

E. サラセミア

サラセミア thalassemiaはグロビン鎖合成の不均衡によって起こる遺伝性の溶血性疾患である．集団として，これは人類で最もよくみられる一遺伝子疾患である．正常では，αグロビン鎖とβグロビン鎖の合成は連動しており，それぞれのαグロビン鎖には結合相手のβグロビン鎖があり，$\alpha_2\beta_2$(HbA)を生成する．サラセミアでは，αあるいはβグロビン鎖のどちらかの合成に障害があり，ヘモグロビン濃度が低下する．サラセミアは，完全な遺伝子欠損，あるいはDNAの一塩基から多塩基までの置換あるいは欠損を含む多様な変異によって引き起こされる．[注：それぞれのサラセミアは，グロビン鎖が全く合成されない疾患(α^0サラセミアあるいはβ^0サラセミア)と，グロビン鎖が合成されるが，わずかである疾患(α^+サラセミアあるいはβ^+サラセミア)に分類される．]

1．**βサラセミア**：この疾患では，典型的には点突然変異によって機能的な mRNAの生成が影響を受けることで，βグロビン鎖の合成は減少するか消失する．しかし，αグロビン鎖の合成は正常である．過剰なαグロビン鎖は安定な四量体を形成できないので沈殿し，その結果，本来，成熟赤血球になるはずだった細胞の早期の死を引き起こす．$\alpha_2\delta_2$(HbA_2)と$\alpha_2\gamma_2$(HbF)の増加も起こる．細胞には，βグロビン遺伝子が2コピー(第11染色体にそれぞれ1つ)存在するので，βグロビン遺伝子を欠損するヒトには，遺伝子を1つだけ欠損するヒトと，両方とも欠損するヒトがいる．ただ1つの欠損ならば，**βサラセミア形質 β-thalassemia trait**(**βサラセミアマイナー β-thalassemia minor**)になり，両方の遺伝子が欠損すると**βサラセミアメジャー β-thalassemia major**(**クーリー貧血 Cooley anemia**)になる(図3.22)．βグロビン遺伝子は出生前の発達の遅くまで発現しないので，βサラセミアの身体的徴候は出生数カ月後になって現れる．βサラセミアマイナーのヒトは若干のβ鎖を作るので，通常は特別な治療が必要ない．しかし，βサラセミアメジャーで生まれた乳児は，生まれた直後は健康そうにみえるが，効果的な造血が行われないため，通常生後1～2年で重症の貧血になる．これらの患者には定期的な輸血が必要である．[注：この治療は救命になるが，輸血の蓄積効果として鉄過剰になる．鉄キレート化療法が罹患率と死亡率を改善する．] 選択可能な唯一の治療法は造血幹細胞移植である．

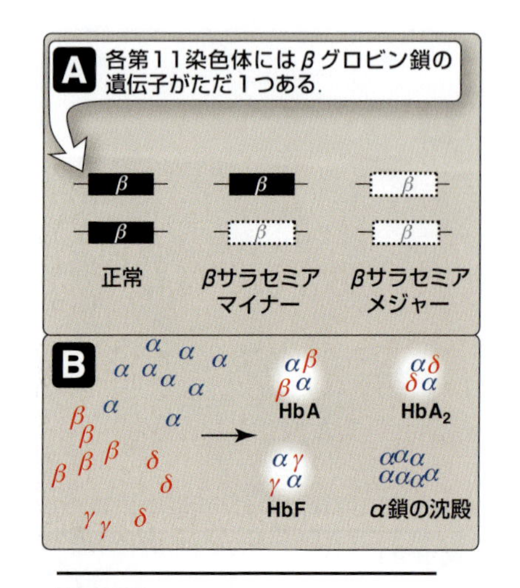

図 3.22
A. βサラセミアにおけるβグロビン遺伝子の変異．B. βサラセミアで形成されるヘモグロビン(Hb)四量体．

2．**αサラセミア**：この疾患では，典型的には欠失突然変異によって，αグロビン鎖の合成が減少するか欠如している．αグロビン遺伝子は(第16染色体それぞれに2つずつ)4コピーあるので，αグロビン鎖の欠損にはいくつかの段階がある(図3.23)．4つの対立遺伝子の1つが欠陥のあるグロビンタンパク質をコードしている場合，病気の身体的徴候が起こらないので，その場合はαサラセミアの**無症候性保因者**

silent carrierと呼ばれる．2つのαグロビンの対立遺伝子が欠陥のあるグロビンタンパク質をコードしているヒトは**αサラセミア形質 α-thalassemia trait**になる．3つのαグロビンの対立遺伝子が欠陥のあるグロビンタンパク質をコードしているヒトは，さまざまな重症度の溶血性貧血である**ヘモグロビンH（β_4）症**になる．4つのαグロビンの対立遺伝子のすべてが欠陥のあるグロビンタンパク質をコードしているヒトにおいては，HbFの合成に必要なαグロビン鎖に欠損があるので，HbFが生成されず，**胎児水腫 hydrops fetalis**と胎児死亡を伴う**ヘモグロビン・バート（γ_4）症 hemoglobin Bart（γ_4）disease**になる．［注：αサラセミアとβサラセミアのどちらのヘテロ接合体も，マラリアに対する抵抗力が大きいことが知られている．］

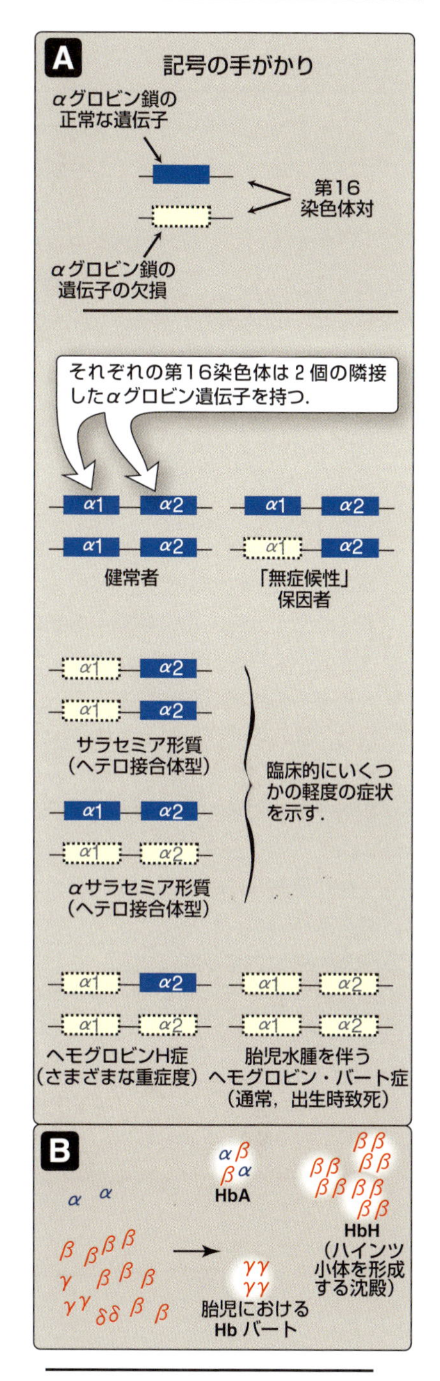

図 3.23
A. αサラセミアにおけるαグロビン遺伝子の欠損．B. αサラセミアで形成されるヘモグロビン（Hb）四量体．

3章の要約

- 成人の主要なヘモグロビンである**ヘモグロビンA**(**HbA**)は，非共有結合性相互作用で結合した4本のポリペプチド鎖(2本のα鎖と2本のβ鎖，$\alpha_2\beta_2$)で構成される(図3.24)．
- サブユニットの相対的な位置が，オキシヘモグロビンとデオキシヘモグロビンで異なる．Hbの**デオキシ型**は，**"T"型**あるいは**張りつめた taut**(**緊張 tense**)**型**と呼ばれる．これはポリペプチド鎖の動きが制限された窮屈な構造である．T型はHbの**低酸素親和性型**である．
- 酸素(O_2)がヘム鉄と結合すると，イオン結合と水素結合のいくつかが切断され，二量体の移動を引き起こす．これにより，ポリペプチド鎖はより大きな動きの自由度を持つ**"R"型**，あるいは**弛緩型**の構造になる．R型はHbの**高酸素親和性型**である．
- (**ミオグロビン**の**酸素解離曲線**は**双曲線形**であるのに対して)Hbの酸素解離曲線は**シグモイド形**であり，サブユニットが**協同的**にO_2と結合することを示す．1つのヘム基への1つの酸素分子の結合は，同じHb分子の残りのヘム基への酸素親和性を増加させる(**協同性**)．
- ヘモグロビンがO_2と可逆的に結合する能力は，(ヘム間相互作用によって)**酸素分圧**(pO_2)や，まわりの環境の**pH**，**二酸化炭素分圧**(pCO_2)，さらに**2,3-ビスホスホグリセリン酸**(**2,3-BPG**)の可用性によって影響を受ける．例えば，**運動中の筋肉**におけるように，pHが低いとき，あるいはpCO_2が高いときに，ヘモグロビンからのO_2の遊離は増え(**ボーア効果**)，ヘモグロビンの酸素解離曲線は右に移動する．
- 長期間の**慢性的低酸素状態**あるいは**貧血**の影響に対抗するために，**赤血球**(**RBC**)の**2,3-BPG**濃度は増加する．**2,3-BPG**はヘモグロビンに結合し，酸素親和性を下げる．その結果，さらに酸素解離曲線を右に移動させる．
- **胎児ヘモグロビン**(**HbF**)はHbAと比較して，2,3-BPGとより弱く結合するので，より高い酸素親和性を持つ．
- **一酸化炭素**(**CO**)は，ヘモグロビンの鉄と(可逆的ではあるが)強く結合して，**カルボキシヘモグロビン**を生成する．
- **異常ヘモグロビン症**は主として，**鎌状赤血球貧血**の場合のように異常な構造のHb分子を生成するか，あるいは**サラセミア**の場合のように正常なHbを不十分な量しか合成しないかのどちらかによって引き起こされる疾患である(図3.25)．

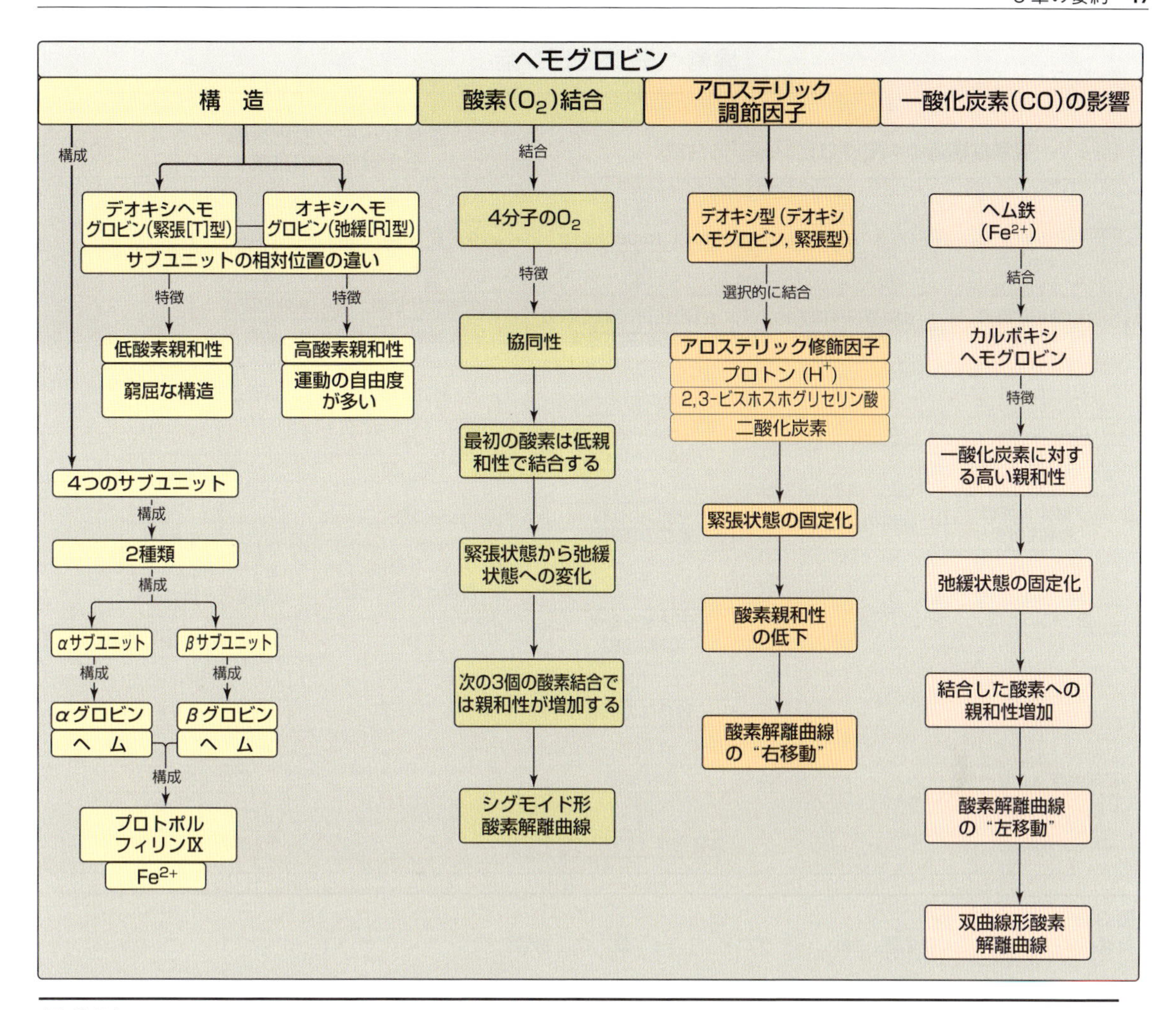

図 3.24
ヘモグロビンの構造と機能の概念図．Fe^{2+}：二価鉄イオン．

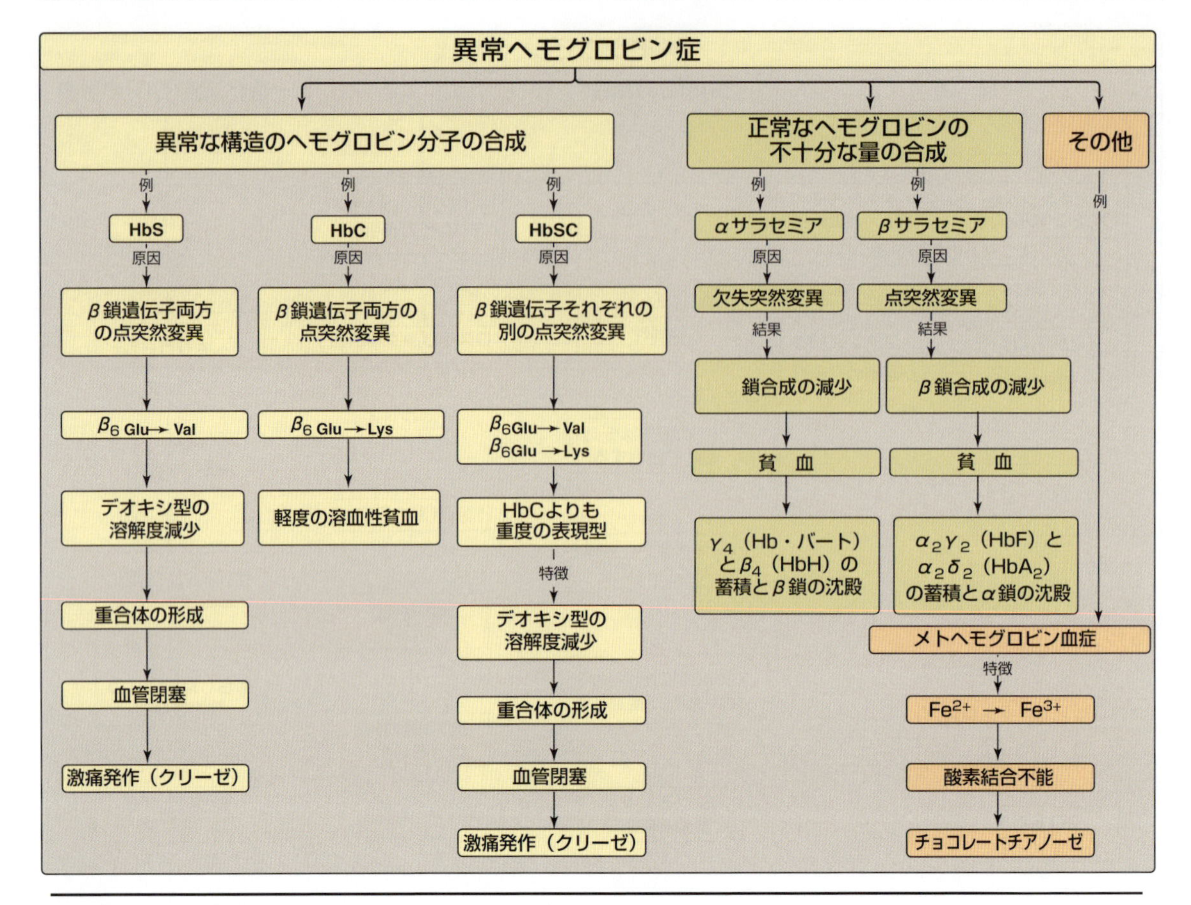

図 3.25
異常ヘモグロビン症の概念図．Hb：ヘモグロビン，Fe：鉄，O_2：酸素．

学習問題

最適な答えを1つ選びなさい.

3.1　ヘモグロビンに関して，正しいのはどれか.

A. HbAは健常成人に最も多く存在するヘモグロビンである.

B. HbFは2,3-ビスホスホグリセリン酸(2,3-BPG)に対して親和性が高いので，胎児の血液は成人の血液よりも酸素に対する親和性が低い.

C. HbFのグロビン鎖構成は，$\alpha_2\delta_2$である.

D. HbA_{1c}はHbAと，遺伝的に決定される1カ所のアミノ酸置換で異なる.

E. HbA_2は胎児期の早期に出現する.

正解　A. HbAは健常成人のヘモグロビンの90% 以上を占める．もしHbA_{1c}も含めると，それは約97%に上昇する．2,3-BPGはヘモグロビンの酸素に対する親和性を低下させる．したがって，HbFのほうがHbAよりも2,3-BPGとの相互作用が弱いために，HbFのほうがHbAよりも酸素親和性が高くなる．HbFは$\alpha_2\gamma_2$で構成される．HbA_{1c}は，赤血球内で非酵素的に生成されるHbAの糖化型である．HbA_2は健常成人のヘモグロビンの微量成分であり，出生直前にはじめて出現し生後6カ月までに成人のレベル(すべてのヘモグロビンの約2%)に上昇する.

3.2　鎌状赤血球貧血において，アシドーシス(pHの低下)が急に発作を引き起こすことに関して，正しいのはどれか.

A. アシドーシスは，HbSの溶解度を低下させる.

B. アシドーシスは，ヘモグロビンの酸素親和性を高める.

C. アシドーシスは，ヘモグロビンが緊張型のコンホメーション(T型)から弛緩型のコンホメーション(R型)へ転換するのを助ける.

D. アシドーシスは，酸素解離曲線を左に移動させる.

E. アシドーシスは，2,3-ビスホスホグリセリン酸(2,3-BPG)のヘモグロビンへ結合する能力を減少させる.

正解　A. オキシヘモグロビンと比較して，HbSは著しく溶解しにくい．pHの低下(アシドーシス)は，酸素解離曲線を右に移動させ，酸素親和性を低下させる．これはヘモグロビンのデオキシ(あるいは緊張)型の形成を助け，鎌状赤血球症の発作(クリーゼ)を引き起こす．2,3-BPGはデオキシヘモグロビンだけに結合するので，その結合はアシドーシスで増加する.

3.3　ヘモグロビンの酸素結合に関して，正しいのはどれか.

A. ボーア効果によって，pHが高いほど酸素親和性が低くなる.

B. 二酸化炭素は，ヘモグロビンの酸素親和性を高める.

C. ヘモグロビンの酸素親和性は，飽和度が増加するほど高くなる.

D. ヘモグロビン四量体は，4分子の2,3-ビスホスホグリセリン酸(2,3-BPG)と結合する.

E. オキシヘモグロビンとデオキシヘモグロビンは，プロトンに対して同じ親和性を持つ.

正解　C. ある1つのヘム基に1つの酸素が結合することによって，同じヘモグロビン分子の残りのヘム基への酸素親和性が増加する．pHが上がると酸素親和性が増加する．二酸化炭素はpHを低下させるので，酸素親和性を低下させ，さらに，二酸化炭素のN末端への結合はデオキシ(緊張)型を安定化する．ヘモグロビンは1分子の2,3-BPGと結合する．デオキシヘモグロビンはプロトンに対して，より高い親和性を持つ．したがって，弱い酸である.

3.4 HbAのβ鎖の82番目のリシンは2,3-ビスホスホグリセリン酸(2,3-BPG)の結合に重要である．Hbヘルシンキにおいて，この塩基性の正に荷電したアミノ酸は非電荷アミノ酸であるメチオニンに置き換わる．Hbヘルシンキに関して，正しいのはどれか．

A. 弛緩型よりも緊張型において安定化する．
B. 組織への酸素運搬が減る．
C. Hbヘルシンキでは，HbAと比較して酸素解離曲線が右に移動する．
D. 貧血になる．
E. ヘモグロビンの酸素に対する親和性が減少する．

正解 B．正に荷電したリシンが非電荷のメチオニンへ置き換わると，2,3-BPGの負電荷を持つリン酸基がヘモグロビンのβ鎖へ結合しにくくなる．2,3-BPGはヘモグロビンの酸素親和性を低下させるので，2,3-BPGの減少は酸素親和性の上昇と組織への酸素(O_2)運搬の減少をもたらす．弛緩型はヘモグロビンの酸素高親和性型である．酸素親和性の上昇(酸素運搬の減少)は酸素解離曲線を左に移動させる．酸素運搬の減少は赤血球産生の増加で代償される．

3.5 1週間の狭心症と息切れの病歴がある67歳の男性が，救急科を受診した．彼は顔と手足の色が青いと訴えた．彼の病歴には硝酸イソソルビドとニトログリセリンで治療されている慢性の安定狭心症がある．検査のための血液は茶色であった．最も可能性が高い診断はどれか．

A. 一酸化炭素中毒
B. ヘモグロビンSC症
C. メトヘモグロビン血症
D. 鎌状赤血球貧血
E. βサラセミア

正解 C．ヘモグロビンのヘム補欠分子族のなかにおける，鉄(Ⅱ)(Fe^{2+})から鉄(Ⅲ)(Fe^{3+})状態への酸化により，メトヘモグロビンが生成する．この酸化は硝酸塩のような薬物の作用で引き起こされる可能性がある．メトヘモグロビン血症は，暗色のメトヘモグロビンによる“チョコレートチアノーゼ”(青紫色の皮膚と粘膜と茶色の血液)が特徴である．症状は組織の低酸素症，不安，頭痛，さらに呼吸困難である．まれな例として，昏睡や死が起こる．[注：局所麻酔薬として使われる芳香族アミンであるベンゾカインは，後天性メトヘモグロビン血症の原因になる．]

3.6 ヘモグロビンC症では，なぜ赤血球が鎌状化しないのか．

HbAの極性のグルタミン酸が非極性のバリンで置換されたHbSと異なり，HbCでは極性のリシンで置換されている．

3.7 HbSを持ち，かつHbFの発現が遺伝的に持続するヒトにおける鎌状赤血球化の程度はどうなっているか．

HbFはHbSを減少させるので，減少するだろう．

線維状タンパク質

4

Ⅰ．概　要

線維状タンパク質は，通常，繰り返されるアミノ酸配列によって伸長したフィラメントかシート状の構造に折りたたまれる．これらは比較的不溶性で，結合組織，腱，骨，筋線維の構造を保ったり保護したりする機能を持っている．コラーゲンとエラスチンは，体の中で構造的機能を果たす細胞外基質 extracellular matrix（ECM）の，一般的であり特性が最も良く解明されている線維状タンパク質の例であり，皮膚，結合組織，血管壁，眼の強膜や角膜を構成する要素として存在する．線維状タンパク質は，それぞれの独特な構造に基づいて特有の力学的性質を示すが，その構造は繰り返される二次構造の要素のなかに特殊なアミノ酸の特質を組み込むことによって作り出される．この点において，二次構造，三次構造，時には四次構造の要素の間の複雑な相互作用の結果として，三次元構造が形成される球状タンパク質（3章で述べられた）と異なっている．

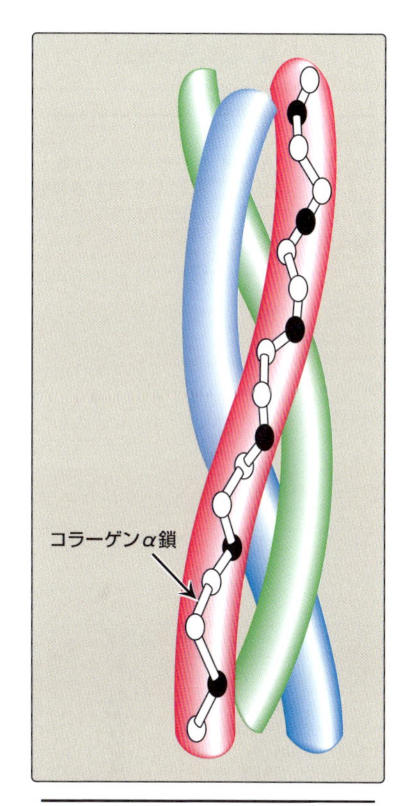

図 4.1
3本のα鎖で形成されるコラーゲンの三重らせん．［注：α鎖自身はらせん構造である．］

Ⅱ．コラーゲン

コラーゲン collagen は人体のなかで最も量が多いタンパク質である．典型的なコラーゲン分子は，3 本のポリペプチド（α鎖と呼ばれる）がロープのように互いに巻きついた三重らせんであり，長く，硬い構造である（図 4.1）．コラーゲン分子のこの三重らせん構造は体内のいたる所に存在するが，コラーゲンのサブタイプのうちの多くは，各臓器でコラーゲンが果たしている構造を保つ役割によって決まる．いくつかの組織では，ECM あるいは眼の硝子体液のように，コラーゲンは構造を支持するゲルとして，分散して存在していると思われる．他の組織では，腱のように，コラーゲンは大きな強度を与えるぴんと張った平行な線維に束ねられていると思われる．眼の角膜では，コラーゲンは散乱を最小にし，光を透過するように積み重ねられる．骨のコラーゲンは，どんな方向の機械的な剪断力にも耐えられるように，互いに斜めに配置され線維を形成する．

型	組織局在
	原線維形成性
I	皮膚，骨，腱，血管，角膜
II	軟骨，椎間板，硝子体
III	血管，皮膚，筋肉
	ネットワーク形成性
IV	基底膜
VIII	角膜および血管の内皮
	原線維付随性*
IX	軟骨
XII	腱，靱帯，他の組織

図 4.2
最も豊富に存在するコラーゲンの型．［注：*断続性三重らせんを有する原線維付随性コラーゲンは FACIT として知られている．］

A. 型

コラーゲンタンパク質のスーパーファミリーには，25 種以上の型のコラーゲンと，コラーゲン様ドメインを持つ追加的なタンパク質がある．3 本のαポリペプチド鎖は，ポリペプチド鎖の間の水素結合で 1 つに結合している．α鎖のアミノ酸配列の変異によって，ほとんど同じ大きさ(約 1,000 アミノ酸の長さ)の，若干異なる特徴の構造要素が作り出される．これらのα鎖が結合して，組織に存在するさまざまな型のコラーゲンが作られる．例えば，最も一般的なコラーゲン I 型($\alpha1_2\alpha2$)は 2 本の$\alpha1$ 鎖と 1 本の$\alpha2$ 鎖で構成される．一方，II 型コラーゲン($\alpha1_3$)は 3 本の$\alpha1$ 鎖で構成される．コラーゲンは，体内の局在と機能の違いによって，3 つのグループに分類される(図 4.2)．

1．原線維形成性コラーゲン：I 型，II 型，III 型のコラーゲンは線維状のコラーゲンであり，典型的なコラーゲン分子の構造としてすでに記述したように，ロープのような構造を持つ．電子顕微鏡によって，この原線維の線条重合体が，特徴的な帯状の縞模様(横紋)を持つことが示される(図 4.3)．これは，個々のコラーゲン分子が原線維のなかで規則的にずれて集合することによるものである．I 型コラーゲン線維(**コラーゲン原線維 collagen fibril** から構成されている)は，高い拡張力の支持組織(例えば，腱や角膜)にみられるのに対して，II 型コラーゲン分子で形成される線維は軟骨性の組織に限局する．III 型コラーゲン由来の線維は，血管などの膨張性組織に多い．

2．ネットワーク形成性コラーゲン：IV 型と VIII 型は，明らかな線維を形成せずに三次元的な網を形成する(図 4.4)．例えば，IV 型分子は集合して，基底膜の主要な部分を構成するシートあるいは網になる．

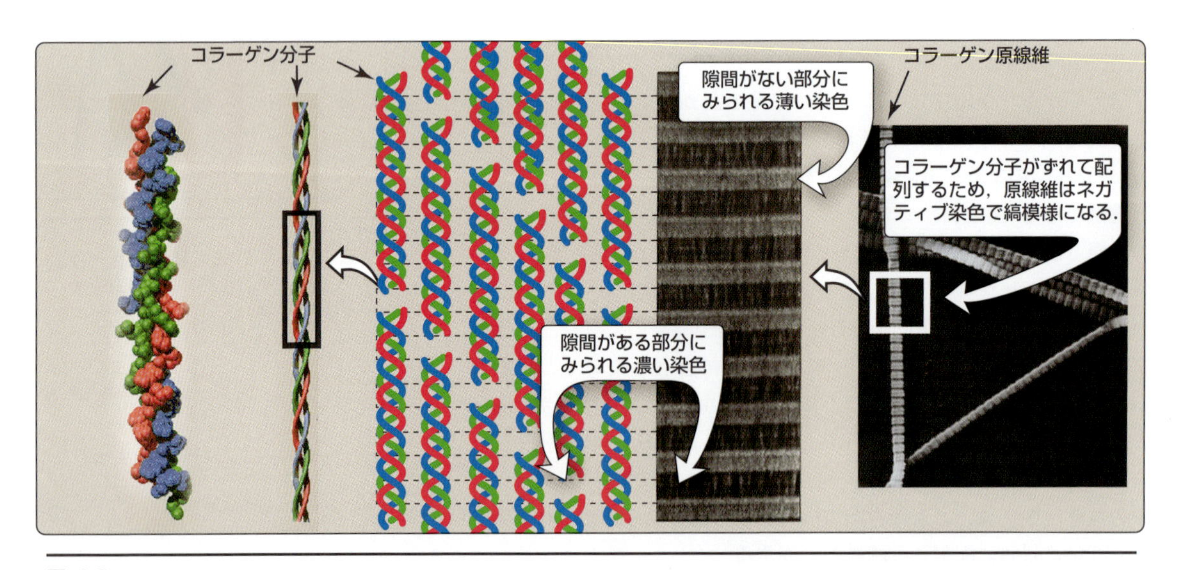

図 4.3
右のコラーゲン原線維は特徴的な縞模様を示す．これは，原線維中で個々のコラーゲン分子が規則的にずれて重なっていることを反映している．

> 基底膜 basement membraneは，近接した細胞の機械的な支持材となる薄いシート状の構造であり，腎臓や肺のような器官では，巨大分子に対する半透性濾過障壁として機能する．

3．原線維付随性コラーゲン：Ⅸ型とⅫ型はコラーゲン原線維の表面に結合し，コラーゲン原線維どうし，さらにコラーゲン原線維と他のECMの要素とを結びつける(図4.2参照)．

B．構　造

球状タンパク質のほとんどがコンパクトな構造に折りたたまれているのに対して，線維状タンパク質であるコラーゲンはポリペプチド鎖の間の水素結合で安定化された長く伸びた三重らせん構造をとる．

1．アミノ酸配列 amino acid sequence：コラーゲンにはプロリンとグリシンが豊富に存在し，その両者とも三重らせんを形成するのに重要である．**プロリン proline**は，その環構造がペプチド鎖を“折り曲げる”ことによって，それぞれのα鎖がらせん構造を形成しやすくする．[注：プロリンが存在することによって，α鎖のらせん構造はαヘリックスとなることができなくなる(p.18参照)．] 最も小さなアミノ酸である**グリシン glycine**は，ポリペプチド鎖の3残基ごとに存在し，3本のらせんが一緒になる部分の狭い空間にぴったりとはまる．グリシン残基は，繰り返し配列である-Gly-X-Y-に不可欠な要素である．この配列において，Xは高い頻度でプロリンであり，Yは多くの場合，**ヒドロキシプロリン hydroxyproline**である(**ヒドロキシリシン hydroxylysine**になることもある，図4.5)．以上のことから，コラーゲンのα鎖の構造のほとんどが，(-Gly-Pro-Hyp-)のポリトリペプチドであるとみなすことができる．

2．ヒドロキシプロリンとヒドロキシリシン：コラーゲンには，ほとんどの他のタンパク質には存在しない非標準アミノ酸(p.1参照)であるヒドロキシプロリンとヒドロキシリシンが存在する．これらの独特なアミノ酸残基は，プロリンとリシンがポリペプチド鎖に組み込まれたあとにその一部がヒドロキシ化(水酸化)されることによって生成される(図4.6)．したがって，ヒドロキシ化は**翻訳後修飾 posttranslational modification**の一例である(p.590参照)．[注：ヒドロキシプロリンが存在すると，三重らせん構造を安定化するポリペプチド鎖間の水素結合の形成が最大になる．]

3．糖鎖付加：コラーゲンの**ヒドロキシリシン**残基のヒドロキシ基に，酵素的に糖鎖が付加される可能性がある．三重らせん構造の形成に先立ち，グルコースとガラクトースが順番にポリペプチド鎖に付加されるのが最も一般的である(図4.7)．

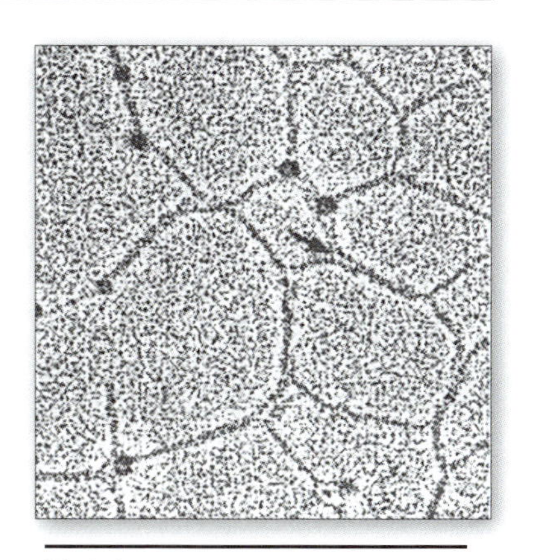

図 4.4
Ⅳ型コラーゲン単量体の会合によって形成される多角形の網目(ネットワーク)構造の電子顕微鏡写真．

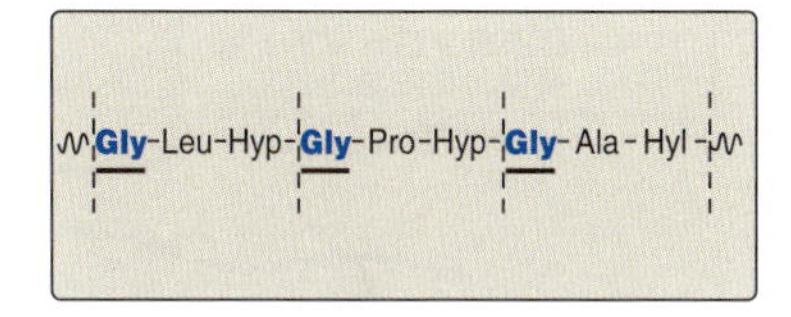

図 4.5
コラーゲンα1鎖の一部分のアミノ酸配列．Hyp：ヒドロキシプロリン，Hyl：ヒドロキシリシン．

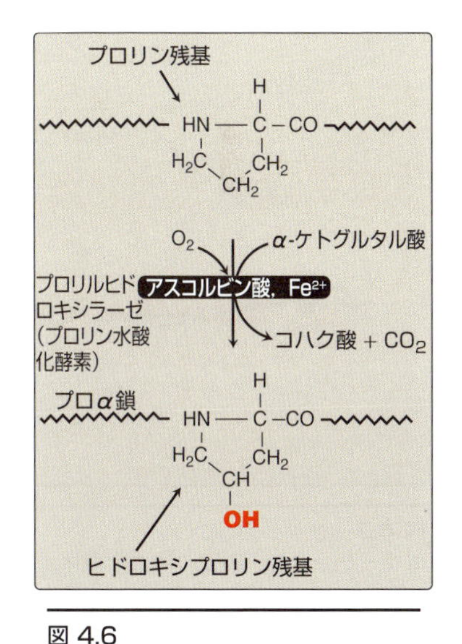

図 4.6
プロα鎖のプロリン残基のプロリルヒドロキシラーゼによるヒドロキシ化．[注：Fe^{2+}(ヒドロキシラーゼの補因子)は，アスコルビン酸(ビタミンC)によってFe^{3+}への酸化から保護されている．]

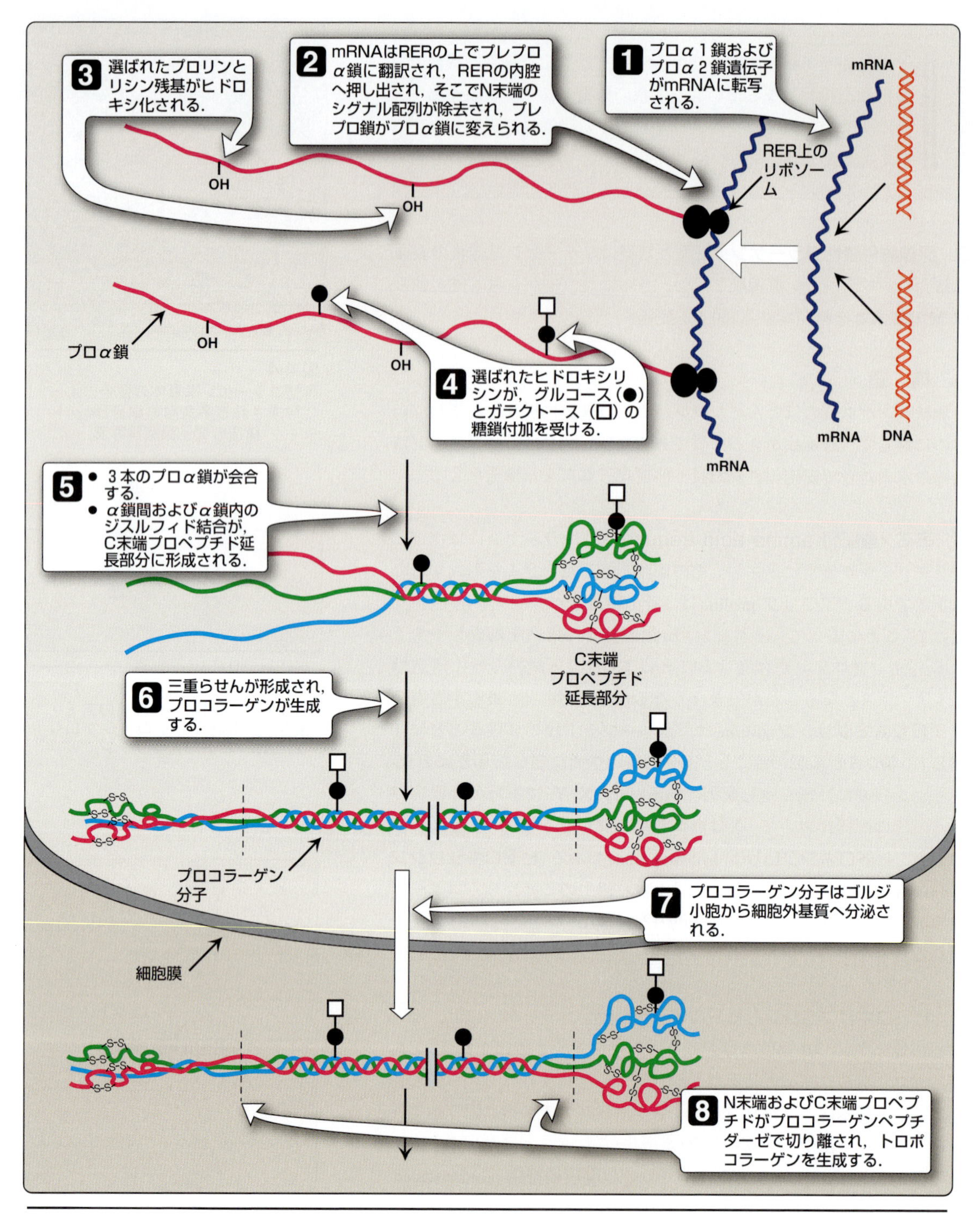

図 4.7 （次ページに続く）
コラーゲン合成．RER：粗面小胞体，mRNA：メッセンジャーRNA.

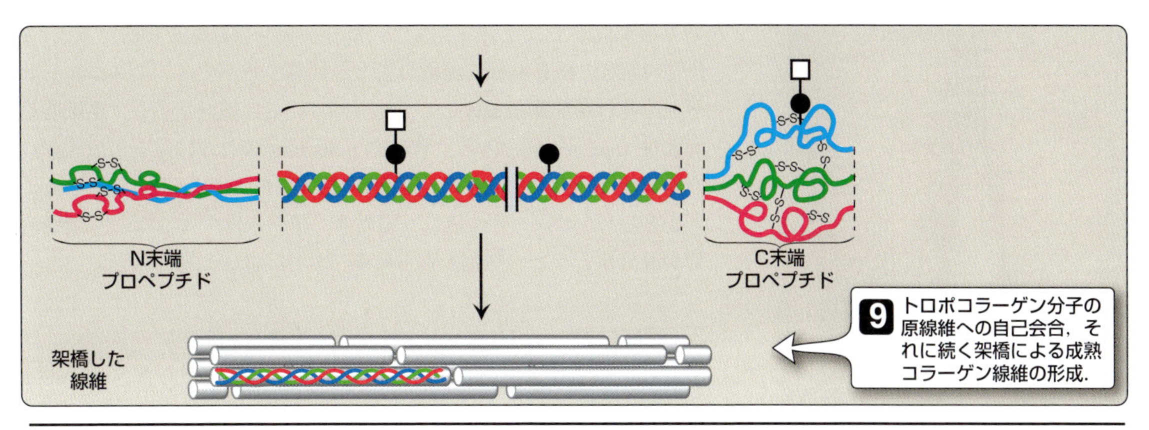

図 4.7 （前ページからの続き）
コラーゲン合成．

C. 生 合 成

コラーゲン分子の前駆体であるポリペプチド鎖は，**線維芽細胞 fibroblast**（あるいは，骨の**骨芽細胞 osteoblast**，軟骨の**軟骨芽細胞 chondroblast**）で合成される．前駆体は酵素的修飾を受けて，三重らせんを形成し，その後ECMに分泌される．酵素によりさらに修飾された後，細胞外の成熟したコラーゲン原線維が集合し，架橋してコラーゲン原線維を形成する．

1．**プロα鎖生成**：コラーゲンは細胞外で機能するタンパク質である．細胞外へ輸送される他のほとんどのタンパク質と同様に，新たに合成されたα鎖の前駆体であるポリペプチド鎖（プレプロα鎖）のアミノ（N）末端には，特殊なアミノ酸配列がある．この配列は，別のシグナルがなくても，合成されたポリペプチド鎖が細胞から分泌されるためのシグナルとして働く．その**シグナル配列 signal sequence**は，リボソームが粗面小胞体 rough endoplasmic reticulum（RER）に結合するのを促進し，プレプロα鎖をRERの内腔 lumenへ移行させる．シグナル配列は内腔で速やかに分解され，**プロα鎖 pro-α-chain**と呼ばれるコラーゲンの前駆体になる（図 4.7 参照）．

2．**ヒドロキシ化（水酸化）hydroxylation**：プロα鎖は，ポリペプチド鎖がまだ合成されているうちから，RERの内腔で多くの酵素で処理される（図 4.7 参照）．-Gly-X-Y-配列のYの位置のプロリンとリシン残基には，ヒドロキシ化されてヒドロキシプロリンおよびヒドロキシリシン残基になるものがある．この反応には，酸素分子と鉄（Ⅱ）イオン（Fe^{2+}）と，そして還元剤としてビタミンC（アスコルビン酸，p.496 参照）が必要であり，これらが欠けると，ヒドロキシラーゼ hydroxylase，すなわちプロリルヒドロキシラーゼ（プロリン水酸化酵素）prolyl hydroxylaseおよびリシルヒドロキシラーゼ（リシン水酸化酵素）lysyl hydroxylaseは機能できない（図 4.6 参照）．**アスコルビン酸欠乏症 ascorbic acid deficiency**（その結果，プロリンとリシンのヒドロキシ化の不足）では，鎖間の水素結合形成が損なわれて，安定な三重ら

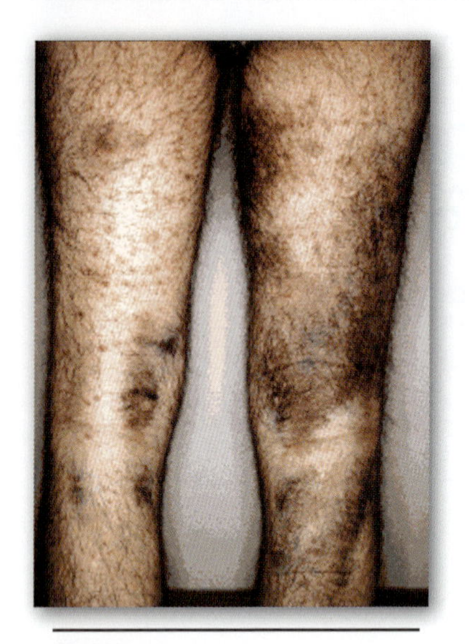

図 4.8
46歳壊血病男性の足.

せんの形成ができない．さらに，コラーゲン原線維が架橋できず(下記 7. 参照)，結集された線維の張力が極端に低下する．アスコルビン酸欠乏症は**壊血病 scurvy** として知られている．壊血病患者は**毛細血管脆弱性 capillary fragility** と点状出血 petechiae のために皮下出血(漏出)を起こし，その結果，手足に出血斑(打撲傷のような変色)ができることが多い(図 4.8)．その他にも歯周病，歯が抜けやすくなる，創傷治癒が遅延するなどの症状もみられる．

3．糖鎖付加： ヒドロキシリシンのあるものは，グルコースあるいはグルコシルガラクトースによる糖鎖付加によって修飾される(図 4.7 参照)．

4．会合と分泌： ヒドロキシ化と糖鎖付加のあと，3 本のプロ α 鎖は会合して，コラーゲンの前駆体である**プロコラーゲン procollagen** を形成する．プロコラーゲンは，三重らせんの中心部分と，その両側の**プロペプチド propeptide** と呼ばれる非らせん構造の N 末端およびカルボキシ(C)末端延長部分で構成される(図 4.7 参照)．プロコラーゲンの生成は，プロ α 鎖の C 末端延長部分におけるペプチド鎖間のジスルフィド結合の生成からはじまる．これにより，3 本の α 鎖が三重らせんを形成しやすい配置になる．プロコラーゲン分子はゴルジ体に移行し，そこで分泌小胞に包み込まれる．小胞は細胞膜と融合し，プロコラーゲン分子を細胞外腔へ放出する．

5．プロコラーゲン分子の細胞外における分解： 放出されたあと，プロコラーゲン分子は，両側の末端プロペプチドを除去する ***N*-プロコラーゲンペプチダーゼ** *N*-procollagen peptidase と ***C*-プロコラーゲンペプチダーゼ** *C*-procollagen peptidase によって分割され，三重らせんのトロポコラーゲン分子を生成する．

6．コラーゲン原線維の形成： トロポコラーゲン分子は自然にコラーゲン原線維を形成する．隣接するコラーゲン分子は，それぞれが隣りの分子と約 4 分の 3 の長さが重なり合うようにずらして規則正しく平行に配列する(図 4.7 参照)．

7．架橋形成： 線維状に配列したコラーゲン原線維分子は，リシルオキシダーゼ lysyl oxidase の基質になる．この細胞外の銅酵素はコラーゲンの一部のリシン残基とヒドロキシリシン残基から酸化的にアミノ基を取り去る．脱アミノ反応によって生成される反応性に富むアルデヒド(**アリシン allysine** および**ヒドロキシアリシン hydroxyallysine**)は，隣のコラーゲン分子のリシン残基あるいはヒドロキシリシン残基と自発的に縮合し，共有結合性の架橋を形成して，成熟コラーゲン線維を形成する(図 4.9)．[注：架橋は 2 つのアリシン残基の間でも形成可能である．]

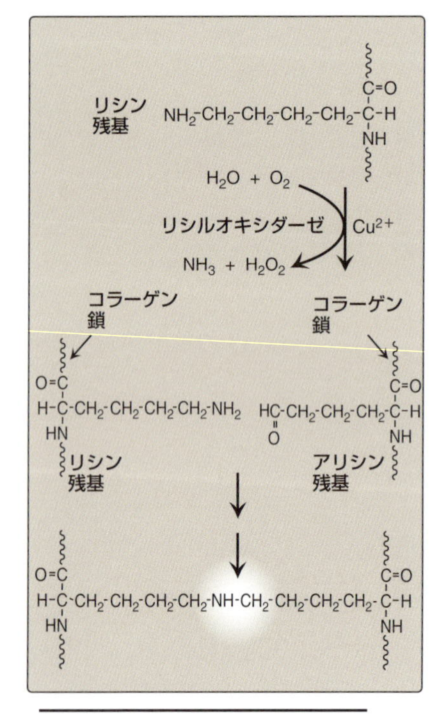

図 4.9
コラーゲンの架橋形成. [注：リシルオキシダーゼは，ジャコウエンドウ *Lathyrus odoratus*（スイートピー）の種子に存在する毒素で不可逆的に阻害され，骨および血管性の疾患が特徴の**ラチリズム lathyrism** として知られる症状を引き起こす.] Cu^{2+}：銅, NH_3：アンモニア, H_2O_2：過酸化水素.

リシルオキシダーゼは銅酵素の1つである．銅酵素には，他に，セルロプラスミン(p.520参照)，シトクロム*c*オキシダーゼ cytochrome *c* oxidase(p.96参照)，ドーパミンヒドロキシラーゼ dopamine hydroxylase(p.372参照)，スーパーオキシドジスムターゼ superoxide dismutase(p.197参照)，チロシナーゼ tyrosinase(p.354参照)がある．銅のホメオスタシス(恒常性)が崩れると，銅欠乏(X連鎖メンケス症候群 X-linked Menkes' syndrome)あるいは銅過剰症(ウィルソン病 Wilson's disease)になる(p.520参照)．

D. 分　解

正常なコラーゲン線維は非常に安定な分子であり，半減期は数年にもなる．しかし，結合組織は動的であり，成長あるいは組織の損傷に応じて，絶えず作り直されている．そのようなときには，コラーゲン線維はコラゲナーゼ collagenaseのタンパク質分解作用で破壊される．この酵素は，大きなマトリックスメタロプロテアーゼ metalloproteinaseファミリーの一員である．Ⅰ型コラーゲンでは，分解部位は非常に特異的であり，4分の3の断片と4分の1の断片を生じる．これらの断片は，さらに他のマトリックスプロテアーゼ proteinaseによって分解される．

E. コラーゲン異常症 collagenopathy

コラーゲン線維合成に関係する多くの段階のどれか1つにでも異常があると，コラーゲンが正しく線維を形成できない遺伝病になる．通常，組織の張力はコラーゲンによって維持されているので，正しい線維を形成できないと，組織に必要な強度が保てなくなる．これまで13種類の型のコラーゲンの23の遺伝子において，1,000以上の突然変異が知られている．以下は，コラーゲン合成の異常によって起こる疾患(コラーゲン異常症)の例である．

1．エーラス・ダンロス症候群 Ehlers-Danlos syndrome(EDS)： EDSは，線維状コラーゲン分子の代謝の遺伝的欠陥を原因とするさまざまな一群の結合組織の疾患である．EDSはコラーゲンのプロセシング酵素(例えば，リシルヒドロキシラーゼ lysyl hydroxylase，あるいは*N*-プロコラーゲンペプチダーゼ)の欠損，あるいはⅠ型，Ⅲ型およびⅤ型のコラーゲンのアミノ酸配列の変異が原因のことがある．Ⅴ型コラーゲンの異常が原因である古典的EDSは，皮膚の伸展性と脆弱性，そして関節の過可動性が特徴的である(図4.10)．Ⅲ型コラーゲンの異常が原因の血管型EDSは致死的な動脈破裂を伴う可能性があるために，EDSで最も重篤なものである．[注：古典的な型と血管型は常染色体優性遺伝を示す．] 変異鎖を含んでいるコラーゲンは構造，分泌あるいは分布が変化する可能性があるし，分解されることも

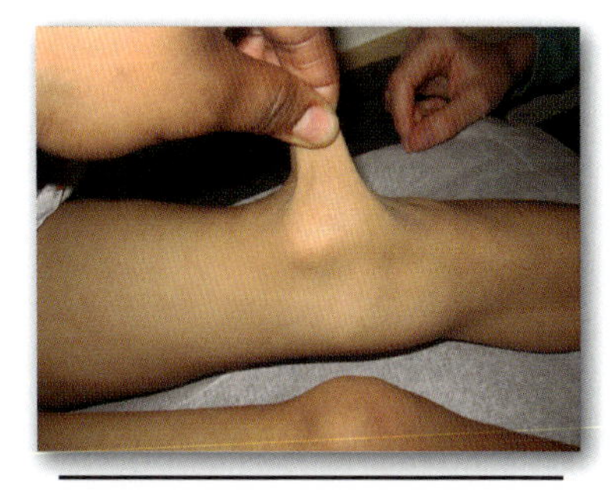

図 4.10
古典的エーラス・ダンロス症候群の伸びやすい皮膚．

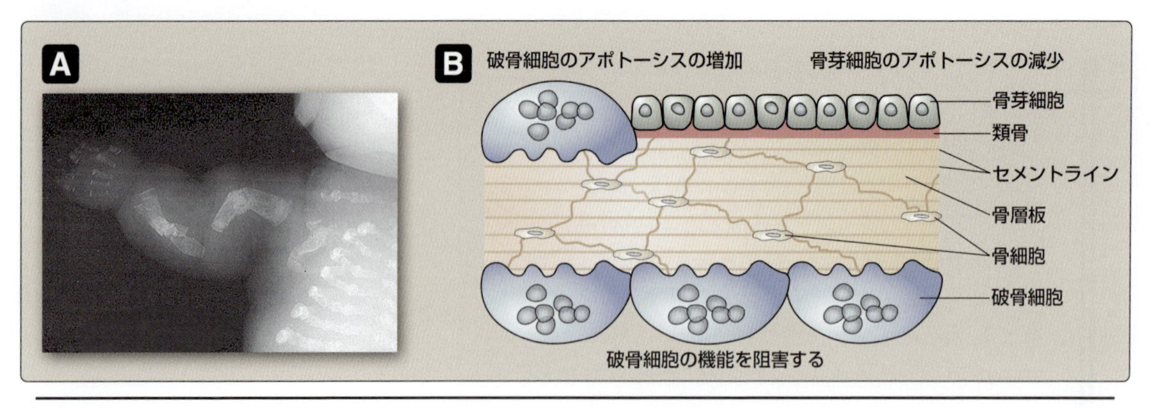

図 4.11
A. 死産胎児のX線写真で示される，子宮内で骨折がみられる致死型（Ⅱ型）骨形成不全症.
B. 骨形成不全症（OI）患者の治療に用いられるビスホスホネートの作用機序.

多い.［注：たった1本の変異したペプチド鎖が組み込まれただけでも，三重らせんの崩壊につながることがある．これはドミナントネガティブ効果として知られている.］

2．骨形成不全症 osteogenesis imperfecta（OI）：骨脆弱症 **brittle bone syndrome** としても知られるこの疾患は，軽度の外傷あるいは外傷なしでも簡単に折れる脆弱な骨（図4.11）を特徴とする遺伝性疾患である．骨形成不全症の80% 以上の症例は，コラーゲンのα1 鎖あるいはα2 鎖をコードする遺伝子の優性突然変異で引き起こされる．最もよくみられる変異は，（-Gly-X-Y-配列中の）グリシン残基から，かさばった側鎖のアミノ酸残基への置換である．その結果，α鎖の構造の異常によって，コラーゲンとして必須なコンホメーションである三重らせん構造を形成できなくなる．表現型の重症度は軽度から致死的なものまで多岐にわたる．最も多いⅠ型OIは軽度の骨の脆弱性，難聴，青色強膜を特徴とする．最も重症のⅡ型では，通常は周産期に肺の合併症のために死亡する．子宮内で骨折がみられる（図4.11左参照）．Ⅲ型も重症型であり，出生時の多発性骨折，低身長，脊柱後弯症（円背）の外観につながる脊柱弯曲 spinal curvature，そして青色強膜を特徴とする．OIで歯の発生の障害である象牙質形成不全症 dentinogenesis imperfectaがみられることもある．OIの治療には，骨組織を分解する破骨細胞の機能を抑制するビスホスホネート製剤が用いられる（図4.11右参照）．ビスホスホネートは破骨細胞のアポトーシス（細胞死）も増加させるので，骨材料の再吸収も阻害する．ビスホスホネートはまた新しい骨基質を作る骨芽細胞のアポトーシスを阻害する．

3．アルポート症候群 Alport syndrome：糸球体腎炎，血尿，タンパク尿，高血圧を特徴とし，20～40代に末期腎不全と聴力損失へと進行する，腎臓と特に蝸牛と眼の基底膜の異常による遺伝性疾患群である．この疾患はおよそ5,000人に1人の頻度で認められるⅣ型コラーゲン遺伝子の変異によって発症する．最も一般的な伝播形式はX連鎖性優性遺伝である．どのⅣ型コラーゲン遺伝子に変異が入ったかによって遺伝のパターンや症状が異なる．

Ⅲ．エラスチン

丈夫で引張強度の高い線維を形成するコラーゲンと違い，**エラスチン elastin** は結合組織でみられる，ゴムのような性質を持った線維状タンパク質である．エラスチンと糖タンパク質のミクロフィブリル microfibrilから構成されるエラスチン線維は，肺，大動脈壁，弾力性がある靱帯に存在する．エラスチン線維はもとの長さの数倍伸びるが，引き伸ばす力がなくなると，もとの長さに戻る．

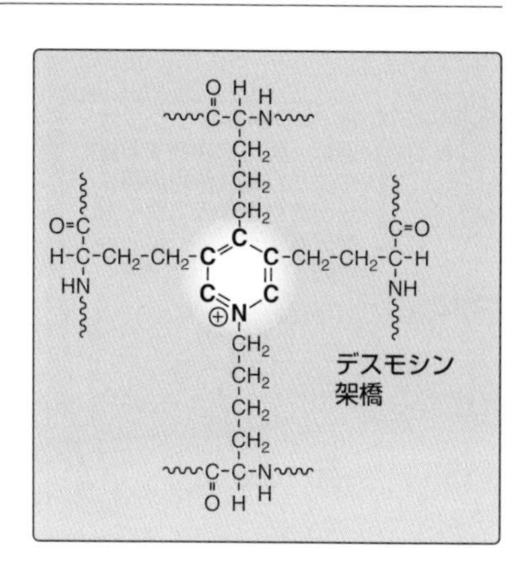

図 4.12
エラスチンに特有なデスモシン架橋．

A．構　造

エラスチンは，前駆体である**トロポエラスチン tropoelastin** から作成される不溶性タンパク質の重合体である．トロポエラスチンは，約700の小さな非極性アミノ酸(例えば，グリシン，アラニン，バリン)によって主に構成される可溶性ポリペプチドである．エラスチンには，プロリンとリシンも豊富に存在するが，ヒドロキシプロリンとヒドロキシリシンはほとんど存在しない．トロポエラスチンは，細胞からECMへ分泌される．そこで，トロポエラスチンは，**フィブリリン fibrillin** などの特殊な糖タンパク質から構成されるミクロフィブリルと相互作用し，フィブリリンを足場にして沈着する．トロポエラスチンポリペプチドのリシン側鎖の一部が，リシルオキシダーゼによって酸化的にアミノ基が取り去られ，アリシン残基になる．同じポリペプチド鎖あるいは隣のポリペプチド鎖の3つのアリシン残基と，変化していない1つのリシン残基が，デスモシン架橋を形成する(図4.12)．このようにして，力がかかると，どんな方向にも伸びて曲がる，縦横に相互に連結し，ゴムのような網目の**エラスチン**を生成し，結合組織に弾力性を与える(図4.13)．フィブリリン1タンパク質の突然変異は，骨格，眼，心血管系の構造的な障害が特徴的な，**マルファン症候群 Marfan's syndrome** の原因となる．この疾患では，異常なフィブリリンタンパク質が正常なフィブリリンと一緒にミクロフィブリルに組み込まれることによって，機能的なミクロフィブリルの形成が阻害される．マルファン症候群の患者は高率に長身で，長くすらっとした腕，足，指，つま先をしている．関節が柔らかく，側弯症を発症することもある．心臓や大動脈もしばしば僧帽弁逸脱症や大動脈瘤のリスクが高い．[注：マルファン症候群，OI，あるいはEDSの患者は，組織が薄層化して下層の色素が透けてみえるようになるため，青色強膜となる可能性がある．]

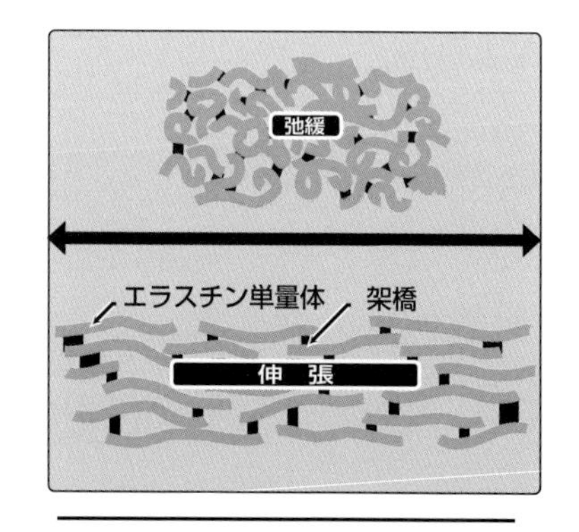

図 4.13
弛緩および伸張したコンホメーションのエラスチン線維．

B．エラスチン分解におけるα_1アンチトリプシン

血液および他の体液は，α_1アンチトリプシン α_1-antitrypsin (AAT)というタンパク質を含む．このタンパク質は，タンパク質を加水分解して破壊する多種類のタンパク質分解酵素(ペプチダーゼ peptidase，プロテアーゼ proteaseあるいはプロテイナーゼ proteinaseとも呼ばれる)を阻害する．[注：この阻害物質は，膵臓でトリプシノーゲンとし

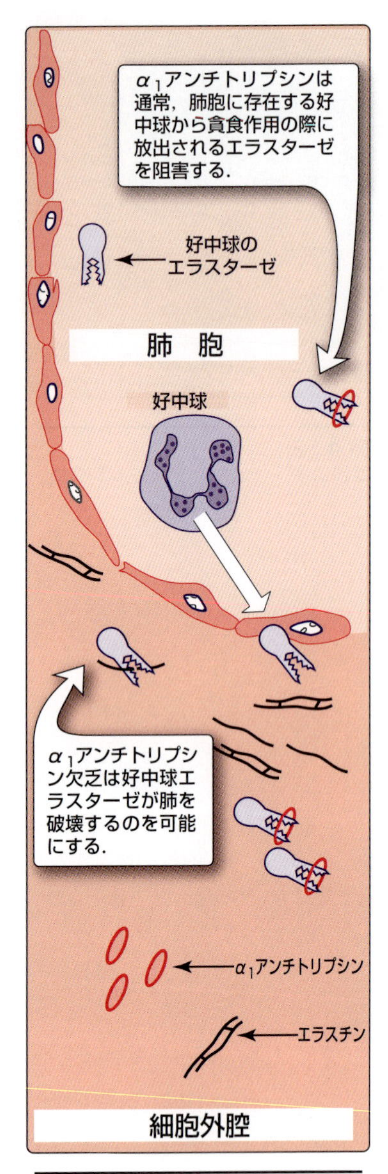

図 4.14
空気中の病原体に対する免疫反応の一環として活性化された好中球から放出されたエラスターゼによる肺胞組織の破壊．

て合成されるタンパク質分解酵素であるトリプシン trypsin（p.320 参照）の活性を阻害するので，はじめにAATと名づけられた．］ AATは好中球のエラスターゼ elastaseを阻害するという重要な生理的機能を持つ．エラスターゼは，細胞外腔へ放出される強力なプロテアーゼであり，多様な組織において構造タンパク質を分解するだけでなく，肺胞壁のエラスチンを分解する（図 4.14）．血漿中のほとんどのAATは，肝臓で合成され分泌される．肝臓以外でも合成される．

1．肺におけるα_1アンチトリプシン：正常な肺において，肺胞は常に低レベルの，活性化された好中球から放出されたエラスターゼに慢性的にさらされている．エラスターゼのタンパク質分解酵素の活性は，好中球エラスターゼの最も重要な阻害物質であるAATの働きで拮抗されなければ，肺胞のエラスチンを破壊してしまう可能性がある（図 4.14 参照）．肺組織は再生しないので，プロテアーゼとその阻害物質の不均衡が原因で，肺胞壁の結合組織が破壊されると**肺気腫 emphysema**になる．

2．α_1アンチトリプシン欠乏と肺気腫：米国では，肺気腫の患者の約 2 ～ 5% が，遺伝的なAATの障害が原因である．このAATタンパク質の欠乏を引き起こす，多くの異なるAATの遺伝子の変異が報告されている．そのなかで臨床的に最も広範囲に広がり重症なのは，プリン塩基の 1 カ所の変異（GAGからAAGへの変異，タンパク質の 342 番目のグルタミン酸のリシンへの置換をもたらす）である．［注：その変異タンパク質はZ変異体と呼ばれる．］ 変異によって，本来ならば単量体であるAATタンパクの折りたたみに誤り（ミスフォールド）が生じ，重合し，肝細胞の小胞体内で凝集する．そして，肝臓からのAATの分泌が減少する結果になる．つまり，AAT欠乏症はミスフォールドしたタンパク質病である．その結果，AATの血中濃度が低下して，肺に到達する量が減少する．［注：肝細胞に貯留したAAT重合体によって，**肝硬変 cirrhosis**（肝臓の瘢痕化）になる可能性がある．このような肝障害は小児における肝移植が必要となるような末期肝不全の最も多い原因である．］ 肝臓からAATが分泌されなくなると，血中AAT濃度が低下し，肺組織で利用可能なAAT量も減少してしまう．米国では，北欧起源の白人にはAATの突然変異が最も多い．ただし，異常なAATアレル（対立遺伝子）を受け継いだホモ接合体でなければ肺気腫になるリスクはない．1 つが正常で 1 つが異常な対立遺伝子を持つヘテロ接合体でも，AATのレベルは肺胞を損傷から守るのに十分である．［注：AATの 348 番目のメチオニンが，標的プロテアーゼに結合するために必要である．喫煙は，そのメチオニンを酸化して不活性化をもたらし，その結果エラスターゼを中和する阻害作用を失わせる．したがって，AAT欠乏の喫煙者は，肺気腫になる確率が顕著に高く，欠乏の非喫煙者よりも生存率が低い．］ エラスターゼ阻害物質の欠乏は，AATを静脈内投与する補充療法を毎週行うことにより治療できる．AATは血液から肺に拡散し，肺上皮細胞を取り囲んでいる体液のなかで治療に十分な濃度に達する．

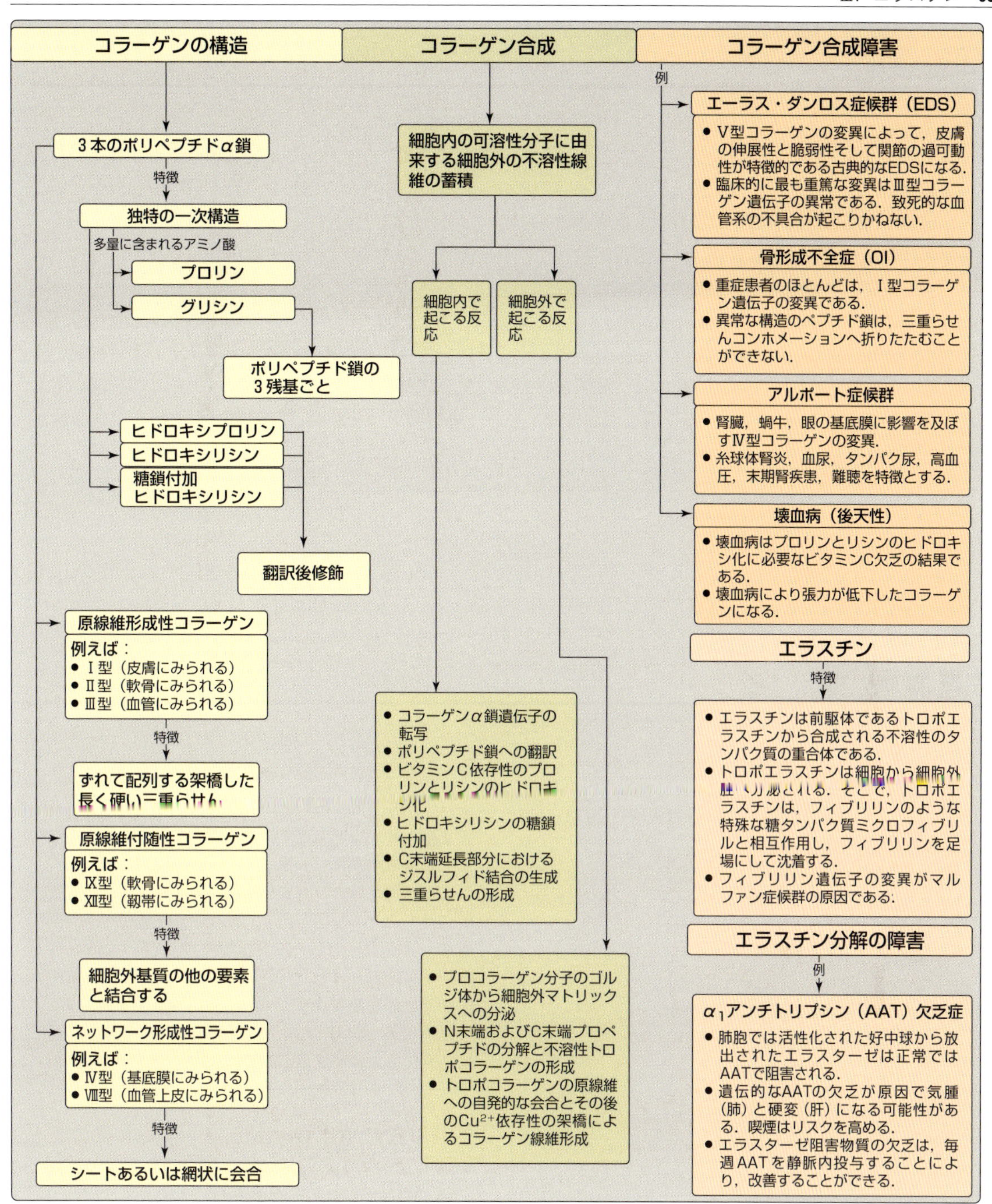

図 4.15
線維状タンパク質，コラーゲンとエラスチンの概念図．Cu^{2+}：銅イオン．

4章の要約

- コラーゲンとエラスチンは線維状タンパク質である(図 4.15).
- **コラーゲン**分子には,**プロリン**,**リシン**,**グリシン**が豊富に存在し,グリシンは一次構造上で3残基ごとに出現する.コラーゲンには,翻訳後修飾によって形成される**ヒドロキシプロリン**,**ヒドロキシリシン**,そして**糖鎖が付加したヒドロキシリシン**も存在する.
- 線維状コラーゲンは,3本のコラーゲンポリペプチドα鎖が,ロープのような**三重らせん**で互いに巻きついた長く,硬い構造であり,**鎖間の水素結合**で安定化されている.他の型のコラーゲンはメッシュのような網目構造を形成する.
- **エラスチン**は肺などの組織に存在する,ゴムのような特徴を持つ結合組織タンパク質である.主に肝臓で作られる**α_1 アンチトリプシン(AAT)**は,肺胞壁において**エラスターゼ**で触媒されるエラスチンの分解を阻害する.AAT欠乏はエラスチンの分解を増加させ,そして**肺気腫**を,ときには**肝硬変**を引き起こす可能性がある.

学習問題

最適な答えを1つ選びなさい.

4.1 北欧起源の30歳の女性が進行性呼吸困難(息切れ)の症状を示した.彼女は喫煙をしない.家族歴から,彼女の姉妹も肺に問題を抱えていることが明らかになった.病因のうち,この患者の肺の症状を最もよく説明するのはどれか.

A. 食事のビタミンC欠乏
B. α_1 アンチトリプシン(ATT)の欠乏
C. プロリンヒドロキシラーゼの欠損
D. エラスターゼ活性の低下
E. コラゲナーゼ活性の増加

正解 B. ATT欠乏症は遺伝的な疾患であり,喫煙をしなくても肺障害や肺気腫を引き起こすことがある.ATTの欠乏はエラスターゼ活性を上昇させ,肺胞壁のエラスチンの破壊を招く.慢性閉塞性肺疾患が,慢性の気管支炎の病歴あるいは喫煙習慣のない45歳以下の患者にみられたとき,あるいは,他の家族も若年で閉塞性肺疾患であるときは,ATT欠乏症が疑われる.選択肢A,C,Eはコラーゲンに関する記載であり,エラスチンに関するものではない.

4.2　7カ月の乳児が，ハイハイ中に転倒し，足を腫らしている．軽微な外傷による曲がった大腿骨の骨折と細い骨が画像から認められる（右のX線写真参照）．青色強膜も認められた．生後1カ月のとき，この乳児にはさまざまな治癒段階の多発性（右鎖骨，右上腕骨，右橈骨）の骨折がみられた．注意深く家族歴を調べた結果，骨折の原因として意図的な外傷（児童虐待）の可能性を除外している．この乳児は以下のどの欠損を持っているか．この臨床記述に最も一致する欠陥（あるいは欠損）分子と現れた病状の組合せはどれか．

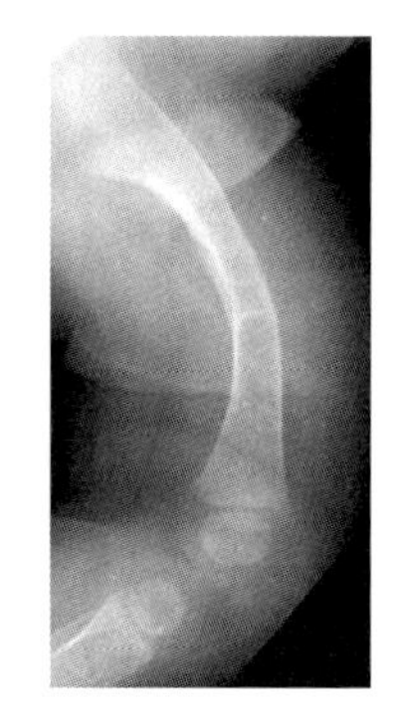

A.　エラスチンと肺気腫
B.　フィブリリンとマルファン症候群
C.　I型コラーゲンと骨形成不全症
D.　V型コラーゲンとエーラス・ダンロス症候群
E.　ビタミンCと壊血病

正解　C．この子は骨形成不全症である可能性が高い．ほとんどの場合，I型コラーゲン遺伝子の欠陥によって起こる．患者の骨は細く，骨粗鬆症的で，曲がり，極端に折れやすい．肺疾患はこの乳児にはみられない．マルファン症候群の患者は，骨格，眼，心血管系の構造的な障害を持つ．V型コラーゲンの欠陥は皮膚の伸展性と脆弱性，関節の過可動性が特徴的である古典的なエーラス・ダンロス症候群を引き起こす．ビタミンC欠乏による壊血病は毛細血管脆弱性が特徴である．

4.3　α_1アンチトリプシン欠乏症（ATT）においてみられる肝臓と肺の病状の違いの原因は何か．

正解　ATT欠乏症では，AATの合成部位である肝臓において，変異したAATが重合して貯留することが肝硬変の原因になる可能性がある．肺胞の損傷の原因は，AAT（セリンプロテアーゼの阻害物質）が肝臓に貯留することによって肺で欠乏し，エラスターゼ（セリンプロテアーゼ）に対抗できなくなるためである．

4.4　どのように，そしてなぜコラーゲンのプロリンはヒドロキシ化されるのか．

正解　プロリンは，O_2とFe^{2+}とビタミンCを必要とする酵素であるプロリルヒドロキシラーゼによってヒドロキシ化される．ヒドロキシ化は，コラーゲンの三重らせんを密にするポリペプチド鎖間の水素結合の形成を増加させる．ビタミンC欠乏はヒドロキシ化を損なう．

4.5　60歳の男性路上生活者が進行性の疲労，脚の痛み，全身の脱力を主訴に救急外来を受診した．血便，息切れを認め，あざができやすく，脚がむくみ，腕と脚の赤い発疹を認める．内服薬なし．詳しく問診すると，彼の食事はパンと缶詰の肉とビールのみであった．下肢の発疹を詳しく診ると，らせん状毛髪と毛包周囲の皮下出血を認めた．この患者における問題点は何か．

A.　IV型コラーゲン遺伝子の変異
B.　I型コラーゲン遺伝子の変異
C.　プロリルヒドロキシラーゼ（プロリン水酸化酵素）およびリシルヒドロキシラーゼ（リシン水酸化酵素）の活性低下
D.　血中α_1アンチトリプシン（ATT）濃度の低下
E.　フィブリリン遺伝子の変異

正解　C．この患者はビタミンC欠乏によって生じる壊血病である．ビタミンCはプロリルヒドロキシラーゼ（プロリン水酸化酵素）およびリシルヒドロキシラーゼ（リシン水酸化酵素）の酵素活性に必要である．コラーゲンの-Gly-X-Y-配列中のプロリン残基とリシン残基の水酸化は，コラーゲン鎖間の水素結合形成や安定したコラーゲンの三重らせん構造に必須である．V型コラーゲンの変異はエーラス・ダンロス症候群（EDS）の，I型コラーゲンの変異は骨形成不全症（OI）の特徴である．血中のAAT濃度の低下はAAT欠損症の基礎であり，肺損傷や肺気腫，小児の末期肝不全を引き起こす．フィブリリンの変異はマルファン症候群の特徴である．

酵　素　5

I. 概　要

酵素 enzymeは体内のほとんどすべての反応にかかわり，その反応の全体の過程を変化させずに反応速度を増加させる主に細胞内のタンパク質触媒である．エネルギー的に起こりうる多くの生物学的反応のなかで，酵素は選択的に反応物や基質を有益な経路へ導く．こうして，酵素は代謝に関するすべてを管理する．本章では酵素の触媒分子としての性質とその反応機構について述べる．

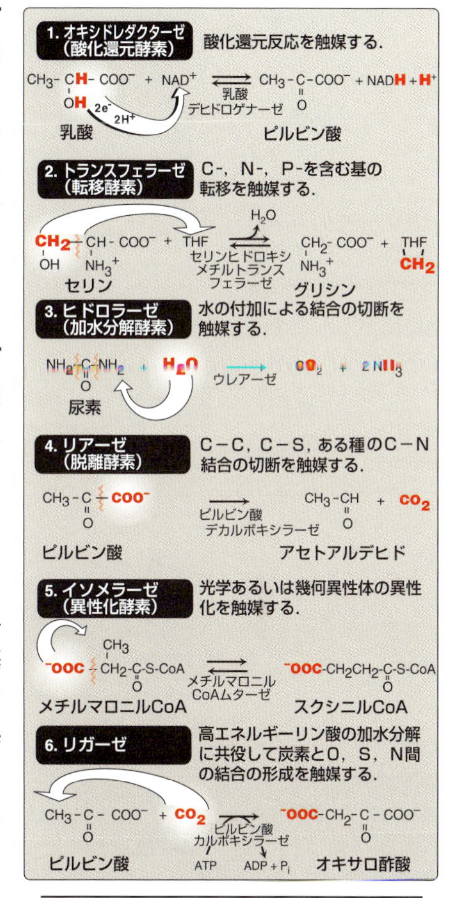

図 5.1
酵素の 6 つの分類主群と例. NAD(H)：ニコチンアミドアデニンジヌクレオチド，THF：テトラヒドロ葉酸，CoA：補酵素A, CO_2：二酸化炭素, NH_3：アンモニア, ADP：アデノシン二リン酸, P_i：無機リン酸.

II. 酵素命名法

酵素は，2つの名称が割り当てられている．第一には短い**推奨名 recommended name**であり，日常的な使用の際に便利である．第二にはより体系的な**系統名 systematic name**であり，酵素を明確に記述する必要があるときに使用される．

A. 推　奨　名

最も一般的に使用される酵素の名称は，グルコシダーゼ glucosidase，ウレアーゼ ureaseのように接尾辞“**アーゼ(-ase)**”を反応の**基質 substrate**の名称につける．他には**触媒する反応**の名称につけて表すものもある（例えば，乳酸デヒドロゲナーゼ lactate dehydrogenase (LDH)，アデニル酸シクラーゼ adenylyl cyclase）．[注：酵素反応とは何の関係もない固有の伝統的名称を持つ酵素がいくつかある．例えば，トリプシン trypsin，ペプシン pepsin.]

B. 系　統　名

系統的命名法では，酵素は反応の種類によって6つの主群に分類され（図5.1），それぞれはさらに細かく分類されている．ある1つの酵素については，すべての基質名も含めて，触媒される化学反応すべてを正確に記述したあとに，接尾辞“アーゼ”がつけられる．例えば，乳酸デヒドロゲナーゼの系統名は，乳酸：ニコチンアミドアデニンジヌクレオチド(NAD^+)オキシドレダクターゼ lactate:nicotinamide adenine dinucleotide (NAD^+) oxidoreductaseになる．[注：それぞれの酵素は分類番号も割り当てられている．乳酸：NAD$^+$オキシドレダクターゼは 1.1.1.27 である．］ 系統名は明確で有益であるが，一般的に使用するにはあまりにも煩雑であることが多い．

混乱しやすい名称の酵素には似た名前だが異なる機能を持つものがある．例えば，シンテターゼ synthetase は ATP が必要だが，一方でシンターゼ syntase は ATP が不要である．ホスファターゼ phosphatase は水を使用してリン酸基を除くが，ホスホリラーゼ phosphorylase は無機リン酸を使用して結合を切断し，リン酸化生成物を生成する．デヒドロゲナーゼ（脱水素酵素）dehydrogenase（NAD$^+$ あるいはフラビンアデニンジヌクレオチド（FAD）を使用）は酸化還元反応において電子受容体になる．オキシダーゼ（酸化酵素）oxidase は酸素を電子受容体として使用し，酸素原子を基質には取り込まないが，オキシゲナーゼ（酸素添加酵素）oxygenase は基質に酸素原子を取り込ませる．

Ⅲ．性　質

酵素は，効率的で特異的な**タンパク質触媒 protein catalyst** であり，酵素活性部位で基質と結合し，その基質を化学反応によって生成物に変換させる．酵素がなければ，ほとんどの生化学反応は，人体で生理的に重要なほど十分には速く起きない．酵素は化学反応の速度を上げるが，触媒する反応の間に消費されない．［注：いくつかのリボ核酸（RNA）は，ホスホジエステラーゼ phosphodiesterase およびペプチド結合に作用する反応を触媒できる．触媒活性を持つ RNA は**リボザイム ribozyme** と呼ばれ，タンパク質触媒よりずっと少ない．］

A．活性部位

酵素分子はタンパク質の折りたたみによって形成される**活性部位 active site** と呼ばれる特別なポケットまたはクレフト（割れ目）cleft を持つ．その活性部位には，基質との結合と触媒に関与するアミノ酸側鎖がある（図 5.2）．基質はまず酵素と結合し，**酵素-基質（ES）複合体 enzyme-substrate（ES）complex** を形成する．この結合により，酵素に触媒作用を可能にするようなコンホメーション変化（**誘導適合モデル induced fit model**）が生じ，ES は酵素-生成物（EP）複合体 enzyme-product（EP）complex へと急速に変化し，その後酵素と生成物に解離すると考えられている．

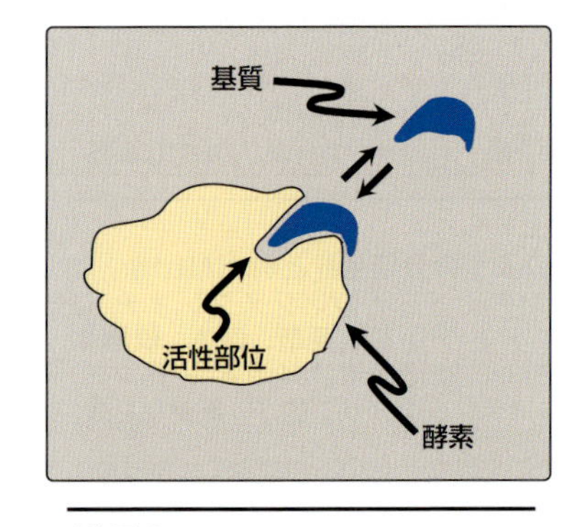

図 5.2
基質分子と結合する 1 つの活性部位を持つ酵素の概略図．

B．効　率

酵素が触媒する反応の効率は非常に良く，触媒が存在しないときの 10^3 ～ 10^8 倍速く反応が進行する．酵素 1 分子が 1 秒間に生成物に変換する基質分子の数を，**代謝回転数 turnover number** あるいは k_{cat} と呼び，その値は一般的には $10^2 \sim 10^4$ s^{-1} である．[注：k_{cat} は ES から E + P への変換の速度定数である．]

C. 特 異 性

酵素は非常に**特異的 specific** であり，1 つあるいはわずかな数の基質に作用し，1 種類の化学反応だけを触媒することができる．細胞内で合成される一連の酵素によって，どの反応がその細胞で起こるかが決定される．

D. ホロ酵素，アポ酵素，補因子，補酵素

ある種類の酵素は，非タンパク質成分を酵素活性のために必要とする．**ホロ酵素 holoenzyme** という用語はタンパク質成分と**非タンパク質成分 nonprotein component** を合わせた活性のある酵素のことを意味するのに対して，非タンパク質成分を含まない酵素は**アポ酵素 apoenzyme** と呼ばれ，活性がない．非タンパク質成分を必要とする酵素の場合，酵素が触媒として機能するためには，それらの非タンパク質成分が存在している必要がある．

非タンパク質成分が亜鉛(Zn^{2+})あるいは鉄(Fe^{2+})のような**金属イオン metal ion** であるとき，**補因子 cofactor** と呼ばれる．小さな**有機分子 organic molecule** の場合，**補酵素 coenzyme** と名づけられる．酵素と一時的にしか結合しない補酵素や**補基質 cosubstrate** とは，変化した状態になってから酵素から解離する(NAD^+ がその例である)．恒久的に酵素に結合し，本来の形に戻る補酵素は，補欠分子族 prosthetic group と呼ばれる(FAD がその例である)．補酵素はビタミンに由来する場合も多い．例えば，NAD^+ はナイアシンを含み，FAD はリボフラビンを含む．

E. 調 節

酵素活性は，生成物形成の速度がそのときの細胞の必要性に見合うように，しばしば**上昇 increase** されるか，**低下 decrease** されて調節される．

F. 細胞内局在

酵素のほとんどが，細胞内や細胞膜のなかで機能する．多くの酵素は，細胞内の特別な細胞小器官(オルガネラ)に局在する(図 5.3)．このような酵素の**区画化 compartmentalization** によって，反応の基質あるいは生成物を他の拮抗する反応から隔離することができる．さらに，区画化によって反応に都合の良い環境を提供することが可能であり，細胞に存在する数千もの酵素を目的の経路に組織化することができる．

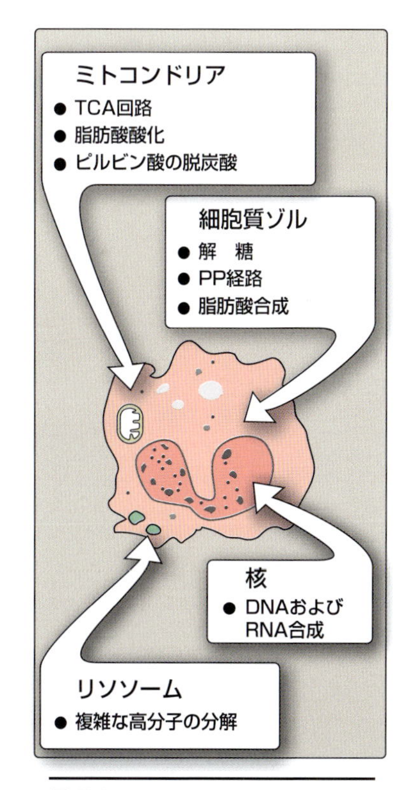

図 5.3
重要な生化学経路の細胞内局在．
TCA：トリカルボン酸，PP：ペントースリン酸．

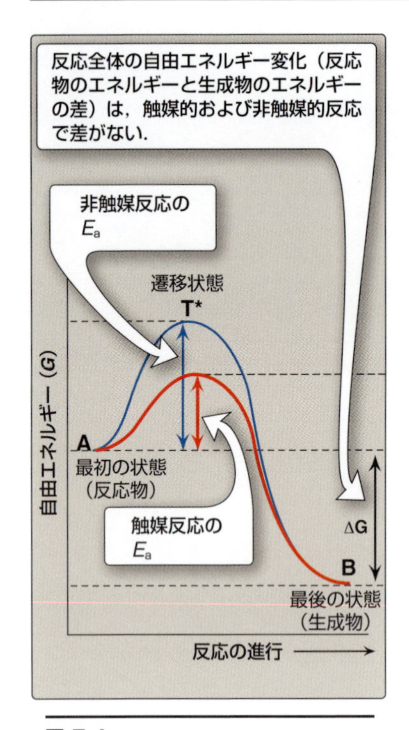

図 5.4
反応の活性化エネルギー(E_a)に対する酵素の影響．ΔG は自由エネルギー変化である．

Ⅳ．酵素作用の機構

酵素作用の機構には2つの観点がある．第一の観点では，触媒を反応時に起こるエネルギーの変化としてとらえる．すなわち，酵素は非触媒反応経路と異なるエネルギー的に有利な迂回反応経路を提供する．第二の観点ではどのように活性部位が化学的に反応を促進するかである．

A．反応の間に起こるエネルギー変化

事実上，すべての化学反応には反応物と生成物を隔てる**エネルギー障壁 energy barrier** がある．この**活性化エネルギー activation energy** (E_a) と呼ばれる障壁は，反応物と，反応物から生成物への変換の途中に生成する遷移状態 transition state (T^*) である高エネルギー中間体 high-energy intermediate との，エネルギーの差である．図 5.4 は，反応物であるA分子から，遷移状態を経由して，生成物であるB分子へ変換が進む間のエネルギーの変化を示す．

$$A \rightleftarrows T^* \rightleftarrows B$$

1．**活性化エネルギー**：図 5.4 のように，反応物から生成物への変換の間に寿命の短い高エネルギー中間体が形成される遷移状態(T^*)がある．その遷移状態において反応物とのエネルギーの差は最大となる．非触媒的化学反応では多くの場合，E_aが大きいので，その速度が遅い．

2．**反応速度**：分子が反応するためには，反応物と生成物の間の遷移状態のエネルギー障壁を越えるための十分なエネルギーを持っていなければならない．しかし，酵素が存在しないときは，ほんのわずかな割合の分子しか，遷移状態に達するためのエネルギーを持っていない．反応速度は十分なエネルギーを持った分子の数によって決定される．したがって，一般的にE_aが低ければ低いほど，遷移状態を越すのに十分なエネルギーを持つ分子の数は多くなり，その結果反応速度は速くなる．

3．**迂回反応経路**：酵素は，**E_aがより低い**迂回反応経路 alternate reaction pathway を通ることを可能にして，細胞内の穏やかな条件下でも反応を速く進行させる(図 5.4 参照)．酵素は反応物(基質)や生成物の自由エネルギーを変えない．したがって，反応の平衡も変えない．しかし，酵素は平衡に達する速度を加速する．

B．活性部位の化学

活性部位は基質を結合するための単なる受動的な受け皿ではなく，基質から生成物への変換を促進するための多様な化学的機構を可能にする複雑な分子機械である．次に述べる例を含めて多くの要因が酵素の触媒効率に関係する．

1．**遷移状態の安定化**：活性部位はしばしば基質と結合する柔軟な分子鋳型のように働き，基質や生成物中の結合と異なる結合を持つ遷移状態への変化を起こす（図 5.4 の曲線の最高点のT^*を参照）．遷移状態に安定化することによって，酵素は，生成物に変換可能な反応中間体の濃度を非常に高め，その結果，反応を促進する．［注：遷移状態は分離できない．］

2．**触媒作用**：活性部位は触媒に関与する基になることで，遷移状態が形成される確率を高めることもある．いくつかの酵素では，触媒基はアミノ酸残基がプロトンを提供もしくは受容する**一般酸-塩基触媒 general acid-base catalyst**として働く．他の酵素においては，触媒作用は共有結合性のES複合体の過渡的な形成を介することもある．

小腸のタンパク質消化酵素であるキモトリプシン chymotrypsinの作用機構には，一般塩基触媒，一般酸触媒，そして共有結合性触媒が反応に関係する．酵素の活性部位のヒスチジンは，（一般塩基触媒として）プロトンを獲得し，（一般酸触媒として）プロトンを失う．これはタンパク質中のヒスチジンのpKが生理的pHに近いことによる．活性部位のセリンは基質と一時的に共有結合を形成する．

3．**遷移状態の可視化**：酵素触媒による基質から生成物への変換は，非協力的な幼児（基質）からセーター（化学基）を脱がせることと似たように表現できる（図 5.5）．合理的に服を脱がせるためには，両腕を頭のほうへ真っ直ぐに伸ばし，触媒がないととても起こりそうもない姿勢にする必要がある．したがって，そのプロセスには高いE_aが必要である．しかし，我々は親が酵素のように働いて服を脱がせるのをイメージすることができる．最初の過程で，幼児を抱き（ES形成），そしてその後幼児の手を導き，遷移状態に類似した，上に伸ばした姿勢にする．幼児のこの姿勢（コンホメーション）は服を脱がせることを容易にし，幼児を裸にすることができる．この裸になった状態が，生成物に対応する．［注：酵素と結合した基質（ES）は，結合していない基質（S）よりも若干低いエネルギー状態であり，これが曲線のESのところの小さな“くぼみ”に対応している．］

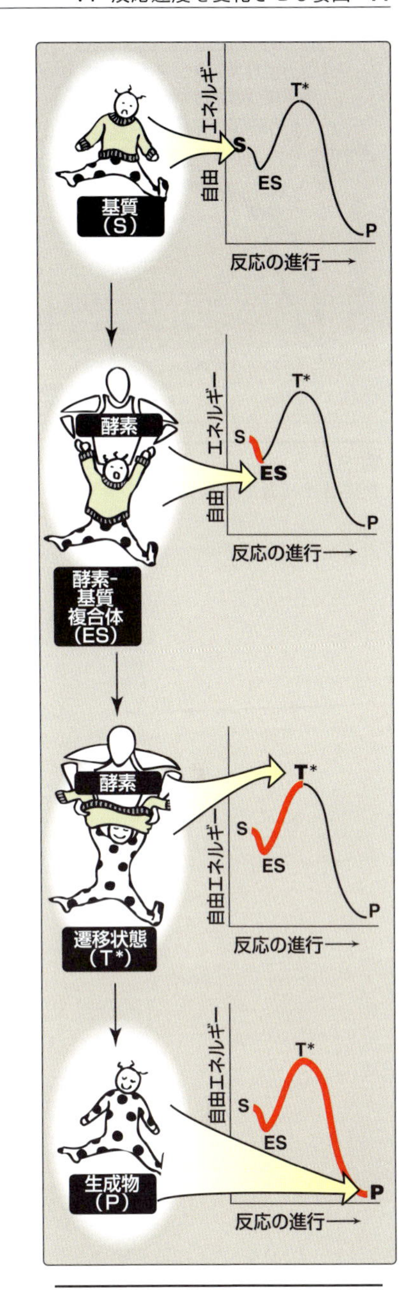

図 5.5
酵素-基質複合体形成とその後の遷移状態形成に伴うエネルギー変化の概略図．

V．反応速度を変化させる要因

酵素は細胞から単離することができ，その性質は試験管内（すなわち，*in vitro*（インビトロ））で研究することができる．異なった酵素は基質濃度，温度，pHの変化に対して異なった応答をする．本節では酵素の反応速度に影響する要因について述べる．これらの要因に対する酵素の応答は，酵素が生きている細胞のなか（すなわち，*in vivo*（インビボ))でどのように機能しているか解明する貴重な手がかりになる(訳注：培養細胞での実験は，細胞は生体内ということで*in vivo*という場合もあれば，シャーレという実験器具上での事象なので*in vitro*という場合もある).

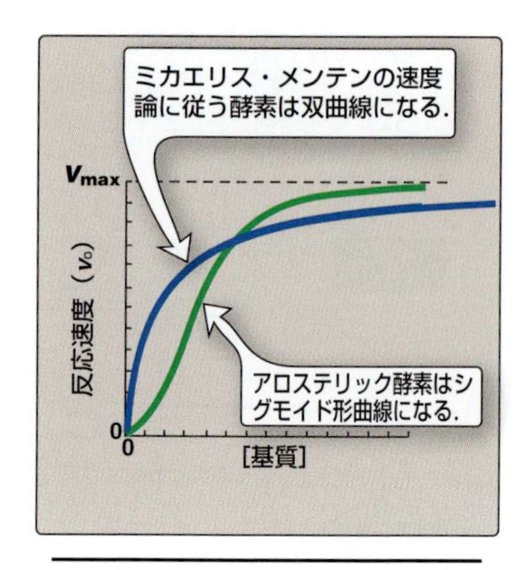

図 5.6
反応速度に対する基質濃度の影響.

A. 基質濃度

1．**最大速度**：反応の**変化率**あるいは**速度**(v)は，単位時間あたり生成物に変換される基質分子の数である．普通，速度は **1 秒間あたりに作られる生成物の μmol** で表される．酵素が触媒する反応の速度は，基質濃度の増加とともに**最大速度 maximal velocity** (V_{max})に達するまで増加する(図 5.6)．高い基質濃度で反応速度が横ばいになるのは，酵素分子上に存在するすべての利用可能な結合部位が基質で飽和するためである．

2．**酵素反応速度曲線の形**：ほとんどすべての酵素の性質は，**ミカエリス・メンテンの速度論 Michaelis-Menten kinetics** で説明できる(p.73 参照)．**反応の初速度 initial reaction velocity** (v_0)を**基質濃度 substrate concentration** に対してプロットすると双曲線になる(ミオグロビンの酸素解離曲線と似た形である．3 章参照)．それに対して，**アロステリック酵素 allosteric enzyme** はミカエリス・メンテンの速度論に従わず，代わりにヘモグロビンの酸素解離曲線に似たシグモイド形の曲線(図 5.6 参照)を示すことが多い．

B. 温　度

1．**温度による速度上昇**：反応速度は最高の速度に達するまで，温度とともに増加する(図 5.7)．この増加はエネルギー障壁を越え反応生成物を形成するのに十分なエネルギーを持つ分子の数が増加した結果である．

2．**より高温による速度低下**：温度がさらに上昇すると，酵素の**温度誘発性変性 temperature-induced denaturation** の結果，速度が低下する(図 5.7 参照)．

ヒトの正常な体温は約 37°C であり，ヒトの酵素のほとんどの至適温度は 35 ～ 40℃ の間にある．ヒトの酵素は 40℃ 以上で変性がはじまるが，温泉で発見された好熱菌では，至適温度が 70℃ であることがある．

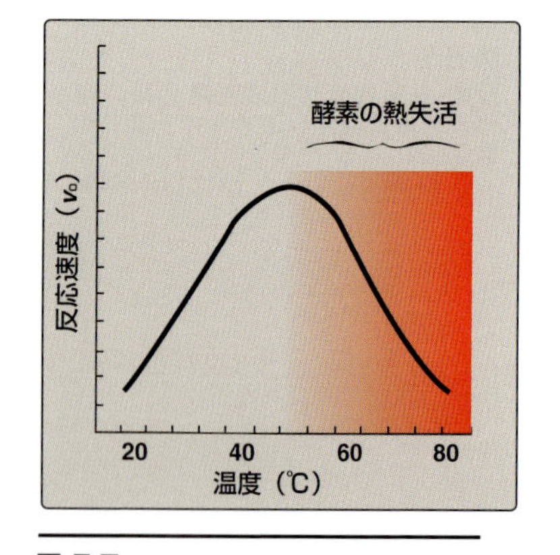

図 5.7
酵素触媒反応に対する温度の影響.

C. pH

1．**活性部位のイオン化に対する pH の影響**：プロトン濃度($[H^+]$)は反応速度にさまざまな影響を与える．第一に，一般的に触媒過程には，酵素および基質が特別な化学基を持つことが必要である．この特別な化学基が相互作用するためには，イオン化あるいはイオン化していないどちらかの状態になければならない．例えば，ある酵素の触媒活性にはアミノ基がプロトン化した状態($-NH_3^+$)であることが必要かもしれない．このアミノ基はアルカリ性のpHでは脱プロトン化しているので，反応速度は低下する．

2．酵素変性に対するpHの影響：触媒活性を持つタンパク質分子の構造はアミノ酸側鎖のイオン的性質に依存しているので，極端なpHは酵素の変性をもたらす可能性もある．

3．さまざまな至適pH：最大の酵素活性が得られるpHは酵素によって異なり，酵素が体内で機能している部位のpHを反映することが多い．例えば，胃の消化酵素であるペプシンはpH 2で最大の活性を示すのに対して，中性で働く他のタイプの酵素はpH 2という酸性条件では変性する(図5.8)．

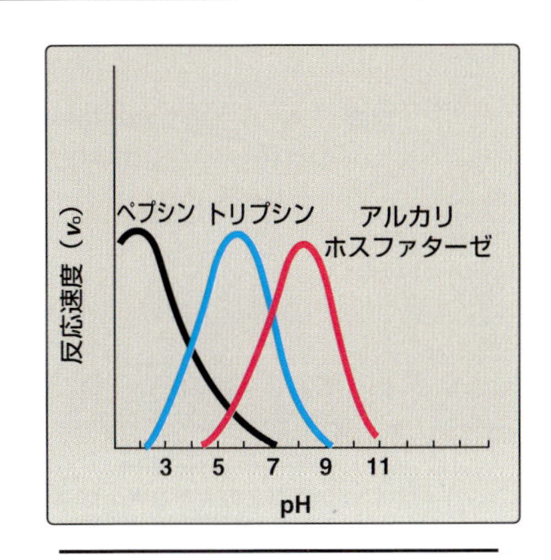

図 5.8
酵素触媒反応に対するpHの影響．

Ⅵ. ミカエリス・メンテンの速度論

1913年に発表された論文において，レオノール・ミカエリス Leonor Michaelisとモード・メンテン Maud Mentenは，酵素が触媒する反応の特徴のほとんどを説明する単純なモデルを提案した．このモデルにおいては，酵素は基質と可逆的に結合してES複合体を形成し，複合体はその後生成物を生じ，遊離の酵素を再生する．1基質分子が関与するモデルは，以下のように表される．

$$E + S \underset{k_{-1}}{\overset{k_1}{\rightleftarrows}} ES \xrightarrow{k_2} E + P$$

ここで，Sは基質

Eは酵素

ESは酵素-基質複合体

Pは生成物(反応産物)

k_1，k_{-1}，k_2(あるいはk_{cat})は速度定数　である．

A．ミカエリス・メンテンの式

ミカエリス・メンテンの式は，反応速度が基質濃度によってどのように変化するかを示している．

$$v_0 = \frac{V_{max}[S]}{K_m + [S]}$$

ここで，v_0 = 反応の初速度

V_{max} = 最大速度 = $k_{cat}[E]_{Total}$

K_m = ミカエリス定数 = $(k_{-1} + k_2)/k_1$

[S] = 基質濃度　である．

以下の仮定がミカエリス・メンテンの速度式を導き出すときに用いられている．

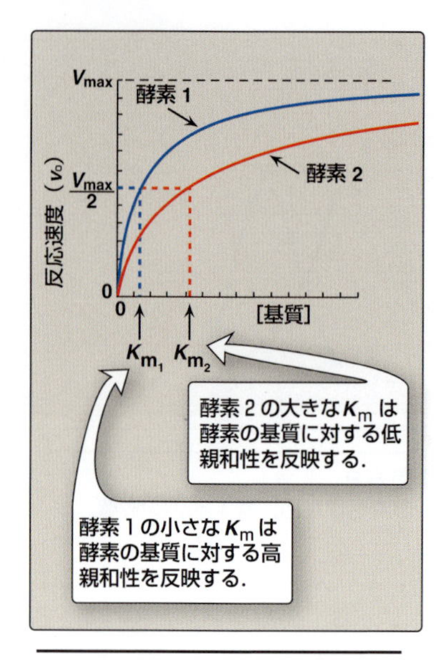

図 5.9
2 種類の酵素，小さな K_m の酵素 1 と大きな K_m の酵素 2 の反応速度に対する基質濃度の影響.

1．**酵素と基質の相対濃度**：基質濃度（[S]）は酵素濃度（[E]）よりはるかに高いので，酵素が結合している基質の割合は常に小さい.

2．**定常状態の仮定**：ES 複合体の濃度は時間とともに変化しない（定常状態の仮定），すなわち，ES の生成の速度は ES の分解（E + S への分解と E + P への分解の和）の速度と等しい．一般的に，合成の速度と分解の速度が等しいとき，連続反応の中間体は定常状態にあるといえる.

3．**初速度**：酵素反応を解析するときには，反応の初速度（v_0）を使用する．これは酵素と基質が混ぜられた直後の反応速度を測定することを意味する．このとき，生成物の濃度は非常に低いので，生成物から基質への逆反応の速度を無視することができる.

B．重要な結論

1．**K_m の特性**：ミカエリス定数 **Michaelis constant**（K_m）は，酵素と特定の基質との間の特性であり，酵素の基質に対する**親和性 affinity** を反映するものである．K_m の数値は反応速度が 1/2 V_{max} となる**基質濃度 substrate concentration** と等しい．K_m は酵素の濃度によって変化しない.

a．**小さな K_m**：K_m の数値が小さいということは，低い基質濃度で酵素が半分飽和する，すなわち，1/2 V_{max} の速度になることを示すので，酵素が基質に対して**高親和性 high affinity** であることを示す（図 5.9）.

b．**大きな K_m**：K_m の数値が大きいということは，高い基質濃度で酵素が半分飽和することを示すので，酵素が基質に対して**低親和性 low affinity** であることを示す（図 5.9）.

2．**速度と酵素濃度との関係**：[S] が一定のとき，[S] は律速ではないので，反応速度は酵素濃度に直接に比例する．例えば，酵素濃度が半分になると，反応の初速度（v_0）も最大速度（V_{max}）ももとの半分に低下する.

3．**反応の次数**：[S] が K_m よりはるかに低い（≪）とき，反応速度は基質濃度にほぼ比例する（図 5.10）．このとき，反応速度は基質濃度に対して**一次 first order** であるという．[S] が K_m よりはるかに高い（≫）とき，反応速度は一定であり V_{max} に等しい．このとき，酵素が基質で飽和しているため反応速度は基質濃度に依存せず，基質濃度に対して**零次 zero order** であるといえる（図 5.10 参照）.

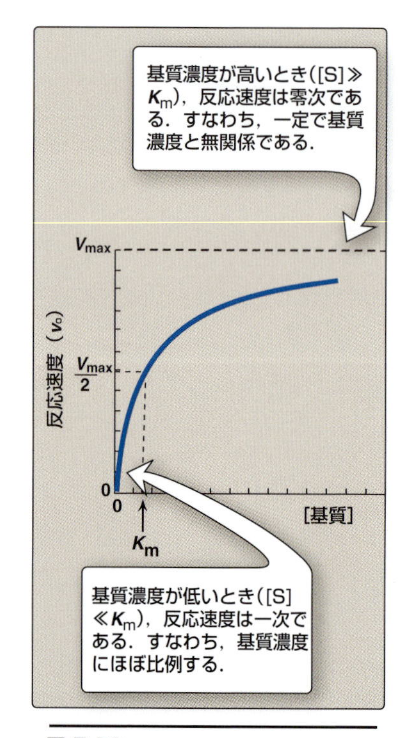

図 5.10
酵素触媒反応の反応速度に対する基質濃度の影響．V_{max}：最大速度，K_m：ミカエリス定数.

C．ラインウィーバー・バークプロット

v_0 を [S] に対してプロットすると，高い基質濃度においても双曲線の傾斜はわずかな上向きであるので，V_{max} がいつ得られたかを決定することは必ずしも可能ではない．しかし，ハンス・ラインウィーバーとディーン・バークが 1934 年にはじめて述べたように，$1/v_0$ を

1/[S]に対してプロットすると，直線が得られる(図5.11)．**ラインウィーバー・バークプロット Lineweaver-Burk plot**(あるいは，**二重逆数プロット double-reciprocal plot**)と呼ばれるこのプロットは，K_mとV_{max}を算出するのに使用することができ，また酵素阻害剤の作用機構を決定するのにも使用できる．

ラインウィーバー・バークプロットを示す式は次のようになる．

$$\frac{1}{v_0} = \frac{K_m}{V_{max}[S]} + \frac{1}{V_{max}}$$

このとき，x軸の切片は$-1/K_m$に等しく，y軸の切片は$1/V_{max}$に等しい．[注：傾き$= K_m/V_{max}$.]

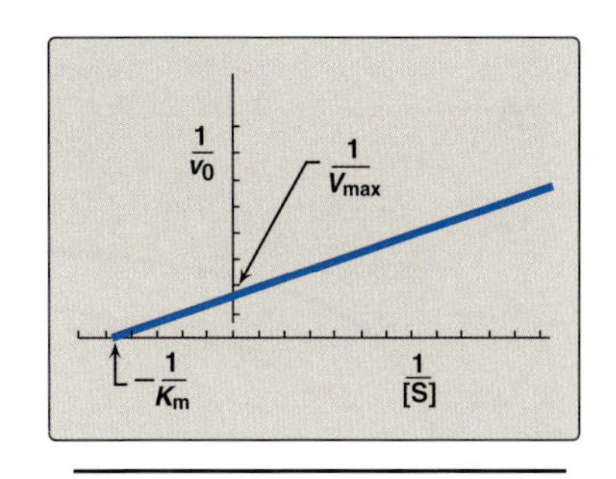

図5.11
ラインウィーバー・バークプロット．v_0：反応の初速度，V_{max}：最大速度，K_m：ミカエリス定数，[S]：基質濃度．

Ⅶ. 酵素阻害

酵素触媒反応の速度を低下できる物質はすべて**阻害剤 inhibitor**(酵素阻害物質enzyme inhibitor)と考えることができる．阻害剤は可逆的であることもあるし，不可逆的であることもある．**不可逆阻害剤 irreversible inhibitor**は酵素と共有結合する．例えば，鉛はいくつかの酵素の不可逆的な阻害剤として作用することがあり，タンパク質中のシステインのスルフヒドリル基と共有結合を形成する．ヘム合成に関与する酵素であるフェロケラターゼ ferrochelataseは鉛により不可逆的に阻害される．**可逆阻害剤 reversible inhibitor**は，酵素と非共有結合し，酵素-阻害剤複合体を形成する．酵素-阻害剤複合体を希釈すると，可逆的に結合した阻害剤は解離し，酵素活性が回復する．不可逆阻害の場合は，酵素-阻害剤複合体を希釈しても，阻害された酵素の活性は回復しない．**競合阻害 competitive inhibition**と**非競合阻害 noncompetitive inhibition**が最も一般的な2つの可逆阻害様式である．

A. 競合阻害

この形式の阻害は，阻害剤が，基質が結合するのと**同じ部位 same site**に可逆的に結合し，その結果，酵素の活性部位を基質と競合する場合にみられる阻害である．

1．**V_{max}への影響**：競合阻害剤の影響は，基質濃度を増加することで無効にできる．十分に高い[S]では，反応速度は阻害剤がないときに得られるV_{max}に近づく，すなわち，競合阻害剤の存在下においてはV_{max}は変化しない(図5.12)．

2．**K_mへの影響**：競合阻害剤は基質に対する**見かけのK_m apparent K_m**を増加させる．これは競合阻害剤が存在すると，反応速度がV_{max}の半分になるためには，より高濃度の基質が必要であることを意味する．

3．**ラインウィーバー・バークプロットへの影響**：競合阻害は特徴的なラインウィーバー・バークプロットを示し，阻害されていないとき

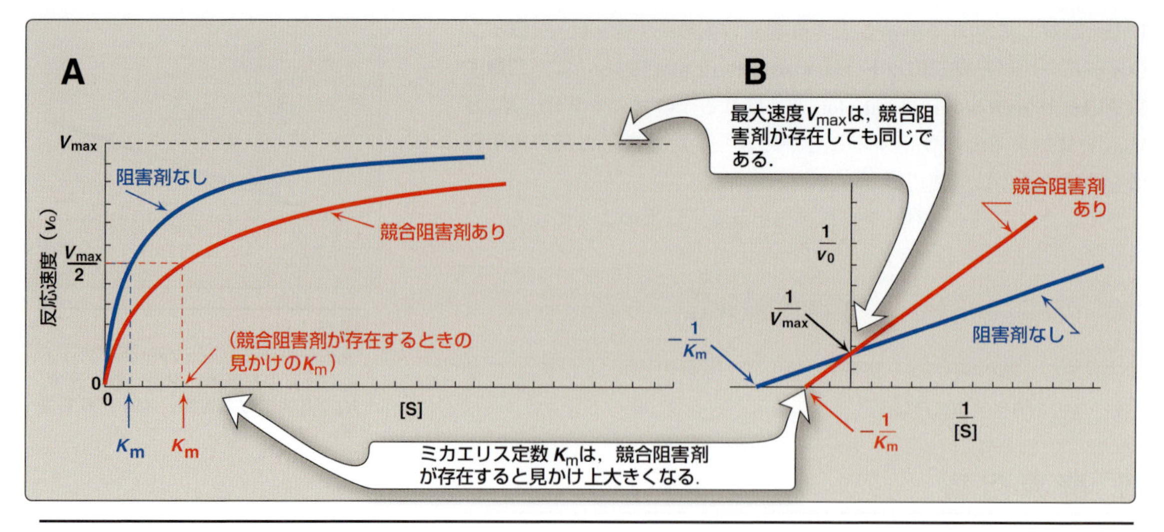

図 5.12
A．反応速度(v_0)を基質濃度[S]に対してプロットしたときの，競合阻害剤の影響．B．酵素の競合阻害のラインウィーバー・バークプロット．[注：阻害剤の濃度が増すと，直線の傾斜は急になる．]

と，阻害されているときのプロットはy軸上の$1/V_{max}$で交わる(V_{max}は変化しない)．一方，阻害剤の有無によりx切片は異なり，競合阻害剤の存在下では$-1/K_m$が0に近づくことから，見かけのK_mが増加することが示される(図5.12参照)．[注：競合阻害剤の1つの重要なグループは，酵素の遷移状態アナログ(類似物)である．これは，遷移状態の構造に良く似た安定な構造の分子であり，その結果，基質が結合するよりも強く密接に酵素と結合する．]

4．競合阻害剤の例であるスタチン系薬剤：スタチン系薬剤はコレステロール低下剤であり，コレステロール生合成の律速(最も遅い)段階を競合的に阻害する．この反応はヒドロキシメチルグルタリル CoA レダクターゼ hydroxymethylglutaryl coenzyme A reductase (HMG CoAレダクターゼ，19章参照)で触媒される．**アトルバスタチン atorvastatin** (商品名リピトール Lipitor)や**プラバスタチン pravastatin** (商品名プラバコール Pravachol)などのスタチン系薬剤は，この酵素の本来の基質の**構造アナログ(類似物) structural analog**であり，基質と効果的に競合してHMG CoAレダクターゼを阻害する．こうして，これらの薬物は新規(*de novo*)のコレステロール合成を阻害し，血漿中のコレステロール値(濃度)を低下させる(図5.13)．

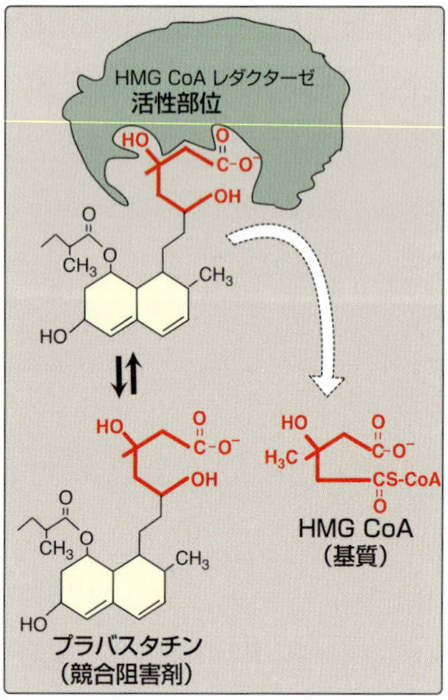

図 5.13
プラバスタチンはHMG CoAレダクターゼの活性部位で，ヒドロキシメチルグルタリル CoA (HMG CoA) と競合する．

B．非競合阻害

この阻害様式はV_{max} (図5.14)に対する特徴的な影響で見分けられる．非競合阻害は阻害剤と基質が酵素の異なった部位に結合するときに起こる．非競合阻害剤は遊離の酵素にもES複合体にも結合でき，反応の進行を抑える(図5.15)．

1．V_{max}への影響：非競合阻害剤の効果は，基質濃度を高くしても克服することができない．したがって，非競合阻害剤は反応の見かけ

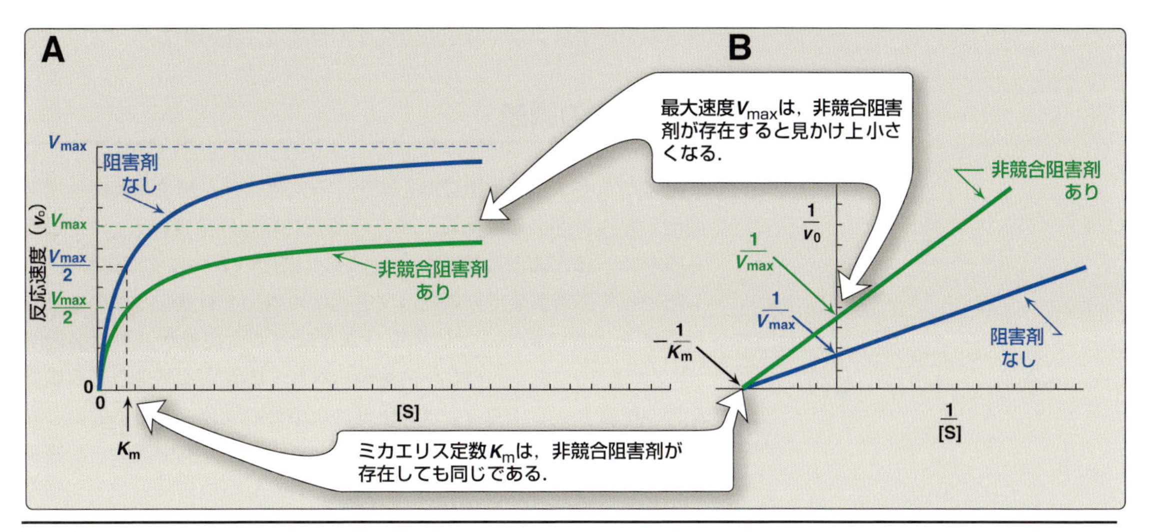

図 5.14
A．反応速度(v_0)を基質濃度[S]に対してプロットしたときの，非競合阻害剤の影響．B．酵素の非競合阻害のラインウィーバー・バークプロット．［注：阻害剤の濃度が増すと，直線の傾斜は急になる．］

のV_{max}を低下させる．

2．K_mへの影響：非競合阻害剤は基質の酵素への結合を妨げない．したがって，非競合阻害剤が存在しても存在しなくても，酵素のK_mは同じである．すなわち，非競合阻害剤の存在下においてはK_mは変化しない(訳注：これに対して阻害剤の結合によって酵素の基質に対する親和性が変わる場合，混合阻害という．混合阻害の場合はV_{max}のみならずK_mも変化する．混合阻害を非競合阻害と呼ぶこともあるので気をつけること)．

3．ラインウィーバー・バークプロットへの影響：非競合阻害は，$1/v_0$を$1/[S]$に対してプロットすることによって，簡単に競合阻害と区別される．非競合阻害剤が存在すると，V_{max}は低下するのに対して見かけのK_mは変化しない(図 5.14 参照)．

C．薬物としての酵素阻害剤

米国で最も一般的に使われている10の薬物のうち少なくとも半数は酵素阻害剤として作用する．例えば，ペニシリンやアモキシリンなどの広く処方されているβラクタム系抗菌薬は，細菌の細胞壁合成に関与する酵素を阻害することによって働く．細胞外の反応を阻害して働く薬物もある．その例はアンギオテンシン変換酵素阻害薬 angiotensin-converting enzyme (ACE) inhibitor である．この阻害薬は，アンギオテンシンⅠを分解して強力な血管収縮作用を持つアンギオテンシンⅡにする血漿のACEを阻害することにより，血圧を低下させる．カプトプリル captopril，エナラプリル enalapril，リシノプリル lisinopril などの薬物は，血管を弛緩させることにより血圧を低下させる．一般用医薬品(市販薬)であるアスピリン aspirin は，シクロオキシゲナーゼ cyclooxygenase (COX)を阻害することによって，プロスタグ

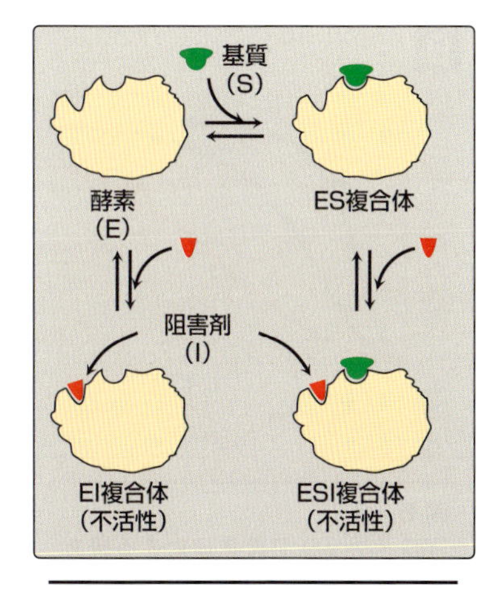

図 5.15
非競合阻害剤は遊離の酵素にも酵素-基質(ES)複合体にも結合する．

ランジンとトロンボキサンの合成を不可逆的に阻害する．

Ⅷ. 酵素の調節

生物がたくさんの代謝経路を統合するためには，酵素の反応速度を調節することが必要である．多くの基質の細胞内濃度はK_mの付近であるので，ほとんどの酵素の速度は基質濃度の変化にすぐ応答する．したがって，基質濃度の増加は反応速度の増加を刺激し，その結果基質濃度を正常に戻すことになる．さらに，アロステリック調節因子(エフェクター)あるいは化学的修飾に対して応答する特殊な調節機能を持つ酵素もある．あるいは，生理的な条件の変化に応じて酵素合成(あるいは分解)の速度を変化させることによって，酵素活性を調節する場合もある．

A. アロステリック酵素

アロステリック酵素 allosteric enzymeは，ミカエリス・メンテンの速度論には従わず，酵素の活性部位以外に非共有結合で結合する**エフェクター effector**と呼ばれる分子の作用によって調節される．この種の酵素はほぼ必ず複数のサブユニットからなり，エフェクターが結合する調節(アロステリック)部位は基質結合部位と異なり，触媒サブユニット以外のサブユニットに存在することもある．酵素活性を阻害するエフェクターは**負のエフェクター negative effector**と呼ばれるのに対して，酵素活性を増加させるものは**正のエフェクター positive effector**と呼ばれる．正および負のエフェクターは，酵素の基質に対する親和性(K_m)を変化させたり，酵素の最大触媒活性(V_{max})を修飾したり，あるいは両方とも変化させる可能性がある(図5.16)．[注：アロステリック酵素は代謝経路の初期にその**方向性を決める段階 committed step**，多くの場合は律速段階 rate-limiting step，を触媒する酵素であることが多い．]

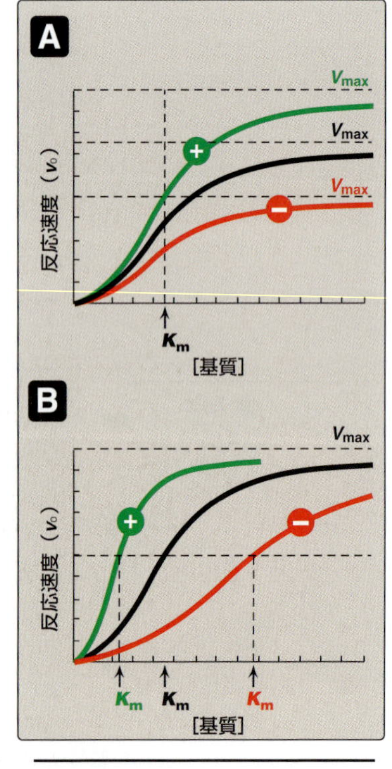

図 5.16
アロステリック酵素に対する負あるいは正のエフェクターの影響.
A. 最大速度(V_{max})が変化する.
B. 最大速度の半分の速度を与える基質濃度(K_m)が変化する.

1．ホモトロピックエフェクター homotropic effector：基質自身がエフェクターとして働くとき，その効果は基質と同じであり**ホモトロピック homotropic**であるという．アロステリック酵素の基質が正のエフェクターとして機能することは非常に多い．そのような場合，1分子の基質が酵素の1つの部位に結合することが，他の基質結合部位の触媒能を高める，すなわち，これらの結合部位は基質結合のために互いに協力し合い**協同性 cooperativity**を示す．このような酵素では，v_0を基質濃度に対してプロットすると，図5.16に示されるように**シグモイド形曲線 sigmoidal curve**になる．これは，前に述べたミカエリス・メンテンの速度論に従う酵素が**双曲線 hyperbolic curve**であるのと異なる．[注：基質結合の協同性の概念はヘモグロビンの酸素結合と類似している(3章参照)．]

2．ヘテロトロピックエフェクター heterotropic effector：エフェクターが基質と違う分子である場合もあり，その場合には，効果はヘ

テロトロピック heterotropicであるといわれる．例えば，図 5.17 に示される**フィードバック阻害 feedback inhibition**を考える．DをEに変換する酵素は，最終産物であるGを結合するアロステリック部位を持つ．もしGの濃度が増加すると（例えば，Gの合成速度がGの分解速度を上回る場合などは），一般的にその経路に特有な最初の不可逆的な段階が阻害される．このフィードバック阻害では，生成物を合成する経路を通じて基質分子の流量を調節することができるので，細胞が必要とするのに見合った量の生成物を細胞に供給することが可能になる．ヘテロトロピックエフェクターの例は非常に多い．例えば，解糖系酵素であるホスホフルクトキナーゼ-1 phosphofructokinase-1 は酵素の基質ではないクエン酸によってアロステリックに阻害される．

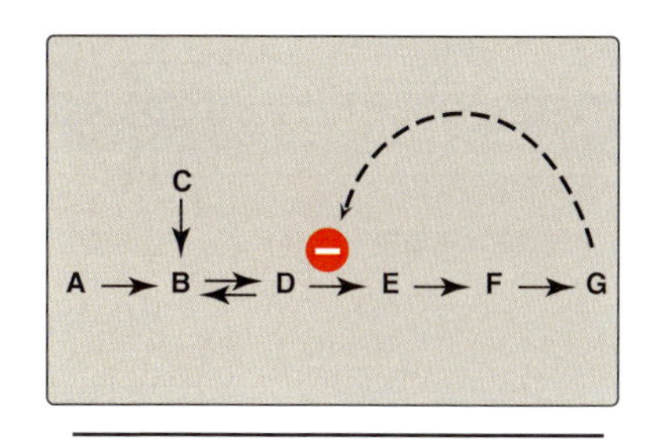

図 5.17
代謝経路のフィードバック阻害．

B．共有結合修飾

多くの酵素は共有結合修飾によって調節される．その例として最も多いのは，酵素の特定のセリン，トレオニン，あるいはチロシン残基へのリン酸基の付加あるいは除去である．タンパク質のリン酸化は細胞内過程を調節するための重要な方法の1つであると認められている．

1．リン酸化と脱リン酸：リン酸化反応は，ATPをリン酸の供与体として用いてタンパク質や酵素の基質にリン酸基を付加する反応を触媒するプロテインキナーゼ protein kinase と呼ばれる酵素ファミリーによって触媒される．リン酸化されたタンパクや酵素から，ホスホプロテインホスファターゼ phosphoprotein phosphatase がリン酸基を切断する（図 5.18）．

2．リン酸化に対する酵素の応答：酵素によって，リン酸化型の酵素のほうが非リン酸化型の酵素よりも活性が高い場合もあるし，低い場合もある．例えば，グリコーゲンホスホリラーゼ glycogen phosphorylase（グリコーゲンを分解する酵素）のホルモンを介したリン酸化は活性を高め，一方，グリコーゲンシンターゼ glycogen synthase（グリコーゲンを合成する酵素）のリン酸化は活性を低下させる（11 章参照）．

C．酵素合成の誘導と抑制

これまでに述べた調節機構は既存の酵素分子の活性を修飾しうるものである．しかし，細胞では，酵素の分解の速度を変えることにより，あるいは，より一般的には酵素の合成の速度を変えることにより，存在する酵素の量を調節することもできる．酵素合成が増加（誘導）あるいは減少（抑制）することは全体の活性部位の数を変えることを意味する．このような合成の制御を受ける酵素は，発達の過程においてただ1つの段階，あるいは特殊な生理的条件下において必要な酵素である場合が多い．例えば，高血糖値の結果としてインスリンの濃度が高くなることによって，グルコース代謝の律速酵素の合成が増加する（23 章参照）．

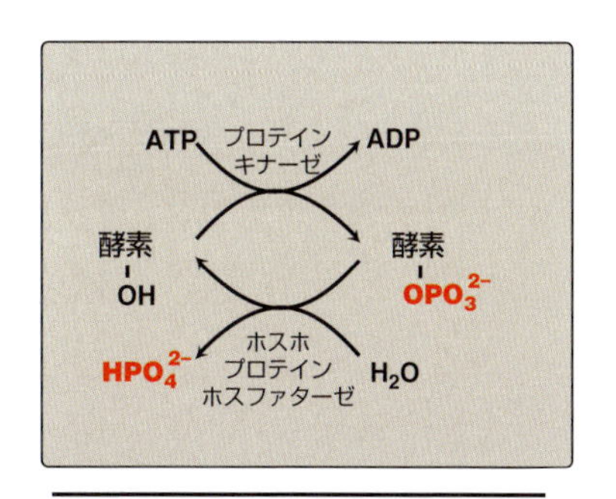

図 5.18
リン酸基の付加および除去による共有結合修飾．［注：HPO_4^{2-}はP_i，PO_3^{2-}はⓅと表されることがある．］ADP：アデノシン二リン酸．

表 5.1　酵素活性を制御する仕組み

制御機構の種類	エフェクター	生じる変化	変化に要する時間
基質濃度の変化	基質	反応速度(初速度 v_0)の変化	即時
生成物による阻害	生成物	最大速度 V_{max} および K_m の変化	即時
アロステリック制御	最終産物	最大速度 V_{max} および $K_{0.5}$ の変化	即時
共有結合による修飾	その酵素を修飾する別の酵素	最大速度 V_{max} および K_m の変化	即時〜数分単位
酵素の合成または分解	ホルモンまたは代謝産物	酵素量の変化	数時間〜数日単位

注：酵素反応経路の最終産物による阻害はフィードバック阻害とも呼ばれる.

逆に，体内で常に働いている酵素は，通常は，酵素合成の速度を変えることによっては制御されない．数秒から数分の間に起こる酵素活性のアロステリックな調節や共有結合性調節と比較して，タンパク質合成の誘導や抑制によって起こる酵素レベルの変化は遅い(数時間から数日で起こる)．表 5.1 は，酵素活性を調節する一般的な方法をまとめたものである.

IX．ヒトの血液中の酵素

ほとんどの酵素は細胞内で機能するが，酵素は細胞外の血液中の細胞外液である血漿にも含まれている．健常人の血漿中の酵素は 2 つのグループに大別される．第一のグループは，ある種の細胞から血液に盛んに分泌される比較的少数の酵素である．例えば，肝臓は血液凝固に関与するタンパク質分解酵素(プロテアーゼ protease)のチモーゲン zymogen(不活性な前駆体)を分泌する．このようなプロテアーゼは，血液中で活性化され，酵素機能を発揮することができる．第二のグループは，正常な細胞のターンオーバーの際に細胞から分泌される酵素である．これらの酵素は，ほとんど常に細胞内のみで機能し，血漿で触媒反応を行う能力はない．健康なヒトでは，これらの酵素のレベルはほとんど一定である．損傷を受けた細胞から血漿に放出される速度と，血漿から除去する速度がバランスを保った定常状態にある．したがって，これらの酵素の血漿中濃度の上昇は，組織の損傷や，正常な細胞のターンオーバーよりも多い細胞死を示している可能性がある(図 5.19).

血漿 plasma は血液の細胞以外の分画にある液体成分である．研究室における酵素活性の測定に使うのはほとんどの場合，血液を凝固させたあとに遠心分離して得られる血清 serum である．血清が患者の全血から研究室で調製される液体であるのに対して，血漿は生理的な液体成分である.

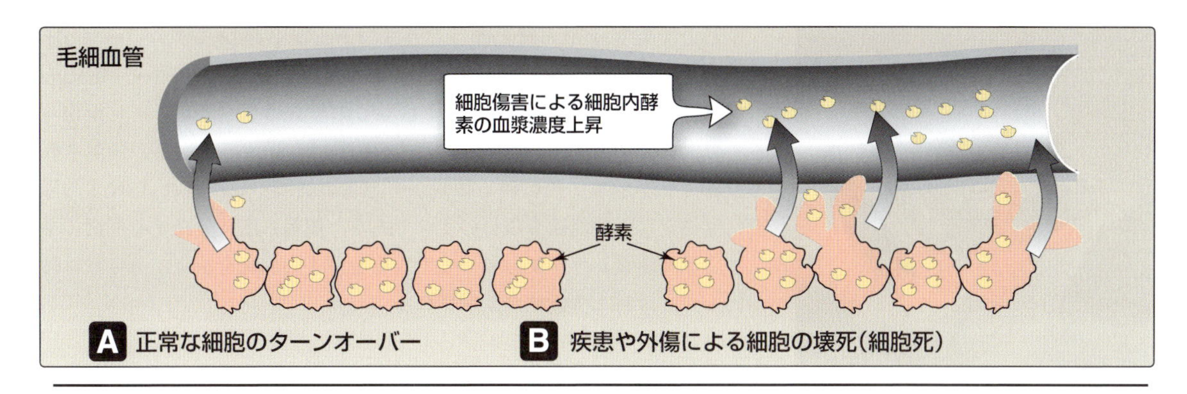

図 5.19
正常な細胞(A)と病的な細胞や損傷を受けた細胞(B)からの酵素の放出.

A. 病的状態における血漿酵素濃度

多くの疾患で細胞膜の破損と細胞の組織中への溶解を含む組織損傷が生じる. その結果, 損傷を受けた細胞はその内容物を血漿中に放出し, 細胞内酵素の血漿中濃度が増加する. これらの酵素は通常は細胞内に存在し, 細胞外においては反応を触媒することができない. しかし, これらの酵素の血中濃度は, 疾患の診断の目的でごく普通(ルーチン)にヒトの血液において測定されている. 血漿の特定の酵素活性のレベルは, しばしば組織の損傷の程度と相関する. したがって, 血漿の特定の酵素活性の上昇の程度を確認することは, 多くの場合, 組織損傷の程度, 治療への反応性, そして患者の予後を評価するのに役立つ.

B. 診断手段としての血漿中の酵素

いくつかの酵素は, あるただ1つの, あるいは2, 3の特定組織だけに比較的高い活性を示す(表5.2). したがって, これらの酵素が血漿に高レベルで存在するということは, 対応する組織が損傷している

表 5.2 血中濃度の測定が臨床的に役に立つ酵素

酵素	略称	主な組織源	評価対象
アラニンアミノトランスフェラーゼ	ALT(GPT)	肝臓	肝臓の障害や肝疾患
アルカリホスファターゼ	ALP	肝蔵, 骨	肝疾患, 骨疾患
アミラーゼ		膵臓	膵臓の疾患
アスパラギン酸アミノトランスフェラーゼ	AST	肝臓, 筋肉	肝疾患, 筋疾患
クレアチンキナーゼ	CK	筋肉	筋肉の障害や筋疾患
γ-グルタミルトランスペプチダーゼ	γ-GTP	肝臓, 胆道	肝胆道系疾患(閉塞性黄疸)
リパーゼ		膵臓	膵臓の疾患
乳酸デヒドロゲナーゼ	LDH	赤血球, 肝臓, 筋肉(ほとんどの細胞)	細胞死の一般的なマーカー. 特に, 溶血, 肝疾患, 筋疾患において.
5′-ヌクレオチダーゼ	5′NT	肝臓	肝胆道系疾患(閉塞性黄疸)

これらの酵素が血液中に出現することは, その酵素が通常機能している組織の細胞が損傷していることを示す.

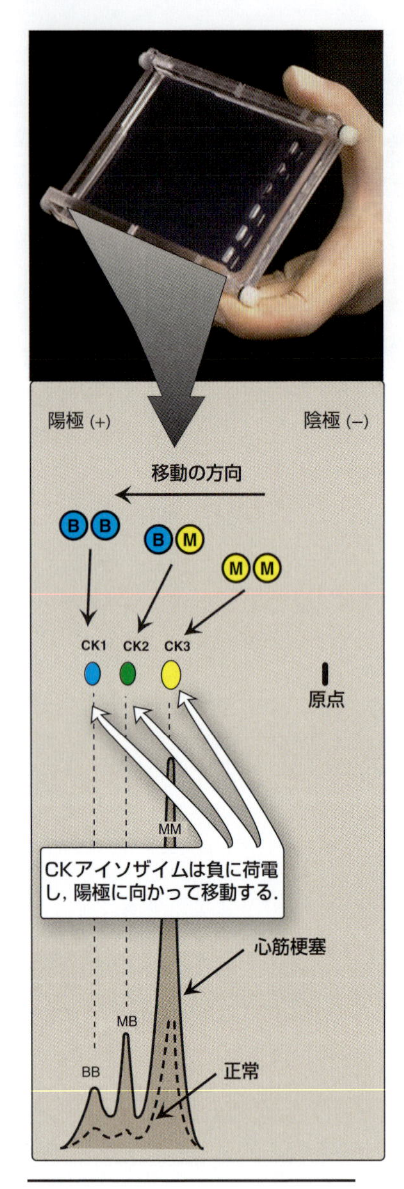

図 5.20
クレアチンキナーゼ(CK)アイソザイムのサブユニット組成，電気泳動移動度，酵素活性.

ことを意味する．例えば，アラニンアミノトランスフェラーゼ alanine aminotransferase（ALT，かつては GPT（glutamic pyruvic transaminase））は肝臓に豊富に存在する多くの酵素の1つである．したがって，血漿のALTレベルが上昇することは，肝組織の損傷が予測されることを示す．死にゆく細胞から患者の血漿に放出されるALTの濃度測定は肝機能検査項目の1つである．組織に広く分布する酵素の場合は，血漿レベルが上昇しても，細胞障害の部位を特定することは難しく，診断上の価値が制限される．

C. アイソザイム

アイソザイム isozyme（イソ酵素とも呼ばれる）は同じ反応を触媒する酵素の変異体だが，遺伝的に決定されるアミノ酸配列は違うので，生理的な性質は若干異なる酵素のことである．この理由によって，アイソザイムは電荷を持つアミノ酸の数が異なる可能性があり，したがって，電気泳動（電場内での電荷を持つ粒子の移動）によるアイソザイムの分離が可能になる（図 5.20）．

異なる器官は異なるアイソザイムを特有の組成比で持つことが多い．LDHはほとんどの組織で比較的高濃度に存在する．LD1～5の5種類のアイソザイムが存在し，例えばLD5は肝臓と骨格筋に，LD2は赤血球に，LD1は心筋に多く存在している．したがって，血漿でみられるアイソザイムのパターンは，損傷を受けた部位を特定する手がかりになる可能性がある．このため，LDHやクレアチンキナーゼ creatine kinase（CK）の血漿濃度は，さまざまな病態下で変化する．

1．アイソザイムの四次構造：アイソザイムは，異なったサブユニットを，さまざまな組合せで持つことが多い．例えば，LDHは5つのアイソザイムとして存在し，それぞれ4つのサブユニット（心臓と骨格筋を表すHとMという最初に発見されたサブユニットの組合せ）からなる四量体で，LD1＝HHHH，LD2＝HHHM，LD3＝HHMM，LD4＝HMMM，LD5＝MMMMとなるように存在している．CKには3種類のアイソザイムがある．それぞれのアイソザイムは2つのポリペプチド鎖（脳と骨格筋を表すBおよびMサブユニットと呼ばれる）からなる二量体であり，3つの組合せ：CK1＝BB，CK2＝MB，CK3＝MMのうちのいずれかである．それぞれのCKアイソザイムは特有の電気泳動移動度を示す（図 5.20 参照）．[注：事実上，脳のすべてのCKはBBアイソフォームであるが，骨格筋ではMMである．心筋の大部分はMMであるが，CK MBは心筋に固有である．]

2．心筋梗塞の診断における歴史的な使用例：心臓に特異的なアイソザイム（バイオマーカー）の血中濃度の測定が，トロポニン（後述）という心臓のタンパク質の検査が登場する以前から，心筋梗塞 myocardial infarction（MI）の診断に重要な役割を担っていた．心筋は全CK活性のうちCK MB（CK2）アイソザイムが5% 以上ある唯一の組織であるため，血漿中にこのMBアイソザイムが出現することは，心筋にほぼ特異的で，急性MI（心臓発作）の後に認められる．急性MIのあと，

臨床応用 5.1：トロポニンの診断への使用

トロポニン T troponin T(TnT)と**トロポニン I troponin I**(TnI)は筋肉の収縮に関係する調節タンパク質である．トロポニンの心臓特異的アイソフォーム(心筋トロポニン，cTn)は心臓の損傷によって血漿中に放出され，心臓組織の損傷に非常に敏感で，特異的である．cTnは心筋梗塞後 4 ～ 6 時間で血漿中に現れ，8 ～ 28 時間でピークになり，3 ～ 10 日間高値を維持し続ける．cTnの上昇は，臨床症状および特徴的な心電図の変化と統合して，現在は，心筋梗塞の診断の“最も信頼できる基準gold standard”であると考えられている．急性心筋梗塞後の血漿中cTnの出現特性はCK MBと類似しているが，ベースラインからピーク値までの血漿中濃度変化はcTnのほうがはるかに大きい(図 5.21 参照)．

CK MB(CK2)は胸の痛みのあと 4 ～ 8 時間以内に血漿に現れ，およそ 24 時間で活性がピークになり，48 ～ 72 時間後に基準値に戻る(図 5.21)．

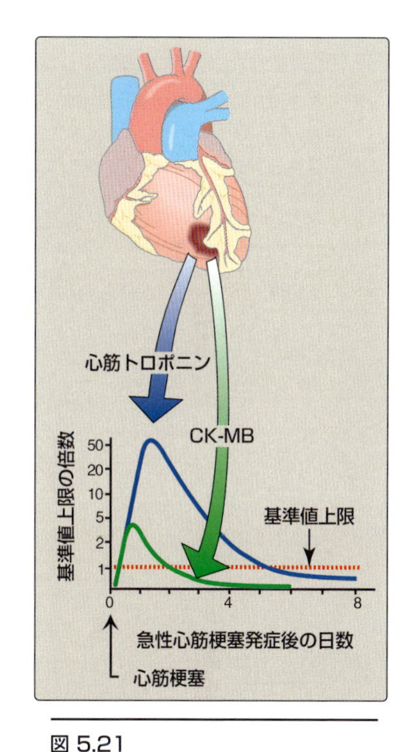

図 5.21
心筋梗塞後の血漿におけるクレアチンキナーゼアイソザイム(CK-MB)および心筋トロポニンの出現．［注：心筋トロポニンのTまたはIが測定される．］

5章の要約

- 酵素は，活性化エネルギーが低い別の反応経路を提供することによって化学反応の速度を増加させる**タンパク質触媒**である(図5.22).
- 酵素分子には，基質との結合と触媒に関与するアミノ酸側鎖を含む，**活性部位**と呼ばれる特殊なクレフト(割れ目)が存在する．活性部位は基質と結合して**酵素-基質(ES)複合体**を形成し，生成物へ変換される(ES → EP → E + P).
- ほとんどの酵素は**ミカエリス・メンテンの速度論**に従い，**反応の初速度**(v_0)の**基質濃度**([S])に対するプロットは**双曲線**になる．**アロステリック酵素**では，ヘモグロビンの酸素解離曲線の形と似た**シグモイド形曲線**を示す.
- 1/vと1/[S]の**ラインウィーバー・バークプロット**により，V_{max}(最大速度)とK_m(基質に対する親和性を反映するミカエリス定数)を容易に求めることができる.
- **阻害剤**とは，酵素の触媒反応の速度を低下できるあらゆる物質のことである.
- 最も普通の2つの阻害様式は，(**見かけのK_mを増加**させる)**競合阻害**と(**見かけのV_{max}を減少**させる)**非競合阻害**である.
- **アロステリック酵素**はいくつかのサブユニットから構成され，活性部位以外に非共有結合で結合する**エフェクター**(調節因子)と呼ばれる分子によって調節を受ける.
- エフェクターは**正**である(酵素活性を上昇させる)か，**負**である(酵素活性を低下させる)かのどちらかになる.
- 酵素は**共有結合による修飾**によっても調節され，多くの場合プロテインキナーゼがリン酸化を触媒し，ホスホプロテインホスファターゼがリン酸基の除去を触媒する.
- 酵素は，酵素自身の合成あるいは分解の速度変化によっても調節される.
- 酵素の多くは細胞内で機能するため，血漿中に出現した酵素は，その酵素が産生された組織の損傷を示すことができ，酵素には医療における診断的価値がある.

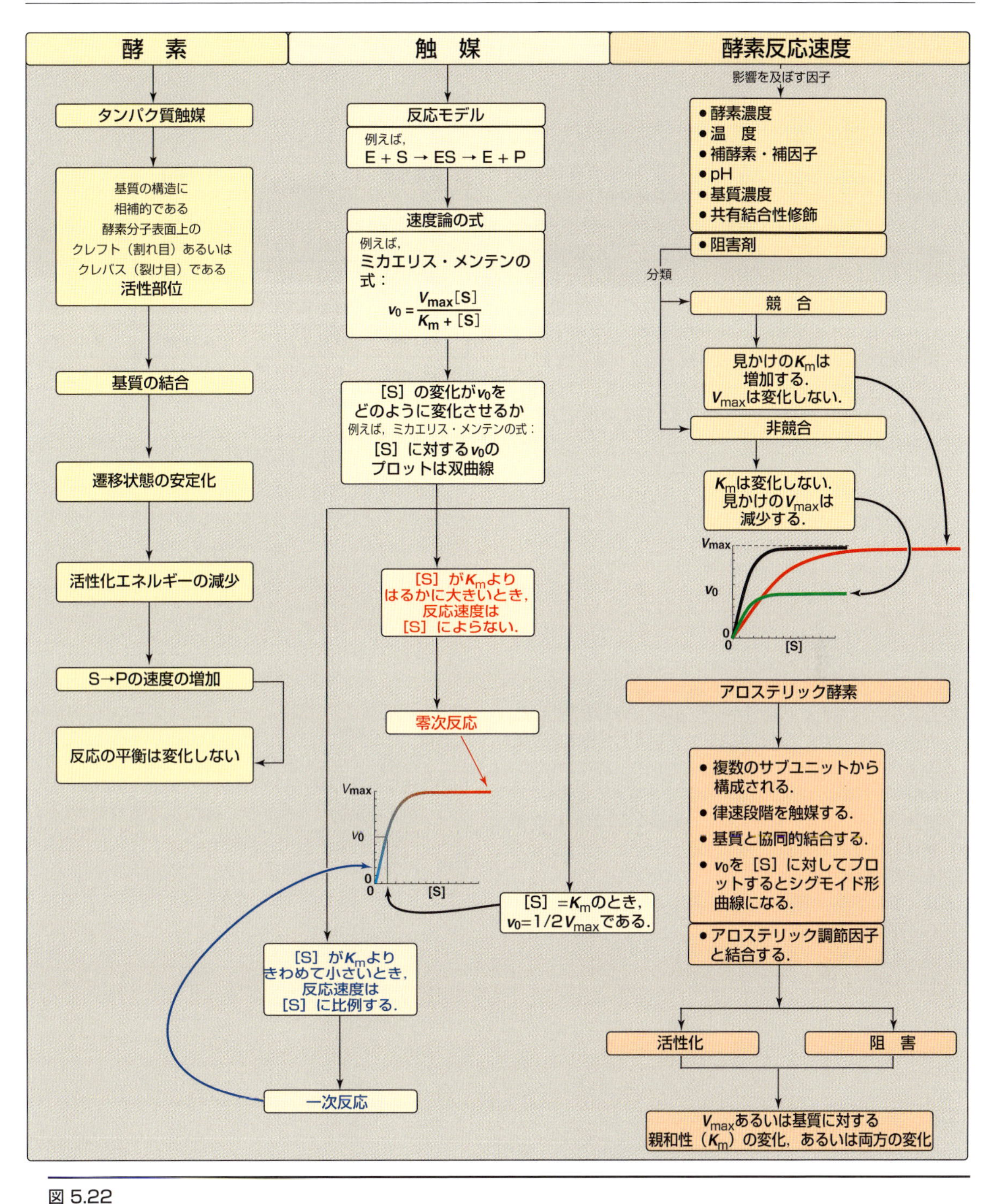

図 5.22
酵素の概念図．S：基質，[S]：基質濃度，P：生成物，E：酵素，v_0：初速度，V_{max}：最大速度，K_m：ミカエリス定数．

学習問題

最適な答えを1つ選びなさい.

5.1　エチレングリコール中毒とそれに伴う特徴的な代謝性アシドーシスの場合，アシドーシスの正常化，残存エチレングリコールの除去，さらに，アルコールデヒドロゲナーゼ(ADH)阻害剤の投与で治療を行う．ADH阻害剤はエチレングリコールの酸化による有機酸の生成を抑えアシドーシスになることを防ぐ．エタノール(穀物アルコール)はエチレングリコール中毒治療によく使われる阻害剤である．エタノールの存在下および非存在下で，ADHを用いた実験結果が右に示されている．このデータをもとにして，エタノールによって，どのタイプの阻害が引き起こされるか.

A.　競合
B.　フィードバック
C.　不可逆
D.　非競合

基質濃度（エタノール存在下）	反応速度（mol/L/秒）	基質濃度（エタノール非存在下）	反応速度（mol/L/秒）
5 mM	3.0×10^{-7}	5 mM	8.0×10^{-7}
10 mM	5.0×10^{-7}	10 mM	1.2×10^{-6}
20 mM	1.0×10^{-6}	20 mM	1.8×10^{-6}
40 mM	1.6×10^{-6}	40 mM	1.9×10^{-6}
80 mM	2.0×10^{-6}	80 mM	2.0×10^{-6}

（訳注：mM＝mmol/L）

正解　A. 競合阻害剤は基質に対する見かけのK_mを増加させる．すなわち，競合阻害剤の存在下では，V_{max}の半分の反応速度になるためにはより高い基質濃度が必要になる．競合阻害剤の影響は基質濃度([S])を高くすることで解消される．したがって，十分に高い[S]では，阻害剤の共存下の反応速度は，非共存下に得られるV_{max}に達する.

5.2　アルコールデヒドロゲナーゼ(ADH)は触媒活性に酸化型ニコチンアミドアデニンジヌクレオチド(NAD^+)を必要とする．ADHによって触媒される反応において，NAD^+がNADHに還元され，酵素から離れるとともに，アルコールは酸化されてアルデヒドになる．NAD^+の機能はどれか.

A.　アポ酵素
B.　補酵素-補基質
C.　補酵素-補欠分子族
D.　補因子
E.　ヘテロトロピックエフェクター

正解　B. 補酵素-補基質は，一時的に酵素と結合するが，変化した形となり酵素から離れる小さな有機分子である．補酵素-補欠分子族は，酵素と恒久的に結合し酵素の働きでもとの形に戻る小さな有機分子である．補因子は金属イオンである．ヘテロトロピックエフェクターは基質ではない.

問題5.3と問題5.4は下のグラフを使用しなさい．グラフは，酵素の存在下および非存在下に，反応物が生成物に変わるときの自由エネルギー変化を表している．A～Dで最適なものはどれか．

5.3　触媒的正反応の活性化エネルギー．

5.4　反応全体の自由エネルギー変化．

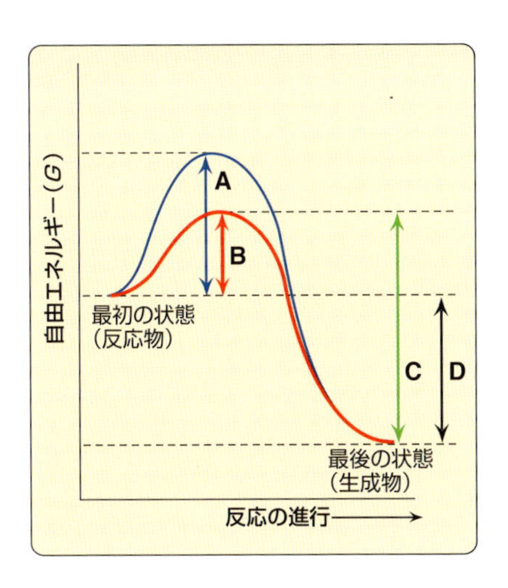

正解　5.3：B，5.4：D．酵素（タンパク質触媒）は，活性化エネルギーがより低い迂回反応経路を提供する．しかし，酵素は反応物と生成物の自由エネルギー変化はない．Aは非触媒的（酵素の非存在下における）反応の活性化エネルギーである．Cは触媒的（酵素の存在下における）逆反応の活性化エネルギーである．

5.5　酵素とその基質の反応に非競合的阻害剤が含まれる場合の結果として適切なものは以下のうちどれか．

A. 十分な濃度の基質を加えることで阻害を克服することができる．
B. 酵素と基質の親和性が低下するため，K_m値が減少する．
C. 阻害剤と基質が酵素上の異なる部位に結合するようになる．
D. 速度対基質濃度のプロット曲線がシグモイド形になる．
E. V_{max}は反応の阻害がないときと同じままである．

正解　C．非競合的阻害剤は，酵素の活性部位には結合せず，酵素上の他の結合部位に結合する．基質は，酵素の活性部位に結合する．結合部位が異なるため，基質を添加しても阻害は克服されない．基質は活性部位に結合し続けるのでK_m値は変わらないが，非競合的阻害剤も結合すると不活性複合体となる．ミカエリス・メンテンの速度論に従う酵素の場合，非競合的阻害剤の存在下では，双曲線形状の曲線はより低いV_{max}へとシフトする．

5.6　酵素触媒反応において，タンパク質Qは酵素X（キナーゼ）の基質となる．この反応の生成物は次のうちどれか．

A. ATP
B. 脱リン酸化された酵素X
C. リン酸化された酵素X
D. 脱リン酸化されたタンパク質Q
E. リン酸化されたタンパク質Q

正解　E．キナーゼの基質は，反応の結果，リン酸化型に変換される．ATPはリン酸の供与体として使用され，反応の過程でADPに加水分解される．キナーゼ酵素自体は，反応によって変化することはない．

5.7 サルファ剤は，細菌感染を抑える効果がある一方で，ヒト細胞には毒性を発揮することはない．このような特徴を説明できるサルファ剤の役割は次のうちどれか．

A. 細菌の酵素の触媒作用を高めるアロステリックエフェクター
B. あらゆる種類の分裂する細胞における複製を阻害する代謝拮抗剤
C. ヒト細胞ではなく細菌が必要とする酵素の競合阻害剤
D. 解糖のいくつかの制御ステップの非競合的阻害剤
E. 細菌の細胞壁合成にかかわる酵素の正のアロステリックエフェクター

正解 C. サルファ剤をはじめとする抗生物質は，細菌だけが必要とする酵素を競合的に阻害することで，ヒトの細胞に障害を与えることなく細菌の増殖を止めることができる．代謝拮抗剤のようにすべての増殖細胞を阻害する薬剤は，細菌だけでなく宿主であるヒトの細胞にも害を与えることになる．酵素阻害剤の多くは競合型であり，活性部位に結合できるように基質に構造的に似るように設計されている．ヒトの細胞も細菌の細胞も解糖を行う．酵素の触媒機能を高めるアロステリックエフェクターは正のエフェクターである．正のアロステリックエフェクターは，酵素の活性を高め，阻害することはない．

生体エネルギー学と酸化的リン酸化 6

Ⅰ. 概　要

生体エネルギー学は生体系におけるエネルギーの転移と利用を記述する学問であり，反応の構成要素の**はじまり initial** と**終わり final** のエネルギー状態を問題とする．生体エネルギー学は熱力学の領域から少数の基本概念，特に自由エネルギーの概念を利用する．自由エネルギー変化はある化学反応がエネルギー的に起こりやすいかどうかの目安になるので，その反応（過程）が起こりうるかどうかの予測を立てるのに役立つ．すなわち生体エネルギー学はある反応が起きうるかどうかを予測するのに対して，反応速度論はその反応速度を推測する．

Ⅱ. 自由エネルギー

ある化学反応が進行する方向と程度は，2 つの要素がその反応の間にどの程度変化するかどうかによって決定される．1 つは**エンタルピー enthalpy**（ΔH，反応物と生成物の熱量変化[Δ]の尺度）であり，もう 1 つは**エントロピー entropy**（ΔS，反応物と生成物の乱雑さの変化の尺度）である（図 6.1）．これらの熱力学量はどちらも単独では，化学反応がある方向に自発的に進むか否かを決定するのには十分ではない．しかし，エンタルピーとエントロピーから数学的に導かれた（図 6.1 参照）第三の熱力学量である**自由エネルギー free energy**（G）からは，化学反応が自発的に進む方向を予測することができる．

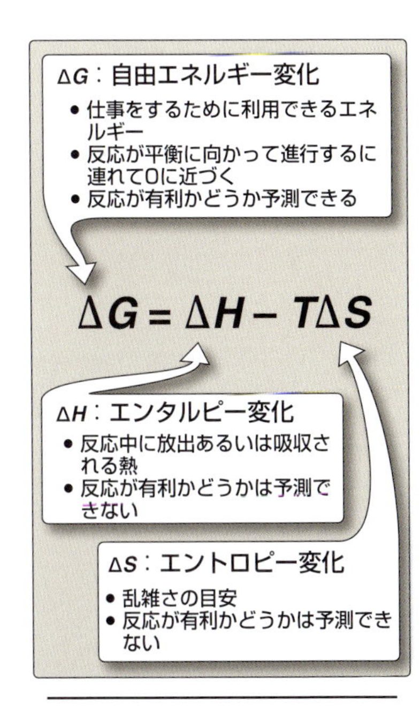

図 6.1
自由エネルギー（G）変化，エンタルピー（H）変化，エントロピー（S）変化間の関係．Tは絶対温度（ケルビン度，K）：K＝℃＋273.

Ⅲ. 自由エネルギー変化

自由エネルギー変化はΔGとΔG°という 2 つの形で表すことができる．はじめのΔG（上付文字 "°" なし）は，自由エネルギーの変化，すなわち反応物と生成物の濃度がいかなる値であれ，反応の進む方向を表

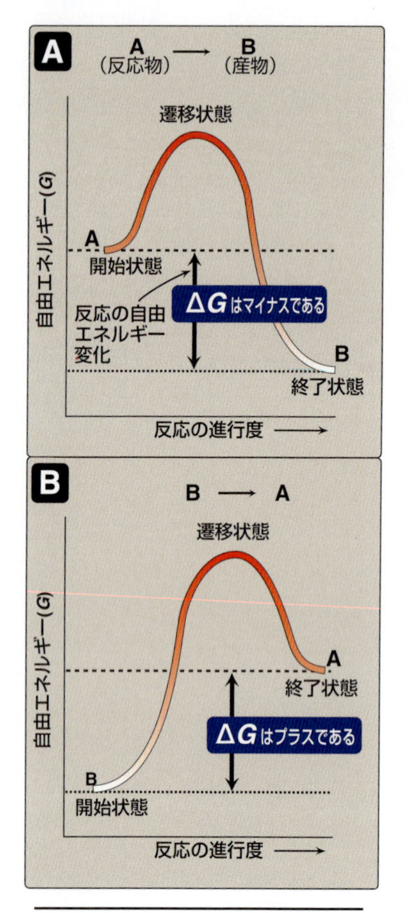

図 6.2
反応時の自由エネルギー変化(ΔG).
A. 産物は反応物よりも自由エネルギー(G)が低い. B. 産物は反応物よりも自由エネルギーが高い.

す. したがってΔGは変数である. これに対して, **標準自由エネルギー変化 standard free energy change**, $\Delta G°$, 上付文字 "°" あり) は反応物と生成物の濃度がともに1 mol/Lの場合のエネルギー変化である. [注：プロトン濃度[H^+]は10^{-7} mol/L (すなわちpH = 7.0) と仮定されている. このことは$\Delta G°'$のように "′" を付して示す場合もある.] $\Delta G°$ は定数であり, このように非生理的な反応物と生成物の濃度におけるエネルギー変化を表すものであるが, 異なる反応のエネルギー変化を比較するのには有用である. さらに, $\Delta G°$ は平衡定数の測定から容易に決定することができる.

A. ΔGと反応の方向

自由エネルギー変化(ΔG)の符号から, 一定の温度と圧力における反応の方向を予測することができる. 以下の反応を考えてみよう：

$$A \rightleftarrows B$$

もしΔGがマイナスだったら, 反応は発エルゴン反応 exergonic reactionと呼ばれ, エネルギーの正味の放出を伴う. この場合, 反応は自発的に正反応の方向に進行し, AがBに変換される(図 6.2 A). もしΔGがプラスだったら, 反応は吸エルゴン反応 endergonic reactionと呼ばれ, エネルギーの正味の獲得を伴う. 反応がBからAへ進行するためにはエネルギーを系に与えなければならない(図 6.2 B). もし$\Delta G = 0$だったら, 反応は平衡状態 equilibriumにある. 反応が自発的に進行する場合(ΔGがマイナスの場合), 反応はΔGが0に達して平衡状態になるまで進行する.

B. 正反応と逆反応のΔG

正反応(A → B)の自由エネルギーは逆反応(B → A)の自由エネルギーと大きさは同じで符号が逆である. 例えば, もし正反応のΔGが−5 kcal/molならば, 逆反応のΔGは+5 kcal/molである. [注：ΔGは1 molあたりのkJ単位, すなわちkJ/mol (1 kcal = 4.2 kJ)で表すこともできる.]

C. ΔGと反応物と生成物の濃度

反応A → BのΔGは反応物と生成物の濃度に依存する. 一定の温度と圧力のもとでは, 以下の関係が成り立つ：

$$\Delta G = \Delta G° + RT \ln \frac{[A]}{[B]}$$

$\Delta G°$：標準自由エネルギー変化(下記D.参照)
R：気体定数(1.987 cal/mol·K)
T：絶対温度(K)
[A]：反応物の実際の濃度
[B]：生成物の実際の濃度
ln：自然対数

$\Delta G°$ がプラスの反応では，生成物の反応物に対する比([B]/[A])が十分に小さければ(すなわち反応物の生成物に対する比が大きいときには)，ΔG全体としてはマイナスとなり，反応は正方向に進む．例えば以下の反応を考えてみよう：

グルコース6-リン酸 ⇄ フルクトース6-リン酸

図6.3 Aには反応物であるグルコース6-リン酸の濃度が生成物であるフルクトース6-リン酸の濃度に比べて高い場合の反応条件を示している．この場合，生成物の反応物に対する比が小さくて*RT* ln([フルクトース 6-リン酸]/[グルコース 6-リン酸])が大きくマイナスで，その結果としてΔGが$\Delta G°$ がプラスであるにもかかわらずマイナスになる．であるから反応は正方向に進む．

D．標準自由エネルギー変化

標準自由エネルギー変化$\Delta G°$ は，標準状態すなわち反応物と生成物が濃度1 mol/Lの場合の自由エネルギー変化ΔGに等しい(図6.3 B)．この状態では生成物の反応物に対する比の自然対数は0となり(ln 1 = 0)，前のページの最後に書かれた等式は次のようになる：

$$\Delta G = \Delta G° + 0$$

1．$\Delta G°$と反応の方向：標準状態では$\Delta G°$ は反応が進行する方向を予測するのに役立つ．標準状態では$\Delta G°$ はΔGに等しいからである．しかしながら$\Delta G°$ は生理的条件下では反応の進行方向の予測には使えない．$\Delta G°$ は定数(R，T，K_{eq}；K_{eq}については下記2. 参照)だけから成り立っており生成物濃度や反応物濃度の変化によって変わらないからである．

2．$\Delta G°$とK_{eq}の関係：A ⇄ Bの反応において，平衡点は正味の化学変化が起こらないときに到達される．この状態では[B]の[A]に対する比はこれら2成分の実際の濃度にかかわりなく一定となる：

$$K_{eq} = \frac{[B]_{eq}}{[A]_{eq}}$$

ここで，K_{eq}は平衡定数であり，$[A]_{eq}$と$[B]_{eq}$は平衡状態におけるAとBの濃度である．もし反応A ⇄ Bが一定の温度と圧力のもとで平衡状態に達した場合，平衡状態では自由エネルギー変化ΔG全体は0となる(図6.3 C)．であるから，

$$\Delta G = 0 = \Delta G° + RT \ln \frac{[B]_{eq}}{[A]_{eq}}$$

ここで，AとBの実際の濃度は反応物と生成物の平衡濃度$[A]_{eq}$と$[B]_{eq}$に等しく，これらの比は以上に示したようにK_{eq}に等しい．であるから，

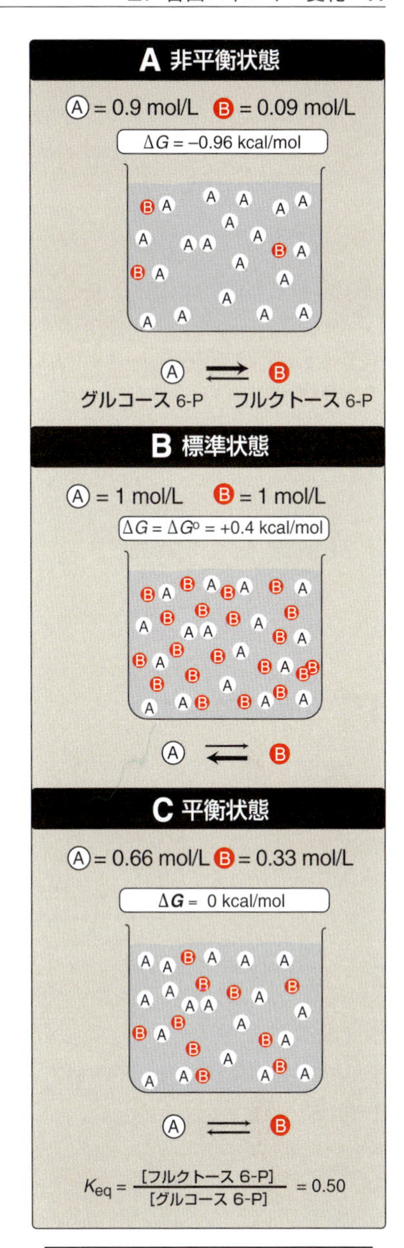

図 6.3
反応の自由エネルギー変化ΔGは反応物と生成物の濃度に依存する．グルコース6-リン酸(グルコース 6-P)からフルクトース6-リン酸(フルクトース6-P)への変換では，ΔGは反応物の生成物に対する比が大きいときにはマイナスで(上，パネルA)；標準状態ではプラスで(中，パネルB)；平衡状態では0である(下，パネルC)．$\Delta G°$：標準自由エネルギー変化．

$$\Delta G^\circ = -RT \ln K_{eq}$$

この等式から以下の単純な予測が可能となる．
もしも $K_{eq} = 1$ ならば $\Delta G^\circ = 0$ となる．
もしも $K_{eq} > 1$ ならば $\Delta G^\circ < 0$ となる．
もしも $K_{eq} < 1$ ならば $\Delta G^\circ > 0$ となる．

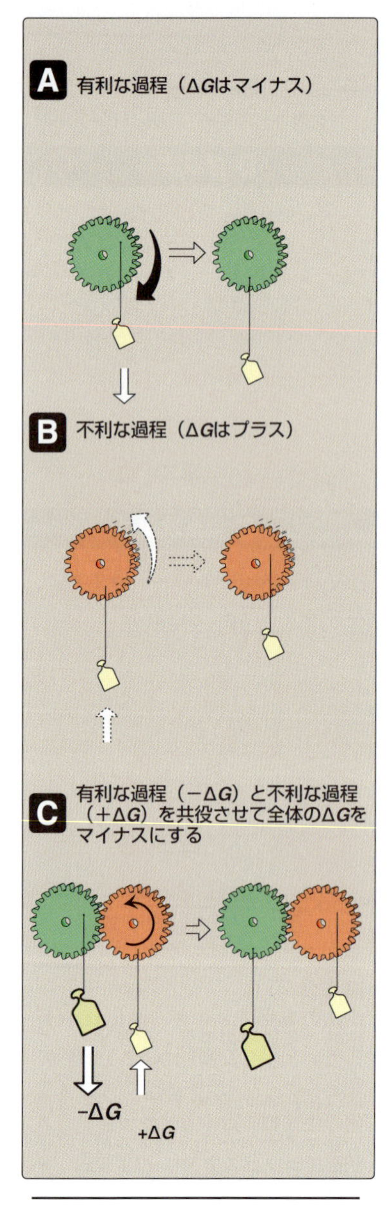

図 6.4
エネルギー的に有利な過程と不利な過程の共役の力学的モデル．
A．荷重がかかった歯車は自発的に最もエネルギー状態が低くなるような方向に回転する．B．逆方向の回転はエネルギー的に不利である（自発的には起こらない）．C．エネルギー的に有利な運動は不利な運動を起こすことができる．ΔG=自由エネルギー変化．

3．2つの連続する反応のΔG°：標準自由エネルギー変化ΔG°は自由エネルギーΔGと同様に，連続する反応において**加算 additive** 可能である．例えば：

グルコース＋ATP	→グルコース6-リン酸＋アデノシン二リン酸（ADP）	$\Delta G^\circ = -4{,}000$ cal/mol
グルコース6-リン酸	→フルクトース6-リン酸	$\Delta G^\circ = +400$ cal/mol
グルコース＋ATP	→フルクトース6-リン酸＋ADP	$\Delta G^\circ = -3{,}600$ cal/mol

4．反応経路のΔG：ΔGのこの加算可能な性質は，基質がある特定の方向（例えば，A → B → C → D→…）に進まなければならない生化学反応経路において大変重要である．個々の反応のΔGの**総和 sum** が**マイナス negative** である限り，たとえ個々の反応のなかにプラスのΔGを持つものがあっても，反応は書かれた方向に進行可能である．もちろん反応の実際の速度は触媒する酵素による活性化エネルギー（E_a）の低下に依存する．

Ⅳ．エネルギー担体としてのATP

大きなプラスのΔGを持つ反応は，この吸エルゴン性のイオン輸送を，第二の大きなマイナスのΔGを持つ自発的な反応，例えば**アデノシン三リン酸 adenosine triphosphate**（ATP）の発エルゴン性の加水分解などと**共役 coupling** させることによって可能となる（p.112 参照）．図 6.4 はエネルギー共役の機構モデルを示している．生体反応におけるエネルギー共役の最も単純な例は，エネルギー要求反応とエネルギー産生反応が**共通の中間体 common intermediate** を用いるときに起こる．

A．共通の中間体

2つの化学反応は，連続的に起きて第一の反応の生成物が第二の反応の基質になるような場合には，共通の中間体を持つことになる．例えば，次のような場合である．

$$A + B \rightarrow C + D$$
$$D + X \rightarrow Y + Z$$

Dは共通の中間体であり，2つの反応の間の化学エネルギーの担体として機能しうる．[注：中間体は酵素に結合している場合もある．] 多くの共役反応はATPを用いて共通中間体を生成する．これらの反応の中にはATPから他の分子へのリン酸基の転移を伴うものがある．他の反応はエネルギーに富む中間体からADPへとリン酸基を転移させATPを合成する反応を伴う．

B．ATPによって運ばれるエネルギー

ATPはアデノシン1分子に3個のリン酸基がついている構造を持っている（図6.5）．リン酸基1個が除かれると，ADPが産生される．リン酸基2個が除かれると，**アデノシン一リン酸 adenosine monophosphate**（AMP）が産生される．ATP加水分解の標準自由エネルギー ΔG° は2個の終端のリン酸基それぞれ1個あたりおよそ－7.3 kcal/molである．この加水分解の大きなマイナスのΔG°のためにATPは高エネルギーリン酸化合物と呼ばれるのである．[注：アデニンヌクレオチドはアデニル酸キナーゼadenylate kinaseによって相互変換可能（2 ADP ⇄ ATP + AMP）である．]

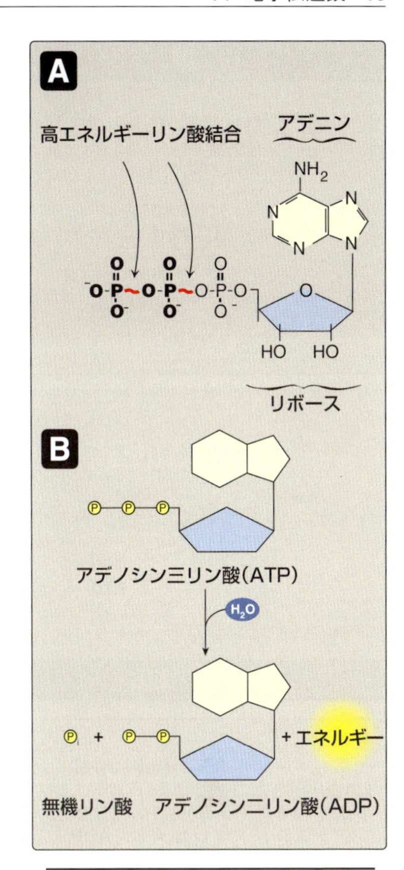

図 6.5
A：アデノシン三リン酸(ATP).
B：ATPの加水分解.

V．電子伝達鎖

グルコースのようなエネルギーに富む分子は一連の酸化反応によって代謝され最終的に二酸化炭素（CO_2）と水（H_2O）が生じる（図6.6）．これらの反応の代謝中間体は電子を特定の補酵素ニコチンアミドアデニンジヌクレオチド nicotinamide adenine dinucleotide（NAD^+）とフラビンアデニンジヌクレオチド flavin adenine dinucleotide（FAD）に受け渡してエネルギーに富む還元型補酵素 NADHとフラビンアデニンジヌクレオチド$FADH_2$を生成する．これらの還元型補酵素はそれぞれ，まとめて**電子伝達鎖 electron transport chain**（ETC，この節で解説する）と呼ばれる特殊化した電子の伝達体のグループに1対の電子を受け渡す．電子は電子伝達鎖内を次々と受け渡される間に自由エネルギーのほとんどを失う．このエネルギーを利用しプロトン（H^+）をミトコンドリア内膜を越えて動かしてプロトン勾配を作り，このプロトン勾配によってADPと無機リン酸（P_i）からATPが産生される．電子伝達とATP合成の共役を**酸化的リン酸化 oxidative phosphorylation**と呼び，しばしばOXPHOSと略記する．酸化的リン酸化はミトコンドリアを含むすべての組織で絶えず進行している．ATPとして捕捉されなかった自由エネルギーは，ミトコンドリアへのCa^{2+}輸送のような副次的反応を駆動するために利用されるか，熱として放出される．

A．ミトコンドリアの電子伝達鎖

電子伝達鎖は**ミトコンドリア内膜 inner mitochondrial membrane**に存在し（シトクロム*c*は例外である），体内の異なる燃料分子由来の電子が，酸素（O_2）へと流れO_2をH_2Oに還元する最終共通経路である（図6.6）．

1．**ミトコンドリアの膜**：ミトコンドリアには外膜と内膜があり，これらは膜間腔により隔てられている．電子伝達鎖の構成成分は内膜に存在する．外膜にはポリンporinというタンパク質で構成される特殊なチャネルが開いていて，ほとんどのイオンと小分子は自由に透過可能である．内膜は特別な構造をしていて，プロトン（H^+），Na^+，K^+

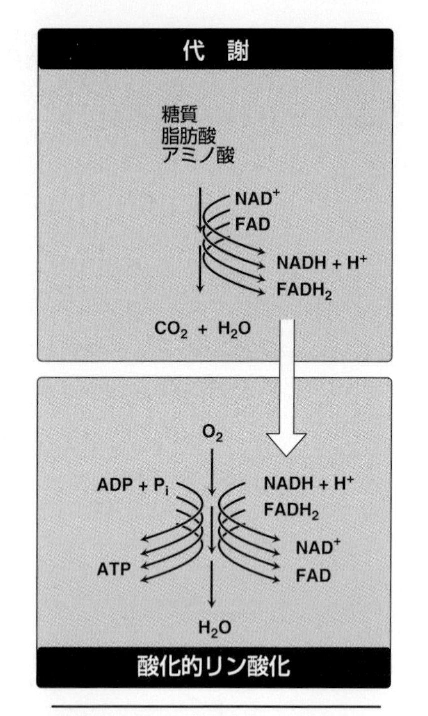

図 6.6
エネルギー産生分子の代謝的分解．NAD (H)：ニコチンアミドアデニンジヌクレオチド，FAD (H_2)：フラビンアデニンジヌクレオチド，ADP：アデノシン二リン酸，P_i：無機リン酸，CO_2：二酸化炭素．

など多くの小イオンやミトコンドリア機能にとって重要なATP，ADP，ピルビン酸や他の代謝産物などの小分子は通過することができない(図6.7)．イオンや分子がこの膜を通過するためには輸送タンパク質が必要である．ミトコンドリア内膜は異常にタンパク質に富む構造であるが，その半分以上は直接酸化的リン酸化に関与している．ミトコンドリア内膜は高度に入り組んだ構造をしている．この入り組んだ構造は**クリステ crista**と呼ばれ，ミトコンドリア内膜の表面積を大いに増大させるのに役立っている．

2．ミトコンドリアマトリックス：ミトコンドリア内部のゲル状の溶液は**マトリックス matrix**と呼ばれ，マトリックスもまたタンパク質に富んでいる．これらはピルビン酸，アミノ酸，脂肪酸(β酸化により)の酸化にかかわる酵素およびトリカルボン酸(TCA)回路の酵素を含む．グルコース，尿素およびヘムの合成も一部はミトコンドリアマトリックスで行われる．さらにマトリックスにはNAD^+とFAD(電子受容体として必要な2つの補酵素の酸化型)，ATP産生に必要なADPとP_iが含まれる．[注：マトリックスはミトコンドリアDNA(mtDNA)とミトコンドリアRNA(mtRNA)およびミトコンドリアリボソームも含む．]

B．電子伝達鎖の構成

ミトコンドリア内膜には複合体Ⅰ，Ⅱ，Ⅲ，Ⅳと呼ばれる4つの分離したタンパク質複合体が存在する．複合体Ⅰ～Ⅳはそれぞれ電子伝達鎖の一部を含む(図6.8)．それぞれの複合体は比較的移動可能な電子伝達体である補酵素Q(CoQ)や**シトクロム*c***などとの間で電子の受け渡しをする．電子伝達鎖のなかの電子伝達体は電子供与体から電子を受け取り，次の伝達体に電子を受け渡す．電子は最終的には酸素(O_2)およびプロトン(H^+)と結合して水(H_2O)になる．このように電子伝達過程は酸素を必要とすることから，**呼吸鎖 respiratory chain**とも呼ばれ，体の酸素利用の最も大きな部分を占める．

C．電子伝達鎖の反応

補酵素Q(CoQ，脂溶性のキノン)を例外として，電子伝達鎖のすべての構成要素はタンパク質である．これらは**フラビン含有デヒドロゲナーゼ flavin-containing dehydrogenase**の場合のように酵素として機能するものもあるし，鉄-硫黄(Fe-S)中心の一部として鉄を含むものもあれば，シトクロムのように補欠分子族であるヘムの一部のポルフィリン環と結合した鉄を含むものもある．またシトクロム$a + a_3$複合体のように銅(Cu)を含むものもある．

1．NADH生成：NAD^+は，基質から2つの水素原子を奪うデヒドロゲナーゼdehydrogenaseに，より還元されてNADHになる．[注：これらの反応の実例はp.145のTCA回路中のデヒドロゲナーゼの議論参照．] 2つの電子と1つのプロトン(H^+)(すなわちヒドリドイオン，[:H^-])がNAD^+に渡され，NADHと遊離のH^+が生じる．

2．NADHデヒドロゲナーゼ NADH dehydrogenase：遊離のH^+とNADHのヒドリドイオンはNADHデヒドロゲナーゼに受け渡される．NADHデヒドロゲナーゼはミトコンドリア内膜に埋め込まれたタンパク質複合体（複合体Ⅰ）であり，2つの水素原子（2電子＋$2H^+$）を受け取り$FMNH_2$になる**フラビンモノヌクレオチド flavin mononucleotide**（FMN，構造的にFADに似ている補酵素）と強固に結合している．また，NADHデヒドロゲナーゼは鉄原子が硫黄原子と結合して構成する**鉄-硫黄（Fe-S）中心 iron-sulfur center**も含んでいる（図6.9）．複合体Ⅰで電子はNADHからFMNへ，FMNから鉄-硫黄中心へ，鉄-硫黄中心からCoQへと流れていく．電子は流れるにつれてエネルギーを失っていく．このエネルギーを用いてマトリックスから膜間腔へと内膜を越えて4個のH^+が汲み出される．

3．コハク酸デヒドロゲナーゼ succinate dehydrogenase：複合体Ⅱでは，コハク酸デヒドロゲナーゼによってコハク酸がフマル酸に酸化されるときに生じた電子は補酵素$FADH_2$から鉄-硫黄中心へ，鉄-硫黄中心からCoQへと移動する．[注：この過程ではエネルギー損失はないので，複合体ⅡではH^+の汲み出しは起こらない．]

4．補酵素Q：補酵素Q coenzyme Q（CoQ）はユビキノンとも呼ばれ，長い疎水性のイソプレノイド鎖を持つキノン誘導体であり，コレステロール合成の中間体から作られる（18章参照）．CoQは移動可能な電子伝達体であり，NADHデヒドロゲナーゼ（複合体Ⅰ），コハク酸デヒドロゲナーゼ（複合体Ⅱ），グリセロール-3-リン酸デヒドロゲナーゼglycerol 3-phosphate dehydrogenaseおよびアシルCoAデヒドロゲナーゼ acyl CoA dehydrogenaseなど他のミトコンドリアに存在するデヒドロゲナーゼからも水素原子を受け取ることができる．CoQは電子を複合体Ⅲ（シトクロムbc_1）へと伝達する．CoQはこのようにこれらのフラボプロテインデヒドロゲナーゼ flavoproteindehydrogenaseとシトクロムをつなぐ機能を持つ．

5．シトクロム：電子伝達鎖の残りのメンバーはシトクロム cytochromeである．シトクロムは鉄原子を1つ含むポルフィリン環から構成されるヘム基を含んでいる．ヘモグロビンのヘム基とは異なり，シトクロムの鉄は可逆的な電子伝達体としての正常な機能の一部として，第二鉄イオン（鉄（Ⅲ），Fe^{3+}）から第一鉄イオン（鉄（Ⅱ），Fe^{2+}）に可逆的に変換しうる．電子は伝達鎖をCoQからシトクロムbc_1（複合体Ⅲ），c，そして$a + a_3$（複合体Ⅳ）へと受け渡される（図6.8参照）．電子の流れとともに，複合体Ⅲで4個のH^+が，複合体Ⅳで2個のH^+が内膜を越えて汲み出される．[注：シトクロムcは膜間腔で内膜の外側面に緩やかに結合しており，CoQと同様に移動可能な電子伝達体である．]

6．シトクロム$a + a_3$：このシトクロム複合体（複合体Ⅳ）は，ヘム鉄がO_2と直接反応しうる配位座を持っている唯一の電子伝達体であ

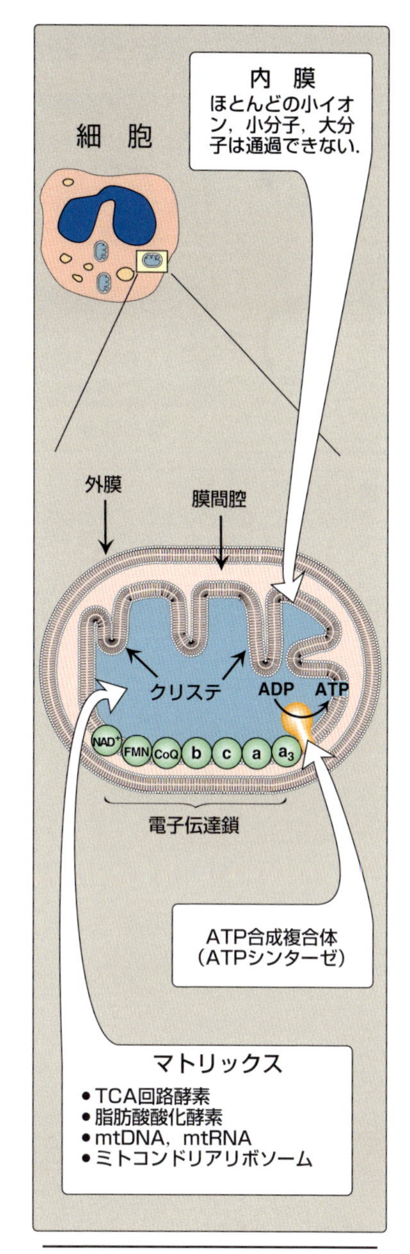

図6.7
内膜に存在する電子伝達鎖とATP合成複合体を示したミトコンドリア構造の模式図．[注：ミトコンドリア内膜とは異なり，ミトコンドリア外膜の透過性は高く，膜間腔の組成はほとんど細胞質ゾルの組成に等しい．]
mtDNA：ミトコンドリアDNA，mtRNA：ミトコンドリアRNA，ADP：アデノシン二リン酸，TCA：トリカルボン酸．

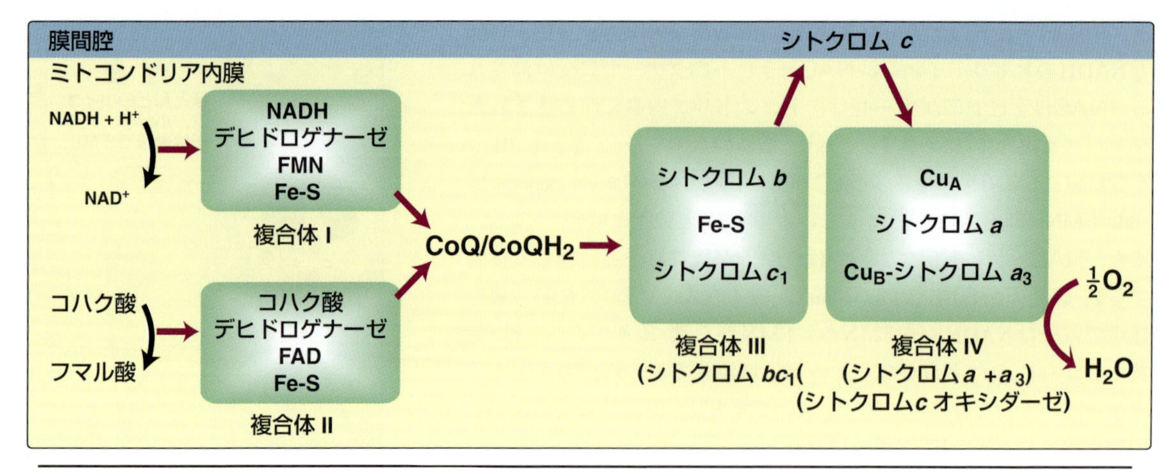

図 6.8
電子伝達鎖．電子の流れは紫色の矢印で示す．NAD(H)：ニコチンアミドアデニンジヌクレオチド，FMN：フラビンモノヌクレオチド，FAD：フラビンアデニンジヌクレオチド，Fe-S：鉄-硫黄，CoQ：補酵素 Q，Cu：銅．

り，シトクロムcオキシダーゼ cytochrome c oxidaseとも呼ばれる．複合体Ⅳで伝達される電子，O_2，遊離のH^+が一緒になってO_2が還元され水が産生される(図 6.8 参照)．[注：O_2 1 分子を還元して 2 分子の水とするために 4 個の電子が必要である．] シトクロムcオキシダーゼはこの複雑な反応が起きるために必要な銅原子(Cu)を含んでいる．電子はCu_Aからシトクロムaへ，シトクロムaからシトクロムa_3-Cu_Bへ，シトクロムa_3-Cu_BからO_2へと移動する．

7．**部位特異的阻害物質**：電子伝達鎖の部位特異的な阻害物質が同定されているので，これらを図 6.10 に示す．これらの呼吸鎖阻害物質は，伝達鎖の構成成分に結合して酸化還元反応を阻害することにより，電子の受け渡しを阻止する．したがって，阻止部位の上流に位置するすべての電子伝達体は完全に還元され，下流に位置する電子伝達体は酸化状態にとどまる．[注：電子伝達の阻害はATP合成も阻害する．両者は緊密に共役しているからである．]

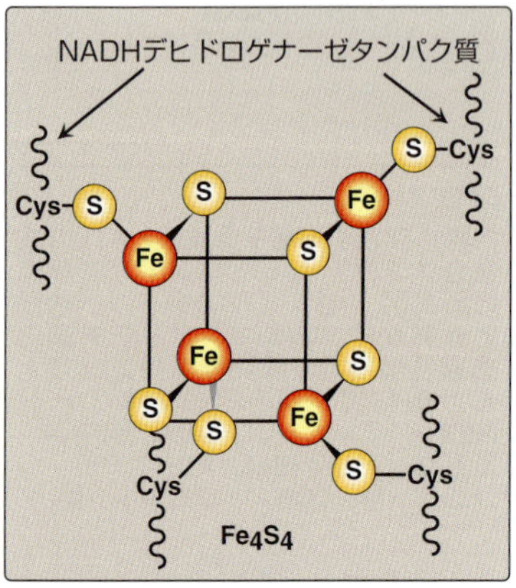

図 6.9
複合体 I の鉄-硫黄(Fe-S)中心．[注：複合体 II と複合体 III もFe-S中心を含んでいる．] NADH：ニコチンアミドアデニンジヌクレオチド，Cys：システイン．

電子が電子伝達鎖から漏れ出すとスーパーオキシド(O_2^-)，過酸化水素(H_2O_2)，ヒドロキシラジカル(·OH)などの活性酸素種(ROS)が生じる．ROSはDNAとタンパク質を損傷し，脂質過酸化を引き起こす．スーパーオキシドジスムターゼ superoxide dismutase (SOD)，カタラーゼ catalase，グルタチオンペルオキシダーゼ glutathione peroxidaseなどの酵素はROSに対する細胞の防御機構である(p.196 参照)．

D．電子伝達の間の自由エネルギー放出

電子が電子供与体(還元物質)から電子受容体(酸化物質)へと電子伝

達鎖に沿って受け渡される間に，自由エネルギーが放出され，このエネルギーを用いて複合体Ⅰ，Ⅲ，ⅣでH$^+$の汲み出しが行われる．[注：電子はヒドリドイオンとしてNAD$^+$へ，水素原子としてFMN，CoQ，FADへ，電子としてシトクロムへ受け渡される．]

1．**レドックス対 redox pair**：ある化合物の酸化（電子の喪失）は常に第二の物質の還元（電子の獲得）を伴う．例えば，図6.11に複合体ⅠでのNADHデヒドロゲナーゼによるNADHのNAD$^+$への酸化に伴うFMNのFMNH$_2$への還元を示す．このような酸化還元反応は2つの別々の半反応，1つは酸化反応，もう1つは還元反応であるが，それらの総和として書き表すことができる（図6.11）．NAD$^+$とNADHはレドックス対をなし，FMNとFMNH$_2$もレドックス対をなす．レドックス対は電子の失いやすさがそれぞれ異なる．この電子の失いやすさが特定のレドックス対の特徴であり，定数$E°$（**標準還元電位 standard reduction potential**）により単位をボルトとして定量的に表すことができる．

2．**標準還元電位**：さまざまなレドックス対の$E°$を，最も陰性のものから最も陽性のものまで並べることができる．レドックス対の$E°$が陰性であればあるほど，そのレドックス対の還元要素が電子を喪失する傾向が大きくなる．レドックス対の$E°$が陽性であればあるほど，そのレドックス対の酸化要素が電子を獲得する傾向が大きくなる．であるから，電子はより陰性の$E°$を持つレドックス対からより陽性の$E°$を持つレドックス対へと流れる．電子伝達鎖のメンバーの$E°$値をいくつか図6.12に示す．[注：電子伝達鎖の構成要素の$E°$値が，しだいに陽性になるように並べてある．]

3．**$\Delta G°$は$\Delta E°$の関数である**：標準自由エネルギー変化$\Delta G°$は$E°$の変化の大きさの一次関数である：

$$\Delta G° = -nF\,\Delta E°$$

n＝伝達される電子数（シトクロムでは1，NADH，FADH$_2$，CoQでは2）
F＝ファラデー定数（23.1 kcal/V･mol）
$\Delta E°$＝電子を受容するレドックス対の$E°$から電子を供与するレドックス対の$E°$を引いた値
$\Delta G°$＝標準自由エネルギー変化

4．**ATPの$\Delta G°$**：ADPがリン酸化されてATPになる場合の標準自由エネルギー変化$\Delta G°$は，＋7.3 kcal/molである．1対の電子を電子伝達鎖を介してNADHから酸素まで伝達する間に52.6 kcalのエネルギーが放出される．3 ADPと3 P$_i$から3 ATPを合成するのに十分以上のエネルギーが得られる（3×7.3 = 21.9 kcal）ので，しばしばP/O比（酸素1原子が還元されて生じるATP数）3：1と表される．残りのエ

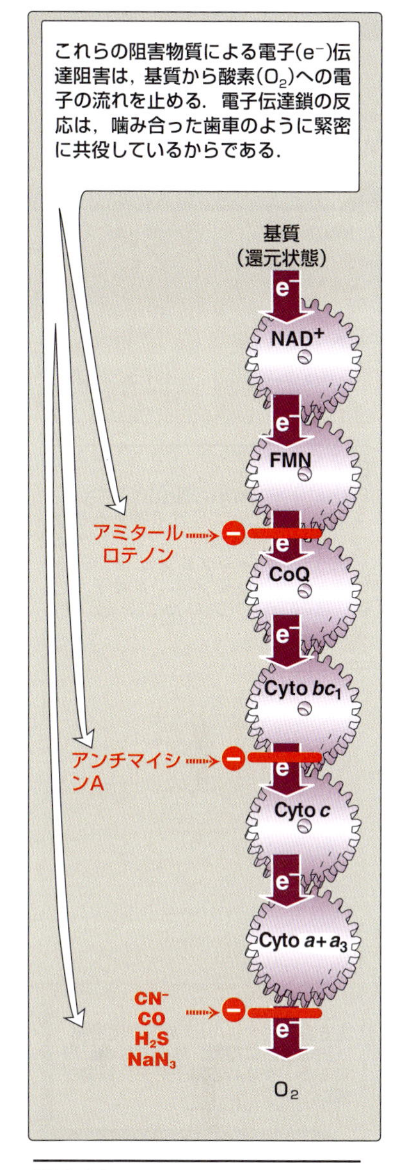

図6.10
酸化-還元反応の共役の力学的モデルを用いて示した電子伝達系の部位特異的阻害物質．[注：図には電子伝達の正常な流れが示してある．] NAD$^+$：ニコチンアミドアデニンジヌクレオチド，FMN：フラビンモノヌクレオチド，CoQ：補酵素Q，Cyto：シトクロム，CN$^-$：シアン化物，CO：一酸化炭素，H$_2$S：硫化水素，NaN$_3$：アジ化ナトリウム．

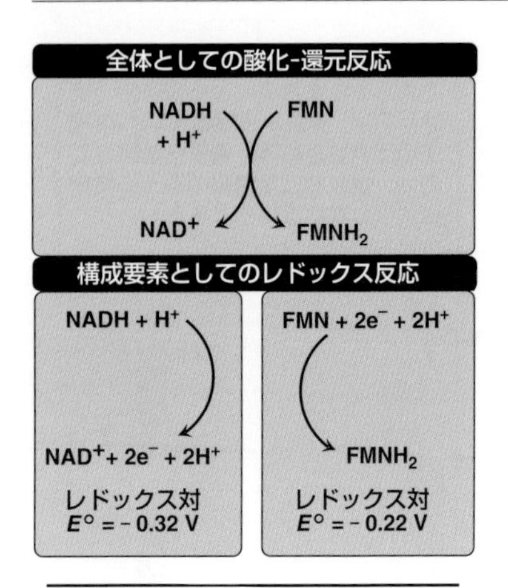

図 6.11
FMNによるNADHの酸化は2つのレドックス対成分に分けて考えることができる．NAD(H)：ニコチンアミドアデニンジヌクレオチド，FMN(H_2)：フラビンモノヌクレオチド，e^-：電子，H^+：プロトン，$E°$：標準還元電位．

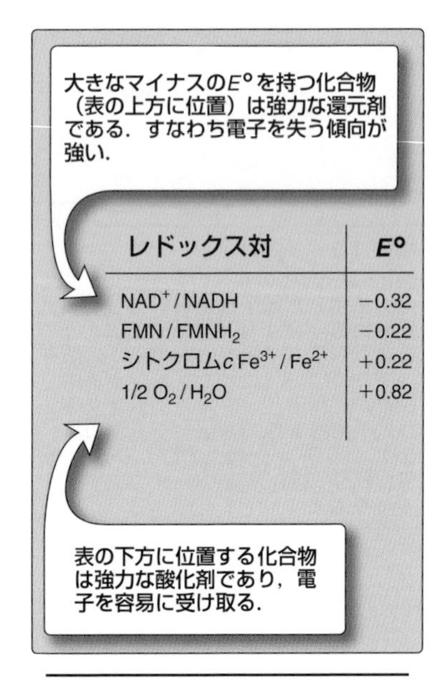

レドックス対	$E°$
NAD^+ / NADH	−0.32
FMN / $FMNH_2$	−0.22
シトクロムc Fe^{3+} / Fe^{2+}	+0.22
1/2 O_2 / H_2O	+0.82

図 6.12
いくつかの反応の標準還元電位（$E°$）．NAD (H)：ニコチンアミドアデニンジヌクレオチド，FMN (H_2)：フラビンモノヌクレオチド，Fe：鉄．

ネルギーは副次的反応に用いられるか，熱として放出される．[注：$FADH_2$のP/O比は2：1である．複合体Iを経ないからである．]（訳注：近年の研究からP/O比はNADHの場合2.5，$FADH_2$の場合1.5に近いとされている．）

Ⅵ. ADPのATPへのリン酸化

電子伝達鎖での電子の伝達は，NADHが強力な電子供与体であり分子状酸素(O_2)が強力な電子受容体であることからエネルギー的に有利である．しかしながらNADHから酸素への電子の流れは直接的にはATP合成に結びつかない．

A. 化学浸透仮説

化学浸透仮説 chemiosmotic hypothesis（**ミッチェル仮説 Mitchell hypothesis**ともいう）は，電子伝達鎖による電子伝達によって生み出された自由エネルギーが，どのようにしてADP + P_iからATPを合成するのに用いられるかを説明してくれる．

1．**プロトンポンプ proton pump**：**電子伝達**は，複合体Ⅰ，Ⅲ，ⅣにおけるH^+のマトリックスから膜間腔へのミトコンドリア内膜を越えての輸送（ポンプ活動）によって，ADPの**リン酸化 phosphorylation**と共役している．1対の電子がNADHからO_2へ受け渡される間に，10個のH^+が汲み出される．このプロトン輸送により，**電気的勾配 electrical gradient**（膜の内側より外側が陽性に荷電する）と**pH勾配 pH gradient**（膜の外側のほうが内側よりpHが低くなる，図6.13）が生じる．このプロトン勾配によって生じるエネルギー（プロトン駆動力）はATP合成を駆動するのに十分である．このように，プロトン勾配は酸化とリン酸化を共役させる共通の中間体の役割を果たす．

2．**ATPシンターゼ ATP synthase**：多サブユニット酵素ATPシンターゼ（複合体Ⅴ，図6.14）は電子伝達鎖によって生じたプロトン勾配のエネルギーを使ってATPを合成する．ATPシンターゼは内膜を貫く膜ドメイン(F_o)とマトリックスに突き出ている球状の膜外ドメイン(F_1)を含んでいる（図6.13参照）．化学浸透仮説は，ミトコンドリア内膜の細胞質側に汲み出されたH^+は，複合体Ⅴの膜貫通ドメイン(F_o)のプロトンチャネルを通過してマトリックスに再び入り，その際にF_oのc環（リング）を回転させると同時にpH勾配と電気的勾配を解消させるということを提唱している．F_oの回転により，マトリックス側に突き出ているF_1ドメインの3個のβサブユニットのコンホメーション変化が起こり，F_1のβサブユニットがADP + P_iを結合し，ADPをリン酸化してATPに変換して遊離するという一連の反応が起こる．c環が1回転するごとに3分子のATPが合成される．[注：ATPシンターゼはF_1/F_o ATPaseとも呼ばれる．この酵素はATPを加水分解してADPとP_iを生じる反応も触媒するからである．]

a．**酸化的リン酸化における共役**：正常なミトコンドリアでは，

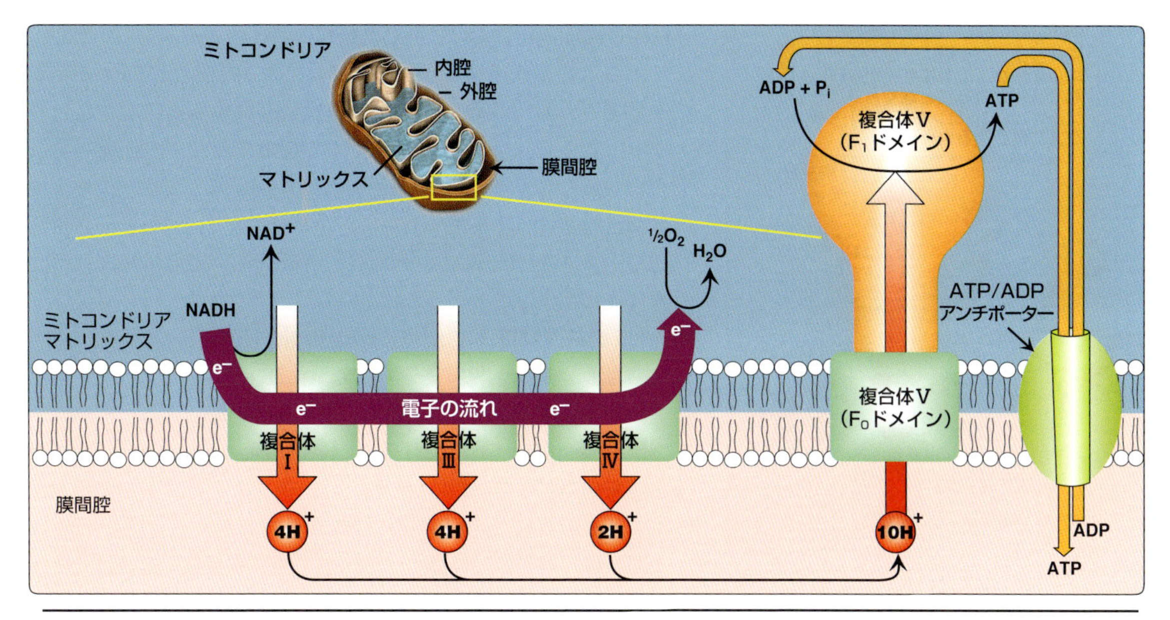

図 6.13
プロトン(H+)の流れを示した電子伝達鎖．ニコチンアミドアデニンジヌクレオチド(NADH) 1 分子が酸化されるたびに合計 10 個の H+が汲み出される．[注：複合体IIでは H+は汲み出されない．] e−：電子，複合体V：ATP シンターゼ．

ATP合成はプロトン勾配によって電子伝達と共役している．どちらか一方を増加(減少)させると他方にも同じ効果が現れる．例えば，エネルギーを必要とする反応でATPからADPとP_iへの加水分解が起きると，ATPシンターゼの基質の入手可能性が増加し，この酵素を通過するH^+の流れも増加する．そのため，電子伝達鎖による電子伝達とH^+汲み出しはプロトン勾配を維持するために増加し，ATP合成が進む．

b. **オリゴマイシン**：この薬物はATPシンターゼのF_o(F_oの“o”は，オリゴマイシン oligomycinの“o”)ドメインに結合してプロトン(H^+)チャネルを閉じ，ミトコンドリアマトリックスへH^+が戻るのを阻害してADPのリン酸化によりATPが合成されるのを阻害する．この薬物があるとpH勾配・電気的勾配が減少しないので，急峻な濃度勾配に逆らってH^+を汲み出すのが困難になり，電子伝達は停止する．このように細胞呼吸がADPをリン酸化してATPを合成する能力に依存していることを**呼吸制御 respiratory control**と呼び，これらの過程が**緊密に共役 tightly coupling**している結果もたらされるものである．

c. **脱共役タンパク質**：脱共役タンパク質uncoupling protein(UCP)はヒトを含む哺乳類のミトコンドリア内膜に存在する．これらのタンパク質はプロトンチャネルを作る．すなわちUCPがあると，エネルギーがATPとして捕捉されることがなく，H^+がミトコンドリアマトリックスに再び入るようになる(図6.15)．エネルギーは**熱 heat**として放出され，この過程は**非ふるえ熱産生 nonshivering thermogenesis**と呼ばれる．**UCP 1(サーモゲニン thermogenin**とも呼ばれる)は哺乳類のミトコンドリアに富む**褐色脂肪細胞**

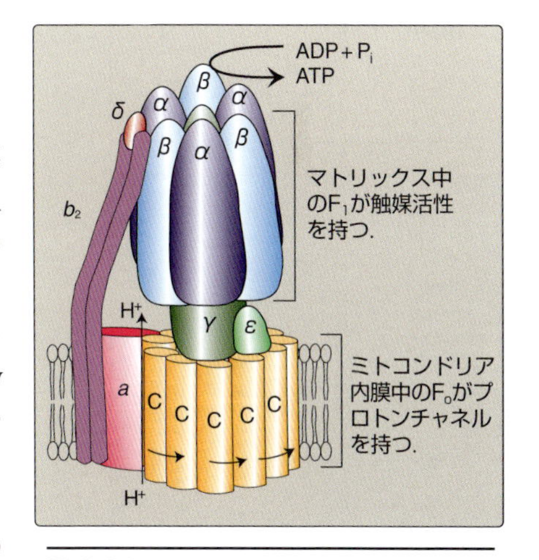

図 6.14
ATPシンターゼ(F_1/F_o ATPase)．[注：脊椎動物のc環は8つのサブユニットを含んでいる．8個のプロトン(H+)がF_oドメインを通ることによってc環が完全に1回転する．この回転によって生じるF_1ドメインの3個のβサブユニットのコンホメーション変化により，3個のアデノシン二リン酸(ADP)から3個のATPへのリン酸化が起きる．P_i：無機リン酸．

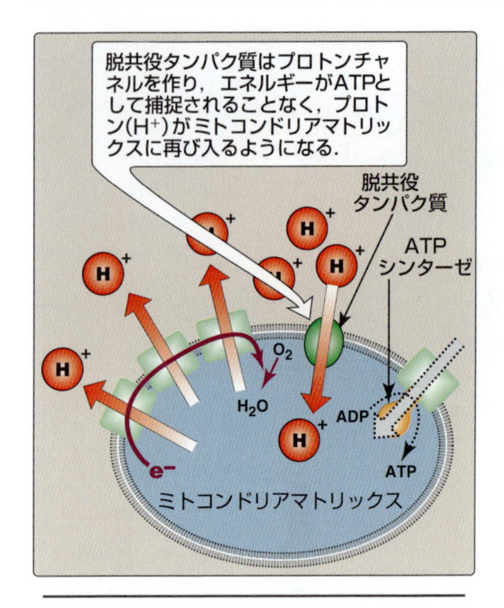

図 6.15
脱共役タンパク質によるミトコンドリア膜を越えたプロトン輸送．ADP：アデノシン二リン酸，e⁻：電子．

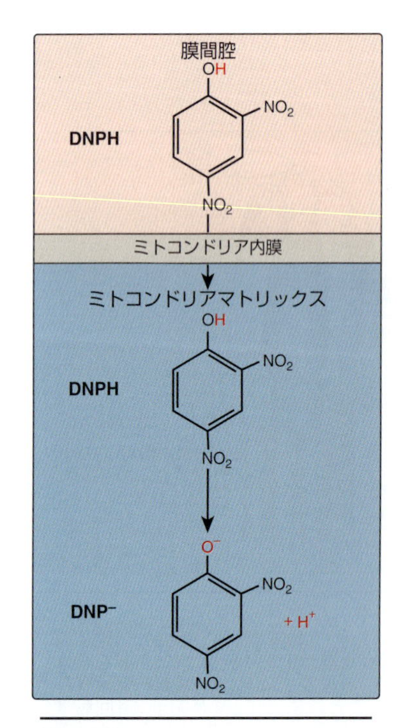

図 6.16
プロトン(H⁺)担体2,4-ジニトロフェノール(DNP)．還元型(DNPH)と酸化型(DNP⁻)．

brown adipocyteにおける脂肪酸酸化の活性化と熱産生にかかわっている．[注：寒冷によりカテコールアミン依存性にUCP 1発現が促進される．] 褐色脂肪はより豊富に存在する白色脂肪とは異なり，新生児における寒冷に対する反応に際して，呼吸エネルギーのほとんど90%を熱産生のために使ってしまう．このように褐色脂肪はエネルギー消費にかかわっているのに対し，白色脂肪はエネルギー貯蔵にかかわっている．[注：褐色脂肪は近年成人にも存在することが示されている．]

d. **合成脱共役物質**：電子伝達とADPのリン酸化は，膜間腔でH^+を結合しマトリックスでそれを放出することによりプロトン勾配を解消する化合物によっても脱共役することができる．古典的な例は**2,4-ジニトロフェノール 2,4-dinitrophenol**である．これは脂肪親和性のプロトン担体(イオノフォア)でミトコンドリア膜を容易に通過できる(図6.16)．この脱共役物質により，UCPの場合と同様に，電子伝達はプロトン勾配を作ることなく速い速度で進行する．電子伝達により生じたエネルギーはATP合成に用いられることなく熱として放出される．[注：高用量では**アスピリン aspirin**および他のサリチル酸塩も酸化的リン酸化を脱共役する．このことがこれらの薬物を過剰に投与してしまった場合にみられる発熱の原因と考えられる．]

B. 膜輸送系

ミトコンドリア内膜はほとんどの荷電物質ないし親水性物質に対して不浸透性である．しかしながら無数の輸送タンパク質が存在し，それによって特定の分子が細胞質ゾル(正確には膜間腔)からミトコンドリアマトリックスへと移動することが可能になっている．

1．**ATP-ADP輸送**：ミトコンドリア内膜は，細胞質ゾル(多くのエネルギーを必要とする反応においてATPが加水分解されてADPに変換される場所)からADPとP_iをミトコンドリア(ATPが再生産される場所)へと輸送するための特別な担体を必要とする．**アデニンヌクレオチドアンチポーター(対向輸送体) adenine nucleotide antiporter**は1分子のADPを細胞質ゾルからミトコンドリアに輸送すると同時に，1分子のATPをマトリックスから細胞質ゾルへと輸送する(図6.13参照)．リン酸-プロトン共輸送体がP_iとH^+を細胞質ゾルからミトコンドリアに輸送する．

2．**還元当量の輸送**：ミトコンドリア内膜はNADH輸送体を持たないので，細胞質ゾルで産生されたNADH(例えば，解糖系において，p.130参照)は直接ミトコンドリアマトリックスに入ることができない．しかしながらNADHの電子(還元当量とも呼ばれる)は基質シャトル機構を用いて細胞質ゾルからマトリックスに輸送される．**グリセロール3-リン酸シャトル glycerol 3-phosphate shuttle**(図6.17 A)では，2個の電子は細胞質ゾルのグリセロール-3-リン酸デヒドロゲナーゼによってNADHからジヒドロキシアセトンリン酸に受け渡される．

産生されたグリセロール 3-リン酸は，ミトコンドリアのアイソザイムによって酸化され，このとき，FADは$FADH_2$に還元される．電子伝達鎖のCoQが$FADH_2$を酸化する．したがってグリセロール 3-リン酸シャトルでは細胞質ゾルのNADHが1個酸化されるたびに2個のATPが合成される．これとは対照的に，**リンゴ酸-アスパラギン酸シャトル malate-aspartate shuttle**（図 6.17 B）では，ミトコンドリアマトリックスでNADH（$FADH_2$ではなく）が産生されるので，細胞質ゾルのNADH 1分子がリンゴ酸デヒドロゲナーゼ malate dehydrogenase によって酸化される（このときオキサロ酢酸は還元されてリンゴ酸になる）たびに3個のATPが合成される．リンゴ酸は輸送タンパク質によってミトコンドリアマトリックスに輸送される．

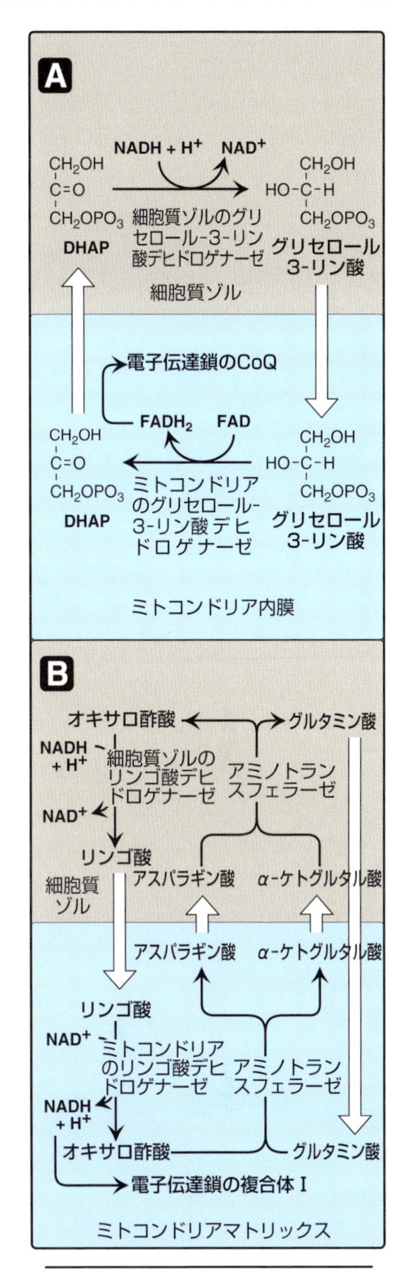

図 6.17
ミトコンドリア内膜を越えた還元当量の基質シャトル経路．A．グリセロール 3-リン酸シャトル．B．リンゴ酸-アスパラギン酸シャトル．DHAP：ジヒドロキシアセトンリン酸，NAD（H）：ニコチンアミドアデニンジヌクレオチド，H^+：プロトン，FAD（H_2）：フラビンアデニンジヌクレオチド，CoQ：補酵素Q．

C．酸化的リン酸化の遺伝的欠損

酸化的リン酸化に必要なおよそ90個のポリペプチドのうち，13個が**ミトコンドリア DNA mitochondrial DNA**（**mtDNA**）によってコードされ，ミトコンドリア内で合成される．残りのミトコンドリアタンパク質は核DNAによってコードされ，細胞質ゾルで合成され，ミトコンドリアに運び込まれる．酸化的リン酸化における欠損は，mtDNAの変異の結果であることが多い．mtDNAは核 DNAよりも 10倍変異率が高いからである．ATP要求度が高い組織の細胞（例えば，脳，神経，網膜，骨格筋，心筋，肝臓など）が酸化的リン酸化の欠損の影響を大きく受ける．酸化的リン酸化の欠損は通常乳酸アシドーシスをもたらす（特に筋肉，中枢神経系，網膜での乳酸産生増加により）．酸化的リン酸化の疾患の臨床症状には，痙攣，眼筋麻痺，筋力低下，心筋症などがある（表 6.1）．薬剤のなかにはミトコンドリア機能に影響を及ぼすものがあり，ミトコンドリア疾患を有する患者への投薬は避けるべきである．[注：mtDNAは母性遺伝で伝えられる．精子由来のミトコンドリアは受精過程を生き残ることができず，卵子由来のミトコンドリアのみが発生途上の胎児で生き残り，成体へと伝えられるからである．]（訳注：精子由来のミトコンドリアが受精卵内でオートファジーにより分解されることは，群馬大学生体調節研究所の佐藤美由紀らによって明らかにされた．）

D．ミトコンドリアとアポトーシス

アポトーシス（プログラム細胞死）の内在性（ミトコンドリア依存性）経路は，細胞内の回復不能な損傷への応答として開始される．この場合，ミトコンドリア外膜に挿入されているチャンネルタンパク質（Bax もしくはBak）が開口し，シトクロム*c*が膜間腔から細胞質ゾルへと移動する．シトクロム*c*は，いったん細胞質ゾルに入ると，他の**アポトーシス促進因子 proapoptotic factor**と結合して**アポプトソーム apoptosome**と呼ばれる構造を形成し，一連のタンパク質分解酵素proteolytic enzyme（カスパーゼ caspase）を活性化，その結果，重要なタンパク質が分解されてアポトーシス*に特徴的な形態学的・生化学的変化がもたらされる（訳注：この機構はアポトーシスの開始にとって非常に重要なものであり，Bcl-2ファミリーのタンパク質は，チャネルタン

*アポトーシスについては，『イラストレイテッド細胞分子生物学』（丸善出版）23章参照．

表6.1 ミトコンドリアの酸化的リン酸化の障害

疾患	特徴
カーンズ・セイヤー Kearns-Sayre 症候群	・眼筋麻痺や眼筋筋力低下による眼瞼下垂，視力低下，心伝導障害，歩行時の不安定さ(運動失調)，四肢の筋力低下，腎症状，認知機能低下(認知症)，低身長 ・症状は 20 歳前に現れる ・mtDNA 変異が原因
レーバー Leber 遺伝性視神経萎縮(LHON)	・網膜剝離による両側性中心視力低下 ・症状は通常 20 歳台か 30 歳台に現れる ・母親由来のミトコンドリア遺伝が原因で，女性に比して男性の発症が 4 倍多い
リー Leigh 脳症	・生後 1 年以内に現れる重篤な神経症状．進行性の嚥下障害，体重増加不良，筋緊張低下，筋力低下，運動失調，眼振，視神経萎縮を伴う乳酸アシドーシス ・呼吸不全により 2～3 歳で死亡することが多い ・核 DNA もしくは mtDNA の変異が原因
ミトコンドリア脳筋症・乳酸アシドーシス・脳卒中様発作症候群(MELAS)	・進行性神経変性 ・反復する乳酸アシドーシスと筋障害 ・細胞はしばしば変異 mtDNA と野生型 mtDNA を有し，表現型は多様
赤ぼろ線維を伴うミオクローヌスてんかん(MERRF)	・症状は進行性 ・不随意性筋収縮，認知症，運動失調，筋障害 ・mtDNA 変異が原因で，疾患の表現型は多様
神経原性筋力低下，運動失調，網膜色素変性症(NARP)	・症状は進行性 ・四肢のしびれ感・ひりひり感を伴う感覚神経障害，筋力低下，運動失調，視力低下，認知障害，痙攣発作 ・mtDNA 変異に起因する ATP シンターゼの異常と ATP 産生能の低下による

パク質の開閉制御を介してアポトーシスを促進したり抑制したりしていると考えられている．ただしFasによるアポトーシスのように，必ずしもこの機構を必要としない外在性(細胞膜受容体依存性)経路によるアポトーシスもある)．

6 章の要約

- **自由エネルギー変化**(ΔG)は反応が自発的に進行する**方向**を予測する目安となる(図 6.18).
- もし**ΔGがマイナス**だったら,**反応は自発的に進行する**.もし**ΔGがプラス**だったら,**反応は自発的には進行しない**.もし**ΔGが 0** だったら,反応は**平衡状態**にある.
- 正反応のΔGと逆反応のΔGは大きさは同じで符号が逆である.
- 大きなプラスのΔGを持つ反応は**ATPの加水分解**のような大きなマイナスのΔGを持つ反応と**共役**させることにより進行可能になる.
- 還元型補酵素**ニコチンアミドアデニンジヌクレオチド**(NADH)と**フラビンアデニンジヌクレオチド**($FADH_2$)は,それぞれ 1 対の電子を,**フラビンモノヌクレオチド**(FMN),**鉄-硫黄中心**,**補酵素Q**,一連のヘムを含有する**シトクロム**から構成される特別な**電子伝達体**グループ(まとめて**電子伝達鎖**(ETC)と呼ばれる)に受け渡す.
- この経路は**ミトコンドリア内膜**に存在し,体のさまざまな燃料分子由来の電子がO_2へと流れる最終共通経路となっている.O_2は大きな正の**還元電位**($E°$)を持っており,この過程でH_2Oに変換される.
- 経路最後のシトクロムである**シトクロム*c*オキシダーゼ**は分子状酸素を結合することができる唯一のシトクロムである.
- **電子伝達**によってマトリックスから内膜を越えて膜間腔へと**プロトン**(H^+)**が汲み出される**.1 分子の NADHが酸化されるたびに 10 個のH^+が汲み出される.
- この過程によりミトコンドリア内膜の内外で**電気的勾配・pH勾配**が生じる.ミトコンドリア内膜の膜間腔側に汲み出されたH^+は**ATPシンターゼ**(**複合体V**)のF_o H^+チャネルを通ってミトコンドリアマトリックスに戻り,その際にF_1のβサブユニットのコンホメーション変化が起こり,ADP + P_iからATPが合成される.このとき同時にpH勾配・電気的勾配が解消される.
- **電子伝達**と**リン酸化**は**酸化的リン酸化**において**緊密に共役**している.これらの過程は,褐色脂肪細胞のミトコンドリア内膜に存在する**UCP 1** や **2,4-ジニトロフェノール**や**アスピリン**などの合成化合物によって**脱共役**される.これらはすべてプロトン勾配を消失させる.
- 脱共役されたミトコンドリアでは,電子伝達で生じたエネルギーはATP合成に利用されずに**熱**として放出される.
- 酸化的リン酸化の欠損は通常mtDNAの変異の結果として生じる.酸化的リン酸化の障害は多くの場合**乳酸アシドーシス**をもたらす(特に筋肉,中枢神経系,網膜での乳酸産生増加により).酸化的リン酸化の疾患の臨床症状には,痙攣,眼筋麻痺,筋力低下,心筋症などがある.
- **シトクロム*c***のミトコンドリアから細胞質への遊離によりアポプトソーム産生が促進され,カスパーゼというタンパク質分解酵素が活性化され,**アポトーシス**という細胞死が起きる.

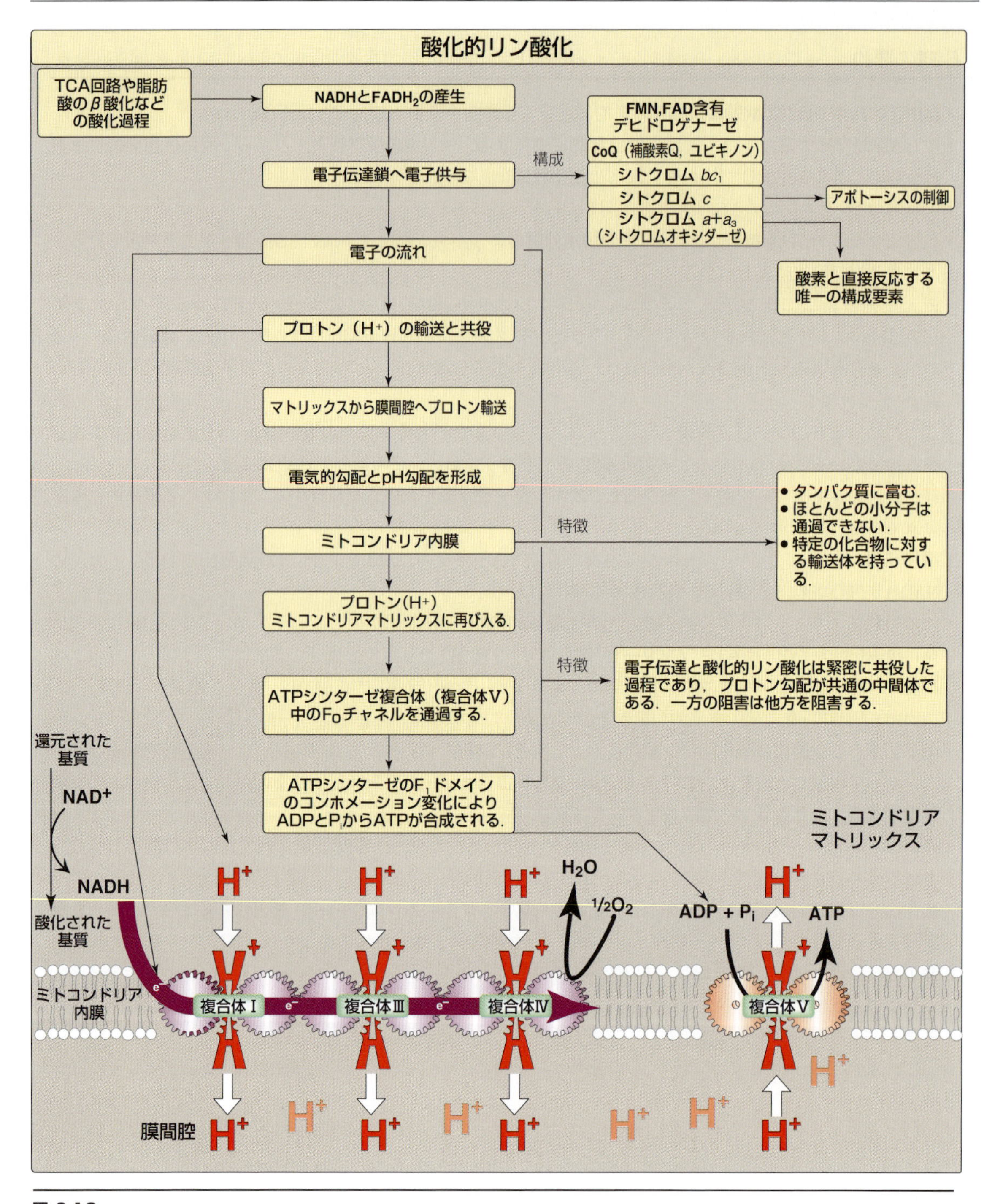

図 6.18
酸化的リン酸化（OXPHOS）の重要な概念図.［注：共役を強調するために，電子（e^-）の流れとATP合成は一連の互いに噛み合う歯車として描かれている.］TCA：トリカルボン酸，NAD（H）：ニコチンアミドアデニンジヌクレオチド，FAD（H_2）：フラビンアデニンジヌクレオチド，FMN：フラビンモノヌクレオチド，ADP：アデノシン二リン酸.

学習問題

最適な答えを1つ選びなさい.

6.1　酸化的リン酸化の脱共役剤の1つである2,4-ジニトロフェノール(DNP)は1930年代には減量薬として使われていた. 過量摂取による死亡例が相次いだことから1939年に使用禁止となった. 2,4-DNPを摂取する場合に正しいものはどれか.

A. ミトコンドリア中のATP濃度は正常よりも高い.
B. 体温は代謝亢進のために上昇する.
C. シアン化物は電子の流れに影響を及ぼさない.
D. ミトコンドリア内膜の内外のプロトン勾配は正常より大きい.
E. 電子伝達の速度は異常に遅い.

正解　B. リン酸化が電子伝達から脱共役されると, ミトコンドリア内膜の内外のプロトン勾配は減少し, ATP合成は阻害される. このエネルギー獲得における欠損を代償するために, 代謝と酸素への電子伝達は亢進する. この代謝亢進には体温上昇が伴う. 燃料のエネルギーは大部分が熱として浪費されるからである. この状態でも電子伝達鎖はシアン化物で阻害される.

6.2　電子を最も受け取りやすいものはどれか.

A. 補酵素Q
B. シトクロム *c*
C. フラビンアデニンジヌクレオチド
D. ニコチンアミドアデニンジヌクレオチド
E. 酸素

正解　E. 酸素は電子伝達鎖(ETC)の最終的な電子受容体である. 酸素の還元電位($E°$)が最も高い(最も陽性)のために, 電子はETCを酸素に向かって流れていく. 他の選択肢はETC中で酸素の前に位置し, $E°$ は酸素より低い.

6.3　リンゴ酸-アスパラギン酸シャトルがニコチンアミドアデニンジヌクレオチド(NADH)還元当量を細胞質ゾルからミトコンドリアマトリックスへと移動させるのに用いられる理由と, その機構を説明せよ.

正解　ミトコンドリア内膜にはNADHの輸送体は存在しない. しかしながら, リンゴ酸デヒドロゲナーゼによってオキサロ酢酸(OAA)がリンゴ酸に還元されるときに, 細胞質のNADHは酸化されてNAD^+になる. リンゴ酸はミトコンドリア内膜を通過して, マトリックスでリンゴ酸デヒドロゲナーゼのミトコンドリアアイソザイムによって酸化されてOAAに変換され, このとき, ミトコンドリアのNAD^+は還元されてNADHに戻される. このNADHが電子伝達鎖の複合体Iによって酸化され, 呼吸と酸化的リン酸化の共役過程により3分子のATPが産生される.

6.4　一酸化炭素(CO)は電子伝達鎖の複合体Ⅳに結合して阻害する. この呼吸阻害薬がアデノシン二リン酸(ADP)のATPへのリン酸化に及ぼす効果は何か.

正解　COなどのような呼吸阻害物質によって電子伝達鎖を阻害するとプロトン勾配を維持することができなくなる. したがってADPからATPへのリン酸化とそれに付随するミトコンドリアによるカルシウム取り込みなどの諸反応は阻害される. これらはプロトン勾配を必要とするからである.

6.5 酸化的リン酸化の欠損を持つ患者のほとんどの原因はどれか.

A. 常染色体遺伝子の後天的損傷
B. mtDNA変異の遺伝
C. 父親から遺伝した変異
D. 母親からのX染色体連鎖性遺伝

正解 **B**. 酸化的リン酸化の欠損は，ほとんどの場合，mtDNAの変異の結果として生じる．mtDNAは核DNAよりも10倍変異率が高いからである．ミトコンドリアとmtDNAは母親からしか遺伝しない．X染色体連鎖性遺伝は核DNAについてであり，mtDNAには当てはまらない．

糖　　　質　　　7

Ⅰ. 概　要

糖質 carbohydrate は自然界で最も豊富に存在する有機分子である．糖質は，ほとんどの生物の食事に含まれる主要なエネルギー源で，体のエネルギー貯蔵形態であり，細胞間コミュニケーションを媒介する細胞膜成分でもあるなど，非常に多彩な機能を果たしている．糖質は多くの生物において構造の構成要素にもなっている．例えば細菌の細胞壁，昆虫の外骨格，植物の繊維状セルロースなどである．多くの単純な糖質の実験式は$(CH_2O)_n$ ($n \geqq 3$)であり，“炭素の水和物”であることから炭水化物とも呼ばれる．

一般名	例
3 炭素：トリオース	グリセルアルデヒド
4 炭素：テトロース	エリトロース
5 炭素：ペントース	リボース
6 炭素：ヘキソース	グルコース
7 炭素：ヘプトース	セドヘプツロース
9 炭素：ノノース	ノイラミン酸

図 7.1
ヒトに存在する単糖の例．含まれる炭素原子の数で分類される．

Ⅱ. 糖質の分類と構造

単糖 monosaccharide（単糖と二糖を単純糖質とも呼ぶ）は含まれる炭素原子の数で分類される．一般的にヒトに存在する単糖をいくつか図 7.1 に示す．糖質は含有するカルボニル基の種類でも分類される．カルボニル基としてアルデヒド基を持つ糖質は**アルドース aldose** と呼ばれ，カルボニル基としてケト基を持つ糖質は**ケトース ketose** と呼ばれる（図 7.2）．例えば，グリセルアルデヒドはアルドースであり，ジヒドロキシアセトンはケトースである．遊離カルボニル基を持つ糖質は“オース（-ose）”という接尾辞がつく．［注：ケトース（フルクトースのような例外はあるが）は余分に 2 文字が入って，例えば，キシルロースのように，“ルロース（-ulose）”となる.］ 単糖は**グリコシド結合 glycosidic bond** によって結合し，より大きな構造となる（図 7.3）．**二糖 disaccharide** は 2 つの単糖を含み，**オリゴ糖 oligosaccharide** は 3 個から 10 個程度の単糖を含み，**多糖 polysaccharide** は 10 個以上の単糖から，場合によっては数百の単糖から構成される．

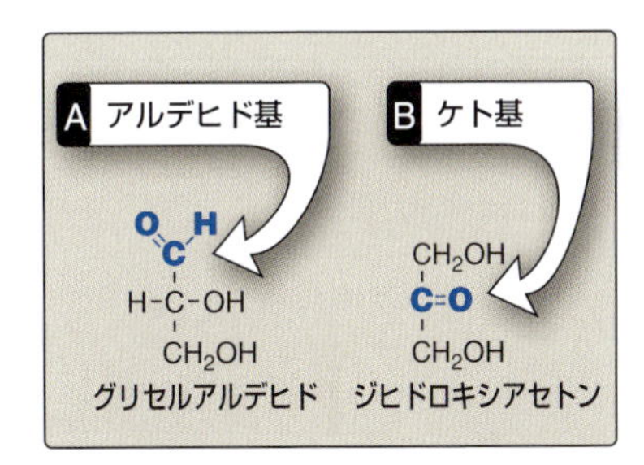

図 7.2
アルドース (A) とケトース (B) の例．

A. 異性体とエピマー

同じ化学式を持ちながら異なる構造を持つ化合物を**異性体 isomer** と呼ぶ．例えば，フルクトース，グルコース，マンノース，ガラクトースは同一の化学式$C_6H_{12}O_6$を持つが異なる構造を持つ．ただ 1 つの特定の炭素原子についての空間配置のみが異なる糖質の異性体ど

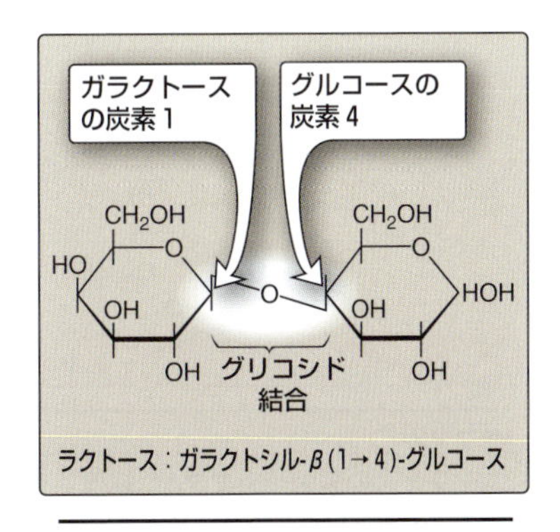

図 7.3
2 つのヘキソースがグリコシド結合によって結合し，二糖ができる．

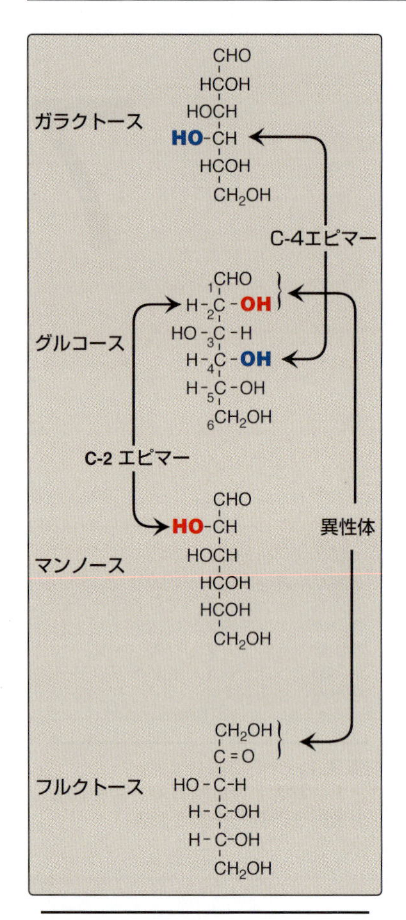

図 7.4
グルコースの炭素-2（C-2）エピマー，C-4エピマー，異性体.

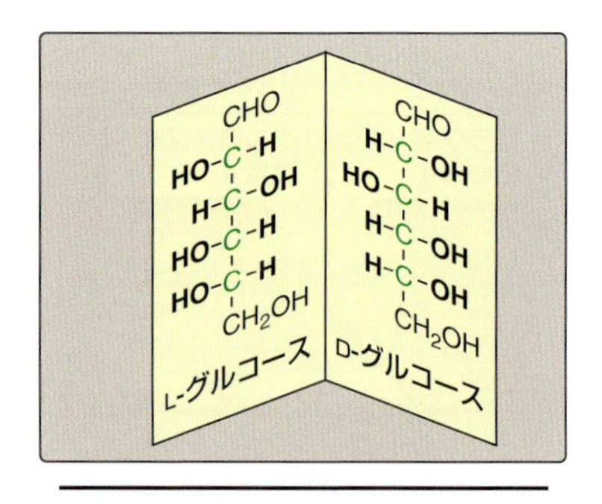

図 7.5
グルコースのエナンチオマー（鏡像異性体）. D-体とL-体はトリオースであるグリセルアルデヒドの立体造との比較で命名する.［注：不斉炭素は緑色で示す.］

うしを，互いに**エピマー epimer**の関係にあると定義する（カルボニル炭素を例外として．これに関しては下記C.1.参照）．例えばグルコースとガラクトースはC-4エピマーである．すなわちこれらの単糖は炭素4の-OH基（ヒドロキシ基，水酸基）の位置だけが異なる．［注：糖の炭素はカルボニル炭素，すなわちアルデヒド基かケト基を含む末端から番号をふることになっている．図7.4.］グルコースとマンノースはC-2エピマーである．しかしガラクトースとマンノースはエピマーではない．これらは2つの炭素原子（2と4）の-OH基の位置が異なるので，単に異性体の関係にあるにすぎない（図7.4参照）．

B. エナンチオマー（鏡像異性体）

互いに鏡像の関係にある1対の分子は，双方が特別なタイプの異性関係にある．これらの鏡像の関係にある分子を，**エナンチオマー enantiomer**（鏡像異性体）と呼び，糖の場合，**D-糖 D-sugar**と**L-糖 L-sugar**と命名する（図7.5）．ヒトの場合，糖の圧倒的多数はD-糖である．D-異性体では，カルボニル炭素から最も遠い不斉炭素（4つの異なる原子ないし官能基に結合している炭素）に結合する-OH基は右に位置し，L-異性体では左に位置する（訳注：図7.5のようなフィッシャー投影式 Fischer projection formulaにおいて）．ほとんどの酵素は，D-体かL-体のいずれかに特異的である．イソメラーゼ isomeraseとして知られる酵素はD-異性体とL-異性体の相互変換を触媒する．

C. 単糖の環化

5個以上の炭素からなる単糖のうち開環型（非環式）で存在するものは溶液中では全体の1%以下である．これらの糖はアルデヒド（ケト）基が同じ分子内のヒドロキシ基と反応して環化した形で存在するほうが多い．環化した場合，カルボニル炭素（アルドースの炭素1，ケトースの炭素2）が不斉炭素になる．この不斉炭素をアノマー炭素anomeric carbonと呼ぶ．

1．**アノマー炭素**：単糖が環化することにより，もとのカルボニル炭素から新たに不斉炭素ができて，糖のα-立体配置，β-立体配置が生じる（例えば，α-D-グルコピラノース，β-D-グルコピラノースのように．図7.6）．これら2つの糖は両方ともグルコースではあるが，互いにアノマーの関係にある．［注：α-立体配置ではアノマー炭素に結合している-OH基はフィッシャー投影式で六員環と同じ側に突き出ている（図7.6 A）．ハース投影式Haworth projection formulaではα-立体配置の-OH基はCH_2OH基に対してトランスの位置に来る（図7.6 B）．αアノマーとβアノマーは鏡像関係にはないため，互いに**ジアステレオマー diastereomer**であるという．］酵素はこれら2つの構造を識別し，どちらか一方を優先的に基質とする．例えば，グリコーゲンはα-D-グルコピラノースから合成されるのに対して，セルロースはβ-D-グルコピラノースから合成される．溶液中の糖の環化したαアノマーとβアノマーは互いに平衡状態にあり，自発的に相互変換可能である（これを**変旋光 mutarotation**と呼ぶ．図7.6参照）．［注：グルコー

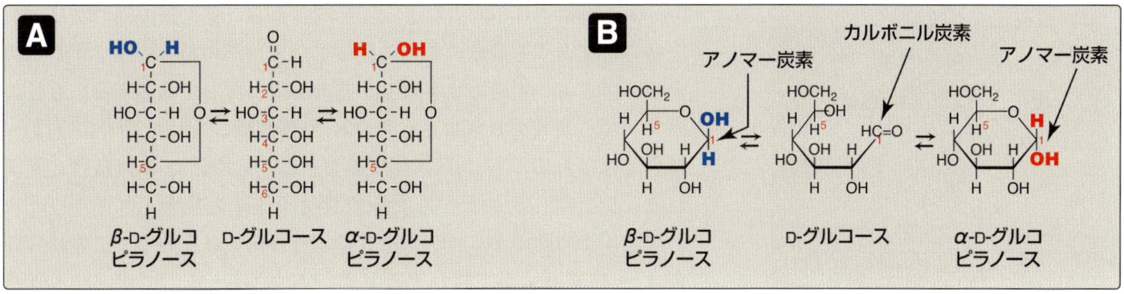

図 7.6
グルコースのαアノマーとβアノマー間の相互変換（変旋光）. A. フィッシャー投影式. B. ハース投影式. ［注：六員環（5C＋1O）の単糖をピラノースと呼び，五員環（4C＋1O）の単糖をフラノースと呼ぶ. 溶液中のグルコースはほとんどすべてがピラノース形である.］

スの場合，αアノマーが36％を占める.］

2．**還元糖**：環化糖のアノマー炭素に結合しているヒドロキシ基（OH基）がグリコシド結合によって他の構造と結合していない場合（下記E.参照），その糖は開環しうる．そして還元剤として働くことができるので還元糖reducing sugarと呼ばれる．還元糖は発色試薬（例えば，ベネディクト試薬 Benedict reagentなど）と反応して試薬を還元し発色させ，非環化糖のアルデヒド基は酸化されてカルボキシ基になる．すべての単糖は還元糖であるが，すべての二糖は必ずしも還元糖ではない．［注：ケトースであるフルクトースはアルドースに異性化されうるので還元糖である.］

比色試験colorimetric testにより，尿の還元糖を検出できる．陽性の結果が出た場合，なんらかの疾患が存在することが示唆される．正常では尿中に糖が存在することはないからである．陽性の場合，還元糖を同定するためのより特異的な試験によりフォローアップする.

D. 単糖の結合

単糖は互いに結合して二糖，オリゴ糖，多糖を形成する．重要な二糖にはラクトース（乳糖，ガラクトース＋グルコース），スクロース（ショ糖，グルコース＋フルクトース），マルトース（麦芽糖，グルコース＋グルコース）がある．重要な多糖には分枝を持つグリコーゲン（主として動物由来），デンプン（植物由来）と分枝のないセルロース（植物由来）があり，これらはグルコースの重合体polymerである.

E. グリコシド結合

単糖を連結する結合はグリコシド結合と呼ばれる．これらの結合はUDP（ウリジン二リン酸）-グルコースのようなヌクレオチド糖（活性型糖）を基質とするグリコシルトランスフェラーゼ glycosyltrans-

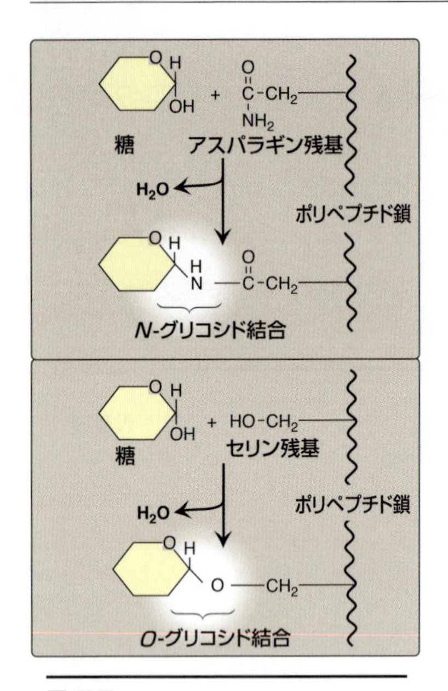

図 7.7
糖タンパク質中の*N*-グリコシド結合と*O*-グリコシド結合の例.

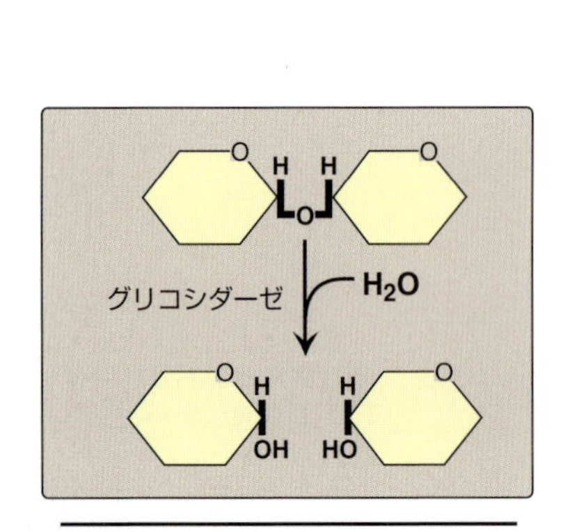

図 7.8
グリコシド結合の加水分解.

ferase と総称される酵素によって形成される．糖と糖の間のグリコシド結合は結合する炭素の番号に従って，またその結合に関与する最初の糖のアノマー炭素のヒドロキシ基の配置に従って命名する．もしこのアノマー炭素のヒドロキシ基がα-立体配置ならば，その結合はα-結合と呼ばれる．もしβ-立体配置ならば，その結合はβ-結合と呼ばれる．例えば，ラクトースはβ-ガラクトースの炭素 1 とグルコースの炭素 4 との間のグリコシド結合により合成されるので，この結合はβ(1→4)グリコシド結合である(図 7.3 参照)．[注：グルコース残基のアノマー末端はグリコシド結合に関与していないので，グルコース(したがってラクトース)は還元糖である.]

F. 非糖質への糖質の結合

糖質はグリコシド結合により，核酸中のプリンやピリミジン，ステロイド中の芳香環，タンパク質，脂質などの非糖質構造に結合可能であり，グリコシドになる．もし糖が結合する非糖質分子の反応基が-NH_2 基ならば，その結合を*N*-グリコシド結合と呼ぶ．もしその反応基が-OH 基ならば，その結合を*O*-グリコシド結合と呼ぶ(図 7.7)．[注：すべての糖-糖グリコシド結合は*O*-型結合である.]

Ⅲ. 食事性糖質の消化

食事中の糖質が消化される主要な場所は，口と腸管腔である．この消化は迅速に行われ，グリコシド結合を加水分解するグリコシドヒドロラーゼ glycoside hydrolase(グリコシダーゼ glycosidase)として知られる酵素によって触媒される(図 7.8)．動物性・植物性の混合食ではほとんど単糖は含まれていないので，グリコシドヒドロラーゼは主としてエンドグリコシダーゼ endoglycosidase(多糖とオリゴ糖を加水分解する)とジサッカリダーゼ disaccharidase(三糖と二糖を加水分解する)であり，糖質はこれらの酵素により還元糖成分にまで分解される．グリコシダーゼは，分解する結合の種類だけではなく，除去される**グリコシル基 glycosyl residue**(訳注：アノマー炭素がグリコシド結合に関与しているアルドースないしケトース)の構造と立体配置に関しても特異的である．糖質消化の最終産物はグルコース，ガラクトース，フルクトースなどの単糖であり，小腸の細胞(腸細胞)によって吸収される.

A. 唾液中のα-アミラーゼ

ヒトの食事中の主要な多糖は主として動物由来のグリコーゲンと植物由来のデンプン(アミロースとアミロペクチンから構成される)である．咀嚼している間に，唾液中のα-アミラーゼ α-amylase が食事中のデンプンとグリコーゲンに短時間作用して，ランダムにα(1→4)結合を加水分解する．[注：自然界にはα(1→4)-エンドグリコシダーゼ α(1→4) endoglycosidase とβ(1→4)-エンドグリコシダーゼ β(1→4) endoglycosidase の両者が存在するが，ヒトは後者を産生することができない．であるから我々は植物由来の糖質でグルコース基の間にβ[1→4]グリコシド結合を含むセルロースを消化することができない.］分枝したアミロペクチンとグリコーゲンはα(1→6)結合も含んでおり，α-アミラーゼはこの結合を加水分解することができないので，α-アミラーゼの作用で生じた消化物には短い分枝したオリゴ糖分子と直鎖状のオリゴ糖分子の混合物(デキストリン)が含まれる(図7.9).［注：二糖もアミラーゼでは分解されないので消化物中に存在する.］糖質の消化は胃のなかでは一時停止する．胃のなかの高い酸性のために唾液由来のα-アミラーゼが不活性化されるからである．

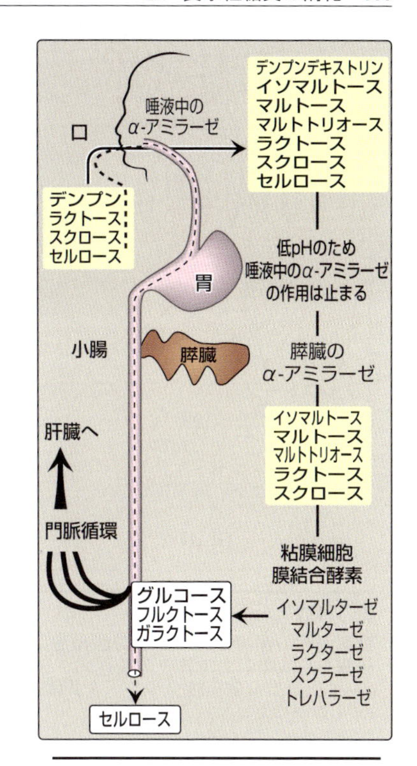

図 7.9
糖質の消化．［注：消化不能なセルロースは大腸に入り排泄される.］

B．膵臓のα-アミラーゼ

酸性の胃内容物が**小腸 small intestine**に到達すると，膵臓によって分泌された重炭酸bicarbonateにより中和され，膵臓のα-アミラーゼがデンプンの消化を進める．

C．腸管のジサッカリダーゼ

最終的な消化活動は，主として十二指腸と上部空腸の粘膜細胞で起こり，いくつかのジサッカリダーゼ disaccharidaseの作用を含む(図7.9参照)．例えば，イソマルターゼisomaltaseはイソマルトース中のα(1→6)結合を切断し，マルターゼmaltaseはマルトースとマルトトリオース中のα(1→4)結合を分解し，グルコースを生じる．スクラーゼsucraseはスクロース中のα(1→2)結合を分解してグルコースとフルクトースを生じる．ラクターゼlactase(β-ガラクトシダーゼ β-galactosidase)はラクトース中のβ(1→4)結合を分解してガラクトースとグルコースを生じる.［注：イソマルターゼの基質は，その名が示唆するより広く，マルトースの大部分を加水分解する.］グルコースのα(1→1)二糖であるトレハロースはキノコなどの菌類に含まれるが，これはトレハラーゼtrehalaseによって分解される．これらの酵素は**腸細胞 enterocyte**の管腔表面の**刷子縁膜brush border membrane**の膜貫通性タンパク質である．

スクラーゼとイソマルターゼは単一のタンパク質(SI)由来の酵素活性であり，このタンパク質は分解されて2つの機能サブユニットとなり細胞膜で結合しスクラーゼ-イソマルターゼ(SI)複合体を形成する．これとは対照的に，マルターゼは単一の膜タンパク質マルターゼ-グルコアミラーゼ(MGA)が持つ2つの酵素活性の1つであり(このタンパク質は分解されない)，もう1つの活性であるグルコアミラーゼはデキストリン中のα(1→4)グリコシド結合を分解する．

D．腸管による単糖の吸収

上部空腸が消化によって生じた単糖の大部分を吸収する．しかしな

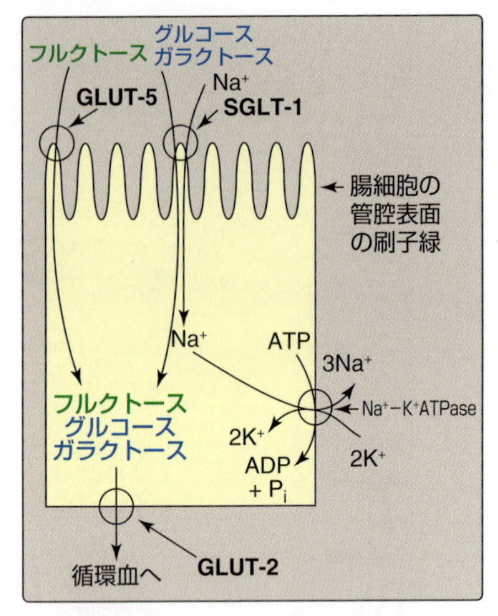

図 7.10
糖質消化の産物である単糖の腸細胞による吸収．GLUT：グルコース輸送体，SGLT-1：ナトリウム依存性グルコース共輸送体，K^+：カリウム．

がら，異なる糖は違った機構で吸収される（図 7.10）．例えば，ガラクトースとグルコースは，ナトリウムイオンの共輸送を伴う能動的なエネルギー依存性の過程により，腸細胞内に輸送される．この輸送タンパク質は**ナトリウム依存性グルコース共輸送体（コトランスポーター）1 sodium-dependent glucose cotransporter 1**（SGLT-1）と呼ばれる．［注：糖輸送は腸細胞から Na^+ を汲み出し K^+ を取り込む Na^+-K^+ ATPase によって作り出される Na^+ 勾配によって駆動される（図 7.10 参照）．］フルクトースの吸収はエネルギーおよび Na^+ 非依存性の単糖輸送体（トランスポーター）sodium-independent monosaccharide transporter（GLUT-5）によって行われる．これら 3 つの単糖の腸細胞から門脈循環系への輸送はまた別の輸送体 GLUT-2 によって行われる．［注：これらの輸送体についての議論はp.124 参照．］

E. 二糖の異常分解

糖質の消化と吸収の過程全体は，健康人においては非常に効率的なので，通常は摂取されたものが下部空腸に到達する頃には消化可能な食事中の糖質はすべて吸収されてしまっている．しかし単糖のみが吸収されるので，小腸粘膜のジサッカリダーゼ活性に欠損があると，未消化の糖質が大腸に入ってしまう．未消化の糖質は浸透圧活性があるために，水が粘膜から大腸管腔へと引き出され，その結果，**浸透圧性下痢 osmotic diarrhea** が起きる．さらには，残っている多糖が細菌の発酵によって 2 炭素化合物，3 炭素化合物（両者ともに浸透圧活性がある）に分解され，大量の CO_2 と H_2 ガスが生じ，急激な腹痛，下痢，腹部膨満を起こす．

1．消化酵素欠損 digestive enzyme deficiency：個々のジサッカリダーゼの遺伝性欠損がさまざまな**二糖不耐症 disaccharide intolerance** をもたらす．二糖分解不全はさまざまな小腸の疾患，栄養失調，小腸粘膜を傷害する薬物などによっても引き起こされる．例えば，刷子縁酵素は重症の下痢により迅速に失われ一時的な後天性酵素欠損状態になる．したがって，そのような病態に陥っている患者や回復しつつある患者が乳製品やスクロースを大量に摂取すると，下痢が悪化してしまうのである．

2．ラクトース不耐症：世界中の成人の 60% 以上はラクターゼという酵素の欠損のためラクトース吸収不良 lactose malabsorption を経験する（図 7.11）．北欧系の人はほとんどの場合，成人に至るまでラクトースを消化することができる．アフリカ系やアジア系の成人の 90% 近くがラクターゼ欠損である．その結果，彼らは北欧系の人に比べてラクトースを代謝することができない．ラクターゼ活性が加齢に伴って減少する（およそ 2 歳くらいからはじまる）のは，産生される酵素タンパク質の量が減少する結果である．第 2 番染色体上のラクターゼ遺伝子発現を調節する DNA 配列（これ自身も第 2 番染色体上にある）の小さな変異によって引き起こされると考えられている．この疾患の治療は，ミルクの摂取を減らし，代わりにヨーグルトやチーズ

(乳酸菌の作用と熟成過程でラクトース含有量が減少する)，ブロッコリーなどの緑色野菜を食べ，十分にカルシウムを摂取するか，ラクターゼ処理した食品を摂取する，あるいは食事前にラクターゼを錠剤の形で服用する．先天性ラクターゼ欠損もまれではあるが知られている．

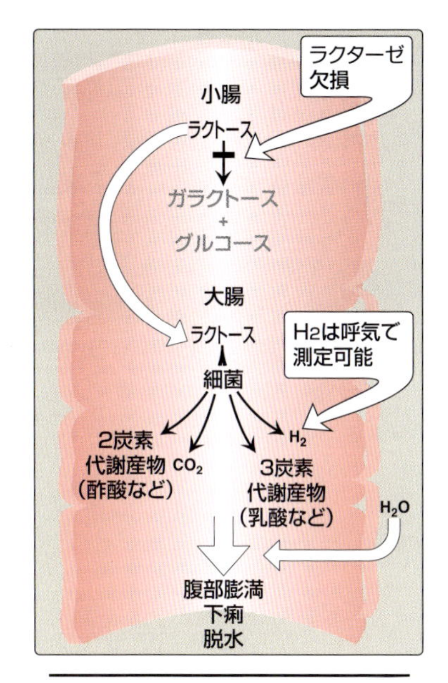

図 7.11
異常なラクトース代謝.
CO_2：二酸化炭素，H_2：水素ガス.

3．スクラーゼ-イソマルターゼ(SI)欠損：SI欠損は摂取されたスクロースの不耐症をもたらす．この状態はきわめてまれでアラスカとグリーンランドのイヌイットのみで多くみられるものと考えられていたが，いまではヨーロッパ系アメリカ人の9%程度までが一種のSI欠損を持っていると推定されている．

はじめはもっぱら常染色体劣性疾患と考えられていたが，1つの変異を持つ人(キャリア)も時には病状を表すことがある．いまやヒトSI遺伝子には25の異なる変異が知られている．変異をホモ接合で持つ人は先天性SI欠損となり，スクロース摂取後に浸透圧性下痢，軽度脂肪便，過敏性大腸，嘔吐を経験する．変異をヘテロ接合で持つキャリアはスクロース摂取後に，慢性の下痢，腹痛，腹部膨満感を経験する．治療は食事中のスクロース制限ないし**酵素補充療法 enzyme replacement therapy**である．

4．酵素欠損の診断：特定の酵素欠損を同定するには，個々の二糖に対して経口耐性試験を行う．呼気中の水素ガス(H_2)を測定することにより，摂取された糖質のうち，体に吸収されずに腸内細菌叢(図7.11参照)によって代謝されたものの量を，確実に測定することができる．

7章の要約

- アルデヒド基を持つ**単糖**(図7.12)を**アルドース**と呼び，ケト基を持つ単糖を**ケトース**と呼ぶ．
- 単糖が**グリコシド結合**でつながったものが**二糖**，**オリゴ糖**，**多糖**である．
- 同じ化学式を持ちながら異なる構造を持つ化合物を**異性体**と呼ぶ．
- 2つの単糖の異性体間でただ1つの特定の炭素原子についての空間配置のみが異なる場合は(カルボニル炭素を例外として)，互いに**エピマー**の関係にあると定義する．
- もしも1対の単糖が互いに鏡像の関係にある場合は(**エナンチオマー**，鏡像異性体)，それぞれ**D-糖**，**L-糖**と呼ばれる．環化していない単糖のアルデヒド基が酸化され発色試薬が還元されるとき，その単糖は**還元糖**である．
- 単糖が環化すると，カルボニル炭素から，すなわちアルドースの場合はアルデヒド基から，ケトースの場合はケト基から，**アノマー炭素**が生じる．アノマー炭素はαないしβという2つの立体配置のうちいずれかをとる．
- アノマー炭素が他の構造に結合する場合，グリコシドが生じる．単糖が$-NH_2$基に結合した場合***N*-グリコシド**が生じ，-OH基に結合した場合***O*-グリコシド**が生じる．
- **唾液中のα-アミラーゼが食事中の多糖**(デンプンとグリコーゲン)に作用してオリゴ糖が生じる．引き続いて**膵臓のα-アミラーゼ**が糖質の消化を行う．最終的な糖質消化は**小腸**の**粘膜細胞**で行われる．

- いくつかのジサッカリダーゼ(例えば，**ラクターゼ[β-ガラクトシダーゼ]，スクラーゼ，マルターゼ，イソマルターゼ**)により単糖(グルコース，ガラクトース，フルクトース)が生じる．これらの酵素は**腸管粘膜細胞(腸細胞)**の管腔側の**刷子縁膜**の**膜貫通性タンパク質**である．
- 単糖の吸収には特異的な**輸送体**が必要である．もし糖質の消化に欠陥があると(遺伝性，腸疾患，腸管粘膜細胞を傷害する薬物などで)，未消化の糖質が大腸に入り，**浸透圧性下痢**が生じる．
- 未消化の糖質を細菌が発酵させて大量のCO_2ガス・H_2ガスが生じ，急激な腹痛・下痢・腹部膨満が起きる．主として経年変化に伴う**ラクターゼ**の損失(**成人型ラクターゼ低下症**)による**ラクトース不耐症**が，糖質消化の欠損のなかでは最も多くみられるものである．

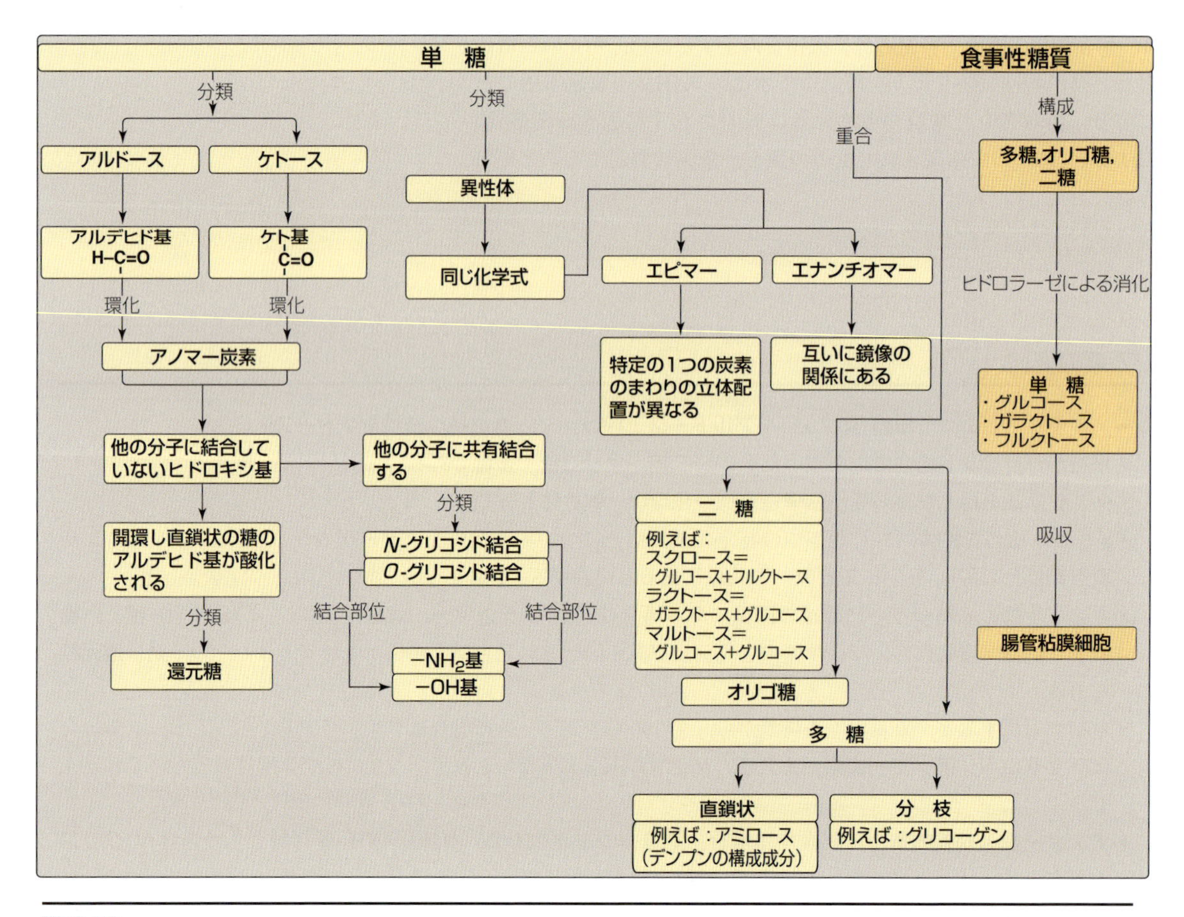

図 7.12
単糖の分類と構造および食事中の糖質消化の概念図.

学習問題

最適な答えを1つ選びなさい.

7.1　グルコースは

A. ガラクトースのC-4エピマーである.
B. ケトースであり，通常溶液中ではフラノース環として存在する.
C. 食事中のデンプンにα-アミラーゼが作用して生じる.
D. 生体ではL-異性体しか利用されない.

正解　A. グルコースとガラクトースは炭素4についての空間配置のみが異なっており，エピメラーゼの作用によって相互変換可能なC-4エピマーである．グルコースはアルドースであり，溶液中では通常ピラノース環として存在する．これに対してフルクトースはフラノース環として存在するケトースである．α-アミラーゼ作用では単糖は生じない．L-異性体が利用されるアミノ酸とは異なり，糖質は生体ではほとんどの場合D-異性体が利用される.

7.2　反復する腹部膨満感と下痢が主訴の28歳男性．眼は落ちくぼみ，他の脱水症状も認められる．体温は正常．一番最近の症状は，昨晩デザートにアイスクリームを食べたとき起きたということである．この臨床像は次のどの酵素の欠損による可能性が高いか.

A. イソマルターゼ
B. ラクターゼ
C. 膵臓α-アミラーゼ
D. 唾液α-アミラーゼ
E. スクラーゼ

正解　B. 身体症状から糖質分解に必要な酵素の欠損が示唆される．乳製品の摂取後にみられる徴候から患者は年齢に伴う酵素タンパク質の発現減少によるラクターゼ不足状態にあることが示唆される.

7.3　無症候の小児患者の尿の定期検査で，クリニテストClinitest（還元糖を検出する銅還元反応法）で陽性，グルコースオキシダーゼ試験（訳注：グルコース定量法として頻用されている試験）で陰性という結果が出た．これらのデータから下の表でどの糖がこの患者の尿中に存在する（YES）か存在しない（NO）かを記せ.

糖	YES	NO
フルクトース		
ガラクトース		
グルコース		
ラクトース		
スクロース		
キシルロース		

表中の糖はスクロースとグルコースを除いてこの患者の尿中に存在しうる．クリニテストは尿中に還元糖（フルクトース，ガラクトース，グルコース，ラクトース，キシルロース）などの還元物質が含まれているときに色が変化する非特異的試験である．スクロースは還元糖ではないので，クリニテストでは検出されない．グルコースオキシダーゼ試験では尿中のグルコースのみを検出し，他の糖を検出することはできない．還元糖試験が陽性でグルコースオキシダーゼ試験が陰性の場合，患者の尿中の還元糖はグルコースではあり得ないことを意味する（訳注：フルクトースなどの還元糖が存在する場合，この検査結果からはスクロースの存在も否定できない）.

7.4　アカルボースや，ミグリトールなどのα-グルコシダーゼ阻害薬が糖尿病患者の治療目的で食事の際に服用される理由は何か．これらの薬剤がラクトース消化に及ぼす効果は何か.

正解　α-グルコシダーゼ阻害薬は食事中の糖質からグルコースが産生されることを抑制する．その結果，食後の血糖値上昇が抑えられ，糖尿病患者の血糖値管理（コントロール）が良好になる．これらの薬剤はラクトース消化には影響を及ぼさない．ラクトースはβ-グリコシド結合を持ち，α-グリコシド結合を持たないからである.

代謝入門と解糖系 8

I．代謝入門

5章で触媒の機構を説明するために個々の酵素反応を分析した．しかし細胞内ではこれらの反応が単独で起こることはまれであり，解糖系（図8.1）のように，**経路 pathway**と呼ばれる多段階の連続反応に組織化されている．経路においては1つの反応の生成物は次の反応の基質となる．ほとんどの経路は**異化catabolic**（分解）経路か**同化anabolic**（合成）経路のいずれかに分類される．異化経路ではタンパク質，多糖，脂質のような複雑な分子が，少数の単純な分子（二酸化炭素，アンモニア，水）に分解される．同化経路では単純な前駆物質から複雑な最終産物が合成される．例えば，グルコースから多糖であるグリコーゲンが合成される．異なる経路が交差し，統合された目的のある化学反応ネットワークを形成する．これらをまとめて**代謝metabolism**と呼び，細胞，組織，体の中で起きるすべての化学反応の総和である．代謝産物metaboliteは代謝の中間産物である．本章に続く数章では糖質，脂質，アミノ酸の合成と分解にかかわる中心代謝経路に焦点を当てる．

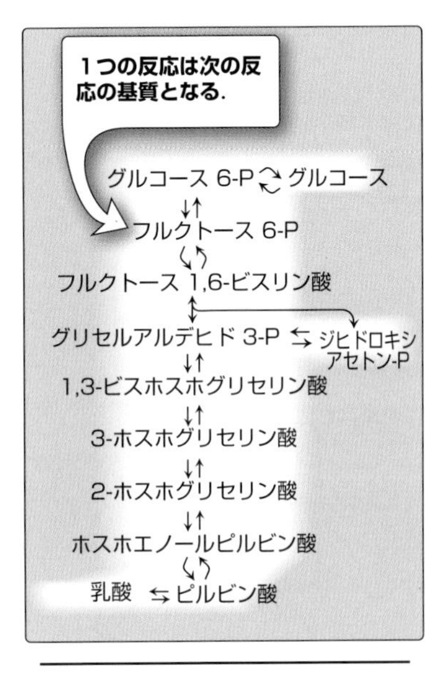

図 8.1
解糖系，代謝経路の一例．［注：ホスホエノールピルビン酸からピルビン酸への変換には2反応が必要である．］曲がった反応矢印（⇆）は正反応と逆反応が異なる酵素で触媒されていることを示す．P：リン酸．

A．代謝経路マップ metabolic map

代謝を理解するにはそれを構成する経路を調べるのが最良である．個々の経路は複数の酵素反応から成り立っており，個々の酵素は触媒としての特徴や調節面での特徴を備えている．読者が全体像を把握できるように，エネルギー代謝の重要な中心経路を含む代謝経路マップを図8.2に示しておく．この代謝の"概観図"は個々の経路間のつながりを追ったり，代謝産物の動きを視覚化したり，ある経路が薬剤や酵素の遺伝性欠損で抑制あるいは阻害された場合に，中間体の流れにどのような影響を及ぼすかを知るのに役立つ．本書の次の3つのユニット（編）を通して，個々の代謝経路は図8.2に示された主要代謝経路マップの一部をなすものとして繰り返し説明される．

B．異化経路 catabolic pathway

異化反応catabolic reactionはエネルギーに富む燃料分子の**分解 degradation**によって得られる**化学エネルギー chemical energy**をアデノシン

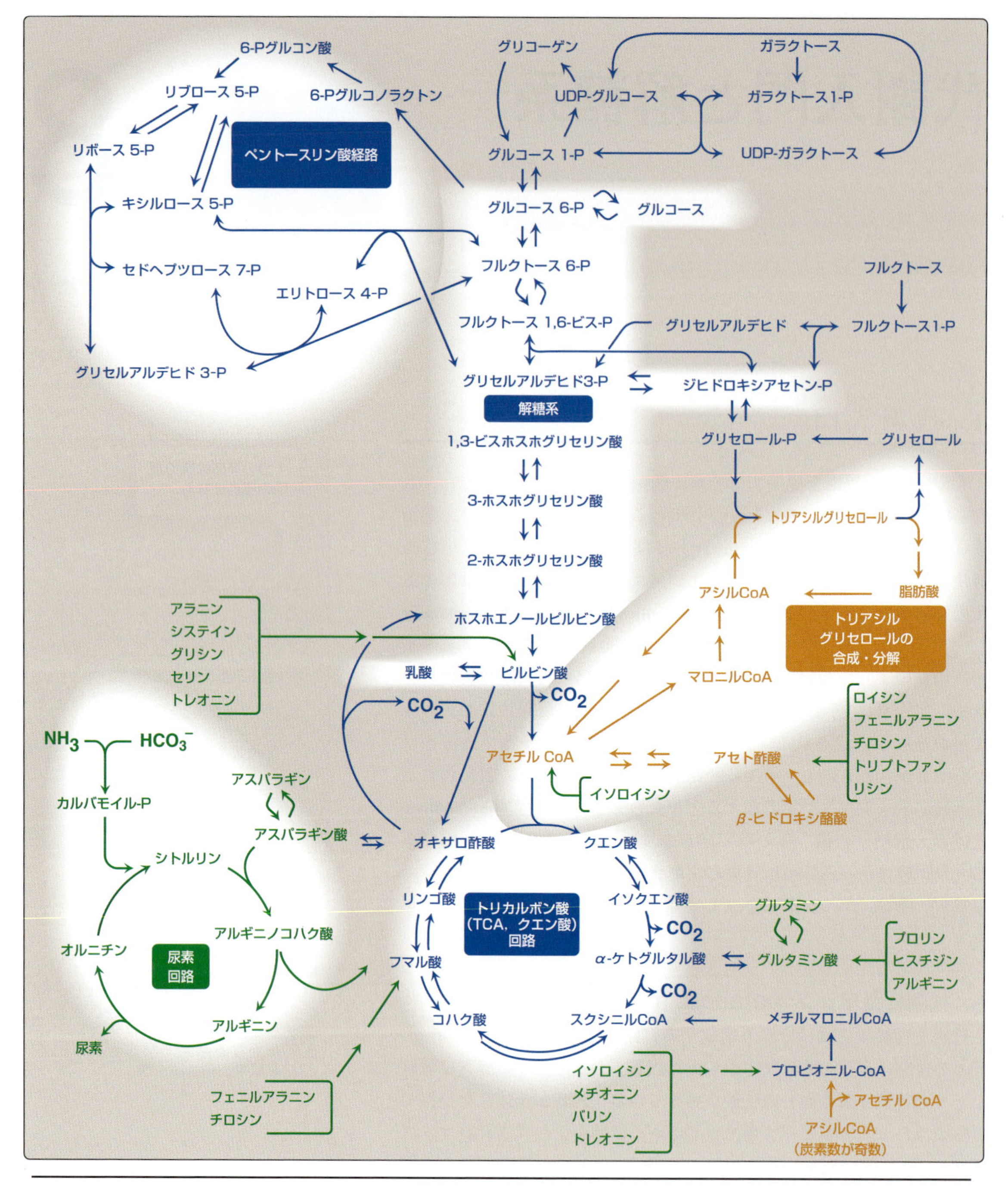

図 8.2
中間代謝の重要な反応．後の章で述べるいくつかの重要な経路を強調してある．曲がった反応矢印（⟲）は正反応と逆反応が異なる酵素で触媒されていることを示す．直線状の反応矢印（⇆）は正反応と逆反応が同一の酵素で触媒されていることを示す．青色＝糖質代謝の中間体，茶色＝脂質代謝の中間体，緑色＝タンパク質代謝の中間体．UDP：ウリジン二リン酸，P：リン酸，CoA：補酵素A，CO_2：二酸化炭素，HCO_3^-：重炭酸イオン，NH_3：アンモニア．

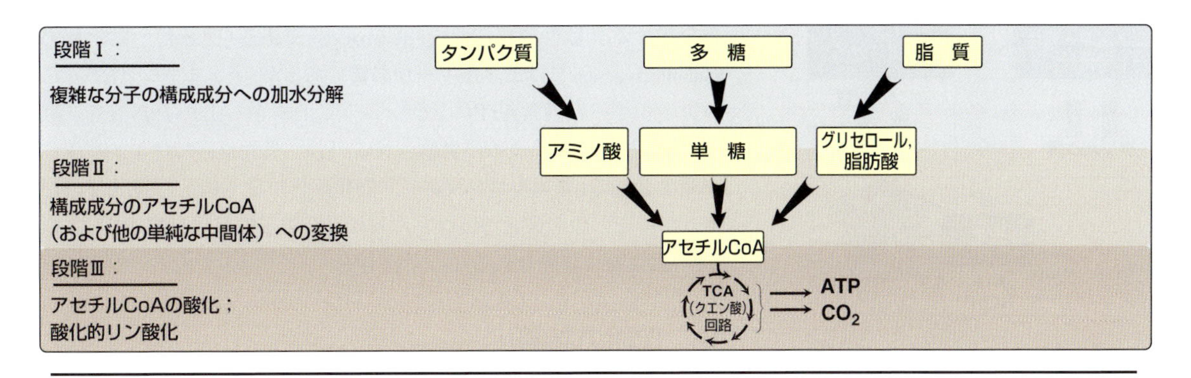

図 8.3
異化の 3 段階．CoA：補酵素A，TCA：トリカルボン酸，CO_2：二酸化炭素．

三リン酸(ATP)の形で獲得する反応である．異化catabolismは食事中の分子(もしくは細胞内に貯えられた栄養分子)を複雑な分子の合成のための構成要素に変換するためにも利用される．複雑な分子を分解することによりエネルギーを獲得する過程は図 8.3 のように 3 つの段階を経て起こる．[注：異化経路は通常酸化反応でありニコチンアミドアデニンジヌクレオチド(NAD^+)のような酸化された補酵素を必要とする．] 異化によって食事中の分子(あるいは細胞に貯蔵された栄養分子)から複雑な分子の合成に必要な基本構成要素への変換も行われる．異化はこのように多様な分子が少数の共通な最終産物へと変換される収束性過程convergent processである．

1．**複雑な分子の加水分解**：第Ⅰ段階では複雑な分子はそれぞれの構成要素に分解される．例えばタンパク質はアミノ酸に，多糖は単糖に，脂肪(トリアシルグリセロール，TAG)は遊離脂肪酸とグリセロールに分解される．

2．**構成要素の単純な中間体への変換**：第Ⅱ段階ではこれらの多様な構成要素は**アセチル補酵素A（アセチル CoA）acetyl coenzyme A**（CoA）および少数の単純な分子へと分解される．この段階である程度エネルギーがATPとして獲得されるが，その量は異化の第Ⅲ段階で獲得される量に比べると小さい．

3．**アセチル CoAの酸化**：**トリカルボン酸（TCA）回路 tricarboxylic acid（TCA）cycle**（9 章参照）がアセチルCoAを産生する燃料分子の酸化における最終共通経路である．アセチルCoAの酸化は**酸化的リン酸化 oxidative phosphorylation**により電子がNADHとフラビンアデニンジヌクレオチド($FADH_2$)から**酸素 oxygen**（O_2）へと流れる間に大量のATPを産み出す(6 章参照)．

C．同化経路anabolic pathway

異化反応とは対照的に，同化反応はアミノ酸のような少数の生合成前駆体を組み合わせてタンパク質のような多様な重合した複雑な産物

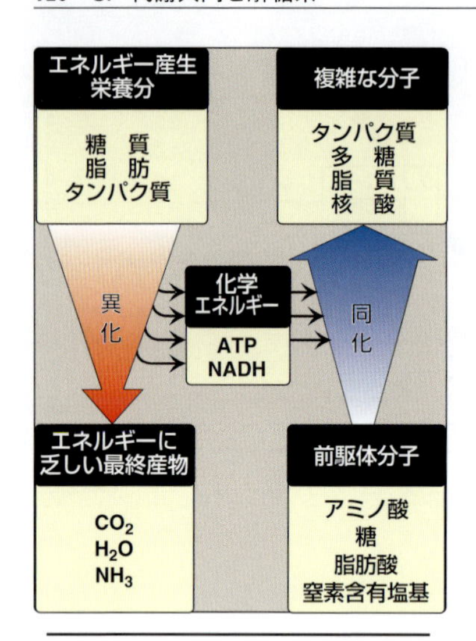

図 8.4
異化経路と同化経路の比較．NADH：ニコチンアミドアデニンジヌクレオチド．

を合成する発散性過程 divergent process である（図 8.4）．**同化反応 anabolic reaction** には**エネルギーが必要**であるが（吸エルゴン反応），このエネルギーは通常 ATP のアデノシン二リン酸（ADP）と無機リン酸（P_i）への加水分解によって供給される．［注：異化反応ではエネルギーが産生される（発エルゴン反応）．］同化反応にはしばしば還元反応が伴うが，この際の還元力はほとんどの場合電子供与体 NADPH（13 章参照）によって供給される．

Ⅱ．代謝の制御

代謝経路はエネルギー産生および最終産物生成が細胞の需要に見合うように統合されなければならない．さらに個々の細胞は単独で機能しているわけではなく，相互作用している組織の共同体の一部である．したがって，体全体の機能を統合するために非常に精巧な情報伝達システムが進化した．個々の細胞に体全体の代謝状態に関する情報を与える調節シグナルとしては**ホルモン hormone**，**神経伝達物質 neurotransmitter** などに加えて**栄養素の入手可能性 availability of nutrient** がある．これらの細胞外シグナルは細胞内で生じるシグナル伝達系に影響を及ぼす（図 8.5）．

A．細胞内のシグナル伝達

代謝経路の速度は細胞内で生じた**調節シグナル regulatory signal** に応じて変化する．例えば，ある経路の反応速度は基質の利用可能性や生成物阻害，**アロステリック活性化因子 allosteric activator**，**アロステリック阻害因子 allosteric inhibitor** の濃度変化などの影響を受ける．これらの細胞内シグナルは迅速な応答を引き起こし，代謝の瞬間・瞬間の調節にとって重要である．

B．細胞間のシグナル伝達

すべての生物の生存と発生にとって細胞間シグナルに反応する能力は必要不可欠なものである．細胞間のシグナル伝達は代謝の長期にわたる統合に働き，細胞内シグナルの場合よりもゆっくりとした反応（遺伝子発現変化のような）を引き起こす．細胞間のシグナル伝達は，例えば，隣り合う細胞間の細胞表面の接触や，ある場合にはギャップ結合 gap junction 形成による細胞質を通しての直接的シグナル伝達によっても媒介されるが，エネルギー代謝にとって最も重要なシグナル伝達手段は，血流を介するホルモンや神経伝達物質などの化学的シグナル伝達系である．

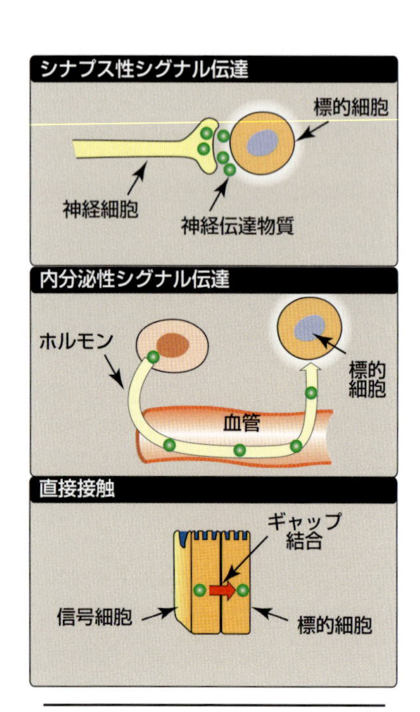

図 8.5
細胞間の調節性シグナル伝達によく用いられる機構．

C．G タンパク質共役受容体とセカンドメッセンジャー系

ホルモンや神経伝達物質はシグナルで，その受容体はシグナル検出器と考えることができる．受容体はタンパク質で，標的細胞の形質膜に埋め込まれていることが多い．受容体は結合したリガンド ligand に応答して一連の反応を引き起こし，その結果として特異的な細胞内応答が生じる．代謝を調節する多くの受容体は **G タンパク質 G protein**

と呼ばれる細胞内GTP結合タンパク質と共役しており，**Gタンパク質共役受容体 G protein-coupled receptor**（GPCR）と呼ばれる．このタイプの受容体は**セカンドメッセンジャー second messenger**（神経伝達物質やホルモンなどの元々の細胞外メッセンジャーと最終的な細胞内効果の間に介在するためこう名づけられた）と呼ばれる分子の産生を調節する．セカンドメッセンジャーは，リガンドの受容体への結合を細胞応答へ変換する一連の事象の一部をなす．

Gタンパク質と共役するセカンドメッセンジャー系として最も広く知られているものに，**カルシウム/ホスファチジルイノシトール系 calcium/phosphatidylinositol system**を介する**ホスホリパーゼC系 phospholipase C system**と**アデニル酸シクラーゼ系 adenylyl（adenylate）cyclase system**の2つがある．後者は中間代謝の調節において特に重要である．両者ともにアドレナリン（エピネフリン）やグルカゴンなどのホルモンリガンドの，それらのホルモンに応答する標的細胞の形質膜に埋め込まれた特異的なGPCRへの結合によって開始される．

GPCRは細胞外のリガンド結合ドメイン，7個の膜貫通αヘリックス，α，β，γというサブユニットから構成されるヘテロ三量体Gタンパク質と相互作用する細胞内ドメインから構成される（図8.6）．［注：もう1つの代謝の重要な調節物質であるインスリンは，GPCRではなく膜結合性のチロシンキナーゼ受容体（23章参照）を介して作用する．[a]］

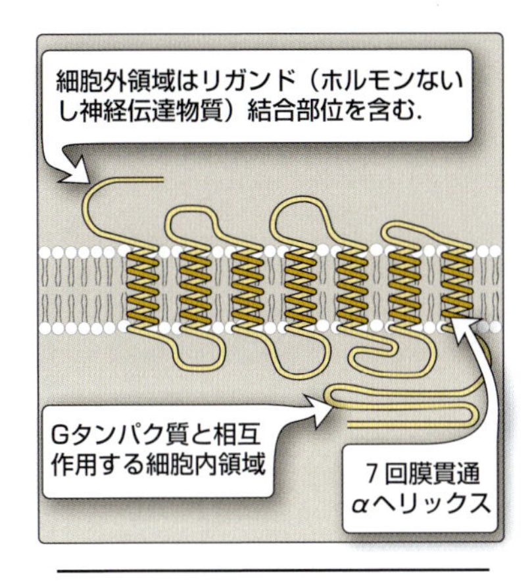

図 8.6
典型的なGタンパク質共役受容体（GPCR）の細胞膜における構造．

D．アデニル酸シクラーゼ

β-およびα_2-アドレナリン受容体などのようなGPCRにホルモンリガンドが結合するとアデニル酸シクラーゼ adenylyl cyclase活性の上昇もしくは低下が引き起こされる．アデニル酸シクラーゼは膜結合酵素でATPを**アデノシン3′,5′-一リン酸 adenosine 3′,5′-monophosphate**（**サイクリックAMP，cAMP**）へと変換する．

1．グアノシン三リン酸（GTP）依存性調節タンパク質 guanosine triphosphate（GTP）-dependent regulatory protein（Gタンパク質）

：リガンドを結合して活性化されたGPCRがセカンドメッセンジャー生成に及ぼす効果は，形質膜に存在する特殊なヘテロ三量体の**Gタンパク質 G-protein**（α，β，γサブユニット）によって媒介される．Gタンパク質は活性化された状態ではαサブユニットがグアノシン三リン酸（GTP）を結合するためGタンパク質と呼ばれる．不活性型のGタンパク質ではαサブユニットはグアノシン二リン酸（GDP）を結合している（図8.7）．リガンドが結合すると受容体のコンホメーション（立体配座）が変化し，Gタンパク質のαサブユニットはGDPを放出してGTPを結合する．そうすると三量体Gタンパク質はαサブユニットとβγ二量体に解離し，GTP結合型αサブユニットは受容体から膜に結合したアデニル酸シクラーゼ酵素へと移動，その酵素活性を変化させ

[a] GPCRシグナリングとセカンドメッセンジャーの詳細については，『イラストレイテッド細胞分子生物学』（丸善出版）参照．

る．1つの活性化された受容体により，多くの活性化Gαタンパク質分子が産生される．［注：ホルモンや神経伝達物質がアデニル酸シクラーゼを活性化したり阻害したりする能力は，その受容体が共役しているGαタンパク質の種類に依存する．G_sと命名されたGタンパク質ファミリーは特異的にアデニル酸シクラーゼを活性化する（図8.7参照）のに対して，G_iと命名された別のGタンパク質ファミリーはアデニル酸シクラーゼを阻害する（図8.7には示されていない）．］

活性化されたアデニル酸シクラーゼはATPをセカンドメッセンジャーであるcAMP（サイクリックアデノシン一リン酸）に変換する．次にcAMPは後述するプロテインキナーゼA protein kinase A（PKA）というセリン/トレオニンプロテインキナーゼ serine/threonine protein kinaseを活性化する．Gαタンパク質-GTP複合体はGタンパク質にGTPアーゼ GTPaze活性が内在し，GTPを迅速に加水分解してGDPにするため短命である．これがGαタンパク質の不活性化，アデニル酸シクラーゼからの解離，βγ二量体との再結合を引き起こす．

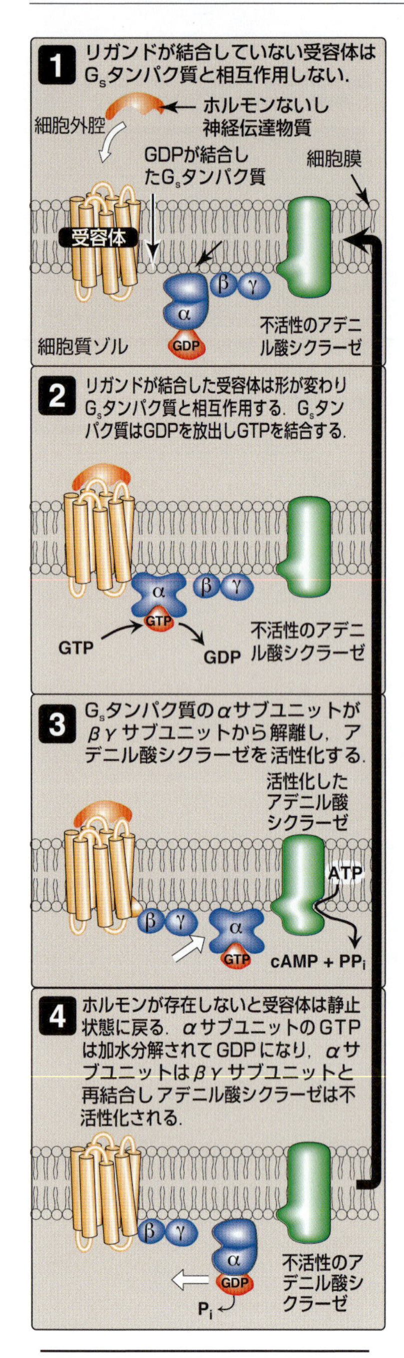

図8.7
特定の膜受容体によって化学シグナルが認識されるとアデニル酸シクラーゼの活性が上昇する（頻度は少ないが低下する場合もある）．GDP：グアノシン二リン酸，GTP：グアノシン三リン酸，cAMP：サイクリックAMP.

> コレラ菌*Vibrio cholerae*の毒素と百日咳菌*Bordetella pertussis*の毒素は，異なるGタンパク質（アデニル酸シクラーゼと相互作用する）の共有結合修飾（ADPリボシル化）を介してアデニル酸シクラーゼを過剰に活性化する．コレラ毒素の場合，腸管細胞の$G\alpha_s$のGTPアーゼ活性が阻害される．百日咳の場合，百日咳毒素は気道細胞の$G\alpha_i$が不活性化される．どちらの場合も，結果としてアデニル酸シクラーゼ活性が上昇し，セカンドメッセンジャーであるcAMPの過剰産生が起きる．

2．プロテインキナーゼ protein kinase：cAMPセカンドメッセンジャー系における第二の重要なステップはcAMP依存性プロテインキナーゼ cAMP-dependent protein kinase（PKA）と呼ばれる一群の酵素の活性化である（図8.8）．cAMPはPKAの2つの調節サブユニットに結合し，2つの活性を持つ触媒サブユニットを遊離させることによりこの酵素を活性化する．活性型のPKAはセリン/トレオニンキナーゼである．ATPから特異的な基質タンパク質のセリン残基・トレオニン残基へリン酸を転移するからである．リン酸化されたタンパク質は直接的に細胞のイオンチャネルに作用する場合もあれば，それ自体が酵素でリン酸化により活性化される場合もあるし阻害される場合もある．［注：すべてのプロテインキナーゼがcAMPに依存するわけではない．例えばホスホリパーゼC phospholipase C信号系に応答して活性化されるプロテインキナーゼC protein kinase Cはカルシウム依存性である．］（訳注：カルシウム非依存性のプロテインキナーゼCも存在する．）

3．プロテインホスファターゼ protein phosphatase：プロテインキナーゼによってタンパク質に付加されたリン酸基は（ホスホ）プロテインホスファターゼというリン酸エステルを加水分解する酵素によって取り除かれる（図 8.8 参照）．ホスファターゼ phosphatase の作用によって，リン酸化により誘導されたタンパク質活性の変化が永続的なものになることが回避される．

4．cAMPの加水分解：cAMPはcAMPホスホジエステラーゼ cAMP phosphodiesterase という環状 3′,5′-ホスホジエステル結合を切断する酵素によって迅速に加水分解されて 5′-AMP になる．5′-AMP は細胞内シグナル分子ではない．したがって，神経伝達物質やホルモンによる cAMP 上昇の効果はこれらの細胞外シグナルが除去された場合には速やかに終結することになる．［注：cAMPホスホジエステラーゼはメチルキサンチン誘導体であるカフェインにより阻害される．］

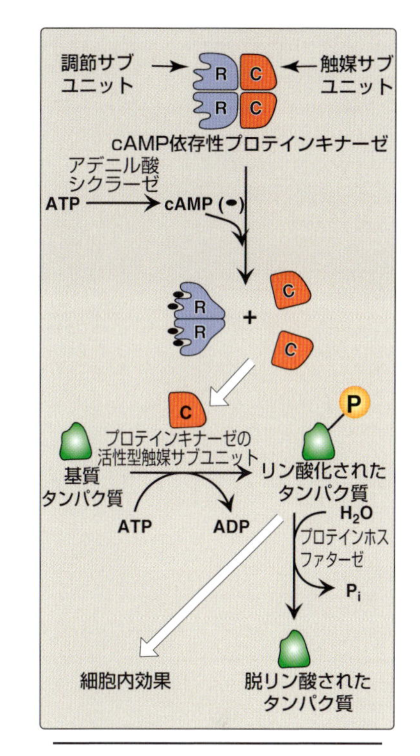

図 8.8
cAMPの作用．Ⓟ：リン酸，ADP：アデノシンニリン酸，P_i：無機リン酸．

Ⅲ．解糖系の概要

解糖系は**グルコース glucose** を酸化してエネルギーを（ATPの形で）獲得し，他の代謝経路に中間体を供給するためにすべての組織で用いられている非常に重要な代謝経路である．解糖系は糖質代謝の中枢である．食事に由来するものであれ体内の異化反応に由来するものであれ，ほとんどすべての糖質はグルコースに変換可能だからである（図 8.9 A）．ミトコンドリアを持ち酸素が十分に供給される細胞においてはピルビン酸が解糖系の最終産物である．グルコースからピルビン酸に至る 10 の連続する反応を**好気的解糖 aerobic glycolysis** と呼ぶ．グリセルアルデヒド 3-リン酸の酸化の際に生成した NADH を再酸化するために酸素が必要だからである（図 8.9 B）．好気的解糖により，ピルビン酸を酸化的脱炭酸して，TCA（クエン酸）回路の主要な燃料分子で

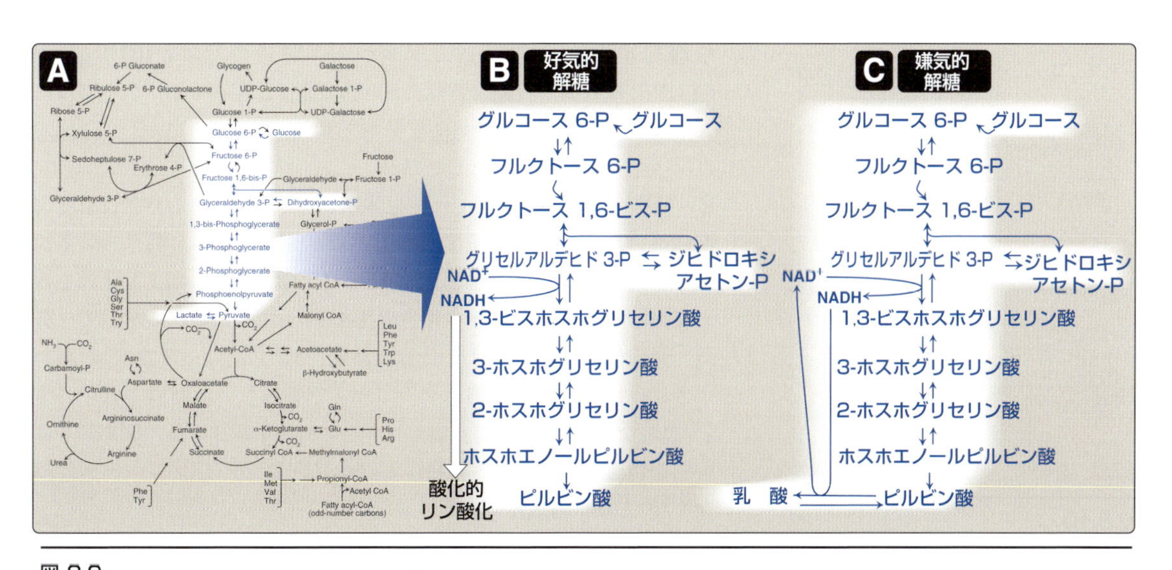

図 8.9
A．エネルギー代謝の重要経路の1つとしての解糖系．B．好気的解糖の諸反応．C．嫌気的解糖の諸反応．NAD(H)：ニコチンアミドアデニンジヌクレオチド，P：リン酸．

あるアセチルCoAにする準備が整う．もしくはピルビン酸が還元されて乳酸になり，このときにNADHが酸化されてNAD^+が再生する（図8.9 C）．このグルコースから乳酸への変換経路は**嫌気的解糖 anaerobic glycolysis**と呼ばれる．酸素の関与なしに起こりうるからである．嫌気的解糖によりミトコンドリアを欠く細胞（例えば赤血球red blood cell（RBC）や眼球の一部の細胞など）や十分な酸素供給が得られない低酸素状態hypoxiaの細胞でもATPが産生されうる．

Ⅳ．グルコースの細胞内への輸送

グルコースは細胞内に拡散で入ることはできないが，Na^+，ATP-非依存性輸送系かNa^+，ATP-依存性共輸送系のいずれかにより，細胞内に入ることができる．

A．Na^+，ATP-非依存性輸送系

この受動系は細胞膜に存在する14種の**グルコース輸送体 glucose transporter**（GLUT）のファミリーによって媒介される．これらはGLUT-1からGLUT-14と命名されている．これらの単量体タンパク質輸送体は細胞膜中で2つのコンホメーション（立体配座）をとりうる（図8.10）．細胞外のグルコースが輸送体に結合し，そのコンホメーションを変化させることによりグルコースは細胞膜を通り越して細胞内へと促進拡散により輸送される．GLUTは1回に1分子を輸送するので，単輸送体uniporterである[b]．

1．**組織特異性**：GLUTは組織特異的な発現パターンを示す（そのいくつかを表8.1に示す）．例えば，GLUT-1はほとんどの組織に豊富に存在するが，GLUT-4は骨格筋と脂肪組織に豊富に存在し，GLUT-5はフルクトースを輸送する．［注：これらの組織におけるGLUT-4輸送体の活性化型（細胞膜表面に存在）の数は**インスリンにより増加する**（インスリンとグルコース輸送の話はp.403参照）．］GLUT-2は肝臓，腎臓，膵臓のβ細胞に豊富に存在する．他のGLUTアイソフォームも組織特異的な分布を示す．

2．**特殊機能**：促進拡散では輸送体によるグルコースの移動は濃度勾配に従い高グルコース濃度から低グルコース濃度へと動き，エネルギーを必要としない．例えば，GLUT-1，GLUT-3，GLUT-4は主として血液からのグルコース取り込みに関与する．これに対して，肝臓・腎臓に存在するGLUT-2は血糖値（血中グルコース濃度）が高いときには血中から細胞内へグルコースを輸送し，血糖値が低いとき（空腹時など）には細胞から血中へグルコースを輸送する．GLUT-5は特別な輸送体で，小腸・精巣におけるフルクトース（グルコースではなく）の主たる輸送体である．

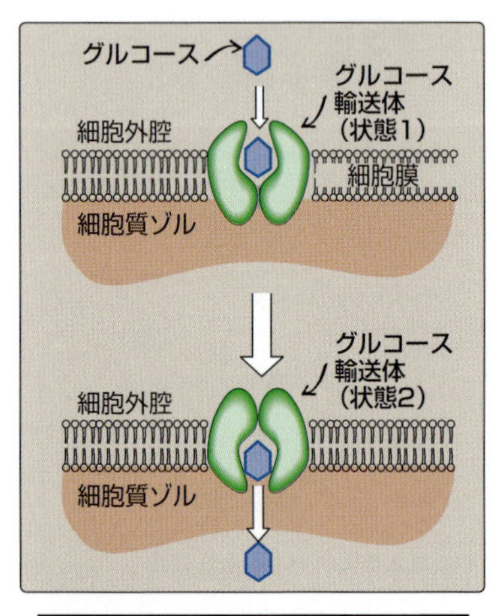

図 8.10
細胞膜を通してのグルコースの促進輸送の模式図．［注：GLUTタンパク質は単量体で12の膜貫通αヘリックスを持つ．］

[b] グルコース輸送の詳細については，『イラストレイテッド細胞分子生物学』（丸善出版）参照．

表 8.1 いくつかのGLUTの組織分布

	局在	機能	K_m (mM)
GLUT-1	ほとんどの組織	基礎的なグルコース取り込み	1
GLUT-2	肝，腎，膵臓	血中からの過剰なグルコース除去	15～20
GLUT-3	ほとんどの組織	基礎的なグルコース取り込み	1
GLUT-4	筋肉と脂肪	血中からの過剰なグルコース除去	5
GLUT-5	小腸，精巣	フルクトース輸送	10

B. グルコースのNa^+，ATP-依存性共輸送

グルコースとナトリウムのこのタイプの共輸送は腸管，腎尿細管，脈絡叢の上皮細胞で起こる．この輸送系はグルコースを濃度勾配に逆らって(低グルコース濃度の細胞外から高グルコース濃度の細胞内へと)輸送する**エネルギー要求過程 energy-requiring process**である．このとき，Na^+はその電気化学勾配に従って(細胞外から細胞内へと)輸送される．Na^+の細胞外濃度は細胞内濃度に比べてはるかに高い．これはNa^+-K^+ATPアーゼ Na^+-K^+ATPaseの作用の結果である．Na^+の濃度勾配がグルコースの濃度勾配に逆らう輸送を駆動する．ATPの加水分解はNa^+の濃度勾配を維持するために必要なので，間接的なエネルギー源である(図 7.10 参照)．このグルコースの二次的な能動輸送過程はNa^+の同時取り込み(共輸送symport)を必要とするので，この輸送体は**ナトリウム依存性グルコース共輸送体 sodium-dependent glucose cotransporter**(SGLT)と呼ばれる．[注：血液脳関門の一部を構成する脈絡叢はGLUT-1も発現している．][c]

ナトリウム依存性グルコース共輸送体タンパク質2(SGLT2)は腎臓で機能し，血液へのグルコース再吸収の主要な輸送体である．グリフロジン gliflozin はSGLT2阻害薬であり，腎臓におけるグルコースの再吸収を減少させ，血糖値を低下させる．SGLT2 阻害薬(訳注：一種の利尿薬であり，心不全にも適応されるようになった)は 2 型糖尿病患者の高血糖の治療に用いられる．

V. 解糖系の反応

グルコースからピルビン酸への変換は 2 段階で起きる(図 8.11)．解糖系のはじめの 5 反応は**エネルギー投資段階 energy investment phase** でリン酸化された形の中間体がATPを消費して合成される(訳注：グルコース 1 分子あたり **2 分子のATP**が投資される)．解糖系の後半の諸反応は**エネルギー獲得段階 energy generation phase** でグルコース 1 分子あたり**基質レベルのリン酸化 substrate-level phosphorylation** により

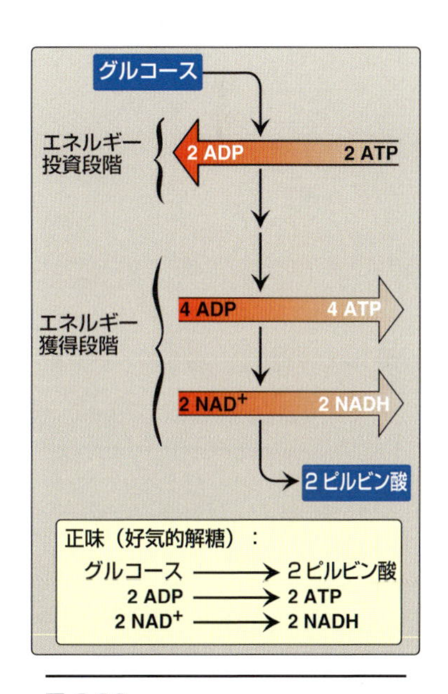

図 8.11
好気的解糖の 2 段階．NAD (H)：ニコチンアミドアデニンジヌクレオチド，ADP：アデノシン二リン酸．

[c] 詳細は『イラストレイテッド細胞分子生物学』(丸善出版)14 章と 15 章を参照．

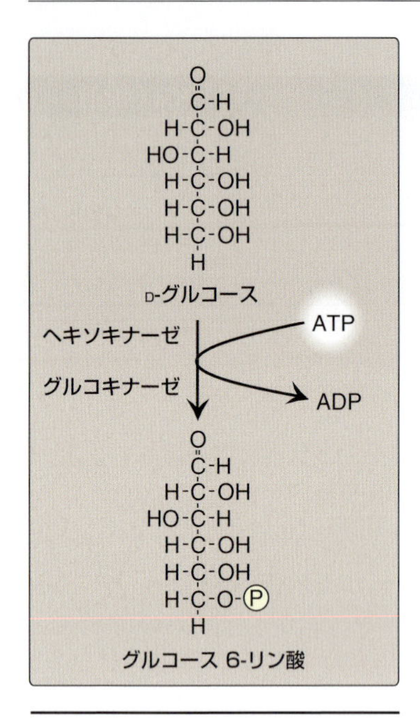

図 8.12
エネルギー投資段階：グルコースのリン酸化．［注：キナーゼは二価の金属イオン（多くはMg^{2+}）と結合したATPを用いる．］ADP：アデノシン二リン酸，Ⓟ：リン酸．

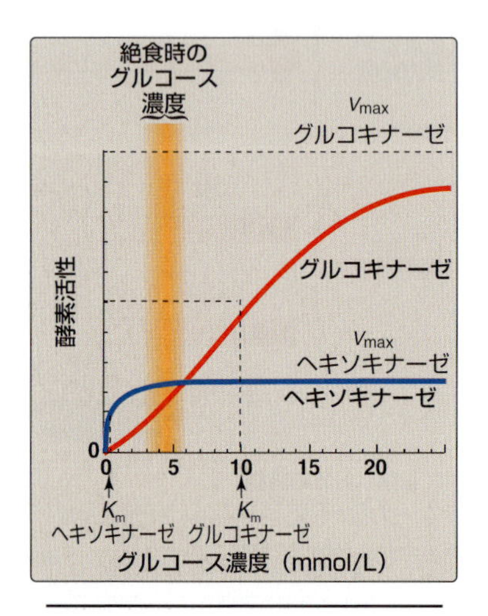

図 8.13
ヘキソキナーゼとグルコキナーゼによって触媒されるリン酸化の速度に及ぼすグルコース濃度の効果．K_m：ミカエリス定数，V_{max}：最大速度．

正味**2分子のATP**が合成される（訳注：先に2分子のATPが消費されているので，正味はグルコース1分子あたり2分子のATPが合成される）．

A. グルコースのリン酸化

リン酸化された糖分子は容易に細胞膜を通過することはできない．特異的な膜通過輸送体がなく，細胞膜を拡散で通るには極性が高すぎるからである．したがって，グルコースは不可逆的にリン酸化されグルコース 6-リン酸になると（図 8.12），細胞内にトラップされ細胞内で代謝されるように決定される．哺乳類には，グルコースからグルコース 6-リン酸へのリン酸化を触媒するヘキソキナーゼ hexokinase という酵素に関して4つ（Ⅰ～Ⅳ）のアイソザイムが存在する．

1. ヘキソキナーゼⅠ～Ⅲ hexokinase Ⅰ～Ⅲ：ほとんどの組織では，グルコースのリン酸化はヘキソキナーゼのこれら3つのアイソザイムのうちいずれかによって触媒される．ヘキソキナーゼは解糖系で調節されている3つの酵素のうちの1つである（他の2つはホスホフルクトキナーゼ phosphofructokinase（PFK）とピルビン酸キナーゼ pyruvate kinase（PK））．これらのアイソザイムは**基質特異性が広く broad substrate specificity**，グルコース以外にもいくつかのヘキソースをリン酸化することができる．これらのアイソザイムは反応産物であるグルコース 6-リン酸（下流の代謝が減少すると蓄積する）によって阻害される．ヘキソキナーゼⅠ～Ⅲのグルコースに対する**ミカエリス Michaelis 定数（K_m）は低い**（それゆえ**高親和性 high affinity**である，p.74 参照）．したがってたとえ組織のグルコース濃度が低くてもグルコースは効率的にリン酸化され代謝される（図 8.13）．しかしこれらのアイソザイムはグルコースに対する**最大速度（V_{max}）は低く**（p.74 参照），細胞内のリン酸をリン酸化グルコースの形でトラップしたり，細胞が利用できる以上の糖をリン酸化したりすることはできない．［注：これらのアイソザイムは広い基質特異性を持ち，グルコースに加えていくつかのヘキソースをリン酸化することができる．］

2. ヘキソキナーゼⅣ：肝実質細胞 liver parenchymal cell や膵島β細胞 β cell of the pancreas ではグルコキナーゼ glucokinase（ヘキソキナーゼⅣアイソザイム）がグルコースをリン酸化する主要な酵素である．β細胞ではグルコキナーゼはグルコースセンサーとして機能し，インスリン分泌の閾値を決定する（p.401 参照）．［注：ヘキソキナーゼⅣは視床下部のニューロンでもグルコースセンサーとして機能し，低血糖に対するアドレナリン応答において重要な役割を果たす（p.410 参照）．］肝臓ではこの酵素は高血糖時のグルコースリン酸化を促進する．よく知られてはいるけれども誤解を招きやすい"グルコキナーゼ"という命名とは違って，この酵素の糖に対する基質特異性は他のヘキソキナーゼアイソザイムと変わらない（訳注：他のヘキソキナーゼアイソザイムとは異なりフルクトースとは反応しないが，マンノースは基質になる）．

a．**反応速度論**：グルコキナーゼはいくつかの重要な性質においてヘキソキナーゼⅠ～Ⅲとは異なっている．例えば，グルコースに対してヘキソキナーゼに比べて **K_m値がはるかに高い**ため，半分飽和するグルコース濃度はずっと高い（図 8.13 参照）．したがって，グルコキナーゼは肝細胞内のグルコース濃度が上昇したとき（例えば，糖質に富む食事を摂って，高濃度のグルコースが門脈を介して肝臓に運ばれた場合の短い間など）だけしか機能しない．グルコキナーゼは **V_{max}値が高い**ので，肝臓は門脈血によって運ばれた大量のグルコースを効率的に取り込むことができる．これによって糖質に富む食事を摂ったあとに大量のグルコースが体循環に入るのが防がれ，食後吸収期の高血糖を最小限にする．［注：GLUT-2 は血中グルコースが肝細胞膜を通して迅速に平衡化するのを保証する．］

b．**調節**：グルコキナーゼは他のヘキソキナーゼとは異なり，グルコース 6-リン酸によってアロステリックに阻害されないが，以下に示すような機構によって，間接的に**フルクトース 6-リン酸 fructose 6-phosphate**（グルコキナーゼ産物のグルコース 6-リン酸と平衡にある）によって**阻害 inhibit** され，間接的に**グルコース**（グルコキナーゼの基質）によって**活性化 stimulate** される．肝臓の**グルコキナーゼ調節タンパク質 glucokinase regulatory protein**（GKRP）は可逆的結合を介してグルコキナーゼ活性を調節する．フルクトース 6-リン酸が存在するとグルコキナーゼは GKRP と固く結合し核に移行し，酵素活性は阻害される（図 8.14）．血中グルコース濃度が（したがって GLUT-2 のために肝細胞中のグルコース濃度も）上昇すると，グルコキナーゼは GKRP から遊離，細胞質ゾルに移行し，グルコースをリン酸化してグルコース 6-リン酸にする．［注：GKRP はグルコキナーゼによるグルコース利用の競合的阻害因子である．］

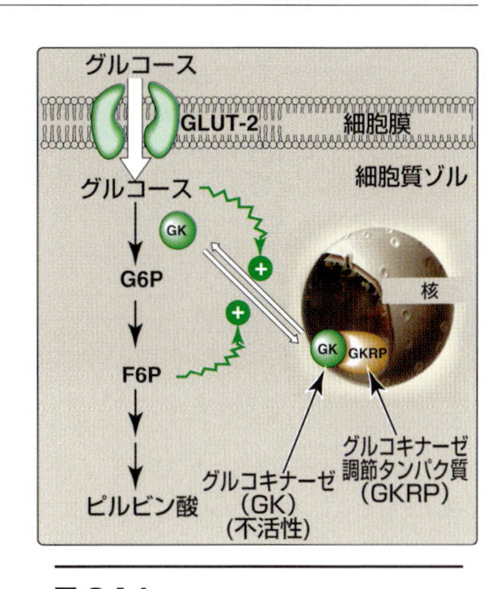

図 8.14
グルコキナーゼ調節タンパク質によるグルコキナーゼ活性の調節．GLUT：グルコース輸送体．

> グルコキナーゼは血糖ホメオスタシスにおいてグルコースセンサーとして機能する．グルコキナーゼ活性を不活化する変異は，若年発症成人型 2 型糖尿病 maturity onset diabetes of the young type 2（MODY 2）というまれなタイプの糖尿病の原因となる．MODY 2 はインスリン分泌不全と低血糖が特徴である．

B．グルコース 6-リン酸の異性化

グルコース 6-リン酸のフルクトース 6-リン酸への異性化はホスホグルコースイソメラーゼ phosphoglucose isomerase（グルコース-6-リン酸イソメラーゼ glucose 6-phosphate isomerase）によって触媒される（図 8.15）．この反応は可逆的であり，律速段階でも調節段階でもない．

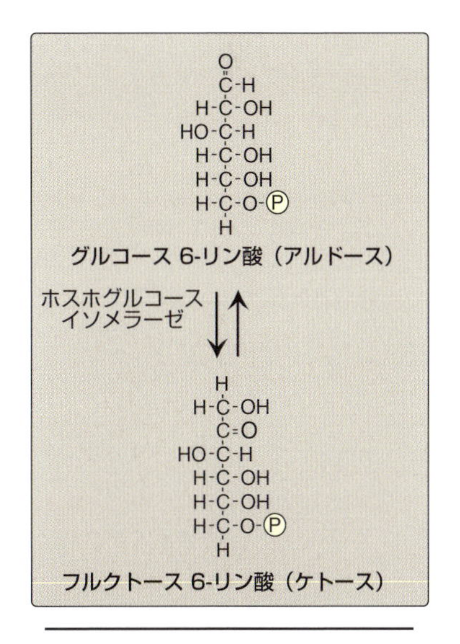

図 8.15
グルコース 6-リン酸のフルクトース 6-リン酸へのアルドース-ケトース異性化．Ⓟ：リン酸．

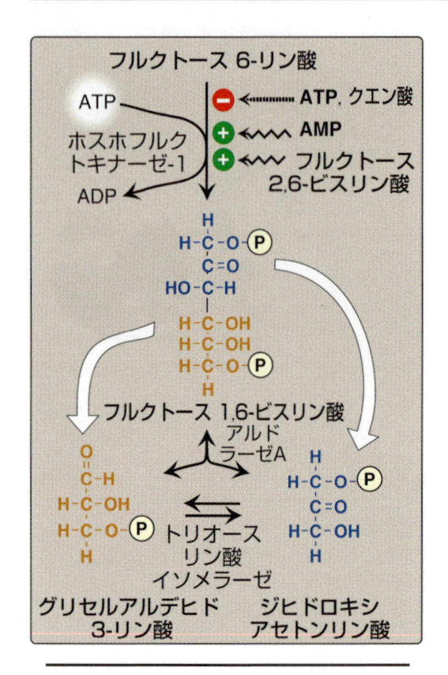

図 8.16
エネルギー投資段階（続き）：フルクトース6-リン酸のトリオースリン酸への変換. Ⓟ：リン酸, AMP：アデノシンーリン酸, ADP：アデノシン二リン酸.

C. フルクトース 6-リン酸のリン酸化

ホスホフルクトキナーゼ-1 phosphofructokinase-1（PFK-1）によって触媒される不可逆的リン酸化反応は解糖系で最も重要な調節ポイントであり，一方向性の律速段階である（図 8.16）. PFK-1 は基質であるATPとフルクトース 6-リン酸の濃度と，他の調節分子によって調節されている.

1. **細胞内エネルギーレベルによる調節**：PFK-1 は**ATP**によってアロステリックに**阻害 inhibit** される. ATPは高エネルギー化合物が豊富に存在することを示す“富エネルギーシグナル”の役割を果たす. TCA回路の中間体である**クエン酸 citrate**（p.144 参照）もまたPFK-1 を阻害する.［注：クエン酸によって阻害されることにより，グルコースはグリコーゲン合成に用いられることになる（p.166 参照）.］逆に，PFK-1 は高濃度の**アデノシンーリン酸（AMP）**によりアロステリックに**活性化 activate** される. AMPは細胞内のエネルギー貯蔵が欠乏していることを示すシグナルの役割を果たしているわけである.

2. **フルクトース 2,6-ビスリン酸による調節**：フルクトース 2,6-ビスリン酸はPFK-1 の最も強力な活性化因子であり（図 8.16 参照）ATP濃度が高い場合でもこの酵素を活性化することができる. フルクトース 2,6-ビスリン酸はPFK-1 とは異なる酵素ホスホフルクトキナーゼ-2 phosphofructokinase-2（PFK-2）によってフルクトース 6-リン酸から合成される. PFK-1 とは異なり，PFK-2 はフルクトース 2,6-ビスリン酸を合成するキナーゼ kinase活性とフルクトース 2,6-ビスリン酸を脱リン酸してフルクトース 6-リン酸に戻すホスファターゼ活性の両者を持つ二機能タンパク質である. 肝臓のアイソザイムでは，キナーゼドメインは脱リン酸されたときに活性化され，リン酸化されたときに不活性化される（図 8.17）. 心筋のアイソザイムはアドレナリンによってリン酸化されるとキナーゼドメインが活性化される. 骨格筋のアイソザイムはリン酸化による調節を受けない.［注：フルクトース 2,6-ビスリン酸は糖新生酵素フルクトース-1,6-ビスホスファターゼ fructose 1,6-bisphosphataseの阻害因子でもある. フルクトース 2,6-ビスリン酸の解糖系と糖新生に及ぼす相反的な作用（前者の活性化，後者の阻害）により，解糖系と糖新生が同時に活性化されることがないようになっており，グルコースがピルビン酸に変換されるやいなや，ただちにまたグルコースが再合成される無益サイクルが生じるのを防いでいる.］

a. **栄養状態が良いとき**：糖質に富む食事のあとのように**グルカゴン glucagon**濃度が減少しインスリン濃度が上昇する場合には，肝臓の**フルクトース 2,6-ビスリン酸 fructose 2,6-bisphosphate**濃度は上昇し（PFK-2 は脱リン酸され），肝臓における解糖系の速度は上昇する（図 8.17 参照）. したがって，フルクトース 2,6-ビスリン酸はグルコースが豊富であることを示す細胞内シグナルとして機能する.

b. **空腹時**：対照的に，空腹時のようにグルカゴン濃度が上昇しイ

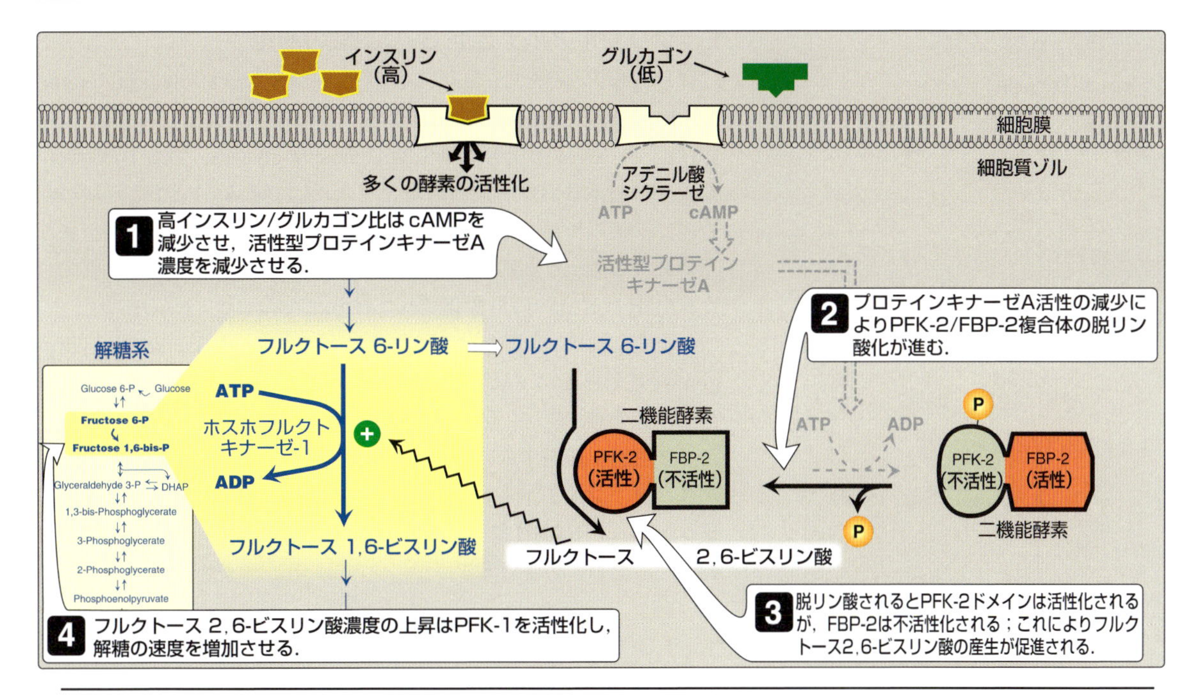

図 8.17
肝臓における細胞内フルクトース2,6-ビスリン酸濃度に及ぼす，インスリン濃度上昇の効果．PFK-2：ホスホフルクトキナーゼ-2，FBP-2：フルクトース2,6-ビスホスファターゼ，AMPとADP：アデノシンー(二)リン酸，cAMP：サイクリックAMP，(P)：リン酸．

ンスリン濃度が低下するような場合には(p.424 参照)，肝細胞中のフルクトース 2,6-ビスリン酸濃度は低下する(PFK-2 はリン酸化される)．このため解糖系の速度は低下し，糖新生の速度が上昇する．

D．フルクトース 1,6-ビスリン酸の開裂

アルドラーゼ aldolase (A)によりフルクトース 1,6-ビスリン酸は開裂し，ジヒドロキシアセトンリン酸(DHAP)とグリセルアルデヒド 3-リン酸になる(図 8.16 参照)．この反応は可逆的であり調節を受けていない．[注：主として肝臓に存在するアイソザイムであるアルドラーゼBはフルクトース 1,6-ビスリン酸の開裂を触媒する他にフルクトース 1-リン酸の開裂も触媒し，食事中のフルクトースの代謝に関与する．]

E．ジヒドロキシアセトンリン酸の異性化

トリオースリン酸イソメラーゼ triose phosphate isomerase によりDHAPとグリセルアルデヒド 3-リン酸は相互変換する(図 8.16 参照)．DHAPは解糖系で代謝されるためにはグリセルアルデヒド 3-リン酸に異性化されなければならない．この異性化によりフルクトース 1,6-ビスリン酸の開裂から正味 2 分子のグリセルアルデヒド 3-リン酸が生じることになる．[注：DHAPはTAG合成に利用される．]

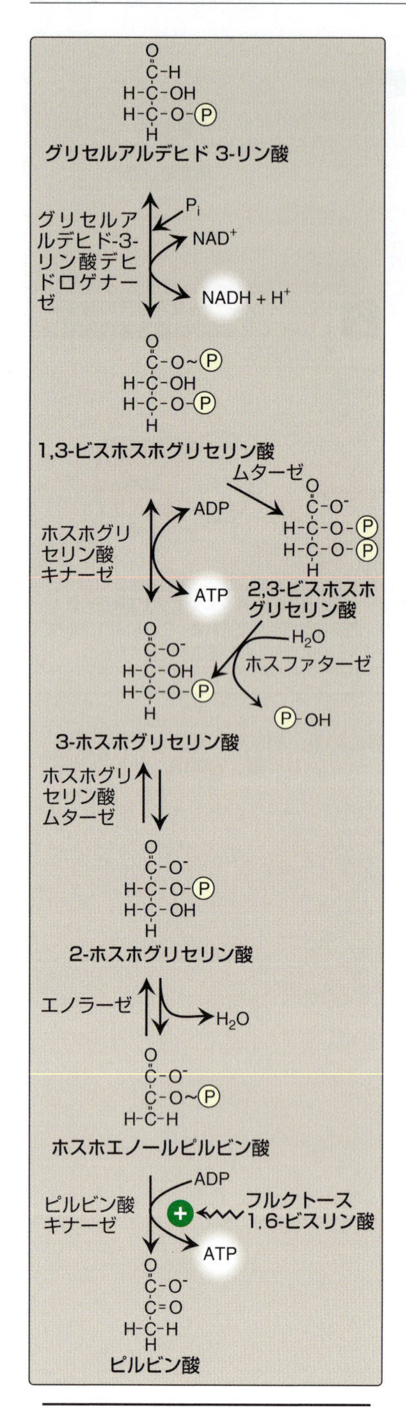

図 8.18
エネルギー獲得段階：グリセルアルデヒド 3-リン酸のピルビン酸への変換．NAD(H)：ニコチンアミドアデニンジヌクレオチド，Ⓟ：リン酸，P_i：無機リン酸，～：高エネルギー結合，ADP：アデノシン二リン酸．

F. グリセルアルデヒド 3-リン酸の酸化

グリセルアルデヒド-3-リン酸デヒドロゲナーゼ glyceraldehyde 3-phosphate dehydrogenaseによるグリセルアルデヒド 3-リン酸の1,3-ビスホスホグリセリン酸 1,3-bisphosphoglycerate（1,3-BPG）への変換が解糖系における最初の酸化還元反応である（図 8.18）．［注：細胞内には限られた量のNAD^+しか存在しないので，解糖系が進行するためにはこのデヒドロゲナーゼ dehydrogenase反応によって生成したNADHはNAD^+に再酸化されなければならない．NADH酸化の 2 つの主要な機構は，嫌気的な乳酸デヒドロゲナーゼ lactate dehydrogenase（LDH）によるピルビン酸から乳酸への還元，および好気的な電子伝達鎖（ETC，呼吸鎖とも呼ばれる）である．NADHはミトコンドリア内膜を通過することができないので，電子伝達鎖はリンゴ酸-アスパラギン酸シャトルやグリセロール 3-リン酸シャトルなどの基質シャトルがNADH還元当量をミトコンドリアマトリックスへと移動させるために必要である．］

1．1,3-ビスホスホグリセリン酸（1,3-BPG）の合成：グリセルアルデヒド 3-リン酸のアルデヒド基のカルボキシ基への酸化はカルボキシ基へのP_iの付加と共役している．1,3-BPGの炭素 1（C1）に高エネルギー結合で結合しているリン酸基はグリセルアルデヒド 3-リン酸の酸化によって生じた自由エネルギーのほとんどを保存する．この高エネルギーリン酸のエネルギーが解糖系の次の反応におけるATP合成を駆動する．

2．赤血球における 2,3-ビスホスホグリセリン酸 2,3-bisphosphoglycerate（2,3-BPG）合成：1,3-BPGの一部はビスホスホグリセリン酸ムターゼ bisphosphoglycerate mutaseの作用で 2,3-BPGに変換される（図 8.18 参照）．2,3-BPGはほとんどの細胞では微量しか存在しないが，赤血球では高濃度で存在する（酸素供給が増加する）．2,3-BPGはホスファターゼにより加水分解されて解糖系の中間体である 3-ホスホグリセリン酸になる（図 8.18 参照）．赤血球では解糖系はこれらの"シャント（短絡）shunt"反応が存在することにより修飾されている．

G. ATP産生を伴う 3-ホスホグリセリン酸合成

1,3-BPGが 3-ホスホグリセリン酸に変換されるとき，1,3-BPGの高エネルギーリン酸基はADPからATPを合成するために利用される（図 8.18 参照）．この反応はホスホグリセリン酸キナーゼ phosphoglycerate kinaseによって触媒される．この反応は他のほとんどのキナーゼによって触媒される反応とは異なり，生理的条件下で可逆的である．グルコース 1 分子から 2 分子の 1,3-BPGが合成されるので，このキナーゼ反応によりグルコース 6-リン酸とフルクトース 1,6-ビスリン酸の生成で消費されたATP 2 分子が取り戻される．［注：この反応は基質レベルのリン酸化の一例である．基質レベルのリン酸化では，高エネルギーリン酸の産生に必要なエネルギーは電子伝達鎖から

臨床応用 8.1：ヒ素中毒

ヒ素の毒性は主としてリポ酸 lipoic acidを補酵素とするピルビン酸デヒドロゲナーゼ複合体(PDHC)のような酵素の三価のヒ素による(亜ヒ酸塩)阻害によって説明される(p.143参照)．しかし，五価のヒ素(ヒ酸塩)は解糖系それ自体を阻害することなく，解糖系による正味のATP・NADH産生を阻害することもできる．ヒ酸塩はグリセルアルデヒド-3-リン酸デヒドロゲナーゼの基質としての無機リン酸(P_i)と競合し，自発的に加水分解して3-ホスホグリセリン酸を生成する複合体を形成することにより，ATP・NADH産生を阻害するのである(図8.18参照)．1,3-BPGの合成と脱リン酸をバイパスすることにより，細胞は解糖系で得られるエネルギーを奪われてしまう．[注：ヒ酸塩はATPシンターゼのF_1ドメインのP_iとも競合する．その結果生じるADP-ヒ酸塩は迅速に加水分解される．]

得られるのではなく，基質から得られる(他の例に関しては下記J.参照)．]

H. リン酸基の移動

ホスホグリセリン酸ムターゼ phosphoglycerate mutaseによるホスホグリセリン酸のC3からC2へのリン酸基の移動は可逆的である．

I. 2-ホスホグリセリン酸の脱水

エノラーゼ enolaseによる2-ホスホグリセリン酸の脱水は，2-ホスホグリセリン酸分子内でエネルギーを再配分しホスホエノールピルビン酸 phosphoenolpyruvate (PEP)が生成する．PEPは高エネルギーエノールリン酸を含んでいる(図8.18参照)．この反応は生成物が高エネルギーであるのにもかかわらず可逆的である．[注：フッ化物はエノラーゼを阻害するので，飲料水にフッ素添加することにより口腔内細菌による乳酸産生が減少し，う歯が減少する．]

J. ATP産生を伴うピルビン酸生成

PEPのピルビン酸への変換は**ピルビン酸キナーゼ pyruvate kinase** (PK)によって触媒される．この反応は解糖系の3番目の不可逆反応である．PEP中の高エネルギーエノールリン酸を用いてADPからATPが合成され，**基質レベルのリン酸化 substrate-level phosphorylation**のもう1つの例である(図8.18参照)．

1．フィードフォワード調節 feedforward regulation：PKはPFK-1反応の産物である**フルクトース1,6-ビスリン酸 fructose 1,6-bisphosphate**によって**活性化**される(訳注：肝臓のL型アイソザイムのみならず筋肉・脳に存在するM型アイソザイムもこの調節を受ける．また，両者ともにATPやアラニンによりアロステリックに阻害される)．このフィードフォワード調節(より一般的なフィードバック調節ではなく)によって2つのキナーゼ活性がつながっている．PFK-1活性が上昇するとフルクトース1,6-ビスリン酸濃度が上昇し，この結果PK活性が上昇する．[注：PKはATPによって阻害される．]

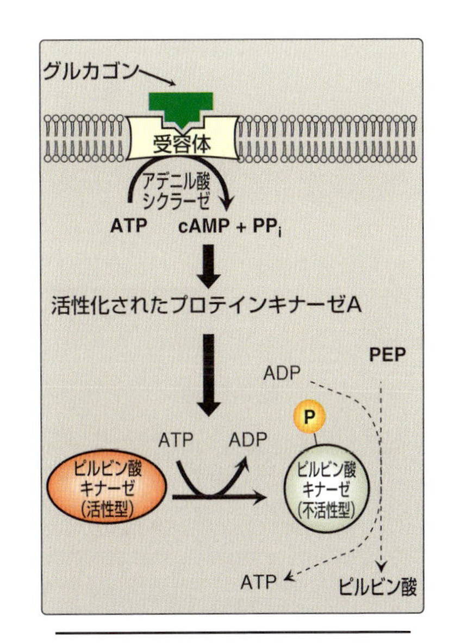

図 8.19
肝臓ピルビン酸キナーゼの共有結合修飾は酵素活性を不活性化する．cAMP：サイクリックAMP，PEP：ホスホエノールピルビン酸，Ⓟ：リン酸，PP_i：ピロリン酸，ADP：アデノシン二リン酸．

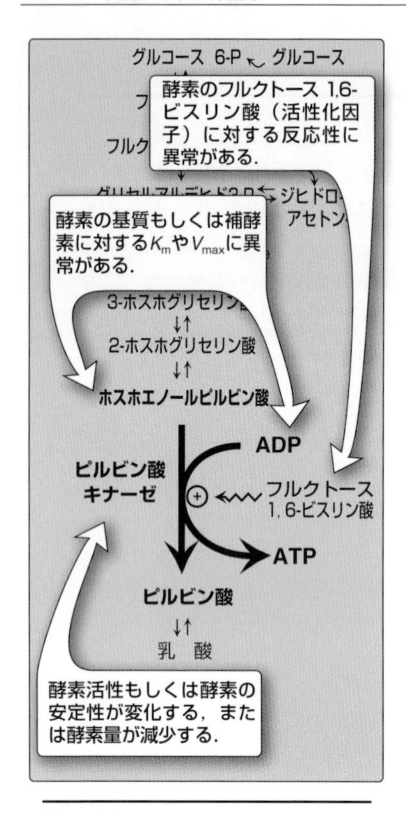

図 8.20
ピルビン酸キナーゼのさまざまな変異型にみられる変化．K_m：ミカエリス定数，V_{max}：最大速度，ADP：アデノシン二リン酸．

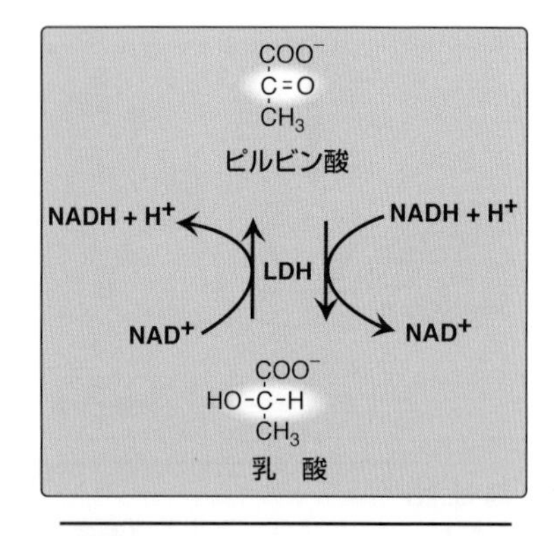

図 8.21
乳酸デヒドロゲナーゼ（LDH）によるピルビン酸と乳酸の相互変換．NAD(H)：ニコチンアミドアデニンジヌクレオチド．

2．肝臓におけるピルビン酸キナーゼの共有結合修飾：cAMP依存性PKA cAMP dependent PKAによりリン酸化されるとPKの肝臓アイソザイムは不活性化される（図 8.19）（訳注：この共有結合修飾を受けるのは肝臓に存在するL型アイソザイムのみである）．血糖値が低いときは**グルカゴン**濃度が上昇，細胞内cAMP濃度が上昇し，その結果としてPKがリン酸化・不活性化される．したがって，PEPは解糖系で処理されず糖新生の経路に入る．これがグルカゴンによって肝臓の解糖系が抑制され糖新生が促進されるメカニズムの1つである．ホスファターゼによってPKが脱リン酸されると再び活性化される．

3．ピルビン酸キナーゼ欠損：正常な成熟赤血球はミトコンドリアを欠き，ATP産生は完全に解糖系に依存している．ATPは赤血球内の代謝要求を満たすために必要であり，赤血球の両凹の柔軟性のある形（この柔軟性のために赤血球は狭い毛細血管を通過できるのである）の維持に必要なポンプにエネルギーを与えるためにも必要である．解糖系の酵素欠損でみられる貧血は解糖系の速度が低下し基質レベルのリン酸化によるATP産生が減少する結果として起きる．ATPが減少すると赤血球膜が変化し，その結果として赤血球の形が変化し，単核食細胞系，特に脾臓のマクロファージによって貪食されてしまう．赤血球の未熟な段階での細胞死と溶解により中等度から重症の溶血性貧血 hemolytic anemiaが生じ，重症例では定期的輸血が必要になる．解糖系酵素のまれな遺伝的欠損を示す患者のなかで，大多数はPK欠損をもっている．［注：肝型PKは赤血球のアイソザイムと同じ遺伝子によってコードされている．しかしながら，肝細胞には何の影響も現れない．というのはより多くのPKを合成できるし，ミトコンドリアがあるために酸化的リン酸化によりATPが作られるからである．］疾患の重症度は，酵素欠損の程度（一般的には正常値の5～35％程度）と患者の赤血球が2,3-BPG合成を増加させて代償する度合いによる（p.38参照）．PK欠損患者のほとんどは異常な特性（反応速度異常や不安定性）を示す変異酵素を持っている（図 8.20）．PK欠損をヘテロ接合として持っているヒトは，最も重症型のマラリアに対する抵抗性がある．

> 赤血球と肝臓における組織特異的なPK発現は，両方のアイソザイムをコードしている遺伝子の転写の異なる開始点を利用する結果である（p.606参照）．

K．ピルビン酸から乳酸への還元

乳酸はLDHによってピルビン酸から産生され，真核細胞における嫌気的解糖の最終産物である（図 8.21）．乳酸への還元は水晶体，角膜，腎髄質のような血管支配に乏しい組織か，ミトコンドリアを欠く赤血球におけるピルビン酸の主たる運命である．

1．筋肉における乳酸生成：運動している骨格筋ではNADH産生（グリセルアルデヒド-3-リン酸デヒドロゲナーゼとTCA回路の３つのNAD^+依存性デヒドロゲナーゼ NAD^+-linked dehydrogenaseによる，9章参照）は電子伝達鎖の酸化能力を上回る．この結果$NADH/NAD^+$比が上昇し，ピルビン酸から乳酸へのLDHによる還元が進むようになる．であるから激しい運動中には乳酸が筋肉に蓄積して細胞内pHが低下し痙攣が起こる．この蓄積した乳酸の大部分は血中に拡散し，肝臓によって取り込まれてグルコース合成に利用される．

2．乳酸利用 lactate utilization：LDHによって触媒される反応の方向は細胞内のピルビン酸と乳酸の濃度比，$NADH/NAD^+$比によって決まる．例えば，肝臓と心臓ではこの比は運動中の骨格筋に比べて低いので，これらの臓器では乳酸（血中から得る）を酸化してピルビン酸にする．肝臓ではピルビン酸は糖新生によりグルコースに変換されるかアセチルCoAに変換されてTCA回路で酸化される．心筋では乳酸を（ピルビン酸経由で）TCA回路で酸化してCO_2とH_2Oにする．

3．乳酸アシドーシス lactic acidosis：血漿中の乳酸濃度が上昇した状態を乳酸アシドーシス（代謝性アシドーシスの一種）と呼び，心筋梗塞，肺塞栓，大量の出血，**ショック状態**などで**循環系が虚脱**した場合に起こる．組織に十分量の酸素を供給することができず酸化的リン酸化が障害されATP合成が減少する．細胞は生存するためにATP合成のバックアップシステムとして嫌気的解糖を利用し，乳酸が最終産物として産生される．［注：組織への十分な血流が再開されるまでの時期は，たとえ少量のATPでも合成されることが生命を救うことになる．］酸素の入手可能性が不十分な時期から回復するために必要な，余分の酸素を**酸素負債 oxygen debt**と呼ぶ．［注：酸素負債はしばしば患者の病状・予後と相関関係がある．多くの臨床現場では，血中乳酸濃度を測定することにより患者の酸素負債を迅速に早期に発見することができ，患者の回復度をモニターすることができる．］

L．解糖系におけるエネルギー収率

解糖系の基質レベルのリン酸化でATPがある程度産生されるけれども，最終産物であるピルビン酸ないし乳酸は，もともとグルコースが含んでいるエネルギーの大部分をいまだ保持している．そのエネルギーを完全に回収するためにはTCA回路が必要となる．

1．嫌気的解糖：グルコース１分子が乳酸２分子に変換されるたびに正味２分子のATPが合成される（図 8.22）．NADHの正味の産生も消費もない．

2．好気的解糖：好気的解糖でもグルコース１分子あたり正味２分子のATPが産生されるという点では嫌気的解糖と同じである．ただしグルコース１分子あたり２分子のNADHが産生される．好気的解糖が進行するためにはこのNADHが電子伝達鎖によって酸化されるこ

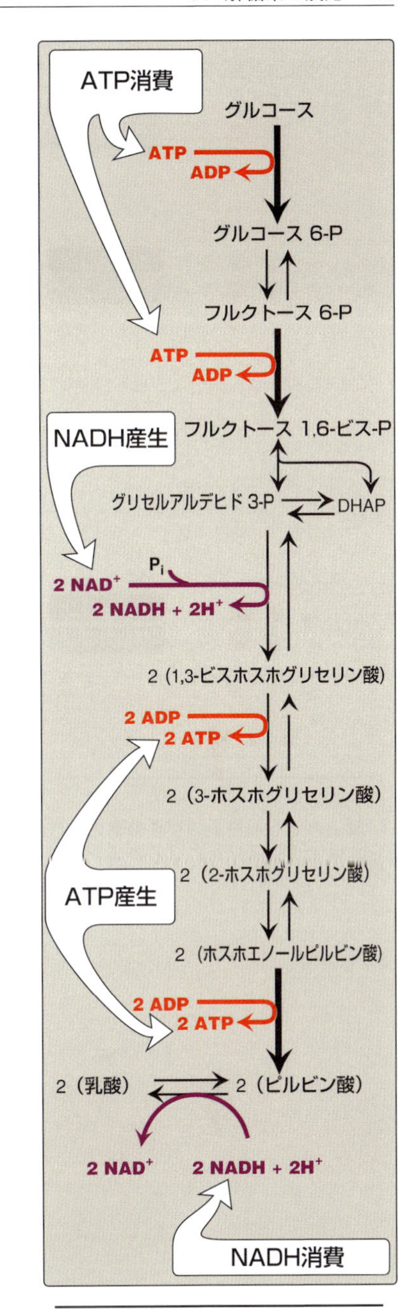

図 8.22
嫌気的解糖のまとめ．ATPないしニコチンアミドアデニンジヌクレオチド（NADH）の産生・消費にかかわる反応を示してある．解糖系の3つの不可逆反応は太い矢印で示してある．DHAP：ジヒドロキシアセトンリン酸，NAD(H)：ニコチンアミドアデニンジヌクレオチド，ADP：アデノシン二リン酸，P：リン酸．

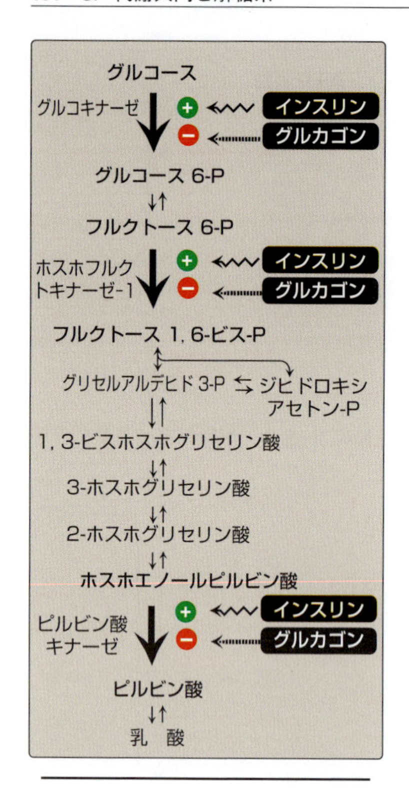

図 8.23
肝臓における解糖系の重要酵素の合成に及ぼすインスリンとグルカゴンの効果．P：リン酸．

とが必要である．このとき電子伝達鎖に入ったNADH 1分子あたりおよそ3分子のATPが産生される（p.98参照）．［注：NADHはそれ自体ではミトコンドリア内膜を通過することができない．通過するために基質シャトル機構が存在する．］

Ⅵ．内分泌制御

解糖系の不可逆酵素の，アロステリックな活性化・阻害や，リン酸化・脱リン酸による共有結合修飾による活性調節は短期のものである（分単位・時間単位の効果）．すでに存在する酵素分子の活性へのこれらの効果の上に重ねて，ホルモンが，新たに合成される酵素分子の数に，長期の影響を与える．ホルモンの効果により酵素活性は数時間・数日のうちに10倍から20倍に上昇しうる．糖質に富む食事を摂ったあとやインスリン投与後には肝臓ではグルコキナーゼ，PFK-1，PKの量が増加する（図8.23）．これらの変化は遺伝子転写の増加による酵素合成の増加を反映している．これら3つの酵素量が上昇することによりグルコースからピルビン酸への変換が促進される．これが栄養状態が良い場合の特徴である．［注：インスリンと糖質（特にグルコース）の転写への効果は，それぞれステロール調節エレメント結合タンパク質-1c sterol regulatory element-binding protein-1cと糖質応答エレメント結合タンパク質carbohydrate response element-binding proteinという転写因子によって媒介されている．これらの因子は脂肪酸合成に関与する遺伝子の転写も調節している．］逆に飢餓状態や糖尿病の場合には，血漿グルカゴン値は高くインスリン値は低くなり，グルコキナーゼ，PFK-1，PKの遺伝子発現は減少する．

Ⅶ．ピルビン酸の別の運命（代謝における）

ピルビン酸は乳酸以外の産物にも代謝されうる．

A．アセチルCoAへの酸化的脱炭酸

PDHCによるピルビン酸の**酸化的脱炭酸 oxidative decarboxylation**は，心筋などのような好気的代謝能が高い組織では重要な経路である（図8.24）．PDHCは好気的解糖系の最終産物であるピルビン酸を，TCA回路の主要な燃料であり脂肪酸合成の炭素の供給源でもある**アセチルCoA**に不可逆的に変換する．

B．オキサロ酢酸へのカルボキシ化

ピルビン酸カルボキシラーゼ pyruvate carboxylaseによるピルビン酸の**オキサロ酢酸 oxaloacetate**（OAA）への**カルボキシ化**はビオチン依存性の反応である（図8.24参照）．この不可逆反応はTCA回路の補充反応であり糖新生の材料を提供する点で，非常に重要である．

C．エタノールへの還元（微生物で）

ピルビン酸からエタノールへの還元は図8.24に示す2反応により

起きる．チアミン要求性のピルビン酸デカルボキシラーゼ pyruvate decarboxylaseによるピルビン酸のアセトアルデヒドへの脱炭酸は，酵母とある種の微生物では起こるがヒトでは起こらない．

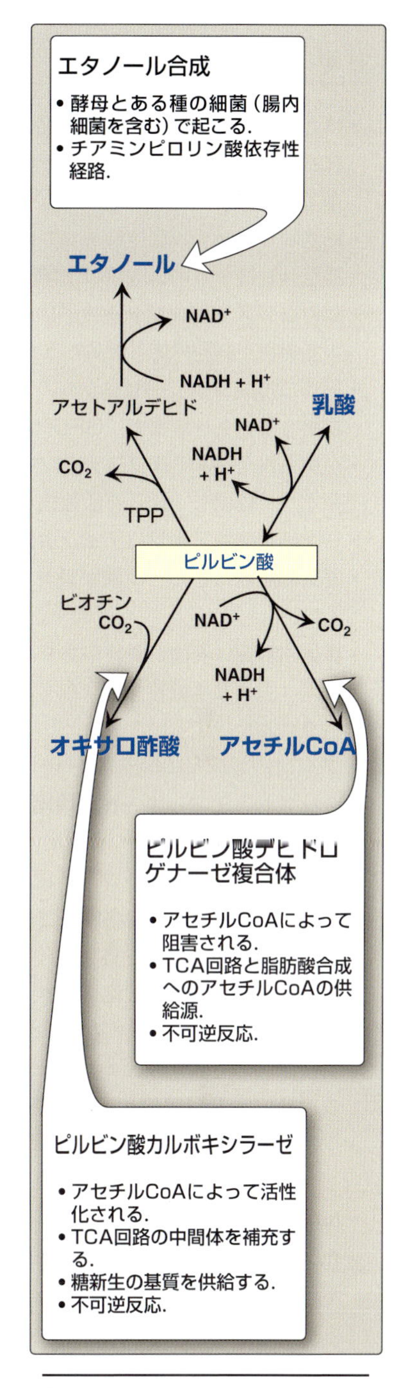

図 8.24
ピルビン酸代謝のまとめ．TPP：チアミンピロリン酸，TCA：トリカルボン酸，NAD（H）：ニコチンアミドアデニンジヌクレオチド，CoA：補酵素A，CO_2：二酸化炭素．

8章の要約

- ほとんどの**代謝経路**は**異化**経路(複雑な分子を少数の単純な産物へと分解し**ATPを産生**する経路)か，**同化**経路(**ATPの加水分解**により単純な前駆体から複雑な最終産物を合成する経路)のいずれかに分類することができる．
- **細胞間**のシグナル伝達によって代謝の統合が行われる．このシグナル伝達の最も重要な経路は**ホルモン**や**神経伝達物質**などの細胞間の**化学的シグナル伝達**である．
- **セカンドメッセンジャー分子**はGタンパク質共役受容体(GPCR)に応答して産生が調節され，化学的シグナルを適切な細胞内応答要素へと伝える．
- **アデニル酸シクラーゼ**はホルモンである**グルカゴン**や**アドレナリン**(**エピネフリン**)に反応し，**cAMP**を合成する膜結合性酵素で，**GPCR**によって調節される．
- 産生されたcAMPは**プロテインキナーゼA**(**PKA**)を活性化し，PKAは重要な酵素群のセリン/トレオニン残基をリン酸化しそれらを活性化ないし不活性化する．
- リン酸化は**ホスホプロテインホスファターゼ**によって取り消される．
- **好気的解糖**は**ピルビン酸**が最終産物であり，ミトコンドリアを持ち十分な酸素供給がある細胞で起こる(図8.25)．
- **嫌気的解糖**は**乳酸**が最終産物であり，ミトコンドリアを欠く細胞や十分な酸素がない細胞で起こる．
- グルコースは組織特異的分布を示す**グルコース輸送体**(**GLUT**)によって細胞膜を受動的に通過し細胞内に輸送される．
- グルコースからピルビン酸への酸化(**解糖**，図8.25)は2段階で起こる．ATPを消費してリン酸化中間体が合成される**エネルギー投資段階**と，**基質レベルのリン酸化**によりATPが合成される**エネルギー獲得段階**である．
- **ヘキソキナーゼ**はグルコースに対して**高い親和性**(**低K_m**)と**低いV_{max}**を持ち，グルコース6-リン酸によって阻害される．**グルコキナーゼ**はグルコースに対して高いK_mと高いV_{max}を持つ．グルコキナーゼは**グルコキナーゼ調節タンパク質**(**GKPR**)を介してフルクトース6-リン酸によって間接的に阻害され，グルコースによって間接的に**活性化**される．
- グルコース6-リン酸は**フルクトース6-リン酸**に異性化され，フルクトース6-リン酸は**ホスホフルクトキナーゼ-1**(**PFK-1**)によってリン酸化されて**フルクトース1,6-ビスリン酸**になる．解糖系のエネルギー投資段階では**2分子のATP**が消費される．
- フルクトース1,6-ビスリン酸は開裂して2個の三炭糖が生成し，これらは解糖系でさらに代謝されてピルビン酸となる．この解糖系のエネルギー獲得段階では1分子のグルコースから**4分子のATP**と**2分子のNADH**が産生される．
- **ホスホエノールピルビン酸**(**PEP**)からピルビン酸が合成される最終段階は**ピルビン酸キナーゼ**(**PK**)によって触媒される．**PK欠損**は解糖系酵素の遺伝的欠損のほとんどを占める．効果は**赤血球**に限られ，中等度から高度の**慢性溶血性貧血**をもたらす．
- 解糖系酵素の**遺伝子転写**は，インスリンとグルコースによって増強する．

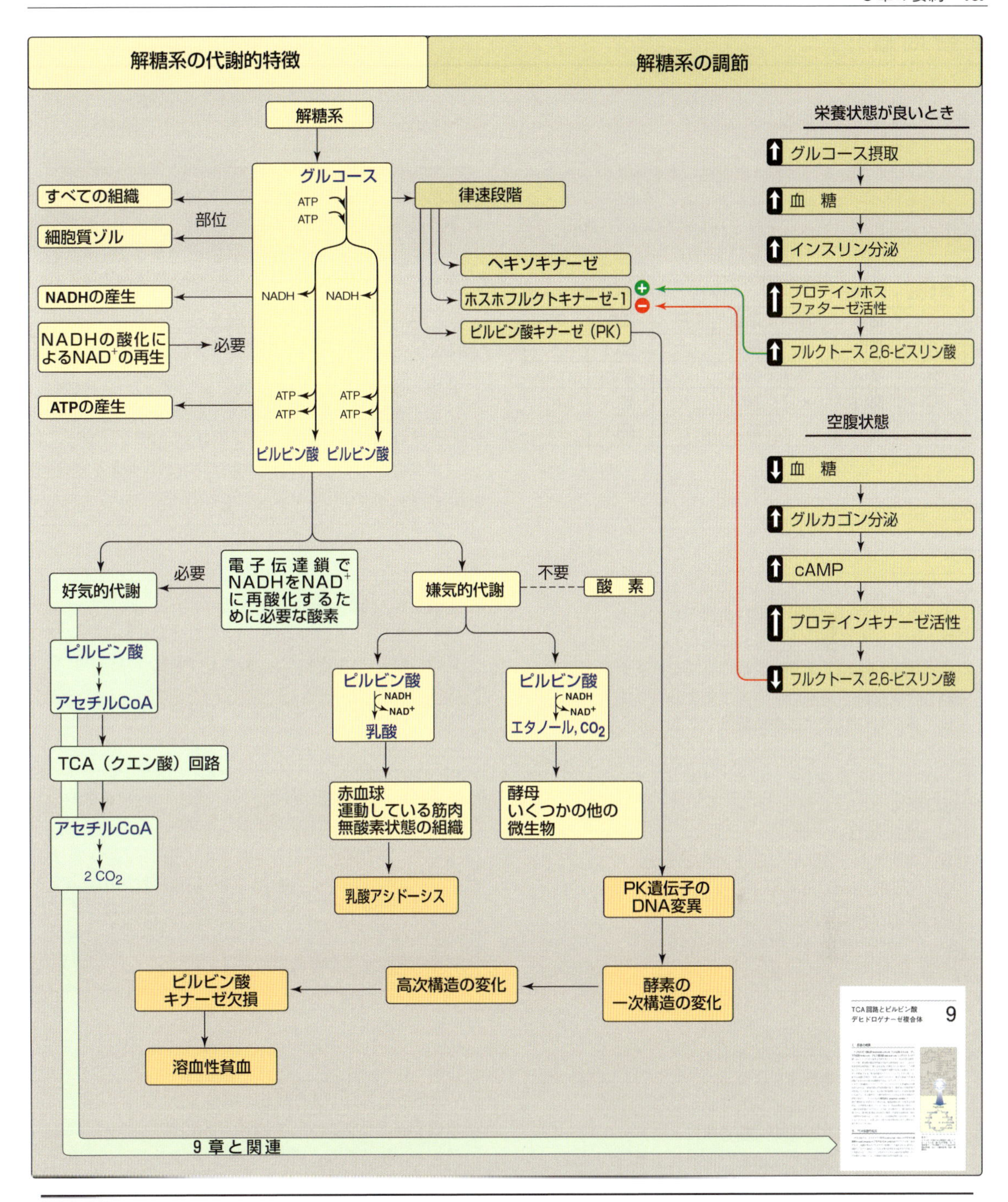

図 8.25
解糖系の概念図．NAD（H）：ニコチンアミドアデニンジヌクレオチド，cAMP：サイクリックAMP，CoA：補酵素A，TCA：トリカルボン酸，CO_2：二酸化炭素．

学習問題

最適な答えを1つ選びなさい.

8.1 1時間前に糖質に富む食事を摂ったヒトの肝臓酵素の活性レベルとリン酸化状態を最も良く記載しているのはどれか. PFK-1：ホスホフルクトキナーゼ-1；PFK-2：ホスホフルクトキナーゼ-2, Ⓟ：リン酸化.

選択肢	PFK-1		PFK-2		ピルビン酸キナーゼ	
	活性	Ⓟ	活性	Ⓟ	活性	Ⓟ
A.	低い	×	低い	×	低い	×
B.	高い	○	低い	○	低い	○
C.	高い	×	高い	×	高い	×
D.	高い	○	高い	○	高い	○

正解 C. 食事直後は血糖値と肝臓によるグルコース取り込みは上昇する. グルコースはリン酸化されてグルコース6-リン酸になり, 解糖系で利用される. 血糖値の上昇に応じてインスリン/グルカゴン比は上昇する. その結果, PFK-2のキナーゼドメインが脱リン酸され, 活性化される. その産物であるフルクトース2,6-ビスリン酸はアロステリックにPFK-1を活性化する(PFK-1は共有結合調節を受けない). 活性化されたPFK-1はフルクトース1,6-ビスリン酸を合成し, これがピルビン酸キナーゼ(PK)をフィードフォワード活性化する. 肝臓のPKは共有結合調節を受け, インスリン上昇により脱リン酸(活性化)される.

8.2 同化経路にのみ当てはまるのはどれか.
A. 不可逆的(非平衡)反応は調節されている.
B. 中間代謝産物が再生される場合, 回路と呼ばれる.
C. 収束性経路であり, 少数の単純な産物を産み出す.
D. 合成経路であり, エネルギーを必要とする.
E. 典型的には酸化型の補酵素を必要とする.

正解 D. 同化経路は合成経路でありエネルギーを必要とする(吸エルゴン反応). AとBは同化経路と異化経路の両方に当てはまる. CとEは異化経路のみに当てはまる.

8.3 静止状態と比較すると, 激しく収縮している筋肉では何が起こっているか.
A. AMP/ATP比の低下.
B. フルクトース2,6-ビスリン酸濃度の低下.
C. NADH/NAD$^+$比の低下.
D. 酸素の入手可能性の増加.
E. ピルビン酸から乳酸への還元の増加.

正解 E. 激しく収縮している骨格筋では静止状態の筋肉に比べて, ピルビン酸から乳酸への還元が増加している. 還元型ニコチンアミドアデニンジヌクレオチド(NADH)の濃度が上昇し, 電子伝達鎖の酸化能力を超える. その結果, アデノシン一リン酸(AMP)の濃度が上昇する. フルクトース2,6-ビスリン酸濃度は骨格筋では重要な調節因子ではない.

8.4 グルコース輸送に関して正しいものはどれか.
A. 脳細胞では能動輸送による.
B. 腸管粘膜細胞ではインスリンを必要とする.
C. 肝細胞ではグルコース輸送体による.
D. ほとんどの細胞では単純な拡散による.

正解 C. 肝臓, 脳, 筋肉, 脂肪組織におけるグルコース取り込みは, 濃度勾配に従うものであり, 輸送は組織特異的なグルコース輸送体(GLUT)によって促進される. 脂肪組織と筋肉では, インスリンがグルコース取り込みに必要である. 濃度勾配に逆らってグルコースを移動させるためには, エネルギーが必要であり, 腸管粘膜細胞のナトリウム依存性グルコース共輸送体-1(SGLT-1)による取り込みがそうである. いくつかのガス(気体)を例外として, 細胞内への膜輸送は単純な拡散では起こらない. すべてのグルコース輸送はGLUT輸送体タンパク質を利用する.

8.5　グルコースに対するK_mがグルコキナーゼでは10 mMで，ヘキソキナーゼでは0.1 mMであると仮定した場合，血糖値が正常値の5 mMのときに，どちらのアイソザイムがV_{max}に達するか(訳注：mM = mmol/L).

正解　ヘキソキナーゼ．K_m(ミカエリス定数)はV_{max}が1/2となるときの基質濃度である．血糖値が5 mMのとき，ヘキソキナーゼ(K_m = 0.1 mM)は飽和しているが，グルコキナーゼ(K_m = 10 mM)は飽和していない.

8.6　百日咳患者では$G\alpha_i$は阻害されている．どうしてこのとき，サイクリックAMP(cAMP)濃度は上昇するのか.

正解　$G\alpha_i$タイプのGタンパク質は共役するGタンパク質共役受容体にリガンドが結合すると，アデニル酸シクラーゼ(AC)を抑制する．もし$G\alpha_i$が百日咳毒素によって阻害されると，ACによるcAMPの産生が異様に増加する.

TCA回路とピルビン酸デヒドロゲナーゼ複合体 9

Ⅰ．回路の概要

トリカルボン酸回路 tricarboxylic acid cycle（**TCA回路 TCA cycle**，**クレブス回路 Krebs cycle**，**クエン酸回路 citric acid cycle**とも呼ばれる）は代謝においていくつかの重要な役割を果たしている．TCA回路は糖質，アミノ酸，脂肪酸の酸化的代謝が合流する最終経路であり，これらの炭素骨格は最終的に二酸化炭素（CO_2）に酸化される（図9.1）．この酸化によりヒトを含むほとんどの動物でATPの産生に必要なエネルギーが供給される．TCA回路はすべてミトコンドリア内で起こり，電子伝達鎖（[ETC]）と密接に結びついており，電子伝達鎖ではTCA回路で産生された還元型補酵素であるニコチンアミドアデニンジヌクレオチド（NADH）とフラビンアデニンジヌクレオチド（$FADH_2$）の酸化が行われる．TCA回路は好気的経路であり，酸素（O_2）が最終電子受容体として必要である．また体の異化経路のほとんどはTCA回路に合流する．ある種のアミノ酸の異化のような反応はTCA回路の中間体を産生し，これらの反応は**補充反応 anaplerotic reaction**（ギリシャ語で"補充する"の意から）と呼ばれる．TCA回路は多くの重要な合成反応にも中間体を供与している．例えば，TCA回路はある種のアミノ酸の炭素骨格からのグルコース合成，ある種のアミノ酸（20章V.参照）やヘム（21章Ⅱ.B.参照）の合成など数多くの重要な同化反応に対して中間体を供給する．したがって，この回路は閉じられた系として考えるべきではなく，必要に応じて種々の化合物が出入りする開かれた系と考えるべきである．

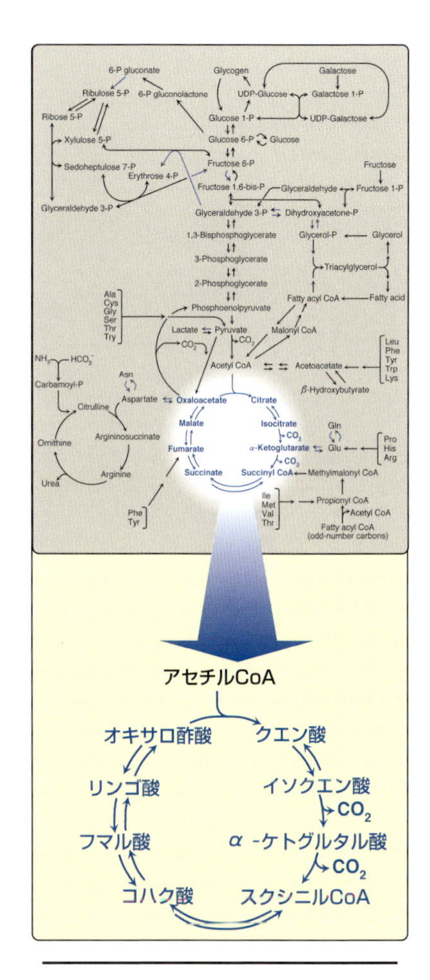

図 9.1
エネルギー代謝の中心経路の一部としてのトリカルボン酸（TCA）回路．［注：代謝経路マップの詳細についてはp.116の図8.2参照．］CO_2：二酸化炭素，CoA：補酵素A．

Ⅱ．TCA回路の反応

TCA回路では，まずオキサロ酢酸oxaloacetate（OAA）が**アセチル補酵素A acetyl coenzyme A**（**アセチルCoA acetyl CoA**）のアセチル基と縮合するが，回路の終わりにはオキサロ酢酸として再生される（図9.1）．回路にアセチルCoAとして入る2個の炭素原子は2分子のCO_2として回路を出る．したがって，1分子のアセチルCoAがTCA回路に入って回路が1回転しても，中間体の正味の産生や消費は起こらない．

A. アセチルCoA産生

TCA回路に対するアセチルCoAの主要な供給源は，多酵素複合体である**ピルビン酸デヒドロゲナーゼ複合体 pyruvate dehydrogenase complex**（**PDH複合体，PDHC**）による**ピルビン酸 pyruvate**の酸化的脱炭酸である．PDHC（下記で説明）はTCA回路の一部分ではない．解糖系の最終産物であるピルビン酸は，細胞質ゾルからミトコンドリアマトリックス内に輸送されなければならない．この輸送はミトコンドリア内膜に存在する特異的なピルビン酸輸送体によって行われる．いったんミトコンドリアマトリックスに入るとピルビン酸はPDHCによってアセチルCoAに変換される．[注：脂肪酸酸化がアセチルCoAのもう1つの供給源である（16章Ⅳ.参照）．]

1．**PDHC構成酵素 PDHC component enzyme**：PDHCはピルビン酸デカルボキシラーゼ pyruvate decarboxylase（E_1，PDHとも呼ばれる），ジヒドロリポアミドアセチルトランスフェラーゼ dihydrolipoyl transacetylase（E_2），ジヒドロリポアミドデヒドロゲナーゼ dihydrolipoyl dehydrogenase（E_3）という3つの酵素の複数コピーからなるタンパク質集合体である．これらの酵素は複合体のなかに複数個存在し，各々が全体の反応の一部を触媒している（図9.2）．これらの酵素が物理的に結合していることにより，中間体が放出されることなく諸反応が正しい順序で連続して起こることが保証される．ピルビン酸からアセチルCoAへの変換に関与する酵素に加えて，PDHCには**ピルビン酸デヒドロゲナーゼキナーゼ pyruvate dehydrogenase kinase**（**PDHキナーゼ PDH kinase**）と**ピルビン酸デヒドロゲナーゼホスファターゼ pyruvate dehydrogenase phosphatase**（**PDHホスファターゼ PDH phosphatase**）という2つの調節酵素も強固に結合している．

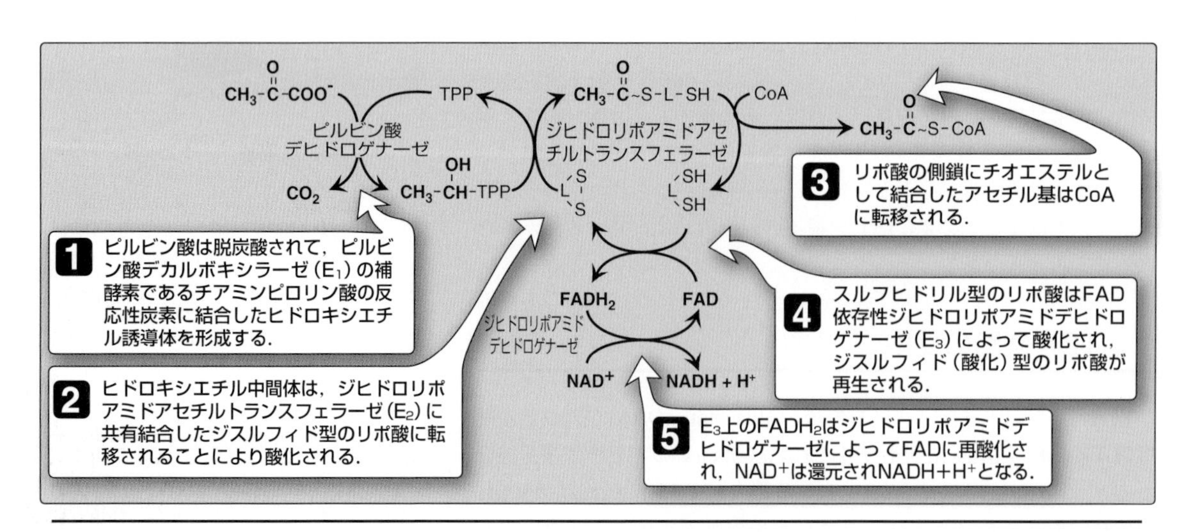

図9.2
ピルビン酸デヒドロゲナーゼ複合体のなかの酵素（E）の作用機構．［注：リポ酸を例外として，複合体のすべての補酵素はビタミン由来である．TPPはチアミン，FADはリボフラビン，NADはナイアシン，CoAはパントテン酸に由来する．］CO_2：二酸化炭素，TPP：チアミンピロリン酸，L：リポ酸，CoA：補酵素A，FAD（H_2）：フラビンアデニンジヌクレオチド，NAD（H）：ニコチンアミドアデニンジヌクレオチド，～：高エネルギー結合．

2．補酵素 coenzyme：PDHCは図9.2に示した反応の中間体の担体ないし酸化因子として機能する5つの補酵素を含んでいる．E_1 は**チアミンピロリン酸 thiamine pyrophosphate**（TPP）を必要とし，E_2 は**リポ酸 lipoic acid** とCoAを必要とし，E_3 はFADとNAD^+を必要とする．［注：TPP，リポ酸，FADは酵素に強く結合し，補酵素-補欠分子族として機能する（p.69参照）．］

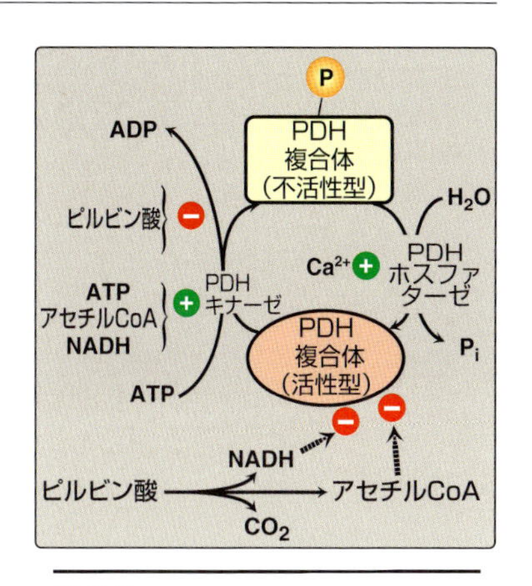

図 9.3
ピルビン酸デヒドロゲナーゼ（PDH）複合体の調節．Ⓟ：リン酸．（⇢は生成物阻害を示す．）

> チアミンやナイアシンの不足は深刻な中枢神経系の症状を引き起こしうる．これは脳細胞がPDHCが不活性なときには，適切に機能するために必要なATPをTCA回路により産生することができないためである．チアミン欠乏によるウェルニッケ・コルサコフ症候群 Wernicke-Korsakoff syndrome（脳症-精神病症候群）はアルコール使用障害に伴ってみられる．

3．調節：PDHCの一部を構成する2つの調節酵素の一方による共有結合修飾はE_1 を活性化し他方による共有結合修飾はE_1 を不活性化する．PDHキナーゼはE_1 をリン酸化することにより不活性化するのに対して，PDHホスファターゼはE_1 を脱リン酸し，活性化する（図9.3）．PDHキナーゼ自体はATP，アセチルCoA，NADHによってアロステリックに活性化される．したがって，これらの高エネルギーシグナルが存在するときには，PDHCは働かない．［注：実際に酵素活性に影響を及ぼすのは，ATP/ADP（アデノシン二リン酸）比，$NADH/NAD^+$比，アセチルCoA比の上昇である．］

ピルビン酸はPDHキナーゼの強力な阻害因子である．したがって，ピルビン酸濃度が上昇するとE_1 は最大限に活性化される．カルシウム（Ca^{2+}）はPDHホスファターゼの強力な活性化因子であり，E_1 活性を上昇させる．これは特に骨格筋で重要である．骨格筋では収縮時のCa^{2+}放出がPDHCを活性化し，エネルギー産生を増加させるからである．［注：PDHキナーゼとPDHホスファターゼによる共有結合修飾が重要であるが，PDHCは生成物（NADHとアセチルCoA）阻害も受ける．］

4．欠損：PDHCの四量体E_1 のαサブユニット活性欠損はまれであるが，**先天性乳酸アシドーシス congenital lactic acidosis** の最も多い生化学的原因である．この酵素欠損によりピルビン酸をアセチルCoAに変換させることができず，ピルビン酸は乳酸デヒドロゲナーゼ lactate dehydrogenaseにより乳酸に変換される（p.132参照）．これはエネルギーのほとんどをTCA回路に依存しており，特にアシドーシスに対して弱い脳に深刻な問題を引き起こす．症状はさまざまであり，神経変性，筋痙縮などがあり，新生児発症型では早期の死を招く．αサブユニットをコードする遺伝子はX染色体上にある．変異を持つX染色体1本の遺伝のみで病気が起きる．すなわち遺伝形式は**X連鎖（伴性）**

優性 X-linked dominantであり，男性も女性も症状を呈する．PDHC欠損には確立された治療法はないが，限られた症例では糖質摂取を制限し，チアミンを補充すると症状が軽減される．

> リー症候群 Leigh syndrome（亜急性壊死性脳脊髄症）はまれな進行性の神経変性疾患であり，ミトコンドリアにおけるATP産生の欠陥により引き起こされる．その原因は主としてPDHC，電子伝達鎖，もしくはATPシンターゼをコードする遺伝子の変異であり，核DNAもしくはミトコンドリアDNAの変異がある．

5．**ヒ素中毒**：前述したように(p.131参照)，五価のヒ素(ヒ酸塩)はグリセルアルデヒド3-リン酸の段階で解糖系を妨害し，ATP産生を減少させる．しかし**ヒ素中毒 arsenic poisoning**は主として，PDH，α-ケトグルタル酸デヒドロゲナーゼ α-ketoglutarate dehydrogenase（下記E.参照），分枝鎖α-ケト酸デヒドロゲナーゼ branched-chain α-keto acid dehydrogenase（20章Ⅲ.参照）などのリポ酸を補酵素として要求する酵素の阻害に起因する．亜ヒ酸塩（ヒ素の三価型）はリポ酸のスルフヒドリル基(-SH基，チオール基)と安定な複合体を形成し，リポ酸を補酵素として機能できなくしてしまう．亜ヒ酸塩がPDHC中のリポ酸に結合するとピルビン酸が(そしてその結果として乳酸が)蓄積する．このことによりPDHC欠損と同様に，脳が傷害され，神経障害および死をもたらす．

B. クエン酸合成

アセチルCoAと**オキサロ酢酸 oxaloacetate**（OAA）が不可逆的に縮合して**クエン酸**(TCA)を生成する反応はクエン酸シンターゼ citrate synthaseというTCA回路の最初の酵素によって触媒される（図9.4）（訳注：シンターゼは2分子の結合にATP（ないし他のヌクレオシド三リン酸）の加水分解が直接かかわらないものをさし，シンテターゼはATP（ないし他のヌクレオシド三リン酸）の加水分解がかかわるものをさす．ただし近年この厳密な使い分けは行われなくなってきている．p.68の囲み記事参照）．このアルドール縮合は大きなマイナスの標準自由エネルギー変化（ΔG°）を持っている．クエン酸シンターゼはその生成物であるクエン酸によって阻害される．クエン酸シンターゼは基質の利用可能性によっても調節されている．酵素にOAAが結合するとアセチルCoAに対する親和性が大きく増大する．［注：クエン酸はTCA回路の中間体であるだけでなく，細胞質ゾルでの脂肪酸とコレステロール合成の原料であるアセチルCoAを供給するという役割も担っている．クエン酸は解糖系の律速酵素であるホスホフルクトキナーゼ-1 phosphofructokinase-1(PFK-1)も阻害し，アセチルCoAカルボキシラーゼ acetyl CoA carboxylase（脂肪酸合成の律速酵素，16章Ⅲ.参照）を活性化する．］

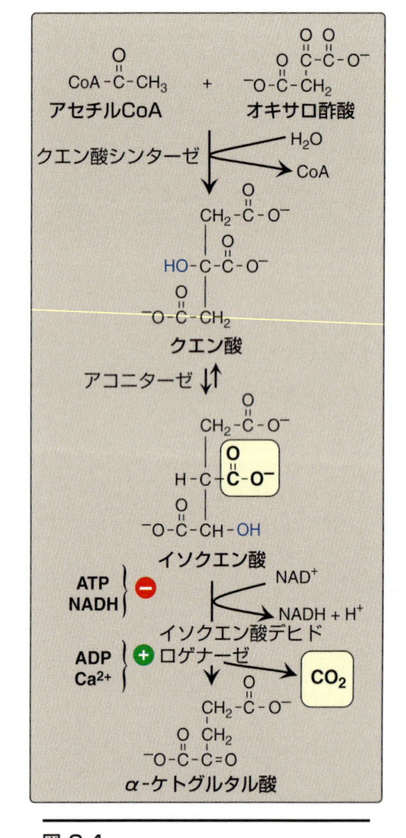

図9.4
アセチルCoAとオキサロ酢酸からのα-ケトグルタル酸生成．NAD(H)：ニコチンアミドアデニンジヌクレオチド，CO_2：二酸化炭素．

C．クエン酸の異性化

クエン酸 citrate は鉄-硫黄タンパク質である **アコニターゼ aconitase**（アコニット酸ヒドラターゼ aconitate hydratase）の触媒するヒドロキシ基移動によって **イソクエン酸 isocitrate** に異性化される（図9.4参照）．[注：アコニターゼは植物由来の殺虫薬である **フルオロ酢酸塩 fluoroacetate**（フルオロアセテート）によって阻害される．フルオロ酢酸塩はフルオロアセチルCoAに変換され，これがOAAと縮合してフルオロクエン酸になる．このフルオロクエン酸はアコニターゼの強力な阻害物質である．]

D．イソクエン酸の酸化的脱炭酸

イソクエン酸デヒドロゲナーゼ isocitrate dehydrogenase はイソクエン酸の **α-ケトグルタル酸 α-ketoglutarate** への不可逆的な酸化的脱炭酸を触媒し，TCA酸回路で産生される3つのNADH分子のうち最初のNADHを生み出し，最初の CO_2 を放出する（図9.4参照）．これはTCA回路の律速段階の1つである．この酵素はアデノシン二リン酸 adenosine diphosphate（ADP，低エネルギーシグナル）と Ca^{2+} によってアロステリックに活性化され，ATPやNADH（細胞が豊富なエネルギー貯蔵を有するときに濃度が上昇）によって阻害される．

E．α-ケトグルタル酸の酸化的脱炭酸

α-ケトグルタル酸 α-ketoglutarate の **スクシニルCoA succinyl CoA** への不可逆的変換は，α-ケトグルタル酸デヒドロゲナーゼ複合体によって触媒される．この酵素複合体は3つの酵素の複数コピーからなるタンパク質集合体から構成されている（図9.5）．この酸化的脱炭酸の機構はピルビン酸からアセチルCoAへの変換に用いられる機構（PDHCによる）と非常に類似している．この反応でTCA回路の第二の CO_2 が放出され，第二のNADHが産生される．必要な補酵素は **チアミンピロリン酸 thiamine pyrophosphate**，**リポ酸**，**FAD**，**NAD^+**，**CoA** である．各々はPDHCで記載したのと同様の機構で触媒作用に関与している．反応は大きなマイナスの $\Delta G°$ を持っているので，アセチルCoAと同様の高エネルギーチオエステルであるスクシニルCoA生成の方向に偏っている．α-ケトグルタル酸デヒドロゲナーゼ複合体は反応産物のNADHとスクシニルCoAによって阻害され，Ca^{2+} によって活性化される．しかしPDHCとは異なり，リン酸化・脱リン酸反応によっては調節を受けていない．[注：α-ケトグルタル酸はアミノ酸であるグルタミン酸の酸化的脱アミノやアミノ転移によっても産生される．]

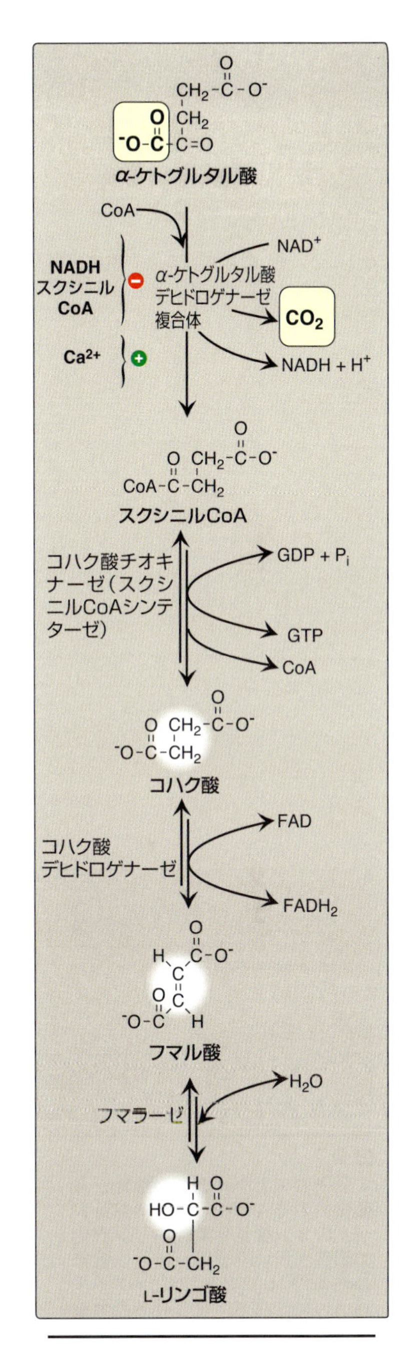

図 9.5
α-ケトグルタル酸からのリンゴ酸生成．NAD(H)：ニコチンアミドアデニンジヌクレオチド，GDP：グアノシン二リン酸，P_i：無機リン酸，CoA：補酵素A，FAD(H_2)：フラビンアデニンジヌクレオチド．

F．スクシニルCoA の開裂

コハク酸チオキナーゼ succinate thiokinase（**スクシニルCoAシンテターゼ succinyl CoA synthetase**，逆反応からの命名）はスクシニルCoAの高エネルギーチオエステル結合を切断する（図9.5参照）．この反応はグアノシン二リン酸（GDP）のグアノシン三リン酸（GTP）へのリン酸化反応と共役している．GTPとATPはヌクレオシド二リン酸キナー

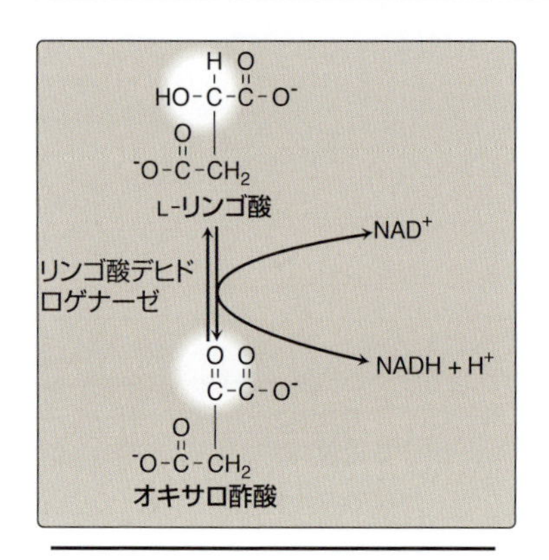

図 9.6
リンゴ酸からのオキサロ酢酸生成（再生）．NAD（H）：ニコチンアミドアデニンジヌクレオチド．

ゼ反応によって相互変換可能である：

$$\mathrm{GTP + ADP \rightleftarrows GDP + ATP}$$

コハク酸チオキナーゼ succinate thiokinaseによるGTP産生は**基質レベルのリン酸化 substrate-level phosphorylation**の一例である（p.130 参照）．［注：スクシニルCoAは奇数の炭素原子を持つ脂肪酸やいくつかのアミノ酸の異化で生じるプロピオニルCoAからも産生される．スクシニルCoAはピルビン酸に変換されて糖新生に用いられたり，ヘム合成に用いられたりする（10 章参照）．］

G．コハク酸の酸化

コハク酸 succinateはコハク酸デヒドロゲナーゼ succinate dehydrogenaseによって酸化されて**フマル酸 fumarate**になる．このとき補酵素FADは還元されて$FADH_2$になる（図 9.5 参照）．コハク酸デヒドロゲナーゼはTCA回路の酵素のなかで唯一，ミトコンドリア内膜に埋め込まれている酵素である．そのようにしてこの酵素は電子伝達鎖の複合体Ⅱとして機能する（p.95 参照）．［注：コハク酸の還元力はNAD^+を還元するほど大きくないので，NAD^+ではなくFADが電子受容体となる．］

H．フマル酸の水和

フマル酸は水和されて**リンゴ酸 malate**になる．これは**フマラーゼ fumarase**（フマル酸ヒドラターゼ fumarate hydratase，図 9.5 参照）によって触媒される可逆反応である．［注：フマル酸は尿素回路，プリン合成（図 22.7 参照），フェニルアラニン，チロシンというアミノ酸の異化でも生成する．］

エネルギー産生反応	産生されるATPの数
3 NADH ⟶ 3 NAD^+	9*1
$FADH_2$ ⟶ FAD	2*2
GDP + P_i ⟶ GTP	1
	12 ATP*3/酸化されるアセチルCoA

図 9.7
1 分子のアセチルCoAの酸化から産生されるATP分子の数（基質レベルのリン酸化と酸化的リン酸化の両者を用いた合計）（訳注：近年の研究では，*1 2.5×3＝7.5，*2 1.5×1＝1.5，*3 1分子のアセチルCoAの酸化から，7.5＋1.5＋1＝10分子のATPが産生されることが明らかになっている）．NAD（H）とFAD（H_2）：ニコチンアミドアデニンジヌクレオチドとフラビンアデニンジヌクレオチド，GDPとGTP：グアノシン二（三）リン酸，P_i：無機リン酸．

I．リンゴ酸の酸化

リンゴ酸はリンゴ酸デヒドロゲナーゼ malate dehydrogenaseによって酸化されてOAAになる（図 9.6）．この反応によってTCA回路における 3 番目のそして最後の**NADH**ができる．この反応のΔG°はプラスであるが，大きな発エルゴン反応であるクエン酸シンターゼ反応によってOAA生成の方向に進む．［注：OAAはアスパラギン酸というアミノ酸のアミノ転移でも産生される．］

Ⅲ．TCA回路によって産生されるエネルギー

TCA回路が 1 回転するごとに 4 対の電子が伝達される．このうち 3 対は 3 分子のNAD^+を還元して**3 分子のNADH**を生成し，1 対はFADを還元して**$FADH_2$**を生成する．電子伝達鎖での 1 分子のNADHの酸化によりおよそ 3 分子のATPが生じ，1 分子の$FADH_2$の酸化により 2 分子のATPが生じる．1 分子のアセチルCoAの酸化で得られるATPの総収量を図 9.7 に示す．図 9.8 にTCA回路の反応をまとめる（訳注：p.98 の訳注で述べたように，近年の研究から，1 分子の

NADHの酸化により約2.5分子のATPが産生され，1分子の$FADH_2$の酸化により約1.5分子のATPが生じることが明らかになっている）．［注：回路ではOAAや他の中間体に関して正味の消費も産生も起こらない．2個の炭素原子がアセチルCoAとして回路に入り，2分子のCO_2として回路から出ていく．］

Ⅳ. TCA回路の調節

主としてPFK-1によって調節されている解糖系と異なり，TCA回路はいくつかの酵素活性の調節により制御されている（図9.8参照）．これらの調節を受けている酵素のなかで最も重要なものは，大きなマイナスの$\Delta G°$を持つ反応を触媒する酵素：クエン酸シンターゼ，イソクエン酸デヒドロゲナーゼ，α-ケトグルタル酸デヒドロゲナーゼ複合体である．酸化的リン酸化に必要な還元当量はPDHCおよびTCA回路によって産生され，これらの反応はATP/ADP比の減少に伴って活性化される．

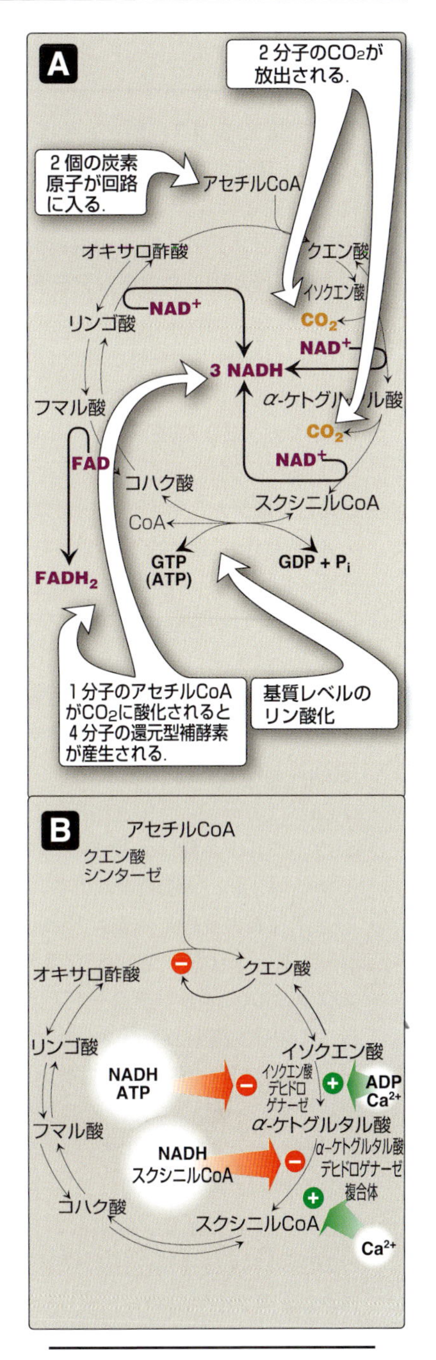

図9.8
A. トリカルボン酸（TCA）酸回路における還元型補酵素，ATP，CO_2の産生．［注：GTPとATPはヌクレオシド二リン酸キナーゼにより相互変換可能である．］
B. 回路の阻害因子・活性化因子．

9章の要約

- **TCA回路**(**クレブス回路**とも呼ばれる)において,**ピルビン酸**はピルビン酸デヒドロゲナーゼ複合体(**PDHC**)によって**酸化的脱炭酸**を受け,**アセチルCoA**になる(図9.9).(訳注:厳密にはPDHCはTCA回路の一部ではなく,TCA回路の燃料であるアセチルCoAを供給する酵素である.)
- 多酵素複合体PDHCは5つの補酵素を要求する.**チアミンピロリン酸**,**リポ酸**,**フラビンアデニンジヌクレオチド**(**FAD**),**ニコチンアミドアデニンジヌクレオチド**(**NAD^+**)と**補酵素A**(**CoA**,ビタミンのパントテン酸を含む)である.
- PDHCは**PDHキナーゼ**と**PDHホスファターゼ**による**E_1**の共有結合修飾によって調節されている.すなわちリン酸化はE_1を抑制する.
- PDHキナーゼはATP,アセチルCoA,NADHによりアロステリックに活性化されピルビン酸によりアロステリックに抑制される.ホスファターゼはカルシウム(Ca^{2+})によって活性化される.
- **ピルビン酸デカルボキシラーゼ欠損**は**先天性乳酸アシドーシス**の最もよくみられる生化学的原因である.この**X連鎖**(**伴性**)**優性**疾患においては,脳が深刻な損傷を受ける.
- **ヒ素中毒**ではヒ素がリポ酸に結合することによりPDHCが失活する.TCA回路では,**クエン酸シンターゼ**により**オキサロ酢酸**(**OAA**)と**アセチルCoA**から**クエン酸**が合成される.この酵素はクエン酸による生成物阻害を受ける.
- **クエン酸**は**アコニターゼ**(**アコニット酸ヒドラターゼ**)によって異性化されて**イソクエン酸**になる.イソクエン酸は**イソクエン酸デヒドロゲナーゼ**によって酸化的脱炭酸され**α-ケトグルタル酸**になり,**二酸化炭素**(**CO_2**)と**NADH**が産生される.この酵素はATPとNADHによって阻害され,アデノシン二リン酸(ADP)とCa^{2+}によって活性化される.
- **α-ケトグルタル酸**は**α-ケトグルタル酸デヒドロゲナーゼ複合体**によって酸化的脱炭酸され**スクシニルCoA**になり,CO_2とNADHが産生される.この酵素はPDHCに非常に類似しており,同一の補酵素を利用する.
- α-ケトグルタル酸デヒドロゲナーゼ複合体はカルシウムによって活性化され,NADHとスクシニルCoAによって阻害されるが,共有結合修飾による調節は受けない.スクシニルCoAは**コハク酸チオキナーゼ**(訳注:**スクシニルCoAシンテターゼ**とも呼ばれる)によって開裂され,**コハク酸**と**GTP**が生成する.これは**基質レベルのリン酸化**の一例である.
- コハク酸は**コハク酸デヒドロゲナーゼ**によって酸化されて**フマル酸**になり,**$FADH_2$**が産生される.**フマル酸**は**フマラーゼ**(**フマル酸ヒドラターゼ**)によって水和し**リンゴ酸**になり,**リンゴ酸**は**リンゴ酸デヒドロゲナーゼ**によって酸化されてオキサロ酢酸(OAA)となり,**NADH**ができる.
- TCA回路が1回転する間に**3分子のNADH**,**1分子の$FADH_2$**が産生される.
- PDHCによるピルビン酸からアセチルCoAへの酸化に伴い1分子のNADHが生じる.これらのNADHと$FADH_2$の電子伝達鎖における酸化に伴い14個のATPが産生される(訳注:現在は約11.5分子のATPが産生されると考えられている).TCA回路の基質レベルのリン酸化によって産生されたGTPの末端のリン酸基はヌクレオシド二リン酸キナーゼによりADPに転移されもう1つのATPが産生される.したがってピルビン酸がミトコンドリアにおいてCO_2まで完全に酸化されるとき,全部で15個のATPが産生される(訳注:現在は約12.5分子のATPが産生されると考えられている).

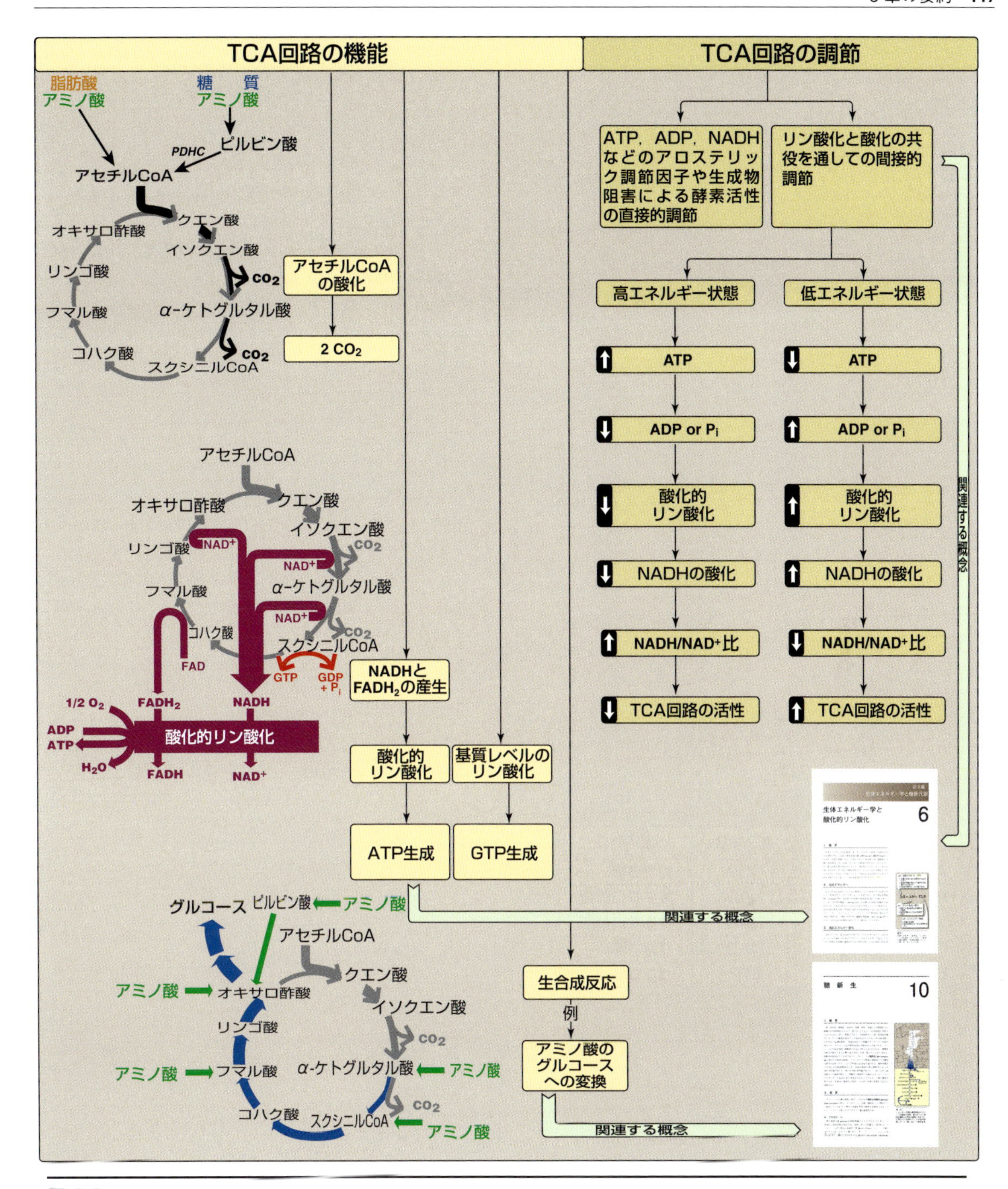

図 9.9
トリカルボン酸（TCA）回路の概念図．PDHC：ピルビン酸デヒドロゲナーゼ複合体，CoA：補酵素A，CO_2：二酸化炭素，NAD（H）：ニコチンアミドアデニンジヌクレオチド，FAD（H_2）：フラビンアデニンジヌクレオチド，GDP：グアノシン二リン酸，GTP：グアノシン三リン酸，ADP：アデノシン二リン酸，P_i：無機リン酸．

学習問題

最適な答えを1つ選びなさい.

9.1 ピルビン酸からアセチルCoAと二酸化炭素(CO_2)への変換に関する以下の記述のうち正しいものはどれか.

A. リポ酸が関与する.

B. ATPの存在下にピルビン酸デヒドロゲナーゼ(PDH)キナーゼによってPDH複合体(PDHC)中のピルビン酸デカルボキシラーゼがリン酸化されると活性化される.

C. 可逆的である.

D. 細胞質ゾルで起こる.

E. 補酵素ビオチンに依存する.

正解 **A**. リポ酸は反応で形成されるアセチル基の一時的受容体である.[注:E_2のリシン残基に結合しているリポ酸は"揺れる腕"の役割を果たしE_1とE_3の相互作用を可能とする.]PDHCは不可逆反応を触媒し,デカルボキシラーゼ成分(E_1)がリン酸化されると抑制される.PDHCはミトコンドリアマトリックスに存在する.ビオチンはピルビン酸カルボキシラーゼが必要とする補酵素であり,デカルボキシラーゼはビオチンを必要としない.

9.2 クエン酸回路によるアセチルCoAの酸化が減少するのは以下のうちどのような状態か.

A. 高カルシウム濃度

B. 高アセチルCoA/CoA比

C. 低ATP/ADP比

D. 低NAD^+/NADH比

正解 **D**. 低NAD^+/NADH(酸化型/還元型ニコチンアミドアデニンジヌクレオチド)比はNAD^+要求性のデヒドロゲナーゼを抑制する.高カルシウム濃度,高基質(アセチルCoA)濃度,低ATP/ADP比は回路を活性化する.

9.3 次に記す式はクエン酸回路中の3段階の総和である:

$$A + B + FAD + H_2O \rightarrow C + FADH_2 + NADH$$

反応式中の"A","B","C"に当てはまる組合せは以下のA～D中のどれか.

反応物A	反応物B	反応物C
A. スクシニル CoA	GDP	コハク酸
B. コハク酸	NAD^+	オキサロ酢酸
C. フマル酸	NAD^+	オキサロ酢酸
D. コハク酸	NAD^+	リンゴ酸
E. フマル酸	GTP	リンゴ酸

正解 **B**. コハク酸＋NAD^+＋FAD＋H_2O→オキサロ酢酸＋NADH＋$FADH_2$

9.4 生後1カ月の男児が神経系の異常と乳酸アシドーシスを呈している．培養皮膚線維芽細胞抽出液のPDHC酵素活性は正常値の5%であり，チアミンピロリン酸(TPP)濃度は低下していた．しかし反応液に高濃度(1,000倍量)のTPPを加えると酵素活性は正常値の80%まで回復した．この患者に関する次の記述のうち最も適切なものはどれか．

A. チアミン投与により血清乳酸値が低下し，臨床症状が改善されると期待される．

B. この患者では高糖質の食事摂取が有益であると期待される．

C. 好気的解糖によるクエン酸産生は上昇していると予想される．

D. PDHCの調節酵素であるPDHキナーゼは活性化されていると予想される．

正解 A. この患者はチアミン反応性PDHC欠損症があると考えられる．PDHCのデカルボキシラーゼ(E_1)成分は低濃度ではチアミンを結合することができないが，チアミンが高濃度に存在すると酵素活性は有意に上昇する．酵素の補酵素(チアミン)に対するK_m(ミカエリス定数)を変化させるこの変異はPDHC欠損患者の全例にみられるわけではないが，一部の患者にはみられる．PDHCの先天異常のすべてにおいて乳酸，ピルビン酸，アラニン(ピルビン酸のアミノ転移による産物)の上昇が認められる．PDHCは糖質代謝に不可欠の構成要素なので，低糖質食はこの酵素欠損の症状を軽減することが期待される．好気的解糖によりPDHCの基質であるピルビン酸が産生される．この酵素複合体の活性減少により，クエン酸シンターゼの基質であるアセチルCoA産生が減少する．PDHキナーゼはピルビン酸によってアロステリックに阻害され不活性となる．

9.5 解糖系とトリカルボン酸(TCA)回路の両者のデヒドロゲナーゼで用いられる補酵素-共基質は何か．

正解 酸化型のニコチンアミドアデニンジヌクレオチド(NAD^+)は解糖系のグリセルアルデヒド-3-リン酸デヒドロゲナーゼおよびTCA回路のイソクエン酸デヒドロゲナーゼ，α-ケトグルタル酸デヒドロゲナーゼ，リンゴ酸デヒドロゲナーゼによって用いられる．[注：ピルビン酸デヒドロゲナーゼ複合体のE_3成分は酸化型のフラビンアデニンジヌクレオチド(FAD)とNAD^+を必要とする.]

糖　新　生　　10

Ⅰ．概　要

脳，赤血球，腎髄質，水晶体，角膜，精巣，運動中の骨格筋などの組織では代謝燃料（エネルギー源）としてグルコースが持続的に供給されなければならない．食後のグルコース供給源として最も重要な肝臓グリコーゲンは糖質が食事として摂取されないとせいぜい24時間しかもたない（p.165参照）．絶食が長引くと肝臓のグリコーゲン貯蔵は底をつき，グルコースは非糖質由来の前駆体から合成される．グルコースの合成は単純に解糖系の逆反応で起こるわけではない．解糖系全体の平衡はピルビン酸生成の方向に大きく偏っているからである．解糖系の逆反応によるのではなく，グルコースは**糖新生 gluconeogenesis**と呼ばれる特別な経路（ミトコンドリアの酵素と細胞質ゾルの酵素の両方を必要とする）によって新規に*de novo*合成される．糖新生酵素の欠損により低血糖が生じる．終夜の絶食の間に糖新生のおよそ90％が肝臓で起こり，残りの10％が腎臓で起こる．しかしながら48時間以上の絶食が続くと，腎臓での糖新生の比重が大きくなり，すべてのグルコース産生の40％程度を占めるようになる．小腸も糖新生を行える．図10.1に糖新生と他のエネルギー代謝の重要な反応との関係を示す．

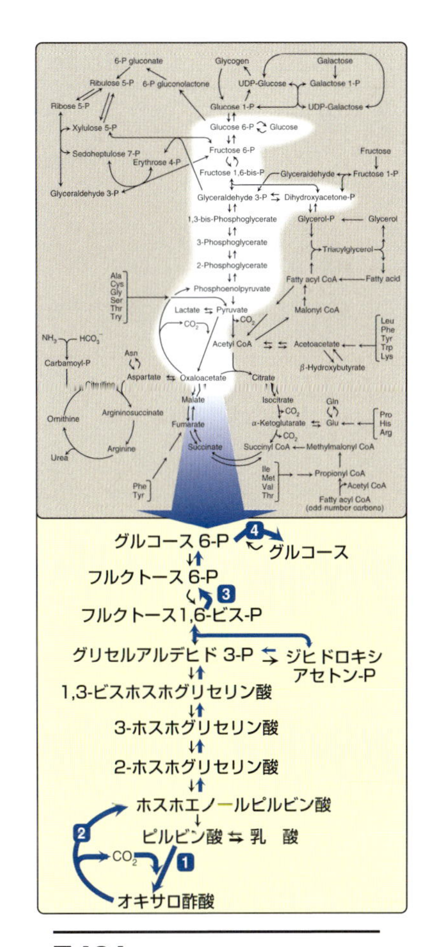

図 10.1
エネルギー代謝の重要経路の1つとしての糖新生経路．番号をつけた経路は糖新生に特有の経路である．［注：代謝のより詳細なマップは図8.2参照．］P：リン酸，CO_2：二酸化炭素．

Ⅱ．基　質

グルコースの正味の産生に寄与しうる分子を**糖新生前駆体 gluconeogenic precursor**と呼ぶ．グリセロール，乳酸，糖原性アミノ酸のアミノ転移で生じたα-ケト酸などは最も重要な糖新生前駆体である．ロイシンとリシンを除くすべてのアミノ酸は糖原性である．

A．グリセロール

グリセロール glycerolは脂肪組織でのトリアシルグリセロール（TAG）の加水分解で放出され，血流に乗って肝臓まで運ばれる．グリセロールはグリセロールキナーゼ glycerol kinaseによってリン酸化されグリセロール3-リン酸になり，グリセロール3-リン酸はグリセロール-3-リン酸デヒドロゲナーゼ glycerol 3-phosphate dehydroge-

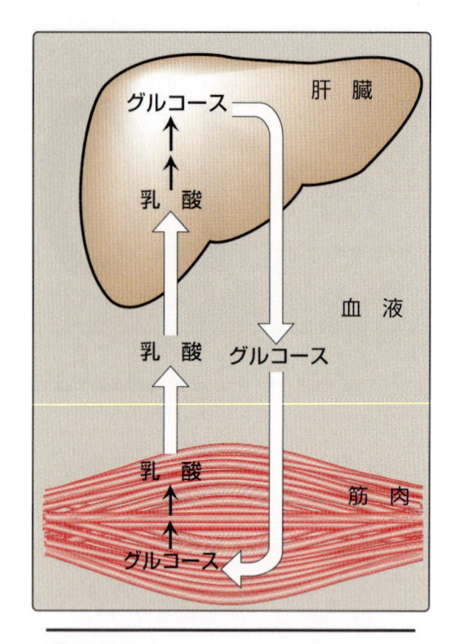

図 10.2
組織間のコリ回路が糖新生と解糖系をつなげる．[注：乳酸とグルコースの細胞膜を越える拡散は輸送タンパク質により促進される．]

naseによって酸化されて解糖系および糖新生の中間体であるジヒドロキシアセトンリン酸になる．

B. 乳 酸

嫌気的解糖由来の**乳酸 lactate**は運動中の骨格筋や赤血球などのミトコンドリアを欠く細胞によって血中に放出される．**コリ回路 Cori cycle**においては，この乳酸は肝臓によって取り込まれてピルビン酸に酸化され，さらにグルコースに変換され，循環血中に戻される(図10.2)．

C. アミノ酸

組織タンパク質の加水分解で生じた**アミノ酸 amino acid**は絶食時の主なグルコース供給源である．アミノ酸代謝によってグルコースに変換されるピルビン酸やTCA回路に入って**ホスホエノールピルビン酸 phosphoenolpyruvate**(PEP)の直接の前駆体であるオキサロ酢酸(OAA)を生成するα-ケトグルタル酸などの**α-ケト酸 α-keto acid**が生じる．[注：アセチル補酵素A(CoA)，およびアセチルCoAしか生成できない化合物(例えば，アセト酢酸やリシンやロイシンなどのアミノ酸)はグルコースの正味の産生をすることができない．これはピルビン酸をアセチルCoAに変換するピルビン酸デヒドロゲナーゼ複合体 pyruvate dehydrogenase complex(PDHC)反応が不可逆過程だからである．これらの化合物はグルコースの代わりにケトン体を生じるので**ケト原性 ketogenic**と呼ばれる．]

Ⅲ. 反 応

解糖系の反応のうち7つは**可逆的reversible**であり，乳酸やピルビン酸からのグルコース合成にも利用される．しかし3つの解糖系反応は**不可逆的irreversible**であり，グルコース合成にエネルギー的に有利な4つの別な反応によって迂回される．これらの糖新生に特有な不可逆反応を以下に記載する．

A. ピルビン酸のカルボキシ化

ピルビン酸 pyruvateからグルコースを合成する際の最初の“障害roadblock”は，解糖系でのピルビン酸キナーゼ pyruvate kinase(PK)によるPEPからピルビン酸への変換が不可逆であり，この反応を逆行できない点である．糖新生において，ピルビン酸はまずピルビン酸カルボキシラーゼ pyruvate carboxylase(PC)によってカルボキシ化されOAAになり，OAAはPEPカルボキシキナーゼ PEP carboxykinase(PEPCK)によってPEPに変換される(図10.3)．

1．**ビオチンが補酵素である**：PCはビオチン biotin(p.500参照)を必要とし，ビオチンは酵素タンパク質中のリシン残基のε-アミノ基に共有結合している(図10.3参照)．ATPの加水分解によって酵素-ビオチン-二酸化炭素(CO_2)中間体が形成される．この高エネルギー複合

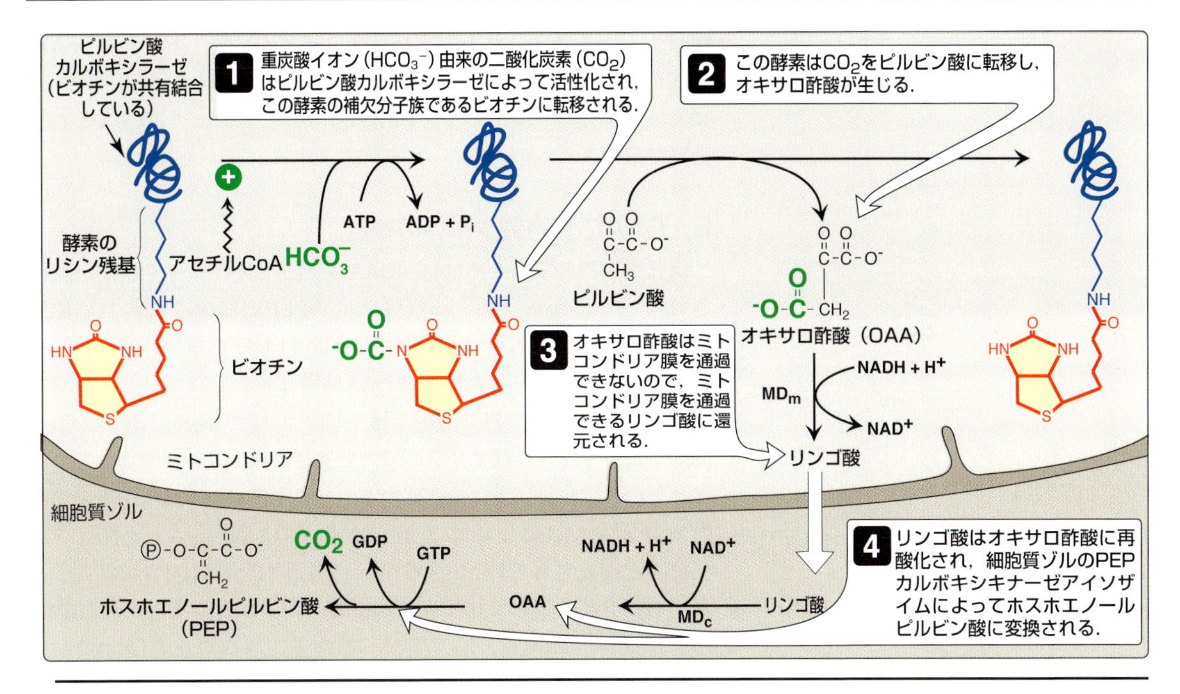

図 10.3
細胞質ゾルにおけるPEP合成．［注：この過程で糖新生に必要なニコチンアミドアデニンジヌクレオチド（NADH）還元当量がミトコンドリアから細胞質ゾルへと移動する．］MD_mとMD_c：リンゴ酸デヒドロゲナーゼのミトコンドリアと細胞質ゾルのアイソザイム，GTPとGDP：グアノシン三（二）リン酸，ADP：アデノシン二リン酸．

体がピルビン酸をカルボキシ化してOAAが生じる．［注：HCO_3^-がCO_2の供給源である．］このPC反応は肝細胞と腎細胞のミトコンドリアで起こり，2つの目的を持っている．1つは糖新生の重要な基質であるPEPを供給することであり，もう1つは細胞の高分子合成の需要に応じて欠乏することもあるTCA回路中間体を補充するためのOAA供給である．筋肉細胞もPCを持っているが，産生されたOAAは後者の目的（TCA回路中間体の補充）のみにしか利用せず，糖新生は行わない．［注：ピルビン酸輸送タンパク質がピルビン酸を細胞質ゾルからミトコンドリア内に移動させる．］

PCはビオチンを要求するカルボキシラーゼ carboxylaseの1つである．他には，アセチルCoAカルボキシラーゼ acetyl CoA carboxylase（p.239参照），プロピオニルCoAカルボキシラーゼ propionyl CoA carboxylase（p.251参照），メチルクロトニルCoAカルボキシラーゼ methylcrotonyl CoA carboxylase（p.346参照）などがある．

2．アロステリックな調節：PCはアセチルCoAによってアロステリックに活性化される．ミトコンドリア内のアセチルCoA濃度の上昇は，OAAが必要ないくつかの代謝状態で，OAA合成を増加させるシグナルとなる．例えば，これは絶食状態でOAAが肝臓と腎臓での糖新生のために使われるような場合に起きる．逆にアセチルCoA濃度が低い場合には，PCは不活性で，ピルビン酸は主としてPDHCによって酸化されてアセチルCoAになり，このアセチルCoAはTCA回路で酸化される．

B. OAAの細胞質ゾルへの輸送

糖新生が持続するためには，OAAはPEPCKによってPEPに変換されなければならない．細胞質ゾルでPEPが産生されるためにはOAAはミトコンドリアの外に輸送されなければならない．しかしながら，ミトコンドリア内膜にはOAA輸送体が存在しない．そこでまずミトコンドリアのリンゴ酸デヒドロゲナーゼ malate dehydrogenase (MD)で還元されてリンゴ酸に変換される．リンゴ酸はミトコンドリアから細胞質ゾルに輸送可能なので細胞質ゾルに出て，そこで細胞質ゾルのMDによって再酸化されてOAAに戻され，NAD^+はNADHに還元される(図 10.3 参照)．産生されたNADHは解糖系，糖新生の両者に共通の反応である 1,3-ビスホスホグリセリン酸(BPG)のグリセルアルデヒド 3-リン酸への還元に用いられる(訳注：1,3-BPGのグリセルアルデヒド 3-リン酸への還元は糖新生の段階で，解糖系ではグリセルアルデヒド 3-リン酸の 1,3-BPGへの酸化であり，ともにグリセルアルデヒド-3-リン酸デヒドロゲナーゼ glyceraldehyde 3-phosphate dehydrogenaseによって触媒される)．[注：乳酸は豊富に存在するときはピルビン酸に酸化され，NAD^+は還元される．生じたピルビン酸はミトコンドリア内に輸送されPCによってカルボキシ化されてOAAになる．OAAはPEPCKのミトコンドリアアイソザイムによってPEPに変換され，細胞質ゾルに輸送される．OAAはアスパラギン酸に変換され，ミトコンドリア外へと輸送されることもできる．]

C. 細胞質ゾルのOAAの脱炭酸

OAAはPEPCKによって細胞質ゾルで脱炭酸・リン酸化されPEPとなる．この反応はグアノシン三リン酸(GTP)の加水分解で駆動される(図 10.3 参照)．PCとPEPCKにより，ピルビン酸からPEPへの変換がエネルギー的に可能となる．生じたPEPは解糖系の経路を逆行してフルクトース 1,6-ビスリン酸になる．

> 糖新生にみられるようなカルボキシ化と脱炭酸の組合せにより，エネルギー的に不利な反応を駆動する．同様の手段が脂肪酸合成の際にも用いられる．

D. フルクトース 1,6-ビスリン酸の脱リン酸

フルクトース 1,6-ビスリン酸 fructose 1,6-bisphosphateが肝臓と腎臓に存在するフルクトース-1,6-ビスホスファターゼ fructose-1,6-bisphosphataseによって加水分解されることにより，解糖系不可逆のホ

スホフルクトキナーゼ-1 phosphofructokinase-1(PFK-1)反応は迂回され，**フルクトース 6-リン酸 fructose 6-phosphate** 生成がエネルギー的に可能となる(図 10.4)．この反応は糖新生における重要な調節点である．

1．**細胞内のエネルギーレベルによる調節**：フルクトース-1,6-ビスホスファターゼは**アデノシン一リン酸**(AMP)/ATP比が上昇する(細胞内のエネルギーが乏しい状態のシグナルとなる)と**阻害 inhibit** される．逆にATP濃度が高くてAMP濃度が低い場合にはエネルギー要求経路である糖新生は**促進 stimulate** される．

2．**フルクトース 2,6-ビスリン酸による調節**：フルクトース-1,6-ビスホスファターゼは**フルクトース 2,6-ビスリン酸 fructose 2,6-bisphosphate** によって**阻害**される．フルクトース 2,6-ビスリン酸はアロステリック調節因子であり，その濃度は循環血中のインスリン/グルカゴン比の影響を受ける．グルカゴン濃度が高いとき，この物質は肝臓のホスホフルクトキナーゼ-2 phosphofructokinase-2(PFK-2)によって産生されずフルクトース-1,6-ビスホスファターゼは活性を持つ(図 10.5)．[注：糖新生を阻害するシグナル(低エネルギー，高フルクトース 2,6-ビスリン酸)や促進するシグナル(高エネルギー，低フルクトース 2,6-ビスリン酸)は解糖系に対して正反対の効果を及ぼす．このようにグルコース合成とグルコース酸化は相反的な調節を受けている．]

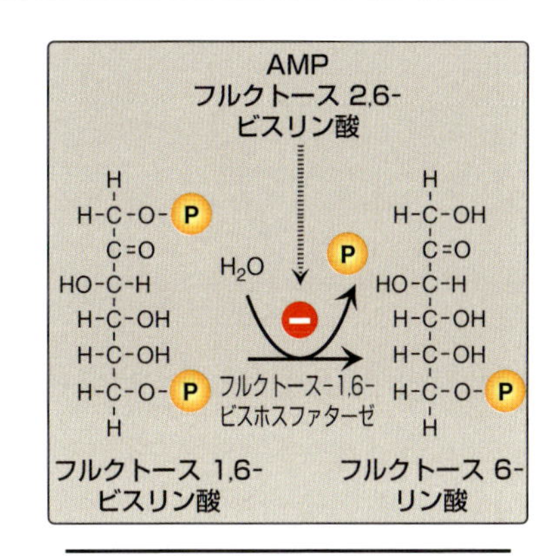

図 10.4
フルクトース 1,6-ビスリン酸の脱リン酸．AMP：アデノシン一リン酸，Ⓟ：リン酸．

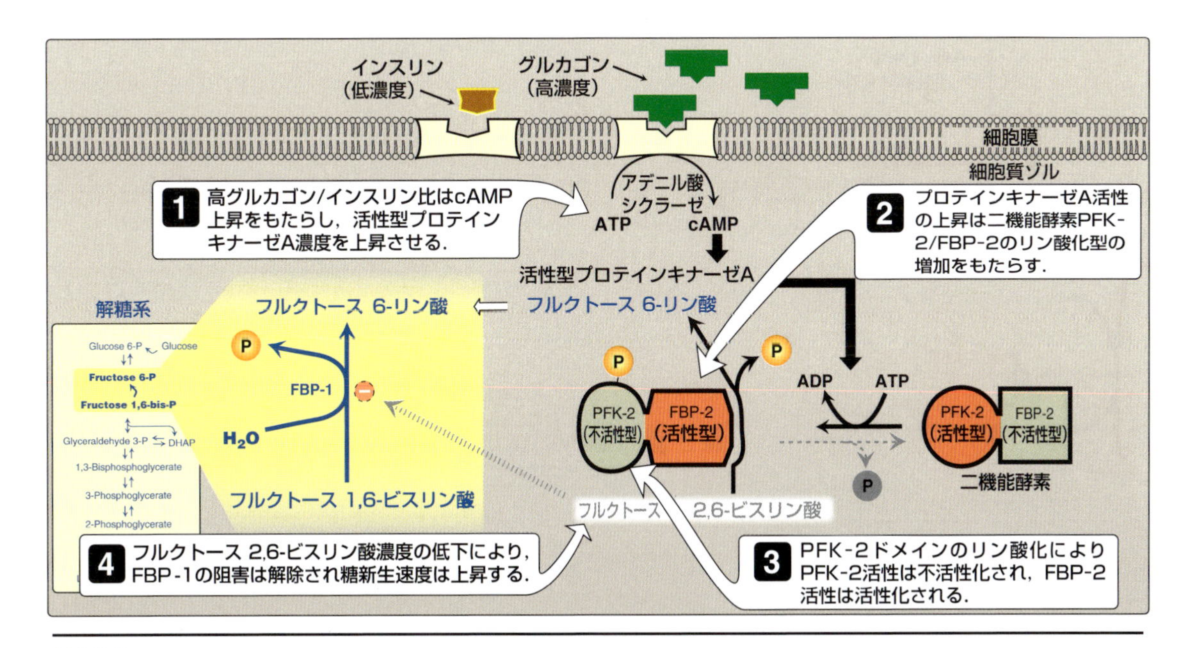

図 10.5
肝臓におけるフルクトース 2,6-ビスリン酸の細胞内濃度に及ぼすグルカゴン上昇の効果．AMPとATP：アデノシン一(三)リン酸，cAMP：サイクリックAMP，PFK-2：ホスホフルクトキナーゼ-2，FBP-1：フルクトースビスホスファターゼ-1，FBP-2：フルクトースビスホスファターゼ-2，ⓅとⓅ：リン酸．

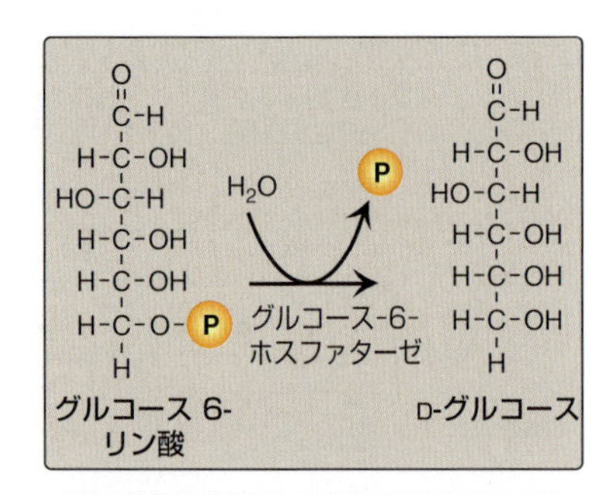

図 10.6
グルコース 6-リン酸の脱リン酸により肝臓と腎臓では遊離グルコースが血中に放出される. P：リン酸.

E. グルコース 6-リン酸の脱リン酸

グルコース-6-ホスファターゼ glucose-6-phosphataseによる**グルコース 6-リン酸 glucose 6-phosphate**の加水分解は不可逆のヘキソキナーゼ/グルコキナーゼ hexokinase/glucokinase反応を迂回し，**グルコース**生成をエネルギー的に可能にする（図 10.6）．肝臓はグルコース 6-リン酸からグルコースを遊離させる主要な臓器である．この過程は実際は 2 つの酵素を必要とし，これらは糖新生可能な組織にしか存在しない．1 つはグルコース-6-リン酸トランスロカーゼ glucose 6-phosphate translocaseであり，この酵素はグルコース 6-リン酸を細胞質ゾルから小胞体膜を越えて小胞体（ER）中に輸送する．もう 1 つはER膜酵素であるグルコース-6-ホスファターゼであり，この酵素はグルコース 6-リン酸からリン酸を除去して遊離のグルコースを生成する（図 10.6 参照）．これらのER膜酵素はグリコーゲン分解の最終段階でも必要である．

グルコース-6-ホスファターゼの遺伝的欠損により引き起こされる**糖原病Ⅰa型 type Ⅰa glycogen storage disease**（**フォンギールケ病von Gierke disease**）およびグルコース-6-リン酸トランスロカーゼの遺伝的欠損により引き起こされる**糖原病Ⅰb型 type Ⅰb glycogen storage disease**は重篤な空腹時低血糖を特徴とする．糖新生からもグリコーゲン分解からも遊離グルコースを産生することができないからである．］特異的な輸送体が遊離グルコースを細胞質ゾルへ，さらに血中へと輸送する．

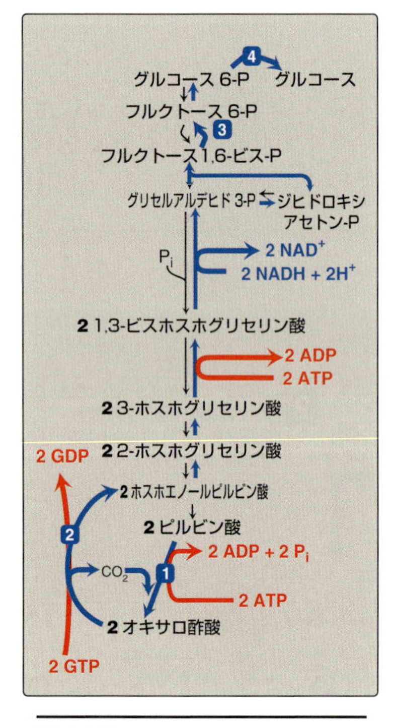

図 10.7
糖新生のエネルギー要求過程を示した解糖系と糖新生の諸反応のまとめ．数字がついている反応は糖新生に特異的である．P：リン酸，GDP：グアノシン二リン酸，GTP：グアノシン三リン酸，NAD（H）：ニコチンアミドアデニンジヌクレオチド，ADP：アデノシン二リン酸．

F. 解糖系と糖新生の反応のまとめ

ピルビン酸からグルコースを合成するのに必要な 11 の反応のうち，7 つは可逆的な解糖系酵素によって触媒される（図 10.7）．ヘキソキナーゼ/グルコキナーゼ，PFK-1，PKによって触媒される解糖系の 3 つの不可逆反応は，グルコース-6-ホスファターゼ，フルクトース-1,6-ビスホスファターゼ，PC/PEPCKの触媒する反応によって迂回される．糖新生において解糖系の可逆的な 7 つの反応の平衡は，糖新生酵素によって触媒されるPEP，フルクトース 6-リン酸，グルコースの不可逆的生成の結果，グルコース合成の方向に偏っている．［注：1 分子のグルコースが糖新生で 2 分子のピルビン酸から生成されるためには，6 つの高エネルギーリン酸結合が分解し，2 分子のNADHが酸化されなければならない（図 10.7 参照）．］

Ⅳ. 調 節

糖新生の瞬間・瞬間の調節は，主として循環血中のグルカゴン濃度と糖新生基質の利用可能性によって決定されている．それに加えて，酵素タンパク質の合成速度・分解速度の変化による酵素量のゆるやかな変動も起こる．［注：血糖値のホルモン調節は 23 章に記載する．］

A. グルカゴン glucagon

この膵島のα細胞由来のペプチドホルモン（p.406 参照）は 3 つの機

構で糖新生を促進する.

1. **アロステリック調節因子の変化**：グルカゴンは肝臓のフルクトース2,6-ビスリン酸濃度を低下させ，その結果，フルクトース-1,6-ビスホスファターゼは活性化され，PFK-1は抑制され，解糖系よりは糖新生が進むことになる(図10.5参照).

2. **酵素活性の共有結合修飾**：グルカゴンはGタンパク質共役受容体に結合し，サイクリックAMP(cAMP)濃度を上昇させcAMP依存性プロテインキナーゼ cAMP-dependent protein kinase A(PKA)活性を上昇させることにより，肝臓のPKを不活性型(リン酸化型)に変換する(訳注：肝臓のアイソザイムL型のみ). これによりPEPのピルビン酸への変換は抑制され，PEPは糖新生の方向に向かうことになる(図10.8).

3. **酵素合成の誘導**：グルカゴンは転写因子cAMP応答配列結合タンパク質cAMP response element-binding protein(CREB)を介して*PEPCK*遺伝子の転写を促進し，絶食時に基質濃度が上昇するときにこの酵素活性を上昇させる. コルチゾール(グルココルチコイド)もこの酵素の遺伝子発現を増加させるが，インスリンはそれを減少させる.

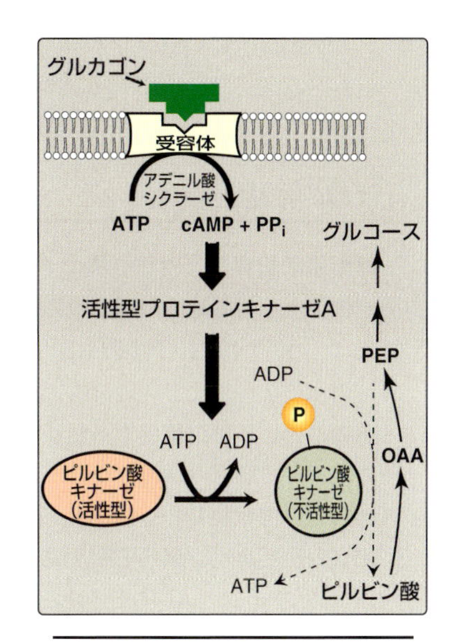

図 10.8
ピルビン酸キナーゼの共有結合修飾は酵素の不活性化をもたらす. [注：肝臓のアイソザイムだけが共有結合修飾による調節を受ける.] OAA：オキサロ酢酸，PEP：ホスホエノールピルビン酸，PP_i：ピロリン酸，Ⓟ：リン酸，AMPとADP：アデノシン一(二)リン酸，cAMP：サイクリックAMP.

B. 基質の入手可能性

糖新生前駆体，特に糖原性アミノ酸の利用可能性はグルコース合成速度に大きな影響を与える. インスリン濃度の低下は筋タンパク質からのアミノ酸動員を促し，糖新生のための炭素骨格を提供する. さらに，糖新生に必要な補酵素であるATPとNADHは主として脂肪酸の異化によって供給される.

C. アセチルCoAによるアロステリックな活性化

アセチルCoAによる肝臓のPCのアロステリックな活性化は絶食時に起こる. 脂肪組織におけるTAG加水分解の増加の結果，肝臓には大量の脂肪酸が入ってくる. これらの脂肪酸のβ酸化によるアセチルCoAの合成速度は肝臓の処理能力(酸化してCO_2と水にする)を超えてしまう. その結果アセチルCoAが蓄積し，PCが活性化される. [注：アセチルCoAは(PDHキナーゼを活性化することにより)PDHCを抑制する. このため，この1つの化合物だけでピルビン酸は糖新生の方向に向かいTCA回路で処理されないようになる(図10.9).]

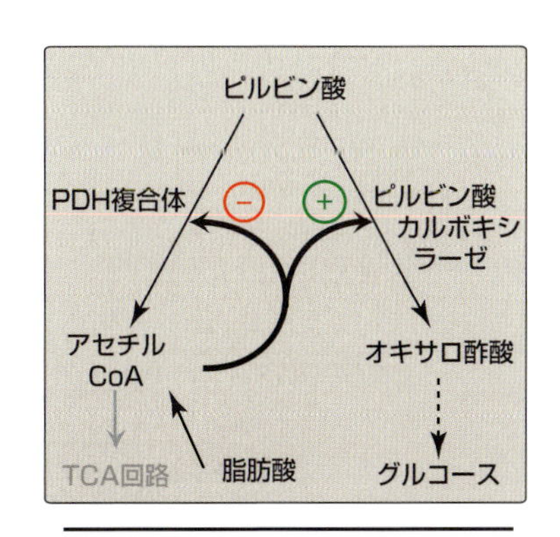

図 10.9
アセチル補酵素A(CoA)はピルビン酸を酸化から遠ざけ糖新生に向かわせる. PDH：ピルビン酸デヒドロゲナーゼ，TCA：トリカルボン酸.

D. AMPによるアロステリックな抑制

フルクトース-1,6-ビスホスファターゼはPFK-1を活性化するAMPによって阻害される. この結果，フルクトース2,6-ビスリン酸の場合と同様に，解糖系と糖新生は逆方向に調節される(p.143参照). このように，AMPが上昇するとエネルギーを供給する経路が促進され，エネルギーを要求する経路が阻害される．

10章の要約

- **糖新生前駆体**は，脂肪組織でのトリアシルグリセロール(TAG)の加水分解で生じた**グリセロール**，ミトコンドリアを欠く細胞や運動中の骨格筋によって放出された**乳酸**，糖原性アミノ酸の代謝由来の**α-ケト酸**(例えば，**α-ケトグルタル酸**や**ピルビン酸**)などを含む(図10.10)．
- 解糖系の7つの反応は可逆的で，肝臓と腎臓においては糖新生にも利用される．
- 解糖系の**ピルビン酸キナーゼ**(PK)，**ホスホフルクトキナーゼ-1**(PFK-1)，**グルコキナーゼ/ヘキソキナーゼ**によって触媒される3つの反応は生理的条件では不可逆で糖新生の際には迂回されなければならない．
- **ピルビン酸**は**ピルビン酸カルボキシラーゼ**(PC)によって**オキサロ酢酸**(OAA)に変換され，OAAは**ホスホエノールピルビン酸**(PEP)**カルボキシキナーゼ**(PEPCK)によってPEPに変換される．
- PCは**ビオチン**と**ATP**を必要とし，**アセチルCoA**によってアロステリックに活性化され，PEPCKは**GTP**を必要とする．
- フルクトース1,6-ビスリン酸は**フルクトース-1,6-ビスホスファターゼ**によってフルクトース6-リン酸になる．この酵素は高**AMP/ATP比**および解糖系の主要なアロステリック活性化因子である**フルクトース2,6-ビスリン酸**によって**抑制**される．
- グルコース6-リン酸は**グルコース-6-ホスファターゼ**によってグルコースに脱リン酸される．このER膜酵素は糖新生の最終段階のみならず肝臓と腎臓におけるグリコーゲン分解の最終段階をも触媒する．この酵素欠損により重篤な空腹時低血糖が引き起こされる．

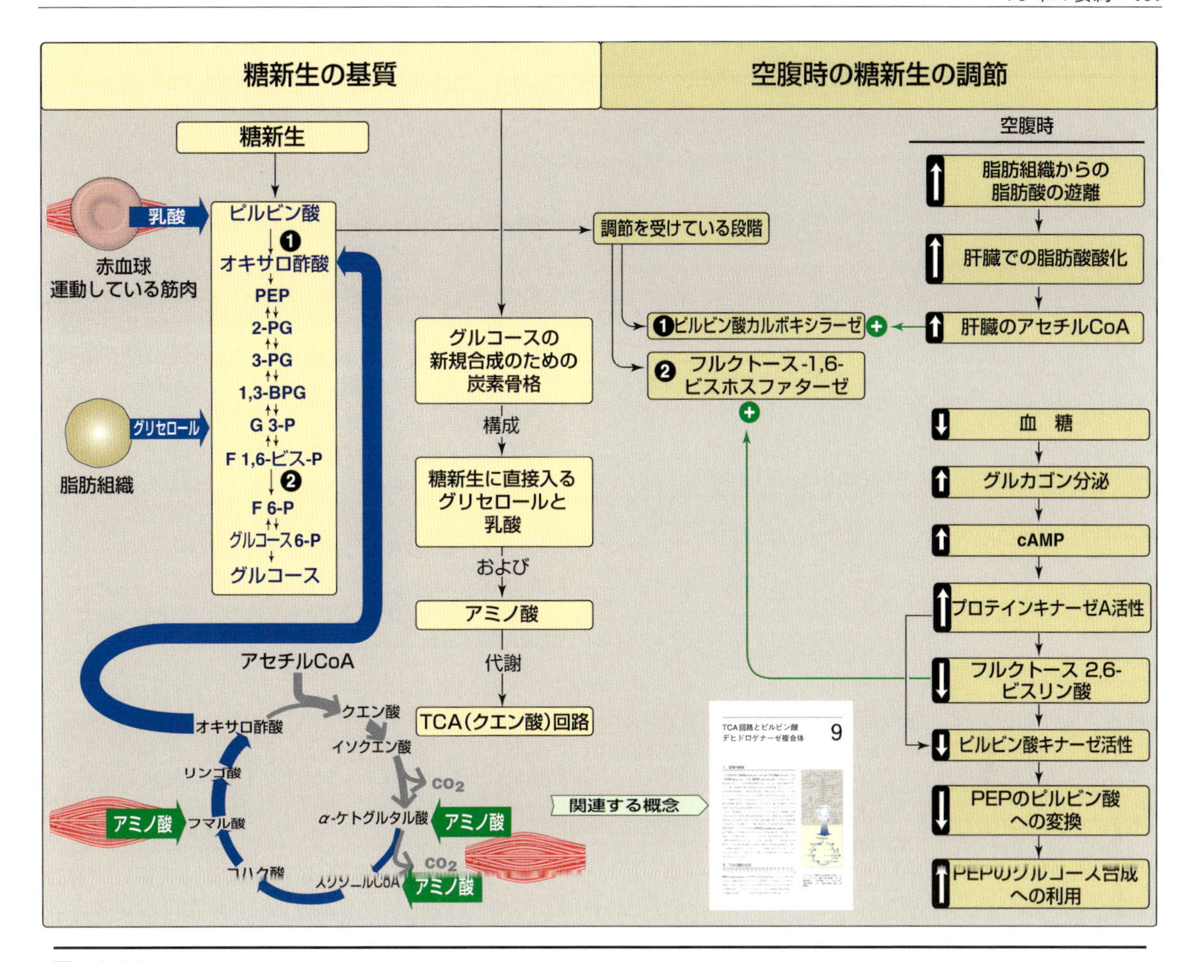

図 10.10
糖新生の概念図. TCA：トリカルボン酸, CoA：補酵素A, cAMP：サイクリックAMP, P：リン酸, (B) PG：(ビス) ホスホグリセリン酸, G：グリセルアルデヒド, F：フルクトース, CO_2：二酸化炭素.

学習問題

最適な答えを1つ選びなさい.

10.1　糖新生についての記述で正しいものはどれか.

A. エネルギー産生(発エルゴン)過程である.
B. 2日間の絶食時の血糖維持に重要である.
C. インスリン/グルカゴン比の低下で阻害される.
D. 筋肉細胞の細胞質ゾルで起こる.
E. 脂肪酸分解によって生じる炭素骨格を利用する.

正解　**B**. 2日間の絶食時には貯蔵グリコーゲンは枯渇し，糖新生が血糖を維持する．糖新生はエネルギー要求性(吸エルゴン)経路であり(ATPとGTPが加水分解される)，主として肝臓で起こるが，絶食状態が長引くと腎臓が主要なグルコース産生臓器となる．糖新生はミトコンドリア酵素と細胞質ゾル酵素の両方を用いる．糖新生はインスリン/グルカゴン比の低下によって促進される．脂肪酸分解によってアセチルCoAが産生されるが，アセチルCoAは糖新生の材料とはならない．これはTCA回路ではアセチルCoAからは炭素原子の正味の獲得はなく，ピルビン酸デヒドロゲナーゼ複合体反応は生理的状態では不可逆だからである．糖原性のアミノ酸の炭素骨格が糖新生の材料となる．

10.2　下図の反応のうち大量のアビジンによって阻害されるのはどれか．アビジンはビオチンと結合し阻害する卵白のタンパク質である．

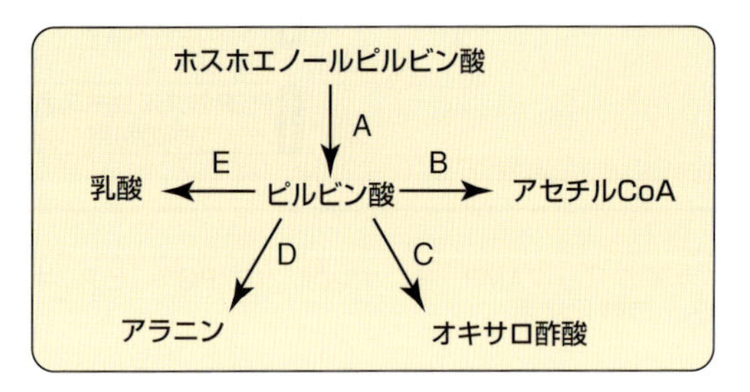

正解　**C**. ピルビン酸はカルボキシ化されてオキサロ酢酸になる．この反応を触媒する酵素がビオチン要求性酵素であるピルビン酸カルボキシラーゼである．B(PDH複合体)はチアミンピロリン酸，リポ酸，フラビンアデニンジヌクレオチド(FAD)，ニコチンアミドアデニンジヌクレオチド(NAD^+)，CoAを必要とし，D(トランスアミナーゼ)はピリドキサルリン酸を必要とし，E(乳酸デヒドロゲナーゼ)はNADHを必要とする．

10.3　糖新生に特異的な反応はどれか.

A. 1,3-ビスホスホグリセリン酸 → 3-ホスホグリセリン酸
B. 乳酸 → ピルビン酸
C. オキサロ酢酸 → ホスホエノールピルビン酸
D. ホスホエノールピルビン酸 → ピルビン酸

正解　**C**. 他の反応は糖新生と解糖系の両者に共通である．

10.4　糖新生と解糖系の酵素に及ぼすアデノシン一リン酸(AMP)とフルクトース2,6-ビスリン酸の効果を表中に記せ.

酵 素	フルクトース 2,6-ビスリン酸	AMP
フルクトース-1,6-ビスホスファターゼ		
ホスホフルクトキナーゼ-1		

正解　フルクトース2,6-ビスリン酸とAMPの両者ともに，フルクトース-1,6-ビスホスファターゼを阻害することにより糖新生を抑制し，ホスホフルクトキナーゼ-1を活性化することにより解糖系を促進する．これにより2つの経路が相反的に調節されている．

10.5　エタノールのアルコールデヒドロゲナーゼによる代謝により，酸化型（NAD^+）から還元型（NADH）のニコチンアミドアデニンジヌクレオチドが産生される．これによってもたらされるNAD^+/NADH比の減少は糖新生にどのような変化を及ぼすか．説明せよ．

正解　エタノールが酸化されるにつれてNADHが上昇し，オキサロ酢酸（OAA）の糖新生への利用可能性が減少する．なぜならTCA回路のリンゴ酸デヒドロゲナーゼによるリンゴ酸からOAAへの可逆的酸化はNADHにより，逆方向に進むことになるからである．さらに，乳酸デヒドロゲナーゼによるピルビン酸から乳酸への可逆的還元はNADHによって促進される．このように，糖新生の2つの重要な基質であるOAAとピルビン酸が，エタノール代謝の結果生じるNADHの上昇により減少する．このため，糖新生は減少する（訳注：したがって低血糖を起こしやすくなる）．

10.6　アセチルCoAは糖新生の材料にならないのに，どうして脂肪酸酸化によるアセチルCoAの産生が糖新生にとって重要なのか．

正解　アセチルCoAはピルビン酸デヒドロゲナーゼ複合体を阻害し，ピルビン酸カルボキシラーゼを活性化することにより，ピルビン酸を酸化されないようにして糖新生の材料になるようにするから．

グリコーゲン代謝 11

Ⅰ. 概　要

ヒトの生命にとって血中グルコース(ブドウ糖)が一定に保たれることは絶対必要条件である．グルコースは脳にとって一番利用しやすいエネルギー源であり，成熟赤血球のようにミトコンドリアに乏しい細胞にとっては必ず必要なエネルギー源である．グルコースは運動中の筋肉にとっても必要なエネルギー源である．運動中の筋肉ではグルコースは嫌気的解糖anaerobic glycolysisの基質となるからである．血中グルコースは3つの供給源から得ることができる．食事とグリコーゲン分解と糖新生である．グルコースやデンプン(多糖)・二糖・単糖などのグルコース前駆体の食事による摂取は散発的なものであり，また食事内容に依存するため，常に信頼できる血中グルコース供給源とはいえない．それに対して，糖新生は持続的にグルコースを合成・供与してくれる．しかし血糖値の低下に対応するには少し反応が遅い．したがって，体は迅速に動員可能な形，すなわち**グリコーゲン glycogen**としてグルコースを貯蔵する機構を発達させた．食事からグルコースが摂取できないときには，グルコースは肝臓のグリコーゲンから迅速に血中へと放出される．同様に，筋肉のグリコーゲンは運動中の筋肉内で激しく分解されて筋肉に重要なエネルギー源を供給する．グリコーゲン貯蔵が底をついたときには，特定の組織(訳注：肝臓と腎臓)が糖新生経路の主要な炭素源としてグリセロール，乳酸，ピルビン酸，アミノ酸を利用してグルコースを新規合成する(10章参照)．図11.1にグリコーゲン合成・グリコーゲン分解反応をエネルギー代謝の重要な経路の一部として示す．

Ⅱ. 構造と機能

主要なグリコーゲン貯蔵部位は**骨格筋 skeletal muscle**と**肝臓 liver**であるが，ほとんどの細胞は自身で利用するために少量のグリコーゲンを貯蔵している．筋肉グリコーゲンの機能は**筋収縮 muscle contraction**中のアデノシン三リン酸(ATP)合成の**予備燃料 fuel reserve**となることである．一方，肝臓グリコーゲンの機能は**血糖値 blood glucose**(血中グルコース濃度)を特に**絶食(空腹)時の初期段階 early stages of a fast**で

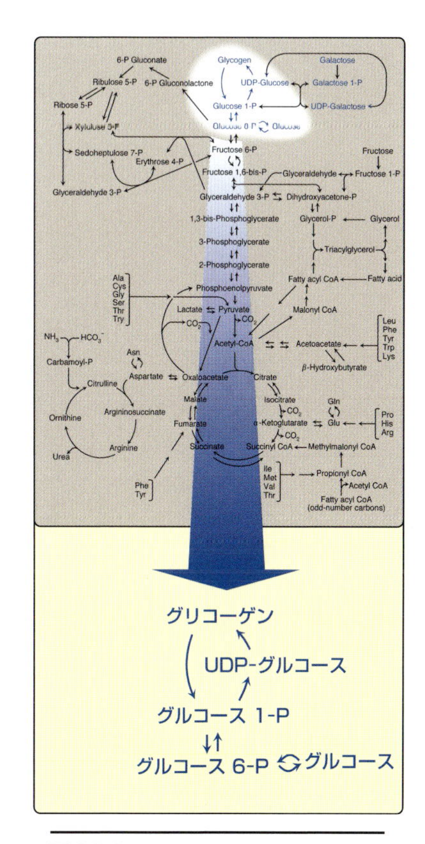

図 11.1
エネルギー代謝の重要な経路の一部としてのグリコーゲン合成とグリコーゲン分解．[注：代謝全体の反応の詳細については図8.2参照．] P：リン酸，UDP：ウリジン二リン酸．

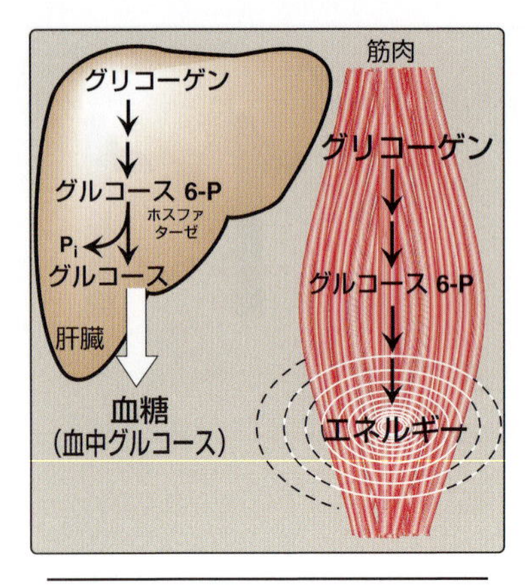

図 11.2
筋肉グリコーゲンと肝臓グリコーゲンの機能．[注：肝臓にはグルコース-6-ホスファターゼがあるのでグルコースは血中に放出される．] P：リン酸，P_i：無機リン酸．

維持することである(図 11.2)．[注：肝臓のグリコーゲンは血糖を 24 時間程度維持することができる．]

A．肝臓・筋肉グリコーゲンの量

静止筋肉中のグリコーゲンはおよそ 400 g あり，湿重量のおよそ 1 ～ 2% を占める．栄養状態の良い成人の肝臓中のグリコーゲンはおよそ 100 g あり，湿重量の 10% を占める．どうしてグリコーゲン産生がこのレベルで抑えられているのかは不明である．しかし，ある種の糖原病(GSD)(図 11.8 参照)では肝臓ないし筋肉中のグリコーゲン量はずっと多くなりうる．[注：筋肉の重量は肝臓の重量より大きい．したがって，体のグリコーゲンのほとんどは骨格筋中にある．]

B．構　造

グリコーゲンは**α-D-グルコース α-D-glucose**のみから構成される，**分枝のある**多糖である．主要なグリコシド結合は**α(1→4)結合**である．平均 8 ～ 14 個のグルコシル基(訳注：アノマー炭素がグリコシド結合に用いられたグルコース)ごとに**α(1→6)結合**を含む分枝がある(図 11.3)．グリコーゲン 1 分子は 55,000 ものグルコシル残基を持ちうる．これらのグルコース重合体はグリコーゲン合成・グリコーゲン分解に必要なほとんどの酵素をも含む大きな球状の細胞質顆粒中に存在する．

C．グリコーゲン貯蔵量の変動

肝臓グリコーゲンの貯蔵量は栄養状態の良いときには増加し，絶食(空腹)時には底をつく．筋肉グリコーゲンは短期間(数日)の絶食では影響を受けず，長期間(週単位)の絶食でも中等度に減少するだけである．筋肉のグリコーゲンは，激しい運動のあとで筋肉中のグリコーゲン貯蔵が底をついたときにそれを補充するために合成される．[注：グリコーゲンの合成と分解は持続的に起こる過程である．これらの 2 つの過程の速度の違いが特定の生理的条件下でのグリコーゲン貯蔵量を決定する．]

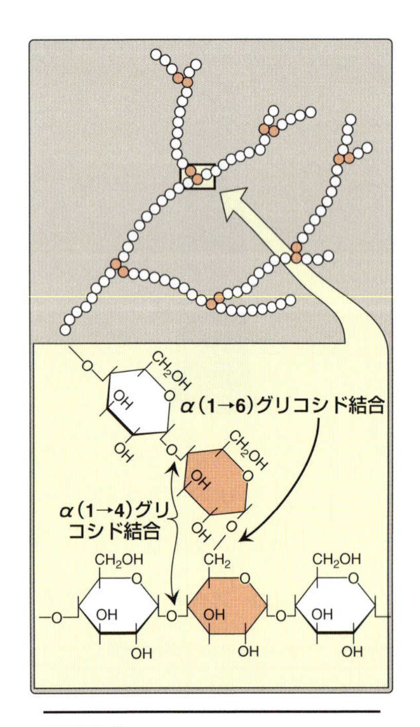

図 11.3
グリコーゲンの分枝構造．α(1→4)グリコシド結合とα(1→6)グリコシド結合を示す．

Ⅲ．グリコーゲン合成

グリコーゲンはα-D-グルコース分子から合成される．グリコーゲン合成は細胞質ゾルで起こり，ATP(グルコースのリン酸化のために)と**ウリジン三リン酸 uridine triphosphate (UTP)**をエネルギー源として必要とする．

A．ウリジン二リン酸(UDP)-グルコース合成

ウリジン二リン酸 uridine diphosphate (UDP)に結合したα-D-グルコースが，成長しつつあるグリコーゲン分子に付加されるすべてのグルコシル基の供給源である．**UDP-グルコース UDP-glucose** (図 11.4)はUDP-グルコースピロホスホリラーゼ UDP-glucose pyrophosphorylaseによって，**グルコース 1-リン酸 glucose 1-phosphate**とUTPから

合成される(図 11.5). この反応の第二の産物であるピロリン酸(PP_i)はピロホスファターゼ pyrophosphataseによって加水分解されて2個の無機リン酸(P_i)となるが, この加水分解は発エルゴン反応であり, UDP-グルコースピロホスホリラーゼ反応をUDP-グルコース産生の方向に推し進める. [注:グルコース 6-リン酸はホスホグルコムターゼ phosphoglucomutaseによりグルコース 1-リン酸に変換される. グルコース 1,6-ビスリン酸がこの変換反応の中間体である(図 11.6).]

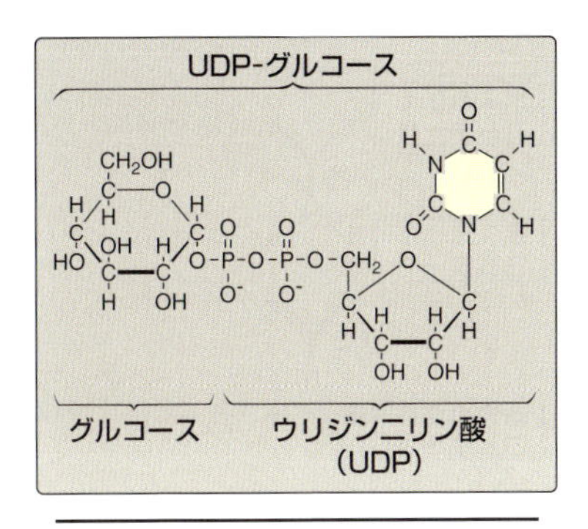

図 11.4
UDP-グルコース(ヌクレオチド糖)の構造.

B. プライマーの必要性とその合成

グリコーゲンシンターゼ glycogen synthaseがグリコーゲン中のα(1→4)結合生成を触媒する. この酵素は, 遊離のグルコースに対してUDP-グルコースからグルコース分子を付加することによりグリコーゲン鎖の合成を開始することはできず, すでに存在するグリコーゲン鎖を伸長させることしかできないのでプライマー(反応開始因子)を必要とする. であるから, 貯蔵グリコーゲンが完全になくなってはいない細胞では残っているグリコーゲンの断片がプライマーの役割を果たす. グリコーゲンの断片がない場合にはホモ二量体タンパク質であるグリコゲニン glycogeninがUDP-グルコースからのグルコースの受容体の役割を果たす(図 11.5 参照). グリコゲニンの194番目のチロシン残基の側鎖のヒドロキシ基(水酸基)が最初のグルコシル基が結合する部位となる. この反応はグリコゲニン自体が触媒する(自己グルコシル化). すなわちグリコゲニンは酵素である. グリコゲニンは引き続きUDP-グルコースから少なくとも4分子のグルコースを自らに転移させ, 短いα(1→4)結合グルコシル鎖を産生する. この短い

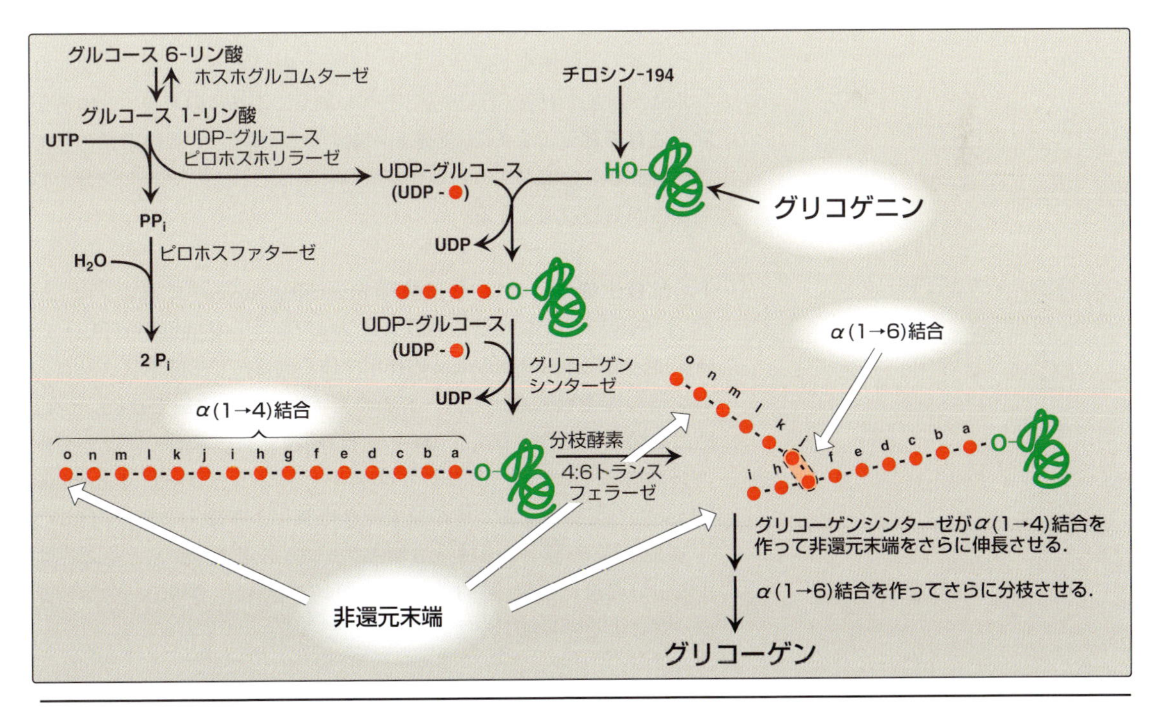

図 11.5
グリコーゲン合成. UTP:ウリジン三リン酸, UDP:ウリジン二リン酸, PP_i:ピロリン酸, P_i:無機リン酸.

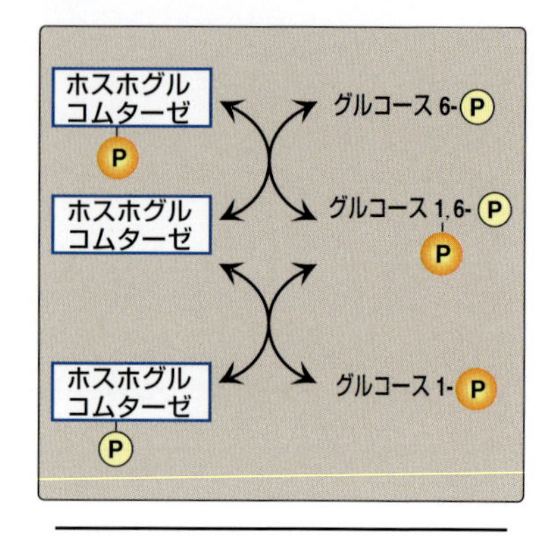

図 11.6
ホスホグルコムターゼによるグルコース 6-リン酸とグルコース 1-リン酸の相互変換．Ⓟとⓟ：リン酸．

グルコシル鎖が，下記C.に述べるようにグリコゲニンによって動員されたグリコーゲンシンターゼによるグリコーゲン鎖伸長のプライマーの役割を果たす．［注：グリコゲニンは完成したグリコーゲン顆粒に結合し続け，その中心に存在する．］

C．グリコーゲンシンターゼによる伸長

グリコーゲン鎖の伸長は，成長するグリコーゲン鎖の非還元末端へのUDP-グルコースからのグルコースの転移が関与し，活性化されたグルコース（UDP-グルコースのこと）の炭素1（アノマー炭素）のヒドロキシ基と受容する側のグルコシル基の炭素4のヒドロキシ基との間に新しいグリコシド結合ができる（図11.5参照）．［注：糖質鎖の非還元末端とは，末端の糖のアノマー炭素がグリコシド結合によって他の化合物に結合しており末端の糖が非還元性である場合，その末端のことをさす．］グリコーゲン中のα(1→4)結合を合成する酵素はグリコーゲンシンターゼである．［注：新しいα(1→4)グリコシド結合ができたときに放出されるUDPは，ヌクレオシド二リン酸キナーゼ nucleoside diphosphate kinaseによってUTPに再生されうる（UDP + ATP ⇄ UTP + ADP）．］

D．分 枝 形 成

もしも他の合成酵素がグリコーゲン鎖に働かなければ，できあがる構造はグルコシル基がα(1→4)結合でつながった直鎖状の（枝分かれのない）分子となるであろう．そのような構造は植物組織に存在し**アミロース amylose**と呼ばれる．それに対して，グリコーゲンはおよそ8〜10個のグルコシル基ごとに1つの枝分かれを持つ高度に枝分かれした樹状構造を持ち（図11.3参照），枝分かれのないアミロースに比べてずっと溶解度が高い．また，枝分かれによって，新しいグルコシル基が付加される（下記Ⅳ.で述べるようにこれらのグルコシル基が除去される部位でもある）非還元末端の数が増大し，その結果としてグリコーゲン合成が起こる速度が大幅に増加し，グリコーゲン分子の大きさが劇的に増大する．

1．分枝生成：分枝は"**分枝酵素 branching enzyme**"であるアミロ-α(1→4)→α(1→6)-トランスグリコシラーゼ amylo-α(1→4)→α(1→6)-transglycosylaseの作用で作られる．この酵素はグリコーゲン鎖の非還元末端から6〜8個のグルコシル基の鎖を**α(1→4)結合を切断して**切り出し，**α(1→6)結合**で別の末端ではないグルコシル基に付加する．すなわち4:6トランスフェラーゼ 4:6 transferaseとして機能する．その結果できた新しい非還元末端（図11.5の"j"参照）は，転移される6〜8個のグルコシル基の鎖にもともと存在する古い非還元末端（図11.5の"o"参照）と同様に，グリコーゲンシンターゼによる伸長反応を受けることができる．

2．分枝の追加：これら2つの非還元末端の伸長がグリコーゲンシンターゼによって達成されたあとで，末端の5〜8個のグルコシル基の

鎖が除去されてさらに枝分かれ構造を作ることができる.

Ⅳ. グリコーゲン分解

肝臓と筋肉において貯蔵グリコーゲンを動員する分解経路は合成反応の逆行ではない. 合成経路には関与しない一群の細胞質ゾル酵素が要求される. グリコーゲンが分解されるときには, 主要な産物は α(1→4)グリコシド結合の分解で得られるグルコース 1-リン酸である. その他に(分枝点の)α(1→6)グルコシル基由来の遊離グルコースも放出される.

A. 分解短縮

グリコーゲンホスホリラーゼ glycogen phosphorylase が, 枝分かれの部分から数えて 4 つのグルコシル基が残るまで, 単純な加リン酸分解 phosphorolysis によりグリコーゲン鎖の**非還元末端 nonreducing end** から順番にグルコシル基間の**α(1→4)グリコシド結合**を切断する(その結果, グルコース 1-リン酸が生じる. 図 11.7). 切断の結果できた構造を**終極(限界)デキストリン limit dextrin** と呼び, ホスホリラーゼ phosphorylase はそれをさらに分解することはできない(図 11.8). [注 : この酵素は補酵素として必要な**ピリドキサールリン酸 pyridoxal phosphate**(PLP. ビタミン B_6 誘導体)を含んでいる.]

B. 分枝の除去(脱分枝)

分枝は単一の二機能タンパク質である脱分枝酵素が持つ 2 つの酵素活性により除去される(図 11.8 参照). まずオリゴ-α(1→4)→α(1→4)-グルカントランスフェラーゼ oligo-α(1→4)→α(1→4)-glucan transferase 活性が分枝点に結合している 4 個のグルコシル基のうち外側の 3 個を切り出す. この酵素はこの 3 個のグルコシル基からなる枝を別のグリコーゲン鎖の非還元末端に結合させ, その鎖を伸長させる. このように 1 つの α(1→4) 結合が切断され新しい α(1→4) 結合が作られる. すなわちこの酵素は 4:4 トランスフェラーゼとして機能する. 次に 1 個残っている α(1→6) 結合で結合しているグルコース基をアミロ-α(1→6)-グルコシダーゼ amylo-α(1→6)-glucosidase 活性により加水分解で切り出して, **遊離グルコース free glucose**(リン酸化されていない nonphosphorylated)を放出する. こうしてグルコシル鎖は, 次の分枝点から数えて 4 個目のグルコシル基に到達するまで, またグリコーゲンホスホリラーゼによる分解を受けられるようになる.

C. グルコース 1-リン酸のグルコース 6-リン酸への変換

グリコーゲンホスホリラーゼによって産生された**グルコース 1-リン酸**は, 細胞質ゾル中でホスホグルコムターゼ phosphoglucomutase により**グルコース 6-リン酸 glucose 6-phosphatase** に異性化される(図 11.6 参照). **肝臓**ではグルコース 6-リン酸はグルコース-6-リン酸トランスロカーゼ glucose 6-phosphate translocase により小胞体(ER)に

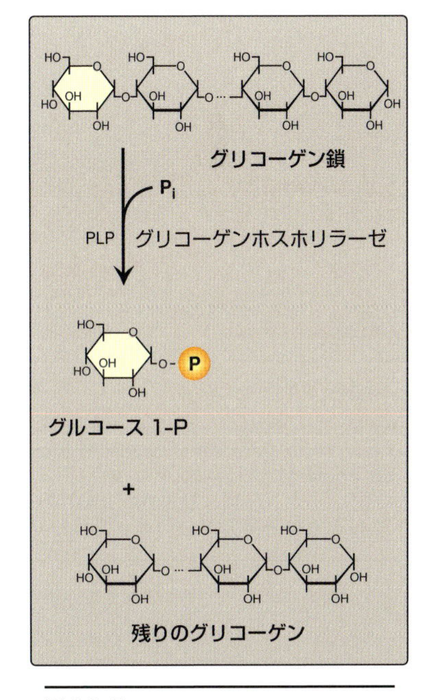

図 11.7
α(1→4) グリコシド結合の分解. PLP : ピリドキサールリン酸, P_i : 無機リン酸, Ⓟ : リン酸.

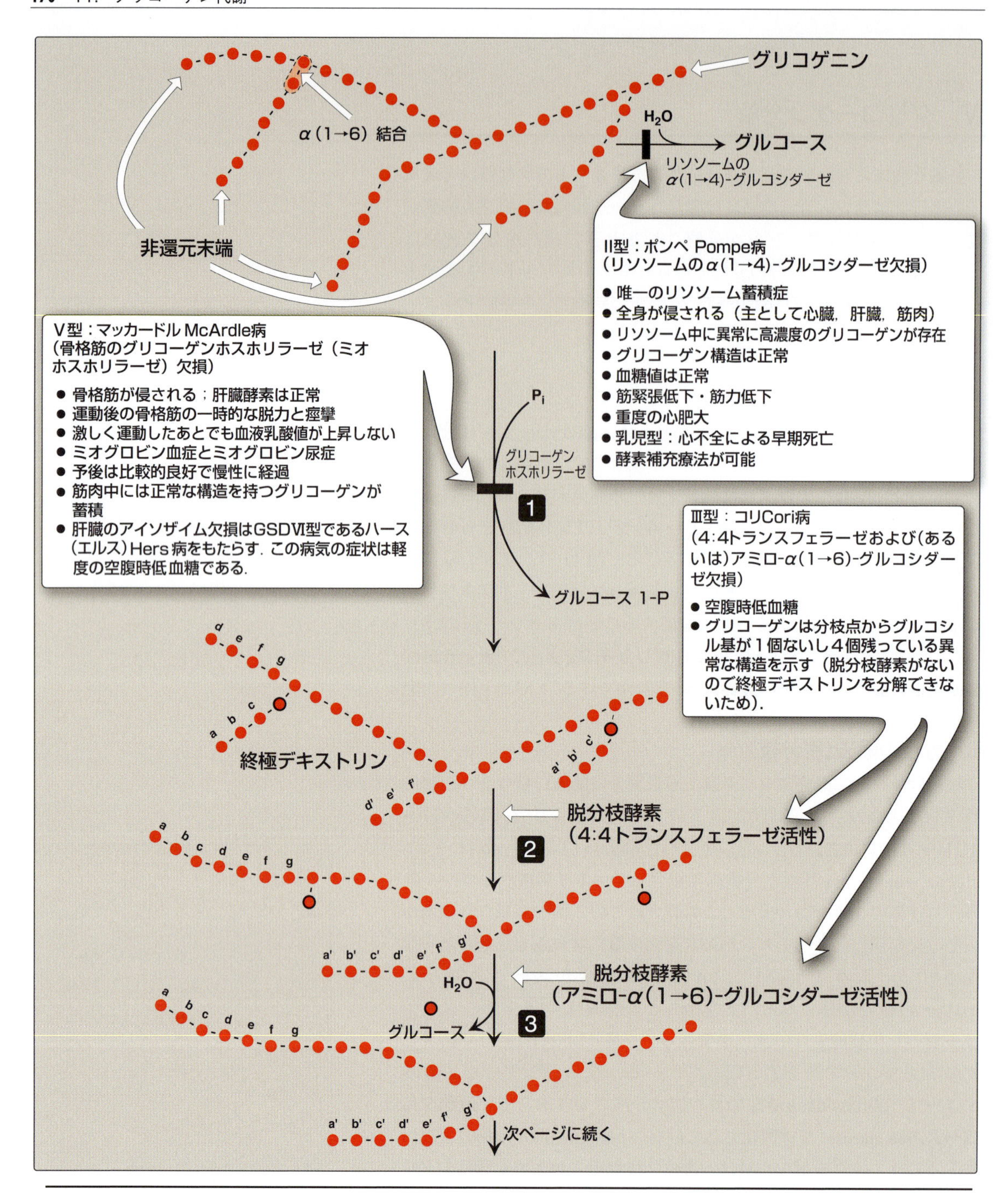

図 11.8（次ページに続く）
グリコーゲン分解．糖原病(GSD)の一部を示す．［注：GSDⅣ型のアンダースン Andersen病はグリコーゲン合成の酵素である分枝酵素の欠損によって起こり，幼少時に肝硬変で死亡する．］P_i：無機リン酸，P：リン酸．

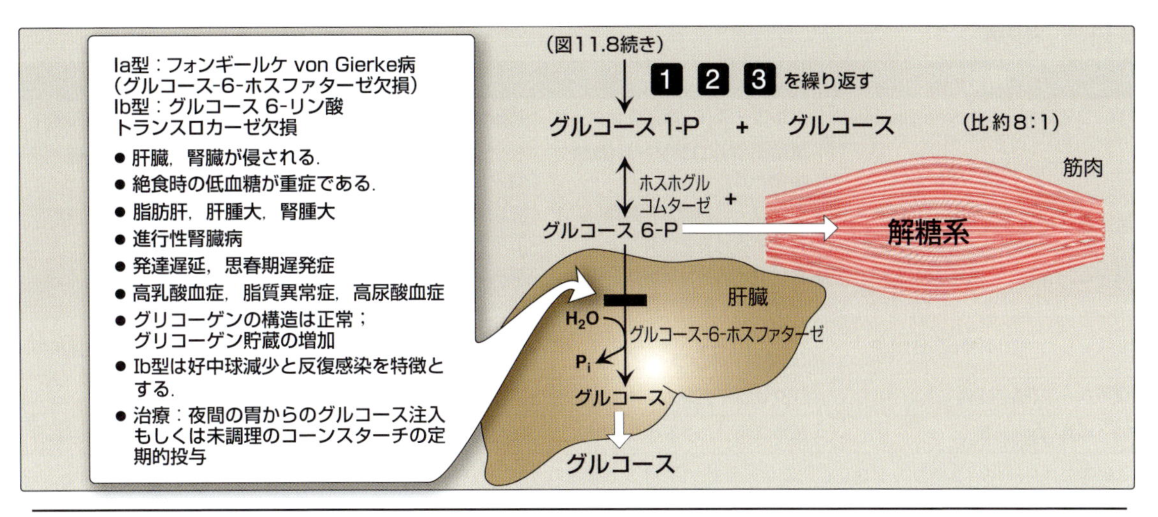

図 11.8 (前ページからの続き)
グリコーゲン分解．糖原病(GSD)の一部を示す．(訳注：原書ではhyperlipidemiaでこれを直訳すると高脂血症になるが，日本動脈硬化学会が「動脈硬化性疾患予防ガイドライン2007年版」で高脂血症を脂質異常症と名称変更したことから，本訳書では脂質異常症と訳すことにする．)

輸送される．小胞体でグルコース 6-リン酸はグルコース-6-ホスファターゼ glucose-6-phosphatase により**グルコース glucose** に脱リン酸される．この酵素は糖新生の最終ステップで用いられる酵素と同一の酵素である(p.158 参照)．できあがったグルコースはGLUT-7 によって小胞体から細胞質ゾルへと輸送される．肝細胞はグリコーゲン由来のグルコースを血中に放出し(訳注：GLUT-2 を介して)，糖新生経路が活発にグルコースを産生するまでの間，**血糖値を保とう**とする．[注：**筋肉**ではグルコース-6-ホスファターゼがないためグルコース 6-リン酸は脱リン酸されず血中に放出されない．その代わりグルコース 6-リン酸は解糖系に入り，筋収縮に必要なエネルギーを提供する．]

D. リソソームでの分解

少量(1 ～ 3%)のグリコーゲンは，リソソーム酵素である酸性 α(1→4)-グルコシダーゼ acid α(1→4)-glucosidase(酸性マルターゼ acid maltase)によって分解されている．この経路の目的は不明である．しかしこの酵素の欠損はリソソームへのグリコーゲン蓄積をもたらし，深刻な糖原病Ⅱ型(ポンペ病Pompe disease．表 11.1 および図 11.8 参照)を引き起こす．[注：ポンペ病はGSDのなかで唯一のリソソーム蓄積症(リソソーム病)である．]

リソソーム蓄積症は，糖質や脂質の分解を担うリソソームの特定の酸性加水分解酵素(酸性ヒドロラーゼ)の欠損や活性減少あるいは量の減少に由来するリソソームにおける分解の減少のために，糖質ないし脂質が異常に蓄積することを特徴とする遺伝性疾患である．

表 11.1　糖原病

病型[a]	欠損酵素	主な徴候，症状
Ⅰ－フォンギールケ(von Gierke)病	グルコース-6-ホスファターゼ	乳酸アシドーシス，低血糖，低尿酸血症，低身長，骨菲薄化
Ⅱ－ポンペ(Pompe)病	酸性α-グルコシダーゼ(酸性マルターゼ)	リソソーム中の過剰なグリコーゲン貯留，正常な血糖値，肝腫大および心肥大，筋力低下，重篤な心障害
Ⅲ－コリ(Cori)病	グリコーゲン脱分枝酵素(4:4トランスフェラーゼ)	肝腫大，成長遅延，空腹時低血糖，異常なグリコーゲン構造，脂質異常症，筋力低下
Ⅳ－アンダースン(Andersen)病	グリコーゲン分枝酵素(4:6トランスフェラーゼ)	成長遅延，肝腫大，ミオパチー(筋障害)，通常５歳までに死亡
Ⅴ－マッカードル(McArdle)病	筋グリコーゲンホスホリラーゼ(ミオホスホリラーゼ)	筋力低下および運動後の筋攣縮，通常比較的良性の慢性疾患
Ⅵ－ハース(Hers)病	肝グリコーゲンホスホリラーゼ	肝腫大，低血糖，発達遅延
Ⅶ－垂井(Tarui)病	筋ホスホフルクトキナーゼ	運動誘発性筋攣縮，発達遅延，溶血性貧血を伴うこともあり

[a] この表ではGSDの15病型のうち７病型のみを示す．図11.3も参照のこと．

Ⅴ．グリコーゲン合成・グリコーゲン分解の調節

血糖値の維持は非常に重要であるので，グルコースの貯蔵形態であるグリコーゲンの合成と分解は厳密な調節を受けている．肝臓においては食事が十分に摂れた時期にはグリコーゲン合成が加速され，絶食時にはグリコーゲン分解が加速される．骨格筋ではグリコーゲン分解は活発に運動しているときに起こり，静止期に入るや否やグリコーゲン合成が開始される．合成と分解の制御は２段階のレベルで行われている．第一にグリコーゲンシンターゼとグリコーゲンホスホリラーゼはともに**ホルモンによる調節 hormonal regulation**（リン酸化/脱リン酸という共有結合修飾を介する）を受け，体全体の要求を満たすように調節されている．第二にグリコーゲンの合成系と分解系は特定の組織の要求を満たすように（エフェクター分子によって）**アロステリックな調節 allosteric control**を受けている．

A．グリコーゲン分解の共有結合修飾による活性化

グルカゴン glucagonや**アドレナリン adrenaline**（**エピネフリン epinephrine**）などのホルモンが細胞膜のGタンパク質共役受容体G protein-coupled receptor（GPCR）に結合すると，血糖値を上昇させるために（肝臓），また運動している筋肉ではエネルギーを供給するために，グリコーゲン分解の必要性を伝えるシグナル伝達系が開始される（訳注：アドレナリンは1900年に高峰譲吉がウシの副腎から発見した．米国ではエピネフリンの名前が定着しており，日本でも以前はエピネフリンが使われることが多かったが，近年はアドレナリンが正式名称とされるようになってきている）．

1．プロテインキナーゼAの活性化：グルカゴンやアドレナリンが各々に特異的な肝細胞のGPCRに結合すると（もしくはアドレナリンが特異的な筋細胞のGPCRに結合すると），Gタンパク質依存性のアデニル酸シクラーゼ adenylyl cyclaseの活性化が起こる．この酵素は

サイクリックアデノシン一リン酸(cAMP)合成を触媒する．cAMPはcAMP依存性プロテインキナーゼ cAMP dependent protein kinase A(PKA)を活性化する．PKAは四量体であり2つの調節サブユニット(R)と2つの触媒サブユニット(C)を持っている．cAMPは調節サブユニット二量体に結合し，活性化された触媒サブユニットを放出させる(図11.9)．PKAはグリコーゲン代謝のいくつかの酵素をリン酸化し，それらの活性を変化させる．[注：cAMPがなくなると，不活性のPKA四量体が再び形成される．]

2．ホスホリラーゼキナーゼの活性化：ホスホリラーゼキナーゼ phosphorylase kinaseは2つの型で存在する．**不活性型の“*b*”型**と**活性型の“*a*”型**である．活性化されたPKAは不活性型のホスホリラーゼキナーゼ“*b*”型をリン酸化し活性化することによってホスホリラーゼキナーゼ“*a*”型にする(図11.9参照)．

3．グリコーゲンホスホリラーゼの活性化：グリコーゲンホスホリラーゼ glycogen phosphorylaseもまた2つの型で存在する．脱リン酸された**不活性型の“*b*”型**とリン酸化された**活性型の“*a*”型**である．ホスホリラーゼキナーゼ*a*はグリコーゲンホスホリラーゼ*b*をリン酸化して“*a*”に変える唯一の酵素であり，グリコーゲンホスホリラーゼ*a*はグリコーゲン分解を開始する(図11.9参照)．(訳注：実際には，*a*(リン酸化型)では，不活性型コンフォメーション(T，緊張した) ＜ 活性

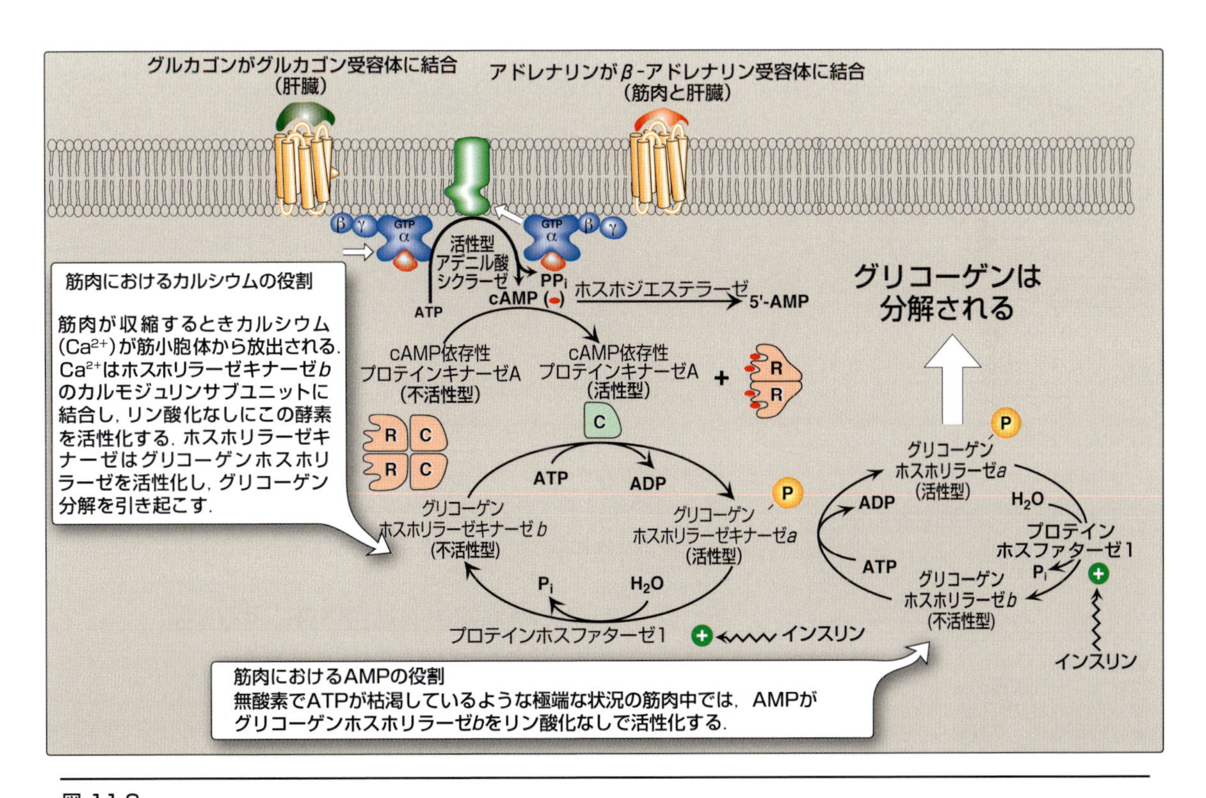

図11.9
グリコーゲン分解の促進と抑制．AMP：アデノシン一リン酸，cAMP：サイクリックAMP，GTP：グアノシン三リン酸，Ⓟ：リン酸，PP_i：ピロリン酸，R：調節サブユニット，C：触媒サブユニット．

型コンフォメーション(R, 弛緩した), *b*(脱リン酸型)では, 活性型(R) < 不活性型(T)であり, *a*=活性型, *b*=不活性型ではない. 筋肉のホスホリラーゼアイソザイムは脱リン酸されていて*b*となっていてRが少なくても, ATPやグルコース6-リン酸があるとアロステリックにさらにダメ押しでTが多くなる. 一方, 肝臓のホスホリラーゼアイソザイムはリン酸化されて*a*となっていてRが多くなっていても, グルコースがアロステリック部位に結合するとTが多くなる.)

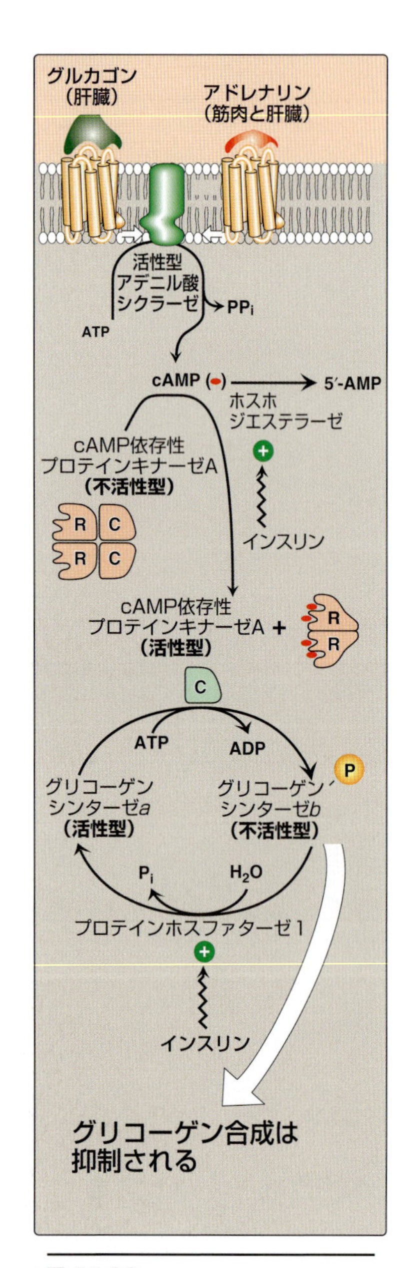

図 11.10
グリコーゲン合成のホルモンによる調節. [注：グリコーゲンホスホリラーゼとは異なり, グリコーゲンシンターゼはリン酸化されると不活性化される.] cAMP：サイクリックAMP, Ⓟ：リン酸, PP_i：ピロリン酸, R：調節サブユニット, C：触媒サブユニット, ADP：アデノシン二リン酸.

4. **信号の増幅**：以上に記した反応のカスケードによってグリコーゲン分解が活性化される. 順番に引き続いて起こる反応の数が多く, 段階が進むごとにシグナルが増幅されるので, 数分子のホルモンがGPCRに結合するだけで多くのプロテインキナーゼ分子が活性化され, これらのプロテインキナーゼがさらに多くのホスホリラーゼキナーゼ分子を活性化することになる. これによって非常に多くのグリコーゲンホスホリラーゼ*a*分子(活性型)がグリコーゲンを分解するようになる.

5. **リン酸化状態の維持**：cAMPに応じてホスホリラーゼキナーゼとホスホリラーゼに付加されたリン酸基は, リン酸基を加水分解して外す酵素であるプロテインホスファターゼ1 protein phosphatase-1 (PP1)が, cAMPに応じてリン酸化され活性化された阻害タンパク質によって不活化されているので維持される(図 11.9 参照). [注：インスリンはcAMPを分解するホスホジエステラーゼ phosphodiesteraseを活性化することによって, グルカゴンやアドレナリンの作用に拮抗する.] (訳注：肝臓ではPP1は活性型のグリコーゲンホスホリラーゼ*a*に結合してホスファターゼ活性を発揮できない状態にあるが, グルコースがグリコーゲンホスホリラーゼ*a*のアロステリック部位に結合して, グリコーゲン分解がもはや必要でないことを伝えると, グルコース-グリコーゲンホスホリラーゼ*a*複合体はPP1の良い基質となり, PP1はグルコース-グリコーゲンホスホリラーゼ*a*複合体のリン酸基を外すことにより, グリコーゲンホスホリラーゼの“*a*”から“*b*”への変換を促進し, 自らはグリコーゲンホスホリラーゼ*b*から遊離し, ホスファターゼ活性を発揮できるようになる. 肝臓ではインスリンはグリコーゲンシンターゼキナーゼ3*β* glycogen synthase kinase 3*β* (GSK3*β*)を不活性化することによりグリコーゲン合成を促進し, PP1のサブユニットの転写を活性化することにより, グリコーゲン合成促進(分解抑制)効果を発揮すると考えられている.)

B. グリコーゲン合成の共有結合修飾による抑制

グリコーゲン合成経路で調節を受けている酵素はグリコーゲンシンターゼである. グリコーゲンシンターゼもまた2つの型, すなわち活性型の“*a*”型と不活性型の“*b*”型で存在する. しかし, ホスホリラーゼキナーゼやグリコーゲンホスホリラーゼとは異なり, 活性型は脱リン酸されたものであり, 不活性型はリン酸化されたものである(図 11.10). グリコーゲンシンターゼ*a*は酵素上の数カ所でリン酸化され,

“*b*”（不活性型）に変換される．不活性化の程度はリン酸化の程度に比例する．リン酸化はcAMP（例えば，PKAやホスホリラーゼキナーゼ）や他のシグナル機構（下記C.参照）によって調節されているいくつかの異なるプロテインキナーゼによって触媒される．グリコーゲンシンターゼ*b*はリン酸基を加水分解して除去するPP1によってグリコーゲンシンターゼ*a*に戻される．図11.11にグリコーゲン代謝の共有結合修飾による調節の概要を示す．

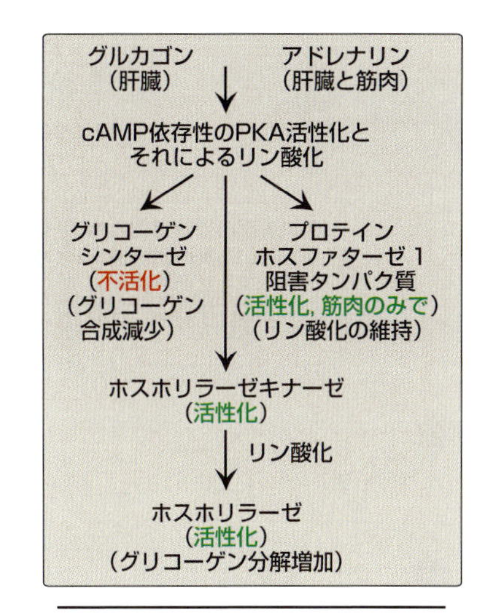

図11.11
グリコーゲン代謝のホルモンを介した共有結合修飾による調節．cAMP：サイクリックAMP，PKA：プロテインキナーゼA．

C．グリコーゲン合成・分解のアロステリックな調節

グリコーゲンシンターゼとグリコーゲンホスホリラーゼは，ホルモンによる調節に加えて，代謝産物の濃度と細胞のエネルギー需要の影響を受ける．グリコーゲン合成はグルコース濃度とエネルギーレベルが高いときに促進され，グリコーゲン分解はエネルギーレベルが低く利用可能なグルコース濃度が低いときに促進される．このアロステリックな調節によって，細胞の要求に応じた迅速な対応が可能となり，ホルモン依存性の共有結合修飾による効果を打ち消すことも可能となる．［注：グリコーゲン代謝のアロステリック酵素の“*a*”型と“*b*”型はそれぞれR（弛緩した，より活性の高い）コンホメーションとT（緊張した，より活性の低い）コンホメーションと平衡関係にある（p.34参照）．エフェクター（アロステリック調節因子）が結合するとこの平衡がシフトし，酵素活性を共有結合修飾に直接変化を与えることなく変化させる．］

1．**栄養状態が良い場合の調節**：栄養状態が良い場合では**グルコース6-リン酸**濃度が高く，グリコーゲンシンターゼ*b*（肝臓でも筋肉でも）はそれによってアロステリックに**活性化**される（図11.12）（訳注：肝臓・筋肉どちらでも，脱リン酸型グリコーゲンシンターゼ*a*はアロステリックな調節を受けず常に活性型であるのに対し，リン酸化型グリコーゲンシンターゼ*b*（不活性型）はグルコース6-リン酸によりアロステリックに活性化される）．これに対して，筋グリコーゲンホスホリラーゼ*b*は細胞内のエネルギーレベルが高いことを示すシグナルであるATPのみならず，**グルコース6-リン酸**によってもアロステリックに**抑制**される．**肝臓**においては**グルコース**がグリコーゲンホスホリラーゼ*a*の最も重要なアロステリック**阻害因子**として働き，この酵素をPP1の良い基質に変換する（訳注：グリコーゲンホスホリラーゼのアロステリック調節は筋肉と肝臓では全く異なる．筋グリコーゲンホスホリラーゼ*b*（脱リン酸型）はATPとグルコース6-リン酸によってアロステリックに抑制され，AMPによりアロステリックに活性化される（下記2.参照）．筋グリコーゲンホスホリラーゼ*a*（リン酸化型）はアロステリックな調節を受けず常に活性型である．一方，肝臓においてはグリコーゲンホスホリラーゼ*a*（リン酸化型）がグルコースによってアロステリックに抑制され，グリコーゲンホスホリラーゼ*b*（脱リン酸型）はアロステリックな調節を受けず常に不活性型である）．

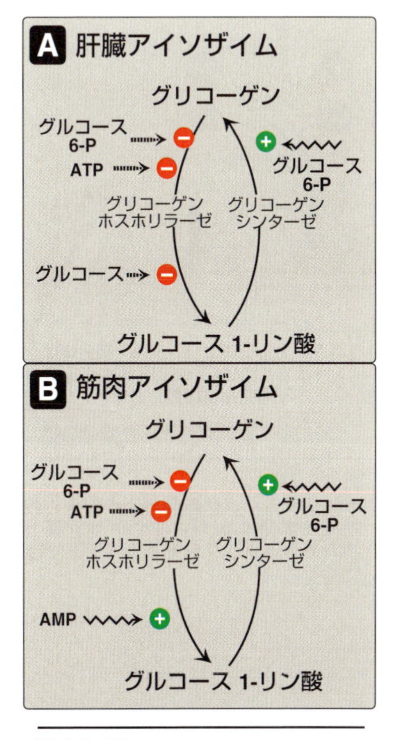

図11.12
グリコーゲン合成とグリコーゲン分解のアロステリックな調節．A．肝臓．B．筋肉．P：リン酸，AMP：アデノシン一リン酸．

2．**AMPによるグリコーゲン分解の活性化**：筋肉のグリコーゲンホ

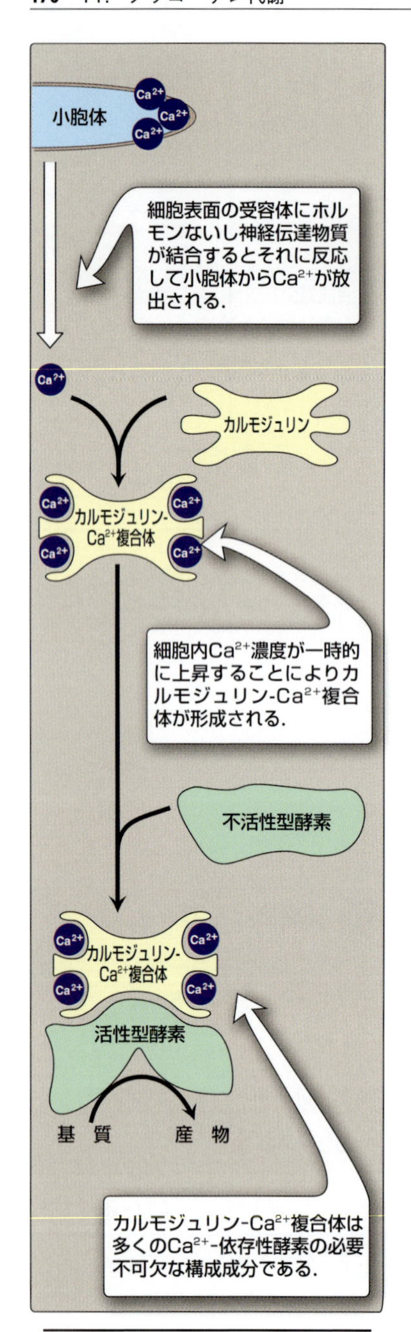

図 11.13
カルモジュリンは細胞内Ca^{2+}の多くの効果を媒介する．［注：Ca^{2+}は肝臓と筋肉でホスホリラーゼキナーゼを活性化する．］

スホリラーゼ（ミオホスホリラーゼ myophosphorylase）は（肝臓のアイソザイムと異なり）高濃度のAMPの存在下に活性化される．これは虚血とATP枯渇という極端な状況で起きる．AMPはグリコーゲンホスホリラーゼ*b*に結合し，リン酸化なしで活性化する（図 11.9 参照）（訳注：Tコンフォメーション→Rコンフォメーション）．AMPは解糖系のホスホフルクトキナーゼ-1 も活性化し，グリコーゲン分解で生じたグルコースの酸化を促すことを思い起こしてほしい．

3．カルシウムによるグリコーゲン分解の活性化：筋肉が神経刺激を受けた場合や肝臓のα_1-アドレナリン受容体にアドレナリンが結合した場合には，Ca^{2+}が（小胞体から）細胞質中に放出される．Ca^{2+}は**カルモジュリン calmodulin**（CaM，一群の低分子量カルシウム結合タンパク質の中で最も普遍的に存在するもの）に結合する．4 個のCa^{2+}がCaMに結合するとコンホメーション変化が生じ，活性化されたCa^{2+}-CaM複合体がタンパク質分子（多くの場合酵素で，このCa^{2+}-CaM複合体がない場合には不活性なもの）に結合しそれを活性化する（図 11.13）．このようにCaMは多くのタンパク質複合体の重要なサブユニットとして機能する．そのようなタンパク質の 1 つが四量体のホスホリラーゼキナーゼ*b*であり，これはPKAによるリン酸化が起こらなくてもそのδサブユニットであるCaMにCa^{2+}が結合することによって活性化されうる．［注：β-アドレナリン受容体にアドレナリンが結合するとCa^{2+}上昇を介してではなくcAMPを介して信号が伝達される．］

a．**筋ホスホリラーゼキナーゼの活性化**：筋肉が収縮するとき，ATPが迅速・緊急に必要となる．ATPは筋肉のグリコーゲンがグルコース 6-リン酸に分解され，グルコース 6-リン酸が解糖系で代謝されることにより供給される．神経インパルスにより筋細胞膜の脱分極が起こり，筋細胞の筋小胞体から筋細胞質へのCa^{2+}遊離が引き起こされる．遊離したCa^{2+}はCaMサブユニット（＝δサブユニット）に結合し，この複合体は筋肉のホスホリラーゼキナーゼ*b*を活性化する（図 11.9 参照）．

b．**肝臓ホスホリラーゼキナーゼの活性化**：“逃走か闘争か”というストレス状況では，アドレナリンが副腎髄質から放出され，血液中のグルコースが必要であることを伝えるシグナルとなる．このグルコースははじめは肝臓のグリコーゲン分解によって供給される．アドレナリンが肝細胞のα_1-アドレナリン受容体（GPCR）に結合するとリン脂質依存性カスケードが活性化され，Ca^{2+}がERから細胞質に移動する．Ca^{2+}-CaM複合体が形成され，肝臓のホスホリラーゼキナーゼ*b*を活性化する．ERから放出されたCa^{2+}は，プロテインキナーゼCも活性化し，このキナーゼはグリコーゲンシンターゼ*a*をリン酸化・不活性化する．

Ⅵ. 糖 原 病

糖原病 glycogen storage disease（**GSD**）は，グリコーゲン分解（まれには合成の場合もある）に必要な酵素の欠損に起因する一群の遺伝性疾患である．最も一般的な症状は低血糖，肝腫大，成長遅延，筋力低下，筋攣縮である．

糖原病では異常な構造を持つグリコーゲンが生成したり，分解障害のため特定の組織に正常な構造を持つグリコーゲンが大量に蓄積したりする．1つの組織のみで特定の酵素が欠損する場合もあれば（例えば肝臓の場合は低血糖になり，筋肉の場合は筋力低下をもたらす），欠損が心筋，腎臓など広範な組織に及ぶ場合もある．GSDの重症度は幼児期に死亡してしまう重篤なものから生命を脅かすほどではない軽度のものまでいろいろある．GSDはこれまでに全部で15の病型が知られているが，中にはきわめてまれなものもある．より頻回にみられる病型を表11.1に記載し，最もよくみられる3つの病型を図11.8に示している．

11 章の要約

- 体の主要な**グリコーゲン**貯蔵部位は**骨格筋**と**肝臓**である．骨格筋では**筋収縮**の間のATP合成のための予備燃料の役割を果たす．肝臓では（特に**絶食**時の初期において）**血糖値**を維持するためにグリコーゲンが利用される．
- グリコーゲンは**α-D-グルコース**の高度に**分枝**した重合体である．
- グリコーゲンの構成単位である**ウリジン二リン酸**（**UDP**）**-グルコース**は**UDP-グルコースピロホスホリラーゼ**によって**グルコース 1-リン酸**と**ウリジン三リン酸**（**UTP**）から合成される（図11.14）．
- UDP-グルコースの**グルコース**はα(1→4)結合を作る**グリコーゲンシンターゼ**によりグリコーゲン鎖の**非還元末端**に転移される．グリコーゲンシンターゼは**プライマー**を必要とするが，そのプライマーは**グリコゲニン**によって作られる．分枝は6～8個のグルコシル基の鎖をグリコーゲン鎖の非還元末端から（α(1→4)結合を切断して）グリコーゲン鎖の他のグルコシル基に転移し，α(1→6)結合で付加する，**アミロ-α(1→4)→α(1→6)-トランスグルコシダーゼ**（**4:6 トランスフェラーゼ**）によって形成される．
- **グリコーゲンホスホリラーゼ**はグリコーゲン鎖の非還元末端でグルコシル基間のα(1→4)結合を切断し，**グルコース 1-リン酸**を遊離させる．
- **グルコース 1-リン酸**は**ホスホグルコムターゼ**により**グルコース 6-リン酸**に変換される．
- **筋肉**ではグルコース 6-リン酸は解糖系に入る．**肝臓**では**グルコース-6-ホスファターゼ**によってリン酸が除去され，生成したグルコースは絶食の初期に血糖値を維持するために利用される．
- グルコース-6-ホスファターゼ欠損により**フォンギールケ病**が生じる．この病気では絶食時に肝臓は全身に遊離グルコースを供給することができない．グリコーゲン分解と糖新生の両者が障害される．
- グリコーゲンの合成と分解は，体全体の需要を満たすように，同一のホルモン信号によって**相反的に調節**されている．すなわち，**インスリン濃度が上昇するとグリコーゲン合成が増加しグリコーゲン分解が減少する**のに対して，**グルカゴン（アドレナリン）濃度が上昇するとグリコーゲン分解が増加しグリコーゲン合成が減少する**．

- グリコーゲン代謝の重要酵素は**プロテインキナーゼ**によってリン酸化される．これらのうち一部は**cAMP**依存性である（cAMP産生は**グルカゴン**と**アドレナリン**によって増加する）．リン酸基は**プロテインホスファターゼ1（PP1）**によって除去される．
- この**共有結合修飾**に加えて，**グリコーゲンシンターゼ**，**ホスホリラーゼキナーゼ**，**ホスホリラーゼ**は個々の組織・器官の需要をみたすように**アロステリックな調節**を受けている．
- 栄養状態が良い場合，グリコーゲンシンターゼはグルコース6-リン酸によって活性化されるが，グリコーゲンホスホリラーゼはATPのみならずグルコース6-リン酸によっても阻害される．
- 肝臓においては遊離グルコースもまたグリコーゲンホスホリラーゼのアロステリックな阻害因子として働く．
- 運動中には筋小胞体から筋細胞質へ**カルシウム**が放出される．肝臓ではアドレナリンがα受容体に結合すると細胞内カルシウム濃度が上昇する．カルシウムは**ホスホリラーゼキナーゼ**の**カルモジュリン**サブユニットに結合することによりこの酵素を活性化する．活性化された酵素はグリコーゲンホスホリラーゼをリン酸化して活性化し，グリコーゲン分解を促進する．

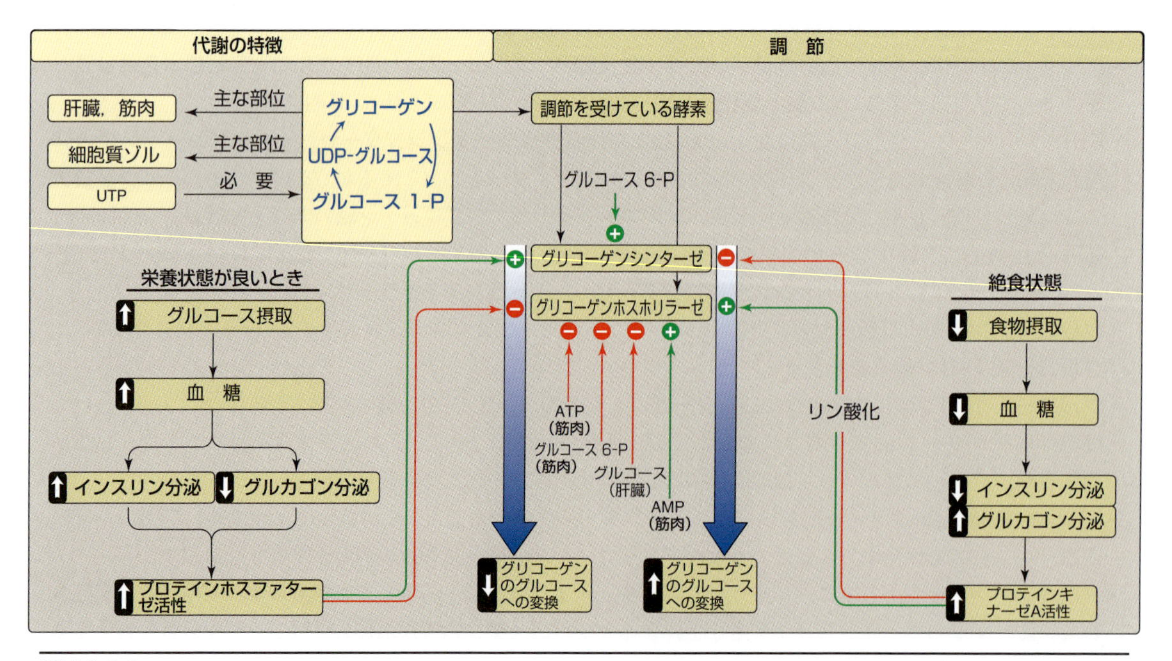

図 11.14
肝臓におけるグリコーゲン代謝の概念図．［注：グリコーゲンホスホリラーゼはホスホリラーゼキナーゼによってリン酸化される．ホスホリラーゼキナーゼの脱リン酸型の“*b*”もCa^{2+}によって活性化される.］UDP：ウリジン二リン酸，UTP：ウリジン三リン酸，P：リン酸，AMP：アデノシン一リン酸．

学習問題

最適な答えを1つ選びなさい.

問題11.1～11.4では，記載されている糖原病(GSD)の臨床症状に合致する欠損酵素を下の選択肢から選べ.

選択肢	GSD	欠損酵素
A	フォンギールルケ病 Ia型	グルコース-6-ホスファターゼ
B	ポンペ病Ⅱ型	酸性マルターゼ
C	コリ病Ⅲ型	4:4トランスフェラーゼ
D	アンダースン病 Ⅳ型	4:6トランスフェラーゼ
E	マッカードル病Ⅴ型	ミオホスホリラーゼ
F	ハース病Ⅵ型	肝ホスホリラーゼ

11.1　運動耐容量の低下, 運動中に血中乳酸値が上昇しない.

11.2　致命的な進行性の肝硬変, グリコーゲン構造の異常(外層に非常に長い非分枝鎖がある).

11.3　全身へのグリコーゲン蓄積，重症の筋緊張低下，心不全による死.

11.4　重度の空腹時低血糖，高乳酸血症，高尿酸血症，脂質異常症(高脂血症).

正解
11.1　E. ミオホスホリラーゼ(筋肉のホスホリラーゼアイソザイム)欠損(マッカードル病)により筋肉でのグリコーゲン分解は起こらず，筋肉ではグリコーゲン由来のグルコースが得られないために，解糖は減少しその嫌気的産物である乳酸も減少する.
11.2　D. (4:6)トランスフェラーゼ(分枝酵素)欠損(アンダースン病，グリコーゲン合成の酵素欠損)により，枝分かれの少ないグリコーゲンが合成され，これは可溶性に乏しい.
11.3　B. 酸性マルターゼ(酸性$\alpha(1\rightarrow4)$-グルコシダーゼ)欠損(ポンペ病)により，リソソームへと移行したグリコーゲンの分解が起こらない. 多様な組織が冒されるが，心筋傷害により死亡する.
11.4　A. グルコース-6-ホスファターゼ欠損(フォンギールルケ病)により，肝臓から遊離のグルコースを血中に放出することができない. その結果，重症の空腹時低血糖，高乳酸血症，高尿酸血症，脂質異常症がもたらされる.

11.5　アドレナリンとグルカゴンの両者が肝臓のグリコーゲン代謝に及ぼす効果はどれか.
A. 両者ともにグリコーゲンホスホリラーゼとグリコーゲンシンターゼをリン酸化し活性化する.
B. 両者ともにグリコーゲンホスホリラーゼとグリコーゲンシンターゼをリン酸化し不活化する.
C. 両者ともに肝臓においてグリコーゲン分解を増加させグリコーゲン合成を減少させる.
D. 両者ともにグリコーゲン合成を引き起こし，正味の量を増加させる.

正解　**C**. 肝臓においてアドレナリンとグルカゴンはともにグリコーゲン代謝の重要酵素を共有結合修飾(リン酸化)することによって，グリコーゲン分解を増加させ，グリコーゲン合成を減少させる. グリコーゲンホスホリラーゼはリン酸化され活性化され(“*a*”型)，グリコーゲンシンターゼはリン酸化され不活化される(“*b*”型). グルカゴンは細胞内カルシウム上昇をもたらさない.

11.6 収縮している骨格筋において，細胞質ゾルのCa^{2+}濃度の急激な上昇は以下のどの現象をもたらすか．

A. cAMP依存性プロテインキナーゼ(Aキナーゼ)の活性化.

B. ホスホジエステラーゼによるcAMPのAMPへの変換.

C. グリコーゲンシンターゼ*b*の直接的活性化.

D. ホスホリラーゼキナーゼ*b*の直接的活性化.

E. プロテインホスファターゼ1の作用によるホスホリラーゼキナーゼの不活性化.

正解 D. 運動中に筋小胞体から放出されたカルシウム(Ca^{2+})は，ホスホリラーゼキナーゼのカルモジュリンサブユニットに結合し，この酵素の脱リン酸された“*b*”型をアロステリックに活性化する．他の選択肢は細胞質ゾルのCa^{2+}上昇によっては起こらない．[注：Ca^{2+}は肝臓のホスホリラーゼキナーゼ*b*も活性化する.］(訳注：アドレナリンが肝細胞のα_1-アドレナリン受容体(GPCR)に結合した場合.)

11.7 糖原病Ⅰa型(フォンギールケ病，グルコース-6-ホスファターゼ欠損)でみられる低血糖が重症であるのに対して，糖原病Ⅵ型(ハース病，肝臓のホスホリラーゼ欠損)でみられる低血糖が軽症である理由を説明せよ．

正解 フォンギールケ病では，肝臓はグリコーゲン分解，糖新生のいずれからも遊離のグルコースを産生することができない．どちらの過程でもグルコース6-リン酸が産生されるからである．ハース病の場合，肝臓ではグリコーゲン分解は阻害されるが，糖新生から遊離のグルコースを産生することができる．

単糖と二糖の代謝 12

Ⅰ. 概　要

グルコースはヒトによって消費される単糖のなかでは最も一般的なものであり，その代謝についてはすでに記載した．しかし他の2つの単糖，**フルクトース fructose** と **ガラクトース galactose** も食事中に相当量存在し，主として二糖の形でエネルギー代謝に寄与している．さらにガラクトースは糖化タンパク質(訳注：糖タンパク質およびグリコサミノグリカン)の重要な構成成分である．図12.1にエネルギー代謝の重要な経路の一部としてフルクトースとガラクトースの代謝を示す．

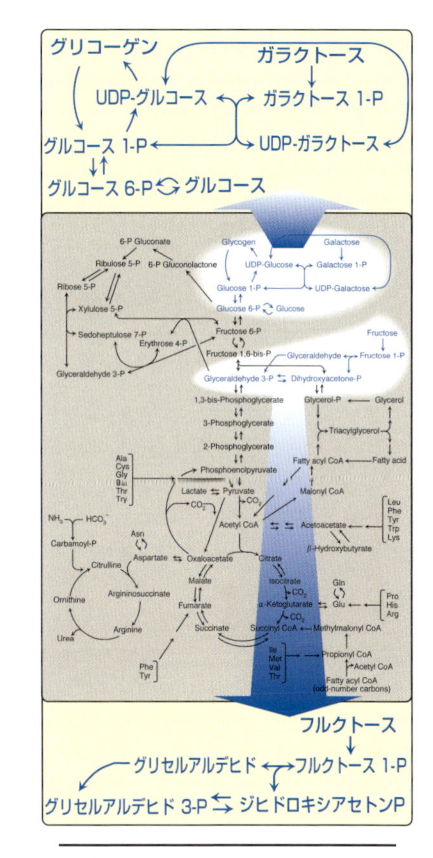

図 12.1
エネルギー代謝の重要経路の一部としてのガラクトースとフルクトースの代謝.［注：代謝全体の反応図の詳細は図8.2参照.］ UDP：ウリジン二リン酸，P：リン酸.

Ⅱ. フルクトース代謝

典型的な西欧風の食事に含まれるカロリーのおよそ10%はフルクトースによって供給される(約55 g/日)．フルクトースの主要な源は **スクロース sucrose** という二糖である．スクロースは腸管で分解され等モル量のフルクトースとグルコースになる．フルクトースはまた，多くの果物，ハチミツ，ソフトドリンクや多くの食品の甘味料として使用されている高フルクトースコーンシロップ(通常は55%フルクトース/45%グルコース)などに単糖の形で存在している．フルクトースの細胞内への輸送は**インスリン非依存性**で(グルコースのある種の組織への輸送はインスリン依存性である)，グルコースとは異なり，フルクトースはインスリン分泌を促進しない．

A. リン酸化

フルクトースが中間代謝の経路に入るためには，まずリン酸化されなければならない(図12.2)．このリン酸化はヘキソキナーゼ hexokinase かフルクトキナーゼ fructokinase の作用によって行われる．ヘキソキナーゼは体のほとんどの細胞でグルコースをリン酸化するが，数種の他のヘキソースも基質となりうる．しかし，フルクトースに対しては親和性が低い(高 K_m)．

したがって，フルクトースの細胞内濃度が異常に高くならない限り，飽和濃度のグルコースが存在する通常の条件では，ヘキソキナー

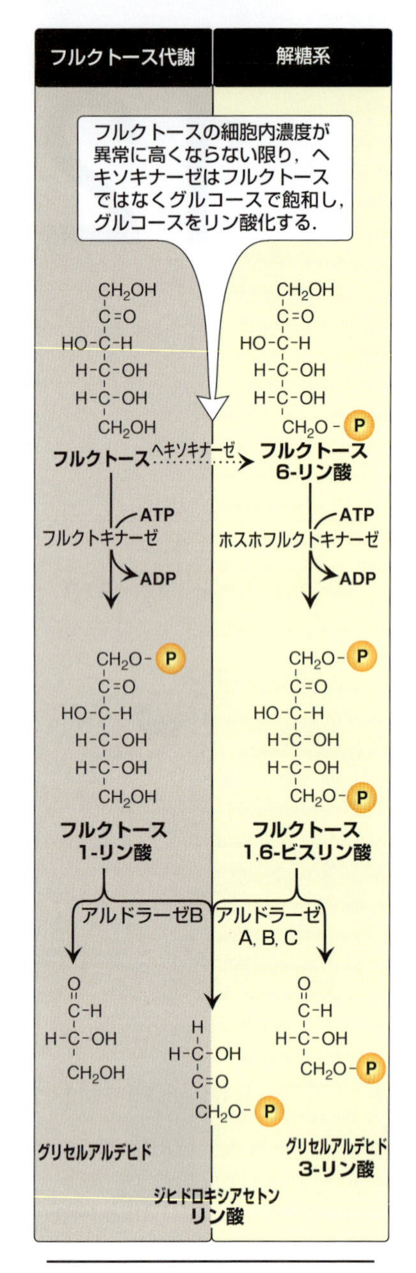

図 12.2
フルクトースのリン酸化物とその開裂．P：リン酸，ADP：アデノシン二リン酸．

ゼによるフルクトースのフルクトース 6-リン酸へのリン酸化はほとんど起こらない（訳注：それでもヘキソキナーゼはフルクトースをリン酸化しうるが，肝臓に存在するグルコキナーゼ glucokinase はフルクトースをほとんどリン酸化しない）．フルクトキナーゼによるリン酸化がフルクトースのリン酸化の主要な経路である（図 12.2 参照）．フルクトキナーゼのフルクトースに対する K_m は低く V_{max}（最大速度）は大きい．フルクトキナーゼは**肝臓 liver**（食事性フルクトースのほとんどはここで処理される），**腎臓 kidney**，**小腸 small intestine** に存在し，ATP をリン酸供与体としてフルクトースを**フルクトース 1-リン酸 fructose 1-phosphate** に変換する．［注：これら 3 つの組織は下記 B. で述べるようにアルドラーゼ B も持っている．］

B. フルクトース 1-リン酸の分解

フルクトース 1-リン酸はフルクトース 6-リン酸（p.128 参照）とは異なり，フルクトース 1,6-ビスリン酸には変換されず，アルドラーゼ B aldolase B（フルクトース-1-リン酸アルドラーゼ fructose 1-phosphate aldolase）によって開裂されて，**ジヒドロキシアセトンリン酸 dihydroxyacetone phosphate**（DHAP）と**グリセルアルデヒド glyceraldehyde** になる．［注：ヒトは 3 つの別個のアルドラーゼアイソザイム A，B，C を発現している．これらは 3 つの異なる遺伝子の産物である．アルドラーゼ A（ほとんどの組織に存在）もアルドラーゼ B（肝臓，腎臓，小腸に存在）もアルドラーゼ C（脳に存在）も解糖系で生じたフルクトース 1,6-ビスリン酸を開裂して，DHAP とグリセルアルデヒド 3-リン酸にするが，アルドラーゼ B だけがフルクトース 1-リン酸を開裂することができる．］DHAP は解糖系か糖新生経路に直接入るが，グリセルアルデヒドは図 12.3 に示したように多くの経路で代謝可能である．

C. 反応速度論

フルクトース代謝の速度はグルコース代謝の速度よりもずっと速い．フルクトース 1-リン酸からのトリオース産生は解糖系の主要な律速段階酵素であるホスホフルクトキナーゼ-1 phosphofructokinase-1 を迂回するからである．

D. 代謝異常

フルクトースが代謝経路に入るのに必要な酵素が欠損すると，**フルクトキナーゼ欠損症 fructokinase deficiency**（**本態性フルクトース（果糖）尿症 essential fructosuria**）のように大きな害のない場合もあれば，**アルドラーゼ B 欠損 aldolase B deficiency** のように肝臓と腎臓の代謝を大きく障害する場合もある（**遺伝性フルクトース（果糖）不耐症 hereditary fructose intolerance**，HFI）．この疾患はおよそ 20,000 生児出生あたり 1 の頻度で起きる（図 12.3 参照）．

HFI の最初の症状は患児が離乳して（ミルクの主成分であるラクトースはフルクトースを含まない），スクロースやフルクトースを含む食事を与えられはじめたときに現れる．フルクトース 1-リン酸が

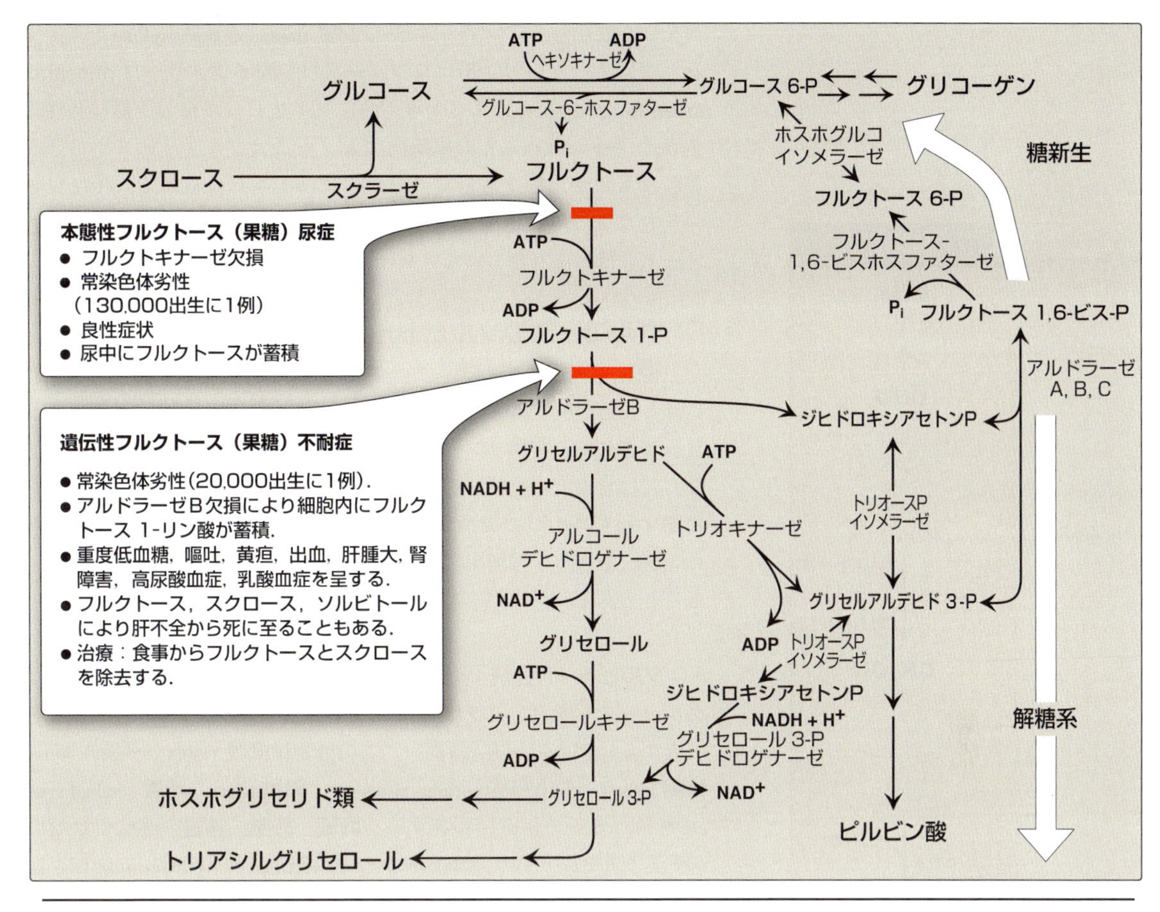

図 12.3
フルクトース代謝のまとめ．P：リン酸，P_i：無機リン酸，NAD(H)：ニコチンアミドアデニンジヌクレオチド，ADP：アデノシン二リン酸．

蓄積し，無機リン酸(P_i)濃度が急激に低下し，それに伴ってATP産生も大きく低下する．ATPが低下するにつれてアデノシン一リン酸(AMP)が上昇する．AMPは分解され高尿酸血症になり，乳酸アシドーシスにもなる．肝臓のATPの低下した入手可能性により，糖新生が低下し(その結果嘔吐を伴う**低血糖 hypoglycemia**になる)，タンパク質合成も低下する(その結果，血液凝固因子や他の重要なタンパク質が減少する)．腎機能が低下する場合もある．[注：P_iの低下によりグリコーゲン分解も阻害される．]

HFIの診断は尿中フルクトースの測定，肝細胞の酵素活性測定，DNAに基づく検査で可能である(34章参照)．HFIでは，フルクトースとともにスクロースを食事から除去しないと，肝不全を起こし死に至る．HFIの患者は生涯にわたって甘いものを嫌う傾向があることに留意されたい．

E. マンノースのフルクトース 6-リン酸への変換

グルコースのC-2エピマーである**マンノース mannose**は**糖タンパク質 glycoprotein**の重要な構成成分である．ヘキソキナーゼはマンノースをリン酸化して**マンノース 6-リン酸 mannose 6-phosphate** を産生する．マンノース 6-リン酸はマンノースリン酸イソメラーゼ phosphomannose isomeraseによって可逆的にフルクトース 6-リン酸に異性化される．[注：ほとんどの細胞内マンノースはフルクトースから合成されたものか，構造性糖質の分解によって生じたもので，ヘキソキナーゼによってリン酸化されて再利用される．食事中の糖質にマンノースはほとんど含まれていない．]

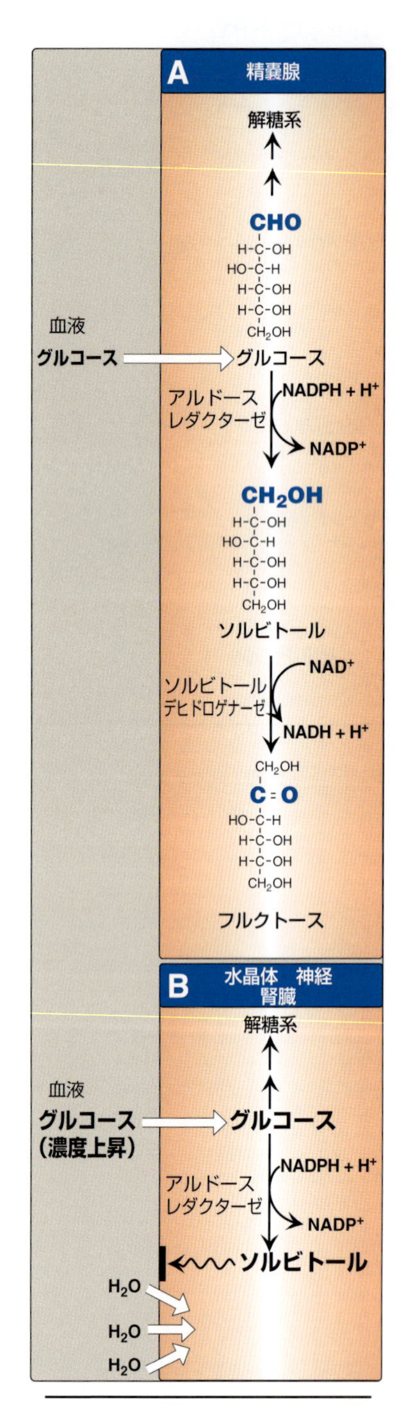

図 12.4
ソルビトール代謝．NAD (H)：ニコチンアミドアデニンジヌクレオチド，NADP(H)：ニコチンアミドアデニンジヌクレオチドリン酸．

F. グルコースのソルビトール経由のフルクトースへの変換

ほとんどの糖質は細胞内に入ると迅速にリン酸化され，細胞内にトラップされる．有機リン酸(リン酸化された糖など)は特異的な輸送体なしには自由に細胞膜を通過することができないからである．単糖を代謝するもう 1 つの機構は，アルデヒド基を還元してヒドロキシ基(水酸基)をもう 1 個増やし**ポリオール polyol**(糖アルコール)に変換することである．

1．**ソルビトール合成**：アルドースレダクターゼ aldose reductaseはグルコースを還元して**ソルビトール sorbitol**(**グルシトール glucitol**)を合成する(図 12.4)が K_m は高い．この酵素は**網膜 retina**，**水晶体 lens**，**腎臓 kidney**，**末梢神経 peripheral nerves**，**卵巣 ovary**，**精嚢 seminal vesicle**を含む多くの組織に存在する．**肝臓**，**卵巣**，**精嚢**の細胞では第二の酵素ソルビトールデヒドロゲナーゼ sorbitol dehydrogenaseが存在し，この酵素はソルビトールを酸化して**フルクトース**を産生する(図 12.4 参照)．精嚢におけるグルコースからフルクトースへの 2 反応経路は精子細胞にとって有益である．精子細胞はフルクトースを主要な糖質エネルギー源として利用できるからである．ソルビトールからフルクトースへの変換経路のおかげで，肝臓ではソルビトールは解糖系に入りうる．

2．**高血糖とソルビトール代謝**：網膜，水晶体，腎臓，末梢神経の細胞ではグルコースの細胞内への輸送はインスリン依存性ではないので，**高血糖 hyperglycemia**時には(例えばコントロールされていない糖尿病の場合のように)，大量のグルコースがこれらの細胞内に入りうる．細胞内グルコース濃度が上昇しニコチンアミドアデニンジヌクレオチドリン酸(NADPH)が十分に存在する場合には，アルドースレダクターゼによって大量のソルビトールが細胞内で産生され，ソルビトールは効率的に細胞膜を通過することができないため，細胞内にトラップされる(図 12.4 参照)．この現象はソルビトールデヒドロゲナーゼの産生が少ないか欠如している場合，悪化する．その結果ソルビトールはこれらの細胞内に蓄積，大きな**浸透圧 osmotic pressure**効果をもたらし，水分の流入と貯留のため細胞が膨化する．

白内障 cataract，**末梢神経障害 peripheral neuropathy**，**腎症 nephropathy**，**網膜症 retinopathy**に至る微小血管障害などの**糖尿病 diabetes mellitus**に伴う病的変化の一部はこの浸透圧ストレスosmotic stressによる

ものと考えられる．アルドースレダクターゼ反応によってNADPHが消費されてしまうために，重要な抗酸化因子である還元型グルタチオン産生が減少し，糖尿病の合併症発症に寄与している可能性もある．

Ⅲ．ガラクトース代謝

食事性ガラクトースの主要な源はミルクおよび乳製品に含まれる**ラクトース lactose**（ガラクトシルβ-1,4-グルコース）である．［注：β-ガラクトシダーゼ β-galactosidase（ラクターゼ lactase）によるラクトースの分解はp.112に記載した．］少量のガラクトースは，糖タンパク質や糖脂質のリソソームでの分解によっても得られる．フルクトース（およびマンノース）と同様にガラクトースの細胞内への輸送もインスリン依存性ではない．

A. リン酸化

フルクトースと同様に，ガラクトースも代謝されるためにはリン酸化されなければならない．ほとんどの組織はこの目的のために特異的な酵素を持っている．それはガラクトキナーゼ galactokinaseと呼ばれ，**ガラクトース 1-リン酸 galactose 1-phosphate**を生成する（図12.5）．他のキナーゼと同様にATPがリン酸供与体となる．

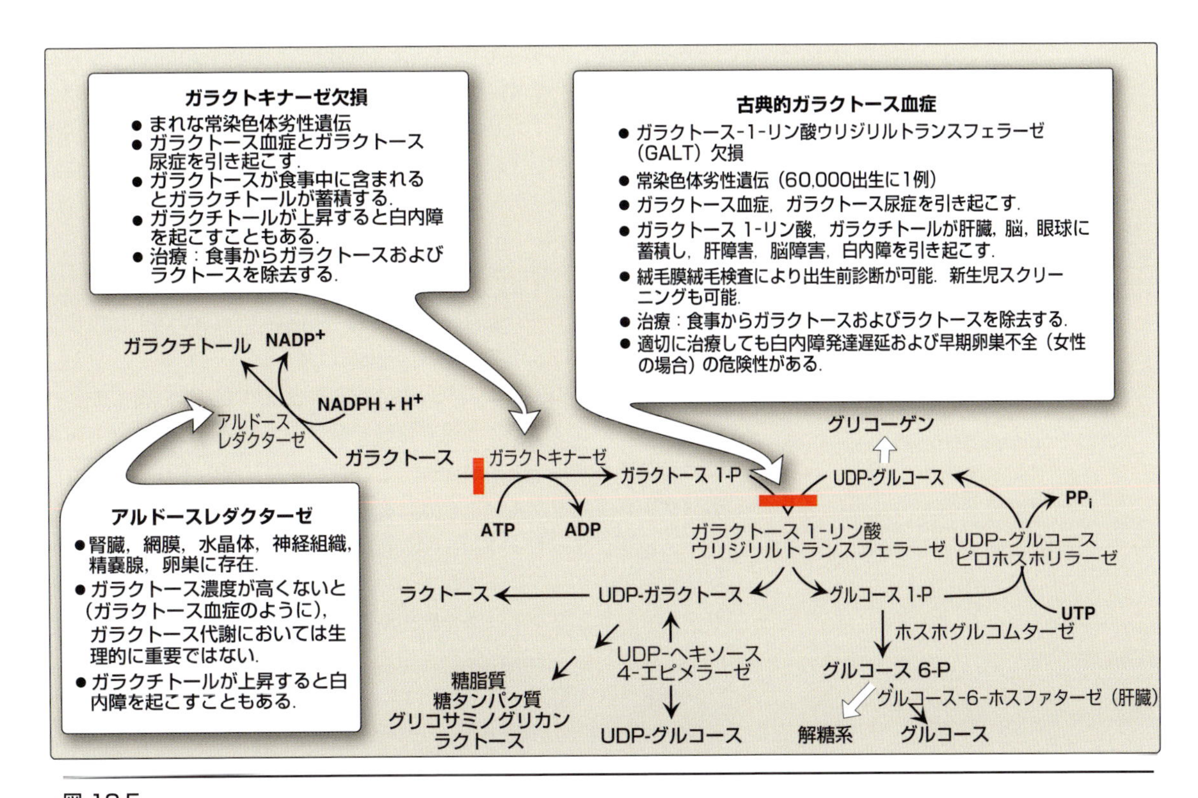

図 12.5
ガラクトース代謝．UDP：ウリジン二リン酸，UTP：ウリジン三リン酸，P：リン酸，PPi：ピロリン酸，NADP(H)：ニコチンアミドアデニンジヌクレオチドリン酸，ADP：アデノシン二リン酸．

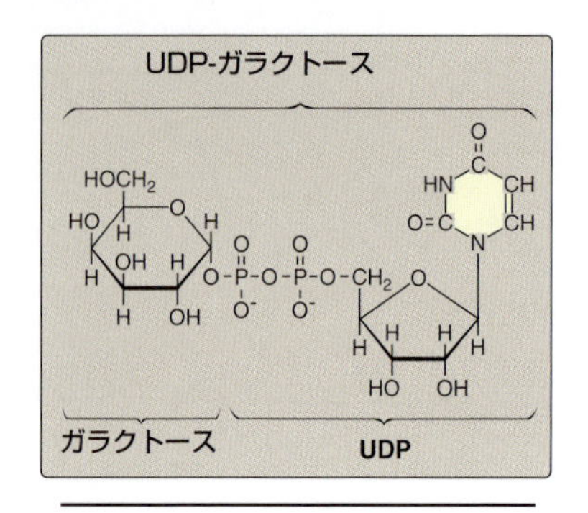

図 12.6
UDP-ガラクトースの構造．UDP：ウリジン二リン酸．

B. ウリジン二リン酸(UDP)-ガラクトース生成

ガラクトース1-リン酸はUDP-ガラクトースUDP-galactoseに変換されないと解糖系に入ることはできない(図12.6)．この変換は，UDP-グルコースがガラクトース1-リン酸と反応し，UDP-ガラクトースとグルコース1-リン酸が生じる交換反応で起こる(図12.5参照)．この反応を触媒する酵素はガラクトース1-リン酸ウリジリルトランスフェラーゼgalactose-1-phosphate uridylyltransferase(GALT)である．[注：グルコース1-リン酸はグルコース6-リン酸に異性化され，解糖系にも糖新生にも入りうる．]

C. UDP-ガラクトースのUDP-グルコースへの変換

UDP-ガラクトースがグルコース代謝の主要経路に入るためには，UDP-ヘキソース4-エピメラーゼUDP-hexose 4-epimeraseによってC-4エピマーであるUDP-グルコースに異性化されなければならない．この"新しい"UDP-グルコース(UDP-ガラクトース由来)は多くの生合成反応(例えば糖新生)に参加しうるし，上述のGALT反応にも用いられる．[注：この相互変換のまとめは図12.5参照．]

D. 生合成反応におけるUDP-ガラクトース

UDP-ガラクトースはラクトース合成(下記Ⅳ.参照)，糖タンパク質合成，糖脂質合成，グリコサミノグリカン合成を含む多くの生合成反応におけるガラクトース単位の供与体の役割を果たす．[注：もしガラクトースが食事から得られなくても(例えば，ラクトース不耐症でβ-ガラクトシダーゼが欠損するためラクトースの分解でガラクトースが得られない場合のように)，グルコース1-リン酸とウリジン三リン酸(UTP)から効率的に作られるUDP-グルコースにUDP-ヘキソース4-エピメラーゼが作用することによって，すべての細胞におけるUDP-ガラクトース要求は満たすことができる(図12.5参照)．]

E. 障　害

古典的ガラクトース血症 classic galactosemiaではGALTが高度に欠損している(図12.5参照)．この疾患ではガラクトース1-リン酸およびガラクトースが蓄積する．生理的な結果はHFIでみられるものと同様であるが，より多くの組織が影響を受ける．蓄積したガラクトースは**ガラクチトール galactitol**産生などの側副経路にまわされる．この反応はグルコースをソルビトールに変換するのと同一の酵素であるアルドースレダクターゼaldose reductaseによって触媒される．GALT欠損は新生児スクリーニング検査の一部になっている．治療は食事からガラクトースとラクトースを除去することである．ガラクトキナーゼやエピメラーゼepimeraseの欠損は，白内障を伴うがより症状の軽いガラクトース代謝障害を引き起こす(図12.5参照)．

Ⅳ. ラクトース合成

ラクトース lactoseは1分子のβ-ガラクトースがβ(1→4)結合で1

分子のグルコースに結合した二糖である．したがって，ラクトースはガラクトシルβ(1→4)-グルコースである．ラクトースは乳糖であり，泌乳中の**乳腺 mammary gland**で産生される．したがって，ミルクと他の乳製品はラクトースの主要な食事中の源である．

ラクトースはラクトースシンターゼ lactose synthase（UDP-ガラクトース：グルコースガラクトシルトランスフェラーゼ UDP-galactose:glucose galactosyltransferase）によってゴルジ体で合成される．この酵素は**プロテインA protein A**と**プロテインB protein B**から構成され，ガラクトースをUDP-ガラクトースからグルコースに転移させUDPを放出する（図12.7）．プロテインA（β-D-ガラクトシルトランスフェラーゼ β-D-galactosyl transferase（訳注：一般的に生化学分野でプロテインAというと黄色ブドウ球菌のIgGと特異的に結合するプロテインAを意味する．免疫実験でIgGの検出物質として広く応用される）は多くの組織中に存在する．泌乳している乳腺以外の組織では，この酵素はUDP-ガラクトースから*N*-アセチル-D-グルコサミンへとガラクトースを転移させラクトース中の結合と同様のβ(1→4)結合を作り，*N*-アセチルラクトサミンを産生する．*N*-アセチルラクトサミンは構造的に重要な*N*-結合糖タンパク質の構成要素である（p.219参照）．これに対して，プロテインB（**α-ラクトアルブミン α-lactalbumin**）は泌乳している乳腺だけに存在する．その合成は**プロラクチン prolactin**というペプチドホルモンによって促進される．プロテインBは酵素であるプロテインAと複合体を形成し，このトランスフェラーゼ transferaseの特異性を変化させ（グルコースに対するK_mを低下させ），*N*-アセチルラクトサミンではなくラクトースを合成させるようにする（図12.7参照）．

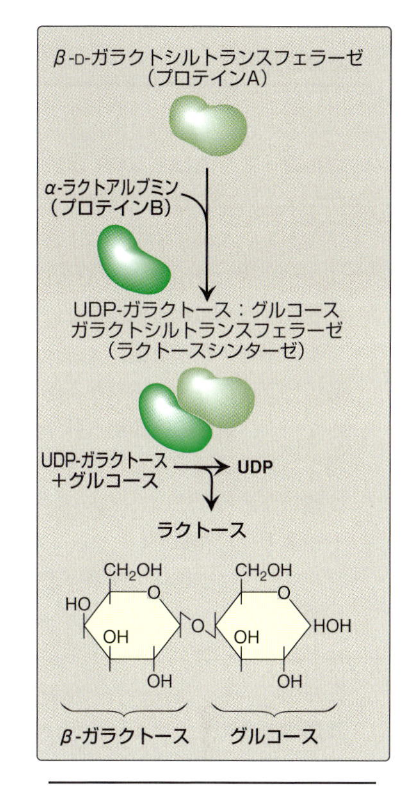

図 12.7
ラクトース合成．UDP：ウリジン二リン酸．

臨床応用 12.1：乳糖不耐症

乳糖不耐症は乳糖吸収不全とも呼ばれ，北欧以外の先祖を持つ成人の最大60％までもが罹患する．小腸におけるβ-ガラクトシダーゼ（ラクターゼ）欠損が原因である．ラクターゼが不足する場合，乳製品を完全に消化することができないことを思い出してほしい（p.112および図7.11参照）．乳製品を摂取した後，乳糖不耐症の人は腹痛，下痢，腹部膨満の症状を経験する．ラクターゼサプリを摂取し乳製品を避けることにより症状を予防・改善することができる．

12章の要約

- フルクトースの主要な供給源は二糖の**スクロース**であり，スクロースは分解されると等量の**フルクトース**と**グルコース**を放出する(図12.8).
- フルクトースの細胞内輸送は**インスリンには依存しない**.
- フルクトースはまず**フルクトキナーゼ**によってリン酸化されて**フルクトース1-リン酸**になり，フルクトース1-リン酸は**アルドラーゼB**によって開裂されて**ジヒドロキシアセトンリン酸**(**DHAP**)と**グリセルアルデヒド**になる．これらの酵素は**肝臓**，**腎臓**，**小腸**に存在する.
- フルクトキナーゼ欠損により症状の軽い**本態性フルクトース**(**果糖**)**尿症**が生じるが，アルドラーゼB欠損は**遺伝性フルクトース**(**果糖**)**不耐症**(**HFI**)を引き起こす．この疾患は食事性フルクトース(スクロースも)を除かないと，**重度の低血糖**と**肝不全**により**死に至る**.
- **糖タンパク質**の重要な構成要素である**マンノース**は**ヘキソキナーゼ**によりリン酸化されて**マンノース6-リン酸**になる．マンノース6-リン酸は**マンノースリン酸イソメラーゼ**によって可逆的に異性化されて**フルクトース6-リン酸**になる.
- グルコースは**水晶体**，**網膜**，**末梢神経**，**腎臓**，**卵巣**，**精嚢**など多くの組織で**アルドースレダクターゼ**によって還元されて**ソルビトール**(**グルシトール**)になる．肝臓，卵巣，精嚢の細胞では第二の酵素**ソルビトールデヒドロゲナーゼ**がソルビトールを酸化して**フルクトース**にする.
- **高血糖**の結果，ソルビトールデヒドロゲナーゼを欠く細胞ではソルビトールが蓄積する．その結果，**細胞内浸透圧**が高まり，水が細胞内に入り込み，細胞が膨化する．これが**糖尿病**でみられる**白内障形成**，**末梢神経障害**，**腎症**，**網膜症**の一因と考えられる.
- **ガラクトース**の主要な食事源は**ラクトース**である．ガラクトースの細胞内輸送はインスリンには依存しない．ガラクトースは**ガラクトキナーゼ**(欠損により白内障が起こる)によりリン酸化されてガラクトース1-リン酸になる.
- ガラクトース1-リン酸は**ガラクトース1-リン酸ウリジリルトランスフェラーゼ**(**GALT**)により**ウリジン二リン酸**(**UDP**)**-ガラクトース**に変換される(ヌクレオチドはUDP-グルコースから供給される)．この酵素欠損は**古典的ガラクトース血症**を引き起こす．ガラクトース1-リン酸が蓄積し，過剰なガラクトースは**アルドースレダクターゼ**により**ガラクチトール**に変換される．これが**肝障害**，**脳障害**，**白内障**を引き起こす．治療は食事からガラクトース(ラクトースも)を除去することである.
- UDP-ガラクトースがグルコース代謝の主要経路に入るためには**UDP-ヘキソース4-エピメラーゼ**によってUDP-グルコースに異性化されなければならない．この酵素はUDP-ガラクトースが糖タンパク質と糖脂質の合成のために必要な場合にはUDP-グルコースからUDP-ガラクトースへの変換も触媒する.
- **ラクトース**は**ガラクトース**と**グルコース**から構成される二糖である．**乳製品**がラクトースの主要な食事源である．ラクトースは泌乳している**乳腺中**で**UDP-ガラクトース**と**グルコース**から**ラクトースシンターゼ**により合成される．この酵素は2つのサブユニット，**プロテインA**(ほとんどの細胞に存在する**ガラクトシルトランスフェラーゼ**で，普段は***N*-アセチルラクトサミン**を合成している)と**プロテインB**(**α-ラクトアルブミン**で，泌乳している乳腺のみに存在し，その合成は**プロラクチン**というペプチドホルモンによって促進される)から構成されている．両方のサブユニットが存在すると，この酵素はラクトースを合成する.

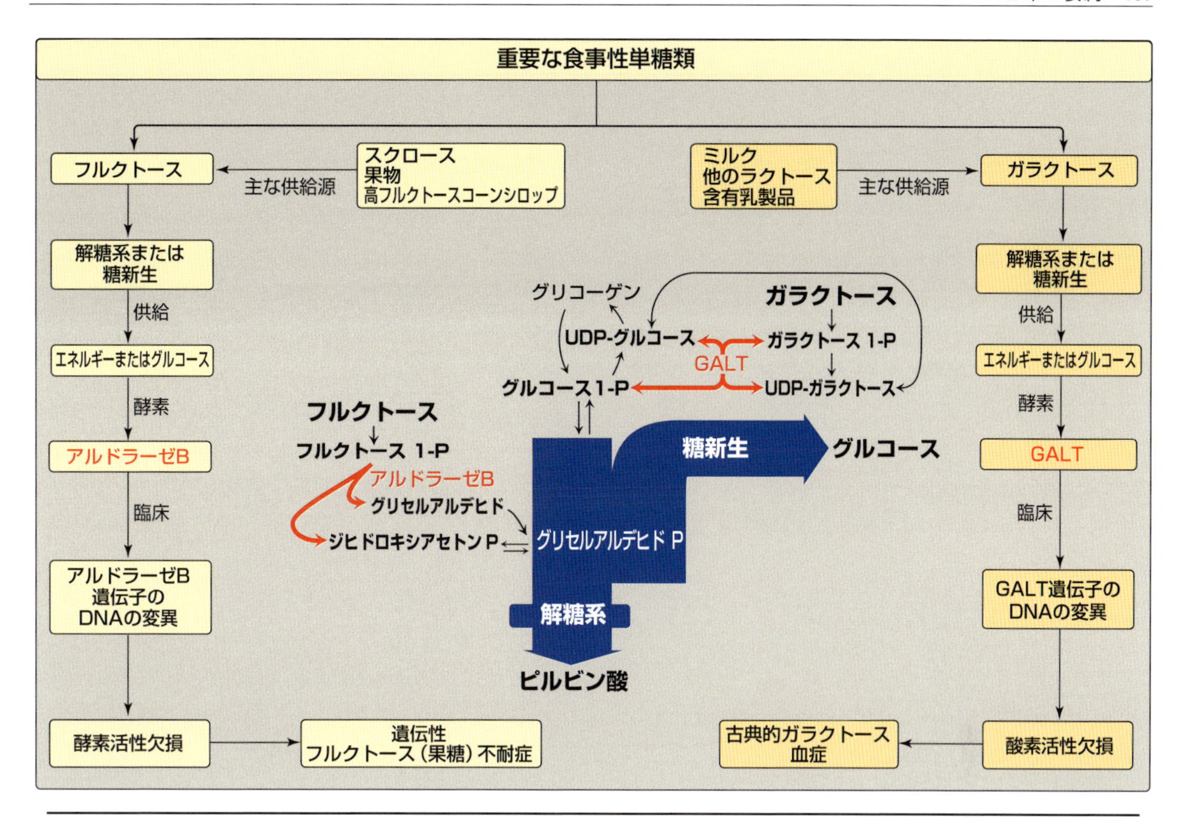

図 12.8
フルクトース代謝・ガラクトース代謝の概念図．GALT：ガラクトース-1-リン酸ウリジリルトランスフェラーゼ，UDP：ウリジン二リン酸，P：リン酸．

学習問題

最適な答えを1つ選びなさい.

12.1　古典的ガラクトース血症を持ちガラクトース除去食を食べている女性が満期出産した. 彼女が母乳中のラクトースを産生できる理由はどれか.

A. ガラクトースは異性化によりフルクトースから産生できる.

B. ガラクトースはエピマー化によりグルコース代謝物から産生できる.

C. ヘキソキナーゼは効率的にガラクトースをリン酸化してガラクトース1-リン酸にすることができる.

D. ガラクトース血症で問題となる酵素は乳腺で産生されるホルモンによって活性化される.

正解　B. ウリジン二リン酸(UDP)-グルコースはUDP-ヘキソース4-エピメラーゼによってUDP-ガラクトースに変換され, ラクトース合成に必要なガラクトースを適切な形で提供する. フルクトースからガラクトースへの異性化はヒトでは起こらない. ガラクトースはヘキソキナーゼによってはガラクトース1-リン酸に変換されない. ガラクトース除去食にはガラクトースは含まれない. ガラクトース血症は酵素(ガラクトース-1-リン酸ウリジリルトランスフェラーゼ)欠損によってもたらされる.

12.2　生後6カ月の男児が嘔吐, 寝汗(盗汗), 振戦(震え)の訴えで小児科医を受診. 問診で, これらの徴候は母乳から離乳しフルーツジュースを飲みはじめてからはじまったことが明らかになった. 理学的検査で肝腫大が明らかになった. 尿検査で還元糖は陽性だったが, グルコースは陰性だった. この男児は次の酵素のうちどれを欠損しているのが最も疑わしいか.

A. アルドラーゼB

B. フルクトキナーゼ

C. ガラクトキナーゼ

D. β-ガラクトシダーゼ

E. グルコース-6-ホスファターゼ

正解　A. 症状からアルドラーゼB欠損である遺伝性フルクトース不耐症が考えられる. フルクトキナーゼやガラクトキナーゼの欠損症は, 血中・尿中のフルクトースないしガラクトース濃度の上昇を特徴とする比較的良性の疾患である. β-ガラクトシダーゼ(ラクターゼ)の欠損ではラクトース(乳糖)を分解する能力が低下する. この男児がラクターゼ欠損症(遺伝性ラクターゼ欠損症はきわめてまれである)だとすると, 症状はもっと早く現れたであろうし, 異なった徴候を示したであろう. 典型的なラクターゼ欠損症(成人型乳糖不耐症 lactose intolerance)はもっと遅く発症する.

12.3　ラクトース合成では次に記すどれが起こるか.

A. α-ラクトアルブミン発現はプロラクチンホルモンによって減少する.

B. ガラクトシルトランスフェラーゼがガラクトース1-リン酸からグルコースへのガラクトースの転移を触媒する.

C. プロテインAはラクトース合成のみに用いられる.

D. α-ラクトアルブミンはプロテインAのグルコースに対する親和性を低下させる.

E. プロテインBの発現はプロラクチンによって促進される.

正解　E. α-ラクトアルブミン(プロテインB)発現はプロラクチンによって増加する. UDP-ガラクトースがガラクトシルトランスフェラーゼ(プロテインA)によって用いられる. プロテインAはアミノ糖である*N*-アセチルラクトサミンの合成にも関与する. プロテインBはプロテインAのグルコースに対する親和性を増加(したがってミカエリス定数(K_m)は減少)させる.

12.4 生後3カ月の女児が眼球混濁で精査を受けている．身体診察で白内障が明らかになった．人の顔をみたときに生じる笑いがなく，ものを目で追いかけることができないことを除いては，診察結果は（白内障以外は）すべて正常である．尿検査では還元糖は陽性だがグルコースは陰性である．この女児で欠損していることが最も疑わしいのはどの酵素か．

A. アルドラーゼB
B. フルクトキナーゼ
C. ガラクトキナーゼ
D. ガラクトース-1-リン酸ウリジリルトランスフェラーゼ

正解 C. この女児はガラクトキナーゼ欠損をもち，ガラクトースを十分にリン酸化できない．その結果ガラクトースが血中に（尿中にも）蓄積する．眼の水晶体ではガラクトースはアルドースレダクターゼによって還元されて糖アルコールのガラクチトールになる．ガラクチトールは浸透圧効果により白内障をもたらす．ガラクトース-1-リン酸ウリジリルトランスフェラーゼ欠損でも白内障が生じるが，肝障害と神経学的障害ももたらす．フルクトキナーゼ欠損症では大きな障害は起きない．アルドラーゼB欠損はいくつかの組織で重度の障害をもたらすが，白内障は一般的ではない．

12.5 血糖値が高くニコチンアミドアデニンジヌクレオチドリン酸（NADPH）の供給が十分量ある人では，以下のうちどれが高濃度で産生され細胞内に留まるだろうか．

A. フルクトース
B. ガラクトース
C. ラクトース
D. ソルビトール
E. スクロース

正解 D. この状況下ではソルビトールが上昇するだろう．細胞内グルコース濃度が上昇し，還元型のNADPHの十分な供給がある場合，アルドースレダクターゼによってかなりの量のソルビトールが産生され，ソルビトールは細胞膜を効率的に通過することができないので，細胞内に留まることになる．細胞内に留まったソルビトールは，白内障，末梢神経障害，微小血管障害等の糖尿病の合併症発症に寄与する．

ペントースリン酸経路と NADPH 13

Ⅰ. 概　要

ペントースリン酸経路 pentose phosphate pathway（ヘキソースーリン酸シャント**hexose monophosphate shunt**）はヌクレオチド生合成のためのリボース5-リン酸を供給し，生化学的な還元剤であるニコチンアミドアデニンジヌクレオチドリン酸（NADPH）の主要な産生源として重要である．NADPHは脂肪酸およびコレステロールの生合成や，酸化ストレスへの応答において，また好気的代謝の副産物として産生される過酸化水素（H_2O_2）の還元に用いられる還元当量の細胞における源である．グルコース-6-リン酸デヒドロゲナーゼ glucose-6 phosphate dehydrogenase（G6PD）が経路の最初の律速段階を触媒する．G6PD欠損の伴性遺伝の結果，NADPHが特に赤血球において不足し，酸化ストレスに対して溶血しやすくなる．この経路はATPを産生も消費もしない．

この経路の反応は細胞質ゾルで起こり，不可逆的酸化反応と，それに引き続いて起こる一連の可逆的な糖-リン酸の相互変換によって構成されている（図13.1）．酸化反応では，グルコース6-リン酸の炭素1（C1）はCO_2として放出され，1分子のペントース糖-リン酸と2分子の還元型NADPHが合成される．ペントースリン酸経路の可逆反応の速度と方向は回路の中間体の供給と需要によって決定される．この経路はヌクレオチド生合成に必要なリボース5-リン酸も産生し（22章Ⅲ.も参照），五炭糖を三炭糖や六炭糖の解糖系中間体に変換する機構を提供する．

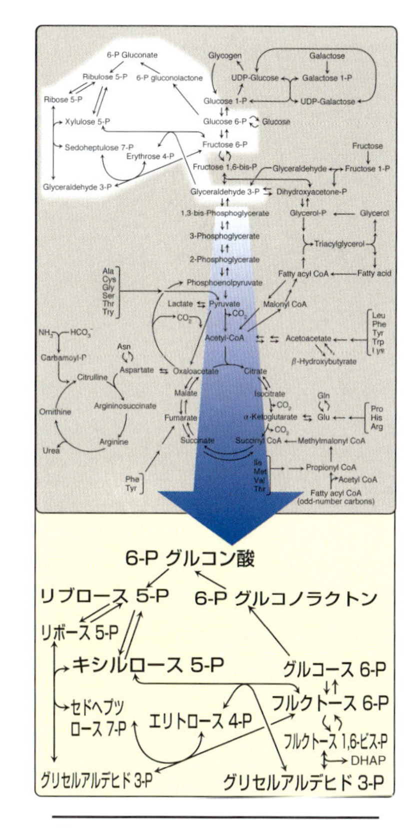

図 13.1
代謝マップの構成成分としてのペントースリン酸経路．［注：代謝経路の詳細については図8.2参照．］P：リン酸，DHAP：ジヒドロキシアセトンリン酸．

Ⅱ. 不可逆的酸化反応

ペントースリン酸経路の酸化段階は3つの不可逆反応で構成され，**グルコース6-リン酸 glucose 6-phosphate** 1分子が酸化されるごとに1分子の**リブロース5-リン酸 ribulose 5-phosphate**，1分子のCO_2，2分子の**NADPH**が産生される（図13.2）．この段階は，活発にNADPH依存的に脂肪酸を合成している肝臓・泌乳中の乳腺・脂肪組織（15章Ⅲ.も参照），活発にNADPH依存性のステロイド合成を行っている精巣，卵巣，胎盤，副腎皮質（18章も参照），還元型グルタチオンを維

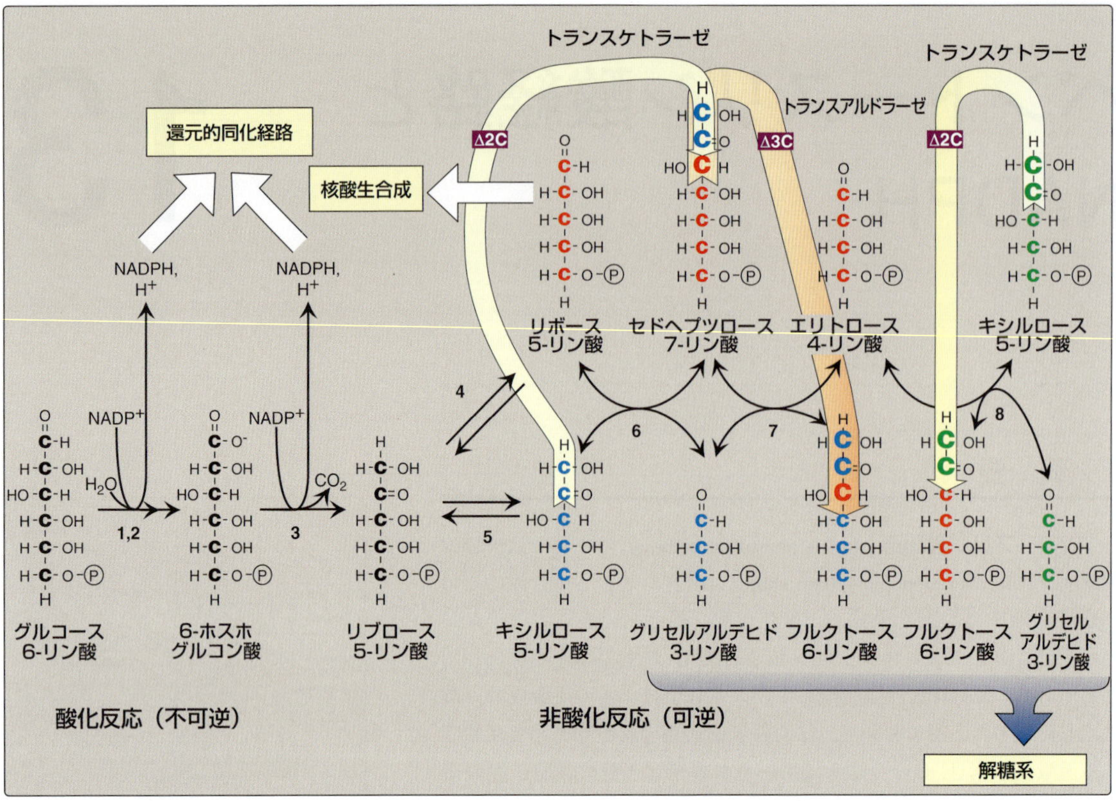

図 13.2
ペントースリン酸経路の諸反応. 番号を付された酵素は (1, 2) グルコース-6-リン酸デヒドロゲナーゼおよび6-ホスホグルコノラクトナーゼ, (3) 6-ホスホグルコン酸デヒドロゲナーゼ, (4) リボース-5-リン酸イソメラーゼ, (5) リブロース-5-リン酸3-エピメラーゼ (ホスホリブロースエピメラーゼ), (6, 8) トランスケトラーゼ (補酵素：チアミンピロリン酸), (7) トランスアルドラーゼ. Δ2C＝トランスケトラーゼ反応で2炭素単位がケトース供与体からアルドース受容体へ転移される. Δ3C＝トランスアルドラーゼ反応で3炭素単位が転移される. ペントースリン酸経路は以下のように表すことができる. 5C糖 ＋ 5C糖 → 7C糖 ＋ 3C糖 → 4C糖 ＋ 6C糖. NADP (H)：ニコチンアミドアデニンジヌクレオチドリン酸, Ⓟ：リン酸, CO_2：二酸化炭素.

持するためにNADPHを必要とする赤血球において特に重要である.

A. グルコース 6-リン酸の脱水素

グルコース-6-リン酸デヒドロゲナーゼ(G6PD)はグルコース 6-リン酸から 6-ホスホグルコノラクトンへの不可逆的な酸化を触媒する. このとき, 酸化型補酵素 $NADP^+$ は還元型NADPHに変換される. この第一反応は方向決定性の調節を受ける経路の律速段階である. NADPHはG6PDの強力な**競合的阻害物質 competitive inhibitor**であり, ほとんどの代謝条件ではNADPH/$NADP^+$比が高くて実質的にはこの酵素は抑制されている. しかしながら, 細胞のNADPH需要が増加するにつれてNADPH/$NADP^+$比が減少し, G6PD活性は上昇して経路の流量も増加する. **インスリン insulin**は*G6PD*遺伝子発現を増加させ, 栄養状態の良いときには経路の流量は増加する (24章Ⅲ.も参照).

B．リブロース 5-リン酸の生成

第二反応で 6-ホスホグルコノラクトンは 6-ホスホグルコノラクトナーゼ 6-phosphogluconolactonase によって加水分解される．この反応の産物である 6-ホスホグルコン酸の酸化的脱炭酸は 6-ホスホグルコン酸デヒドロゲナーゼ 6-phosphogluconate dehydrogenase によって触媒される．この不可逆的な第三反応によってペントース糖-リン酸であるリブロース 5-リン酸，CO_2（グルコースの炭素 1 由来），2 番目の NADPH 分子が産生される（図 13.2 参照）．

Ⅲ．可逆的非酸化反応

ペントースリン酸経路の**非酸化反応 nonoxidative reaction** はヌクレオチドと核酸を合成するすべての細胞で起こる．これらの反応は三炭糖，四炭糖，五炭糖，六炭糖，七炭糖間の相互変換を触媒する（図 13.2 参照）．これらの**可逆的反応 reversible reaction** により，経路の酸化的段階で生成する**リブロース 5-リン酸**はリボース 5-リン酸（ヌクレオチド合成に必要，22 章Ⅲ．も参照）やフルクトース 6-リン酸・グリセルアルデヒド 3-リン酸などの解糖系の中間体に変換されるのである．

還元的生合成反応を行っている多くの細胞は，リボース 5-リン酸よりも NADPH をはるかに多く要求する．この場合，チアミンピロリン酸（TPP）を補酵素として 2 炭素単位を転移するトランスケトラーゼ transketolase と 3 炭素単位を転移するトランスアルドラーゼ transaldolase は，酸化反応の最終産物として生成したリブロース 5-リン酸を，グリセルアルデヒド 3-リン酸とフルクトース 6-リン酸に変換する．これとは対照的に，ヌクレオチドと核酸へ取り込むリボースの需要のほうが NADPH の需要よりも大きな場合は，経路の酸化的段階を利用することなく，非酸化反応だけでグリセルアルデヒド 3-リン酸とフルクトース 6-リン酸からリボース 5-リン酸を生合成する（図 13.3）．

トランスケトラーゼの他に，チアミンピロリン酸（TPP）を補酵素として必要とする酵素には，ピルビン酸デヒドロゲナーゼ多酵素複合体 multienzyme complexes pyruvate dehydrogenase（9 章Ⅱ．も参照），トリカルボン酸回路の α-ケトグルタル酸デヒドロゲナーゼ複合体 α-ketoglutarate dehydrogenase complex（9 章Ⅱ．も参照），分枝鎖アミノ酸代謝の分枝鎖 α-ケト酸デヒドロゲナーゼ branched-chain α-keto acid dehydrogenase などがある（20 章Ⅲ．も参照）．

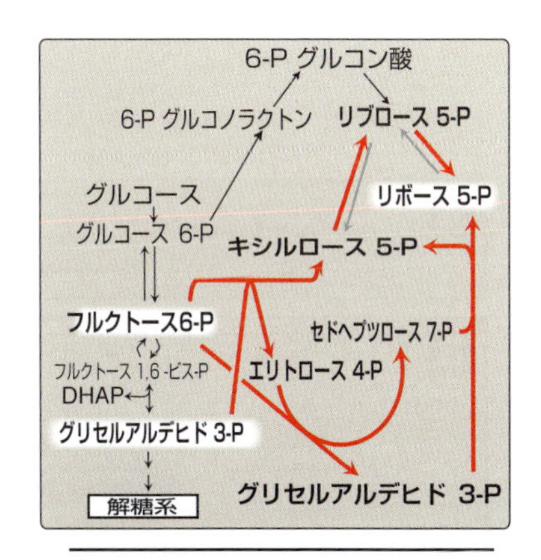

図 13.3
解糖系中間体からのリボース 5-リン酸の生成．P：リン酸，DHAP：ジヒドロキシアセトンリン酸．

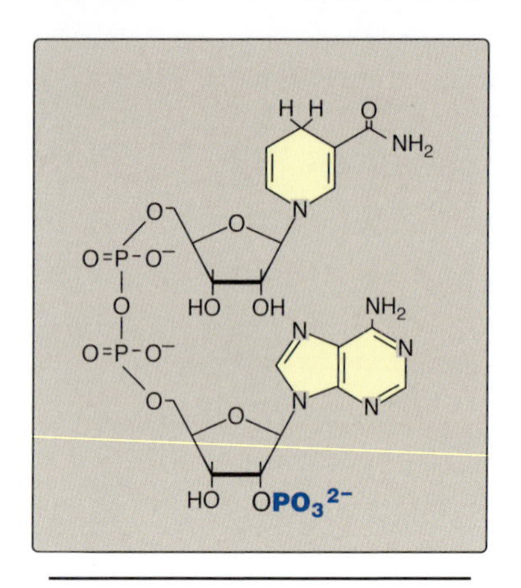

図 13.4
還元型ニコチンアミドアデニンジヌクレオチドリン酸(NADPH)の構造.

Ⅳ. NADPHの利用

補酵素NADPHとニコチンアミドアデニンジヌクレオチド(NADH)の違いはリボース単位の1つにリン酸基がついているかいないかだけである(図13.4). 構造上のこの一見小さな違いによって, NADPHは細胞内でユニークな役割を果たしているNADPH-特異的酵素と相互作用することができるのである. 例えば, 肝細胞の細胞質ゾルにおける$NADP^+$/NADPHの定常状態比はおよそ0.1であり, NADPHは還元的生合成反応に使われる. これはNAD^+/NADH比の高い値(およそ1,000)とは対照的で, NAD^+は酸化反応に使われる. 本節では還元的生合成と解毒反応で重要なNADPH-特異的反応についてまとめる.

A. 還元的生合成

NADPHはNADHと同様に高エネルギー分子と考えることもできる. しかしながらNADPHの電子は, NADHの場合のように電子伝達鎖に伝達されるのではなく(6章V.参照), **還元的生合成 reductive biosynthesis**に利用される. ペントースリン酸経路では, グルコース6-リン酸のエネルギーの一部は, 還元電位がマイナスであり(6章参照), 脂肪酸合成(16章Ⅲ.参照), コレステロールおよびステロイドホルモン合成(18章Ⅲ.およびⅦ.も参照)など電子供与体を必要とする反応に用いることができるNADPHに保存されるのである.

B. H_2O_2の還元

H_2O_2は分子状酸素O_2の部分的還元で生成される**活性酸素種 reactive oxygen species** (ROS)のファミリーの1つである(図13.5 A). これらの化合物は好気的代謝の副産物として持続的に産生されている. 薬物や環境毒との反応によって生じたり, 抗酸化物質の濃度が低下したときに生じる(要するに**酸化的ストレス oxidative stress**の状態で生じる). 活性酸素はDNA, タンパク質, 不飽和脂肪酸に深刻な化学的損傷を引き起こし細胞死をもたらすこともある. ROSは再灌流傷害, がん, 炎症性疾患, 老化など多くの病的過程への関与が示唆されている. 細胞は, これらの化合物の毒性を最小限にするいくつかの防御機

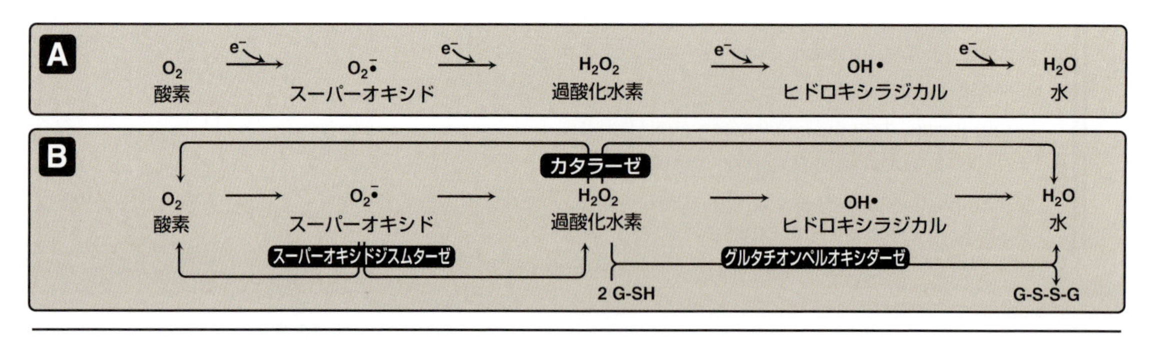

図 13.5
A. 酸素からの反応性中間体生成. e^-: 電子. B. 抗酸化酵素の作用. G-SH: 還元型グルタチオン, G-S-S-G: 酸化型グルタチオン. [注: G-SHの再生に関しては図13.6B参照.]

構を有している．ROSは白血球white blood cell（p.198のD.参照）が微生物を殺すときにも生成されうる．

1．抗酸化反応を触媒する酵素：還元型グルタチオンreduced glutathione（G-SH）はほとんどの細胞に存在するトリペプチド-チオール（γ-グルタミルシステニルグリシン）で，過酸化水素（H_2O_2）を化学的に解毒することができる（図13.5 B）．この反応はグルタチオンペルオキシダーゼ glutathione peroxidaseによって触媒され，**酸化型グルタチオンoxidized glutathione**（G-S-S-G）を生成する．酸化型グルタチオンには抗酸化作用はない．細胞はG-SHを，NADPHを還元当量として用いるグルタチオンレダクターゼ glutathione reductaseによる反応で再生する．このように**NADPHは**間接的に**H_2O_2を還元**する電子を提供する（図13.6）．スーパーオキシドジスムターゼ superoxide dismutase（SOD）とカタラーゼ catalaseなど他の酵素が，他のROS中間体を無害な産物へ変換する（図13.5 B参照）．これらの酵素が協働してROSの毒性に対する防衛機構を担っている．

2．抗酸化化学物質：アスコルビン酸 ascorbate（**ビタミンC vitamin C**），**ビタミンE vitamin E**，**β-カロテン β-carotene**など多くの細胞内還元物質が実験室ではROSを還元・解毒できる．これらの抗酸化化学物質に富む食品を摂取すると，ある種のがんの発生率を抑え，他の慢性疾患の頻度も低下することが知られている．したがって，これらの化合物の効果は部分的にはROSの毒性を低下させることによると考えたくなる．しかしながら，こういう抗酸化物質のサプリメントとしての臨床試験では明らかな効果は認められていない．β-カロテン（β-カロチン）をサプリメントとして摂取した場合には，喫煙者における肺がんの発生率はむしろ増加している．このように，食事の果物と野菜の健康増進効果は，多くの天然に存在する化合物間の複雑な相互作用を反映するものであり，抗酸化化学物質を単独に摂取しただけでは再現できないのであろう（28章も参照）．

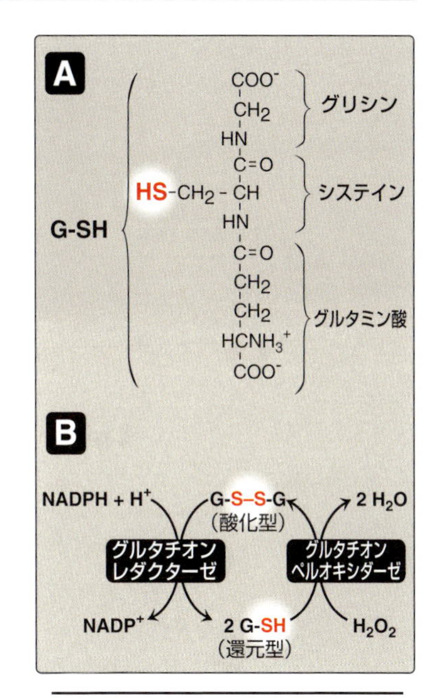

図13.6
A. 還元型グルタチオン（G-SH）の構造．［注：グルタミン酸は**α**-カルボキシ基ではなく**γ**-カルボキシ基を介してシステインに結合している．］
B. G-SHと還元型ニコチンアミドアデニンジヌクレオチドリン酸（NADPH）の過酸化水素（H_2O_2）の水への還元における役割．G-S-S-G：酸化型グルタチオン．

C．シトクロムP450モノオキシゲナーゼ系

モノオキシゲナーゼ monooxygenase（混合機能オキシダーゼ mixed-function oxidase）は，O_2から1個の酸素原子を基質へ取り込ませヒドロキシ基（水酸基）を形成し，残った酸素原子は還元して水（H_2O）にする．シトクロムP450（CYP）モノオキシゲナーゼ系 cytochrome P450 monooxygenase systemでは，NADPHがこの一連の反応で必要な還元当量を供給する（図13.7）．この系は細胞内の2つの異なる場所で異なる機能を果たしている．CYP酵素によって触媒される反応は全体として：

$$R\text{-}H + O_2 + NADPH + H^+ \rightarrow R\text{-}OH + H_2O + NADP^+$$

Rはステロイド，薬物，他の化学物質である．CYP酵素は，実のところ広範囲の反応に関与する類似したヘムを含有するモノオキシゲ

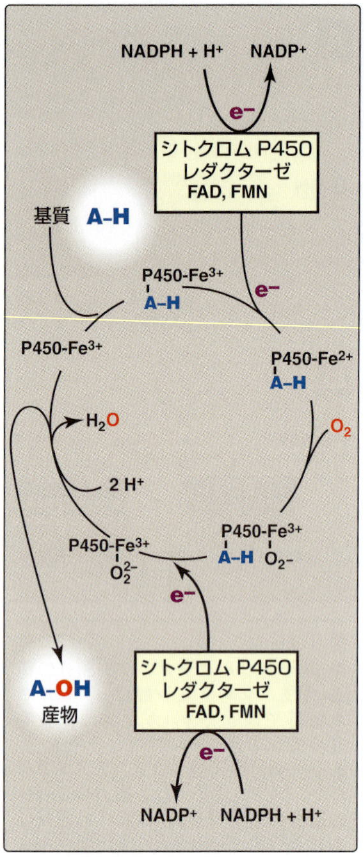

図 13.7
シトクロムP450 (CYP) モノオキシゲナーゼ回路(単純化している). 電子 (e^-) はニコチンアミドアデニンジヌクレオチドリン酸 (NADPH) からフラビンアデニンジヌクレオチド (FAD) へ, それからレダクターゼのフラビンアデニンモノヌクレオチド (FMN) へ, その次にミクロソームのCYP酵素のヘム鉄 (Fe) へと移動する. [注:ミトコンドリア系では, 電子はFADから鉄-硫黄タンパク質へ, それからCYP酵素へと移動する.]

ナーゼのスーパーファミリーである. P450という名前はこのタンパク質の450 nmにおける吸光度に由来する.

1. ミトコンドリア系:ミトコンドリア内膜に局在するCYPモノオキシゲナーゼ系の重要な機能は, ステロイドホルモンの生合成である. 胎盤, 卵巣, 精巣, 副腎皮質などのステロイドホルモン産生組織では, この系はコレステロールからステロイドホルモンへの変換の中間体のヒドロキシ化(水酸化)に使われる(18章Ⅶ.参照). ヒドロキシ化によって疎水性のステロイドは水に溶けやすくなる. 肝臓はこの系を**胆汁酸合成 bile acid synthesis**(18章Ⅴ.参照)と, コレカルシフェロールをヒドロキシ化して25-ヒドロキシカルシフェロール(ビタミンD_3. 28章Ⅻ.参照)に変換するのに用い, 腎臓はビタミンD_3をヒドロキシ化して生物活性のある1,25-ヒドロキシ化型に変換する(**ビタミンDの活性化**)のに用いる.

2. ミクロソーム系:特に**肝臓**の**滑面小胞体 smooth endoplasmic reticulum**の膜系に結合して存在するミクロソーム・CYPモノオキシゲナーゼ系の非常に重要な機能は外因性化学物質(**生体異物 xenobiotics**)の**解毒 detoxification**である. 生体異物としては無数の薬物, 石油製品・農薬などの多様な汚染物質がある. ミクロソーム系のCYP酵素(例えば, CYP3A4)により, これらの毒はヒドロキシ化される(第Ⅰ相). この修飾の目的は2つの面を持っている. 第一に, ヒドロキシ化自体によって薬物を活性化・不活性化する場合がある. 第二に, ヒドロキシ化によって薬物の親水性が増加して尿や便からの排泄が促進される. 新たに形成されたヒドロキシ基が極性分子(グルクロン酸など, 14章Ⅲ.参照)の抱合する部位を提供し, 薬物の可溶性を増加させることもしばしばある(第Ⅱ相). CYP酵素をコードする遺伝子多型(34章参照)により薬物代謝の個人差が生じる.

D. 白血球による食作用と殺菌作用

食作用(ファゴサイトーシス phagocytosis)とは, 好中球やマクロファージ(単球)などの白血球による, 微生物・外来粒子・細胞残屑などの, 受容体依存性エンドサイトーシスによる取り込みをいう. これは体の防衛機構, 特に細菌感染に対する防衛機構において非常に重要である. 好中球と単球は, 細菌を殺すために酸素非依存性機構と酸素依存性機構の両者を備えている.

1. 酸素非依存性機構:酸素非依存性機構 oxygen-independent mechanismは病原体を破壊するためにファゴリソソーム内のpH変化とリソソーム酵素を用いる.

2. 酸素依存性機構:酸素依存性機構 oxygen-dependent mechanismにはNADPHオキシダーゼ NADPH oxidaseとミエロペルオキシダーゼ myeloperoxidase (MPO)があり, 協働して細菌を殺す(図13.8). 全体的には, MPO系が殺菌機構において最も強力である. 侵入した細菌は免疫系によって認識され，抗体が攻撃し，抗体は受容体を介して細菌を食細胞に結合させる．微生物の食細胞中への取り込みが起きたあとに，食細胞（白血球のうちの好中球と単球系）の細胞膜に存在するNADPHオキシダーゼが活性化され周囲の組織に存在する分子状酸素（O_2）をフリーラジカルROSである**スーパーオキシド superoxide**（O_2^-）に変換し，このとき**NADPH**が酸化される．スーパーオキシド（O_2^-）生成に伴う分子状酸素（O_2）の急激な消費を**呼吸バースト respiratory burst**と呼ぶ．[注：活性型のNADPHオキシダーゼは膜結合性の複合体で，フラボシトクロムと白血球の活性化に伴って細胞質から細胞膜に転移する2つのペプチドを含んでいる．電子はNADPHからフラビンアデニンジヌクレオチド（FAD）とヘムを介してO_2に移動し，O_2^-が産生される．]

NADPHオキシダーゼの遺伝的欠損により**慢性肉芽腫症 chronic granulomatosis**（CGD）が引き起こされる．これは重度の持続性感染と破壊されなかった細菌を隔離する肉芽腫（炎症の結節性領域）形成を特徴とするまれな疾患である．次に，スーパーオキシド（O_2^-）は自発的に（あるいはスーパーオキシドジスムターゼ（SOD）によって触媒されて）過酸化水素（H_2O_2，ROSの一種）に変換される．ファゴリソソーム中のヘム含有リソソーム酵素であるMPOが存在すると，この酵素によって過酸化水素＋塩素イオンは**次亜塩素酸 hypochlorous acid**（HClO，家庭用漂白剤の主要成分）に変換され，細菌を殺す．過酸化水素はカタラーゼかグルタチオンペルオキシダーゼによって部分的に還元されヒドロキシラジカル（OH·，これもROSの一種）になるか，完全に還元されてH_2Oになる．MPOが欠損しても易感染性は生じない．NADPHオキシダーゼ由来の過酸化水素が殺菌するからである．

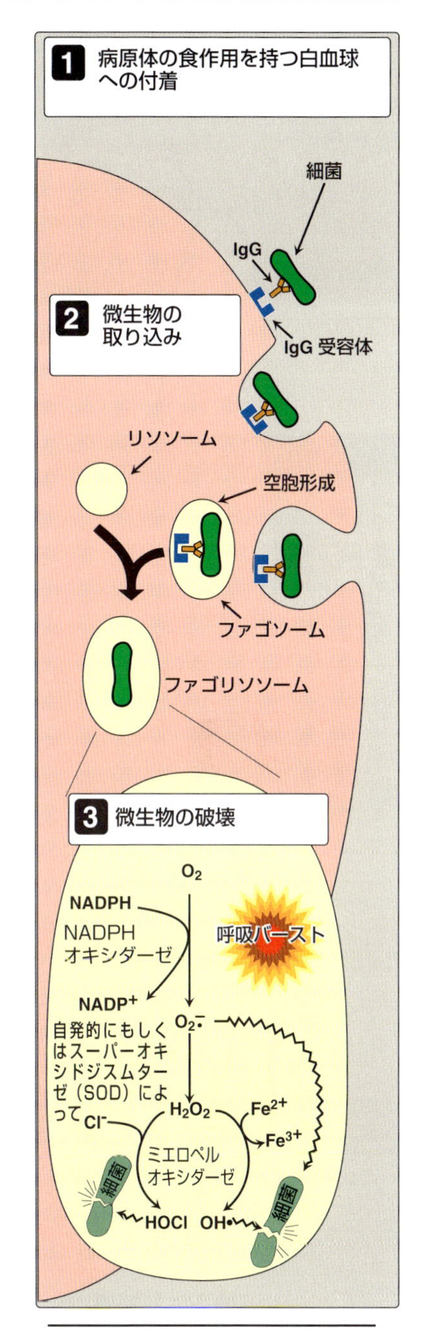

図 13.8
食作用（ファゴサイトーシス）と酸素（O_2）依存性殺菌経路．IgG：免疫グロブリンG，NADP（H）：ニコチンアミドアデニンジヌクレオチドリン酸，O_2^-：スーパーオキシド，H_2O_2：過酸化水素，HOCl：次亜塩素酸，OH·：ヒドロキシラジカル．

E．一酸化窒素合成

一酸化窒素（NO）は，いろいろな生体系においてメディエーターとして機能していると考えられている．NOは血管平滑筋を弛緩させることにより**血管拡張 vasodilation**を引き起こす**内皮由来弛緩因子 endothelium-derived relaxing factor**（EDRF）である．NOは**神経伝達物質 neurotransmitter**でもあり，**血小板凝集を抑制**し，マクロファージ機能でも重要な役割を果たす．NOの組織内での半減期は非常に短い（3〜10秒）．O_2と反応して硝酸塩や活性窒素種 reactive nitrogen species（RNS）であるペルオキシ亜硝酸塩 peroxynitrite（O＝NOO⁻）などの亜硝酸塩に変換されるからである．NOはフリーラジカル気体であり，しばしば亜酸化窒素（N_2O）と混同されることも注意してほしい．亜酸化窒素は麻酔薬として使われ化学的に安定な“笑気ガス”である．

1．**NOシンターゼ**：アルギニン，O_2，NADPHが細胞質ゾルのNOシンターゼ NO synthase（NOS）の基質である（図 13.9）．フラビンモノヌクレオチド（FMN），FAD，ヘム，テトラヒドロビオプテリン（20章Ⅴ参照）がこの酵素の補酵素であり，NOとシトルリンが反応産物である．3種のNOSアイソザイムが同定されている．これらはそれぞれ異なる遺伝子によってコードされている．このうち2つは構成的

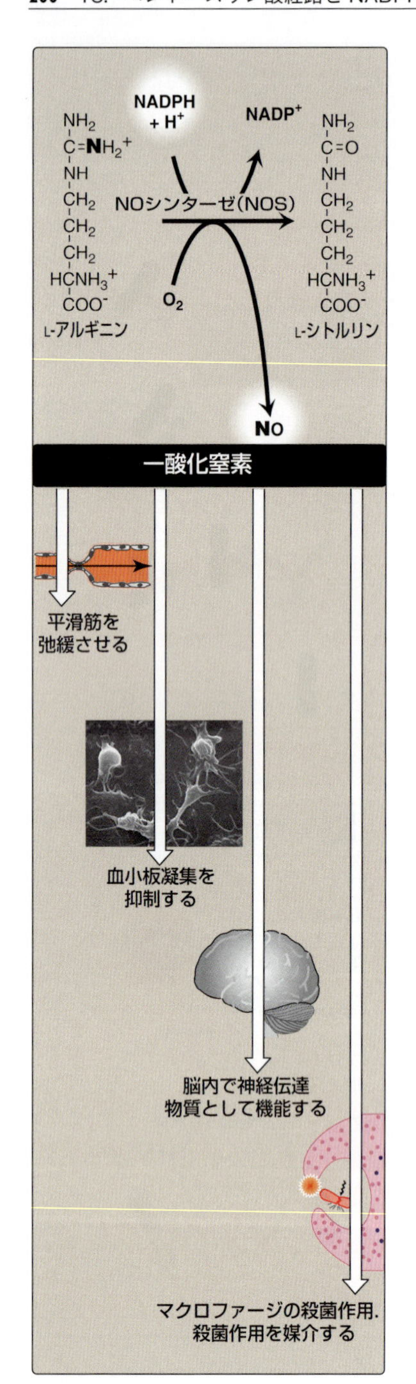

図 13.9
一酸化窒素(NO)の合成と作用.［注：NOSはフラビンモノヌクレオチド，フラビンアデニンジヌクレオチド，ヘム，テトラヒドロビオプテリンも補酵素として必要とする.］NADP(H)：ニコチンアミドアデニンジヌクレオチドリン酸.

な(一定速度で合成される)，カルシウム(Ca^{2+})-カルモジュリン(CaM)依存性酵素である(11章V.参照)．これらは主として内皮細胞(eNOS)か神経組織(nNOS)に存在し，非常に低濃度のNOを絶えず産生している．このNOは血管拡張や神経伝達に役立っている．誘導性のカルシウム非依存性酵素Ca^{2+}-independent enzyme(iNOS)は，マクロファージ，好中球など多くの細胞に発現し病原体に対する初期の防御機構として機能する．iNOSの特異的誘導因子は細胞種によって異なり，腫瘍壊死因子-α(TNF-α)，インターフェロン-γ(IFN-γ)，**リポ多糖 lipopolysaccharide**(LPS)のような細菌エンドトキシンなどの炎症性サイトカインが含まれる．これらの化合物はiNOS合成を促進し，数時間あるいは数日間にわたって大量のNOを産生させる．

2．一酸化窒素と血管内皮細胞：NOは血管平滑筋緊張調節の重要なメディエーターである．NOは内皮細胞のeNOSによって合成され，血管平滑筋まで拡散し，細胞質ゾル形態のグアニル酸シクラーゼ guanylate cyclaseを活性化しサイクリックグアノシン一リン酸(cGMP)を産生させる．グアニル酸シクラーゼによるcGMP合成は，アデニル酸シクラーゼ adenylate cyclaseによるcAMP合成(8章Ⅱ.D.参照)に類似している．この反応の結果生じるcGMP濃度の上昇により，プロテインキナーゼG protein kinase Gが活性化され，この酵素がCa^{2+}チャネルをリン酸化し，平滑筋細胞内へのCa^{2+}流入が減少する．これによりミオシン軽鎖キナーゼ myosin light-chain kinaseのCa^{2+}-CaMによる活性化が減少，平滑筋の収縮減少・弛緩がもたらされる．

ニトログリセリンなどの硝酸塩性血管拡張薬は代謝されてNOとなり，血管平滑筋を弛緩させ血圧を低下させる．したがってNOは内因性のニトロ血管拡張薬と考えることができる．低酸素状態では亜硝酸塩(NO_2^-)はNOに還元され，デオキシヘモグロビンに結合する．このNOは血中に放出され，血管を拡張し血流を増加させることも注意してほしい．

3．一酸化窒素とマクロファージの殺菌活性：マクロファージではiNOS活性は通常は低いが，細菌のLPSや感染に反応して放出されるIFN-γやTNF-αによってiNOS合成が有意に促進される．活性化されたマクロファージはラジカルを合成し，これはNOと結合して中間体を形成し，その中間体が分解されて殺菌作用の非常に強いOH・ラジカルを生成する．

4．他の機能：NOは血小板粘着・凝集(cGMP経路の活性化を介して)の強力な抑制因子である．NOは中枢神経系で神経伝達物質として作用しているとも考えられている．

V．G6PD欠損症

G6PD欠損症は，ほとんどの場合男性に症状が現れる遺伝性疾患

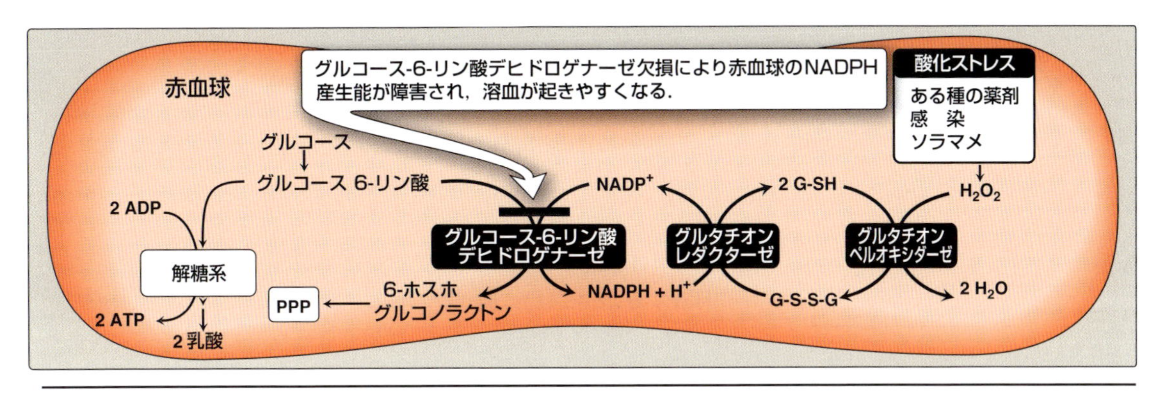

図 13.10
赤血球におけるグルコース 6-リン酸代謝経路．NADP(H)：ニコチンアミドアデニンジヌクレオチドリン酸，G-SH：還元型グルタチオン，G-S-S-G：酸化型グルタチオン，H_2O_2：過酸化水素，PPP：ペントースリン酸経路．

であり，酸化ストレスに曝露されたときに起こる溶血性貧血が特徴である．貧血は赤血球が酸化因子を解毒できないことにより生じる．G6PD欠損では，酸化ストレスに応答して生じるH_2O_2を解毒するのに必要な還元型グルタチオンのプールを維持するためのNADPHが足りないのである．

A. 赤血球におけるG6PDの役割

細胞が還元型グルタチオン(G-SH)プールを維持するためには，G6PD活性が十分にあることが必要である．G6PD欠損は患者のすべての細胞で起こるが，病変が大きいのは赤血球である．赤血球ではペントースリン酸経路がNADPHを産生する唯一の経路だからである．さらに，赤血球は核もリボソームも持っておらず，酵素を新たに合成することができない．したがって，赤血球は不安定な変異酵素を持つ場合には特に障害が起きやすい．他の組織はNADPH産生のための他の経路を持っている(NADP$^+$依存性リンゴ酸デヒドロゲナーゼ

臨床応用 13.1：G6PD欠損の特徴

G6PD欠損は**X連鎖遺伝 X-linked**で，ほとんどの場合男性に症状が現れ，ヒトで疾患を引き起こす酵素異常のなかで最も一般的なものであり，全世界で4億人以上の患者がいる．この酵素欠損は中東，熱帯アフリカ，熱帯アジア，地中海の一部からの先祖を持つ人々で最も有病率が高い．G6PD欠損は実際のところ，G6PDをコードする遺伝子の多数の異なる変異によって引き起こされる酵素欠損ファミリーである．これらの変異のうち一部のものしか臨床症状を呈さない．

酸化ストレスに曝されたときに断続的に現れる溶血性貧血に加えて，G6PD欠損の一般的な臨床症状として生後1～4日で現れる**新生児黄疸 neonatal jaundice**がある．この黄疸は時に重症になるが，典型的には非抱合ビリルビンの産生増加に起因する(21章Ⅱ.参照)．G6PD欠損重症型患者の寿命は，慢性溶血に起因する合併症の結果，健常者に比べていくらか短い．G6PD欠損のこのマイナス効果は，進化上，**熱帯熱マラリア falciparum malaria**(原虫 *Plasmodium falciparum*)にかかりにくいというプラスの効果と均衡を保ってきた．この寄生虫が赤血球に感染すると，酸化ストレスが生じ，赤血球が溶血してG6PD欠損をもつ宿主(ヒト)をマラリアの発症から守ってくれるのである．

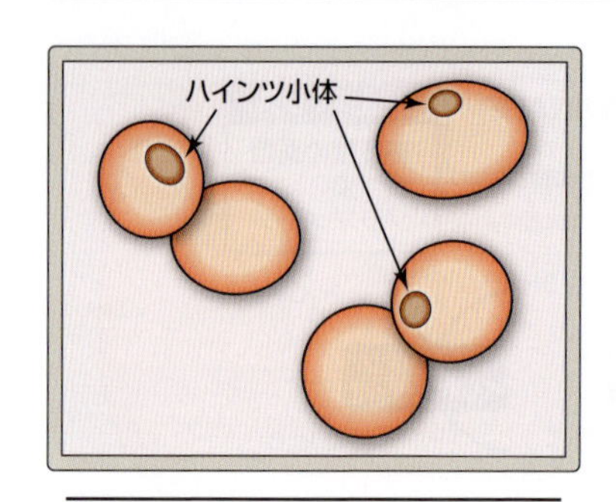

図 13.11
グルコース-6-リン酸デヒドロゲナーゼ(G6PD)欠損患者の赤血球のハインツ小体の形を表すスケッチ.

NADP$^+$-dependent malate dehydrogenase（リンゴ酸酵素 malic enzyme）など，16章Ⅲ.参照).

G6PD欠損は細胞内で生じたフリーラジカルや過酸化物の解毒過程も障害する(図13.10). G-SHはヘモグロビンなどのタンパク質中のスルフヒドリル(SH)基を還元状態に保つのにも役立っている. これらのSH基の酸化により変性タンパク質が生成し，それらはハインツ小体 Heinz bodyと呼ばれる不溶性の凝集体を形成し，赤血球膜に付着する(図13.11). 膜タンパク質がさらに酸化されると赤血球の細胞膜が固く変形しにくくなり，脾臓と肝臓のマクロファージにより循環血中から除去される.

B. G6PD欠損の増悪因子

ただ1つのX染色体上に*G6PD*変異を持つ男性患者はG6PD欠損形質に関して**ヘミ接合hemizygous**であると考えられる. X染色体を1つしか持っていないからである. 患者は普通臨床症状を示さない. しかし，強い酸化ストレスに曝された場合，例えば酸化作用を持つ薬物による治療，ソラマメの摂取，重篤な感染症などにより症状が現れる. G6PD欠損患者では，酸化ストレスをもたらす因子により赤血球の溶血と溶血性貧血が起こる.

1. 酸化作用を持つ薬物 oxidant drug：酸化ストレスを引き起こしG6PD欠損患者に溶血性貧血を起こす薬物はしばしばAで始まるものが多い. Antibiotics(抗菌薬，特にサルファ剤)，Antimalarials(抗マラリア薬)，Antipyretics(解熱薬)である. これらのカテゴリーに属する一部の薬物のみが溶血性貧血を引き起こす. 処方者のために，多くの場合安全な薬物やG6PD欠損患者が避けるのが望ましい薬物のリストが用意されている.

2. ソラマメ中毒 favism：G6PD欠損のなかには，例えば地中海変異型などのように，地中海地域での主食の1つであるソラマメに対して高い感受性を示すものがある. ソラマメ中毒は摂取したソラマメによって引き起こされる溶血作用であるが，G6PD欠損のすべての患者にみられるわけではない. しかし，ソラマメ中毒を起こす患者はすべてG6PD欠損を持っている.

3. 感染症 infection：感染はG6PD欠損患者にとって溶血を引き起こす最も一般的な誘因である. 感染に対する炎症反応の結果，マクロファージがフリーラジカルを産生し，このフリーラジカルが赤血球に拡散して酸化的損傷を与えるのである.

クラス	臨床症状	残存酵素活性
I	非常に重症（慢性非球状赤血球性溶血性貧血）	<10%
*II	重症（急性溶血性貧血）	<10%
*III	軽症	10〜60%
IV	なし	>60%

図 13.12
グルコース-6-リン酸デヒドロゲナーゼ(G6PD)欠損症の分類. [注：クラスV変異(表中には示していない)ではG6PDが過剰産生される.]
*：最も多い.

C. *G6PD*遺伝子変異

*G6PD*遺伝子のクローニングと塩基配列決定(34章参照)により，400以上のG6PD酵素欠損をもたらす*G6PD*変異が同定された. 変異のなかには酵素活性に影響を与えないものもある. G6PD酵素機能低下をもたらすほとんどの変異はミスセンス点変異(32章Ⅱ.参照)

である；あるものは触媒活性の低下をもたらし，あるものは安定性を減少させ，またあるものは$NADP^+$やグルコース6-リン酸に対する結合親和性の変化をもたらす．活性型G6PDはホモダイマーもしくはテトラマーとして存在する．サブユニット間の界面の変異が酵素の安定性に影響を及ぼしうる．

G6PD欠損の溶血性貧血の重症度は通常患者の赤血球に残存する酵素活性量と相関する．*G6PD*変異は図13.12に示すように分類することができる．**A^-型*G6PD*変異** ***G6PD*** **A^-**はこの疾患の軽症型（クラスⅢ）の基本型である．赤血球は不安定だが酵素特性的には正常なG6PDを持っており，網赤血球や幼弱赤血球にはほとんど正常レベルの酵素活性が存在する（図13.13）．老化した赤血球では酵素活性は大幅に低下し，溶血性エピソードでは選択的に除去される．若い赤血球は溶血しないので，溶血エピソードは自己限定的である．**地中海型*G6PD*変異** ***G6PD*** **Mediterranean**はより重症な欠損の基本型で（クラスⅡ），酵素タンパク質は不安定でありその結果として酵素活性も減少している．クラスⅠ変異は（まれだが）最も重症な変異で，酸化ストレスがない場合でも起こる**慢性非球状赤血球性溶血性貧血 chronic nonspherocytic hemolytic anemia**を伴う．

A^-型*G6PD*変異も**地中海型*G6PD*変異**も，正常遺伝子との違いは1個のアミノ酸だけである．大きな欠失やフレームシフト変異はこれまで同定されていない．おそらくG6PD酵素活性が完全に消失することは致死的だからであろう．

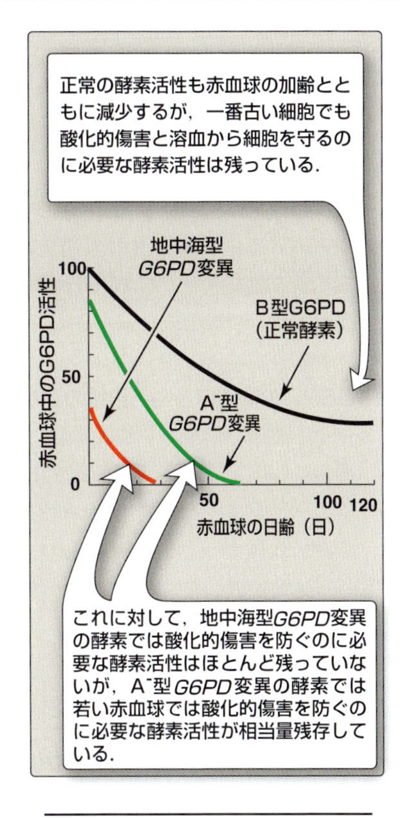

図 13.13
3つの最もよくみられる酵素形の，細胞齢に伴う赤血球グルコース-6-リン酸デヒドロゲナーゼ（G6PD）活性の減少．

13章の要約

- **ペントースリン酸経路**は体内の**ニコチンアミドアデニンジヌクレオチドリン酸**（**NADPH**）の主要な産生経路である（図13.14）．
- この経路ではATPは産生も消費もされない．
- この経路は不可逆的酸化反応とそれに続く一連の可逆的糖-リン酸相互変換反応から構成されている．
- **可逆的非酸化反応**により糖の相互変換が起こる．リブロース5-リン酸は，ヌクレオチド・核酸合成に必要な**リボース5-リン酸**と（解糖系の中間体である）**フルクトース6-リン酸**および**グリセルアルデヒド3-リン酸**に変換される．
- NADPHを産生するこの経路の**酸化反応**は，還元的生合成や解毒反応に還元当量を供給する．
- この経路の酸化反応で**グルコース6-リン酸**は不可逆的に**リブロース5-リン酸**に変換され，**2分子のNADPH**が産生される．調節されている反応は**グルコース-6-リン酸デヒドロゲナーゼ**（**G6PD**）によって触媒されており，**$NADPH/NADP^+$比**の上昇によって強力に抑制される．
- NADPHは肝臓，脂肪組織，乳腺における脂肪酸合成，肝臓におけるコレステロール合成，胎盤，卵巣，精巣，副腎におけるステロイドホルモン合成などの**還元的生合成**における**還元当量**となる．
- NADPHは赤血球で好気的代謝の結果として生じるH_2O_2の還元にも必要である．
- **還元型グルタチオン**（**G-SH**）は**グルタチオンペルオキシダーゼ**が過酸化水素を還元して水にするときに使われる．このとき生じる**酸化型グルタチオン**（**G-S-S-G**）はNADPHを電子供与体として**グルタチオンレダク**

ターゼによって還元される．

- NADPH はミトコンドリアの**シトクロム P450（CYP）モノオキシゲナーゼ系**に還元当量を供給する．この系はステロイドホルモン産生組織における**ステロイドホルモン合成**，肝臓における**胆汁酸合成**，肝臓と腎臓における**ビタミン D の活性化**などで用いられる．
- **ミクロソームのシトクロム P450（CYP）モノオキシゲナーゼ系**は NADPH を用いて薬物や多様な汚染物質などの外因化学物質（生体異物）の**解毒**を行う．NADPH は食細胞が侵入してきた微生物を除去する過程で還元当量を供給する．**NADPH オキシダーゼ**は分子状酸素（O_2）と NADPH の電子を用いて**スーパーオキシドラジカル**を合成し，スーパーオキシドラジカルは**スーパーオキシドジスムターゼ**によって過酸化水素に変換される．
- **G6PD 欠損はほとんど男性のみが発症する伴性遺伝病**であり，G-SH プールの維持に不可欠の NADPH を産生する赤血球の能力を障害する．**赤血球**が一番影響を受けるのは，他に NADPH の供給源を持たないからである．G6PD 欠損は，重度の感染症，**酸化作用を持つ薬物**の服用，**ソラマメ**の摂取などに引き続いて起こるフリーラジカルと過酸化物の産生によって引き起こされる**溶血性貧血**が特徴である．貧血の重症度は残存酵素量に依存する．G6PD 欠損の新生児は遷延する**新生児黄疸**を示すことがある．

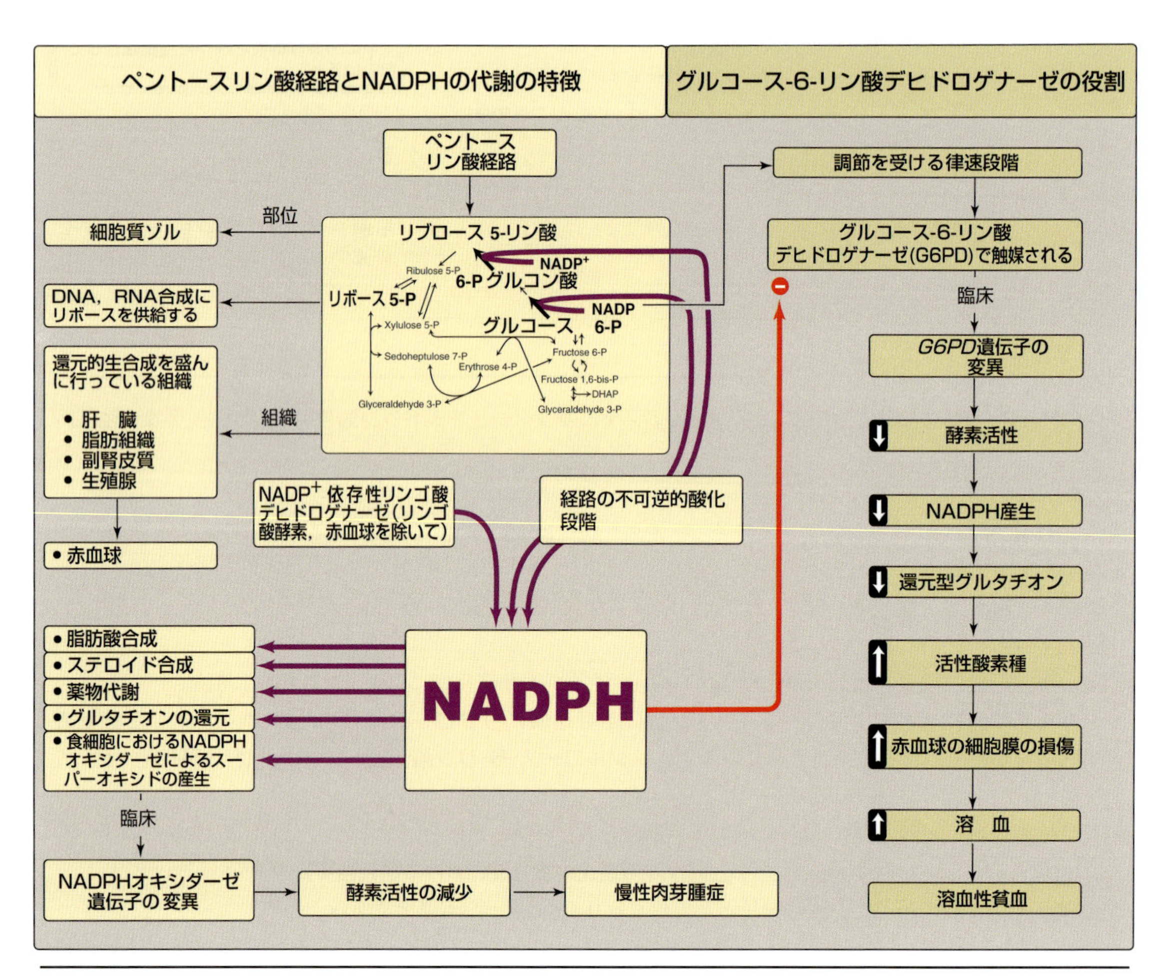

図 13.14
ペントースリン酸経路とニコチンアミドアデニンジヌクレオチドリン酸（NADPH）の概念図．

学習問題

最適な答えを1つ選びなさい.

13.1 インドのある地方への旅行の準備として，若い男性が予防的に抗マラリア薬を投与された．この治療を開始して数日後に彼は黄疸を発症し，貧血と診断された．この患者の酵素欠損の結果，濃度が低値となり，患者の症状の原因となるものは，以下のうちどの物質か.

A. グルコース6-リン酸
B. 酸化型ニコチンアミドアデニンジヌクレオチド
C. 還元型グルタチオン
D. リボース5-リン酸

正解 C. 還元型グルタチオン(G-SH)は赤血球の維持にとって必要不可欠であり，機能型である還元型はNADPH-依存性グルタチオンレダクターゼによって維持されている．NADPHはペントースリン酸経路の酸化段階によって産生される．この経路の調節を受けている酵素であるグルコース-6-リン酸デヒドロゲナーゼ(G6PD)を欠損している人はNADPH産生能が低下しており，還元型のG-SHを維持することができない．ある種の抗マラリア薬のように酸化ストレスを誘導する薬剤を服用するとG6PD欠損がある場合，溶血性貧血を発症することがある．グルコース6-リン酸濃度は変わらない．ニコチンアミドアデニンジヌクレオチド(NAD(H))はペントースリン酸経路によっては産生されないし，G-SHレダクターゼの補酵素として使われることもない．リボース5-リン酸の減少によって溶血は起きない.

13.2 低血圧は敗血症性ショックの徴候であり，細菌感染に対する重度の炎症反応の結果として起こる．この情報に基づき，この低血圧の原因として最も考えられるのは，以下のうちどれか.

A. 内皮性一酸化窒素シンターゼ(eNOS)の活性化により一酸化窒素(NO)濃度が低下する.
B. NOの半減期が長いために遷延する過剰な血管収縮が起こる.
C. NO合成の窒素源であるリシンが細菌によって脱アミノされる.
D. カルシウム非依存性の誘導性NOS(iNOS)合成を促進する細菌のエンドトキシンがNO産生の増加をもたらす.

正解 D. iNOSによる半減期の短いNOの過剰産生により，血管拡張が起こり低血圧となる．eNOSは構成的であり，低濃度のNOを一定速度で作り続ける．NOSは窒素源としてリシンではなくアルギニンを用いる.

13.3 最近コレステロール値を下げるためにアトルバスタチンを処方された患者がグレープフルーツジュースを飲み過ぎないようにという指示を受けた．グレープフルーツジュースを飲み過ぎると血中のその薬剤濃度が上昇し，副作用が出る危険性があると報告されているからである．アトルバスタチンはシトクロムP450(CYP)酵素のCYP3A4の基質であり，グレープフルーツジュースはこの酵素を阻害する．この情報に基づき，CYP酵素に関する記述のうち最も正しいのはどれか.

A. 還元型ニコチンアミドアデニンジヌクレオチド(NADH)から電子を受け取る.
B. 疎水性分子のヒドロキシ化を触媒する.
C. ヘムを含んでいるのでこの点でNOSとは異なる.
D. オキシダーゼとともに機能する.

正解 B. CYP酵素は疎水性化合物をヒドロキシ化し水への可溶性を高める．ペントースリン酸経路によって供給される還元型のニコチンアミドアデニンジヌクレオチドリン酸(NADPH)が電子供与体である．CYP酵素とNOSアイソザイムはともにヘムを含む.

13.4 グルコース-6-リン酸デヒドロゲナーゼ欠損のヘミ接合体の男性では，症状は肝臓など他の臓器の細胞よりも赤血球で目立つ．その理由の説明として最もふさわしいのは次のうちどれか．

A. 肝臓においては過剰なグルコース 6-リン酸がグリコーゲンに変換され，細胞に対するダメージを軽減できるが，赤血球ではそのようなことが起こらない．

B. 赤血球とは対照的に，肝細胞は細胞の健全な状態を保つために必要な還元型ニコチンアミドアデニンジヌクレオチドリン酸を供給する別の機構がある．

C. 細胞の健全さを保つために必要なATP産生は，赤血球においてグルコース 6-リン酸のペントースリン酸経路による代謝に100% 依存している．

D. 肝細胞とは対照的に，赤血球ではグルコース-6-ホスファターゼ活性はグルコース 6-リン酸濃度を低下させ，細胞傷害に至る．

正解 B. 細胞傷害は細胞が還元型グルタチオンを再生する能力の減少に直接起因する．還元型グルタチオンを再生するためには大量の還元型ニコチンアミドアデニンジヌクレオチドリン酸(NADPH)が必要であり，赤血球はペントースリン酸経路以外にNADPHを産生する手段を持たない．細胞傷害の際，問題となるのは産物(NADPH)の減少であり，基質(グルコース 6-リン酸)の増加ではない．赤血球にはグルコース-6-ホスファターゼはない．ペントースリン酸経路ではATPは産生されない．

13.5 代謝に関与するいくつかの酵素の重要な補酵素はチアミンというビタミンに由来する．体のチアミン濃度を測るために，赤血球のどの酵素活性を測ればよいか．

A. トランスケトラーゼ

B. グルコース-6-リン酸デヒドロゲナーゼ

C. ピルビン酸デヒドロゲナーゼ

D. グルタチオンペルオキシダーゼ

正解 A. 赤血球にはミトコンドリアがないので，ピルビン酸デヒドロゲナーゼなどのミトコンドリアに存在するチアミンピロリン酸(TPP，チアミン由来)依存性酵素はない．しかし，赤血球には細胞質にTPP依存性トランスケトラーゼが存在するので，この活性をチアミン濃度の評価に用いることができる．

グリコサミノグリカン，プロテオグリカンと糖タンパク質 14

Ⅰ．グリコサミノグリカンの概要

グリコサミノグリカン glycosaminoglycan（GAGs）は**負に荷電した negatively charged** ヘテロ（複合）多糖鎖の大きな複合体である．GAGsは一般的には少量のタンパク質と結合して**プロテオグリカン proteoglycan**として知られる構造を形成する．プロテオグリカンは典型的には95％以上が糖質である．GAGsは**大量の水と結合**する性質があり，ゲル様基質を形成し，これが体の**基質 ground substance**の基礎となっている．このゲル様基質がコラーゲンやエラスチンなどの線維性構造タンパク質とフィブロネクチンなどの接着タンパク質とともに**細胞外基質 extracellular matrix（ECM）**[a]を構成している．水和したGAGsは構造タンパク質や接着タンパク質と相互作用してECMを柔軟に支持し，分子篩（ふるい）として物質のECM通過に影響を及ぼす．**粘液 mucous secretion**が粘性で潤滑作用があるのもGAGsが含まれているからである．このためGAGsは以前は**ムコ多糖 mucopolysaccharide**と呼ばれていた．

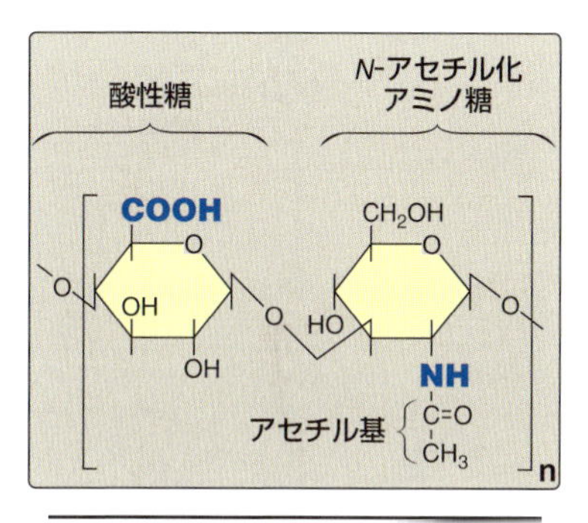

図 14.1
グリコサミノグリカンの二糖単位の繰り返し構造.

Ⅱ．構　造

GAGsは，**長い，分枝のない，ヘテロ（複合）多糖 heteropolysaccharide**で，**繰り返し二糖鎖 repeating disaccharide chain**から構成されており，糖のうち1つは*N*-アセチルグルコサミン *N*-acethylglucosamine（GlcNAc）もしくは*N*-アセチルガラクトサミン *N*-acethylgalactosamine（GalNAc）という*N*-アセチル化アミノ糖であり，もう1つは酸性糖である（図14.1）．唯一の例外はケラタン硫酸で酸性糖の代わりにガラクトースを含む．**アミノ糖 amino sugar**はD-**グルコサミン D-glucosamine**かD-**ガラクトサミン D-galactosamine**で，これらのアミノ基は通常アセチル化されており正電荷を失っている．アミノ糖は炭素4（C4）か炭素6（C6）で，もしくはアセチル化されていないアミノ基で硫酸化されている場合もある．**酸性糖 acidic sugar**はD-**グルクロン酸**

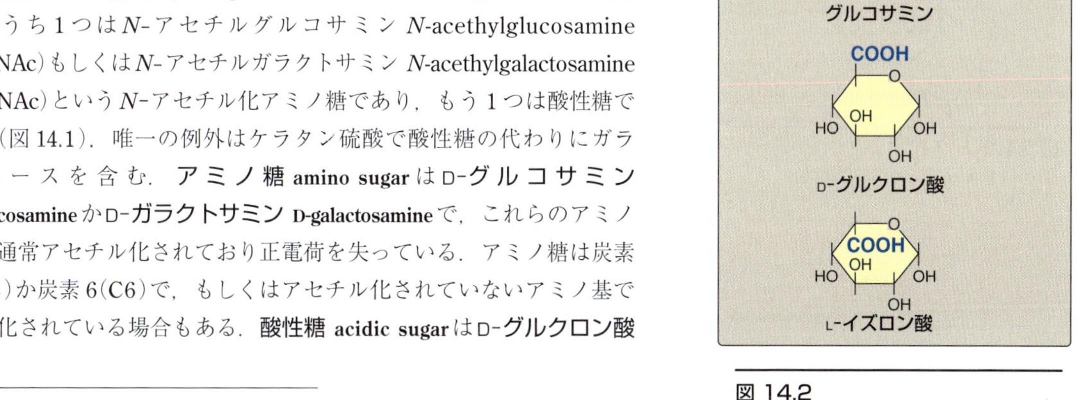

図 14.2
グリコサミノグリカン中に存在する単糖.

[a] ECMについての詳細な情報は『イラストレイテッド細胞分子生物学』（丸善出版）2章参照.

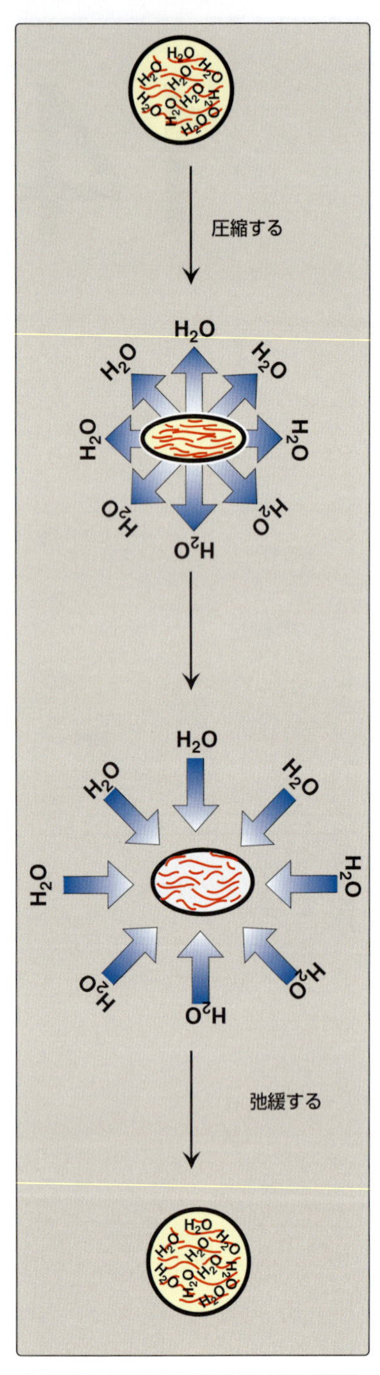

図 14.3
グリコサミノグリカンの弾性.

D-glucuronic acid かそのC-5エピマーである **L-イズロン酸 L-iduronic acid** である（図 14.2）．これらのウロン酸は生理的pHで負に荷電しているカルボキシ基を含んでおり，硫酸基（$-SO_4^{2-}$）とともにGAGsを酸性物質にしている．

A. 構造と機能の関係

負電荷を高濃度に持っているので，これらの繰り返し二糖鎖は溶液中では伸展している傾向にある．互いに反発し合い，水分子の殻によって覆われている．GAGsを寄せ集めようとすると，同じ極性を持つ磁石と同じように互いに"すれ違おう"とする．この性質により粘液や滑膜液は"ぬるぬるした"粘稠度を持っているのである．GAGsを含む溶液が圧縮されると水は"絞り出されて"，GAGsの容積は縮まる．圧力を取り去ると，GAGsは元の水和した容積に戻る．負電荷が互いに反発し合うからである．この性質により軟骨，滑膜液，眼の硝子体は弾性を持っているのである（図 14.3）．

B. 分　類

GAGsは，単体（モノマー）の組成，グリコシド結合の種類，硫酸化の程度と部位などによって大きく6つのタイプに分類される．GAGsの構造と体内分布を図 14.4 に示す．ヒアルロン酸以外のすべてのGAGsは硫酸化され，タンパク質に共有結合で結合してプロテオグリカンモノマー proteoglycan monomer を形成している．

C. プロテオグリカン

プロテオグリカンはECMと細胞の外表面に存在する．

1．モノマーの構造：軟骨に存在するプロテオグリカンモノマーでは **コアタンパク質 core protein** に100個までの線状のGAGs鎖が共有結合している．これらのGAGS鎖は各々200個までの二糖単位から構成されているが，コアタンパク質から伸長し，電荷による反発のために互いに離れている．全体としての構造は"瓶洗いブラシ"に似ている（図 14.5）．軟骨プロテオグリカンではコンドロイチン硫酸とケラタン硫酸が主要なGAGsである．プロテオグリカンは共通の構造特徴を持つコアタンパク質をコードする遺伝子ファミリーに分類されている．軟骨に豊富に存在するアグリカンファミリー（アグリカン，バーシカン，ニューロカン，ブレビカン）がその一例である．

2．GAGsとタンパク質間の結合：コアタンパク質とGAGsの共有結合は主として **トリヘキソシド trihexoside**（ガラクトース-ガラクトース-キシロース）とタンパク質のセリン残基を介したものである．*O*-グリコシド結合がキシロースとセリンのヒドロキシ基（水酸基）の間に形成される（図 14.6）．

3．集合体形成：多くのプロテオグリカンモノマーが1分子の **ヒアルロン酸 hyaluronic acid** と結合して **プロテオグリカン集合体 proteoglycan**

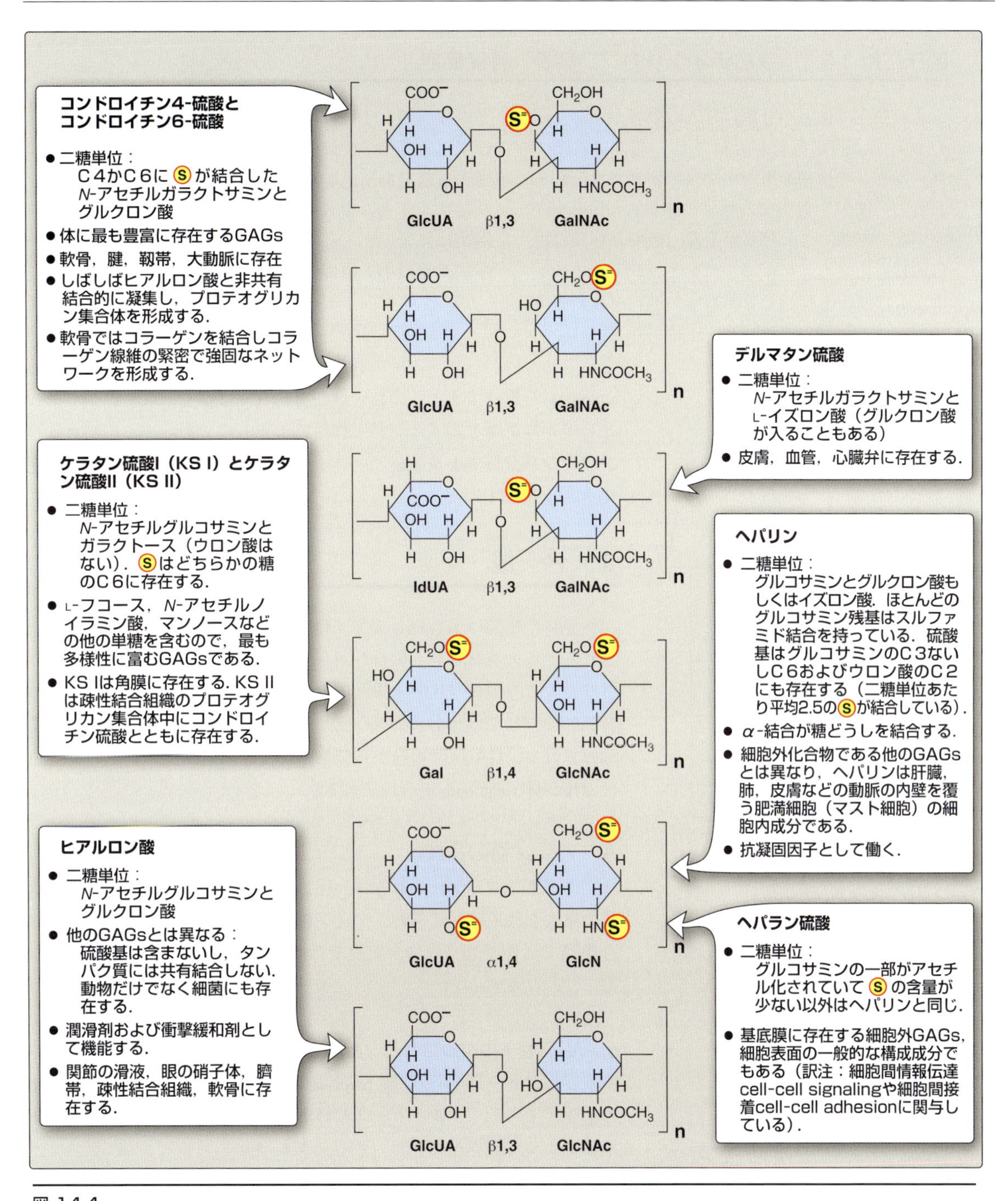

図 14.4
グリコサミノグリカン（GAGs）の繰り返し単位構造と分布．硫酸基（Ⓢ）は結合が可能な部位はすべて記してある．GlcUA：グルクロン酸，IdUA：イズロン酸，GalNAc：N-アセチルガラクトサミン，GlcNAc：N-アセチルグルコサミン，GlcN：グルコサミン，Gal：ガラクトース．

臨床応用 14.1：プロテオグリカン，軟骨，骨関節症

骨関節症は世界中で数百万人の患者がいる．この病気では関節軟骨が分解され，通常は関節でクッションの役割を果たすプロテオグリカンが失われる．関節を保護する軟骨の弾性resilienceがないと，疼痛，こわばりが生じ，徴候と症状は進行的に悪化する．グルコサミンとコンドロイチンはともに痛みを軽減し骨関節症の進行を止めることが報告されている．これらのGAGsは米国においては店頭で栄養補助食品(サプリ)として容易に購入可能である．いくつかの良く管理された臨床試験によると，グルコサミン硫酸(グルコサミン塩酸は無効)とコンドロイチン硫酸は骨関節症の症状改善に小～中程度効くようである．

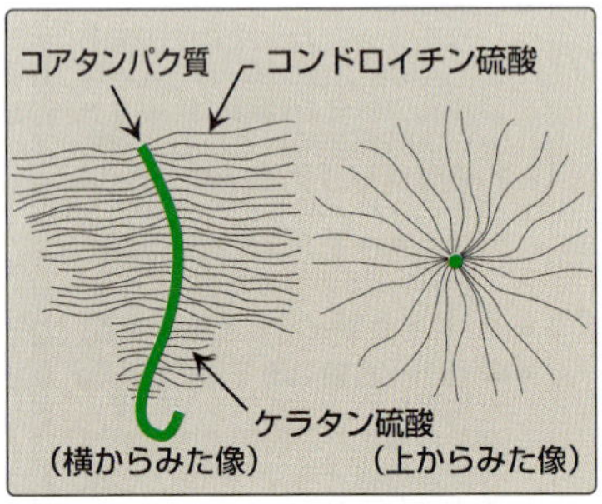

aggregate を形成する．この結合は共有結合ではなく，コアタンパク質とヒアルロン酸とのイオン相互作用によるものである．この結合は**リンクタンパク質 link protein** という小分子量のタンパク質によって安定化される(図 14.7)．

図 14.5
軟骨プロテオグリカンモノマーの“瓶洗いブラシ”モデル．

Ⅲ．合 成

ヘテロ多糖鎖は酸性糖とアミノ糖を交互に付加することにより伸長される．この場合これらの糖の供与体となるのは主としてそれぞれのウリジン二リン酸(UDP)-誘導体である．これらの付加反応は一群の特異的な**グリコシルトランスフェラーゼ glycosyltransferase** によって触媒される．GAGsは細胞から分泌されるために産生されるので，主に**ゴルジ体 Golgi body** で合成される．

A．アミノ糖の合成

アミノ糖はプロテオグリカン，糖タンパク質，糖脂質などの複合糖質の重要な構成成分である．アミノ糖(ヘキソサミン)の合成経路は結合組織で活性が高く，結合組織ではグルコースの 20% 近くがこの経路に使われる．

1．*N*-アセチルグルコサミンと*N*-アセチルガラクトサミン：単糖である**フルクトース 6-リン酸 fructose 6-phosphate** がGlcNAcとGalNAcの前駆体である．フルクトースのヒドロキシ基がグルタミンのアミド窒素によって置き換えられ，生じたグルコサミン 6-リン酸(訳注：アミドトランスフェラーゼ amidotransferase はイソメラーゼ isomerase 活性を持つ)はアセチル化および活性化され，ヌクレオチド糖であるUDP-GlcNAcが産生される(図 14.8)．UDP-GalNAcはUDP-GlcNAcのエピマー化により産生される．これら二つのアミノ糖のヌクレオチド糖型が糖鎖の伸長に用いられる．

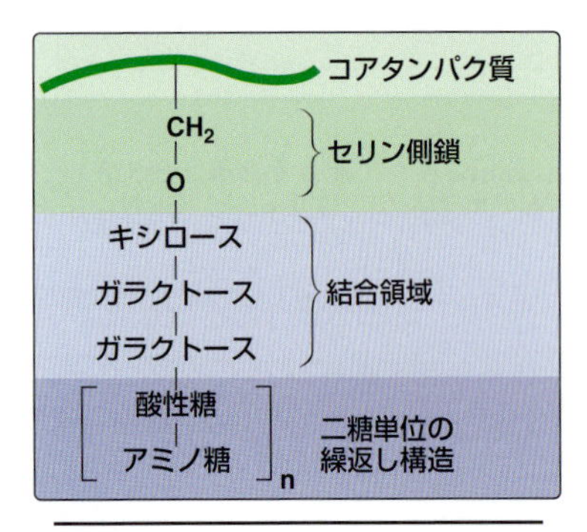

図 14.6
グリコサミノグリカンの結合領域．

2．*N*-アセチルノイラミン酸：*N*-アセチルノイラミン酸(NANA)は9炭素の酸性単糖で(図 17.15 参照)，シアル酸ファミリーの一員である．シアル酸ファミリーのメンバーは各々異なる部位がアシル化されている．これらの化合物は通常糖タンパク質，糖脂質，あるいは頻度

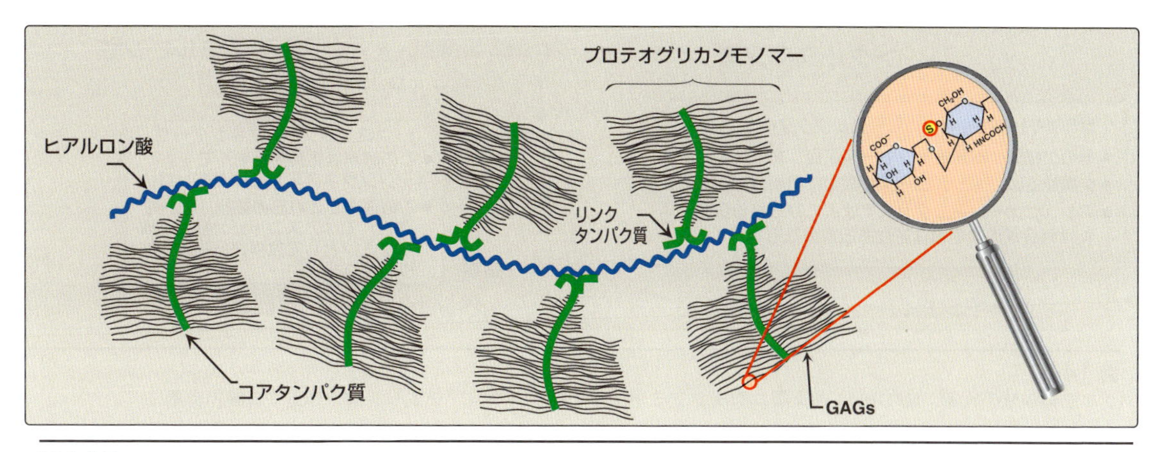

図 14.7
プロテオグリカン集合体．GAGs：グリコサミノグリカン．

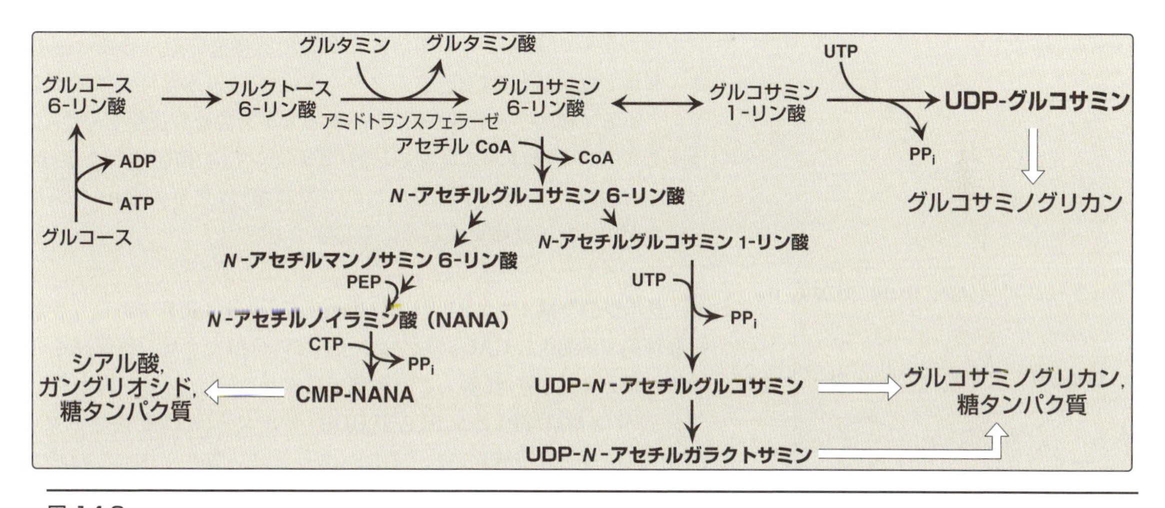

図 14.8
アミノ糖の合成. ADP：アデノシン二リン酸，UTP：ウリジン三リン酸，UDP：ウリジン二リン酸，CoA：補酵素A，PEP：ホスホエノールピルビン酸，CTP：シチジン三リン酸，CMP：シチジン一リン酸，PP_i：ピロリン酸.

は少ないが，GAGsのオリゴ糖側鎖の末端糖基として存在する．*N*-アセチルマンノサミン 6-リン酸(フルクトース 6-リン酸由来)とホスホエノールピルビン酸(解糖系中間体)がNANA合成の際の炭素原子と窒素原子の直接の供給源である(図 14.8 参照)．NANAは伸長しつつあるオリゴ糖に付加される前に，シチジン三リン酸(CTP)と反応することによりシチジン一リン酸(CMP)-NANAの形に活性化されなければならない．CMP-NANAシンテターゼ CMP-NANA synthetase がこの反応を触媒する．CMP-NANAはヒトの代謝において担体ヌクレオチドが二リン酸ではなく一リン酸である唯一のヌクレオチド糖であることにも注意してほしい．

B. 酸性糖の合成

D-グルクロン酸(グルコースの炭素 6 が酸化(-CH_2OH→-COOH)

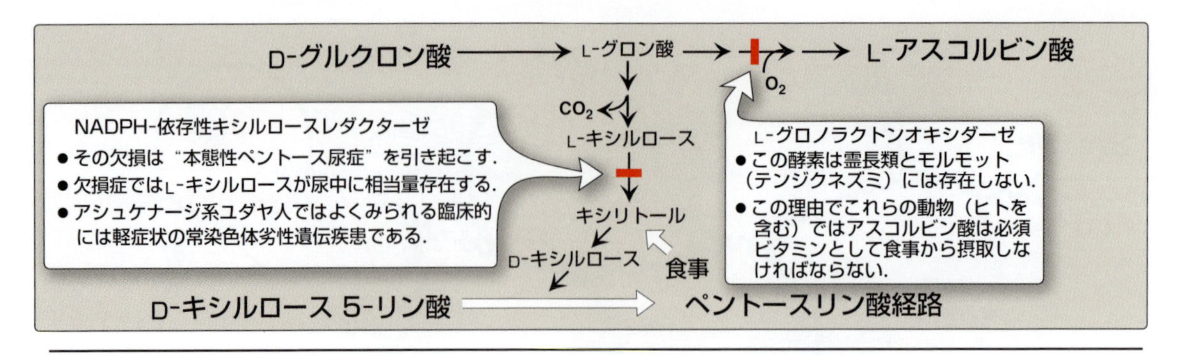

図 14.9
グルクロン酸の代謝．NADPH：還元型ニコチンアミドアデニンジヌクレオチドリン酸，CO_2：二酸化炭素．

されたもの）とそのC-5エピマーであるL-イズロン酸がGAGsの重要な構成成分である．グルクロン酸はビリルビン，ステロイド，スタチンを含む多くの薬物などの脂溶性化合物の解毒反応でも必要とされる．グルクロン酸との抱合（グルクロニド化）により水溶性が増加するからである．植物と哺乳類（モルモットとヒトを含む霊長類を除く）では，グルクロン酸はアスコルビン酸（ビタミンC）の前駆体となる（図14.9）．このウロン酸経路（グルクロン酸経路）は食事中のD-キシルロースが中心代謝経路に入るのにも必要である．

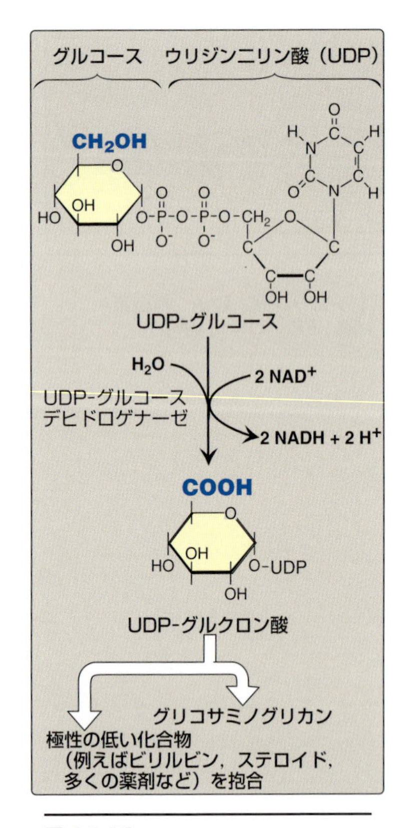

図 14.10
UDP-グルコースのUDP-グルクロン酸への酸化．NAD（H）：ニコチンアミドアデニンジヌクレオチド．

1．**グルクロン酸**：グルクロン酸glucuronic acidは食事中からも少量摂取可能であるし，GAGsのリソソームでの分解やウロン酸経路を介する合成からも得られる．この経路ではグルコース1-リン酸がウリジン三リン酸（UTP）と反応してUDP-グルコースに変換される．UDP-グルコースが酸化されてUDP-グルクロン酸となり，この形でグルクロン酸がGAGs合成とグルクロニド化に供給される（図14.10）．ヒトにおけるグルクロン酸代謝の最終産物はD-キシルロース5-リン酸であり，これはペントースリン酸経路に入って解糖系の中間体であるグリセルアルデヒド3-リン酸とフルクトース6-リン酸に変換される（図14.9，図13.2も参照）．

2．**L-イズロン酸**：L-イズロン酸の合成はD-グルクロン酸が糖鎖に取り込まれてから起こる．ウロノシル5-エピメラーゼ uronosyl 5-epimeraseがD-糖のL-糖へのエピマー化を触媒する．

C．コアタンパク質の合成

コアタンパク質は粗面小胞体rough endoplasmic reticulum（RER）上のリボソームで合成されRER管内腔に入り，膜結合性のグリコシルトランスフェラーゼによってグリコシル化（糖付加）される．

D．糖鎖の合成

糖鎖形成は，コアタンパク質上に糖鎖合成が開始される短い**連結部 linker**を合成することから始まる．最も一般的な連結部は，UDP-キシロースからキシロースをセリン（もしくはトレオニン）のヒドロキシ基へ転移させることにより形成されるトリヘキソシドtrihexosideである．この反応はキシロシルトランスフェラーゼ xylosyltransferaseによって触媒される．この後，2個のガラクトースが付加されトリヘキソシドが完成される．これに引き続き酸性糖とアミノ糖が交互に順次付加され（図14.11），D-グルクロン酸残基の一部がL-イズロン酸残基にエピマー化される．

E. 硫酸基の付加

GAGsの硫酸化は硫酸化される単糖が伸長している糖鎖に取り込まれたあと起こる．硫酸を供与するのは**3′-ホスホアデノシン 5′-ホスホ硫酸 3′-phosphoadenosyl-5′-phosphosulfate**（PAPS，AMPの5′-リン酸に硫酸基が付加された分子）である（図17.16参照）．硫酸化反応はスルホトランスフェラーゼ sulfotransferaseによって触媒される．硫酸化されたGAGsであるコンドロイチン硫酸の合成例を図14.11に示す．PAPSはスフィンゴ糖脂質合成においても硫酸基供与体となることに注意してほしい．

Ⅳ. 分　解

GAGsは**リソソーム lysosome**[b]で分解される．リソソームにはpHがおよそ5近辺で最も活性が高い加水分解酵素が含まれている．このため，これらの酵素はまとめて酸性加水分解酵素（酸性ヒドロラーゼ）acid hydrolaseと呼ばれる．至適pHが低い（リソソーム内のpHは低い）のは，これらの酵素がpHが中性の細胞質ゾルに漏出した場合に細胞を破壊するのを防ぐ防御機構である．GAGsの半減期は，数分から数カ月の範囲にわたり，GAGsのタイプと局在によって異なる．

A. GAGsと食作用（ファゴサイトーシス）

GAGsは**細胞外 extracellular**ないし**細胞表面 cellsurface**の化合物なので，まず細胞膜の陥入によって取り込まれ（食作用 phagocytosis），形成される小胞の内部に入る．この小胞はリソソームと融合し，消化小胞が形成され，そのなかでGAGsは効率的に分解される．

B. リソソームでの分解

GAGsがリソソームで完全に分解されるためには，数多くの酸性加水分解酵素が必要である．まず，多糖鎖はエンドグリコシダーゼ endoglycosidaseによって分解されオリゴ多糖ができる．オリゴ多糖は非還元末端から1個ずつ分解されていく．それゆえ合成の最後に付加された基（硫酸もしくは糖）が最初にスルファターゼ sulfataseやエキソグリコシダーゼ exoglycosidaseの作用により分解される．これらの酵素のなかのいくつかとそれらが加水分解する結合を図14.12に示

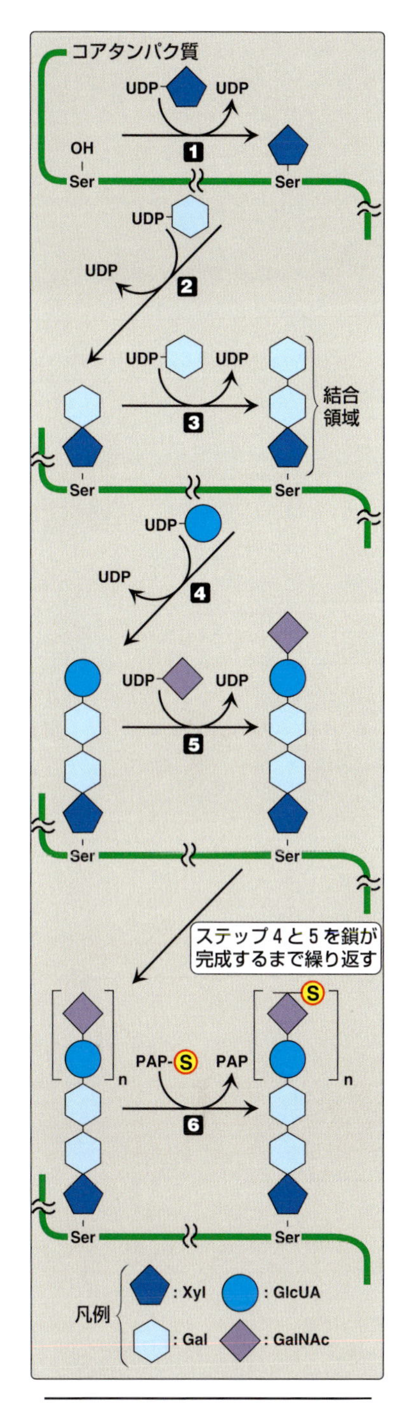

図14.11
コンドロイチン硫酸の合成．
PAP-Ⓢ：3′-ホスホアデノシン 5′-ホスホ硫酸，Xyl：キシロース，Ser：セリン．

[b] リソソームについての詳細な情報は『イラストレイテッド細胞分子生物』（丸善出版）5章参照．

す．[注：エンドグリコシダーゼとエキソグリコシダーゼは糖タンパク質や糖脂質のリソソームでの分解に関与している．これらの酵素の欠損により部分的にしか分解されない糖質が蓄積し，組織損傷に至る．]

スルファターゼ複合欠損症（オースチン病Austin disease）は，スルファターゼ酵素の活性部位に必要なアミノ酸誘導体であるホルミルグリシンの産生欠損のために，すべてのスルファターゼが機能を果たさないまれなリソソーム蓄積症である．

V．ムコ多糖症

ムコ多糖症 mucopolysaccharidosisはヘパラン硫酸，デルマタン硫酸，ケラタン硫酸の分解に関与するリソソームの加水分解酵素の欠損によって生じる遺伝性疾患（およそ25,000生児出生に1例）である（図14.12参照）．いろいろな組織のリソソームにGAGsが蓄積し，**骨格変形 skeletal deformity**，**ECM異常 ECM deformity**，**知的障害 intellectual disability**などの多様な症状が引き起こされる進行性疾患である．X連鎖（伴性）遺伝病であるハンターHunter症候群を除きすべて常染色体劣性遺伝病である．

この疾患の遺伝子変異をホモ接合で持つ小児は，出生時には一見正常であるが，しだいに症状が出現する．重症の場合には，小児期に死に至る．現在のところ治療法はない．GAGsのリソソームによる分解が不完全なため，尿中にオリゴ糖が出現する．オリゴ糖断片は特定のムコ多糖症の診断に有用である．オリゴ糖の非還元末端の構造を決定すれば，本来それを分解すべき酵素が欠損していることがわかるからである．確定診断は患者の細胞のリソソーム加水分解酵素 lysosomal hydrolaseの定量によって行われる．ハンター症候群とハーラーHurler症候群では現在骨髄および臍帯血移植による治療が試みられている．移植されたマクロファージが細胞外のGAGsの分解に必要な酵素を産生してくれる．この療法では思うような効果は得られていない．酵素補充療法 enzyme replacement therapy（ERT）が現在これら2つの症候群の治療に用いられているが神経系への損傷は予防できない．

VI．糖タンパク質の概要

糖タンパク質 glycoproteinは**オリゴ糖 oligosaccharide**（グリカン glycan）が共有結合しているタンパク質である．この糖鎖付加（グリコシル化glycosylation）はタンパク質の翻訳後修飾のなかで最も多くみられるものである．[注：糖質のタンパク質への非酵素的付加は糖化glycationと呼ばれる．] 糖タンパク質に含まれる糖質の量はさまざまであるが，典型的にはプロテオグリカンに含まれる量よりはるかに少な

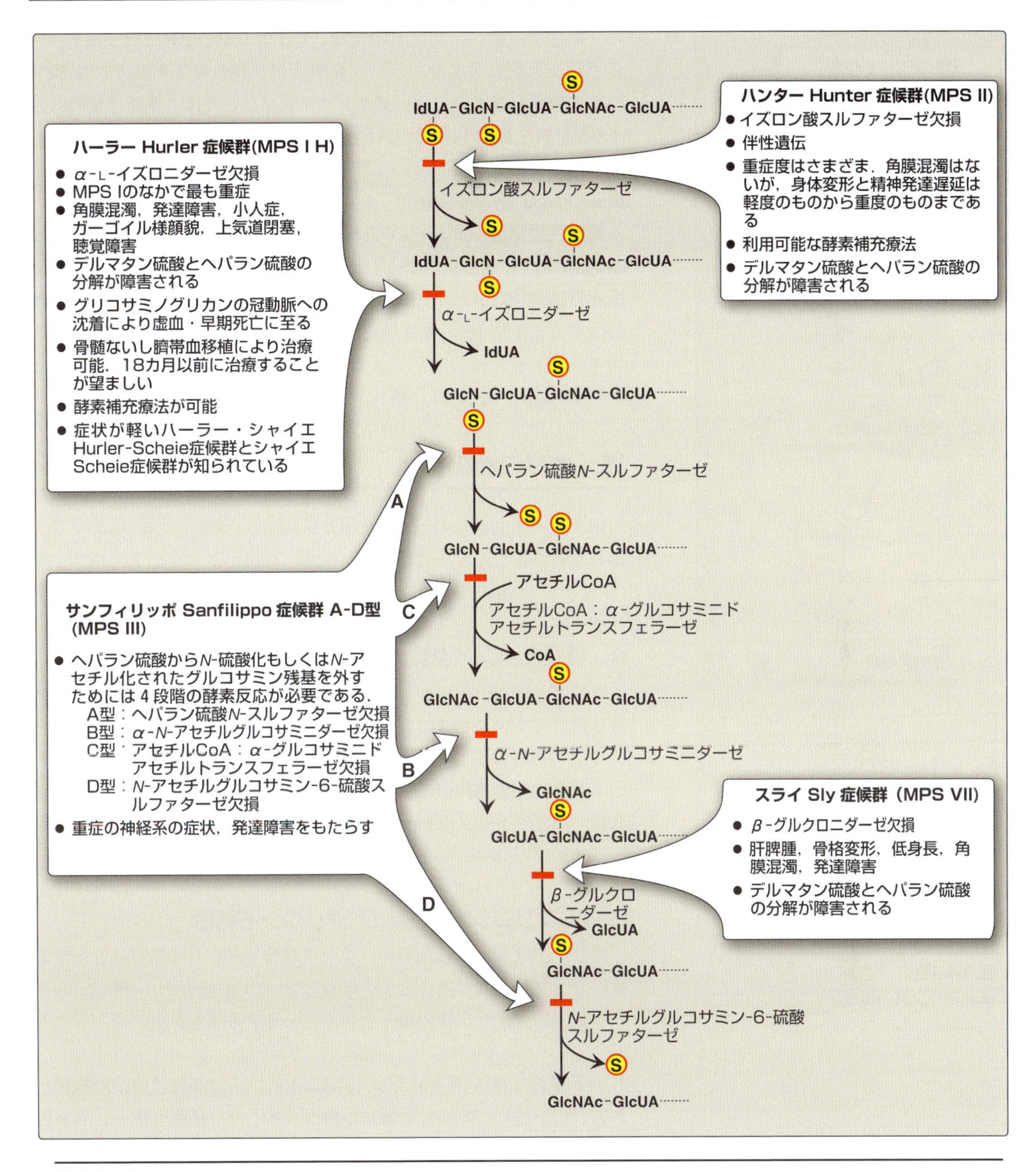

図 14.12
リソソーム酵素によるヘパラン硫酸というグリコサミノグリカンの分解．いくつかの代表的なムコ多糖症（MPS）での酵素欠損部位を示す．［注：ケラタン硫酸の分解酵素であるガラクトサミン-6-スルファターゼやβ-ガラクトシダーゼの欠損によりモルキオ Morquio 症候群（MPSIV）A，Bそれぞれが生じる．デルマタン硫酸の分解酵素であるアリルスルファターゼB欠損によりマロトー・ラミー Maroteaux-Lamy 症候群（MPSVI）が生じる．］GlcUA：グルクロン酸，IdUA：イズロン酸，GalNAc：N-アセチルガラクトサミン，GlcNAc：N-アセチルグルコサミン，GlcN：グルコサミン，Ⓢ：硫酸．

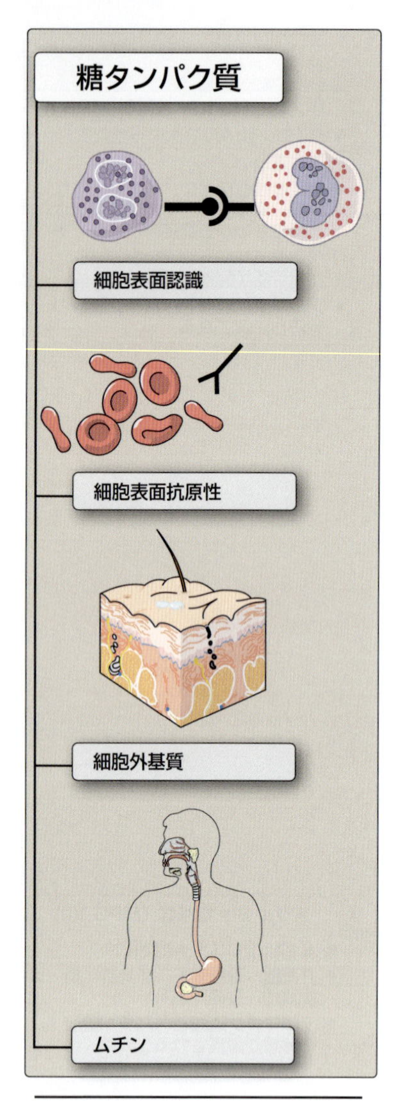

図 14.13
糖タンパク質の機能．

い．例えば，糖タンパク質の免疫グロブリンG（IgG）は分子量の4%以下しか糖質を含まないが，プロテオグリカンのアグリカンは80%以上の糖質を含んでいる．糖タンパク質においては，糖鎖は比較的短く（通常2～10糖残基），しばしば直鎖状でなく枝分かれ構造を持つ．さらに負に荷電しているとは限らない．**膜結合型糖タンパク質 membrane-bound glycoprotein** は，他の細胞，ホルモン，ウイルスなどによる**細胞表面認識 cell surface recognition**，**細胞表面抗原性 cell surface antigenicity**（血液型抗原など）など広範囲の細胞現象に関与しており，**細胞外基質**（ECM）や消化管・尿生殖管の**ムチン mucin**（防御性の生物潤滑剤として機能）の主要構成成分でもある．さらにヒト血漿中の球状タンパク質のほとんどすべては糖タンパク質である（アルブミンは例外である）．図14.13に糖タンパク質の機能のまとめを示す．

Ⅶ．オリゴ糖の構造

糖タンパク質のオリゴ糖（グリカン）成分は主としてD-ヘキソースからなる分枝したヘテロ重合体であり，種類によってはノイラミン酸（ノノース）や6-デオキシヘキソースのL-フコースを含む．

A．糖質とタンパク質の結合部

グリカンは*N*-グリコシド結合ないし*O*-グリコシド結合でタンパク質に結合している（p.110参照）．*N*-グリコシド結合では糖鎖はアスパラギンの側鎖に結合しており，*O*-グリコシド結合では糖鎖はセリンかトレオニンの側鎖のヒドロキシ基に結合している．コラーゲンの場合は，ガラクトースないしグルコースとヒドロキシリシンのヒドロキシ基の間に*O*-グリコシド結合が存在する．

B．*N*-グリコシド結合・*O*-グリコシド結合

糖タンパク質は1種類のグリコシド結合（*N*-もしくは*O*-）しか含まないタイプもあれば同一分子中に*O*-グリコシド結合オリゴ糖と*N*-グリコシド結合オリゴ糖の両方を含んでいるタイプもある．

1．*O*-結合：*O*-結合グリカン *O*-linked glycanは多様な糖が直線状にあるいは分枝して配列した構造を持つ．多くは，細胞外糖タンパク質あるいは膜糖タンパク質の構成成分として存在する．例えば，赤血球の表面の*O*-結合オリゴ糖はABO血液型抗原決定基の構成成分の一部である．グリカンの末端糖残基がGalNAcならA型，ガラクトースならB型，GalNAcでもガラクトースでもない場合はO型である．

2．*N*-結合：*N*-結合グリカン *N*-linked glycanは2つのクラスに分類される．複合オリゴ糖と高マンノースオリゴ糖である．両者とも図14.14に示す同一の**五糖コア pentasaccharide core**構造を持つが，複合オリゴ糖は*N*-アセチルグルコサミン（GlcNAc），*N*-アセチルガラクトサミン（GalNAc），L-フコース（Fuc），*N*-アセチルノイラミン酸（NANA）など多様な付加糖を含むのに対して，高マンノースオリゴ糖

は主としてマンノース(Man)のみを含む.

VIII. 糖タンパク質の合成

細胞質で機能するタンパク質は細胞質ゾルの遊離リボソームで合成される. しかし細胞膜, リソソームに局在することになる糖タンパク質や, 細胞外に輸送される糖タンパク質は, **小胞体 endoplasmic reticulum** (ER)に結合しているリボソームで**合成**される. これらのタンパク質は特異的なシグナル配列を持ち, それが分子的な"住所ラベル"として機能し, そのタンパク質を適切な目的地へと送り出す(ターゲッティングする). N末端の疎水性の配列によってこれらのタンパク質はERに導かれ, 合成されつつあるポリペプチドはERの内腔へと排出される(p.588参照). 次にこれらのタンパク質は, 分泌小胞を介して, 仕分けセンターとして機能する**ゴルジ体**へ輸送される(図14.15). ゴルジ体で, 細胞から分泌されるもしくはリソソームに行く糖タンパク質は, 小胞に詰め込まれ, この小胞は細胞膜もしくはリソソーム膜と融合してその内容物は細胞外(あるいはリソソーム内)に放出される. 細胞膜の構成成分になる糖タンパク質はゴルジ膜に取り込まれる. 次に小胞がゴルジ体から出芽して細胞膜と融合し, 小胞の膜結合型糖タンパク質を細胞膜に付加する. このようにして膜結合型糖タンパク質の糖質部分は細胞外に配置されることになる(図14.15参照).

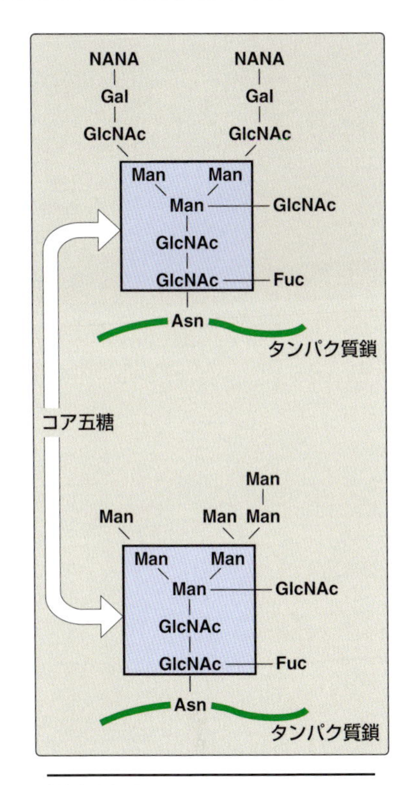

図 14.14
複合*N*-結合オリゴ糖(上)と高マンノース*N*-結合オリゴ糖(下). [注: どちらの糖も同一のコア五糖構造(囲みの中に示す)を持つ.] NANA: *N*-アセチルノイラミン酸, Gal: ガラクトース, GlcNAc: *N*-アセチルグルコサミン, Man: マンノース, Fuc: フコース, Asn: アスパラギン.

A. 糖質成分

糖タンパク質の糖質成分の前駆体はUDP-グルコース, UDP-ガラクトース, UDP-GlcNAc, UDP-GalNAcを含む**ヌクレオチド糖 nucleotide sugar**である. さらにグアノシン二リン酸(GDP)-マンノース, GDP-L-フコース(GDP-マンノースから合成される), CMP-NANAが糖を付加する場合もある. 酸性のNANAが存在する場合, オリゴ糖は生理的pHで負電荷を持つ. オリゴ糖はタンパク質の特定のアミノ酸の側鎖に共有結合する. あるアミノ酸の側鎖が糖鎖付加(グリコシル化)されるかどうかはタンパク質の三次元構造によって決まる.

B. *O*-結合糖タンパク質の合成

O-結合糖タンパク質の合成はGAGs合成に非常によく似ている. まず糖が付加されるタンパク質が**粗面小胞体 rough endoplasmic reticulum** (RER)上で合成され管腔中に排出される. 特定のセリンないしトレオニン残基へUDP-GalNAcからGalNAcが転移され, 糖鎖付加がはじまる(訳注: *O*-結合グリコシドで最も多いのはこの形だが, 他にガラクトース, マンノース, キシロースなどが*O*-グリコシド結合することもある). オリゴ糖の(個々の糖からの)段階的合成に関与する**グリコシルトランスフェラーゼ**はゴルジ体の膜に結合している. これらはDNA, RNA, タンパク質合成の際に必要な鋳型(第VII編参照)を使うことなく, 伸長しつつあるオリゴ糖の実際の構造を適切な基質として認識しながら, 一定の順番で作用する.

C. *N*-結合糖タンパク質の合成

N-結合糖タンパク質の合成はRERの管腔で起こり，RER膜の脂質であるドリコールのリン酸化型(ドリコールピロリン酸)の関与を必要とする(図 14.16)．最初の産物はRERとゴルジ体で修飾される．

1．ドリコール-結合オリゴ糖の合成：*O*-結合糖タンパク質と同様に，まずタンパク質がRERで合成されて管腔に入る．しかしながら，タンパク質は糖を1個1個付加されるわけではない．その代わり，脂質に結合したオリゴ糖がまず合成される．これはコレステロール合成(p.287 参照)の中間体由来のRER膜脂質であるドリコールにGlcNAc,マンノース，グルコースを含むオリゴ糖がピロリン酸結合したものである．膜結合性のグリコシルトランスフェラーゼによってドリコールに順次付加される最初の糖はGlcNAcで，次にマンノースとグルコースが付加される(図 14.16 参照)．全部で14個の糖からなるオリゴ糖は，RERに存在するタンパク質-オリゴ糖トランスフェラーゼ protein-oligosaccharide transferaseによって，ドリコールから糖鎖付加されるタンパク質のアスパラギン残基のアミド窒素(N)に転移される．[注：抗生物質であるツニカマイシン tunicamycinは*N*-結合糖鎖付加を阻害する.]

糖鎖付加の先天性疾患congenital disorders of glycosylation (CDG)は，タンパク質の*N*-結合糖鎖付加の欠陥(オリゴ糖の会合(Ⅰ型)もしくは修飾(Ⅱ型)のステップ)によって引き起こされる症候群である.

臨床応用 14.2：I細胞病 I-cell disease

I細胞病は，この疾患を持つ患者の細胞内に大きな封入体inclusion bodyがみられることから命名された，まれなリソソーム蓄積症である．GlcNAcホスホトランスフェラーゼ GlcNAc phosphotransferaseが欠損し，その結果としてリソソームに送り出されるべきタンパク質にマンノース6-リン酸が産生されない．アミノ酸残基上にM6Pが欠如するために，**酸性加水分解酵素** acid hydrolaseの前駆体はリソソームに輸送される代わりに細胞膜に輸送され，構成的に細胞外に分泌される．その結果，酸性加水分解酵素はリソソーム中になく，リソソーム酵素 lysosomal enzymeにより分解されるべき高分子基質が蓄積し，この疾患の特徴となる封入体が形成される．さらに患者の血漿と尿中には大量のリソソーム酵素が存在することから，リソソームへのターゲッティング過程に欠損があることが示唆される．

I細胞病は骨格異常，関節運動の制限，ガーゴイル様醜形顔貌(訳注：ガーゴイルgargoyleは，中世ヨーロッパの教会(ゴチック建築物)の屋根に設置される伝説上の生物．これらの顔貌を呈する病気をハンターやハーラーらが報告した)，重度の精神運動障害などが特徴である．I細胞病はムコ多糖代謝異常症やスフィンゴリピドーシス(スフィンゴ脂質蓄積症)と共通の特徴を持っているので，ムコリピドーシス(Ⅱ型)と呼ばれる．現在のところ根本的治療法はなく，心肺合併症により通常幼小児期に死亡する．**偽ハーラー多発性ジストロフィーpseudo-Hurler polydystrophy**(Ⅲ型)はI細胞病のより症状の軽いムコリピドーシスであり，ホスホトランスフェラーゼ活性はある程度残っていて，症候的には**ハーラー症候群Hurler syndrome**の軽症型に似ている．

2．*N*-結合オリゴ糖の修飾：タンパク質に付加されたあと，*N*-結合オリゴ糖は糖タンパク質がRERを通過する際に，特定のマンノース残基とグルコース残基が除去される．最後に，ゴルジ体で多様な糖(GlcNAc，GalNAc，マンノース，そして末端基としてフコースかNANAなど)が付加され複合糖タンパク質として完成されるか，それ以上修飾されず，高マンノース糖タンパク質の分枝したマンノース含有オリゴ糖鎖としてとどまるか，いずれかの運命をたどる(図14.16参照)．*N*-結合糖タンパク質の最終的な運命は，*O*-結合糖タンパク質と同様であり，細胞から放出されるものもあれば，細胞膜の構成成分になるものや，リソソームに局在するものもある．

3．リソソーム酵素：*N*-結合糖タンパク質のなかにはゴルジ体で修飾される際にマンノース残基の炭素6(C6)がリン酸化されるものがある．この反応はホスホトランスフェラーゼphosphotransferaseによって触媒されるが，UDP-GlcNAcがリン酸を供給する．ゴルジ膜に局在するマンノース6-リン酸受容体はこれらのタンパク質のマンノース6-リン酸(M6P)に結合し，これらのタンパク質は小胞に詰め込まれリソソームに送り出される(図14.17)．

IX．リソソームでの糖タンパク質の分解

糖タンパク質の分解はGAGsの分解と同様である(p.213参照)．糖タンパク質の構成成分の1つひとつに対応する特異的酸性加水分解酵素がリソソームに存在しそれらが構成成分を除去していく．これらの酵素は主として外酵素exoenzymeであり，構成成分を合成時とは逆の順番で末端側から順番に外していく("最後に付け加えられたものを最初に外す")．もし1つの分解酵素degradative enzymeが欠損すると，

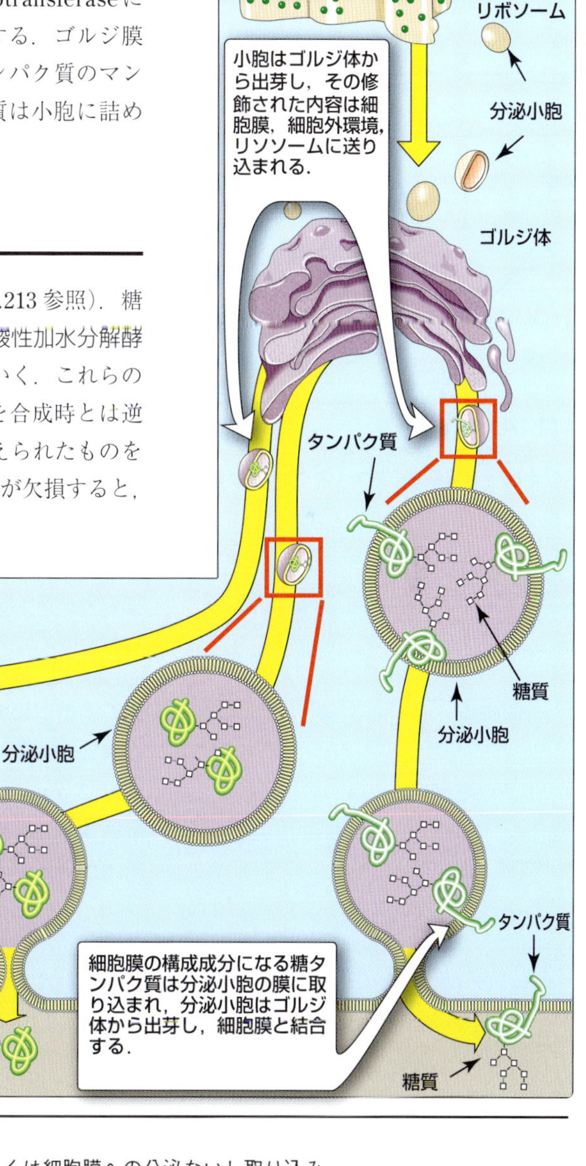

図 14.15
ゴルジ体を経由した糖タンパク質の輸送とリソソームもしくは細胞膜への分泌ないし取り込み．

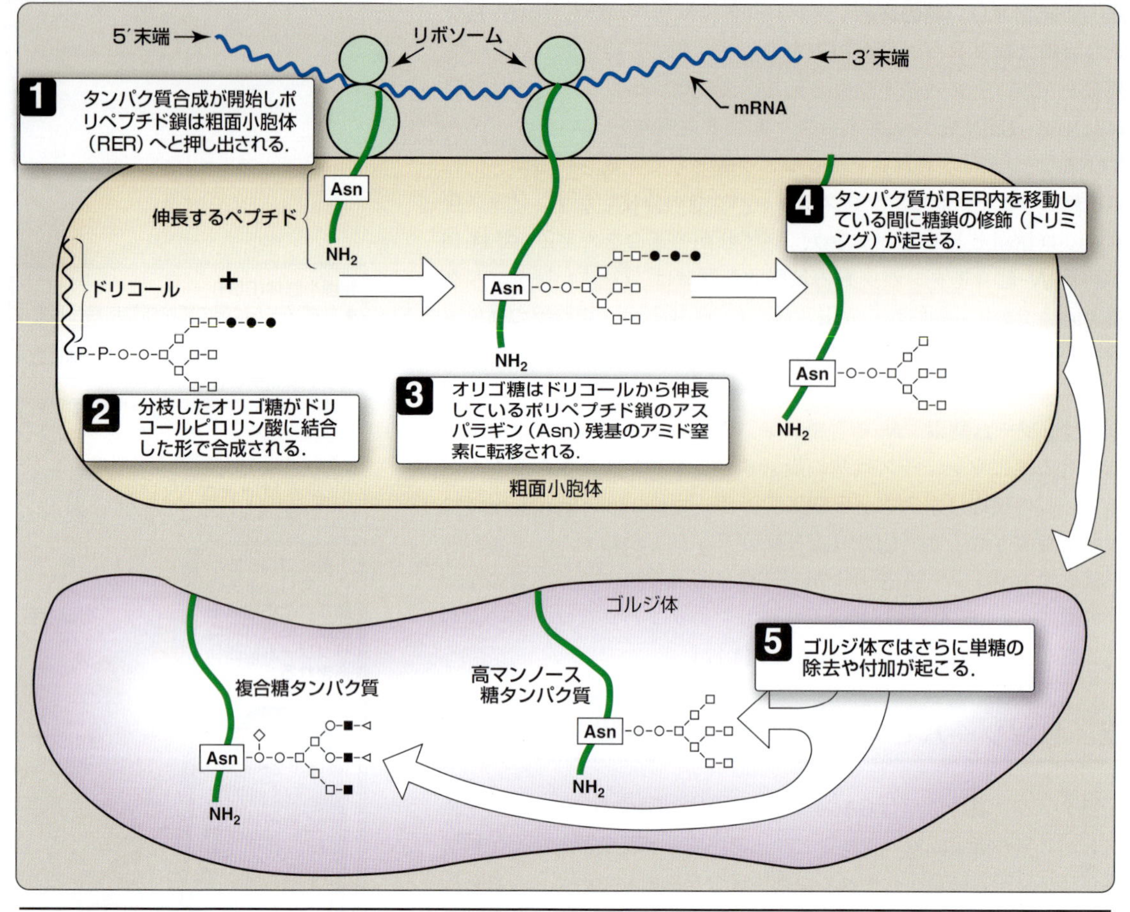

図 14.16
N-結合糖タンパク質の合成．○：*N*-アセチルグルコサミン，□：マンノース，●：グルコース，■：ガラクトース，◇もしくは ◁：末端基（フコースや *N*-アセチルノイラミン酸），mRNA：メッセンジャーRNA，Asn：アスパラギン．

他の外酵素による分解は起こらなくなってしまう．

分解酵素の欠損の結果生じる**糖タンパク質蓄積症 glycoprotein storage disease**（**オリゴ糖蓄積症 oligosaccharidosis**）と呼ばれる一群の大変まれな常染色体劣性遺伝性疾患では，リソソーム中に部分的に分解された構造が蓄積する．例えば，3 型 α-マンノシドーシスは α-マンノシダーゼ α-mannosidase 欠損による重篤な進行性の致死的疾患である．症状はハーラー症候群と同様であり，免疫不全もみられる．尿中にマンノースに富むオリゴ糖断片が出現する．診断は酵素活性測定による．

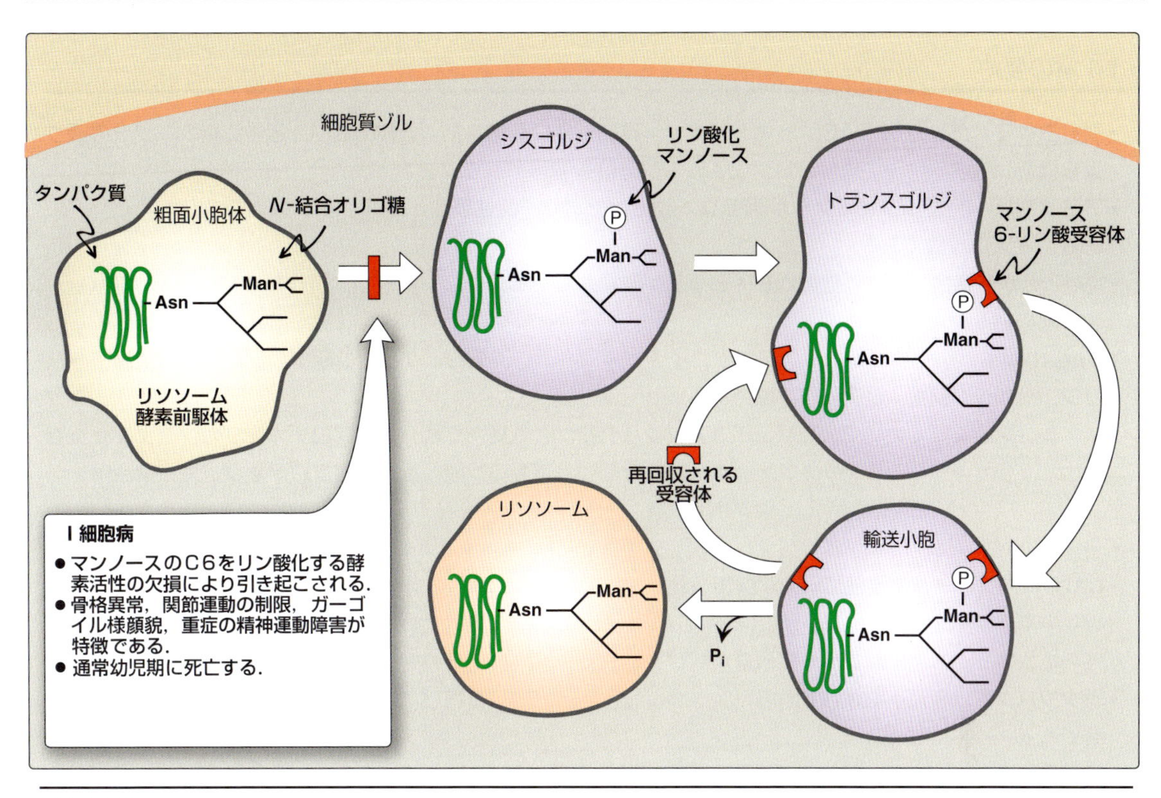

図 14.17
N-結合糖タンパク質のリソソームへの輸送機構．Asn：アスパラギン，Man：マンノース．Ⓟ：リン酸，P_i：無機リン酸．

14章の要約

- **グリコサミノグリカン(GAGs)**はゴルジ体で，**長い**，**負に荷電した**，**分枝のない**，通常**二糖ユニットの繰り返し構造**(酸性糖-アミノ糖)$_n$から構成される**ヘテロ多糖鎖**として合成される．
- **アミノ糖**は，D-**グルコサミン**かD-**ガラクトサミン**であり，**酸性糖**はD-**グルクロン酸**かそのC-5エピマーであるL-**イズロン酸**である．
- GAGsは**水を結合**し，体の**基質**の基礎となるゲル様基質を形成する．**粘液**が潤滑作用を持つのも，GAGsが含まれているからである．
- GAGsには6つのクラスがある：**コンドロイチン4-ないし6-硫酸**，**ケラタン硫酸**，**デルマタン硫酸**，**ヘパリン**，**ヘパラン硫酸**，**ヒアルロン酸**である．
- ヒアルロン酸を除くすべてのGAGsは**コアタンパク質**に共有結合で結合して**プロテオグリカンモノマー**を形成する．多くのプロテオグリカンモノマーは1分子の**ヒアルロン酸**と結合して**プロテオグリカン集合体**を形成する．
- 完成したプロテオグリカンは分泌されて**細胞外基質(ECM)**中に入るか細胞の外表に留まる．
- GAGsは**リソソームの酸性加水分解酵素(酸性ヒドロラーゼ)**によって分解される．ヒドロラーゼ欠損によりムコ多糖症が引き起こされる．**ムコ多糖症**ではGAGsが組織に蓄積し，**骨格変形**，**ECM異常**，**知的障害**などの症状をもたらす．**ハンター症候群**(伴性)や**ハーラー症候群**がその例である．
- **糖タンパク質**は粗面小胞体(RER)とゴルジ体で合成され，**オリゴ糖**(**グリカン**)が共有結合しているタンパク質である．
- **膜結合**性糖タンパク質は**細胞表面認識**，**細胞表面抗原性**に関与しており，**ECM**や消化管・尿生殖管の**ムチン**の主要構成成分でもあり，防御性の生物潤滑剤として機能している．ヒト血漿中の球状タンパク質のほとんどすべては糖タンパク質である．
- 糖タンパク質の糖質部分の前駆体は**ヌクレオチド糖**である．***O*-結合糖タンパク質**はゴルジ体においてヌクレオチド担体から順番に糖がタンパク質のセリン残基やトレオニン残基のヒドロキシ基へ付加されて合成される．***N*-結合糖タンパク質**は，RER膜脂質担体である**ドリコールピロリン酸**から，前もって生成されたオリゴ糖がタンパク質のアスパラギン酸基のアミド窒素に転移されて合成される．*N*-結合糖タンパク質には多かれ少なかれ**マンノース**が含まれている．
- リソソームに局在するようにターゲッティングされている*N*-結合糖タンパク質性酵素のマンノース残基の炭素6をリン酸化する***N*-アセチルグルコサミン(GlcNAc)ホスホトランスフェラーゼ**欠損により**I細胞病**が起こる．
- 糖タンパク質は**酸性加水分解酵素**によってリソソーム内で分解される．この酵素欠損により**リソソーム糖タンパク質蓄積症**が起こり，リソソーム中に部分的に分解されたオリゴ糖が蓄積し，骨格異常や知的障害を含むさまざまな症状を引き起こす．

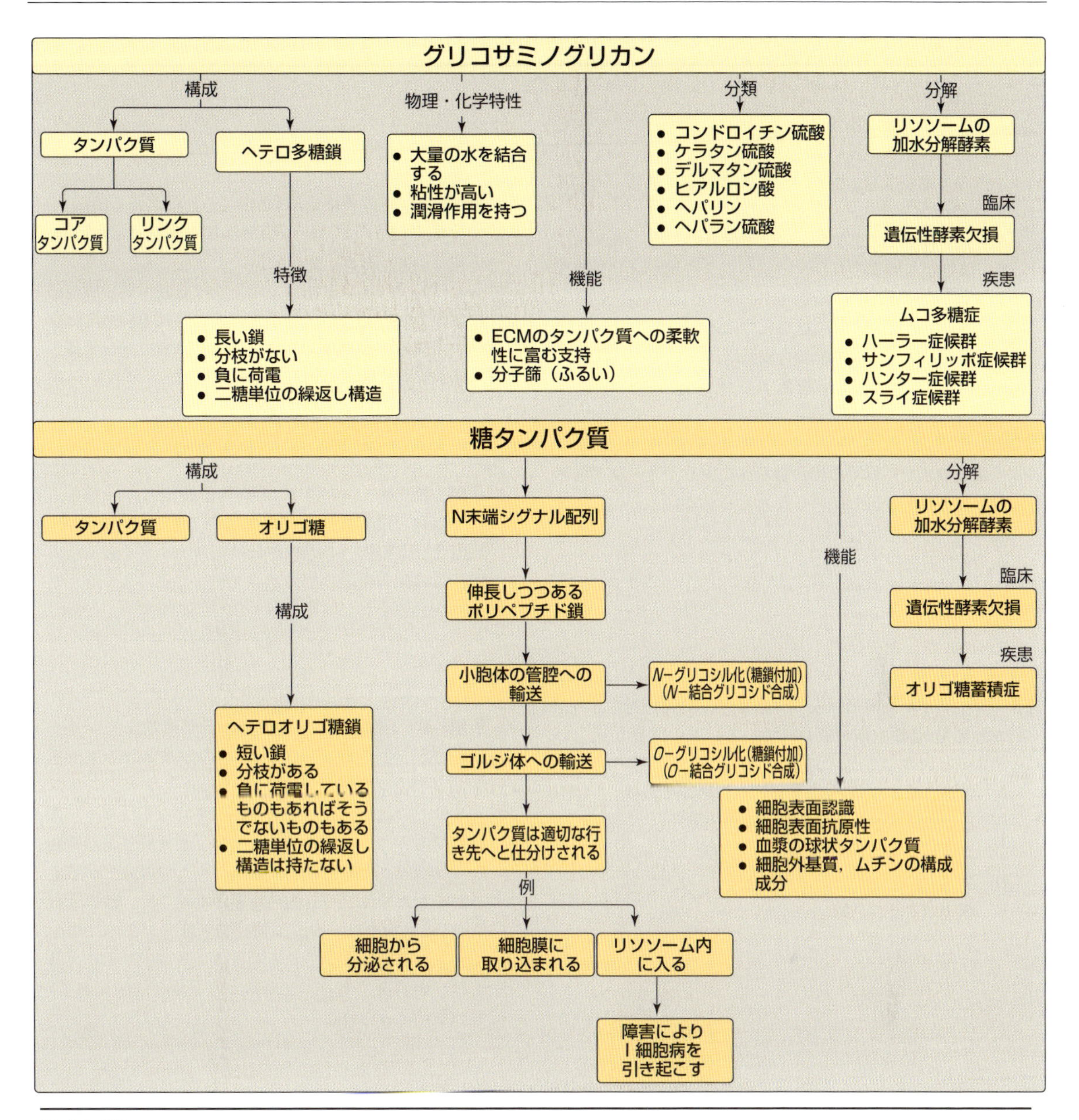

図 14.18
グリコサミノグリカンと糖タンパク質の概念図．ECM：細胞外基質．

学習問題

最適な答えを1つ選びなさい．

14.1 ムコ多糖症は遺伝性リソソーム蓄積症である．その原因はどれか．

A. グリコサミノグリカンの分解酵素の欠損．
B. 酸性加水酵素のリソソームへのターゲッティング異常．
C. プロテオグリカンの糖質成分の過剰な産生．
D. タンパク質分解酵素の合成低下．
E. コアタンパク質の合成低下．

正解 A. ムコ多糖症はGAGs(タンパク質ではなく)の分解を担うリソソームの酸性加水分解酵素(酸性ヒドロラーゼ)のどれかの欠損により起こる．酵素は正しくリソソームにターゲッティングされ，血中酵素濃度は上昇しないが，酵素活性はない．この疾患ではプロテオグリカンのタンパク質成分や糖質成分は構造上も量的にも異常は認められない．

14.2 患者の尿中に以下の化合物が存在するとき，次の酵素のうちどれが欠損していると考えられるか．

A. ガラクトシダーゼ
B. グルコロニダーゼ
C. イズロニダーゼ
D. マンノシダーゼ
E. スルファターゼ

正解 E. 糖タンパク質の分解は“最後に付け加えられたものを最初に外す”というルールに従って起こる．硫酸化はこの配列の合成の最後のステップで起こるので，この化合物の分解の次のステップではスルファターゼが必要である．

14.3 ガーゴイル様醜形顔貌，骨格異常，発達遅延を示す8カ月男児．I細胞病が疑われている．この診断が正しいとすると次のうちどれが観察されるか．

A. 細胞表面の*O*-結合糖タンパク質の産生減少．
B. 血中の酸性加水分解酵素濃度の上昇．
C. タンパク質の*N*-グリコシル化不全．
D. プロテオグリカンの過剰産生．
E. 尿中のオリゴ多糖．

正解 B. I細胞病は，酸性加水分解酵素をリソソームのマトリックスにターゲッティングするマンノース6-リン酸シグナルの合成に必要なホスホトランスフェラーゼの欠損によって引き起こされるリソソーム蓄積症である．この疾患では，酸性加水分解酵素は細胞から細胞外へと分泌され，リソソームでの分解が障害されるためリソソーム内に物質が蓄積する．他の選択肢はI細胞病やリソソーム機能に無関係である．尿中にオリゴ多糖が検出されるのはムコ多糖症やオリゴ糖蓄積症の特徴であり，II型ムコリピドーシスであるI細胞病ではみられない．

14.4 角膜混濁のある乳児の尿中に，デルマタン硫酸とヘパラン硫酸が検出された．ハーラー症候群の確定診断を下すためには，どの酵素活性の低下を示せば良いか．

A. α-L-イズロニダーゼ
B. α-グルクロニダーゼ
C. グリコシルトランスフェラーゼ
D. イズロン酸スルファターゼ

正解 A. ハーラー症候群は，角膜混濁を伴う，グリコサミノグリカン(GAGs)のリソソームにおける分解に欠損がある疾患であり，α-L-イズロニダーゼ欠損が原因である．スライ症候群ではβ-グルクロニダーゼが欠損しており，ハンター症候群ではイズロン酸スルファターゼが欠損している．グリコシルトランスフェラーゼは，GAGs合成の酵素である．

14.5 67歳の男性が左膝の疼痛とこわばりの評価のために来院し，骨関節症と診断された．この患者の症状に寄与しているのは以下のうちどれの減少か．

A. リソソーム酸性加水分解酵素
B. 軟骨プロテオグリカン
C. 細胞表面の*O*-結合糖タンパク質
D. ゴルジ体のホスホトランスフェラーゼ

正解 B．プロテオグリカンが軟骨の弾性に寄与している．骨関節症では軟骨が分解され，正常時はプロテオグリカンによって提供される防護が失われる．この病気の原因は酸性加水分解酵素の輸送や機能を含むリソソームの欠陥ではない．

食事由来脂質の代謝 15

Ⅰ．概　要

脂質はさまざまな種類の非水溶性（疎水性）の有機分子のグループである（図 15.1）．非水溶性のために，体内の脂質は，膜関連脂質や脂肪細胞のトリアシルグリセロール triacylglycerol（TAG）の油滴のように，一般的には分画されて存在する．あるいは，血中では，アルブミンなどのタンパク質と結合したり，リポタンパク質粒子として輸送される．脂質は生体の主要なエネルギー源であり，細胞や細胞内構造の水性分画を隔離する疎水性壁としても機能する．その他の脂質の機能としては，脂溶性ビタミンは制御因子あるいは補酵素として機能し，プロスタグランジンやステロイドホルモンは生体のホメオスタシスの制御に重要な役割を担っている．脂質代謝の欠損や異常は，動脈硬化症，糖尿病，肥満といった臨床医にとって一般的で重要な疾患の原因となる．

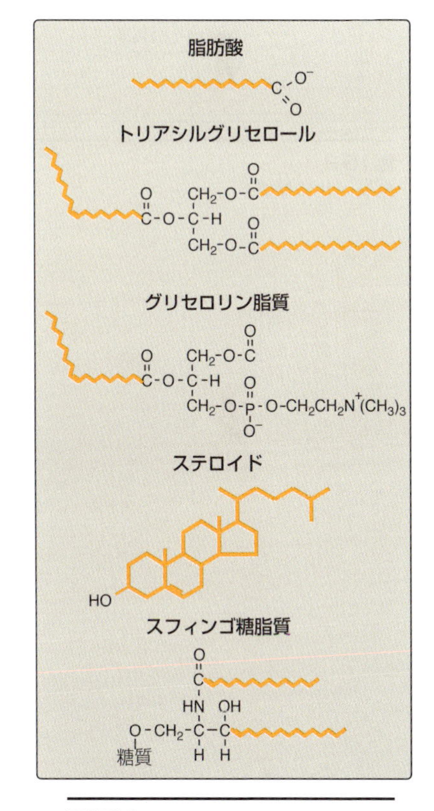

図15.1
代表的な脂質の構造．分子の疎水性領域をオレンジ色で示した．

Ⅱ．消化，吸収，分泌，利用

米国では成人の 1 日あたりの脂質の平均摂取量は約 78 g である．その 90% 以上は TAG である（トリグリセリド（TG）とも呼ばれる）．TAG はグリセリン骨格に 3 個の脂肪酸（FA）がエステル結合している（図 15.1 参照）．残りは，コレステロール，コレステロールエステル，リン脂質，エステル化されていない（“遊離”）脂肪酸（FFA）である．脂肪の消化は胃で開始され，小腸で完結する．消化過程を図 15.2 に要約した．

A．胃における消化

胃における脂肪の消化は限定的である．舌背面（上面）から分泌される**舌リパーゼ lingual lipase** と胃粘膜から分泌される**胃リパーゼ gastric**

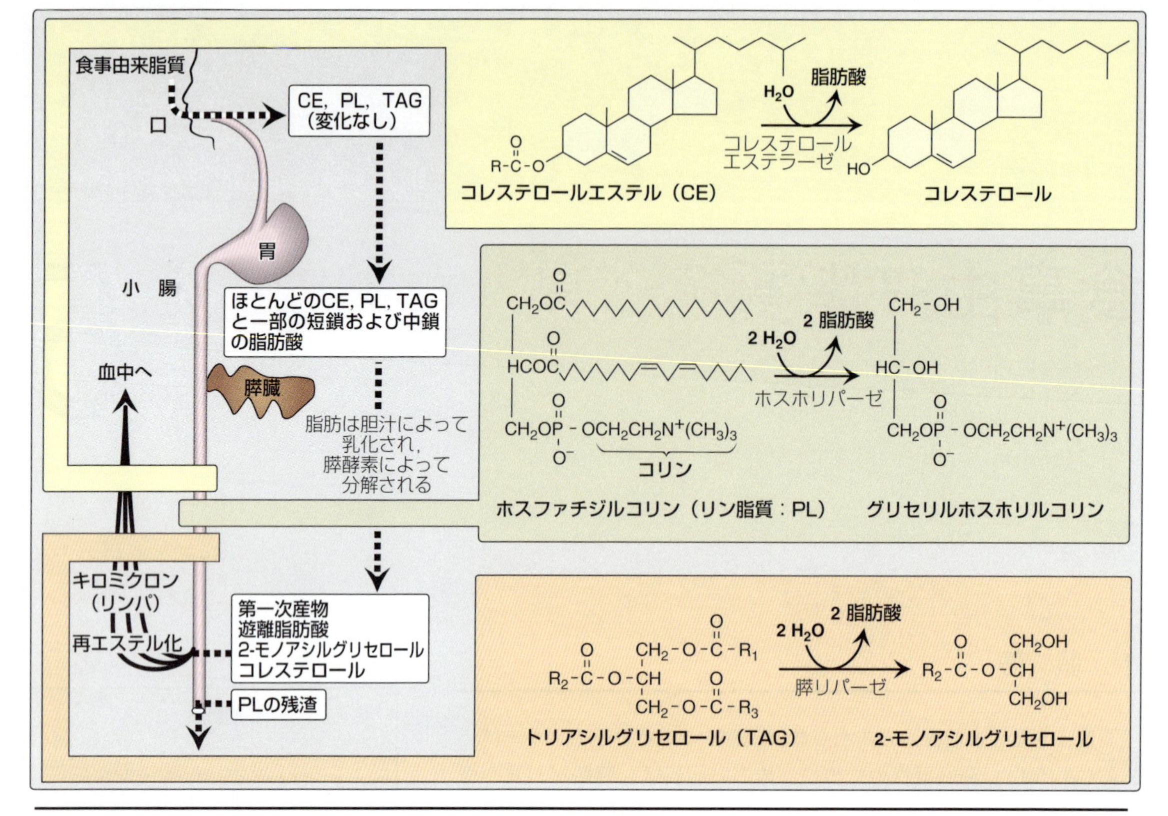

図15.2
脂質消化の概略.

lipaseが行う．この2つのリパーゼ lipaseは酸性酵素であり，至適pHは4～6である．これらの酸性リパーゼはTAG分子から脂肪酸を分離するが，ミルクに多く含まれる短鎖もしくは中鎖(12炭素以下)の脂肪酸に活性が高い．したがってこれらのリパーゼは，ミルクの脂肪が主要なカロリー源である**乳児 infant**では特に重要である．**嚢胞性線維症 cystic fibrosis**(CF)など膵機能が低下している患者でもこれらの酵素は重要な消化酵素となる．これらの膵リパーゼ(後述)がほとんどあるいは完全に欠損している患者では，舌リパーゼと胃リパーゼがTAG分子(特に短鎖および中鎖脂肪酸が結合しているもの)の分解を担う(下記D.1.参照)．

B. 嚢胞性線維症

米国では北欧系の白色人種(コーカサス人)において最も頻度の高い(約3,300出生に約1人)致死的遺伝性疾患である．常染色体劣性遺伝であり，膵臓，肺，精巣，汗腺の上皮のクロライド(Cl^-)チャネルである嚢胞性線維症膜コンダクタンス制御因子 cystic fibrosis transmembrane conductance regulator (CFTR)の遺伝子変異が原因である．CFTRが異常になると，クロライドの分泌が減少し，ナトリウムと水の取り込みが増加する．分泌液の粘稠性上昇により膵管が閉塞し，膵臓の外分泌酵素が腸管まで到達できなくなり機能不全に陥る．治療は正常*CFTR*遺伝子の導入や脂溶性ビタミンの補充である．[注：嚢胞

性線維症では肺の慢性感染症の合併による進行性肺疾患や男性不妊症に至る．］

C．小腸における乳化

食事由来脂質の乳化の重要な過程は十二指腸で進行する．乳化によって脂肪滴の表面積が広くなり，油滴の表面とその周りの水溶液との境界で作用する消化酵素の効率を高める（訳注：長鎖脂肪酸 long-chain fatty acid（LCFA）の効率的な消化にとって特に重要）．乳化は，2つの相補的な過程，つまり抱合**胆汁酸塩 bile salt**の界面活性化作用と**蠕動 peristalsis**による機械的混合によって行われる．両親媒性の胆汁酸塩は肝臓で作られて胆嚢に蓄積されており，コレステロールの代謝産物である．胆汁酸塩は，グリシンやタウリンがアミド結合で結合した側鎖があるステロール環構造を持っている（図15.3）．これらの乳化剤は食事由来脂質粒子と十二指腸の水と反応して，蠕動によって脂肪滴が集合するのを防いで細分する．［注：胆汁酸塩の代謝については18章で詳説する．］

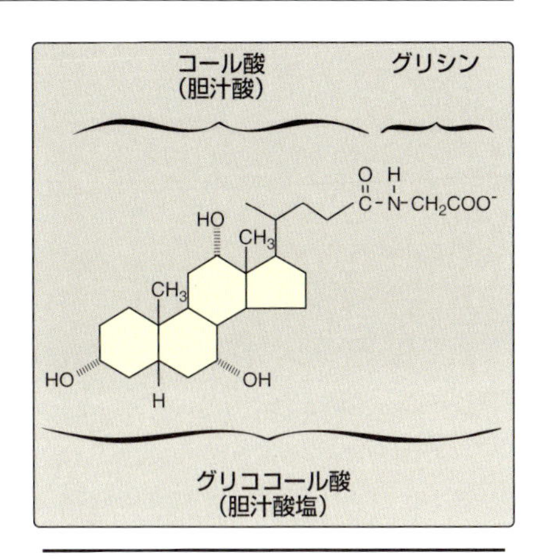

図15.3
胆汁酸塩の構造．

D．膵酵素による分解

経口摂取されたTAG，コレステロールエステル，リン脂質はホルモンによって分泌が制御されている膵酵素によって小腸で分解（消化）される．

1．TAG分解：TAG分子は小腸絨毛の粘膜細胞（**腸細胞（エンテロサイト）enterocyte**）が効率良く吸収するには巨大すぎる．したがって，脂肪酸を主として炭素1（C1）と炭素3（C3）で切断するエステラーゼ esteraseの一種の膵リパーゼ pancreatic lipaseによって加水分解される．加水分解の最初の産物は**2-モノアシルグリセロール 2-monoacylglycerol**（2-MAG）と**遊離脂肪酸 free fatty acid**（FFA）ということになる（図15.2参照）．［注：この膵リパーゼは膵液中に高濃度に存在し，膵液全タンパク質中の2～3％である．酵素活性が非常に高いために，**嚢胞性線維症**といった重篤な膵機能不全に至らないと脂肪の吸収不全が表立つことはない．］やはり膵臓から分泌される第二のタンパク質，コリパーゼ colipaseは1対1でリパーゼと結合し，リパーゼを脂質水層境界にアンカーする．コリパーゼはミセルに結合している胆汁酸といった阻害性基質の存在下でもリパーゼの活性を回復させる．［注：コリパーゼは前駆体（酵素前駆体，チモーゲン zymogen，プロコリパーゼ）として分泌され，小腸内でトリプシン trypsinによって活性化される．］肥満治療薬**オルリスタット（オリスタット）orlistat**は胃リパーゼと膵リパーゼを阻害し，脂肪吸収を抑制して，減量させるというものである．

2．コレステロールエステルの分解：経口摂取されたコレステロールは10～15％がエステル化されている．コレステロールエステルは膵コレステロールエステルヒドロラーゼ pancreatic cholesteryl ester hydrolase（コレステロールエステラーゼ cholesterol esterase）によって加水分解され，コレステロールと遊離脂肪酸となる（図 15.2 参照）．この酵素の活性は胆汁酸塩が存在すると著しく高くなる．

3．リン脂質の分解：膵液はホスホリパーゼA_2 phospholipase A_2の酵素前駆体を豊富に含む．これもプロコリパーゼと同様にトリプシンによって活性化され，コレステロールエステラーゼと同様に至適活性には胆汁酸塩を必要とする．ホスホリパーゼA_2はリン脂質の炭素 2（C2）から脂肪酸を切断し，**リゾリン脂質 lysophospholipid**とする．例えば，ホスファチジルコリン（食物の主要なリン脂質）はリゾホスファチジルコリンとなる．残ったC1 に結合した脂肪酸はリゾホスホリパーゼ lysophospholipaseによって切断され**グリセリルホスホリル塩基 glycerylphosphoryl base**となる（例えば，グリセリルホスホリルコリン．図 15.2 参照）．これはそのまま糞便として排泄されるし，さらに分解されたり，あるいは吸収される．

4．消化の調節：食事由来脂質を小腸で分解する膵臓からの加水分解酵素の分泌は**ホルモンによって調節されている**（図 15.4）．小腸全長に見出される腸管内分泌細胞は**コレシストキニン cholecystokinin**（CCK）や**セクレチン secretin**などのホルモンを分泌する．十二指腸下部と空腸の粘膜の腸管内分泌細胞Iは，脂肪や部分分解されたタンパク質がこの領域に到達すると，ペプチドホルモンであるCCKを産生する．CCKは胆囊を収縮させて胆汁（胆汁酸，リン脂質，遊離コレステロールなどの混和物）の分泌を促進し，膵臓の外分泌腺細胞の消化酵素の分泌を促進する．また，胃の運動性を抑制し，胃内容物の小腸への移動を低下させる．腸管内分泌細胞Sは，pHの低い**キームス chyme**（**びじゅく**（**糜粥**），部分消化された食物）が胃から小腸に来ると，それに反応して別のペプチドホルモンであるセクレチンを分泌する．セクレチンは膵臓に作用して，重炭酸が豊富な分泌液の分泌を促進し，小腸内の中和を促進し，膵酵素の消化活性に至適なpHにする．

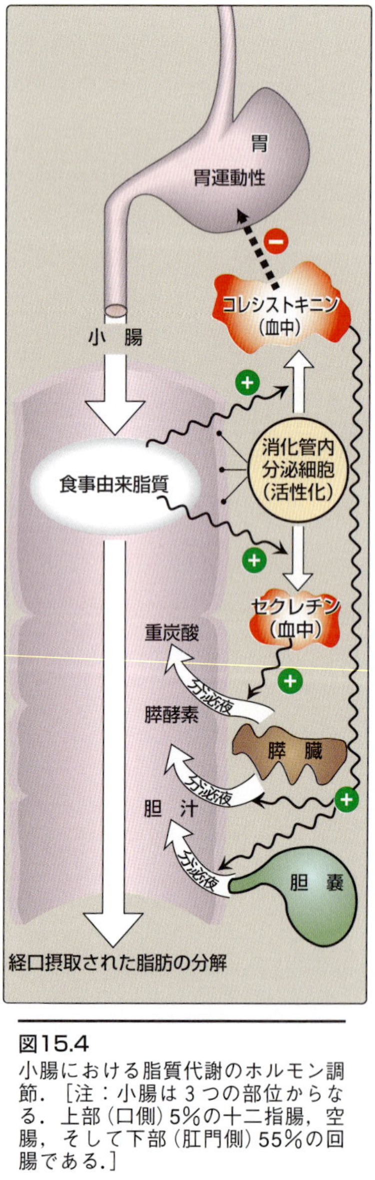

E．腸細胞による脂質の吸収

遊離脂肪酸，遊離コレステロール，2-MAGは空腸における脂肪消化の第一次産物である．これらは胆汁酸塩や脂溶性ビタミン（A，D，E，K）と**混合ミセルmixed micelle**を形成する．ミセルは両親媒性の脂質が疎水性基を内側に親水性基を外側に向けて配列した球状の集合体である．混合ミセルは小腸管腔の水性環境でも可溶性となる（図 15.5）．この粒子は脂肪の第一次吸収部位である腸細胞の**刷子縁膜 brush border membrane**に到達する．この微絨毛が豊富な細胞膜には他の腸液とは混和しにくい静止水層 unstirred water layerが介在しているために，小腸管腔液から分離されている．疎水性脂質はミセルの親水性表面のおかげで，この静止水層を経由して刷子縁の細胞膜に到達することができ吸収される．胆汁酸は回腸末端で吸収され便として排泄されるのは5% 以下である．［注：コレステロールと植物ステロールは腸細胞の刷子縁 brush borderのニーマン・ピックC1 様タンパク質 Niemann-Pick C1-like 1（NPC1L1）によって吸収される．コレステ

図15.4
小腸における脂質代謝のホルモン調節．［注：小腸は 3 つの部位からなる．上部（口側）5%の十二指腸，空腸，そして下部（肛門側）55%の回腸である．］

ロール降下薬エゼチミブはNPC1L1を阻害し，小腸におけるコレステロール吸収を抑制する.］短鎖および中鎖脂肪酸は水溶性なため，小腸粘膜の吸収にミセル形成は不要である.

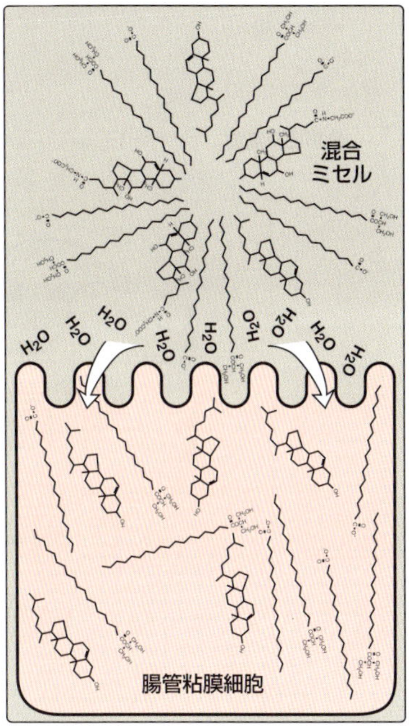

F．TAGとコレステロールエステルの再合成

腸管粘膜細胞から吸収された脂質の混合物は，複合脂質合成の場である滑面小胞体(SER)へ到達する．長鎖脂肪酸はまずアシルCoAシンテターゼ acyl CoA synthetase(チオキナーゼ thiokinase)によって活性化される(図15.6)．アシルCoA誘導体から，腸管粘膜細胞が吸収した2-MAGは酵素複合体TAG合成酵素によってTAGとなる．この酵素複合体は2種類の酵素(アシルCoA：モノアシルグリセロールアシルトランスフェラーゼ acyl CoA:monoacylglycerol acyltransferaseとアシルCoA:ジアシルグリセロールアシルトランスフェラーゼ acyl CoA:diacylglycerol acyltransferase)の逐次作用によってTAGを合成する．リゾリン酸は，アシルトランスフェラーゼ acyltransferaseファミリーの酵素によって再アシル化されてリン脂質となる．コレステロールはアシルCoA：コレステロールアシルトランスフェラーゼ acyl CoA:cholesterol acyltransferaseによってアシル化される．［注：腸管粘膜細胞が吸収した長鎖脂肪酸のほとんどは前述のようにTAG，リン脂質，コレステロールエステルを形成することになる．短鎖と中鎖脂肪酸はCoA誘導体に代謝されることはなく，2-MAGに再エステル化されることはない．そのかわり，それらは門脈循環系に送られ，血清アルブミンと結合して肝臓へ輸送される.］

図15.5
腸管粘膜細胞による混合ミセルの脂質吸収．ミセル自身は吸収されない．［注：短鎖および中鎖脂肪酸はミセルになる必要はない.］

G．腸細胞からの分泌

新しく合成されたTAGやコレステロールエステルは疎水性が非常に高く，水溶液中では凝集してしまう．そのために，リン脂質，非エステル化コレステロール，1分子のタンパク質(**アポリポタンパク質B-48 apolipoprotein(apo) B-48**)からなる薄層によって包まれた油滴粒

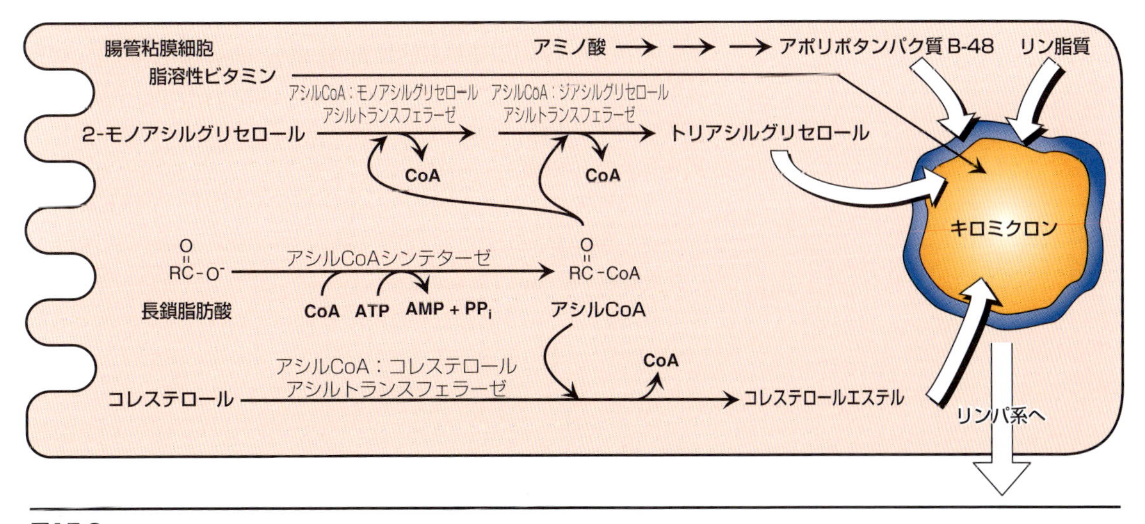

図15.6
腸管粘膜細胞におけるキロミクロンの集合と分泌．［注：短鎖および中鎖脂肪酸はキロミクロンに組み込まれることなく，そのまま血中に移行する.］CoA：補酵素A，AMP：アデノシン一リン酸，PP_i：ピロリン酸塩.

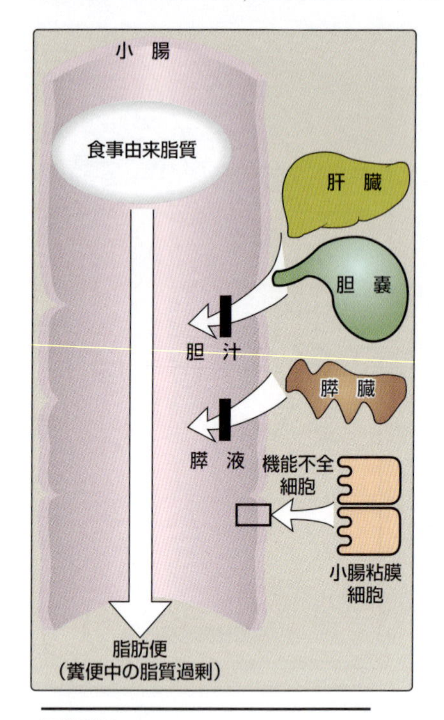

図15.7
脂肪便の原因.

子になる必要がある．この薄層は粒子を安定化させ可溶性を高め，多数の油滴が集合してしまうのを防ぐ．[注：ミクロソームTAG転移タンパク質は，これらのTAGが豊富なapoBを含む粒子の小胞体における集合に重要である．] これらの粒子は腸管から乳び管（小腸の絨毛を起点とするリンパ管）にエキソサイトーシスによって放出される．脂肪が豊富な食事後は，このような粒子が**リンパ lymph**に豊富になるために，リンパはミルクのようになる．このようなリンパを**乳び chyle**（胃から十二指腸に送り込まれる半流動性の部分消化物を意味するキームス（びじゅく（糜粥））の対語である）という．この小粒子を**キロミクロン chylomicron**という．キロミクロンはリンパ管を流れて胸管へ到達し，左鎖骨下静脈から血中に流れ込む．キロミクロンの生成は図15.6に示した．[注：血中に到達すると，初期（未熟）キロミクロンはapoEとapoC-Ⅱを高密度リポタンパク質（HDL）から得て成熟する（キロミクロンの構造や代謝の詳細は18章を参照）.]

H. 吸 収 不 全

脂質吸収不全では，脂質の消化不全あるいは吸収不全によって，糞便中の脂質（脂溶性のビタミンA，D，E，Kや必須脂肪酸も含む，16章参照）が増加する（**脂肪便 steatorrhea**．図15.7）．脂質吸収不全には，**嚢胞性線維症**（消化不全），**短腸症候群 short bowel syndrome**（吸収不全をもたらす），減量手術（膵酵素分泌低下）などの原因がある．

> 混合ミセルが介在しない短鎖および中鎖脂肪酸の吸収性は，吸収不全症候群の臨床食事療法の観点から重要である．

I. 食事由来脂質の組織での利用

キロミクロン中のTAGの多くは，骨格筋，心筋，脂肪組織の毛細血管床で**リポタンパク質リパーゼ lipoprotein lipase**（LPL）によって遊離脂肪酸とグリセロールに分解される．この酵素は主として脂肪細胞と筋肉細胞で生成/分泌される．分泌されたLPLは，末梢組織の毛細血管床の内皮細胞の管腔側表面に結合する．LPLは血中のリポタンパク質粒子に存在する補因子apoC-Ⅱの結合によって活性化される．[注：**家族性キロミクロン血症 familial chylomicronemia**（**高リポタンパク質血症Ⅰ型 type I hyperlipoproteinemia**）はまれな常染色体劣性遺伝病であるが，このLPLかその補酵素のapoC-Ⅱの欠損が原因である（18章参照）．その結果，空腹時キロミクロン血症と高トリアシルグリセロール（TAG）血症となり，膵炎が生じる．]

1．脂肪酸の代謝：TAGの加水分解によって生成された遊離脂肪酸は，近接する筋肉細胞や脂肪細胞に直接取り込まれるか，**血清アルブミン serum albumin**と結合して血中を輸送され他の細胞に取り込まれる．[注：血清アルブミンは肝臓から分泌される分子量約7万のタンパク質である．遊離脂肪酸やある種の薬物を含めて，さまざまな物質，基本的には疎水性物質を結合して血中を輸送する．］ほとんどの細胞は脂肪酸を酸化してエネルギーを得ることができる．脂肪細胞はさらに脂肪酸を再エステル化してTAGに戻すことができ，体が脂肪酸を必要とするときまで貯蔵する．

2．**グリセロールの代謝**：TAGから遊離したグリセロールのほとんどは肝臓に取り込まれて，グリセロールキナーゼでリン酸化されてグリセロール3-リン酸となる．さらに酸化されてジヒドロキシアセトンリン酸となり，解糖系や糖新生系に入る（訳注：図8.2（p.118）も参照）．またTAG合成にも使用される（16章参照）．

3．**キロミクロンレムナントの代謝**：TAGのほとんどが使用されたあと，**キロミクロンレムナント（残渣）chylomicron remnant**（コレステロールエステル，リン脂質，アポリポタンパク質，脂溶性ビタミン，そしてTAGも少量残っている）は**肝細胞受容体 liver cell receptor**（apoEがリガンド）に結合し（18章参照），エンドサイトーシスにより細胞内に取り込まれる．細胞内のレムナントはその後加水分解される．コレステロールとリン脂質の窒素塩基（例えば，コリン）は再利用される（キロミクロンレムナントの肝臓での処理が受容体への結合不全により血中に蓄積したのが，まれな**家族性高リポタンパク質血症Ⅲ型 familial type Ⅲ hyperlipoproteinemia**（**家族性異常βリポタンパク質血症 familial dysbetalipoproteinemia**，ブロードβ病 broad beta diseaseともいう）である．

15章の要約

- **食事由来脂質**の消化は胃から小腸で行われる（図15.8）．
- **コレステロールエステル**，**リン脂質**，**長鎖脂肪酸**の**トリアシルグリセロール（TAG）**は**膵酵素**によって**小腸**で消化される．特に重要な酵素は，**コレステロールエステラーゼ**，**ホスホリパーゼA_2**，**膵リパーゼ**である．**嚢胞性線維症**では，粘膜肥厚によりこれらの酵素の腸管への分泌が阻害される．
- **ミルクの脂肪**に含まれる**短鎖**および**中鎖脂肪酸**からなるTAGは**酸性リパーゼ**（**舌リパーゼ**や**胃リパーゼ**）によって**胃**で分解される．
- 食事由来脂質は**疎水性**のため，その分解には**乳化**が必要である．乳化は小腸の**蠕動運動**（機械的な混和）と**胆汁酸**（界面活性剤，デタージェント）によって行われる．
- 食事性脂質の消化の初期産物は**2-モノアシルグリセロール（2-MAG）**，非エステル化**コレステロール**，**遊離脂肪酸**である．これらと**脂溶性ビタミン**は**混合ミセル**を形成して，**小腸粘膜細胞（腸細胞）**は効率良く吸収できるようになる．腸細胞は長鎖脂肪酸を活性化して，TAGやコレステロールエステル，**アポリポタンパク質（apo）B-48**（脂質タンパク質複合体）を合成する．これらは脂溶性ビタミンも含めて集合して**キロミクロン**という**リポタンパク質粒子**になる．短鎖脂肪酸と中鎖脂肪酸はそのまま血中に移行する．
- キロミクロンは**リンパ**を経て**血中**に移行する．血中でキロミクロンの脂質コアは，**筋肉**や**脂肪組織**の**毛細血管**の**リポタンパク質リパーゼ**（補酵素**apoC-Ⅱ**）によって分解される．こうして，食事由来の脂質は末梢組織に到達して利用される．
- キロミクロンやTAG分解後のキロミクロンレムナントの代謝不全により，これらが血中に蓄積することになる.

- **脂肪の消化不全**や吸収不全により**脂肪便**(糞便中の脂質増加)となる.

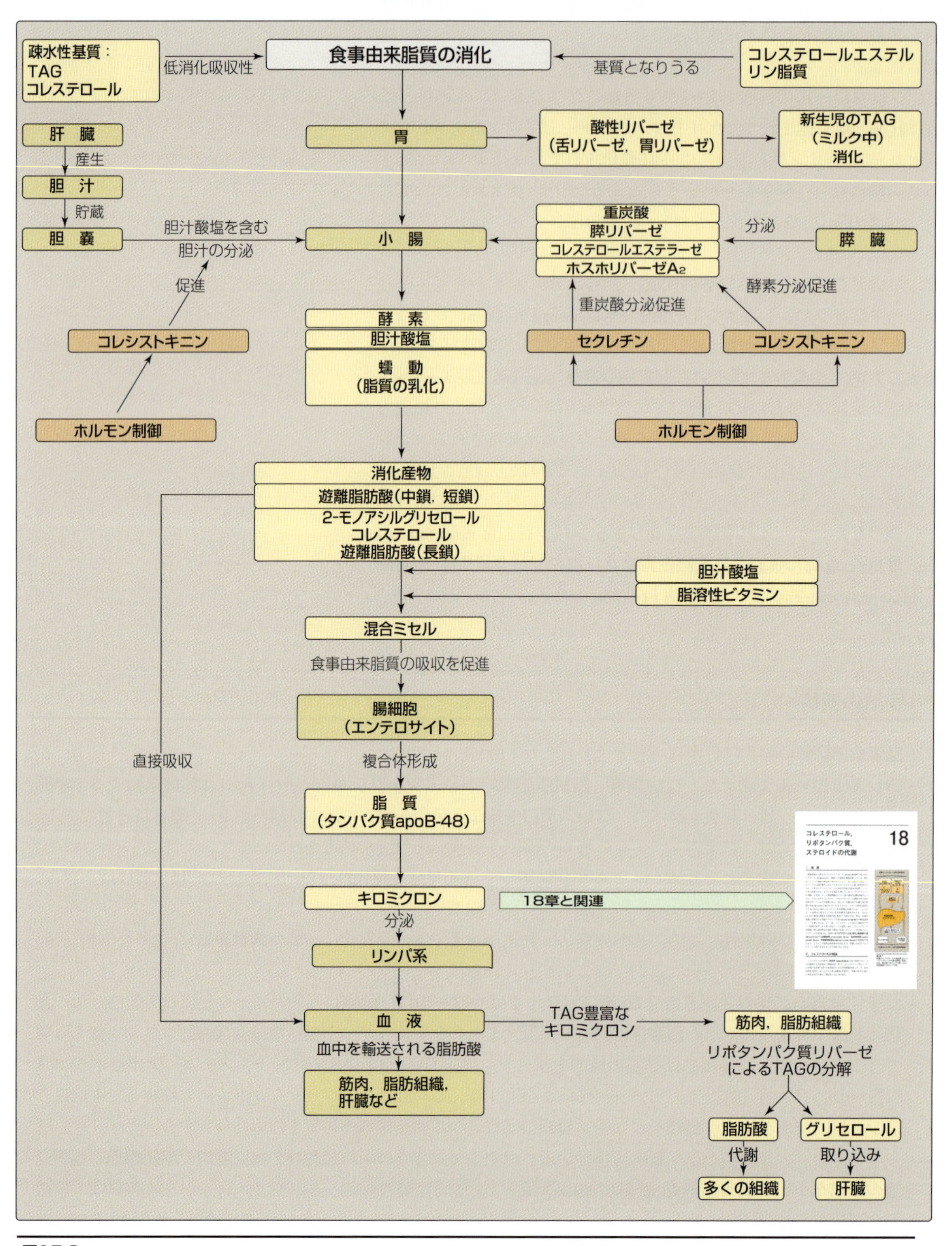

図15.8
食事由来脂質の主要な代謝の概念図. apo：アポリポタンパク質, TAG：トリアシルグリセロール.

学習問題

最適な答えを1つ選びなさい.

15.1 脂質消化について正しいのはどれか.

A. 大型の油滴は咀嚼運動(噛むこと)によって口腔内で乳化される(表面積が増加する).

B. コリパーゼは脂肪酸の混合ミセルへの結合を促進し,膵リパーゼの活性を最適化する.

C. ペプチドホルモンのセクレチンは胆嚢を収縮させて胆汁を分泌させる.

D. 嚢胞性線維症(CF)の患者では,膵分泌液が脂質消化の主な部位である小腸に達することができなくなるので,消化不良が生じる.

E. TAG豊富なキロミクロンの生成には小腸粘膜でのタンパク質合成は不要である.

正解 D. クロライド輸送体(CFTR)の機能異常である遺伝性疾患のCFでは,分泌液が粘稠になり膵酵素が十二指腸に到達することができなくなる.乳化は蠕動運動による機械的混和によって行われる.胆汁酸塩がデタージェント(界面活性剤)として働く.コリパーゼはミセルに結合している胆汁酸塩によって抑制されている膵リパーゼの活性を回復させる.コレシストキニン(CCK)が胆嚢の収縮と胆汁分泌をもたらすホルモンである.セクレチンは重炭酸の分泌を促進する.キロミクロンの生成にはapoB-48が必要である.

15.2 小腸での脂質吸収について正しいのはどれか.

A. 食物のTAGが吸収されるためには,遊離脂肪酸とグリセロールに完全に加水分解される必要がある.

B. キロミクロンとして輸送されるTAGはリポタンパク質リパーゼによって脂肪酸とグリセロールに分解される.脂肪酸は筋肉と脂肪組織に取り込まれる.グリセロールは肝臓に取り込まれる.

C. 12炭素原子以下の脂肪酸は主としてリンパ系を経由して吸収され血中に移行する.

D. 脂肪吸収阻害により血中のキロミクロンが増加する.

正解 B. キロミクロンのTAGは筋肉と脂肪組織の毛細血管内皮表面のリポタンパク質リパーゼによって脂肪酸とグリセロールに分解され,脂肪酸はこれらの組織で分解あるいは貯蔵される.グリセロールは肝臓で代謝される.十二指腸で1分子のTAGは1分子の2-モノアシルグリセロールと2分子の遊離脂肪酸に分解され吸収される.中鎖および短鎖脂肪酸はキロミクロンに組み込まれることなく,ミセルにもならず,そのままリンパを介さずに血中に取り込まれる.キロミクロンは消化吸収された食物脂質を組み込んでいる.したがって,脂質吸収低下によりキロミクロン産生も低下する.

15.3 2歳女児が,再発性の呼吸器系感染症,体重減少,異常便臭を主訴に受診した.欠損しているのはどれか.

A. コレシストキニン

B. 膵酵素

C. キロミクロン

D. セクレチン

正解 B. この患者は嚢胞性線維症膜コンダクタンス制御因子cystic fibrosis transmembrane conductance regulator(CFTR)の変異による嚢胞性線維症(CF)と思われ,リパーゼやコリパーゼの分泌が欠落していると考えられる.これらの酵素は脂質の消化吸収に重要である.コレシストキニンとセクレチンは腸管内分泌細胞から分泌される.これらも脂質の消化吸収に重要であるが,CFでは欠損していない.キロミクロンの生成とリンパ系への分泌はCFでは正常である.

15.4 45歳女性.急性腹痛,悪心,嘔吐で救急を受診した.CT検査では急性膵炎と診断され,トリプシン活性化が亢進していると考えられた.下記の中で最も活性化しているのはどれか.

A. 胃リパーゼ

B. 膵リパーゼ

C. リゾホスホリパーゼ

D. コリパーゼ

正解 D. コリパーゼはザイモゲン,プロコリパーゼとして分泌され,小腸トリプシンによって活性化される.コリパーゼは膵リパーゼによるTAGの加水分解に重要である.胃リパーゼはミルクの短鎖および中鎖脂肪酸の加水分解を行い,小児や膵不全患者で重要である.リゾホスホリパーゼはリン脂質の消化に重要である.

15.5　22カ月女児が，食欲低下，慢性下痢，腹部膨満，体重減少で受診した．キロミクロンのリンパ系への分泌に障害があるキロミクロン停滞病と診断された．この患者で欠乏しているビタミンはどれか．

A. アスコルビン酸

B. βカロテン

C. 葉酸

D. ピリドキシン

正解　B. キロミクロンは脂溶性ビタミン(A, D, E, K)の吸収に重要である．βカロテンはプロビタミンAであり，キロミクロンにパックされてリンパ系に輸送される．アスコルビン酸(ビタミンC)，葉酸(ビタミンB_9)，ピリドキシン(ビタミンB_6)は水溶性ビタミンである．

脂肪酸，トリアシルグリセロール，ケトン体の代謝 16

Ⅰ．概　要

脂肪酸 **fatty acid**（FA）は体内ではエステル化されていない遊離したものと，トリアシルグリセロール triacylglycerol（TAG）といったより複雑な分子のアシルエステルとして存在する．すべての組織に低濃度の遊離脂肪酸 free fatty acid（FFA）は存在するが，特に空腹状態などでは血漿中で高濃度になる．血漿遊離脂肪酸はアルブミンに結合してその生成部位（脂肪組織のTAGや血液中のリポタンパク質）から消費部位（ほとんどの組織）へ輸送される．遊離脂肪酸は多くの組織，特に肝臓と筋肉で酸化されてエネルギー源となる．肝臓ではケトン産生の基質となる．脂肪酸はリン脂質や糖脂質とともに細胞膜脂質の構造要素である（17 章参照）．脂肪酸はタンパク質に結合してその膜との結合性を高めることがある．ホルモン様情報伝達物質であるプロスタグランジンの前駆体でもある（17 章参照）．白色組織にTAGとして貯蔵されているエステル化脂肪酸は，体の主要なエネルギー源である．脂肪酸の代謝の変化は肥満や糖尿病と関連している．図 16.1 に脂肪酸合成と分解の代謝経路と糖代謝との関連を示した．

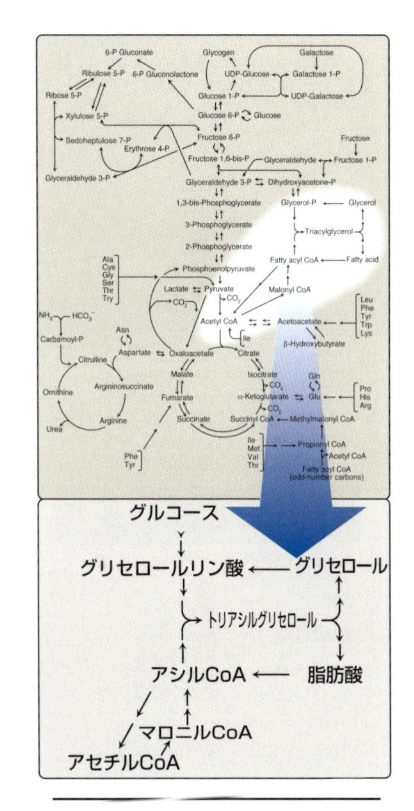

図16.1
トリアシルグリセロールの合成と分解．CoA：補酵素A．

Ⅱ．脂肪酸の構造

脂肪酸は，疎水性の炭化水素鎖の末端に pK_a（p.7 参照）が約 4.8 のカルボキシ基が結合した構造となっている（図 16.2）．生理的なpHでは，終末のカルボキシ基（-COOH基）はイオン化して（-COO⁻）となっている．［注：pHが pK よりも高いときはプロトンが外れた状態が主となる（p.8 参照）．］この陰イオン基は親水性であり，脂肪酸は**両親媒性 amphipathic nature**となる（疎水性領域と親水性領域の両者を持つ）．しかし，長鎖脂肪酸 long-chain fatty acid（LCFA）では疎水性領域が主となる．これらの分子は水に非常に難溶性であり，循環（血中，リンパ）によって輸送されるためにはタンパク質と結合する必要がある．血漿中の脂肪酸の 90% 以上はエステル型であり（主としてTAG，コレステロールエステル，リン脂質），**リポタンパク質粒子 lipoprotein particle**となっている（18 章参照）．遊離脂肪酸は**アルブミン albumin**（血清で最も多く含まれるタンパク質）と結合して循環系を輸送され

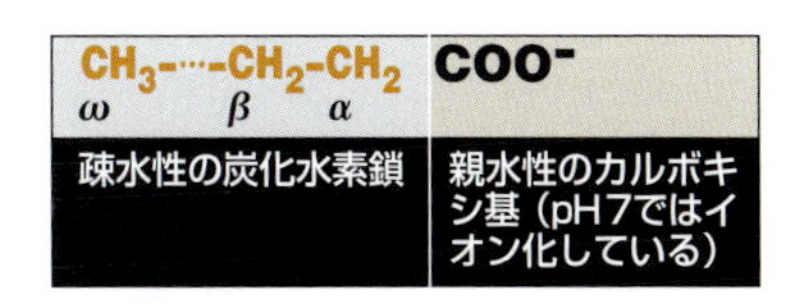

図16.2
脂肪酸の構造．カルボキシ基の隣の炭素をα炭素，その隣をβ炭素という．さらに炭素数が増えて，最後の炭素をω炭素という．

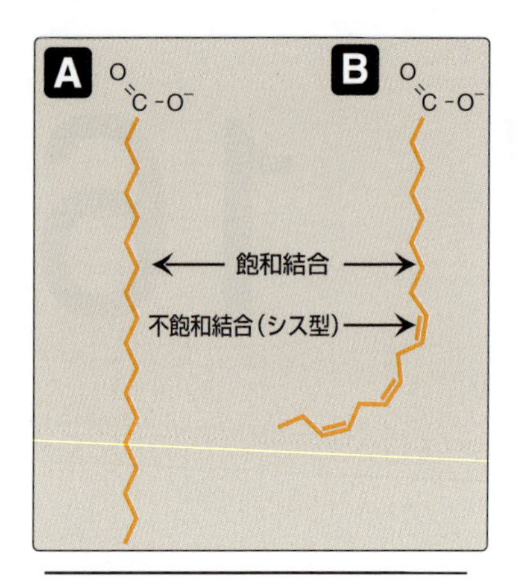

図16.3
飽和脂肪酸(A)と不飽和脂肪酸(B)．オレンジ色は分子の疎水性領域を示す．[注：シス型二重結合によって脂肪酸分子は折れ曲がる.]

る.

A. 脂肪酸の飽和度

脂肪酸炭素鎖が二重結合を含まない場合を**飽和脂肪酸 saturated fatty acid** といい，1つ以上の二重結合がある場合には，**一価不飽和脂肪酸 monounsaturated fatty acid** あるいは**多価不飽和脂肪酸 polyunsaturated fatty acid** という．ヒトのほとんどの脂肪酸は飽和もしくは一価不飽和である．二重結合のほとんどの配位はトランス型ではなく**シス型 cis** である(図 27.13 参照)．シス型の二重結合が存在すると，炭素鎖はそこで折れ曲がる(図 16.3)．2 個以上の二重結合が存在する場合には，それらはすべて炭素原子 3 個置きになる．[注：一般的にシス型二重結合によって脂肪酸の**融解温度 melting temperature** (T_m)は低下し，炭素鎖が長くなると T_m は上昇する．細胞膜脂質は典型的にはLCFAからなるため，それらに存在する二重結合は膜の流動性に貢献している．食事に含まれるシス型とトランス型不飽和脂肪酸についての詳細は p.472 を参照.]

B. 脂肪酸の炭素鎖の長さと二重結合の位置

生理的に重要な代表的脂肪酸の一般名と構造を図 16.4 に示した．ヒトの主な脂肪酸の炭素原子数は偶数個(16，18，20)である．脳にはさらに長鎖(22 以上)の脂肪酸が存在する．炭素原子はカルボキシ基の炭素を炭素 1(C1)として番号がふってある．コロンの前の数は炭素鎖の炭素数であり，コロンのあとの数は二重結合の数と場所(カルボキシ末端より数える)を示している．例えば，図 16.4 に示しているようにアラキドン酸(20:4(5,8,11,14))では，炭素鎖には 20 個の炭素と 4 個の二重結合(5-6，8-9，11-12，14-15 炭素の間)がある．[注：カルボキシ基が結合している炭素(炭素 2，C2)を α 炭素，炭素 3(C3)を β 炭素，炭素 4(C4)を γ 炭素と呼ぶこともある．最後のメチル基の炭素は，総炭素数にかかわらず ω 炭素と呼ばれる.] 脂肪酸の二重結合の位置を ω 末端(メチル端)から数えることもある．例えば，アラキドン酸は最後の二重結合が ω 端から 6 番目のため ω-6 脂肪酸と称される．あるいは，n-6 脂肪酸とも称される(図 16.5)．必須脂肪酸の**リノール酸 linoleic acid** (18:2(9,12))も ω-6 である．一方，やはり必須脂肪酸の **α-リノレン酸 α-linolenic acid** (18:3(9,12,15))は **ω-3 脂肪酸 ω-3 fatty acid** ということになる.

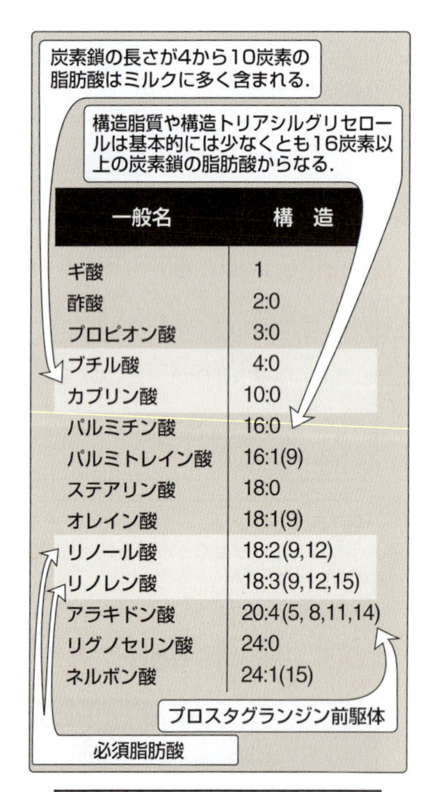

一般名	構　造
ギ酸	1
酢酸	2:0
プロピオン酸	3:0
ブチル酸	4:0
カプリン酸	10:0
パルミチン酸	16:0
パルミトレイン酸	16:1(9)
ステアリン酸	18:0
オレイン酸	18:1(9)
リノール酸	18:2(9,12)
リノレン酸	18:3(9,12,15)
アラキドン酸	20:4(5, 8,11,14)
リグノセリン酸	24:0
ネルボン酸	24:1(15)

図16.4
生理的に重要な代表的脂肪酸．[注：炭素鎖の炭素が2〜4個が短鎖，6〜12個が中鎖，14〜20個が長鎖，そして22以上は超長鎖脂肪酸とされる.]

C. 必須脂肪酸 essential fatty acid

リノール酸は，プロスタグランジン合成の基質である ω-6 アラキドン酸の前駆体である．**α-リノレン酸**は成長や発達に重要な他の ω-3 脂肪酸の前駆体である．ヒトには脂肪酸のメチル基末(ω端)から 9 番目以降に炭素間二重結合を導入する酵素がないため，この 2 つの脂肪酸はヒトにとって必須栄養素である．ヒトは必須脂肪酸を食物から摂取する．これらの必須脂肪酸は植物より得ている．[注：食事のリノール酸が欠乏した場合にはアラキドン酸が必須栄養素となる．ω-3 および ω-6 脂肪酸の栄養学的重要性については 27 章参照.]

必須脂肪酸欠乏症はまれではあるが，皮膚の水分保持に必要な因子の合成が不全となり，乾燥性落屑性皮膚炎となる(p.266 参照)．

Ⅲ．脂肪酸の新生

体内の必要栄養量以上に過剰に食事から摂取された糖質やタンパク質は脂肪酸に変換される．成人では，脂肪酸新生は主として肝臓と授乳期乳腺，そして，ある程度は脂肪組織で行われる．その細胞質過程は吸エルゴン性で還元的である．この過程では，ATPと還元型ニコチンアミドアデニンジヌクレオチドリン酸(NADPH)を消費して，アセチルCoAの炭素が付加されて脂肪酸炭素鎖が伸長する．[注：食事性TAGからも脂肪酸は供給される．摂食時の食事性栄養素の代謝の説明は24章を参照．]

A．細胞質ゾルアセチルCoAの産生

脂肪酸新生の最初のステップは，ミトコンドリア内のアセチルCoAのアセチル基を細胞質ゾルに輸送することである．ミトコンドリアのアセチルCoAは，ピルビン酸の酸化(9章参照)と一部のアミノ酸(20章参照)の異化で産生される．しかし，アセチルCoAの補酵素CoAの部分はミトコンドリア内膜を通過することができない．アセチル基だけが細胞質ゾルに輸送される．それは，クエン酸シンターゼ citrate synthaseのオキサロ酢酸(OAA)とアセチルCoAの縮合反応によって産生される**クエン酸 citrate**を介して行われる(図16.6)．[注：このクエン酸のミトコンドリアから細胞質ゾルへの**輸送 transport**はミトコンドリアのクエン酸濃度が十分に高いことが必要である．ミトコンドリアのクエン酸濃度は，TCA回路の**イソクエン酸デヒドロゲナーゼ isocitrate dehydrogenase**が大量のATPによって阻害されたときに上昇する(この際，イソクエン酸の濃度も上昇する)．細胞質ゾルのクエン酸は高エネルギー状態のシグナルともいえよう．脂肪酸合成には大量のATPを必要とするため，ATPとクエン酸両者の上昇はこの経路を促進する．] 細胞質ゾルでクエン酸はATPクエン酸リアーゼ ATP citrate lyase(シンターゼ)によって，OAAとアセチルCoAになる．

B．アセチルCoAのカルボキシ化によるマロニルCoAの生成

脂肪酸合成における炭素間結合形成のためのエネルギーは，細胞質ゾルでのアシル基のカルボキシ化と脱カルボキシ化の過程で供給される．アセチルCoAをカルボキシ化してマロニルCoAを産生する反応は**アセチルCoAカルボキシラーゼ acetyl CoA carboxylase**(ACC)によって行われ(図16.7)，ACCはATPを消費して重炭酸イオン(HCO_3^-)から二酸化炭素(CO_2)を転移する．補酵素はカルボキシラーゼ carboxy-

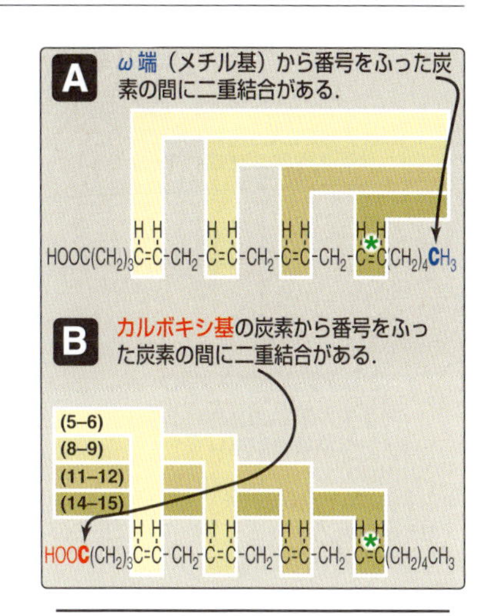

図16.5
アラキドン酸，20:4(5,8,11,14)の二重結合の位置を示す図．A.アラキドン酸はω末端からの最初の二重結合は6番目の炭素のところに位置することから，ω-6脂肪酸と称される．B.カルボキシ末端からの最後の二重結合は14番目の炭素に位置し，総炭素数20−14=6(n)となることから，アラキドン酸はn-6脂肪酸とも称される．したがって，ω表記もn表記も同等となる(*参照)．

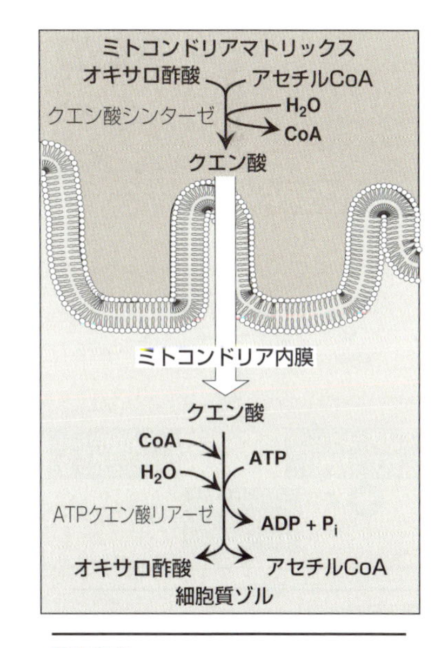

図16.6
細胞質アセチルCoAの産生．[注：クエン酸はトリカルボン酸輸送系によって輸送される．] ADP：アデノシン二リン酸，P_i：無機リン酸．

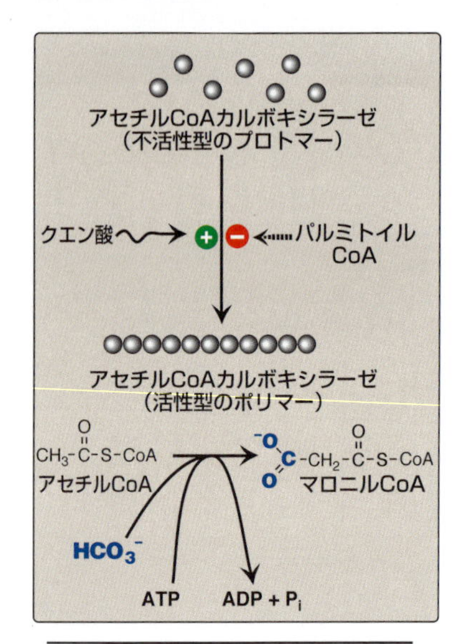

図16.7
アセチルCoAカルボキシラーゼによるマロニルCoA合成のアロステリック制御．溶液中の重炭酸イオン(HCO_3^-)由来のカルボキシ基は青文字とした．P_i：無機リン酸，ADP：アデノシンニリン酸．

laseのリシン残基に共有結合しているビタミンの**ビオチン biotin**（ビタミンB_7）である（図28.16参照）．ACCは共有結合したビオチンをカルボキシ化し，活性化されたカルボキシ基をアセチルCoAに結合する．

1．アセチルCoAカルボキシラーゼの短期制御：このカルボキシ化反応は脂肪酸合成の**律速段階 rate-limiting step**でもあり制御段階でもある（図16.7参照）．プロトマー（2ペプチド以下の複合体）のACCは不活性型である．**クエン酸**によって**アロステリック活性化 allosteric activation**されて，プロトマーが重合する．この活性型酵素は**長鎖アシルCoA long-chain fatty acyl CoA**（この経路の最終産物）によって脱重合され**アロステリック不活性化 allosteric inactivate**される．短期制御の第二のメカニズムは**可逆的なリン酸化 reversible phosphorylation**によるものである．AMP活性化プロテインキナーゼ AMP-activated protein kinase（AMPK）はACCをリン酸化して不活性化する．AMPK自身は，AMPによってはアロステリックに活性化され，また複雑なキナーゼ系によるリン酸化によって活性化される．AMPKをリン酸化する酵素AMPKキナーゼの一部はcAMP依存性プロテインキナーゼ cAMP-dependent protein kinase A（Aキナーゼ，PKA）によって活性化される（訳注：複雑な系であり，例えばPKAが直接AMPKをリン酸化して抑制するなどさまざまな説がある）．したがって，**アドレナリン adrenaline**（**エピネフリン epinephrine**）や**グルカゴン glucagon**といったインスリン拮抗ホルモンが存在すると，ACCは**リン酸化**され**不活性化**される（図16.8）．インスリンが存在すると，ACCは脱リン酸され活性化される．［注：これはグリコーゲンシンターゼ glycogen synthaseの制御機構と相同である．11章参照.］

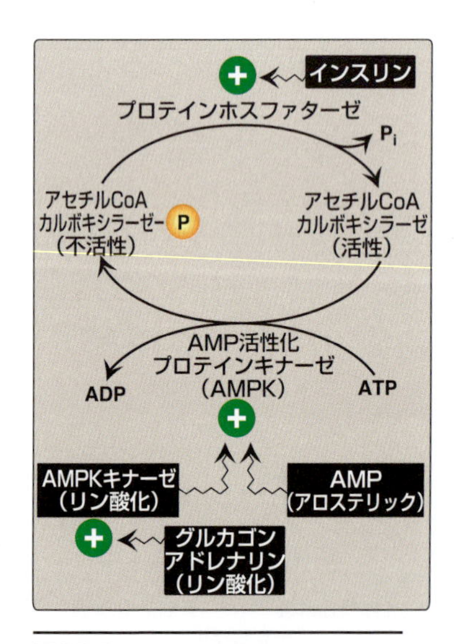

図16.8
アセチルCoAカルボキシラーゼのAMP活性化プロテインキナーゼ（AMPK）によるリン酸化（共有結合）制御．AMPKにはリン酸化とアロステリック制御がある．CoA：補酵素A，Ⓟ：リン酸，P_i：無機リン酸．

2．アセチルCoAカルボキシラーゼの長期制御：カロリー過剰な食事（特に高糖質低脂質食）を長期に摂取していると，ACCの生合成が上昇し，脂肪酸生成も上昇する．低カロリー食，もしくは高脂肪食，あるいは低糖質食では逆になる．［注：ACC合成は転写因子糖質応答エレメント結合タンパク質（ChREBP）を介して糖質（特にグルコース）によって，また，転写因子ステロール調節配列（エレメント）結合タンパク質（SREBP）-1cを介してインスリンによって上昇する．脂肪酸シンターゼ fatty acid synthase（FAS，下記C.参照）も同様に制御されている．SREBPの機能と制御については18章で解説されている.］2型糖尿病の治療に用いられているメトホルミンは，AMPKを活性化してリン酸化によってACC活性を低下させ，SREBP-1cの低下によってACCとFASの発現を抑制する．その結果，血中TAGが低下する．また，筋肉のAMPKで制御されているグルコースの取り込みを上昇させて血糖を低下させる．

C．真核生物の脂肪酸シンターゼ

脂肪酸合成の残りの一連の反応は，真核生物ではホモダイマー酵素のFASで行われる．この過程では，マロニルCoAから2個の炭素が

アシル基運搬タンパク質（ACP）に転移される．FASの単量体には6個の異なった酵素活性ドメインと **4′-ホスホパンテテイン 4′-phosphopantetheine** が結合したACPドメインを備えた多酵素活性ポリペプチドである．4′-ホスホパンテテインはパントテン酸pantothenic acid（ビタミンB_5，28章参照）由来物である．その末端SH基にアシル基を結合し，脂肪酸合成ではFASの活性ドメインに運搬する．CoAの構成要素でもある．下記の反応段階の番号は図16.9の反応に対応している．

[1] アセチルCoAのアセチル基はACPのSH基に転移される．
[2] この2炭素の断片は一時的な縮合酵素condensing enzymeに転移される．
[3] 空いたACPはマロニルCoAから3炭素のマロニル基を受け取る．
[4] システイン残基に結合したアセチル基にACPのマロニル基が縮合する．その際に元々ACCによって付加されたCO_2が放出される．その結果，ACPドメインに結合した4炭素ユニットが生成される．

次の3つの反応では，NADPHを必要とする2回の還元反応と脱水反応によって，3-ケトアシル基は対応する飽和アシル基になる．

[5] ケト基がアルコールに還元される．
[6] 脱水反応によりα(2)位炭素とβ(3)位炭素の間にトランス二重結合が生成される．
[7] 二重結合の還元反応が行われる．

上述の段階的反応によって4炭素化合物（ブチリル）が産生される．その炭素鎖の3つの炭素は飽和しており，ACPドメインに結合したままである．この炭素鎖（ブチリル基）をACPからシステイン残基に転移する段階[2*]から，マロニル基をACPに結合し[3*]，二酸化炭素を遊離しながら2つの基を縮合し[4*]，β炭素（C3，硫黄原子から3番目の炭素）のカルボニル基を還元し[5*]，脱水し[6*]，もう一度還元する[7*]と，炭素が2個延長したヘキサノイルACPとなる．この＊の付いたサイクル反応は16個の炭素が連なると停止する．FASの最終的な酵素活性によってチオエステル結合が切断され，完全に飽和したパルミチン酸（16:0）が遊離される．[注：パルミチン酸の炭素は，脂肪酸のメチル基末端（ω端）の2個の炭素がアセチルCoA（第一段階）に由来している以外，残りはすべてマロニルCoAに由来する．したがって，明らかにアセチルCoAカルボキシラーゼ反応が律速段階である．] 短鎖脂肪酸は授乳中の乳腺のみで産生される．

D．還元物質の供給源

1分子のパルミチン酸の合成には14分子のNADPH，還元物質（水素供与体）が必要になる．この還元物質（NADPH）は主として**ペントースリン酸経路 pentose phosphate pathway**（13章参照）から供給される．この経路では1分子のグルコース6-リン酸から2分子のNADPHが

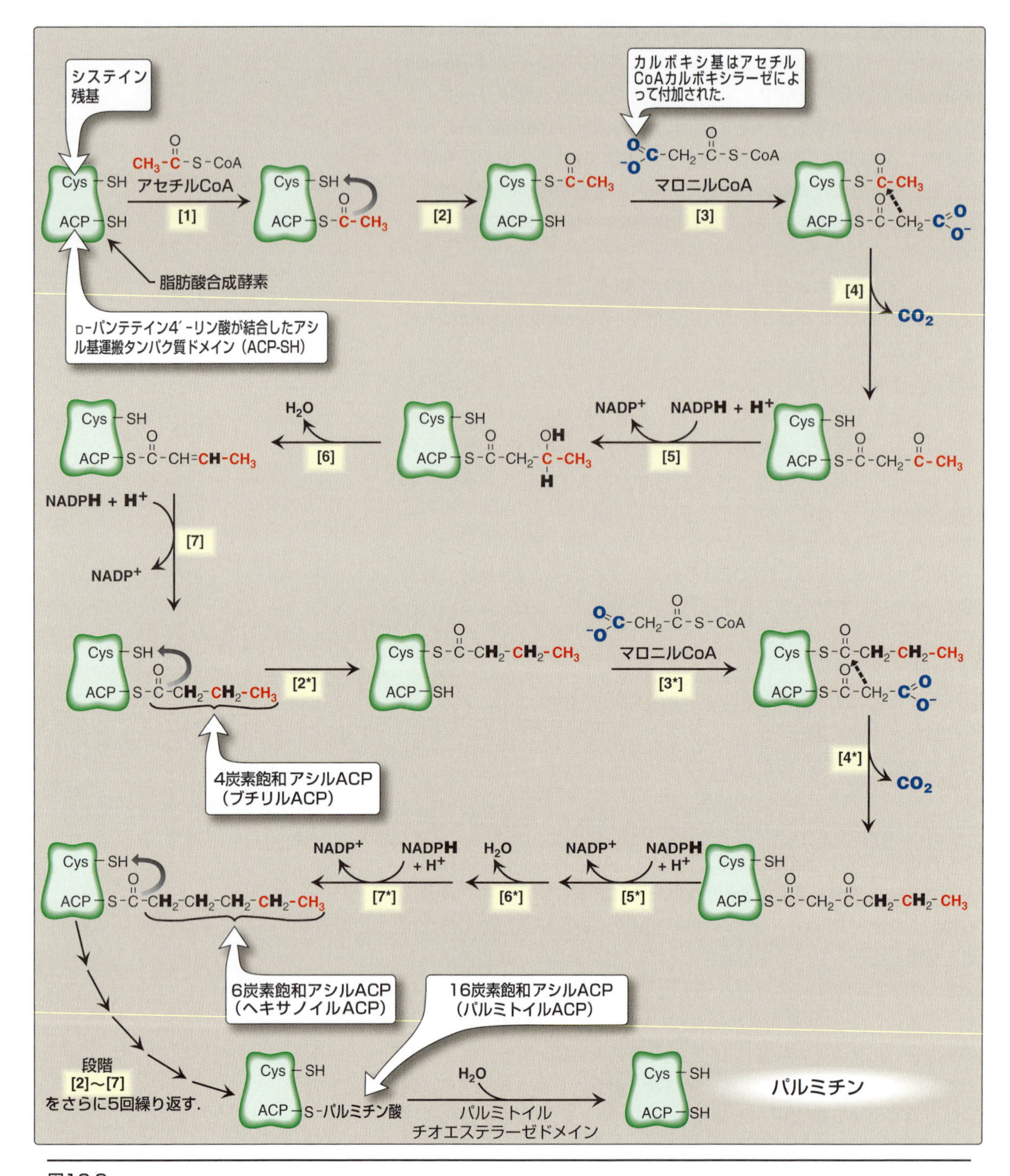

図16.9
多機能脂肪酸シンターゼ（FAS）によるパルミチン酸（16:0）合成．［注：括弧内の番号はテキストの箇条書きの番号に対応する．反復される段階については数の右肩にアステリスク(*)をつけた．アセチルCoA由来の炭素を赤色で示した．］Cys：システイン，NADP（H）：ニコチンアミドアデニンジヌクレオチドリン酸．

生成される．細胞質ゾルでのリンゴ酸からピルビン酸の変換では，リンゴ酸は細胞質ゾルリンゴ酸酵素 malic enzyme（NADP$^+$依存性リンゴ酸デヒドロゲナーゼ NADP$^+$-dependent malate dehydrogenase）によって酸化され脱カルボキシ化され，細胞質NADPHも産生される（二酸化炭素も産生される．図16.10）．［注：リンゴ酸は，細胞質ゾルNAD$^+$依存性リンゴ酸デヒドロゲナーゼによって，OAAが還元されることで産生される（図16.10参照）．この反応で必要な細胞質ゾルNADHの供給源の1つは解糖系である．OAAはクエン酸からATP-クエン酸リアーゼ ATP citrate lyaseによって産生される（図16.6参照）．糖代謝とパルミチン酸合成の相互関係については図16.11に示した．

E．脂肪酸炭素鎖のさらなる伸長

パルミチン酸は，16炭素の完全飽和のLCFA（16:0）であり，FASの基本的な最終産物である．そして，それは，滑面小胞体（SER）とミトコンドリアでさらに2炭素ユニットずつカルボキシ末端から延長される．脂肪鎖延長は多機能酵素とは異なった酵素系が必要となる．マロニルCoAから2炭素が，NADPHから電子が供給される．脳には別の延長経路があり，脳の脂質合成に必要な超長鎖脂肪酸（VLCFA，22炭素以上）の合成が可能になっている．

F．脂肪酸鎖の不飽和化

SERの酵素群（**脂肪酸アシルCoAデサチュラーゼ fatty acyl CoA desaturases**）によって長鎖不飽和脂肪酸が産生される（つまりシスの二重結合が付加される）．不飽和化反応には，O_2，NADH，シトクロムb_5，FAD依存性還元酵素が必要である．脂肪酸とNADHは酸化され，O_2はH_2Oに還元される．典型的には9位炭素と10位炭素の間に二重結合が挿入され，主に18:1(9)脂肪酸（オレイン酸）と少量の16:1(9)脂肪酸（パルミトレイン酸）が生成される．さまざまな多価不飽和脂肪酸 polyunsaturated fatty acid（PUFA）は炭素鎖の延長と不飽和化によって産生される．

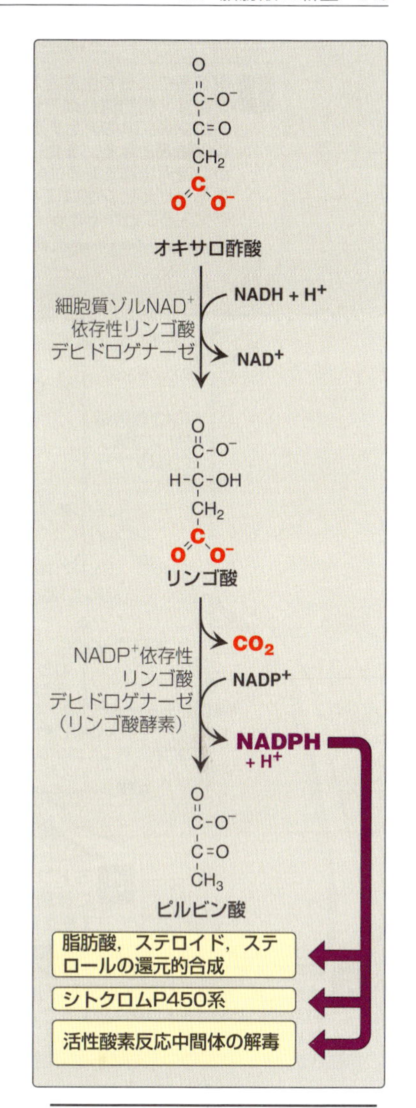

図16.10
細胞質でのNADPHの生成を伴ったオキサロ酢酸からピルビン酸の生成．［注：ペントースリン酸経路（ヘキソースーリン酸シャント）が主なNADPHの供給源である．］
NAD(H)：ニコチンアミドアデニンジヌクレオチド．

> ヒトは9位，6位，5位の炭素デサチュラーゼを持っているが，10位とω端に二重結合を挿入することができない．そのために，多価不飽和脂肪酸のリノール酸（ω-6）とリノレン酸（ω-3）を食事から摂取しなければならない．

G．TAG構成要素としての貯蔵

モノ-，ジ-，トリアシルグリセロールは，グリセロールにそれぞれ1個，2個，3個の脂肪酸がエステル結合したものである．脂肪酸はそのカルボキシ基でエステル結合を作る．その結果マイナス電荷を失い，**中性脂肪 neutral fat**となる．［注：室温で**固形 solid**のアシルグリ

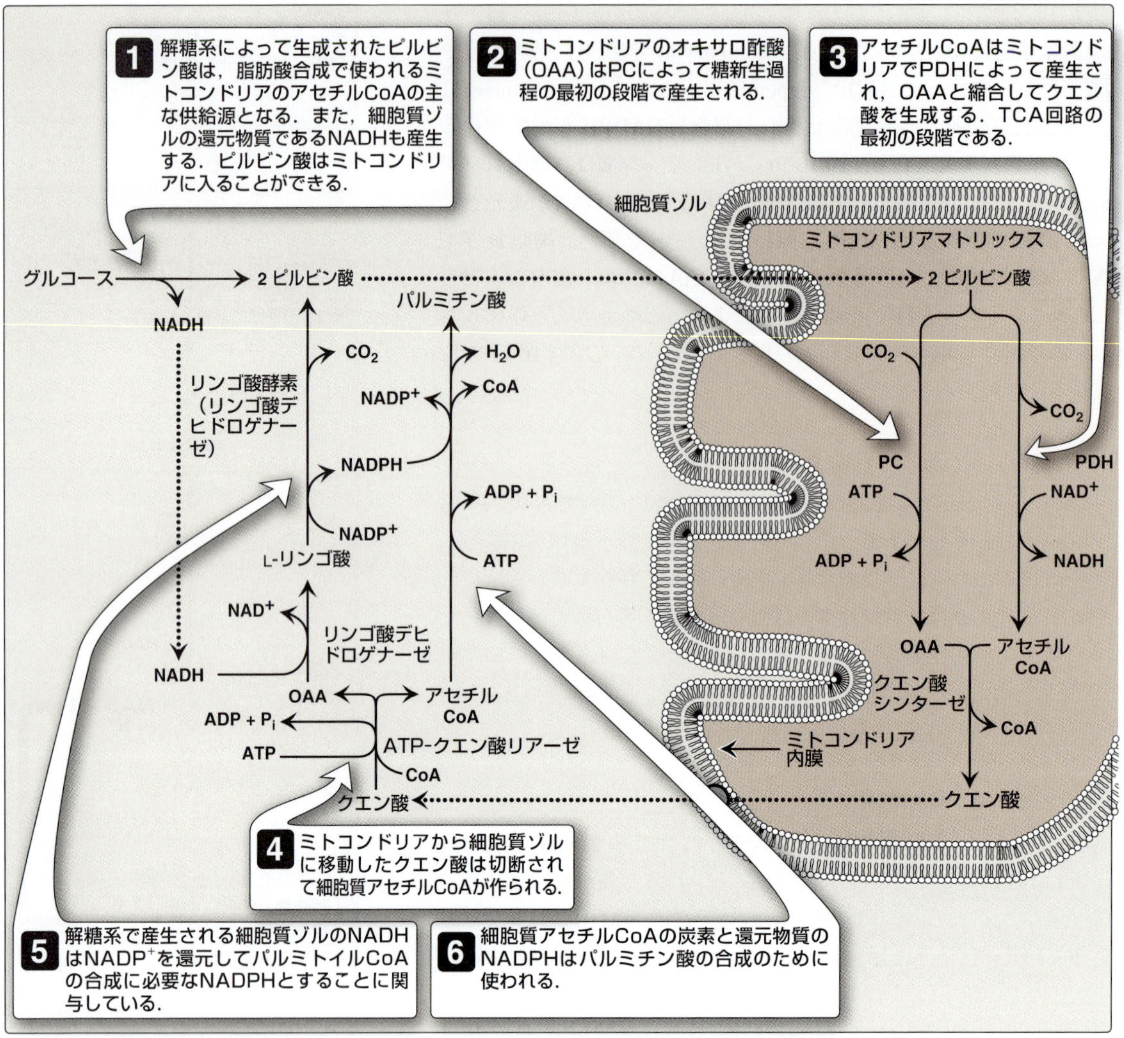

図16.11
グルコース代謝とパルミチン酸合成の相互関係．PC：ピルビン酸カルボキシラーゼ，PDH：ピルビン酸デヒドロゲナーゼ．

セロールは“**脂肪 fat**”と呼ばれ，**液体 liquid** のものは“**油 oil**”と呼ばれる.］

1．**TAGの構造**：TAGのグリセロールにエステル結合する3個の脂肪酸は通常は異なったタイプのものである．典型的な場合には，C1に結合する脂肪酸は飽和脂肪酸，C2には不飽和脂肪酸，そしてC3はどちらの可能性もある．不飽和脂肪酸の存在によって脂質の融解温度(T_m)が低下することを再指摘しておこう．TAG分子の一例を図16.12に示した．

2．**TAGの貯蔵と機能**：TAGはほとんど水に溶けないために，また，それだけでは安定したミセルを形成することができないために，白色脂肪細胞のなかでは集合してほとんど水を含まない油滴となっている．この細胞質ゾルの油滴は体の主な貯蔵エネルギーである．［注：褐色脂肪組織に貯蔵されるTAGは非ふるえ熱産生の源となる（6章参照）．］

3．グリセロール 3-リン酸の合成：グリセロール 3-リン酸はTAG合成で最初に脂肪酸を受容する分子である．グリセロールリン酸の産生には主として2つの経路がある（図16.13）．［注：第3の過程，糖新生は本章Ⅳ.A.3.を参照．］肝臓（TAG産生の主要臓器）と脂肪組織では，ジヒドロキシアセトンリン酸（DHAP）を産生する解糖系の最初の段階を利用して，グリセロール 3-リン酸が産生される．DHAPはグリセロール-3-リン酸デヒドロゲナーゼ glycerol 3-phosphate dehydrogenaseによって還元されグリセロール 3-リン酸となる．もう1つの経路は肝臓のみに存在し，脂肪組織には"ない"ものであるが，グリセロールキナーゼ glycerol kinaseによってグリセロールをグリセロール 3-リン酸とするものである（図16.13参照）．［注：脂肪細胞のグルコース輸送体（GLUT-4）はインスリン依存性である（23章参照）．低血糖時（したがって，血中インスリンは低値）は，脂肪組織はほとんどグリセロールリン酸を産生することができなくなり，TAGも新生されなくなる．］

4．脂肪酸の活性化：脂肪酸はTAG合成などで代謝されるためには活性化（CoAにチオエステル結合した形）されなくてはならない．この反応は図15.6に示したように，脂肪酸アシルCoAシンテターゼ fatty acyl CoA synthetase（チオキナーゼ thiokinase）によって行われる．

5．グリセロール 3-リン酸と脂肪酸アシルCoAからのTAGの産生：この経路には図16.14に示すように4段階ある．脂肪酸アシルCoAから脂肪酸を1個ずつ結合する反応が2回，リン酸基の除去，そして，3番目の脂肪酸を結合する反応である．

H．肝臓と脂肪組織で異なるTAGの代謝

白色脂肪組織では，TAGはほとんど無水の状態の脂肪滴として細

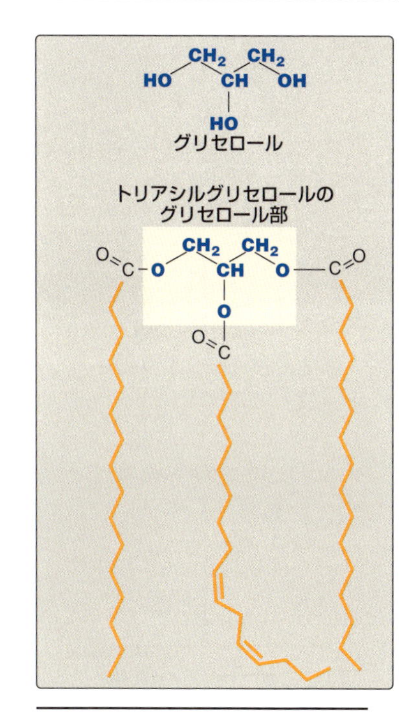

図16.12
不飽和脂肪酸がC2にあるトリアシルグリセロール．オレンジ色は疎水性領域を示す．

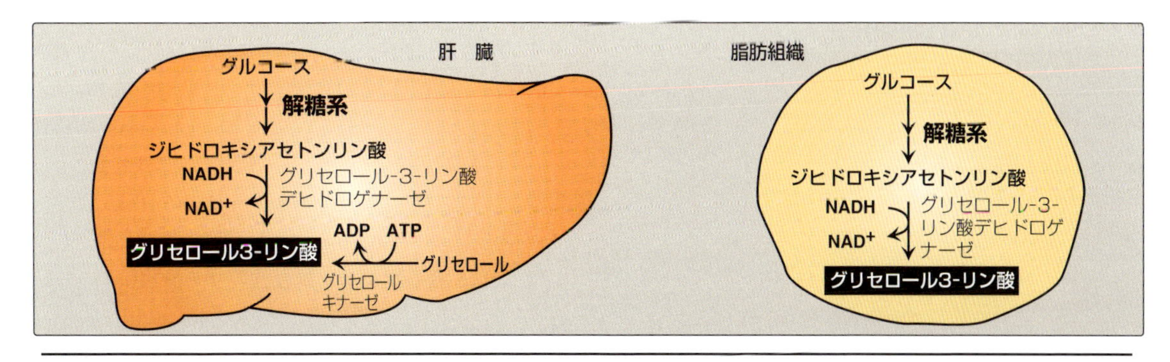

図16.13
肝臓と脂肪組織でのグリセロール 3-リン酸産生経路．［注：グリセロール 3-リン酸はグリセロール産生の過程でも産生される．］NAD（H）：ニコチンアミドアデニンジヌクレオチド，ADP：アデノシン二リン酸．

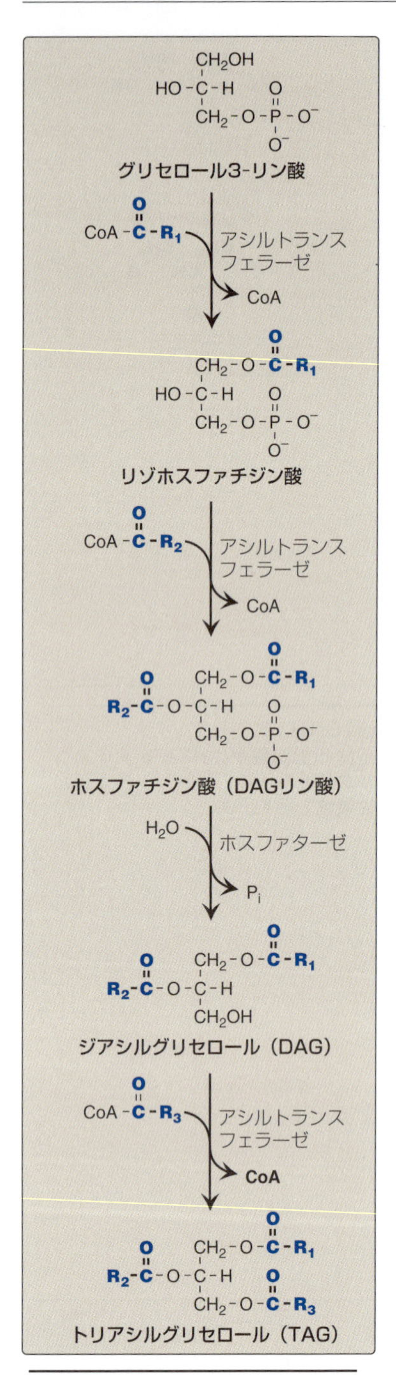

図16.14
トリアシルグリセロールの合成．R_1，R_2，R_3：活性化された脂肪酸，CoA：補酵素A，P_i：無機リン酸．

胞質ゾルに貯蔵される．この脂肪滴はペリリピンperilipinファミリータンパク質によってコートされている．ペリリピンはTAGを隔離して，エネルギー源として脂肪酸が必要となるときに備えて，脂肪分解されないようにしている(ペリリピンは2型糖尿病，動脈硬化，心血管疾患にも関与している)．健常肝臓ではTAGはほとんど貯蔵されず，他の脂質やリポタンパク質と一緒にパックされて，**超低密度リポタンパク質 very-low density lipoprotein**（VLDL）を形成して放出される．新規合成されたVLDLは血中に直接分泌され，そこで成熟して内在的に生成された脂質を末梢組織に運搬する機能を担う．[注：キロミクロンは経口摂取された外来性の脂質を輸送するものであることを再指摘しておく(15章参照)．血漿リポタンパク質については18章で説明されている．]

Ⅳ．貯蔵脂質の動員と酸化

中性TAGとして白色脂肪組織に貯蔵されている脂肪酸は，体の主要な予備エネルギー貯蔵系である．TAGは，強い還元型でありほとんど無水であることから，非常に密度の高い代謝エネルギーの保存系となっている．脂肪酸のCO_2とH_2Oへの完全酸化によって得られるエネルギー効率は9 kcal/gである．ちなみにタンパク質や糖質のそれは4 kcal/gである(図27.5参照)．

A．脂肪から脂肪酸の遊離

貯蔵脂肪の動員にはTAGを加水分解して脂肪酸とグリセロールとする必要がある．脂肪酸分解のこの過程はペリリピンとリパーゼlipaseが行う．最初に脂肪組織トリアシルグリセロールリパーゼ adipose triacylglycerol lipase（ATGL）によってジアシルグリセロールとなる．ジアシルグリセロールはホルモン感受性リパーゼ hormone-sensitive lipase（HSL）のより適した基質となる．HSLが産生するモノアシルグリセロール(MAG)はMAGリパーゼによって処理される．

1．ペリリピンとHSLの制御：ペリリピン perilipinとHSLはcAMP依存性プロテインキナーゼ(PKA)によってリン酸化されると活性化される．脂肪細胞では，カテコールアミン(アドレナリンなど)が細胞膜のβ-アドレナリン受容体に結合して，アデニル酸シクラーゼ adenylate cyclaseが活性化されると，cAMPが産生される(図16.15)．この過程はグリコーゲンホスホリラーゼ glycogen phosphorylaseの活性化過程と同等のものである(図11.9参照)．ペリリピンがPKAによってリン酸化されると，リン酸化HSL phosphorylated HSL（活性化HSL active HSL）が脂肪滴に転移して結合する．[注：cAMP仲介性カスケードが活性化されたときのホルモン依存性のリン酸化によってアセチルCoAカルボキシラーゼは阻害されるために(図16.8参照)，TAG分解がオンになったときは，脂肪酸合成はオフとなる．] インスリンとグルコースの血中濃度が高い場合には，HSLは脱リン酸され不活性化される．インスリンはATGLの発現も抑制する．

2．**グリセロールの代謝**：TAG分解で遊離されたグリセロールは，脂肪細胞ではグリセロールキナーゼがないために代謝されない．そのため，グリセロールは血中を流れて，キナーゼを持つ肝臓に運搬され，そこでリン酸化される．そうしてできたグリセロール3-リン酸は肝臓でのTAG生成に用いられたり，図16.13に示したグリセロール-3-リン酸デヒドロゲナーゼの逆反応でジヒドロキシアセトンリン酸(DHAP)となる．DHAPは解糖系や糖新生で使用される．

3．**脂肪酸の代謝**：遊離脂肪酸は，脂肪細胞の細胞膜を突き抜けて血中に入り，アルブミンに結合する．そして，骨格筋などさまざまな組織へ運ばれ細胞内に入り，CoA誘導体となって活性化され，ミトコンドリアで酸化されてエネルギー源となる．血中濃度にかかわらず，血中遊離脂肪酸はミトコンドリアを持たない赤血球のエネルギー源とはならない．脳も遊離脂肪酸を有意にエネルギー源として使用することができないが，その理由はいまだにはっきりとしていない(訳注：遊離脂肪酸は血液脳関門を通過できないことが主たる理由と考えられる)．[注：脂肪細胞のTAGから遊離された脂肪酸の50％以上が，グリセロール3-リン酸に再エステル化される．白色脂肪細胞はグリセロールキナーゼを発現しておらず，グリセロール新生によってグリセロール3-リン酸が生成される．グリセロール新生は不完全な糖新生であり，ピルビン酸カルボキシラーゼ pyruvate carboxylaseによってピルビン酸からOAAが産生され，OAAからホスホエノールピルビン酸カルボキシキナーゼ phosphoenolpyruvate carboxykinaseによってホスホエノールピルビン酸(PEP)が産生される．PEPは解糖系と糖新生に共通の反応でDHAPとなる．DHAPは還元されてグリセロール3-リン酸となる．この過程によって血中遊離脂肪酸など2型糖尿病や肥満のインスリン抵抗性に関連した因子が低下する(25章参照)．]

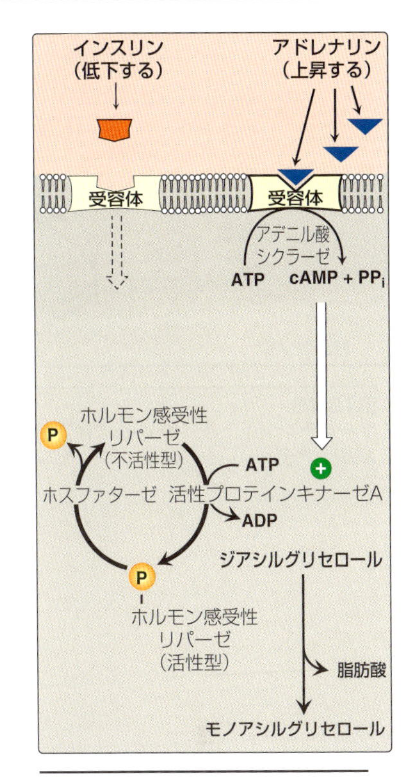

図16.15
脂肪細胞でのジアシルグリセロール分解のホルモン制御．[注：トリアシルグリセロールは脂肪組織トリグリセリドリパーゼによってジアシルグリセロールに分解される．] cAMP：サイクリックAMP，PP_i：ピロリン酸，ADP：アデノシン二リン酸，Ⓟ：リン酸．

B．脂肪酸のβ酸化

脂肪酸の主な異化経路は**β酸化 β-oxidation**という**ミトコンドリアの経路 mitochondrial pathway**である．この経路では，アシルCoAのカルボキシ末端から順次2個ずつ炭素鎖が削られていき，アセチルCoA，NADH，$FADH_2$が産生される．

1．**長鎖脂肪酸のミトコンドリアへの輸送**：長鎖脂肪酸(LCFA)は細胞質ゾル，ミトコンドリアへと輸送される．脂肪酸の細胞内への取り込みにはいくつかの経路が存在する．自然拡散もあれば，脂肪酸トランスロカーゼ fatty acid translocase (FAT)，脂肪酸結合タンパク質 fatty acid-binding protein (FABP)や脂肪酸輸送タンパク質 fatty acid transport protein (FATP)など脂肪酸輸送経路もある．LCFAは主としてFATPによって細胞内に取り込まれ，細胞質でミトコンドリア外膜に存在する**長鎖アシルCoAシンテターゼ** long-chain fatty acyl CoA synthetase (チオキナーゼ)によってCoA誘導体となる．β酸化はミトコンドリアマトリックスで行われるため，脂肪酸はCoAが通過することができないミトコンドリア内膜を透過して輸送される必要があ

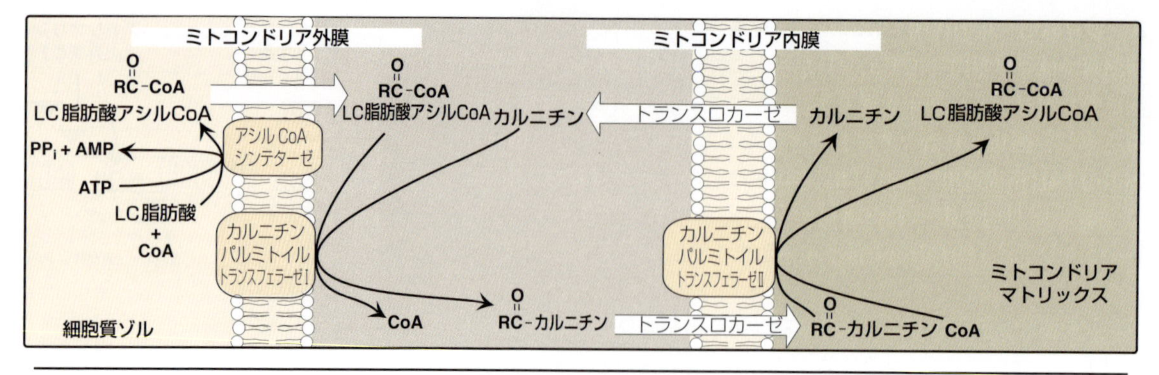

図16.16
カルニチンシャトル．最終的には，細胞質の長鎖（LC）脂肪酸アシルCoAはミトコンドリアマトリックスに輸送される．AMP：アデノシン一リン酸，PP_i：ピロリン酸．

る．長鎖アシル基は特異的な担体によって細胞質ゾルからミトコンドリアマトリックスに輸送される．この担体が**カルニチン carnitine**であり，この律速段階の輸送過程を**カルニチンシャトル carnitine shuttle**という（図16.16）．

a. **転位段階**：最初に，細胞質ゾルのアシルCoAのアシル基はカルニチンパルミトイルトランスフェラーゼⅠ carnitine palmitoyltransferase Ⅰ（CPT-Ⅰ，ミトコンドリアの外膜に存在する）によってカルニチンに移される．［注：CPT-Ⅰの別名はカルニチンアシルトランスフェラーゼⅠ carnitine acyltransferase Ⅰ（CAT-Ⅰ）である．］この反応によって遊離CoAが再生しアシルカルニチンが生成される．その次に，アシルカルニチンはカルニチン・アシルカルニチントランスロカーゼ carnitine-acylcarnitine translocase（転移酵素）によって，遊離カルニチンと交換でミトコンドリアマトリックスへ輸送される．ミトコンドリア内膜の酵素カルニチンパルミトイルトランスフェラーゼⅡ carnitine palmitoyltransferase Ⅱ（CPT-Ⅱ，別名CAT-Ⅱ）は，ミトコンドリアマトリックスのアシルカルニチンからアシル基をCoAに転移し，遊離カルニチンが再生される．

b. **カルニチンシャトルの阻害物質**：マロニルCoAはCPT-Ⅰを阻害し，長鎖アシル基がミトコンドリアマトリックスへ輸送されるのを阻害する．そのため，細胞質ゾルで脂肪酸合成が行われているときは（マロニルCoAの存在はその指標となる），新しく合成されたパルミチン酸がミトコンドリアに輸送されて分解されてしまうことが防がれる．［注：骨格筋は脂肪酸の生合成を行わないが，アセチルCoAカルボキシラーゼ acetyl CoA carboxylaseのミトコンドリアアイソフォーム（ACC2）を持っており，β酸化を制御することができる．肝臓は両アイソザイムを持っている．］脂肪酸酸化はアセチルCoA/CoA比によっても制御されている．この比が上昇すると，CoAを必要とするチオラーゼ thiolase反応（後述するβ酸化のチオール開裂反応）が低下する（図16.17）．

c. **カルニチンの供給源**：カルニチンは食事から，特に肉類から得られる．リシンとメチオニンからの合成系もあるが，それは肝臓と腎臓のみに存在し，骨格筋や心筋には存在しない．そのため，骨格筋や心筋のカルニチンは完全に食事もしくは肝臓と腎臓での合成に依存していることになる．［注：骨格筋のカルニチンは体全体の約 97% を占めている．］

カルニチンは細胞内へカルニチン輸送体によって取り込まれる．心臓，筋，腎臓では，高親和性輸送体は有機カチオントランスポーターOCTN2(organic cation transporter novel 2)である．肝臓には別の低親和性高容量性カルニチン輸送体がある．OCTN2 欠損による原発性カルニチン欠乏症では，尿中カルニチン排出が増加し，血中および細胞内カルニチンが低下する．

d. **カルニチン欠乏**：カルニチンが欠乏すると，組織は代謝エネルギー源としてLCFAを十分に利用することができなくなる．原発性カルニチン欠乏症は膜輸送体が欠損し，心筋，骨格筋，腎臓でのカルニチン取り込み不全によって生じる．それによりカルニチンの排出が増加する．治療法はカルニチンの補充である．二次性カルニチン欠乏症は脂肪酸酸化の障害によりアシルカルニチンが増加し（尿中に排泄される），カルニチン利用率が低下することが原因である．続発性二次性カルニチン欠損症は，例えば，肝臓疾患（カルニチン合成の低下）や抗てんかん薬バルプロ酸の服用（腎臓での再吸収の低下）などにより生じる．［注：ミトコンドリアの酸化障害はCPT-ⅠやCPT-Ⅱの欠損によっても生じる．CPT-Ⅰの欠損は肝臓で問題となる．肝臓はLCFAをエネルギー源として使用することができなくなり，空腹時に吸エルゴン性過程であるグルコース生成ができなくなる．その結果，重度の低血糖により昏睡や致死的となる．CPT-Ⅱの欠損は肝臓，心臓，骨格筋で問題となる．軽症ではあるが最も頻度が高いのは骨格筋タイプである．この場合は過度の運動によりミオグロビン尿を伴う筋脱力が生じる．治療法としては，空腹を回避し，十分量の糖質を含み，中鎖TAGを補充しつつ他の脂肪を制限する食事療法である．］

2．**短鎖脂肪酸と中鎖脂肪酸のミトコンドリアへの移動**：12 炭素より短い脂肪酸はカルニチンやCPT系を必要としないでミトコンドリア内膜を通過することができる．ミトコンドリア内に入ると，マトリックス酵素によって活性型のCoA誘導体となり，酸化される．［注：中鎖脂肪酸はヒト母乳に豊富に含まれている．その酸化にはCPT-Ⅰが不必要なために，マロニルCoAによって阻害されない．］

3．**β酸化反応**：β酸化の初期サイクルを図 16.17 に示した．この経路では，β炭素(C3)が関与する 4 段階の反応により脂肪酸炭素鎖はカルボキシ末端から 2 炭素分短くなる．各反応は，$FADH_2$ が産生される酸化反応，加水反応，NADHが産生される 2 番目の酸化反応，アセチルCoAを遊離するCoA依存性チオール開裂反応である．それぞれの段階を行う酵素は脂肪鎖の長さに選択性がある．これらの 4 段階は，炭素数が偶数個の飽和脂肪酸の場合には，炭素数を n とすると，

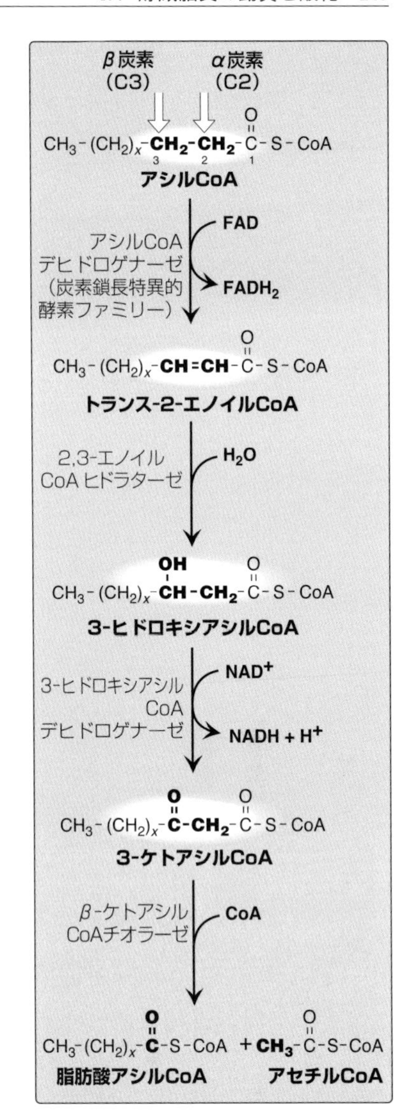

図16.17
アシルCoAのβ酸化に関与している酵素．［注：2,3-エノイルCoAヒドラターゼはC2とC3の間のトランス二重結合を必要とする.］FAD(H_2)：フラビンアデニンジヌクレオチド，NAD(H)：ニコチンアミドアデニンジヌクレオチド．

$(n/2)-1$回繰り返される．各サイクルごとに1分子のアセチルCoA, NADH, $FADH_2$が産生される．最終的な反応では2個のアセチルCoAが生成される．アセチルCoAはさらに酸化されたり，肝臓のケトン生成に利用される（下記V．参照）．還元された補酵素は電子伝達系で酸化される．NADHは複合体I，$FADH_2$は補酵素CoQによって酸化される（p.95参照）．［注：アセチルCoAはピルビン酸カルボキシラーゼの正（活性化）のアロステリック調節因子であり（10章参照），脂肪酸酸化と糖新生が連鎖することになる．］

4．**脂肪酸酸化によるエネルギー産生率**：脂肪酸のβ酸化経路のエネルギー産生効率は非常に高い．例えば，1分子のパルミトイルCoAをCO_2とH_2Oに酸化すると，8分子のアセチルCoA，7分子のNADH，7分子の$FADH_2$が産生され，それから131分子のATPが産生される．しかし，脂肪酸の活性化に2分子のATPが消費されている．したがって，正味のATP産生量は129分子となる（図16.18）．炭素原子偶数個の飽和長鎖脂肪酸の合成過程と分解過程の比較を図16.19に示した．

5．**中鎖アシルCoAデヒドロゲナーゼ欠損症 medium-chain fatty acyl CoA dehydrogenase (MCAD) deficiency**：ミトコンドリアには4種類のアシルCoAデヒドロゲナーゼ acyl CoA dehydrogenase

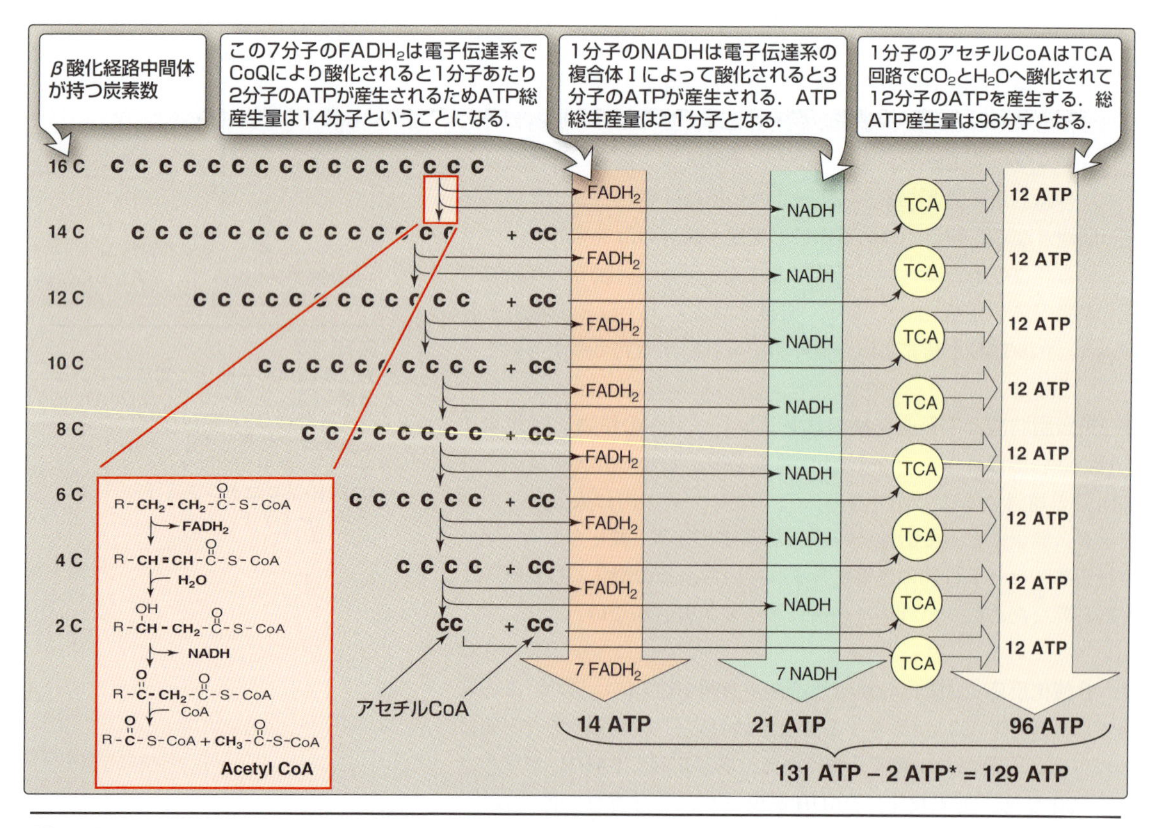

図16.18
パルミトイルCoA（16炭素）の酸化によるエネルギー産生の要約．［注：*パルミチン酸がパルミトイルCoAに活性化されるときに最終的に2 ATPが消費される（ATP→AMP＋PP_i）．］$FADH_2$：フラビンアデニンジヌクレオチド，NADH：ニコチンアミドアデニンジヌクレオチド，TCA：トリカルボン酸，CoQ：補酵素Q．

が存在し，それぞれ，短鎖，中鎖，長鎖，そして超長鎖脂肪酸にある程度特異的である．これらデヒドロゲナーゼそれぞれの欠損症が存在するが，MCAD欠損症の頻度が最も高い先天性β酸化異常である．MCAD欠損症は，常染色体劣性遺伝であり，欧米では出生14,000あたり1，北欧系の白色人種(コーカサス人)ではより高い頻度でみられる．この欠損があると，6～10炭素の脂肪酸の酸化が低下し，エネルギー産生は解糖系の割合が増加し，低ケトン性低血糖となる．尿中の中鎖アシルカルニチンと中鎖ジカルボン酸が上昇する．治療には飢餓状態の回避がある．

6．**奇数個炭素原子を持った脂肪酸の酸化**：奇数個炭素原子の脂肪酸の酸化は，最後の3炭素分子になるまでは，偶数個炭素脂肪酸と同じように進行する．この3炭素分子産物，**プロピオニルCoA propionyl CoA**は3段階の経路で代謝される(図16.20)．［注：プロピオニルCoAは一部のアミノ酸の代謝過程でも生成される(図20.11参照)．］

a. **D-メチルマロニルCoAの合成**：第1段階では，プロピオニルCoAはカルボキシ化され，D-メチルマロニルCoAとなる．プロピオニルCoAカルボキシラーゼ propionyl CoA carboxylaseにはACCやその他の多くのカルボキシラーゼと同様に補酵素**ビオチン biotin**とATPが必須である．

b. **L-メチルマロニルCoAへの変換**：第2段階では，D-異性体は，酵素メチルマロニルCoAラセマーゼ methylmalonyl CoA race-

	合成	分解
代謝経路が最も活性化される条件	糖質が豊富な食事	飢餓
代謝経路を活性化するホルモン状態	高（インスリン/グルカゴン）比	低（インスリン/グルカゴン）比
主な臓器	主として肝臓	筋肉，肝臓
細胞内部位	主として細胞質ゾル	主としてミトコンドリア
ミトコンドリア・細胞質ゾル間のアシル/アセチル基の輸送体	クエン酸（ミトコンドリアから細胞質ゾルへ）	カルニチン（細胞質ゾルからミトコンドリア）
ホスホパンテテインを含む活性運搬体	アシル輸送タンパク質（ACP）ドメイン，CoA	CoA
酸化還元補酵素	NADPH（還元）	NAD^+，FAD（酸化）
2炭素ドナー/産物	マロニルCoA：アセチル基1個のドナー	アセチルCoA：β酸化の産物
活性化因子	クエン酸	
抑制因子	パルミトイルCoA（アセチルCoAカルボキシラーゼを阻害）	マロニルCoA（カルニチンパルミトイルトランスフェラーゼ-Ⅰを阻害）
代謝経路の産物	パルミチン酸	アセチルCoA
反復4段階過程	縮合，還元，脱水，還元	脱水素，加水，脱水素，チオール開裂

図16.19
炭素偶数個長鎖飽和脂肪酸の合成と分解の比較．NADPH：ニコチンアミドアデニンジヌクレオチドリン酸，NAD：ニコチンアミドアデニンジヌクレオチド，FAD：フラビンアデニンジヌクレオチド，CoA：補酵素A．

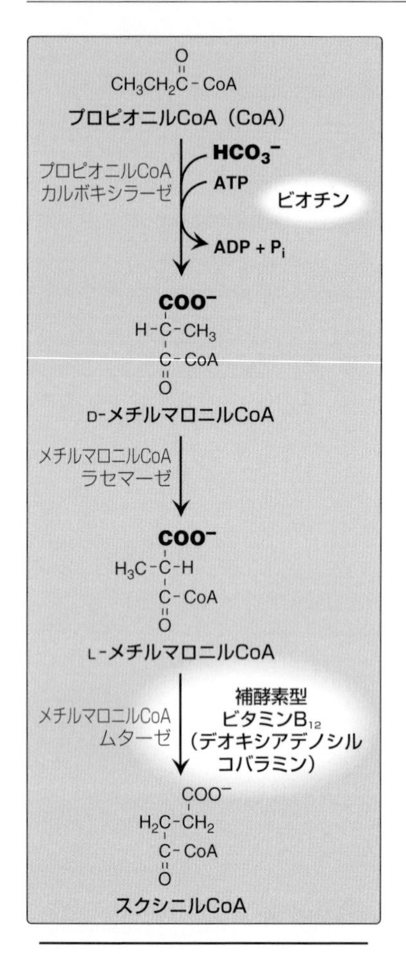

図16.20
プロピオニルCoAの代謝．ADP：アデノシン二リン酸，P_i：無機リン酸．

mase（ラセミ化酵素）によってL-異性体に変換される．

c. **スクシニルCoAの合成**：最後の第3段階では，L-メチルマロニルCoAの炭素原子が再配位されてスクシニルCoAとなり，TCA回路に入る．［注：これが脂肪酸酸化で生成される唯一の糖原性前駆体である．］酵素メチルマロニルCoAムターゼ methylmalonyl CoA mutaseは補酵素型**ビタミン**B_{12}（**デオキシアデノシルコバラミン deoxyadenosylcobalamin**）を必要とする．このムターゼの反応は，体内でビタミンB_{12}を必要とする2つの反応の1つである（28章参照）．もう1つのビタミンB_{12}依存性酵素がホモシステインからメチオニンを合成するメチオニン合成酵素 methionine synthaseである．この反応は葉酸のリサイクルとビタミンB_{12}の補酵素型への変換に必須である．そのため葉酸欠乏症とビタミンB_{12}欠乏症の初期の血液異常は類似している．ビタミンB_{12}欠乏症では後期になると麻痺，感覚異常，失調といった神経症状が出現する．また，ビタミンB_{12}欠乏症では，プロピオン酸とメチルマロン酸（MMA）の両者が尿中に排泄される．血中MMAの上昇は葉酸欠乏とビタミンB_{12}欠乏の鑑別に有用である．遺伝性**メチルマロン酸血症**（**尿症**）**methylmalonic acidemia**（**aciduria**）はメチルマロニルCoAムターゼ，あるいはメチオニン合成酵素の欠損が原因である．

7．**不飽和脂肪酸のβ酸化**：不飽和脂肪酸の酸化では，2,3-エノイルCoAヒドラターゼ 2,3-enoyl CoA hydrataseの基質にはなりえない中間代謝物が生じる．そのため，さらに別の酵素が必要になる．例えば，オレイン酸（18:1(9)）の奇数位の二重結合の酸化では，3,2-エノイルCoAイソメラーゼ 3,2-enoyl CoA isomeraseという酵素が必要になる．この酵素は3回のβ酸化を経て生じた3-シス誘導体をヒドラターゼ hydrataseの基質になる2-トランス誘導体に変換する．イソメラーゼ isomeraseに加えて，リノール酸（18:2(9,12)のように偶数位の二重結合の酸化には，NADPH依存性2,4-ジエノイルCoAレダクターゼ NADPH-dependent 2,4-dienoyl CoA reductaseが必要になる．［注：不飽和脂肪酸は飽和脂肪酸よりも還元度が低いため（訳注：例えば，二重結合の酸化にNADPHが消費される），脂肪酸の酸化によって産生される還元等量も低くなる．］

8．**ペルオキシソームでのβ酸化**：22炭素以上の超長鎖脂肪酸（VLCFA）は，まずペルオキシソームでβ酸化される．これは，ミトコンドリアではなく，ペルオキシソームがこの長さの脂肪酸を活性化するシンテターゼ synthetaseの主要な存在部位であることによる．その結果，短くなった脂肪酸は（カルニチンに結合して）ミトコンドリアに拡散してさらに酸化される．ミトコンドリアでの酸化とは異なり，ペルオキシソームでの初期分解は，FADを含むアシルCoAオキシダーゼ acyl CoA oxidaseによって行われる．産生された$FADH_2$はO_2によって酸化され，O_2はH_2O_2（過酸化水素）へと還元される．したがって，この段階ではATPは産生されない．H_2O_2はカタラーゼ catalase

によってH_2Oへと還元される（13 章参照）.［注：マトリックスタンパク質のペルオキシソームへの輸送障害ツェルウェーガー症候群 Zellweger syndrome（ペルオキシソーム合成系の異常）とVLCFAのペルオキシソーム膜輸送障害（X連鎖副腎白質ジストロフィー）では，血液と組織にVLCFAが蓄積する.］

C．ペルオキシソームα酸化

分枝脂肪酸 branched-chain fatty acidである**フィタン酸 phytanic acid**は，クロロフィルの代謝産物であり，β炭素（C3）にメチル基が結合しているために，アシルCoAデヒドロゲナーゼの基質とはならない（図 16.21）．その代わり，フィタノイルCoAα-ヒドロキシラーゼ phytanoyl CoA α-hydroxylase（PhyH）によってα炭素がヒドロキシ化され，C1 はCO_2として遊離し，生成産物の 19 炭素のプリスタナールはCoAと結合して活性化されてβ酸化を受け 15 炭素のプリスタン酸となる．**レフサム病 Refsum disease**は，まれな常染色体劣性遺伝病であり，このペルオキシソームのPhyHが欠損している．その結果，血中と組織にフィタン酸が蓄積する．症状は基本的には神経的なものであり，治療としては進行抑制を期待する食事制限である.［注：ジカルボン酸を産出するω酸化（メチル末端）も知られている．通常はSERの副次的な経路であるが，脂肪酸のβ酸化が低下するMCAD欠損症などではその増加がみられる.］

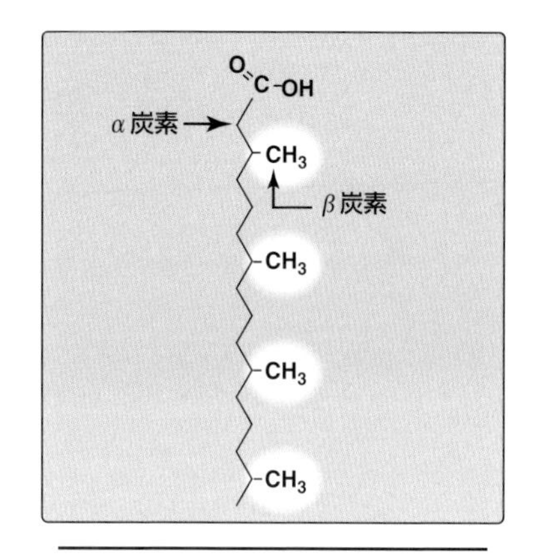

図16.21
フィタン酸（分枝16炭素脂肪酸）.

V．ケトン体：もう 1 つの細胞のエネルギー源

肝ミトコンドリアは脂肪酸酸化から得られたアセチルCoAをケトン体に変換することができる．ケトン体と総称される化合物は，**アセト酢酸 acetoacetate**，**3-ヒドロキシ酪酸 3-hydroxybutyrate**（別名β-ヒドロキシ酪酸），**アセトン acetone**（体内で代謝されない産物，図 16.22）である.［注：代謝されるアセト酢酸と 3-ヒドロキシ酪酸は有機酸の一種である.］アセト酢酸と 3-ヒドロキシ酪酸は血中を流れて組織に行く．そこでアセチルCoAに再変換されて，TCA回路で酸化される．以下の理由からケトン体は末梢組織にとって重要なエネルギー源である．（1）これらは水溶性であり，他の脂質のように，運搬のためにリポタンパク質に組み込まれる，あるいはアルブミンに結合する必要がない．（2）肝臓の酸化能力以上にアセチルCoAが存在するときに肝臓で産生される．（3）血中濃度に比例して肝臓以外の組織（骨格筋，心筋，小腸粘膜，腎皮質など）で利用される．血中濃度が十分に高ければ，脳もエネルギー必要量を補うためにケトン体を使用することができる．したがって，ケトン体によってグルコースを節約できる（24 章参照）.［注：脂肪酸酸化が異常となる疾患では，アセチルCoAの不足による低ケトン症と，エネルギーのグルコースへの依存が高まることによる低血糖症とが共通の症状となる.］

A．肝臓でのケトン体の合成：ケトン体生成

空腹の場合には，肝臓には脂肪組織から脂肪酸が大量に動員され

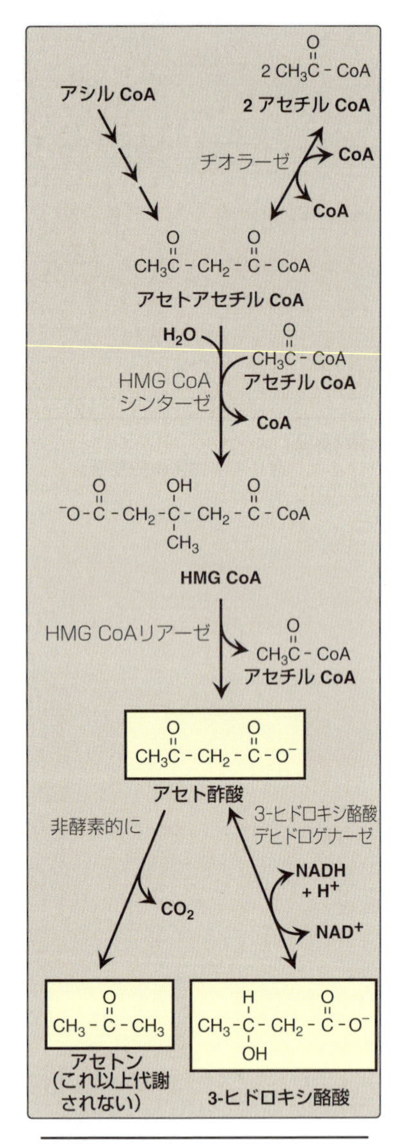

図16.22
ケトン体の合成．［注：ケトン生成で遊離されるCoAによって，脂肪酸酸化を持続することができる.］CoA：補酵素A，HMG：ヒドロキシメチルグルタリル，NAD (H)：ニコチンアミドアデニンジヌクレオチド．

る．その結果，脂肪酸の酸化で生成されたアセチルCoAが肝臓内で上昇するためにピルビン酸デヒドロゲナーゼ pyruvate dehydrogenaseが阻害され，ピルビン酸カルボキシラーゼ(PC)が活性化される．PCが生成したオキサロ酢酸はTCA回路よりも肝臓の糖新生に振り分けられる．したがって，アセチルCoAはケトン体合成に向けられることになる．また，脂肪酸酸化によってNAD$^+$/NADH比は低下する．NADHが増加するとOAAはリンゴ酸へシフトする(p.146参照)．その結果，アセチルCoAと縮合するOAAが低下するので，アセチルCoAはケトン体生成より利用される．［注：ケトン体生成に用いられるアセチルCoAはケト原性アミノ酸の異化によっても産生される.］

1．3-ヒドロキシ-3-メチルグルタリル(HMG) CoAの生成：最初の合成段階，アセトアセチルCoAの合成は脂肪酸酸化の最終反応のチオラーゼの逆反応で行われる(図16.17参照)．ミトコンドリアのHMG CoAシンターゼ HMG CoA synthaseはアセトアセチルCoAに第三の分子アセチルCoAを結合してHMG CoAを産生する．HMG CoAシンターゼはケトン体合成の律速段階であり，有意な量が存在しているのは肝臓だけである．［注：HMG CoAはコレステロールの前駆体でもある．この2つの経路は細胞の状態や細胞内局在によって選別される.］

2．ケトン体の合成：HMG CoAは図16.22に示したようにHMG CoAリアーゼ HMG CoA lyaseによりアセト酢酸とアセチルCoAに分解される．アセト酢酸はNADHを電子供与体として還元されて3-ヒドロキシ酪酸となる．［注：ケトン体はCoAと結合していないので，ミトコンドリア内膜を通過することができる.］また，血中では非酵素的に脱カルボキシ化してアセトンともなる．アセトンは揮発性で，生物学的には代謝されない化合物であり，呼気に排泄される．アセト酢酸と3-ヒドロキシ酪酸の平衡はNAD$^+$/NADH比で決定される．脂肪酸酸化が行われている場合には，NADHが多くなるので，3-ヒドロキシ酪酸合成が増加する．［注：ケトン体生成でCoAが遊離されるため，脂肪酸酸化を継続することができる.］

B．末梢組織でのケトン体の利用(ケトン体分解)

肝臓では常に低濃度のケトン体は産生されているが，この産生は末梢組織にエネルギーを供給するために，ケトン体の必要性が増加する飢餓時に増加する．末梢組織では，3-ヒドロキシ酪酸は3-ヒドロキシ酪酸デヒドロゲナーゼ 3-hydroxybutyrate dehydrogenaseによってアセト酢酸に酸化されNADHを産生する(図16.23)．アセト酢酸はスクシニルCoAからスクシニルCoA：アセト酢酸CoAトランスフェラーゼ succinyl CoA:acetoacetate CoA transferase(チオホラーゼ thiophorase)によってCoAを得る．この反応は可逆的であるが，産物アセトアセチルCoAは速やかにチオラーゼにより2個のアセチルCoAに代謝される．その結果，反応が進行する．ミトコンドリアがない細胞(例えば赤血球)を除いて，脳を含めた肝臓以外の組織では，アセト

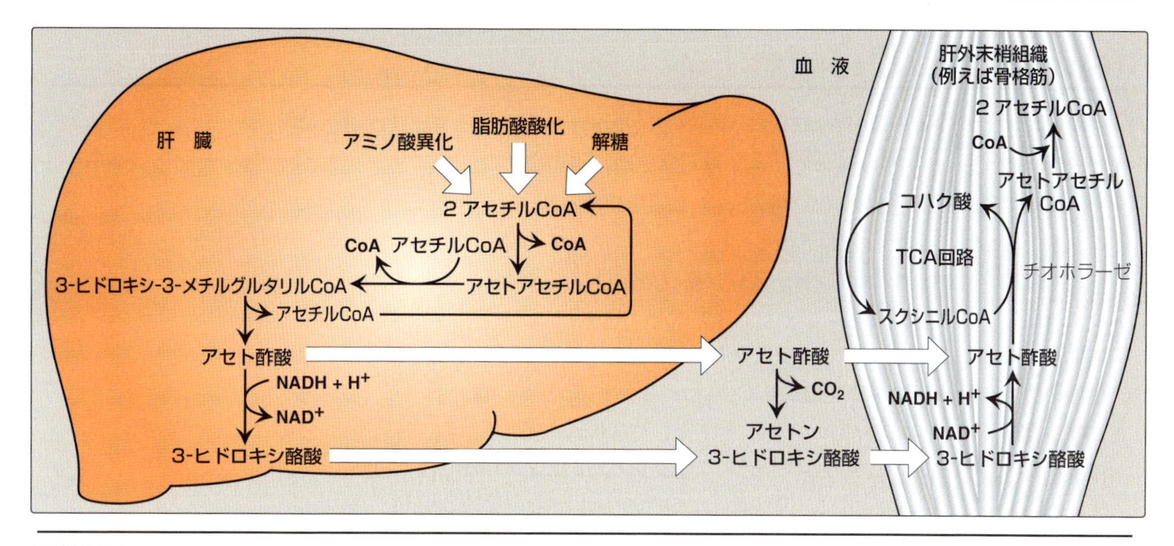

図16.23
肝臓でのケトン体の生成と肝外組織での利用．肝臓と赤血球はケトン体を利用できない．［注：チオホラーゼの別名はスクシニルCoA：アセト酢酸CoAトランスフェラーゼである．］CoA：補酵素A，NAD（H）：ニコチンアミドアデニンジヌクレオチド，TCA：トリカルボン酸．

酢酸と3-ヒドロキシ酪酸をこの経路で効率良く酸化する．しかし，肝臓では，活発にケトン体を産生するがチオホラーゼがないために，肝臓自身はケトン体をエネルギー源として使用することができない．

C. 糖尿病におけるケトン体の過剰生成

ケトン体の産生が消費を上回った場合には，血中濃度が上昇し（**ケトン血症 ketonemia**），その結果，尿中でも上昇する（**ケトン尿症 ketonuria**）．これが最もしばしば出現するのは治療がうまく行われていない1型（別名インスリン依存性）糖尿病である．血中のケトン体濃度は90 mg/dLとなる（健常者では3 mg/dL以下である）．尿中へのケトン体の排泄量は5,000 mg/24時までに達する．血中のケトン体の上昇により**酸血症 acidemia**（アシドーシス）となる．［注：ケトン体のカルボキシ基のpK_aは約4である．したがって，血中のケトン体はプロトン（H^+）を遊離し，pHを低下させる．］また，コントロール不良の1型糖尿病では，尿中のグルコースとケトン体の排泄は脱水を招く．したがって，H^+の増加と循環血漿容積の低下によって，重篤なアシドーシスが生じうる（ケトアシドーシス，図16.24）．これを糖尿病性ケトアシドーシス（DKA）という．］DKAの一般的な症状は，アセトンの産生増加による呼気の果実臭である．**ケトアシドーシス ketoacidosis**は長期の空腹や過度のアルコール（エタノール）摂取（飲酒）でも生じることがある．

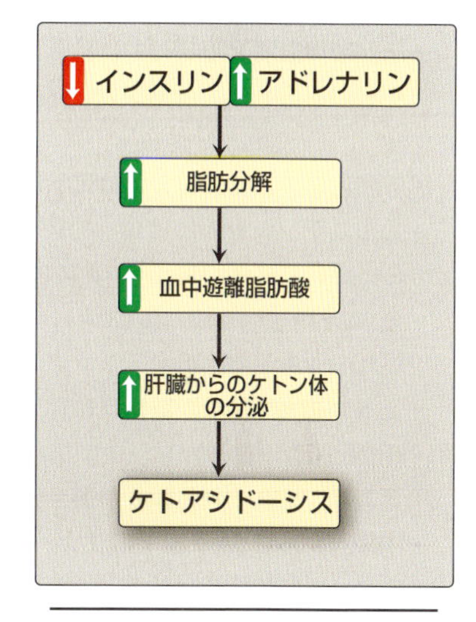

図16.24
コントロール不良の1型糖尿病でみられる糖尿病性ケトアシドーシスのメカニズム．

16章の要約

- 末端にカルボキシ基を持つ直鎖炭化水素である**脂肪酸**には**飽和型**と**不飽和型**がある．
- **リノール酸**と**α-リノレン酸**の2つの不飽和脂肪酸は必須脂肪酸であり食事から摂取しなくてはならない．
- 脂肪酸は，過剰の糖質とタンパク質を含む食事を摂取したあとに**肝臓の細胞質ゾル**で合成される．
- 脂肪酸を合成する炭素は**アセチルCoA**から，エネルギーは**ATP**から，還元当量は**NADPH**から供給される（図16.25）．NADPHは**ペントースリン酸経路**と**リンゴ酸酵素**から供給される．
- **クエン酸**は2炭素のアセチル基をミトコンドリアマトリックスから細胞質ゾルに輸送する．
- 脂肪酸合成の制御段階は**ビオチン**と**ATP**を必要とする**アセチルCoAカルボキシラーゼ（ACC）**のアセチルCoAのカルボキシ化による**マロニルCoA**の産生である．
- **クエン酸**はACCをアロステリックに活性化し，**パルミトイルCoA**は阻害する．**ACC**は**インスリン**によっても活性化され，**アドレナリン（エピネフリン）**や**グルカゴン**あるいは**AMP**の上昇に応じて**AMPK**によって阻害される．
- 脂肪酸合成のその他の段階は多機能な**脂肪酸シンターゼ（FAS）**によって触媒され，マロニルCoAの2炭素ユニットがアシル受容部位に次々に結合されて**パルミチン酸CoA**が生成される．
- 脂肪酸は**滑面小胞体（SER）**で**伸長**し**不飽和化**される．
- エネルギー源として脂肪酸が必要になったときは，**ホルモン感受性リパーゼ（HSL）**（**アドレナリン**によって**活性化**され，**インスリン**によって**抑制**される）やその他のリパーゼが**脂肪細胞**の貯蔵**トリアシルグリセロール（TAG）**を分解する．
- 脂肪酸は**血清アルブミン**に結合して血中を肝臓やその他末梢組織へと運ばれ，脂肪酸の酸化によってエネルギーが得られる．分解されたTAGの**グリセロール**骨格は血中を流れて**肝臓**に到達し，**糖新生の前駆体**となる．
- **β酸化**による脂肪酸分解は**ミトコンドリア**で行われる．
- **カルニチンシャトル**によって長鎖脂肪酸（LCFA）は細胞質ゾルからミトコンドリアマトリックスへ運搬される．これに必要な酵素（トランスロカーゼ）はカルニチンパルミトイルトランスフェラーゼ（CPT）ⅠとⅡである．CPT-Ⅰは**マロニルCoA**によって阻害される．この阻害によって，マロニルCoAから細胞質ゾルで合成されつつある脂肪酸がミトコンドリアへ輸送され分解されてしまうことを防いでいる．
- ミトコンドリアで脂肪酸は酸化され，**アセチルCoA**，**NADH**，**$FADH_2$**が産生される．
- β酸化経路の最初の過程はアシルCoAデヒドロゲナーゼによって触媒される．この酵素ファミリーには4種類あり，それぞれ短鎖，中鎖，長鎖，そして超長鎖に特異的である．
- **中鎖アシルCoAデヒドロゲナーゼ（MCAD）欠損症**は代表的な先天性代謝異常の1つである．これが欠損すると，脂肪酸酸化が低下し，その結果，**低ケトン血症**，**重症低血糖症**となる．
- 炭素数が**奇数**の脂肪酸の酸化は最終的に3炭素の**プロピオニルCoA**ができる．プロピオニルCoAはカルボキシ化されて**メチルマロニルCoA**に変換され（この反応は**ビオチン**と**ATPが必須なプロピオニルCoAカルボキシラーゼ**が行う），次に，**メチルマロニルCoAムターゼ（ビタミンB_{12}を必要とする）**によって**スクシニルCoA**（糖原性前駆体）になる．
- ムターゼの遺伝的変異やビタミンB_{12}欠乏により，**メチルマロン酸血症**と**メチルマロン酸尿症**になる．**不飽和脂肪酸**のβ酸化にはさらに他の酵素が必要である．
- **超長鎖脂肪酸（VLCFA）**のβ酸化と**分枝脂肪酸**のα酸化は**ペルオキシソーム**で行われる．
- それらの経路の欠損は，それぞれ**X連鎖副腎白質ジストロフィー**と**レフサム病**となる．
- **ω酸化**は，主要代謝系ではないが，SERで行われる．
- 肝臓ミトコンドリアは脂肪酸酸化から生じたアセチルCoAをケトン体である**アセト酢酸**と**3-ヒドロキシ酪酸（ケトン体）**にすることができる．

- ミトコンドリアを持った肝臓以外の組織の細胞は3-ヒドロキシ酪酸をアセト酢酸に酸化することができ，それは2分子のアセチルCoAに再変換されて，細胞に必要なエネルギーが作られる．
- 脂肪酸とは異なり，ケトン体は**脳**でも使用されるため，飢餓時の非常に重要なエネルギー源ということになる．
- 肝臓はケトン体の分解系(**チオホラーゼ**)を持っていないため，肝臓以外の末梢組織のためだけにケトン体を合成することになる．
- **ケトアシドーシス**は，未治療の**1型(インスリン依存性)糖尿病**など，ケトン体の産生が消費を上回る場合に発生する．

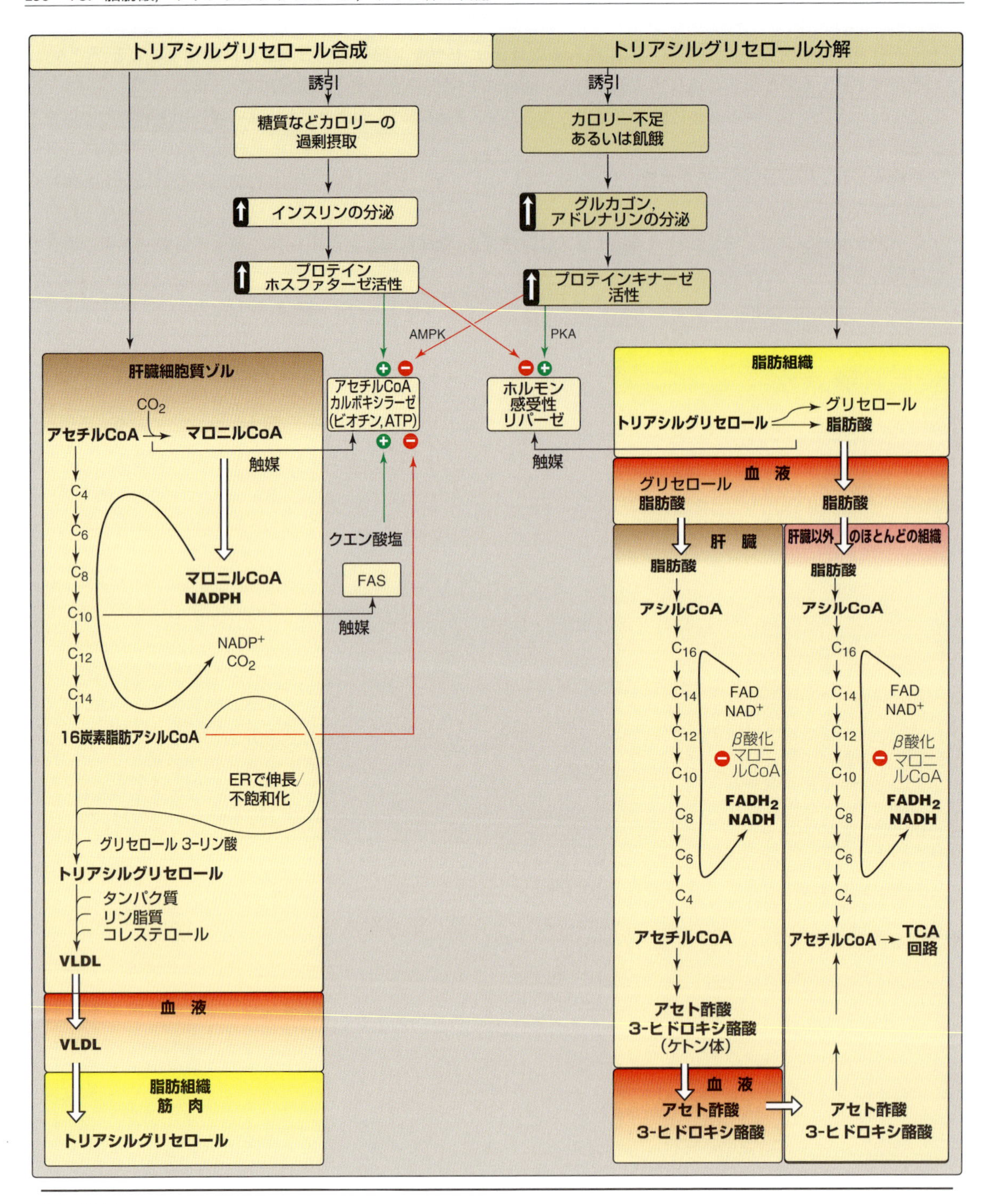

図16.25
脂肪酸とトリアシルグリセロール代謝の概念図． AMPK：AMP活性化プロテインキナーゼ，PKA：プロテインキナーゼA，CoA：補酵素A，NADP（H）：ニコチンアミドアデニンジヌクレオチドリン酸，FAD（H_2）：フラビンアデニンジヌクレオチド，FAS：脂肪酸シンターゼ，NAD（H）：ニコチンアミドアデニンジヌクレオチド，TCA：トリカルボン酸．

学習問題

最適な答えを1つ選びなさい.

16.1 オレイン酸, 18:1(9)が第6位炭素が不飽和化され, さらに延長された場合の産物はどれか.

A. 19:2(7,9)
B. 20:2(ω-6)
C. 20:2(6,9)
D. 20:2(8,11)

正解 **D**. 脂肪酸はSERでカルボキシ末端の炭素(C1)に2個の炭素が付加されて延長される. その結果, C6とC9の二重結合はC1から2炭素離れることになる. 20:2(8,11)はn-9(ω-9)脂肪酸である.

16.2 空腹時低血糖の4カ月の小児. 臨床検査で, 血中のケトン体低下(低ケトン血症), 遊離カルニチン低下, 長鎖アシルカルニチン低下, 遊離脂肪酸上昇が見出された. 欠損している酵素はどれか.

A. 脂肪組織トリグリセリドリパーゼ
B. カルニチントランスポーター
C. CPT-I
D. LCFAデヒドロゲナーゼ

正解 **B**. カルニチントランスポーター欠損(原発性カルニチン欠損症)は血中(尿中排泄増加の結果)や組織のカルニチンの低下が生じる. 肝臓では脂肪酸酸化とケトン体生成が低下する. その結果, 血中の遊離脂肪酸が増加する. 脂肪組織トリグリセリドリパーゼが欠損すると脂肪酸が低下する. CPT-Iが欠損すると血中カルニチンは増加する. β酸化系の酵素が欠損すると, 続発性カルニチン欠損症となり, アシルカルニチンが増加する

16.3 10代の男子は, 体重が気になり, 数週間にわたって脂肪分がない食事を続けることにした. 最も生合成量が低下している脂質はどれか.

A. コレステロール
B. 糖脂質
C. リン脂質
D. プロスタグランジン
E. トリアシルグリセロール

正解 **D**. プロスタグランジンはアラキドン酸から合成される. アラキドン酸はリノール酸から合成される. リノール酸はヒトの場合は食事から摂取しなくてはならない必須脂肪酸である. この若者は, 他の脂質はすべて合成することはできるが, その合成量はある程度は低下しているであろう.

16.4 生後6カ月の男児が痙攣発作のために受診した. 現病歴によると, 数日前にウイルス性胃腸炎のために食欲が著しく減退したとのことである. 受診時, 血糖は24 mg/dL(当該年齢の基準値は60～100). 尿中のケトン体は陰性であったが, さまざまなジカルボン酸が検出された. 血中カルニチン(遊離型, アシル型ともに)は正常であった. 中鎖アシルCoAデヒドロゲナーゼ(MCAD)欠損症と初期診断された. MCAD欠損症患者における低血糖の機序はどれか.

A. アセチルCoA産生の低下
B. アセチルCoAからグルコース産生の低下
C. アセチルCoAのアセト酢酸への変換の増加
D. ATPとNADH産生の増加

正解 **A**. 12炭素以下の脂肪酸の酸化が障害されると, アセチルCoAの産生が低下する. アセチルCoAは糖新生酵素のピルビン酸カルボキシラーゼのアロステリック活性化因子である. その結果, 血糖が低下する. アセチルCoAはグルコースの正味の合成には使用されない. アセト酢酸はケトン体であり, MCAD欠損症では, 基質であるアセチルCoAの産生低下により, ケトン体生成も低下する. 脂肪酸酸化の障害は糖新生に必要なATPとNADH産生の低下をもたらす.

16.5 生後6週の男児が筋緊張低下と発育不全で受診となった．診察の結果，顔貌異常と脾腫が見出された．血中の超長鎖脂肪酸(VLCFA)とフィタン酸が上昇していた．以下の疾患で考えられるのはどれか．

A. X連鎖副腎白質ジストロフィー

B. レフサム病

C. ツェルウェーガーZellweger症候群

D. VLCFA欠乏症

正解 **C**．ツェルウェーガー症候群ではマトリックスのタンパク質をペルオキシソームへ輸送することができない．そのためペルオキシソームが正常に構成されず，その機能が広範に不全となる．その結果，血中のVLCFAとフィタン酸(分枝脂肪酸)が上昇する．レフサム病はペルオキシソームのフェンタノイルCoAα-ヒドロキシラーゼ(PhyH)欠損症であり，血中と組織でフィタン酸が上昇する．X連鎖副腎白質ジストロフィーではVLCFAのみをペルオキシソームに輸送することができない．しかしα酸化などペルオキシソームの他の機能は維持されている．

リン脂質，糖脂質，エイコサノイドの代謝 17

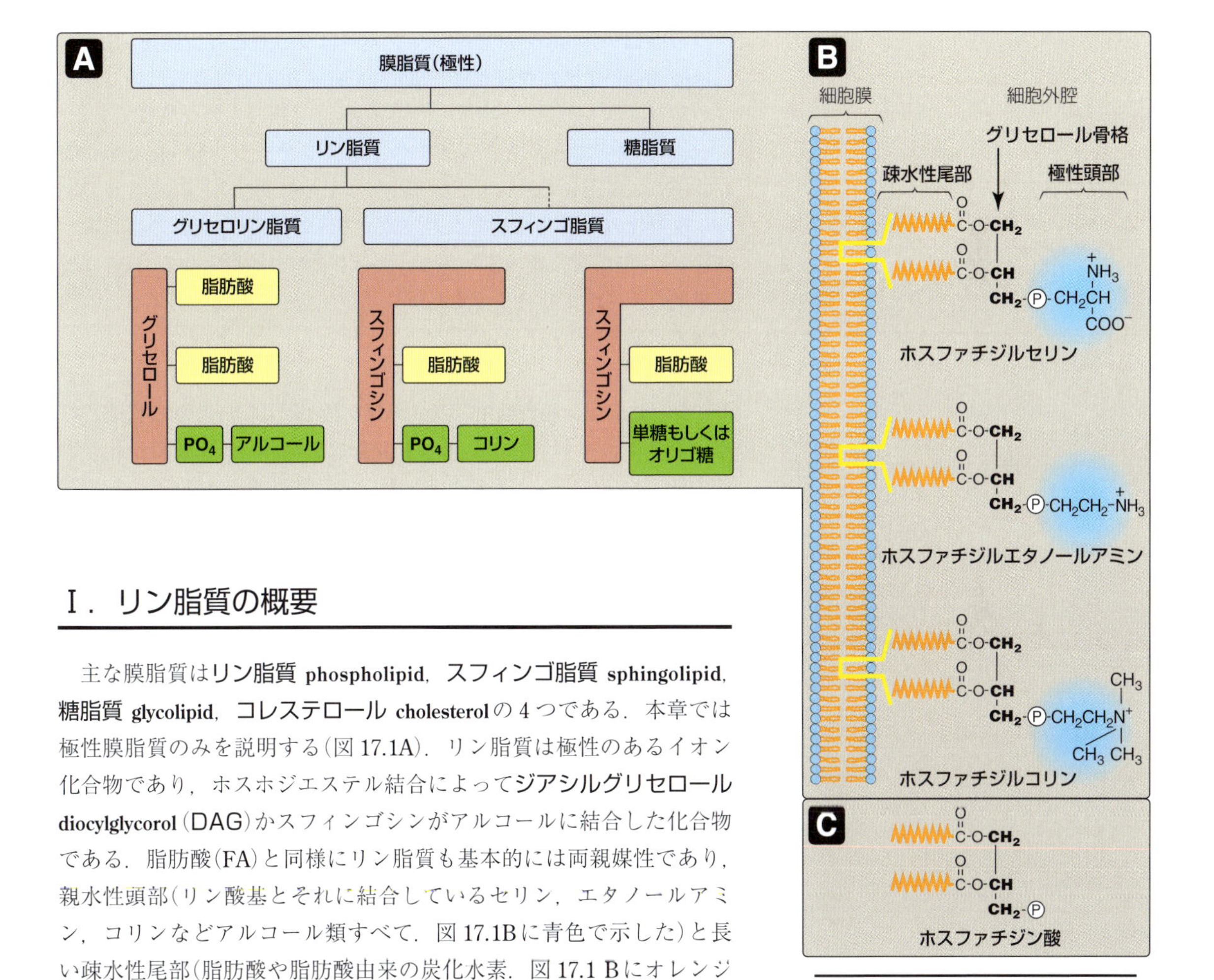

図17.1
A. 膜の極性脂質. B. 代表的なグリセロリン脂質の構造. C. ホスファチジン酸. Ⓟ：リン酸（陰イオン）.

I. リン脂質の概要

主な膜脂質は**リン脂質 phospholipid**，**スフィンゴ脂質 sphingolipid**，**糖脂質 glycolipid**，**コレステロール cholesterol**の4つである．本章では極性膜脂質のみを説明する（図17.1A）．リン脂質は極性のあるイオン化合物であり，ホスホジエステル結合によって**ジアシルグリセロール diocylglycorol**（DAG）かスフィンゴシンがアルコールに結合した化合物である．脂肪酸（FA）と同様にリン脂質も基本的には両親媒性であり，親水性頭部（リン酸基とそれに結合しているセリン，エタノールアミン，コリンなどアルコール類すべて．図17.1Bに青色で示した）と長い疎水性尾部（脂肪酸や脂肪酸由来の炭化水素．図17.1 Bにオレンジ色で示した）がある．リン脂質は細胞膜を構成する主要な脂質である．細胞膜では，リン脂質分子の疎水性領域が，糖脂質，タンパク質，コレステロールなど他の膜成分の非極性領域と集合している．リン脂質の親水性（極性）頭部は，細胞内もしくは細胞外の水性環境に接している（図17.1B参照）．膜リン脂質は細胞内メッセンジャーのリザーバー（貯蔵庫）としても機能しているし，一部のタンパク質ではリン脂質は

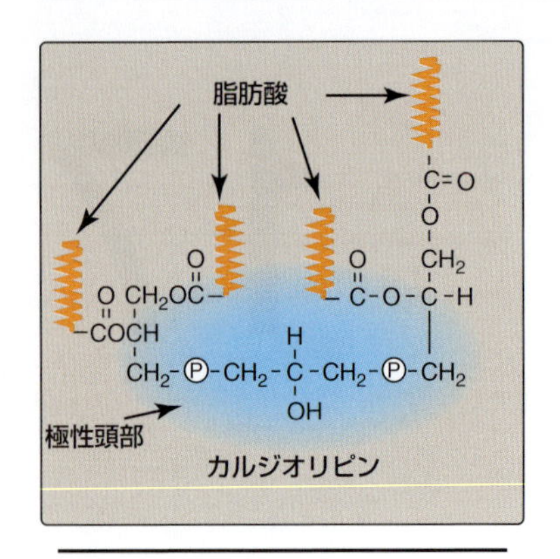

図17.2
カルジオリピン（ジホスファチジルグリセロール）の構造．Ⓟ：リン酸．

細胞膜へのアンカーとなっている．非膜型のリン脂質は他の機能も担っている．例えば，肺サーファクタント（界面活性物質）の構成成分や，胆汁の主要構成成分として機能している．後者では界面活性物質としてコレステロールの可溶化に関与している．

Ⅱ．リン脂質の構造

リン脂質には2つのクラスがある．グリセロール（グルコース由来）が分子骨格のものとスフィンゴシン（セリンとパルミチン酸由来）を持つものである．どちらのクラスも細胞膜の構成要素であり，脂質シグナル分子生成も担っている．

A．グリセロリン脂質

グリセロール glycerol を持つリン脂質は**グリセロリン脂質 glycerophospholipid**（**ホスホグリセリド phosphoglyceride**）と呼ばれている．グリセロリン脂質は代表的なリン脂質であり，膜の主要な脂質である．これらならびにその誘導体はすべて**ホスファチジン酸 phosphatidic acid**（PA，炭素3（C3）にリン酸基を持つDAG，図17.1 C）を含んでいる．グリセリン骨格の炭素は対照的にみえるが，C1炭素の脂肪鎖とC3のリン酸基を交換すると異なったグリセロリン酸となる．PAは最も単純なホスホグリセリドであり，このグループの他のメンバーの前駆体でもある．

1．グリセロリン脂質はホスファチジン酸とアルコールから構成される：ホスファチジン酸（PA）のリン酸基はアルコール基を持つ化合物とエステルを作ることができる（図17.1参照）．例えば以下のものがある．

セリン	＋PA	→	ホスファチジルセリン（PS）
エタノールアミン	＋PA	→	ホスファチジルエタノールアミン（PE）（セファリン）
コリン	＋PA	→	ホスファチジルコリン（PC）（レシチン）
イノシトール	＋PA	→	ホスファチジルイノシトール（PI）
グリセロール	＋PA	→	ホスファチジルグリセロール（PG）

2．カルジオリピン：ホスファチジン酸の2分子がそのリン酸基を介してグリセロールにエステル結合を形成したのが**カルジオリピン cardiolipin**（ジホスファチジルグリセロール，図17.2）である．カルジオリピンは原核生物にも真核生物にも細胞膜に存在する．真核細胞ではミトコンドリア内膜にほぼ限局して存在し，電子伝達系の呼吸系複合体の構造と機能の維持を担っていると考えられている．［注：カルジオリピンには抗原性がある．梅毒の原因菌である *Toreponema pallidum*（梅毒トレポネーマ）に感染した患者では，カルジオリピンに対する抗体（Ab）が産生される．梅毒のワッセルマン試験では，カルジオリピンを抗原として，患者血清の抗梅毒トレポネーマAbを検出する．宿主組織の障害によって宿主カルジオリピンが抗原となっている

のか梅毒トレポネーマ自身が抗原となっているのか，カルジオリピンに対する抗原反応の機序は不明である.］

3. **プラスマローゲン**：グリセロリン酸の炭素1(C1)に，エステル結合で結合する脂肪酸ではなく，エーテル結合によって**不飽和アルキル基 unsaturated alkyl group**が結合したものを**プラスマローゲン plasmalogen**という．例えば，**ホスファチジルエタノールアミン phosphatidylethanolamine**(PE，神経組織に豊富に存在．図17.3A)は，ホスファチジルエタノールアミンに類似したプラスマローゲンである．**ホスファチジルコリン phosphatidylcholine**(PC，心筋に豊富に存在)も哺乳類で量的に重要なエーテル脂質である.［注：プラスマローゲンの命名ではホスファチジル(yl)ではなくホスファチダル(al)を用いる.］

4. **血小板活性化因子**：血小板活性化因子platelet-activating factor (PAF)もエーテルグリセロリン脂質の一種であり，グリセロール骨格のC1には**飽和アルキル基 saturated alkyl group**が**エーテル結合 ether link**しており，脂肪酸基ではなく**アセチル基 acetyl residue**が炭素2(C2)に結合している(図17.3B)．PAFはさまざまな細胞で合成されて分泌され，細胞表面受容体に結合し，強力な血栓形成と急性免疫反応を引き起こす．例えば，PAFは炎症反応を活性化して，過敏症，急性炎症，アナフィラキシー反応を引き起こす．血小板を凝集させて活性化し，顆粒を放出(脱顆粒)させ，好中球や肺胞マクロファージにスーパーオキシド(過酸化)ラジカルを作らせて殺菌する(13章参照)．また血圧低下作用もある.［注：PAFは知られている範囲では最も強力な生体活性分子であり，10^{-11} mol/Lという低い濃度で活性がみられる.］

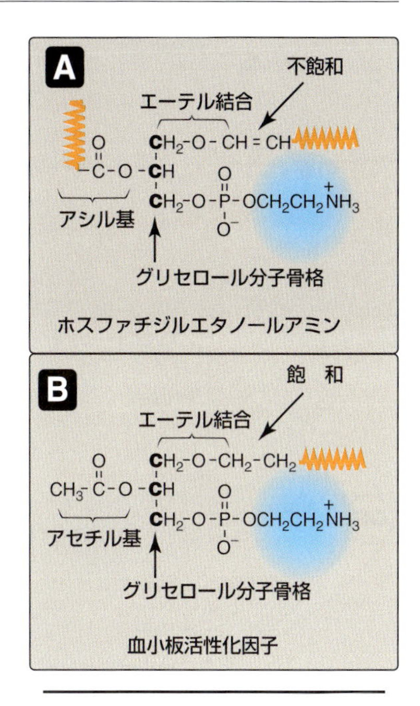

図17.3
エーテルグリセロリン脂質．A. プラスマローゲン(ホスファチジルエタノールアミン)．B. 血小板活性化因子．〰〰：脂肪酸の疎水性炭化水素鎖．

B. スフィンゴリン脂質：スフィンゴミエリン

スフィンゴミエリン sphingomyelinの分子骨格は，グリセロールではなく，アミノアルコールの**スフィンゴシン sphingosine**である(図17.4)．長鎖脂肪酸(LCFA)がスフィンゴシンのアミノ基にアミド結合によって結合したのが**セラミド ceramide**であり，糖脂質の前駆体でもある．スフィンゴシンのC1のアルコール基がエステル化されホスホリルコリンとなったのがスフィンゴミエリンであり，ヒトでは唯一の重要なスフィンゴリン脂質 sphingophospholipidである．スフィンゴミエリンは神経線維の**ミエリン myelin**の重要な構成要素であり，ミエリン構造の形成と機能に必須である.［注：ミエリン鞘は層構造を持っており，中枢神経系(CNS)のアクソンを絶縁し防護する重要な膜構造である．また，アクソンにおける跳躍伝導を可能にしている.］

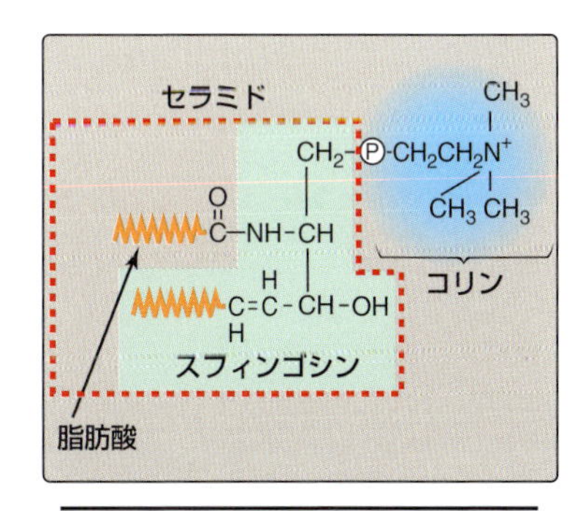

図17.4
スフィンゴミエリンの構造．緑色のところがスフィンゴシンであり，点線で囲まれた領域がセラミドである．Ⓟ：リン酸．

Ⅲ. リン脂質合成

グリセロリン脂質合成には，シチジン二リン酸cytidine diphosphate (CDP)-ジアシルグリセロール(DAG)からアルコールへのホスファチジン酸の付加，もしくは，CDP-アルコールから，DAGへのホスホモ

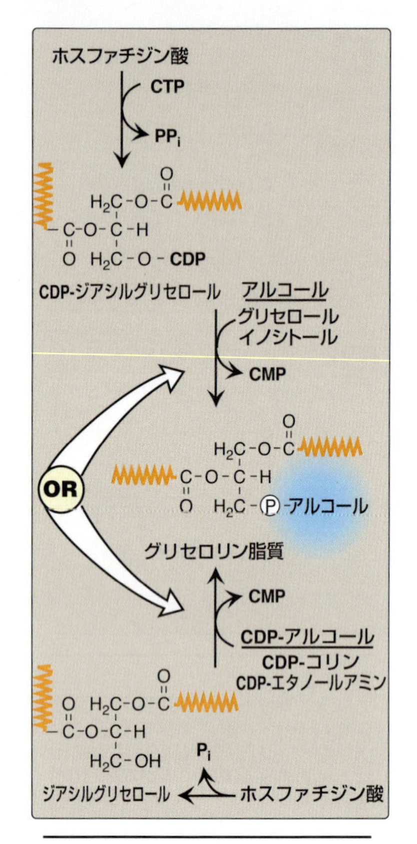

図17.5
シチジン二リン酸（CDP）がジアシルグリセロールあるいはアルコールのどちらかに結合して活性化することによって進行するグリセロリン脂質の合成．CMP：シチジン一リン酸，CTP：シチジン三リン酸，P_i：無機リン酸，PP_i：ピロリン酸，〰：脂肪酸の疎水性炭化水素鎖．

ノエステルの付加の過程がある（図 17.5）．どちらの場合も，CDP-結合体が"活性化中間体"と考えられ，このグリセロリン脂質の合成の際には副産物としてシチジン一リン酸cytidine monophosphate（CMP）が生じる．したがって，ホスホグリセリド合成のポイントは活性化である．DAGあるいはアルコールのどちらかがCDPと結合することによって活性化される．［注：これは基本的には糖にウリジン二リン酸uridine diphosphate（UDP）が結合することによって活性化されるのと同等である（11 章参照）．］グリセロールアルコールにエステル結合している脂肪酸には非常に多くの種類があり，このグループの分子群は非常に多様なものとなっている．典型的には，飽和脂肪酸はC1 に，不飽和脂肪酸はC2 に結合している．ほとんどのリン脂質は滑面小胞体（SER）で合成される．そこからゴルジ体に輸送され，さらに細胞器官の膜や細胞膜へ運ばれ，あるいは，エキソサイトーシスによって細胞から放出される．［注：ジヒドロアセトンリン酸からのエーテル脂質の合成はペルオキシソームで行われる．］

A. ホスファチジン酸の合成

ホスファチジン酸（PA）は多くのホスファチジルグリセリドの前駆体である．1 分子のグリセロール 3-リン酸と 2 分子の脂肪酸アシルCoAからの合成は図 16.14 に示した．図では，PAはトリアシルグリセロール（TAG）の前駆体となっている．

> 基本的には成熟赤血球を除くすべての細胞がリン脂質を合成することができるが，TAGの合成は肝臓，脂肪組織，授乳期乳腺，小腸粘膜細胞のみで行われる．

B. ホスファチジルコリンとホスファチジルエタノールアミン

中性リン脂質のホスファチジルコリン（PC）とホスファチジルエタノールアミン（PE）は，ほとんどの真核細胞で最も豊富なリン脂質である．その合成の主要な経路では，食事あるいは体のリン脂質の代謝によって得られたコリンとエタノールアミンが用いられる．［注：肝臓ではPCはホスファチジルセリン（PS）とPEからも合成される（下記 2. 参照）．］

1．既存のコリンとエタノールアミンからのPEとPCの合成：この合成系路では，コリンあるいはエタノールアミンはキナーゼ kinaseによってリン酸化されたあと，活性型のCDP-コリンあるいはCDP-エタノールアミンに変換される．最終的には，コリン-リン酸あるいはエタノールアミン-リン酸がヌクレオチドからDAG分子に転移される（シチジン一リン酸（CMP）が放出される，図 17.5 参照）．

a．コリン再利用の重要性：ヒトはコリンを新規（*de novo*）合成することができるが，その量は十分ではないことから，コリンが再利用されることは重要な意味を持つ．したがって，コリンは**必須栄養素 essential dietary nutrient**であり，**適正摂取量 adequate intake**（p.466 参照）は男性で 550 mg，女性で 425 mg とされている．［注：コリンは神経伝達物質であるアセチルコリンの生成にも利用される．］コリン欠乏症はまれであるが，筋障害と非アルコール性脂肪性肝疾患の要因となりうる．

b．**肺サーファクタントとしてのPC**：上述の経路は**ジパルミトイルホスファチジルコリン dipalmitoylphosphatidylcholine**（DPPC，あるいは**ジパルミトイルレシチン dipalmitoyl lecithin**）の主要な合成系路である．DPPC のグリセロールの第 1 位と第 2 位の炭素はパルミチン酸（飽和長鎖脂肪酸，LCFA）が結合している．DPPC はⅡ型肺胞細胞によって産生・分泌され，肺の主要な界面活性成分（肺胞内壁の細胞外表面の液体層に含まれる）である．肺サーファクタント（界面活性物質）は液面の表面張力を軽減し，肺胞の再拡張に必要な圧力を軽減し，肺虚脱（無気肺）を防いでいる．［注：肺サーファクタントは脂質 90% とタンパク質 10% からなる複雑な構成をしており，DPPC は表面張力を低下させる主要な成分である．］

胎児肺の成熟度は羊水のレシチン/スフィンゴミエリン（L/S）比が指標となる．2 以上であれば，肺胞細胞で妊娠第 32 週で生じるスフィンゴミエリン合成から DPPC 合成へのシフトが起きていることを反映し，成熟していると考えられる．

c．**肺の成熟**：未熟児の**呼吸窮迫症候群 respiratory distress syndrome**（RDS）には肺サーファクタントの産生あるいは分泌低下が関与しており，欧米諸国の新生児死亡の重要な要因となっている．肺の成熟は出産直前に母親にグルココルチコイドを投与して特異的遺伝子の発現誘導によって促進することができる．出生後に天然あるいは合成界面活性剤を新生児気管内に噴霧することも用いられる．［注：急性呼吸窮迫症候群 acute respiratory distress syndrome（ARDS）は年齢を問わずに発症する．感染，外傷，誤嚥などによって肺胞が障害されると，肺胞内に浸出液が貯留しガス（O_2/CO_2）交換が阻害される．］

2．**肝臓におけるPSからPCの合成**：遊離コリン濃度が低下している場合でも，肝臓はかなりの量の PC を胆汁や血中リポタンパク質の構成要素として分泌しているために，PC を産生しなくてはならない．必要量の PC を得るために，PS は PS デカルボキシラーゼ PS decarboxylase の脱炭酸反応によって PE となる．図 17.6 に示すように，PE はその後 3 段階のメチル化を経て PC となる．*S*-アデノシルメチオニン（SAM）がメチル基の供与体となる（20 章参照）．

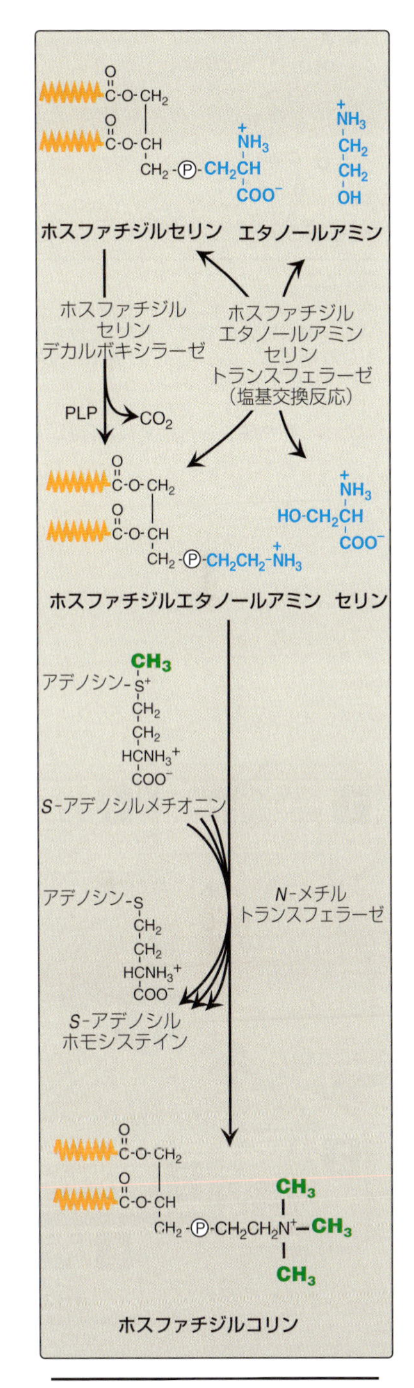

図17.6
肝臓におけるホスファチジルセリンからホスファチジルコリンの合成．
〰：脂肪酸の疎水性炭化水素鎖，Ⓟ：リン酸，PLP：ピリドキサールリン酸．

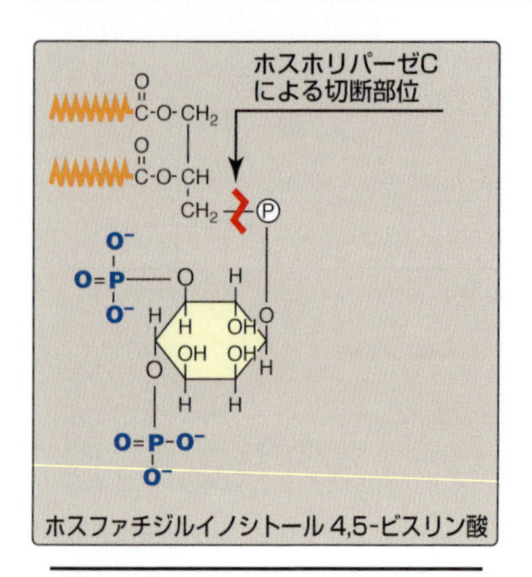

図17.7
ホスファチジルイノシトール 4,5-ビスリン酸（PIP_2）の構造．ホスホリパーゼCの切断によってイノシトール 1,4,5-トリスリン酸（IP_3）とジアシルグリセロール（DAG）が生成される．
：脂肪酸の疎水性炭化水素鎖．

C. ホスファチジルセリン

哺乳類組織におけるホスファチジルセリン（PS）合成の主要な経路は，PEのエタノールアミンが遊離セリンと置換される**塩基交換反応 base exchange reaction**である（図 17.6 参照）．この反応は可逆的であるが，基本的には，膜合成に必要なPSを産生するために用いられる．PSは真に負の電荷を持っている（血液凝固におけるPSの役割については 35 章参照）．

D. ホスファチジルイノシトール

ホスファチジルイノシトール（PI）は図 17.5 に示したように，イノシトールとCDP-DAGから合成される．PIはグリセロールのC1にステアリン酸，C2にアラキドン酸を持つことが多い特異なリン脂質である．そのため，PIは**アラキドン酸 arachidonic acid**の膜結合貯蔵庫として働き，必要なときにはプロスタグランジン（PG）合成の基質となる．PSと同様に，PIも真に負の電荷を持っている．［注：細胞膜の外側と内側のリン脂質の構成は異なっている．例えば，PSとPIは内側に多い．この非対称性はフリッパーゼ flippase とフロッパーゼ floppase という ATP 依存性酵素群が担っている．］

1．**膜を介するシグナル伝達におけるPIの役割**：膜結合型PIのリン酸化によって，**ホスファチジルイノシトール 4,5-ビスリン酸 phosphatidylinositol 4,5-bisphosphate**（PIP_2）といったポリホスファチジルイ

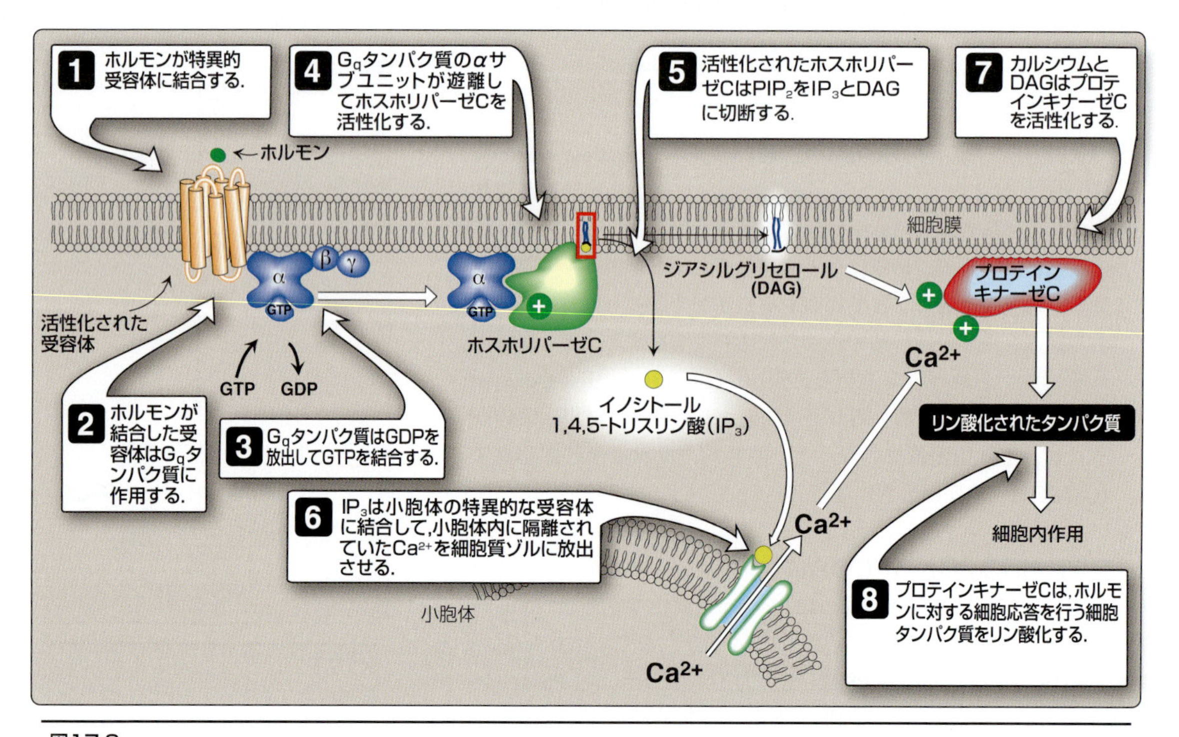

図17.8
イノシトールトリスリン酸（IP_3）の細胞内シグナル伝達における役割．GDP：グアノシン二リン酸，GTP：グアノシン三リン酸，PIP_2：ホスファチジルイノシトール4,5-ビスリン酸．

ノシトールが産生される(図 17.7). ホスホリパーゼC phospholipase CによるPIP_2の分解は, さまざまな神経伝達物質, ホルモン, 成長因子が細胞膜のGタンパク質共役受容体 G protein-coupled receptor (GPCR. 例えば, α_1-アドレナリン受容体)に結合すると, $G_q\alpha$サブユニットの活性化に応答して生じる(図 17.8). この切断の産物, **イノシトール 1,4,5-トリスリン酸 inositol 1,4,5-trisphosphate** (IP_3)とDAGは, それぞれ, 細胞内カルシウムの動員とプロテインキナーゼC protein kinase Cの活性化をもたらす. それらは協調的に作用して特異的な細胞応答を引き起こす. こうして細胞膜を介したシグナル伝達が完遂される.

2. **膜タンパク質アンカーにおけるPIの役割**：一部のタンパク質は膜に結合したPIに糖鎖架橋によって共有結合する(図 17.9). 例えば, リポタンパク質顆粒のTAGを分解するリポタンパク質リパーゼ lipoprotein lipase (p.297 参照)は毛細血管内皮細胞とは**グリコシルホスファチジルイノシトール glycosylphosphatidylinositol** (GPI)**アンカー**によって結合している. [注：GPIに結合した細胞表面タンパク質はさまざまな寄生性原虫(例えば, トリパノソーマやリーシュマニア)にもみられる.] 細胞膜に完全に組み込まれているのではなく, 膜脂質と結合していることにより, GPIアンカータンパク質は細胞表面膜外側における水平方向の移動が可能となる. このようなタンパク質はホスホリパーゼCによって, DAGを遊離してアンカーから切断される(図 17.9 参照). [注：造血系細胞でのGPI合成の欠損により溶血性貧血, **発作性夜間ヘモグロビン尿症 paroxysmal nocturnal hemoglobinuria** となる. GPIアンカータンパク質が免疫系(ウイルスや細菌を外来異物, 非自己として認識する)から赤血球を防護している. 赤血球のGPIアンカータンパク質が欠落すると, 赤血球は自己と見なされなくなり, 補体系によって溶血されてしまうのである.]

E. ホスファチジルグリセロールとカルジオリピン

ホスファチジルグリセロール phosphatidylglycerol (PG)はミトコンドリア膜に比較的大量に存在し, カルジオリピンジホスファチジルグリセロールの前駆体である. それはCDP-DAGとグリセロール 3-リン酸から生成される. カルジオリピン(図 17.2 参照)はPGにCDP-DAGからDAG 3-リン酸が転移されて合成される.

F. スフィンゴミエリン

スフィンゴシン由来リン脂質であるスフィンゴミエリンは, 細胞膜とミエリン鞘にある. スフィンゴミエリンの合成系路を図 17.10 に示した. 要約すると, パルミトイルCoAとセリンが, CoAとセリンのカルボキシ基を(CO_2として)遊離して縮合する. [注：この反応は, 例えば, PSからPEの生成, あるいはチロシンからカテコールアミン(21 章参照)のようなアミノ酸から制御因子の合成に関与する脱炭酸反応と同様に, ビタミンB_6の誘導体である**ピリドキサールリン酸 pyridoxal phosphate** を補酵素として必要とする.] その産物はNADPH

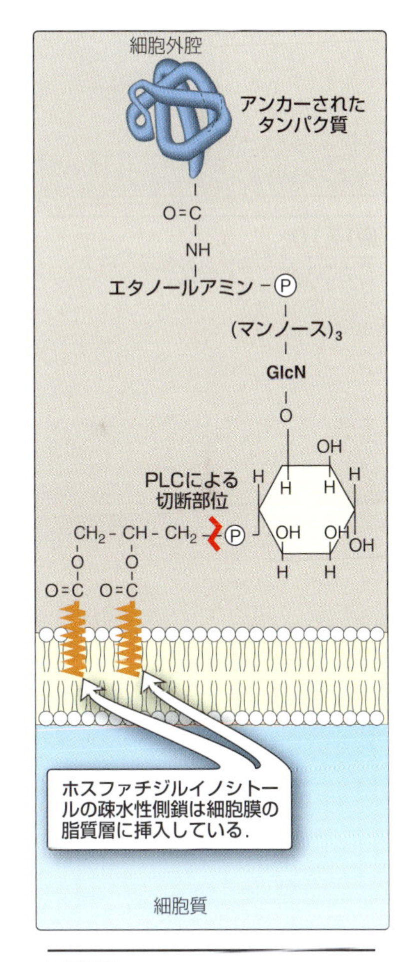

図17.9
グリコシルホスファチジルイノシトール(GPI)アンカーの例. GlcN：グルコサミン, Ⓟ：リン酸, PLC：ホスホリパーゼC.

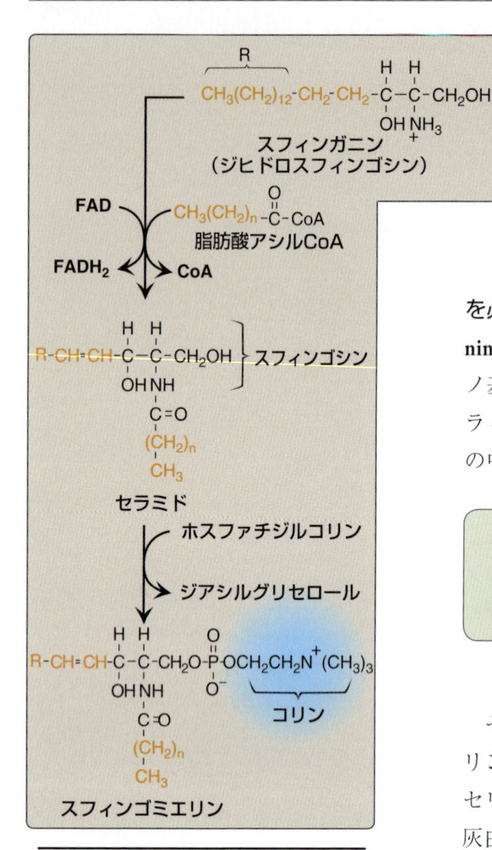

図17.10
スフィンゴミエリンの合成．PLP：ピリドキサールリン酸．

を必要とする反応 **NADPH-requiring reaction** でスフィンガニン **sphinganine**（ジヒドロスフィンゴシン）に還元される．スフィンガニンのアミノ基にはさまざまな種類のLCFAの1つが結合し，不飽和化されてセラミド（スフィンゴミエリンやその他のスフィンゴ脂質（本章V.参照）の中間前駆体）となる．

> 30炭素の脂肪酸が結合したセラミドは皮膚の主要な構成要素であり，皮膚の水透過性を決定している．

セラミドにPCからホスホリルコリンが転移され，スフィンゴミエリンとDAGとなる．[注：ミエリン鞘のスフィンゴミエリンはリグノセリン酸やネルボン酸といった，より長鎖の脂肪酸を多く含み，脳の灰白質のスフィンゴミエリンは主としてステアリン酸を多く含む．]

Ⅳ．リン脂質の分解

リン脂質の分解は，すべての組織と膵液に含まれるホスホリパーゼ phospholipaseによって行われる．[注：リン脂質の消化については15章Ⅱ.D.3参照．] 数多くの生物毒はホスホリパーゼ活性を持っており，多くの病原細菌はホスホリパーゼを産生して細胞膜を融解し感染していく．スフィンゴミエリンはリソソームのホスホリパーゼ，スフィンゴミエリナーゼ sphingomyelinaseによって分解される（下記B.参照）．

A．ホスホグリセリドの分解

ホスホリパーゼはホスホグリセリドのホスホジエステル結合を切断する．それぞれの酵素はリン脂質の特異的結合を切断する．主なホスホリパーゼを図17.11に示した．[注：ホスホグリセリドのC1あるいはC2の脂肪酸の切断によって，**リゾホスホグリセリド lysophosphoglyceride**が生成される．これは，リゾホスホリパーゼ lysophospholipaseの基質となる．] ホスホリパーゼはセカンドメッセンジャーとして働く分子（例えば，DAGやIP_3）を遊離することもあるし，メッセンジャーを合成する基質（例えば，アラキドン酸）を遊離する．ホスホリパーゼはリン脂質を分解するばかりでなく，それらを再構成（リモデリング）することも行う．例えば，ホスホリパーゼA_1とA_2 phospholipases A_1 and A_2は膜結合型リン脂質から特異的な脂肪酸を切除する．その後，アシルCoAトランスフェラーゼによって別の脂肪酸が再結

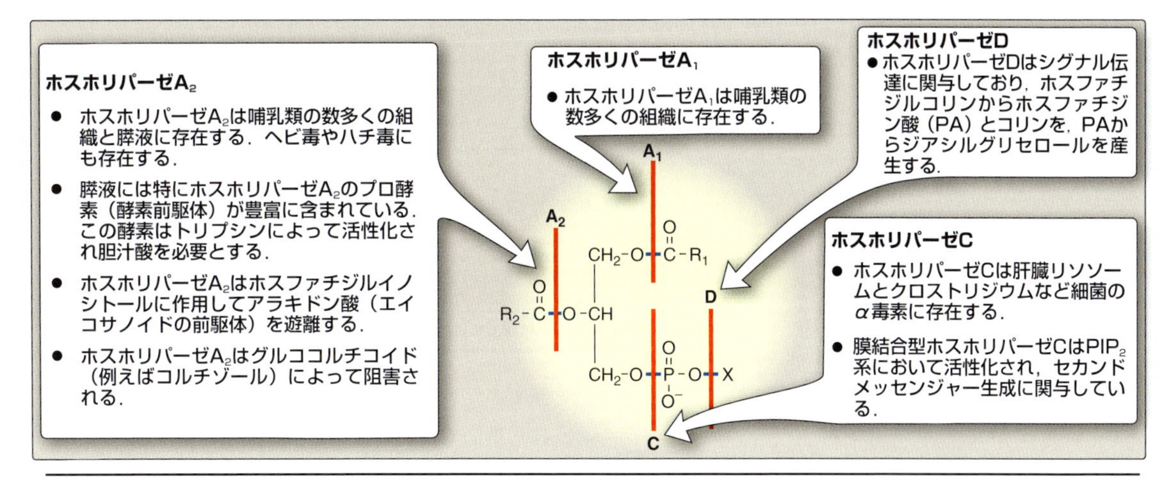

図17.11
ホスホリパーゼによるグリセロリン脂質の分解．PIP_2：ホスファチジルイノシトール 4,5-ビスリン酸，R_1 および R_2：脂肪酸，X：アルコール．

合する．このメカニズムによって，特徴的な肺サーファクタント（界面活性物質），ジパルミトイルホスファチジルコリン（DPPC）の1つの生成過程となる．また，PI（ときとしてPC）のC2にアラキドン酸を確実に結合する1つの手段となっている．［注：バース症候群Barth syndromeはまれなX連鎖疾患で，心筋症，筋脱力，好中球減少を呈する．カルジオリピンのリモデリング異常が原因である．］

B．スフィンゴミエリン

スフィンゴミエリンはスフィンゴミエリナーゼによって分解される．これはリソソーム酵素であり，ホスホリルコリンを除去しセラミドとする．セラミドはセラミダーゼ ceramidaseによってスフィンゴシンと遊離脂肪酸に分解される（図17.12）．［注：遊離したセラミドとスフィンゴシンはシグナル伝達経路に影響を及ぼす．例えば，プロテインキナーゼC protein kinase Cの活性を調節し，その基質タンパク質のリン酸化状態が変化する．アポトーシス促進作用もある．］**ニーマン・ピック病Niemann-Pick disease**（A型，B型）は常染色体劣性遺伝の疾患で，スフィンゴミエリンの代謝異常である．欠損酵素はスフィンゴミエリナーゼで，ホスホリパーゼC phospholipase Cの一種である．

重症幼児死亡型（A型，正常活性の1％以下）は，肝臓と脾臓が主な脂質沈着部位であり肝脾腫大となる．蓄積脂質は主として分解されないスフィンゴミエリンである（図17.13）．細網内皮系のマクロファージはスフィンゴミエリンを貪食し，形態的に泡沫細胞となる．このタイプのリソソーム蓄積症幼児は，スフィンゴミエリンが中枢神経系 central nervous system（CNS）に沈着するために急速かつ進行性の**神経変性 neurodegeneration**が生じ，幼児期早期に死亡する．眼底黄斑や網膜神経節細胞には脂質が沈着し，サクランボ様赤点 cherry-red spotとして観察される．軽症型（B型，正常活性の5％以上）は発症年齢が遅くなり，生存期間も長くなる．神経組織はほとんどあるいは全く障

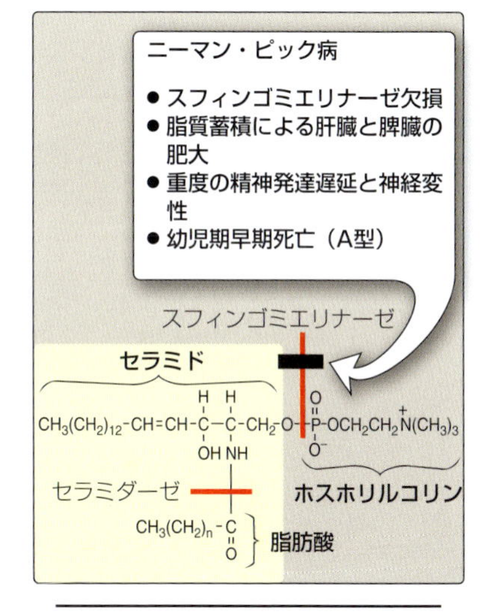

図17.12
スフィンゴミエリンの分解．

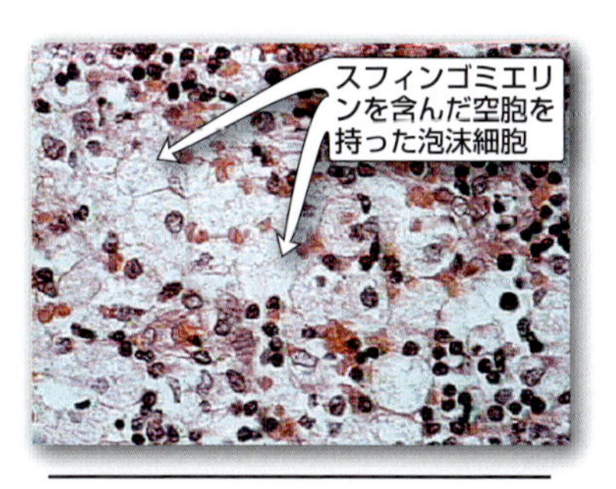

図17.13
ニーマン・ピック病患者の脾臓細胞における脂質の蓄積．

害されない．しかし，肺，脾臓，肝臓，骨髄が障害され，慢性的に進行する．ニーマン・ピック病はすべての人種(発症率は100,000あたり1以下)にみられるが，A型は特にアシュケナージ系(東欧系)ユダヤ人に多い．[注：ニーマン・ピック病C型(NPC)はエンドサイトーシスされたコレステロールの代謝に重要なNPC1もしくはNPC2遺伝子の変異が原因である．コレステロールとスフィンゴミエリンが蓄積する．]

V．糖脂質の概説

糖脂質は糖と脂質の両者を持った分子である．リン脂質スフィンゴミエリンのように，糖脂質はLCFAがアミノアルコールのスフィンゴシンに結合したセラミドの誘導体である．そのため，正確には**スフィンゴ糖脂質 glycosphingolipid**ということになる．[注：したがって，セラミドはリン酸化およびグリコシル化スフィンゴ脂質の前駆体ということになる．]リン脂質と同様に，スフィンゴ糖脂質は体のすべての細胞膜の重要な構成要素であるが，特に，神経組織に多く存在する．細胞表面膜の外層に局在しており，細胞外環境に接している．そのため，細胞間相互作用(例えば，細胞接着や認識)，成長，発生の制御に関与している．

> 膜スフィンゴ糖脂質は，コレステロールやGPIアンカータンパク質と結合して脂質ラフトを形成する．脂質ラフトは形質膜を水平方向に移動しうる可動性微小ドメインであり，膜のシグナル伝達や転送 trafficking機能を制御する．

スフィンゴ糖脂質は抗原性があり，ABO血液型抗原(14章Ⅶ.B.参照)，胎児発生段階に特異的な胎児性抗原，腫瘍性抗原の主体を占めていることがわかっている．[注：糖脂質の糖鎖が抗原決定部位であり，脂質部位は膜アンカーとして機能する．] また，コレラ毒やテタヌス毒，ある種のウイルスや微生物の細胞表面受容体でもある．スフィンゴ糖脂質を正常に分解することができない遺伝性疾患ではこれらの分子が細胞内に蓄積する．[注：スフィンゴ糖脂質(および糖タンパク質)の糖鎖の変化は悪性細胞(過度の増殖)の特徴の1つである．]

Ⅵ．スフィンゴ糖脂質の構造

スフィンゴ糖脂質はスフィンゴミエリンとは異なり，リン酸基がなく，極性頭部の機能は*O*-グリコシド結合でセラミドに結合している単糖あるいはオリゴ糖が担っている(図17.14)．スフィンゴ糖脂質は糖鎖の数と構造によって分類される．

A. 中性スフィンゴ糖脂質

最も単純な中性(無電荷)スフィンゴ糖脂質は**セレブロシド cerebroside**である．これらは，1分子のガラクトース(図17.14に示すようにセラミド-ガラクトース，あるいは**ガラクトセレブロシド galactocerebroside**，ミエリンの最も一般的なセレブロシド)，あるいは，1分子のグルコース(セラミド-グルコース，あるいは**グルコセレブロシド glucocerebroside**，さらに複雑なスフィンゴ糖脂質の合成中間体か分解中間体である)を持っている．[注：同じガラクトセレブロシドあるいはグルコセレブロシドに属する糖脂質でも，スフィンゴシンに結合した脂肪酸の種類が互いに異なっている．] これらの名前が示唆しているように(訳注：セレブロ cerebro-は脳を意味する)，セレブロシドは主として脳と末梢神経に分布している．特にミエリン鞘に高濃度に存在する．セラミドオリゴ糖(**グロボシド globoside**)は，グルコセレブロシドにさらに単糖(*N*-アセチルガラクトサミン(GalNAc)を含む)が結合して生成される．例えば，セラミド-グルコース-ガラクトース(別名ラクトシルセラミド)である．付加される単糖にはGalNAcなど置換糖もある．

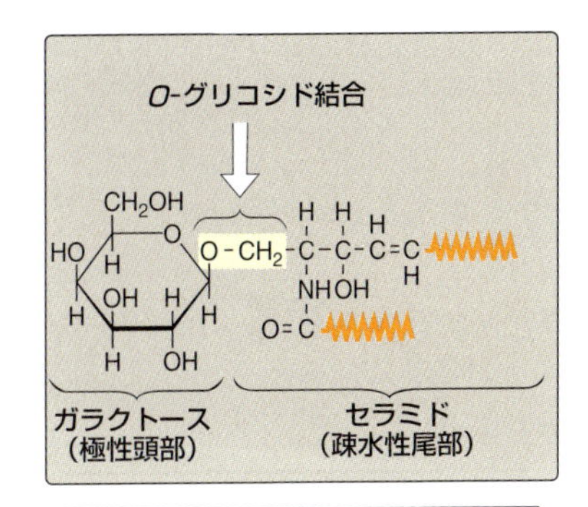

図17.14
中性スフィンゴ糖脂質，ガラクトセレブロシドの構造．〰〰：脂肪酸の疎水性炭化水素鎖．

B. 酸性スフィンゴ糖脂質

酸性スフィンゴ糖脂質は生理的pHで負電荷を持っている．負電荷は**ガングリオシド ganglioside**では***N*-アセチルノイラミン酸 *N*-acetylneuraminic acid**(NANA，シアル酸)による(図17.15)．**スルファチド sulfatide**では**硫酸基 sulfate group**による．

1．ガングリオシド：これらは最も複雑なスフィンゴ糖脂質であり，中枢神経の神経節細胞，特に神経終末に主に存在する．セラミドオリゴ糖の誘導体であり，1つ以上のNANA(CMP-NANA由来)が結合している．これらのリピドの命名法は，G(ガングリオシドのG)に分子内にあるNANAが1個ならM(mono)，2個ならD(di)，3個ならT(tri)，4個ならQ(quatro)の下付き文字が続く．その次の下付きの数字はセラミドに結合する糖鎖の種類(クロマトグラフィーでの移動度に基づく)が示される(G_{M2}の構造は図17.15参照)．いくつかの脂質蓄積性疾患ではNANAが結合したスフィンゴ糖脂質が細胞内に蓄積することから，ガングリオシドは臨床的に注目される(図17.20参照)．

2．スルファチド：スルホスフィンゴ糖脂質(スルファチド)は，硫酸化ガラクトセレブロシドであり，生理的pHでは負に帯電している．スルファチドは主に脳と腎臓に存在する．

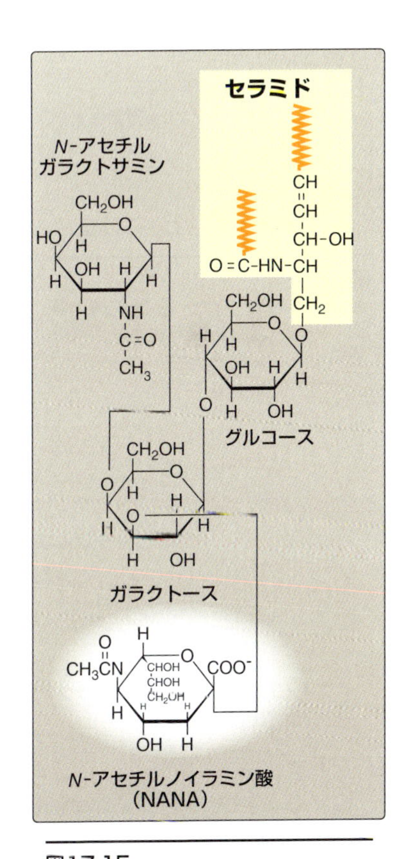

図17.15
ガングリオシドG_{M2}の構造，〰〰：脂肪酸の疎水性炭化水素鎖．

Ⅶ. スフィンゴ糖脂質の合成と分解

スフィンゴ糖脂質の合成は，主として**ゴルジ体**で供与分子(UDP-糖)から受容分子に逐次的にグリコシルモノマーが結合されて行われる．そのメカニズムは糖タンパク質合成と相同である(14章参照)．

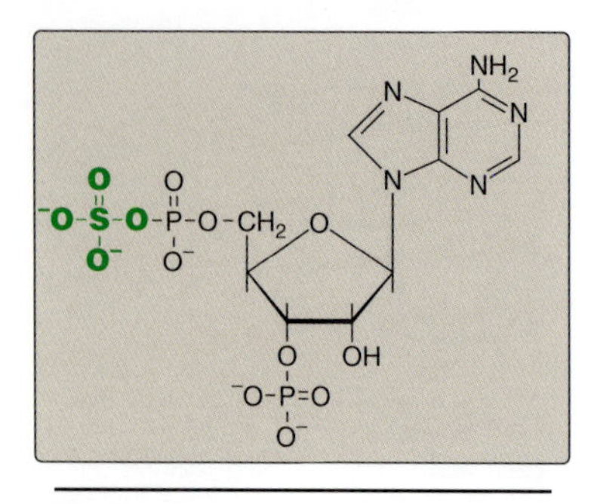

図17.16
3′-ホスホアデノシン 5′-ホスホ硫酸(PAPS)の構造.

A. 合成に関与する酵素

スフィンゴ糖脂質の合成に関与する酵素は，生成されるグリコシド結合の型と部位に特異的なグリコシルトランスフェラーゼ glycosyltransferase である.［注：これらの酵素はスフィンゴ糖脂質と糖タンパク質の両者を基質とする場合がある.］

B. 硫酸基の付加

硫酸基担体の **3′-ホスホアデノシン 5′-ホスホ硫酸 3′-phosphoadenosine-5′-phosphosulfate**（PAPS，図 17.16）から硫酸基はスルホニルトランスフェラーゼ sulfotransferase によってガラクトセレブロシドのガラクトースの 3′-ヒドロキシ基に付加され，スルファチドの**ガラクトセレブロシド 3-硫酸 galactocerebroside 3-sulfate** が生成される（図17.17).［注：PAPS はグリコサミノグリカン合成(p.213 参照)とステロイドホルモン異化(18 章参照)における硫酸基供与体でもある.］スフィンゴ脂質合成の概略を図 17.18 に示した.

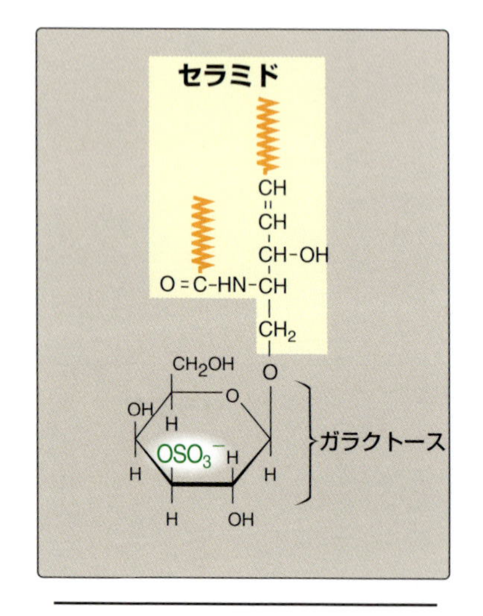

図17.17
ガラクトセレブロシド 3-硫酸の構造．〰：脂肪酸の疎水性炭化水素鎖.

C. スフィンゴ糖脂質の分解

スフィンゴ糖脂質は，グリコサミノグリカン(14 章参照)について説明したように**エンドサイトーシス endocytosis** により細胞内に取り込まれる．分解過程に関与するすべての酵素を持った**リソソーム lysosome** がファゴソーム phagosome と融合する．リソソームの酵素はスフィンゴ糖脂質の特異的な結合を非可逆的に加水分解する．グリコサミノグリカンや糖タンパク質でみられたように，分解は“最後に結合されたものが最初に分解される”規則に基づいて逐次的に進行する．したがって，これらの糖配合体の糖鎖の分解異常もリソソーム蓄積症となる.

D. スフィンゴリピドーシス

健常者では，スフィンゴ糖脂質の合成と分解はバランスがとれており，膜に存在するこれらの化合物の量は一定である．分解過程の特異的なリソソーム**酸性加水分解酵素(酸性ヒドロラーゼ) acid hydrolase** が

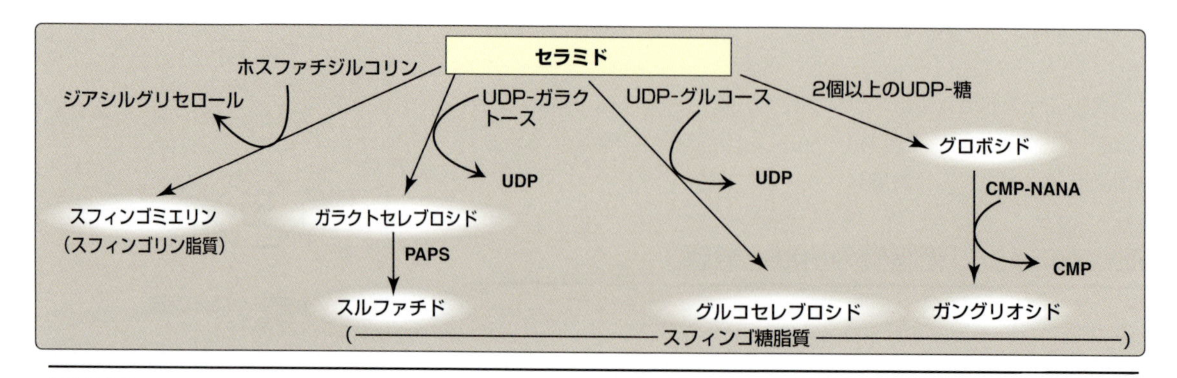

図17.18
スフィンゴ脂質合成の概略．UDP：ウリジン二リン酸，CMP：シチジン一リン酸，NANA：*N*-アセチルノイラミン酸，PAPS：3′-ホスホアデノシン5′-ホスホ硫酸.

部分的にあるいは完全に欠落すると，スフィンゴ脂質がリソソームに蓄積することになる．スフィンゴ脂質代謝酵素異常によるリソソーム脂質蓄積症をスフィンゴリピドーシスという．特異的なヒドロラーゼ hydrolaseの欠落の影響は特に神経組織で著しく，神経変性によって早期に死亡する．図17.19にスフィンゴ脂質の分解経路とスフィンゴリピドーシスの一部を概説した．[注：スフィンゴリピドーシスには，リソソームの活性化タンパク質(例えば，サポシン saposin類)の欠損が原因のことがある．この活性化タンパク質は，分解が進行して産生される短鎖の糖質にヒドロラーゼが近づきやすいように作用する．]

1．共通の特徴：典型的なスフィンゴリピドーシスではそれぞれ特異的なリソソームの加水分解酵素が1つ欠損している．したがって通常はその欠損酵素の基質であるスフィンゴ脂質1種類だけが各疾患で特徴的な臓器に蓄積することになる．[注：蓄積している脂質の合成は正常である．]この疾患は進行性であり，その多くは小児期までに致死的であるが，疾患症状(表現型)にはさまざまなサブタイプがあり，**ニーマン・ピック病**のように，さらに臨床的にA型とかB型のように分類されている．同じ酵素の欠損であってもその遺伝子内のさまざまな変異が要因となるために，遺伝的にも多様なものとなる．X連鎖の**ファブリー病 Fabry's disease**を除いて，これらのスフィンゴリピドーシスは常染色体劣性遺伝疾患である．ほとんどの人種で発症率は低いが，ニーマン・ピック病と同じように**ゴーシェ病 Gaucher's disease**と**テイ・サックス病 Tay-Sachs disease**はアシュケナージ系ユダヤ人に多い．[注：テイ・サックス病はアイルランド系アメリカ人，フランス系カナダ人，ルイジアナ・ケイジャンでも頻度が高い．](訳注：リソソーム加水分解酵素の先天的欠損によってリソソーム内に脂質や糖質が異常に蓄積するのがリソソーム病である．治療戦略として欠損酵素の補充療法がある．リソソーム加水分解酵素の多くにマンノース6-リン酸が付加されており，点滴静注でも細胞表面に存在するマンノース6-リン酸受容体によって取り込まれてリソソームに輸送される．イミグルセラーゼ(ゴーシェ病：1994年～)，アガルシダーゼベータ(ファブリー病：2001年～)，アルグルコシダーゼアルファ(ポンペ病：2006年4月～)など6疾患(2022年現在)の酵素補充療法が確立している．)

2．診断と治療：スフィンゴリピドーシスの診断は，患者の培養線維芽細胞か末梢リンパ球の酵素活性，あるいは患者DNA解析によって行われる(34章参照)．疾患組織の組織検査も有用である．[注：テイ・サックス病では貝殻様封入体が，ゴーシェ病の細胞質には"皺(しわ)がよったティッシュペーパー"様形態がみられる(図17.20)．]絨毛膜絨毛を用いた出生前診断が可能になっている．マクロファージにグルコセレブロシドが蓄積するゴーシェ病，脳，心臓，腎臓，皮膚の血管内皮細胞リソソームにグロボシドが蓄積する**ファブリー病**は，組換えヒト酵素補充療法が有効であるが，その費用は非常に高額になる．マクロファージは造血性幹細胞から産生されるため，ゴーシェ病は骨髄

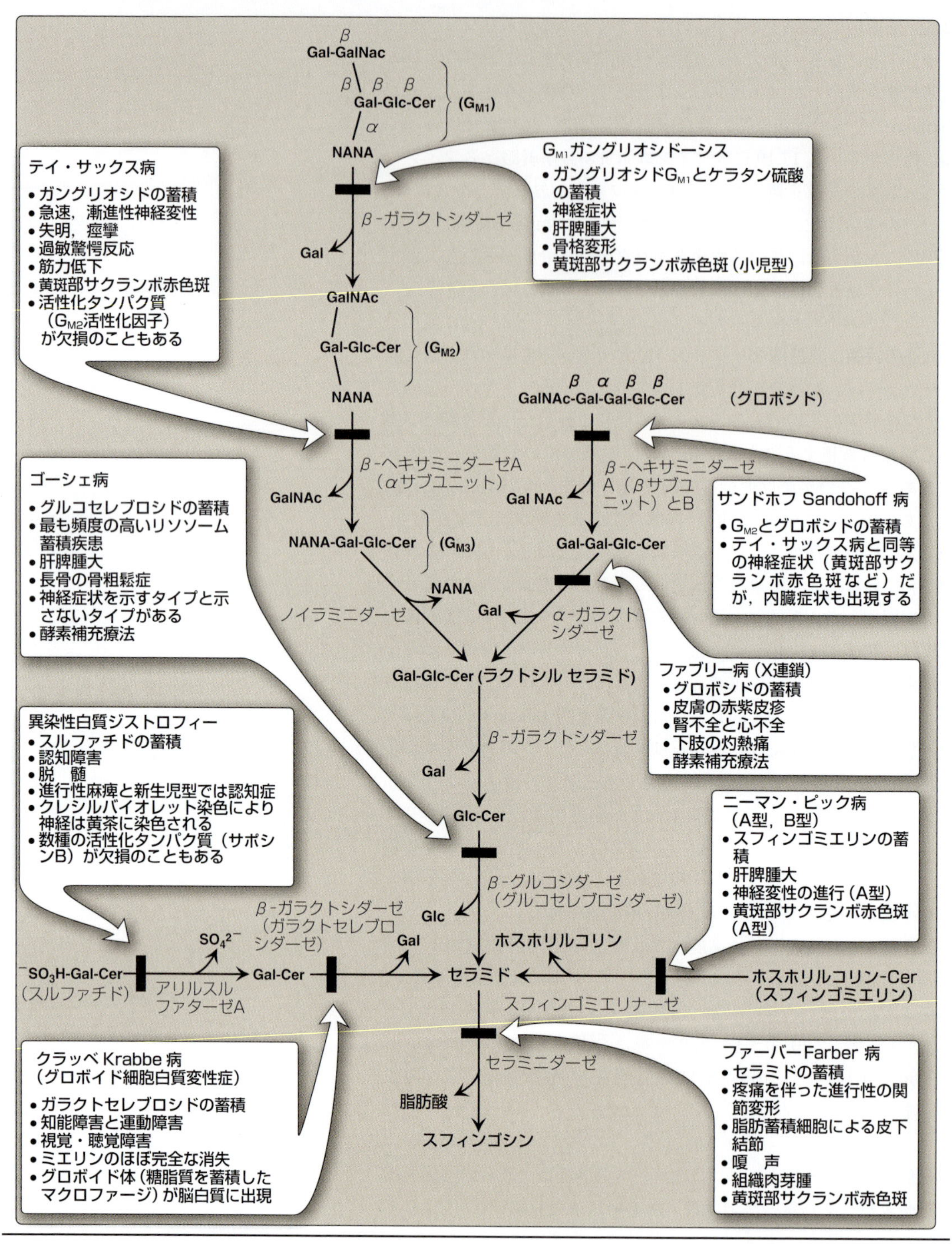

図17.19
スフィンゴ脂質の分解過程．酵素欠損による遺伝的脂質リソソーム蓄積症（リピドーシス）の原因酵素を示した．伴性遺伝のファブリー病を除いてすべて常染色体劣性遺伝である．また，ほとんどが早期に死亡する．Cer：セラミド，Gal：ガラクトース，Glc：グルコース，GalNAc：*N*-アセチルガラクトサミン，NANA：*N*-アセチルノイラミン酸，SO_4^{2-}：硫酸塩．

移植による治療が可能である．また，欠落している酵素の基質であるグルコシルセラミド（この場合，グルコセレブロシド）を薬物ミグルスタット Miglustat によって低下させる基質軽減療法も行われる．

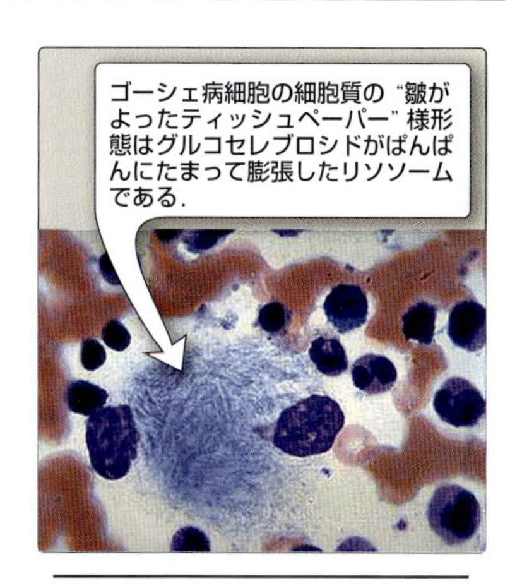

図17.20
ゴーシェ病患者の骨髄像．

Ⅷ. エイコサノイド：プロスタグランジンとその関連脂質

プロスタグランジン prostaglandin（PG），**トロンボキサン thromboxane**（TX），**ロイコトリエン leukotriene**（LT）は，20 炭素の ω-3/ω-6 多価不飽和脂肪酸に由来していることから**エイコサノイド eicosanoid** とも呼ばれている（エイコサ eicosa = 20）．これらは生理的（炎症応答）あるいは病理的（過敏症）な広い範囲の応答を引き起こす非常に強力な化合物である．胃粘膜防護，腎機能維持，平滑筋制御（特に腸管と子宮），血管制御，血小板機能などで重要な役割を担っている．エイコサノイドは作用の観点からホルモンと比較されるものではあるが，典型的ホルモンが内分泌腺という特別な器官で生成されるのに対し，エイコサノイドは微量ながらもほとんどすべての組織で産生される点で，いわゆるホルモンとは異なっている．ホルモンのように血中を流れて遠隔の部位に作用することはなく，局所で作用する．エイコサノイドは貯蔵されることはなく，非常に半減期が短く，急速に不活性物に代謝される（訳注：オータコイド autacoid とも総称される）．その生物学的な反応は細胞膜の G タンパク質共役受容体（GPCR）を介し（p.120 参照）（多くの場合，cAMP を介する），臓器が異なればそのシステムも異なる．代表的なエイコサノイドの構造を図 17.21 に示した．

A. プロスタグランジンとトロンボキサンの合成

アラキドン酸は，4 個の不飽和結合を持つ 20 炭素（エイコサテトラエン酸）の ω-6 脂肪酸であり，ヒトの主要な PG 類（2 系列，2 つの二重結合を持つタイプ，図 17.22）の直接的な前駆体である．アラキドン酸は必須脂肪酸のリノール酸（ω-6 脂肪酸）の延長と不飽和化によって生成され，膜のリン脂質（多くの場合 PI）の C2 と結合し，Ca^{2+} 上昇といったさまざまなシグナルに応答してホスホリパーゼ A_2 によって遊離される（図 17.23）．1 系列 PG 類は 1 個の二重結合を持ち，エイコサトリエン酸（ジホモ-γ-リノレン酸）に由来する．3 系列プロスタグランジンは 3 個の二重結合を持ち，エイコサペンタエン酸 eicosapentaenoic acid（EPA）（ω-3 脂肪酸）に由来する（p.471 参照）．）

1．PGH_2 シンターゼ：PG と TX 生合成の第一段階は **PGH_2 シンターゼ PGH_2 synthase**（**プロスタグランジンエンドペルオキシドシンターゼ prostaglandin endoperoxide synthase**）による遊離アラキドン酸の酸化的環状化で，PGH_2 が産生される．この酵素は 2 種類の酵素活性を持つ小胞体膜タンパク質である．脂肪酸**シクロオキシゲナーゼ cyclooxygenase**（COX）活性は 2 分子の酸素を必要とし，**ペルオキシダーゼ peroxidase** 活性は還元型グルタチオンを必要とする（13 章参照）．PGH_2 からは，図 17.23 に示すように細胞特異的な合成酵素に

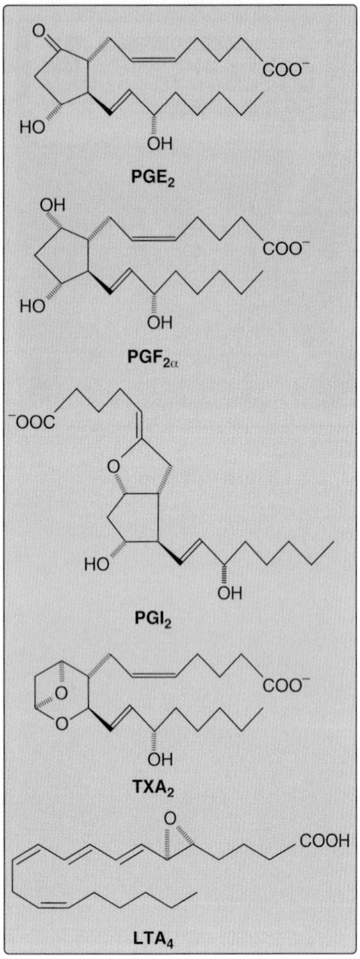

より，さまざまなPGやTXが生成される．[注：PGは5炭素環を持ち，TXは酸素を含む複素(ヘテロ)6員環(オキサン環)を持っている(図17.21参照)．] PGH_2シンターゼには2つのアイソザイム，よく知られているCOX-1とCOX-2が存在する．**COX-1はほとんどの組織で構成的に発現しており**，胃粘膜の維持，腎ホメオスタシス，血小板凝集に関与している．**COX-2は，限られた組織のみで，活性化された免疫系あるいは炎症系細胞からの制御因子によって，発現が誘導される．**[注：COX-2の誘導に続くPG合成の上昇によって，疼痛，灼熱，発赤，腫脹といった炎症反応や感染時の発熱が生じる．]

2．プロスタグランジン合成の阻害：PGとTXの合成はさまざまな種類の物質によって阻害される．例えば，**コルチゾール cortisol**(抗炎症性ステロイド)はホスホリパーゼA_2活性を阻害し(図17.23参照)，その結果，PGやTXの前駆体であるアラキドン酸の膜リン脂質からの遊離が阻害される．**アスピリン aspirin**，**インドメタシン indomethacin**，**フェニルブタゾン phenylbutazone**(すべて非ステロイド性抗炎症薬，NSAID)はCOX-1とCOX-2の両者を阻害するため，もとになるPGH_2の合成が抑制される．[注：アスピリンが全身性にCOX-1を阻害することが，胃，腎臓，血液凝固に障害をもたらし，副作用の原因となる．] 他のNSAIDとは異なり，アスピリンはリポキシン類(アラキドン酸由来の抗炎症メディエーター)，レゾルビン類とプロラクチン類(EPA由来の炎症軽減メディエーター)の合成を促進する．COX-1の生理的な機能を維持し，COX-2の病理的な炎症作用を抑えるために，COX-2特異的阻害薬(コキシブ類，例えば**セレコキシブ celecoxib**)が開発されている．しかし，COX-2特異的阻害薬は心虚血性疾患を増加させる危険性が指摘されている．それはPGI_2合成の阻害が原因とされる(下記B.参照)．そのため，COX-2特異的阻害薬の一部は販売中止となった(訳注：ロフェコキシブrofecoxibは日本で発売される前に米国で販売中止になった)．現在，米国食品医薬局(FDA)が認可しているコキシブ類はセレコキシブのみである．

B. 血小板ホメオスタシスにおけるプロスタグランジンとトロンボキサンの役割

トロンボキサンA_2 thromboxane A_2(TXA_2)は**活性化血小板 activated platelet**のCOX-1によって産生される．それは循環血小板の粘着と凝集，血管平滑筋の収縮を促進し，その結果，**血栓 thrombus**の形成(**血液凝固 blood clot**)を促進する．**血管内皮細胞 vascular endothelial cell**のCOX-2が産生する**プロスタサイクリン prostacyclin**(PGI_2)は血小板凝集を阻害し血管拡張を促進し，その結果，**血栓形成を抑制する．** TXA_2とPGI_2の相反する作用によって血管損傷時の血栓形成が調節される．[注：アスピリンは血栓形成抑制作用がある．血小板のCOX-1(TXA_2合成)と血管内皮細胞のCOX-2(PGI_2合成)は不可逆的にアスピリンのアセチル化によって阻害される(図17.24)．核を持たない血小板は非可逆的に阻害されたCOX-1を回復することができないが，核を持ち新しい酵素を産生することができる内皮細胞はCOX-2を回

PGE_2

$PGF_{2\alpha}$

PGI_2

TXA_2

LTA_4

図17.21
代表的なエイコサノイドの構造．プロスタグランジンはPG＋アルファベット(A，D，E，Fなど，分子内の官能基の型の配置を示す)と命名されている．下付きの数字は分子内の二重結合の数を示している．PGI_2の別名はプロスタサイクリンである．トロンボキサンはTX，ロイコトリエンはLTと示される．

復することができる．この違いに基づいて，アスピリンの少量投与によって血栓形成を抑制し，脳梗塞や心筋梗塞の危険性を低下させる治療が行われている（訳注：アスピリンが過剰になると血管内皮細胞の血栓抑制性のPGI_2の産生も抑制してしまう．これをアスピリンジレンマという）．]

C. ロイコトリエンの合成

アラキドン酸はリポキシゲナーゼ lipoxygenase（LOX）ファミリーが関与する別個の経路によってさまざまな非環状のヒドロペルオキシ酸（-OOH）となる．例えば，5-LOXは，アラキドン酸を5-ヒドロペルオキシ-6,8,11,14-エイコサテトラエン酸（5-HPETE，図17.23参照）にする．5-HPETEからさまざまなLT（4個の二重結合を持つ）が生成される．その最終産物の性質は組織によって異なる．LTはアレルギー反応や炎症反応に関与している．5-LOX阻害薬やLT受容体アンタゴニストが喘息に用いられている．[注：コルチゾールはLT合成を阻害するが，NSAIDは阻害しない．アスピリン喘息はNSAIDによるLT産生増加が原因であり，喘息患者の10%を占めるとされる．]

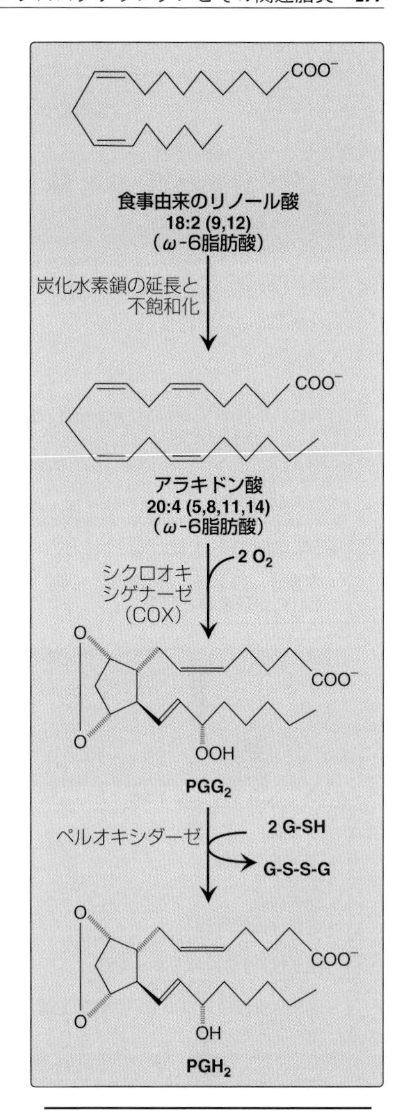

図17.22
PGH_2シンターゼの2つの酵素活性（シクロオキシゲナーゼとペルオキシダーゼ）によるアラキドン酸の酸化と環状化．G-SH：還元型グルタチオン，G-S-S-G：酸化型グルタチオン，PG：プロスタグランジン．

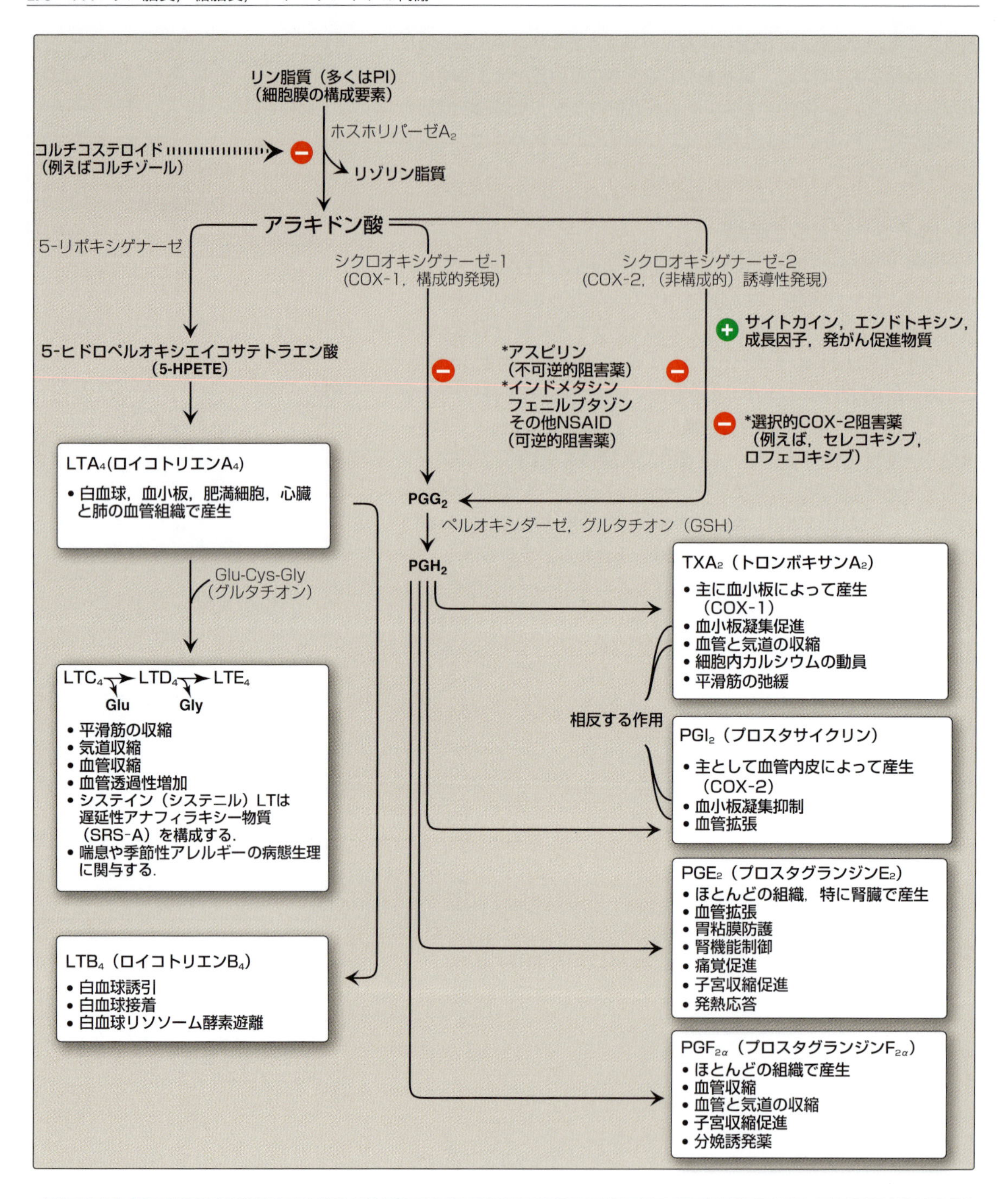

図17.23
代表的なプロスタグランジン(PG)，ロイコトリエン(LT)，トロンボキサン(TX)のアラキドン酸からの生成経路の概略．[注：アラキドン酸(ω-6脂肪酸，膜のリン脂質として存在)は必須脂肪酸リノール酸(ω-6脂肪酸)から生成される．] PI：ホスファチジルイノシトール，NSAID：非ステロイド性抗炎症薬，Glu：グルタミン酸，Cys：システイン，Gly：グリシン(訳注：*アスピリンやインドメタシンはCOX-2よりもCOX-1を数倍強く阻害する．セレコキシブは逆にCOX-2を10倍程度強く阻害する)．

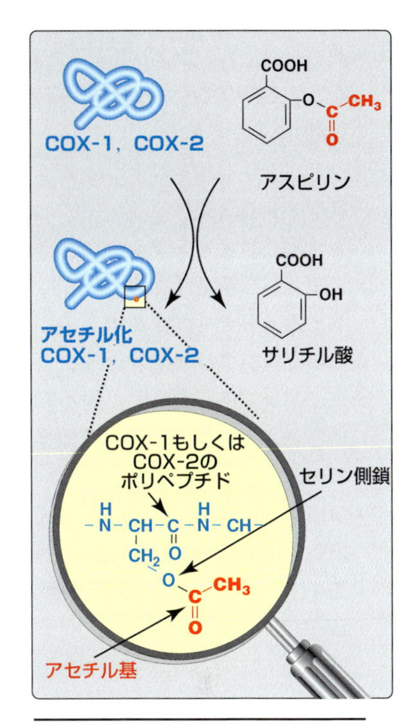

図17.24
COX-1とCOX-2の不可逆的アセチル化.

17 章の要約

- **リン脂質**は極性を持ったイオン化合物であり，**アルコール**(例えば，**コリン**や**エタノールアミン**)がホスホジエステル結合によって**ジアシルグリセロール**(**DAG**)に結合して**ホスファチジルコリン**や**ホスファチジルエタノールアミン**となる(図 17.25)．あるいはアミノアルコールの**スフィンゴシン**に結合した構造を持っている．
- スフィンゴシンに長鎖脂肪酸が結合したものは**セラミド**となる．
- セラミドに**ホスホリルコリン**が結合したのが**スフィンゴミエリン**であり，ヒトの唯一の重要なスフィンゴリン脂質である．
- リン脂質は**細胞膜**の主要な脂質である．
- 非膜結合性リン脂質は**肺サーファクタント**(**界面活性物質**)や**胆汁**に含まれている．
- **ジパルミトイルホスファチジルコリン**(**DPPC**．別名**ジパルミトイルレシチン**)は**肺サーファクタント**(**界面活性物質**)の主要な構成物である．
- 肺サーファクタントの産生が不十分だと未熟児の**呼吸窮迫症候群**(**RDS**)の原因となる．
- **ホスファチジルイノシトール**(**PI**)は細胞膜の**アラキドン酸**の貯蔵庫となっている．
- 膜結合PIのリン酸化により**ホスファチジルイノシトール 4,5-ビスリン酸**(PIP_2)となる．この物質は膜受容体(**Gタンパク質共役受容体**，**GPCR**)に結合するさまざまな神経伝達物質，ホルモン，成長因子に応答して**ホスホリパーゼC**によって分解される．
- **ホスホリパーゼC**の分解産物，**イノシトール 1,4,5-トリスリン酸**(IP_3)と**DAG**は細胞内**カルシウム**を動員し**プロテインキナーゼC**を活性化し，両者とも協調的にさまざまな細胞応答を引き起こす．

- 膜結合PI（**グリコシルホスファチジルイノシトール，GPI**）に糖鎖架橋によって特異的なタンパク質が共有結合して**GPIアンカー**が形成される．造血性細胞でのGPI合成欠損は，溶血性疾患（**発作性夜間ヘモグロビン尿症**）をもたらす．
- ホスホグリセリドの分解はすべての組織と膵液に存在する**ホスホリパーゼ**によって行われる．
- **スフィンゴミエリン**はリソソーム酵素**スフィンゴミエリナーゼ**によってセラミドとホスホリルコリンに分解される．スフィンゴミエリナーゼが欠損したのが**ニーマン・ピック病**（**A型，B型**）である．
- **スフィンゴ糖脂質**は糖鎖が結合した**セラミド**の誘導体である．セラミドに糖が1つ結合したのが**セレブロシド**である．オリゴ糖が結合したのが**グロボシド**である．酸性の***N*-アセチルノイラミン酸**（**NANA**）が結合したのが**ガングリオシド**である．
- スフィンゴ糖脂質は主に**脳**と**末梢神経**の細胞膜に存在し，特に**ミエリン鞘**に多い．それらは**抗原性**が高い．糖脂質は**リソソーム**の**酸性加水分解酵素**によって分解される．これらの酵素が欠損すると**スフィンゴリピドーシス**となり，欠損酵素によってそれぞれ特異的なスフィンゴ脂質が蓄積する．
- **プロスタグランジン**（**PG**），**トロンボキサン**（**TX**），**ロイコトリエン**（**LT**）など**エイコサノイド**は微量ながらほとんどすべての細胞で産生され，局所的に作用する．これらの半減期は非常に短い．
- **エイコサノイド**は**炎症応答メディエーター**となる．**アラキドン酸**はヒトの主要なPG類（2個の二重結合を持つ）の直接的な前駆体である．アラキドン酸は必須脂肪酸の**リノール酸**の延長と不飽和化によって産生され，細胞膜脂質（主としてPI）の成分として貯蔵される．
- アラキドン酸は**ホスホリパーゼA_2**（**コルチゾール**によって阻害）によってリン脂質から切断され遊離される．
- **PG**と**TX**の合成系路の最初は**PGH_2 シンターゼ**（**プロスタグランジンエンドペルオキシドシンターゼ**）によるアラキドン酸から**PGH_2**の産生である．この酵素は小胞体膜タンパク質であり，2種類の酵素活性，**脂肪酸シクロオキシゲナーゼ**（**COX**）活性と**ペルオキシダーゼ**活性を持つ．
- 2つのPGH_2 シンターゼのアイソザイム，**COX-1**（構成的発現）と**COX-2**（誘導的発現）がある．
- 一般的なNSAIDは両者を阻害する．**アスピリン**は両者を非可逆的に阻害する（訳注：COX-2選択的なNSAIDとしてセレコキシブなどが臨床使用されている）．PGI_2 とTXA_2 の相反する作用により血栓形成が限定される．
- **LT**は長鎖分子でアラキドン酸から**5-リポキシゲナーゼ**（**5-LOX**）経路で産生される．これらはアレルギー応答に関与する．その産生はコルチゾールでは抑制されるがアスピリンなどNSAIDで抑制されない．

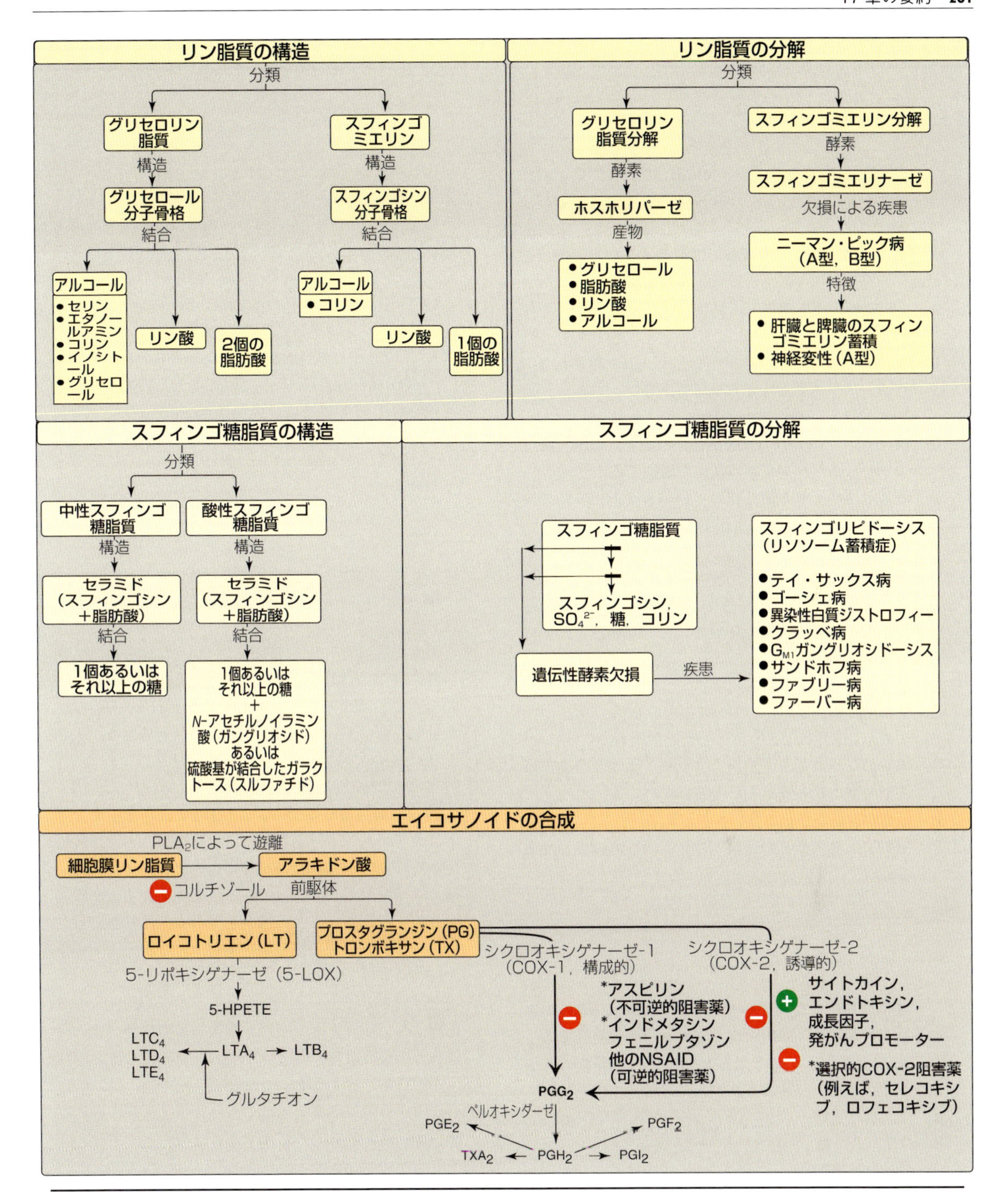

図17.25
リン脂質，スフィンゴ糖脂質，エイコサノイドの概念図．PLA_2：ホスホリパーゼA_2，5-HPETE：5-ヒドロペルオキシエイコサテトラエン酸，NSAID：非ステロイド性抗炎症薬（訳注：*アスピリンやインドメタシンはCOX-2よりもCOX-1を数倍強く阻害する．セレコキシブは逆にCOX-2を10倍程度強く阻害する）．

学習問題

最適な答えを1つ選びなさい．

17.1 アスピリン喘息(AERD)はNSAIDによる重篤な副作用であり，服用後30分〜数時間後に出現する気道収縮が特徴である．成人の20％程度に出現しうる．NSAIDによるAERDの発症機序について，最も正しい説明はどれか．

A. CFTRの活性を阻害し，粘液が粘稠になり気道を閉塞する．
B. COXを阻害するが，リポキシゲナーゼを阻害しないため，アラキドン酸からロイコトリエンの産生が増加する．
C. PGH_2 シンターゼのCOX活性を増加し，血管拡張性のプロスタグランジンの産生が増加する．
D. ホスホリパーゼを活性化し，ジパルミトイルホスファチジルコリンが減少し肺虚脱(無気肺)となる．

正解 **B**. NSAIDはCOXを阻害するがリポキシゲナーゼを阻害しない．そのため，利用しうるアラキドン酸は気道収縮性のロイコトリエンの生成に使われることになる．NSAIDは嚢胞性線維症(CF)で欠落しているCFTR(cystic fibrosis transmembrane conductance regulator)タンパク質には作用しない．ホスホリパーゼA_2を阻害するのはNSAIDではなくステロイドである．COXはNSAIDによって阻害されるのであり，活性化されるのではない．NSAIDはホスホリパーゼには作用しない．

17.2 28週で誕生した新生児が急性呼吸不全の症状を呈している．臨床検査と画像検査の結果は新生児呼吸窮迫症候群(RDS)の診断を支持している．この症候群について最も正しいのはどれか．

A. 早産とは無関係である．
B. Ⅱ型肺胞細胞が不足していることが原因である．
C. 羊水のL/S比は2より高かったと思われる．
D. 羊水のジパルミトイルホスファチジルコリン濃度は満期産児よりも低かったと思われる．
E. 治療が容易な予後の良い疾患である．
F. 治療法は出産直前の母親への界面活性剤の投与である．

正解 **D**. ジパルミトイルホスファチジルコリン(DPPC，あるいはジパルミトイルレシチン)は成熟した正常な肺に存在する肺サーファクタント(界面活性物質)である．RDSはこの物質が欠乏している場合に発症しやすくなる．羊水のL/S比が2以上であれば，新生児の肺は十分に成熟していると判断される．未熟な肺の場合には多くの場合その比は2以下となる．RDSはⅡ型肺胞細胞が少ないことが原因ではない．これらの細胞は妊娠28週ではDPPCよりも主にスフィンゴミエリンを分泌していると考えられる．母親に出産直前(まだ妊娠中)に投与するのは界面活性剤ではなくグルココルチコイドである．界面活性剤は肺胞表面張力を低下させるために新生児の肺に投与される．

17.3 下肢の灼熱感と皮膚の小型の赤紫斑点の10歳の少年の診断が行われた．臨床検査で尿タンパク質陽性であった．α-ガラクトシダーゼ欠損が見出され，酵素補充療法が提案された．診断はどれか．

A. ファブリー病
B. ファーバー病
C. ゴーシェ病
D. クラッベ病
E. ニーマン・ピック病

正解 **A**. α-ガラクトシダーゼ欠損症のファブリー病は唯一のX連鎖スフィンゴリピドーシスである．四肢末端の疼痛，赤紫色発疹(全身性血管角化症)，腎疾患，心疾患が特徴である．尿タンパク質陽性は腎疾患を意味する．酵素補充療法が確立している．

17.4　5歳男児．腹部膨満と下肢疼痛を主訴に母親と小児科を受診してきた．歩行困難が始まり，しばしば転倒するようになってきたと母親は述べた．診察により発達遅延と肝臓と脾臓の腫大が明らかになった．眼底検査では黄斑にサクランボ様赤点がみられた．確定診断となる臓器の組織所見はどれか．

A. 神経細胞の輪状封入体
B. 細胞質の皺がよったティッシュペーパー様の異常構造
C. 骨髄の泡沫マクロファージ
D. マクロファージのグロボイド小体

正解　C. 肝腫大，神経症状(転倒)，黄斑のサクランボ様赤点からニーマン・ピック病B型が最も疑われる．組織学的にはスフィンゴミエリンの蓄積による細網内皮系の泡沫マクロファージが出現する．

17.5　急性心血管障害患者は救急を受診し，通常量の非被覆アスピリンを噛み砕くことが推奨されている．アスピリンの作用機序を説明せよ．

正解　アスピリンには抗血栓作用がある．冠動脈を閉塞する血栓形成を抑制する．アスピリンは血小板のCOX-1を不可逆的に阻害してトロンボキサンA_2の合成を抑制する．その結果，血小板凝集と血管収縮を抑えることができる．非被覆アスピリンを噛み砕いて服用することによって，吸収速度を速めることができる．

18 コレステロール，リポタンパク質，ステロイドの代謝

Ⅰ．概　要

動物組織に主要なステロイドアルコール steroid alcoholであるコレステロール cholesterolは，数多くの重要な機能を担っている．例えば，すべての細胞の細胞膜の構成単位であり，膜の流動性を調節しており，さらに胆汁酸やステロイドホルモンやビタミンDの前駆体でもある．それゆえにコレステロールの適切な供給の確保は細胞にとって非常に重要である．こうした必要性を満たすために，コレステロールの運搬，生合成，そして制御機構という一連の複雑な過程が進化してきた．体内におけるコレステロールのホメオスタシス調節で中心的な役割を担っているのが肝臓である．例えば，肝臓自体や肝臓以外の組織で新規(*de novo*)合成されたコレステロール，さらには摂取食物などさまざまな由来のコレステロールが肝臓に貯蔵される．コレステロールは胆汁の成分としてそのまま肝臓から排泄されるし，あるいは，胆汁酸塩に変換され腸管内腔(体外)へ分泌される．また，末梢の組織に運搬される血漿リポタンパク質 plasma lipoproteinの構成成分としても働いている．ヒトでは，コレステロールの流入と流出のバランス制御が必ずしも正確ではない．その結果，徐々にコレステロールが組織，特に血管内皮の裏打ち構造に沈着していく．この沈着によってプラークが形成され，血管の狭窄**アテローム性(粥状)動脈硬化症 atherosclerosis**や**心血管疾患 cardiovascular disease**，**脳血管疾患 cerebral vascular disease**，**末梢血管疾患 peripheral vascular disease**の危険性の増大など，ときとして致死的な疾患の原因となる．肝臓におけるコレステロールの流れをまとめたものが図18.1である．

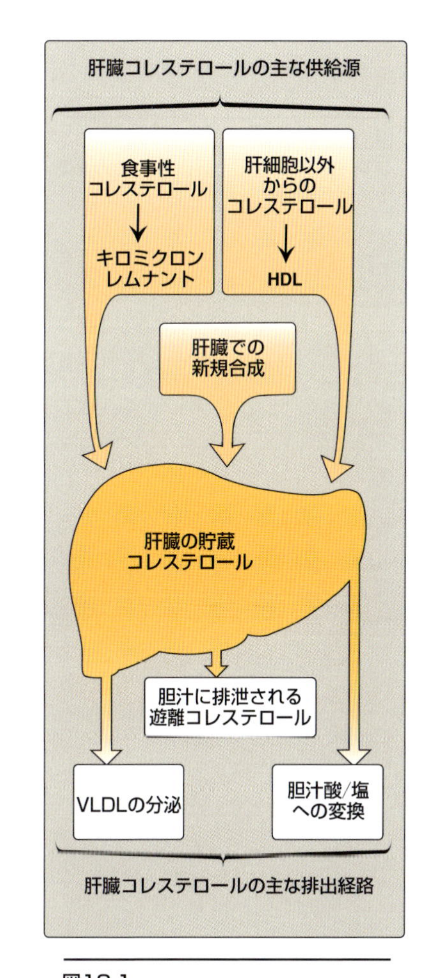

図18.1
肝臓コレステロールの供給源(流入)とコレステロールの排出経路(流出)．HDL：高密度リポタンパク質，VLDL：超低密度リポタンパク質．

Ⅱ．コレステロールの構造

コレステロールは非常に**疎水性 hydrophobicity**の高い物質であり，4つの隣接する炭化水素の環構造(A，B，C，Dでステロイド核という)とD環の炭素17(C17)に8炭素からなる分枝側鎖を持っている．A環の炭素3(C3)にはヒドロキシ基(水酸基)が結合し，B環の炭素5(C5)と炭素6(C6)の間は二重結合である(図18.2)．

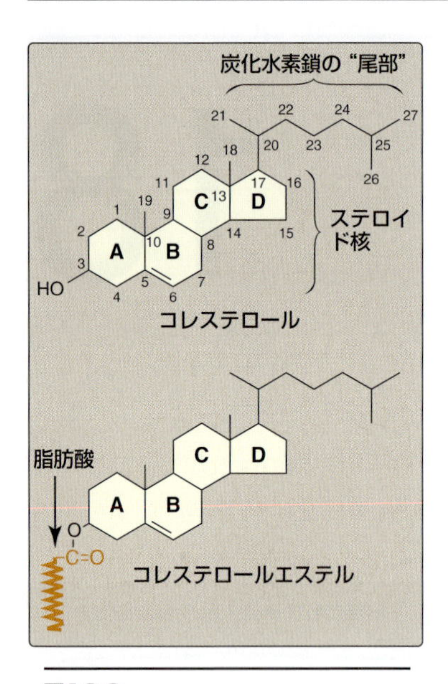

図18.2
コレステロールとそのエステルの構造.

A. ステロール

C17 に 8 ～ 10 個の炭素原子からなる側鎖を持ち，C3 にヒドロキシ基を持つステロイドはステロールと分類される．コレステロールは動物の組織の主要なステロールである．コレステロールには，体内で新生されるものと食事から吸収されるものがある．小腸でのコレステロール吸収には，ニーマン・ピック C1 様タンパク質(NPC1L1)が関与している．このタンパク質はコレステロール吸収を低下させる薬物エゼチミブの標的である(15 章参照)．[注：β-シトステロールといった植物ステロール(フィトステロール)はヒトではほとんど吸収されない(摂取コレステロールの 40% が吸収されるのに比して 5% にすぎない)．植物ステロールはいったんは腸細胞に取り込まれるものの，能動的に腸管管腔に戻されてしまう．この排出トランスポーター(輸送体．ABCG 5/8)の欠損は，まれなシトステロール血症となる．この疾患では，血中や組織中の植物ステロールが上昇して血流が低下し，心・脳血管障害や突然死の危険性が上昇する．コレステロールの一部も同時に逆輸送されるので，植物ステロールはコレステロール吸収を低下させる．例えば，植物性スプレッドとして植物ステロール・エステルを毎日摂取することは，血中コレステロール濃度を低下させる食事療法の 1 つである(27 章参照)．]

B. コレステロールエステル

血漿コレステロール plasma cholesterol の大半がエステル型である(図 18.2 に示すように C3 に脂肪酸が結合している)．これにより遊離(非エステル化)コレステロールよりもさらに疎水性の高い構造となっている．コレステロールエステル cholesteryl ester は細胞膜には存在せず，通常は，ほとんどの細胞にわずかしか存在しない．その疎水性のために，コレステロールやそのエステルは，リポタンパク質粒子の構成物として，タンパク質と結合して運搬されるか，あるいは，胆汁のリン脂質や胆汁酸塩によって可溶化される必要がある．

Ⅲ. コレステロール合成

コレステロールは基本的にはヒトのすべての組織で合成されるが，体内の貯蔵コレステロールは，大部分が**肝臓 liver**，**腸管 intestine**，**副腎皮質 adrenal cortex**，**生殖器 reproductive tissue**(卵巣，精巣，胎盤)に存在する．脂肪酸と同じようにコレステロールのすべての炭素原子はアセチル CoA由来であり，NADPHが水素供与体(還元当量)となっている．合成経路は吸エルゴン性であり，高エネルギー結合のアセチル CoAのチオエステル結合と，ATPの末端のリン酸結合の加水分解のエネルギーによって進行する．合成は，**細胞質ゾル cytosol** と**滑面小胞体膜 endoplasmic reticulum membrane**(ER膜)，そして**ペルオキシソーム peroxisome** の酵素が必要である．合成経路はコレステロール濃度の変化に対応しており，コレステロール排出を補うように体内のコレステロール合成速度のバランスをとるような制御系が存在する．この制御系のバランスが乱れると血中コレステロール濃度が上昇する可能性があり，血管疾患の原因となる．

A．3-ヒドロキシ-3-メチルグルタリルCoAの合成

コレステロール生合成経路の最初の2段階はケトン体を生成する経路と類似している(図16.22参照)．その結果，**3-ヒドロキシ-3-メチルグルタリルCoA 3-hydroxy-3-methylglutaryl CoA**(HMG CoA，図18.3)が生成される．第1段階では，2個のアセチルCoA分子が縮合してアセトアセチルCoAとなる．次の段階では，3個目のアセチルCoAがHMG CoAシンターゼ HMG CoA synthaseによって付加されて6炭素化合物のHMG CoAが生成される．[注：肝実質細胞にはHMG CoAシンターゼの2種類のアイソザイムがある．**細胞質ゾル酵素 cytosolic enzyme**は**コレステロール合成 cholesterol synthesis**に関与しており，ミトコンドリア酵素は**ケトン体合成経路 pathway for ketone body synthesis**に関与している．]

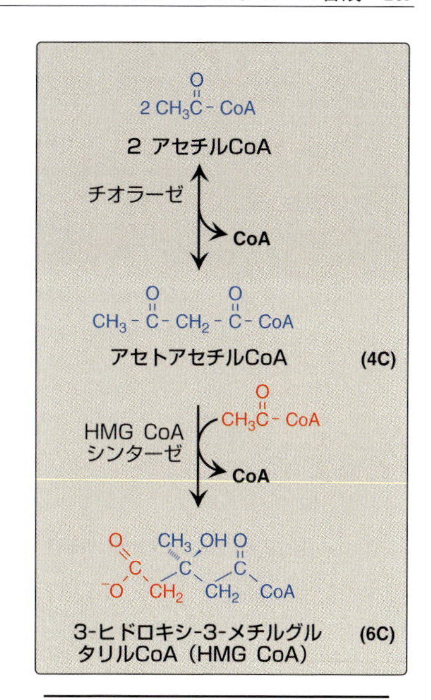

図18.3
3-ヒドロキシ-3-メチルグルタリルCoA（HMG CoA）の合成．CoA：補酵素A．

B．メバロン酸の合成

HMG CoAはHMG CoAレダクターゼ HMG CoA reductaseによって還元されて**メバロン酸 mevalonate**となる．この段階はコレステロール合成の律速段階であり，重要な制御過程である．この反応は細胞質ゾルで行われ，還元物質として2分子のNADPHが用いられ，CoAが遊離されるため不可逆的反応となる(図18.4)．[注：HMG CoAレダクターゼは滑面小胞体(SER)の内在性膜タンパク質であり，その活性ドメインが細胞質ゾルに突き出ている．HMG CoAレダクターゼ活性の調節については下記D.で説明する．]

C．メバロン酸からのコレステロールの合成

メバロン酸からのコレステロール合成経路と酵素を図18.5に示した．[注：下記の説明の番号は図の反応番号に相当する．]

[1] メバロン酸はATPのリン酸基を転移する2段階の反応を経て**5-ピロホスホメバロン酸 5-pyrophosphomevalonate**となる．

[2] 5-ピロホスホメバロン酸の脱炭酸により5炭素のイソプレンユニットである**イソペンテニルピロリン酸 isopentenyl pyrophosphate**(IPP)が生成される．この反応にはATPが必要である．[注：IPPはさまざまな機能を持ったファミリー分子，**イソプレノイド isoprenoid**の前駆体である．コレステロールはステロールイソプレノイドでもある．非ステロールイソプレノイドには，ドリコールとユビキノン(補酵素Q(CoQ))がある．]

[3] IPPは，異性化されて**3,3-ジメチルアリルピロリン酸 3,3-dimethylallyl pyrophosphate**(DPP)となる．

[4] IPPとDPPは縮合して10炭素の**ゲラニルピロリン酸 geranyl pyrophosphate**(GPP)となる．

[5] さらにもう1分子のIPPがGPPと縮合して15炭素の**ファルネシルピロリン酸 farnesyl pyrophosphate**(FPP)となる．[注：ファルネシルがタンパク質に共有結合する過程を“**プレニル化 prenylation**”といい，タンパク質を細胞膜内側にアンカーするメカニズムの1

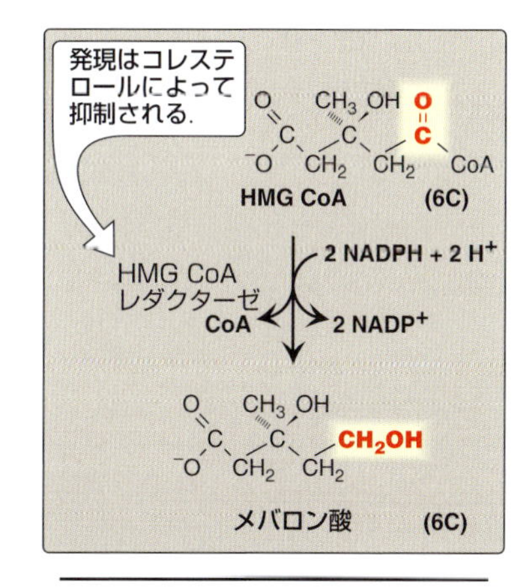

図18.4
メバロン酸の合成．HMG CoA：3-ヒドロキシ-3-メチルグルタリルCoA，NADP(H)：ニコチンアミドアデニンジヌクレオチドリン酸．

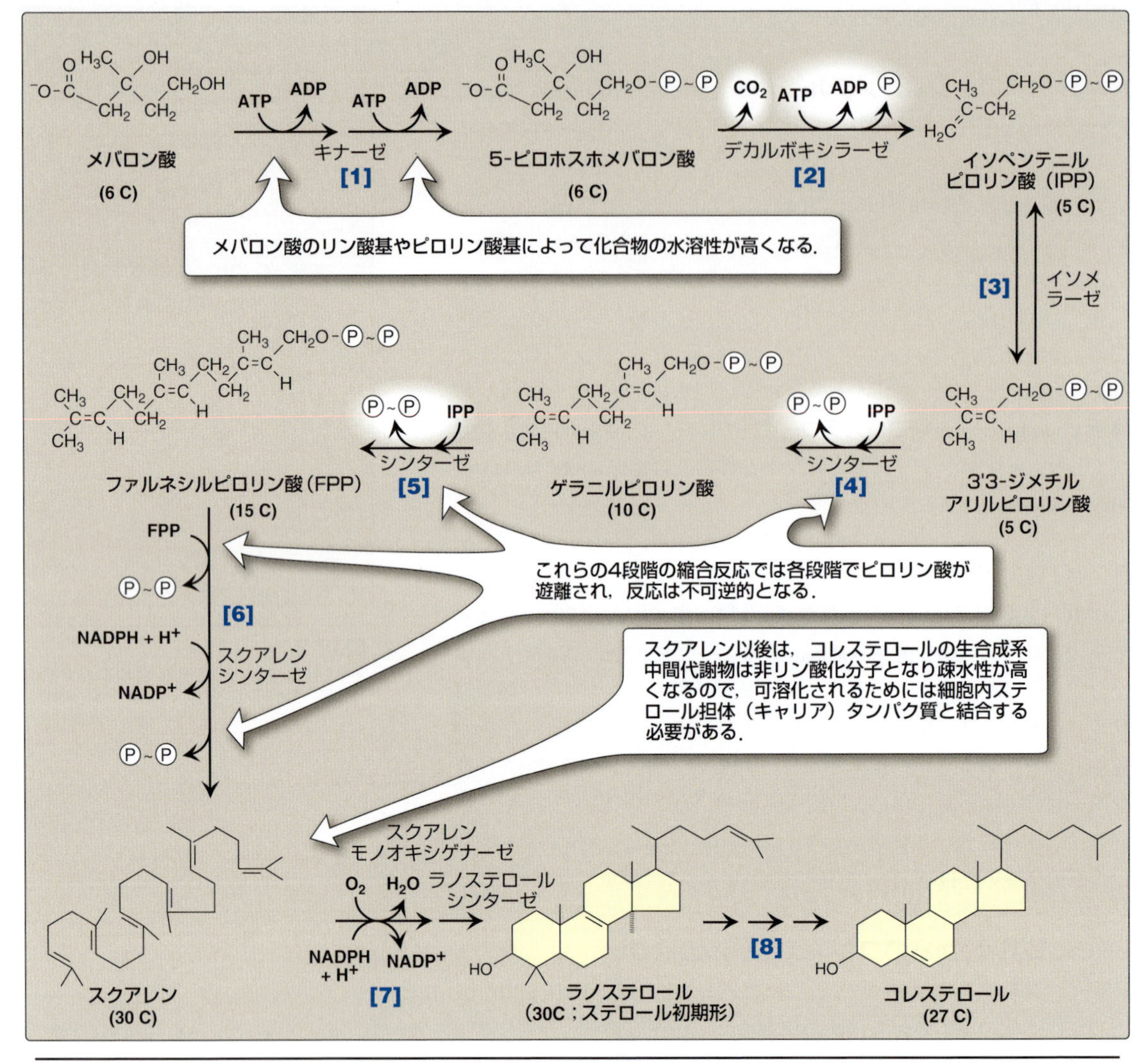

図18.5
メバロン酸からのコレステロール合成経路．Ⓟ：リン酸，Ⓟ〜Ⓟ：ピロリン酸，NADP(H)：ニコチンアミドアデニンジヌクレオチドリン酸．

つである（例えば，Ras）．］

［6］2分子のFPPがピロリン酸を遊離して結合し，還元されて30炭素化合物の**スクアレン squalene**となる．［注：スクアレンは6個のイソプレノイド・ユニットから生成されることになる．1分子のメバロン酸がIPPに変換される際に3分子のATPが消費されることから，ポリイソプレノイドのスクアレンが1分子生成されるためには18分子のATPが消費されることになる．］

［7］スクアレンは酸素分子（O_2）とNADPHを利用するSER酵素 SER-associated enzymeによる2段階の反応によってステロール，**ラノステロール lanosterol**となる．線状のスクアレンのヒドロキシ化（水酸化）によってラノステロールの環状構造が誕生する．

［8］多段階の反応を経てラノステロールはコレステロールとなる．側

鎖の短縮，メチル基の酸化的除去，二重結合の還元や移動がある．**スミス・レムリ・オピッツ症候群 Smith-Lemli-Opitz syndrome**（SLOS）はコレステロール生合成系の常染色体劣性遺伝病であるが，7-デヒドロコレステロール-7-レダクターゼ 7-dehydrocholesterol-7-reductaseの部分欠損が原因である．この酵素は7-デヒドロコレステロール 7-dehydrocholesterol（7-DHC）の二重結合を還元してコレステロールにする．SLOSは，コレステロール合成が障害されることによる多系統胚性奇形症候群の1つである．[注：7-DHCは皮膚でビタミンD_3に変換される（28章参照）.］

D．コレステロール合成系の枝分かれ経路

コレステロール合成経路は枝分かれして，中間代謝物からさまざまな分子が生成される（図18.6）．まず第2段階IPP（5炭素）から枝分かれする．IPPに5炭素のイソプレン基が次々に結合してゲラニルピロリン酸（10炭素），ファルネシルピロリン酸（15炭素），ゲラニルゲラニルピロリン酸（20炭素）となる．これらはタンパク質に結合して膜へのアンカーとなる．ファルネシル化ヘム（ヘムA）は電子伝達系シトクロムaの特異的なヘムである．rasがん遺伝子タンパク質がファルネシル化やゲラニルゲラニル化されると増殖系情報伝達が活性化される．ゲラニルゲラニル化により生成されるドリコールは，糖タンパク質合成時の糖鎖転移や酸化的リン酸化の脂溶性電子伝達物質であるユビキノンの合成に関わる．

ビスホスホネート類は骨粗鬆症やパジェット病の治療薬である．第二世代のビスホスホネート類は，ファルネシルピロリン酸とゲラニルゲラニルピロリン酸の生成を阻害する抗がん作用が見出されている．

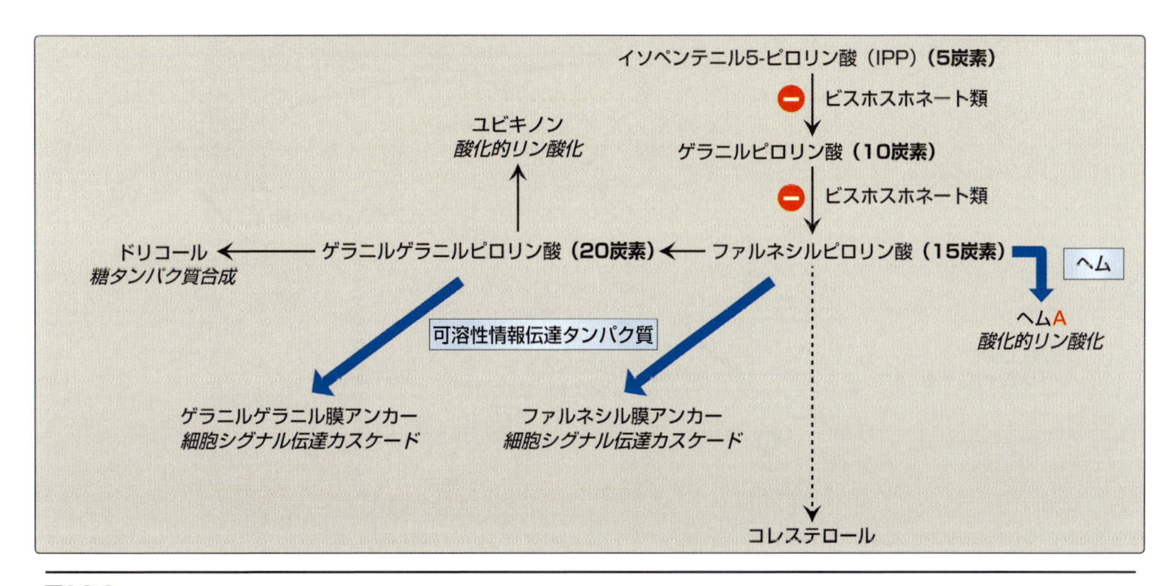

図18.6
コレステロール合成系の枝分かれ経路．細い矢印線は酵素的もしくは化学的な変換を記している．青色の太い矢印線はタンパク質修飾を示している．タンパク質修飾の下部のイタリック体は生成物が関与する過程を示している．PP：ピロリン酸．

E. コレステロール合成の制御

HMG CoAレダクターゼがコレステロール生合成の主な調節部位であり，さまざまな種類の代謝制御の標的となっている．

1．遺伝子発現のステロール依存性制御：HMG CoAレダクターゼの発現はレダクターゼ遺伝子の上流に存在するシス作用性の**ステロール調節配列（エレメント）sterol regulatory element**（SRE）に結合するトランス作用性因子，**ステロール調節配列（エレメント）結合タンパク質 sterol regulatory element-binding protein-2**（SREBP-2）によって制御されている．不活型のSREBP-2はSERの膜タンパク質であり，別のSER膜タンパク質であるSREBP cleavage-activating protein（SCAP）と結合している．SER内のステロール濃度が低下すると，SREBP-2-SCAP複合体は小胞体からゴルジ体に移動する．ゴルジ体膜でSREBP-2は逐次的に2種類のプロテアーゼ proteaseにより切断され，生成された可溶性断片は核に移行してSREに結合し，転写因子として機能する．この結果，HMG CoAレダクターゼの産生が増加し，コレステロール合成が上昇する（図18.7）．しかし，ステロールが豊富な場合には，SCAPのステロール感知ドメインにコレステロールが結合し，SCAPは別の小胞体膜タンパク質（インスリン誘導遺伝子タンパク質，INSIG）に結合するようになる．そのため，SCAP-SREBP-2複合体はSERにとどまることとなり，SREBP-2は活性化されず，コレステロール合成はダウンレギュレート（下向き制御）されることになる．［注：SREBP-1はインスリンに応答して脂肪酸合成系酵素群の発現をアップレギュレート（上向き制御）する．］

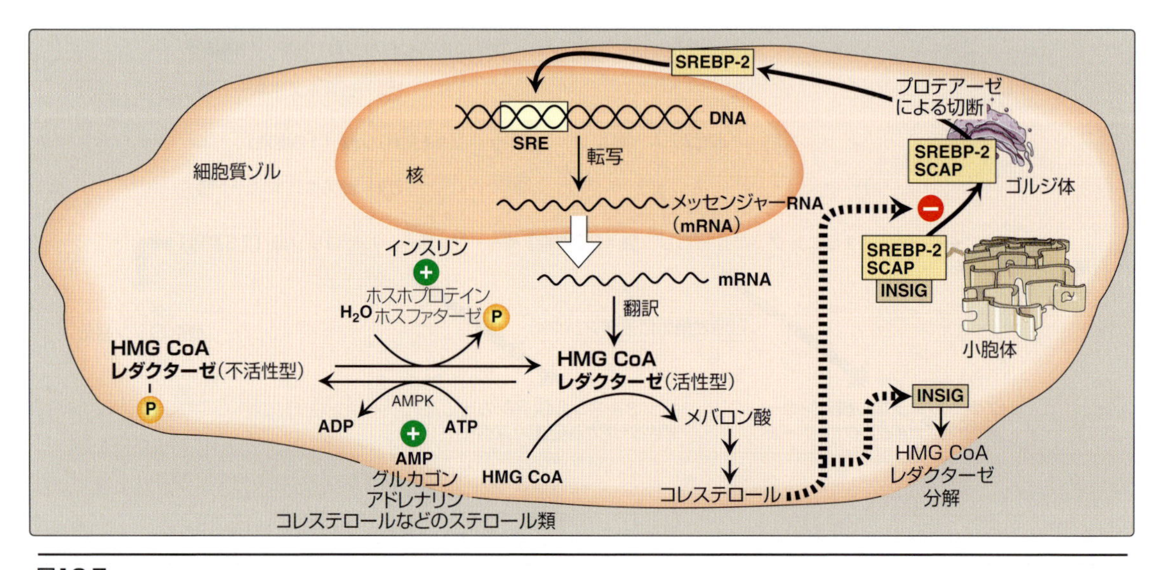

図18.7
ヒドロキシメチルグルタリル（HMG）CoAレダクターゼの制御．SRE：ステロール調節配列，SREBP：ステロール調節配列結合タンパク質，SCAP：SREBP cleavage-activating protein，AMPK：AMP活性化プロテインキナーゼ，ADP：アデノシン二リン酸，Ⓟ：リン酸，mRNA：メッセンジャーRNA，INSIG：インスリン誘導遺伝子タンパク質．

2．ステロールによる酵素の分解促進：HMG CoAレダクターゼもまたステロール感知性SERの膜タンパク質である．SERのステロール濃度が高い場合には，HMG CoAレダクターゼにINSIGが結合して，ユビキチン化されて細胞質ゾルに輸送され，プロテアソーム系で分解される（図18.7参照）．

3．ステロール非依存性のリン酸化/脱リン酸：HMG CoAレダクターゼ活性はAMP活性化プロテインキナーゼ AMP-activated protein kinase（AMPK）とホスホプロテインホスファターゼ phosphoprotein phosphataseによるリン酸化/脱リン酸によって制御されている（図18.7参照）．リン酸化型酵素は不活性型であり，脱リン酸型酵素は活性型である．[注：AMPKはAMPによって活性化されるため，ATPが減少すると（AMPが増加するために），脂肪酸合成と同様にコレステロール合成は抑制される．]

4．ホルモン制御：HMG CoAレダクターゼの活性はホルモンによっても制御されている．インスリンの上昇はHMG CoAレダクターゼを脱リン酸化（活性化）する傾向がある．グルカゴンとアドレナリンやコレステロールの上昇は活性を低下させる（図18.7参照）．

5．薬物による阻害：**アトルバスタチン atorvastatin**，**フルバスタチン fluvastatin**，**シンバスタチン simvastatin**，**ロバスタチン lovastatin**，**プラバスタチン pravastatin**，**メバスタチン mevastatin**などのスタチン系薬物（あるいはその代謝物）はHMGの構造アナログ（類似物）であり，HMG CoAレダクターゼの可逆的競合阻害薬である（図18.8）．これらの薬物は**高コレステロール血症 hypercholesterolemia**患者の血中コレステロールを低下させるために用いられる．スタチン類の代表的な有害作用は筋肉痛，倦怠感，筋力低下，横紋筋融解症である．これらの有害作用の機序は，エネルギー産生系の酸化的リン酸化に必須なヘムAやユビキノンの合成阻害とされる（図18.6参照）．スタチン類への反応性を変化させる遺伝的多型も見出されている．例えば，有機アニオントランスポーター organic anion transporter（OATP，別名SLCO（solute carrier organic anion transporter））1B1の塩基521（T＞C）多型はシンバスタチンミオパシーのバイオマーカーとなる．

Ⅳ．コレステロールの分解

コレステロールの環状構造をヒトはCO_2とH_2Oにまで代謝できない．むしろ，ステロイド核はそのまま**胆汁酸 bile acid**と**胆汁酸塩 bile salt**として腸管に分泌され，（大部分は再吸収され）ごく一部は糞便として体外へ排泄される．コレステロール自体も胆汁中に分泌されて腸管に排泄される．[注：一部の小腸のコレステロールは体外に出る前に**細菌 bacteria**によって修飾される．主な代謝物は**コプロスタノール coprostanol**とその異性体の**コレスタノール cholestanol**である．これらとコレステロールが**糞便中の中性ステロール neutral fecal sterol**の大部

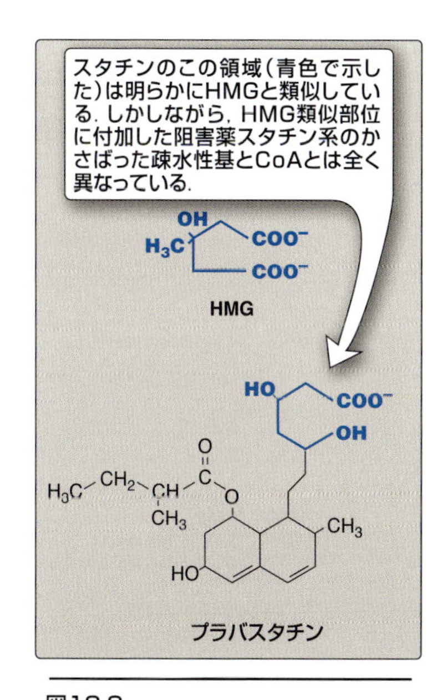

図18.8
ヒドロキシメチルグルタリル酸（HMG）のアナログ（構造的類似体）である臨床的に有用なコレステロール低下薬スタチン系プラバスタチン．CoA：補酵素A．

分を占める.］

V. 胆汁酸と胆汁酸塩

胆汁は無機化合物と有機化合物の水溶液である．**ホスファチジルコリン phosphatidylcholine**（PC，**レシチン lecithin**，17 章参照）と**胆汁酸塩**（抱合された胆汁酸）は量的に最も重要な胆汁の構成要素である．胆汁はその産生部位である肝臓から直接総胆管を経て排泄される場合と，消化にさしあたっては不要ならば胆囊に貯蔵されて後に排泄される場合がある．

A. 胆汁酸の構造

胆汁酸の構造は，24 個の炭素骨格に，2 個から 3 個のヒドロキシ基およびカルボキシ基で終わる側鎖が 1 本付いているというものである（図 18.9A）．カルボキシ基の pK_a は約 6 である．十二指腸（約 6 pH）では，カルボキシ基の半数はプロトン化されており（胆汁酸，-COOH），残り半数は脱プロトン化されている（胆汁酸塩，$-COO^-$）．ときとして胆汁酸と胆汁酸塩はほぼ同義として用いられる．しかし，いずれにしても，ヒドロキシ基が α 位（環の平面の下を向いている），メチル基が β 位（環の平面の上を向いている）となっている．したがって，この分子は極性面と非極性面を持つことになり，食事のトリアシルグリセロール（TAG）や他の複合脂質が膵臓の消化酵素で効率よく分解できるよう，**小腸の乳化剤 emulsifying agent**（**界面活性剤**（**デタージェント**）detergent，界面活性物質）として機能している（図 18.9B）．

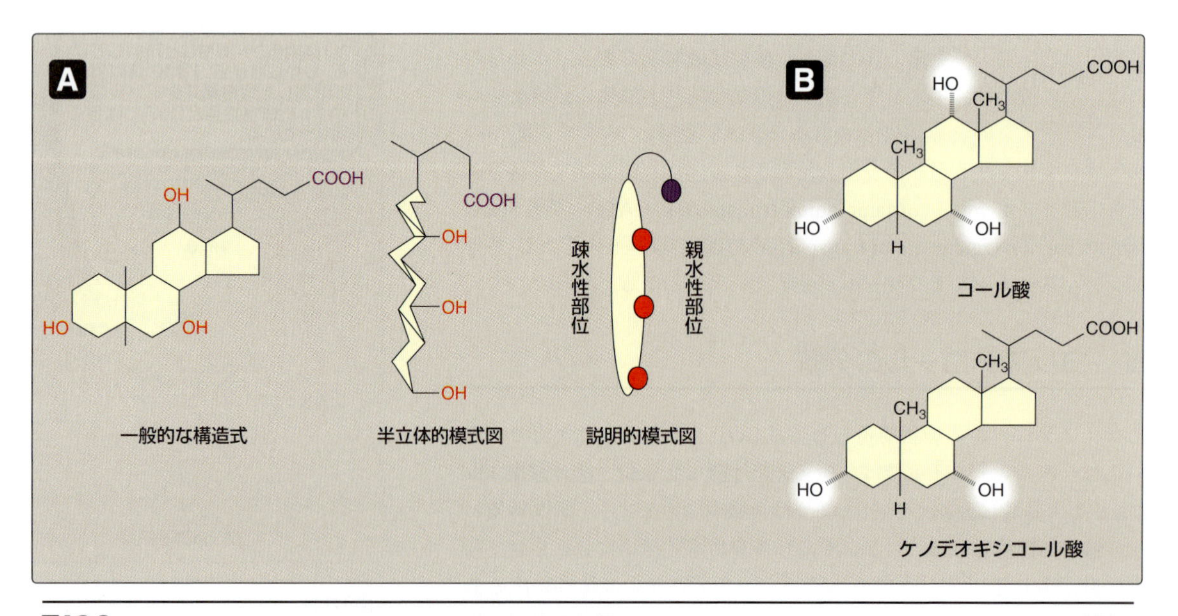

図18.9
A：胆汁酸の構造．疎水性（非極性）部位と親水性（極性）部位により小腸における脂質の乳化と消化に寄与している．右端の卵型はコレステロール骨格を示す．赤丸は親水基を示す．紫丸はカルボキシ基を示す．B：ヒト胆汁の代表的胆汁酸．コール酸とケノデオキシコール酸．

B．胆汁酸の合成

胆汁酸は肝臓で各種の細胞小器官が関与した多段階かつ複雑な過程で合成される．ステロイド構造の特異的な部位にヒドロキシ基が付加され，コレステロールB環の二重結合が還元され，炭化水素鎖は3炭素に短縮され，末端にはカルボキシ基が付加される．図18.9Bに示すように，最も含有量が高い**コール酸 cholic acid**（トリオール）と**ケノデオキシコール酸 chenodeoxycholic acid**（ジオール）は，**一次胆汁酸 primary bile acid**と呼ばれる．胆汁酸合成の律速段階はコレステロール7α-ヒドロキシラーゼ cholesterol 7-α-hydroxylaseによるステロイド核C7へのヒドロキシ基の付加である．この酵素はSERに結合したシトクロムP450（CYP）モノオキシゲナーゼ cytochrome P450（CYP）monooxygenaseであり，**肝臓**のみに存在する．その発現は**胆汁酸**で抑制される（ダウンレギュレーション．図18.10）．コレステロール7α-ヒドロキシラーゼの発現はコレステロールにより上昇し，胆汁酸により低下する．肝臓のコレステロールが上昇すると核内受容体である肝臓X受容体liver X factor（LXR）が刺激され，コレステロール7α-ヒドロキシラーゼの転写が上昇する．胆汁酸が上昇すると，これとは異なった核内受容体である胆汁酸受容体bile acid receptor（BAR，別名ファルネソイドX受容体farnesoid X receptor，FXR）が刺激され，コレステロール7α-ヒドロキシラーゼの転写は低下する．

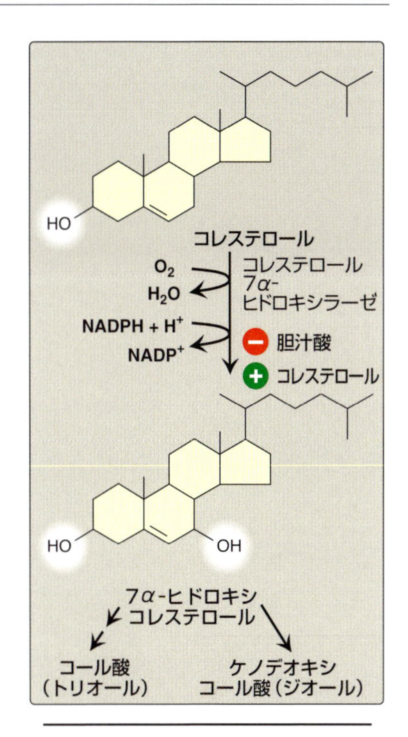

図18.10
コレステロールからの胆汁酸，コール酸，ケノデオキシコール酸の合成と制御．

C．抱　合

胆汁酸は，肝臓から分泌される前に，1分子の**グリシン glycine**か**タウリン taurine**（システインの最終代謝産物）がそのアミノ基と胆汁酸のカルボキシ基との間でアミド結合を形成して，抱合される．これらを胆汁酸塩といい，それぞれ**グリココール酸 glycocholic acid**，**グリコケノデオキシコール酸 glycochenodeoxycholic acid**，**タウロコール酸 taurocholic acid**，**タウロケノデオキシコール酸 taurochenodeoxycholic acid**という（図18.11）．胆汁におけるグリシンとタウリンの比は約3：1である．胆汁酸はグリシンあるいはタウリンの付加により，pK_aが低くなり，アルカリ性の胆汁中および十二指腸では生理的pHで完全にイオン化される（負の電荷を持つ）カルボキシ基（グリシン由来）あるいはスルホン酸基（タウリン由来）を持つことになる．抱合されイオン化した胆汁酸塩は**両親媒性が高く enhanced amphipathic nature**，胆汁酸に比べてより有効な界面活性剤となる．そのため胆汁に含まれるのはほとんどが抱合された胆汁酸である．コレステロールから胆汁酸の生成系が遺伝的に欠損している場合には，治療としてケノデオキシコール酸の投与が行われる．

> コレステロール排泄の唯一の有意な経路は胆汁酸塩であり，それ自身がコレステロールの代謝産物であり，また，コレステロールの胆汁排泄の安定剤でもある．

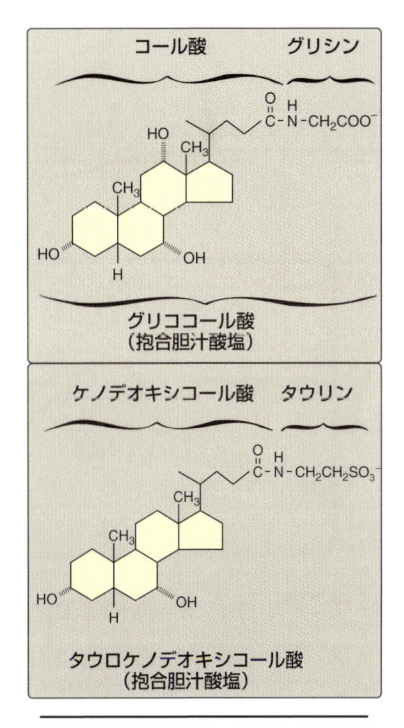

図18.11
抱合胆汁酸塩．名の“コール”に注目．

D. 腸肝循環

腸管に分泌された胆汁酸塩は効率良く（95％以上）再吸収されて再利用される．肝臓は胆汁酸塩を胆汁酸排出ポンプにより積極的に胆汁に分泌する．胆汁酸は，頂側（管腔側）のナトリウム胆汁酸共輸送体（コトランスポーター）により回腸末端部で再吸収され，別の輸送系を経て血中に戻される．［注：リトコール酸はほとんど吸収されない．］血中から肝細胞に同種の共輸送体によって効率良く取り込まれ，再利用される．［注：アルブミンは，血中の脂肪酸を輸送するように，胆汁酸を非共有結合で結合して輸送する．］このように胆汁に分泌された胆汁酸塩が十二指腸を通過し，脱抱合と脱ヒドロキシ化され，そして，一次胆汁酸と二次胆汁酸の混合物となって回腸で再吸収されて肝臓に戻ってくるという連続的なサイクル（循環過程）を**腸肝循環 enterohepatic circulation** という（図 18.12）（訳注：薬物でも胆汁中に排出されたものが，再び回腸で回収されるものがある．『イラストレイテッド薬理学 原書 6 版』（丸善出版）1 章参照）．1 日あたり 15 ～ 30 g の胆汁酸塩が肝臓から十二指腸に分泌されるが，糞便中に失われるのは約 0.5 g（3％未満）にすぎない．1 日あたり，この失われた 0.5 g のみを肝臓でコレステロールから合成するだけで十分補充することができる．**コレスチラミン cholestyramine** といった**胆汁酸隔離剤 bile acid sequestrant** は，腸管で胆汁酸塩を結合して再吸収を阻害し，糞便への排泄を促進する．それらは高コレステロール血症の治療に用いられる．胆汁酸塩の除去により肝臓の胆汁酸合成の抑制が解除され，コレステロールがその合成のためにより消費されるためである．［注：**食物線維 dietary fiber** も胆汁酸塩を結合してその排泄を促進する（27 章参照）．］

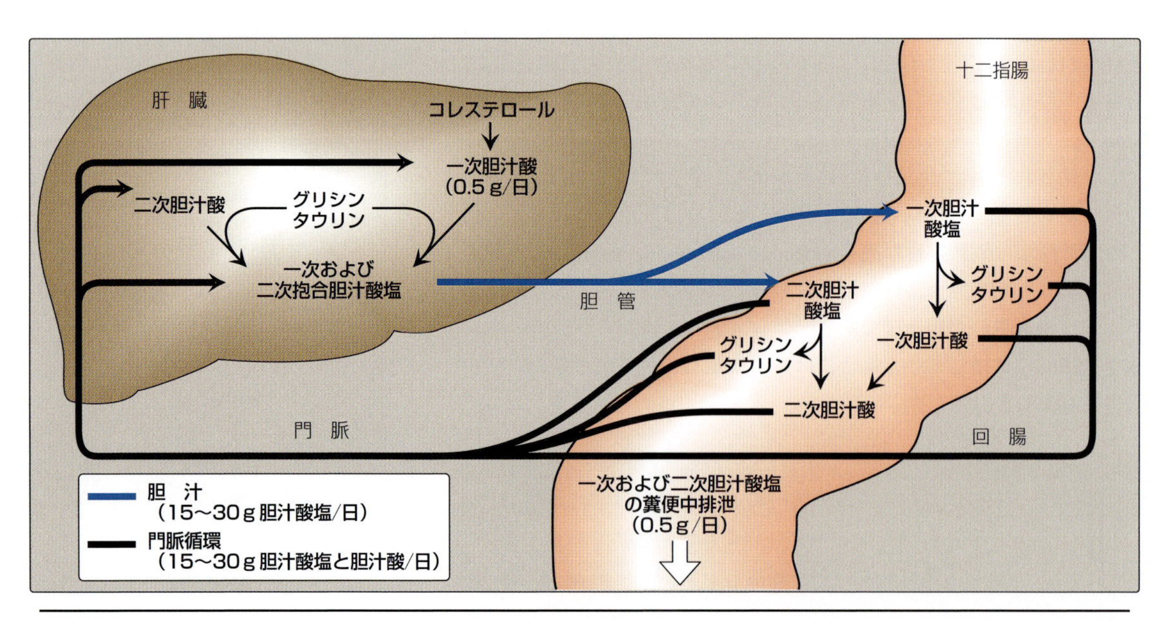

図18.12
胆汁酸と胆汁酸塩の腸肝循環．［注：イオン化した胆汁酸が胆汁酸塩である．］

E. 腸内細菌と胆汁酸

腸肝循環されない少量の胆汁酸塩は大腸に到達し，腸内細菌によって代謝される．腸内細菌は胆汁酸塩を脱抱合(グリシンとタウリンの除去)する．また，(一次)胆汁酸からC7のヒドロキシ基を除去して，二次胆汁酸secondary bile acid，コール酸からデオキシコール酸deoxycholic acid，ケノデオキシコール酸からリトコール酸lithocholic acidを産生する．これらの二次胆汁酸の一部は大腸上皮によって吸収され，肝臓で抱合とヒドロキシ化されて二次胆汁酸塩となる．吸収されないのは便として排出される(訳注：回腸末端部の胆汁酸トランスポーター阻害薬(エロビキシバット)は便秘治療薬として認可されている)．

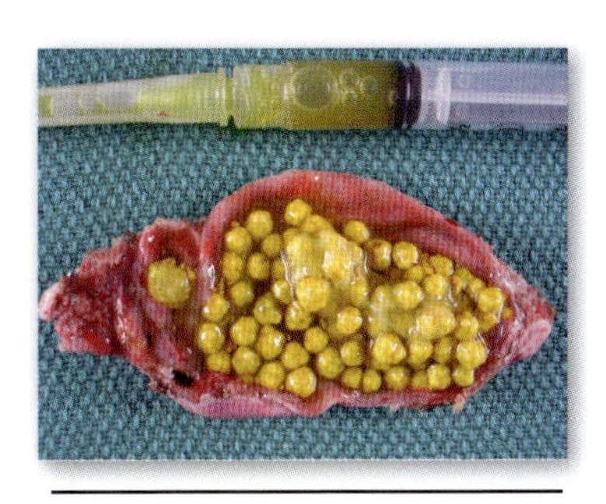

図18.13
胆石が詰まった胆嚢．

F. 胆汁酸塩欠乏：胆石症

肝臓から胆汁へのコレステロールの分泌には，同時に，リン脂質と胆汁酸塩の分泌が必要である．この二元的過程が障害され，胆汁酸塩やPCが可溶化できる以上のコレステロールが胆汁に存在すると，コレステロールが胆嚢に沈殿して，**コレステロール胆石症 cholesterol gallstone disease**(**cholelithiasis**)となる(図18.13)．この疾患は典型的には胆汁中の胆汁酸の低下が原因となる．血中コレステロール(とTAG)を低下させるために，ゲンフィブロジルのようなフィブラート類を使用することなども，胆汁へのコレステロールの分泌が増加し，胆石症の原因となる．**腹腔鏡下胆嚢摘出術 laparoscopic cholecystectomy**(小切開のみで胆嚢を外科的に切除する)が最近の第一選択の治療法である．しかし，外科手術を行えない患者の場合には，胆汁酸を補う目的でケノデオキシコール酸(訳注：日本で1962年から発売されている熊胆から精製されたウルソデオキシコール酸ursodeoxycholic acidが世界的に利胆薬，胆石溶解薬として用いられている)を経口服用することによって，少しずつ(数カ月から数年かかって)胆石が融解して除去できる可能性がある．[注：胆石の85%以上はコレステロール結石である．残りはビリルビンもしくは混合結石である．]

Ⅵ. 血中リポタンパク質

血中リポタンパク質は脂質とタンパク質(アポリポタンパク質)との球状の巨大分子複合体である．リポタンパク質粒子には，**キロミクロン chylomicron**(CM)，キロミクロンレムナント(残渣) chylomicron remnant，**超低密度リポタンパク質 very-low-density lipoprotein**(VLDL)，VLDLレムナント(別名：中密度リポタンパク質intermediate-density lipoprotein，IDL)，**低密度リポタンパク質 low-density lipoprotein**(LDL)，**高密度リポタンパク質 high-density lipoprotein**(HDL)，リポプロテイン(a) lipoprotein (a) (LP (a))がある．これらは，その脂質とタンパク質構成，大きさ，密度，生成部位が異なる(図18.14)．[注：リポタンパク質顆粒は常に脂質やタンパク質を相互交換しており，その構成は常に変動している．] リポタンパク質は脂質が血中を輸送される際にその水溶性を維持する機能と，組織へのあるいは組織からの脂質成分の

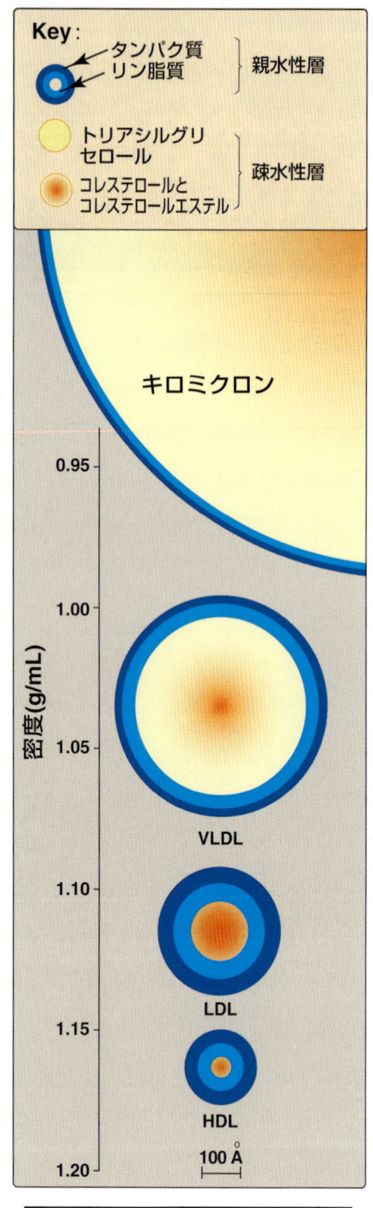

図18.14
血中のリポタンパク質粒子の大きさと密度はさまざまである．上図では典型的な値を記している．上図のリングの幅は各構成要素のおおよその量を反映している．[注：コレステロールとそのエステルは，上図では各粒子の中心の単一の構成要素として描かれているが，実際には，コレステロールは表面に，コレステロールエステルはリポタンパク質の内側に存在する．] VLDL：超低密度リポタンパク質，LDL：低密度リポタンパク質，HDL：高密度リポタンパク質．

輸送を効率的に行う機能を担っている．ヒトでは加齢とともに組織に脂質(特にコレステロール)が沈着する．

A. 組　成

リポタンパク質は，**中性脂質核 neutral lipid core**(TAG，コレステロールエステルからなる)が両親媒性の**アポリポタンパク質 apolipoprotein**，**リン脂質 phospholipid**，**非エステル化(遊離)コレステロール nonesterified (free) cholesterol**からなる殻に覆われている(図 18.15)．これらの両親媒性要素は，粒子を水溶液中で可溶性とするために，極性領域をリポタンパク質の外側に向けるように配位している．リポタンパク質が輸送するTAGとコレステロールは食事由来(外来性)，あるいは，新規に合成される(内在性)．[注：血清リポタンパク質のコレステロール(C)量は一般的には空腹時に測定される．血中の総コレステロール，HDL，TAGを測定して，フリードワルドFriedewald式(LDL-C＝総コレステロール－HDL-C－TAG/5)でLDL-Cが計算される．TAG/5は，TAGのほとんどがVLDLに存在し，TAG/コレステロール比が5：1であることによる(訳注：上記式はLDL-Cを求めるために用いられていたが，最近はLDL-Cが直接測定される)．総コレステロール量は200 mg/dL未満が望ましいとされる．]

1．**大きさと密度**：キロミクロンは，最も密度が低く大きさが最大のリポタンパク質粒子であり，脂質(TAG)含有量率が最も高く，タンパク質含有率が最も低い．VLDLとLDLはこの順で密度が高く，脂質に対してタンパク質の比率が高い．HDLは最小で最も密度が高い．血中リポタンパク質は図 18.16 に示すようにその電気泳動上の移動度，あるいは，密度遠心分離によって分離することができる．

2．**アポリポタンパク質 apolipoprotein**：リポタンパク質粒子に結合しているアポリポタンパク質は，細胞表面受容体の認識部位となったり，リポタンパク質代謝に関係する酵素の活性化因子あるいは補酵素というようにさまざまな機能を持っている．アポリポタンパク質の一部は粒子の本質的な構造構成要素であり不可欠のものとなっている(実際，それらなしでは粒子を産生することができない)．あるいは，粒子間で相互にやりとりされるものもある．アポリポタンパク質は構造と機能によってAからEまでの5つの大クラスに分類される．各クラスには，例えばアポリポタンパク質(apo)A-Ⅰ，apoC-Ⅱ，apoC-Ⅲのように，サブクラスが存在する．[注：すべてのアポリポタンパク質の機能が完全に解明されているわけではない．]

B. キロミクロンの代謝

キロミクロンは**腸管粘膜細胞 intestinal mucosal cell**で構成され，食事から(外来性)のTAG，コレステロール，脂溶性ビタミン，コレステロールエステルを末梢組織へ輸送する(図 18.17)．[注：TAGはキロミクロンの脂質のほぼ90% を占めている．]

1．アポリポタンパク質の合成：apoB-48はキロミクロンに特異的である．その合成は粗面小胞体 rough endoplasmic reticulum（RER）上で開始される．RERからゴルジ体に移行する際にグリコシル化（糖鎖形成）される．［注：apoB-48の48という名前は，このタンパク質が*apoB*遺伝子がコードするタンパク質のN末端側48％に相当することに由来する．apoB-100は，肝臓で合成されVLDLとLDLに存在するが，その100は*apoB*遺伝子がコードするタンパク質全長100％に相当することを意味している．小腸では，apoB-100 mRNAは転写後編集 editing（33章参照）によりシトシンがウラシルに編集され終止コドンが生じ（ナンセンス変異，33章参照），mRNAのコード領域の48％までしか翻訳されなくなり，apoB-48が生成される．］

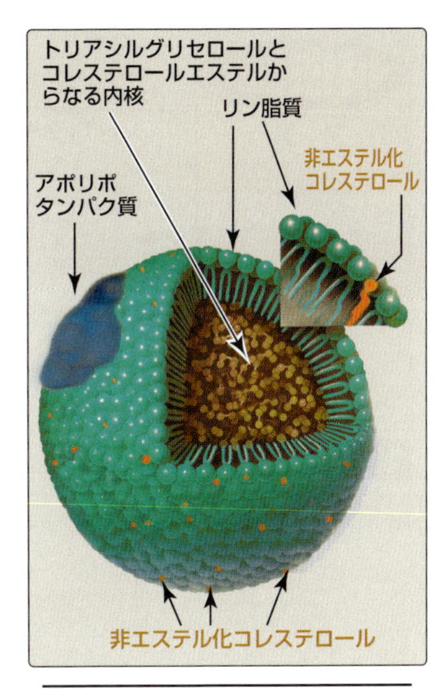

図18.15
典型的なリポタンパク質粒子の構造．

2．キロミクロンの構成：TAG，コレステロール，リン脂質の合成に関与する主な酵素は，滑面小胞体（SER）に存在する．アポリポタンパク質と脂質が集合してキロミクロンが構成されるためには，apoB-48に脂質を付加する**ミクロソームトリアシルグリセロール転移タンパク質 microsomal triacylglycerol transfer protein**（MTP）が必要である．この過程は，小胞体からゴルジ体への移行の前に行われ，粒子は分泌小胞にパッケージされる．分泌小胞は細胞膜と融合し，リポタンパク質が放出される．放出されたリポタンパク質はリンパ系に入り，最終的に血液に入る．［注：キロミクロンは左鎖骨下静脈に接続された胸管を通って，リンパ系から血液系に移行する．］

3．未熟キロミクロン粒子の修飾：腸管粘膜細胞から分泌された直後の粒子は，機能的に不完全なために未熟キロミクロン nascent chylomicronと呼ばれる．血中に到達すると粒子は急速に修飾され，肝臓の受容体が認識するapoEとapoCが結合する．apoCのなかのapoC-IIは，キロミクロンに含まれるTAGを分解する酵素，リポタンパク質リパーゼ lipoprotein lipase（LPL）の活性化に必要である．これらのアポリポタンパク質は血中のHDLから供給される（図18.17参照）．［注：TAGが豊富なリポタンパク質粒子表面のApoC-IIIはLPLを阻害する．］

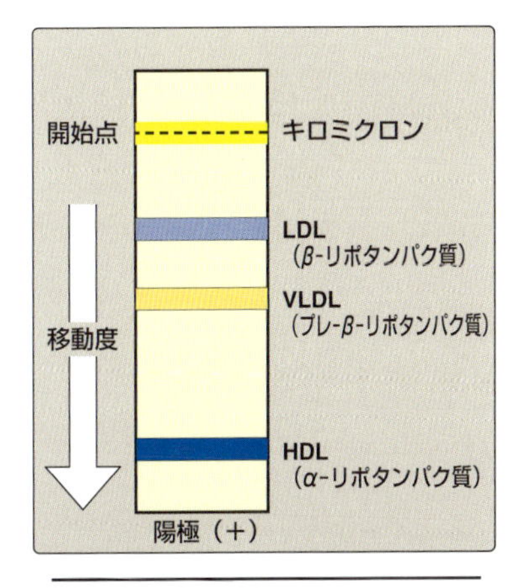

図18.16
血漿中リポタンパク質粒子の電気泳動上の移動度．［注：超遠心によって分離した場合にはLDLとVLDLの順番は逆転する．］

4．リポタンパク質リパーゼによるTAGの分解：**リポタンパク質リパーゼ**（LPL）は，ほとんどの組織（主に**脂肪組織 adipose tissue**，**心筋 cardiac muscle**，**骨格筋 skeletal muscle**）の毛細血管壁にアンカーされた細胞外タンパク質である．成体肝臓にはこの酵素はない．［注：肝臓の内皮細胞表面には**肝性リパーゼ hepatic lipase**が存在する．この酵素はキロミクロンやVLDLのTAGをある程度は処理し，HDL代謝に特に関与している．］LPLは，循環中のキロミクロン粒子表面のapoC-IIによって活性化され，これらの粒子に含まれているTAGを加水分解し，脂肪酸とグリセロールにする．**脂肪酸**は，**筋肉**ではエネルギー産生に消費され，**脂肪細胞**では貯蔵される．細胞にただちに取り込まれない場合には，長鎖脂肪酸は**血清アルブミン serum albumin**に結合して循環しながら，細胞に取り込まれるのを待つ．肝臓に取り込まれ

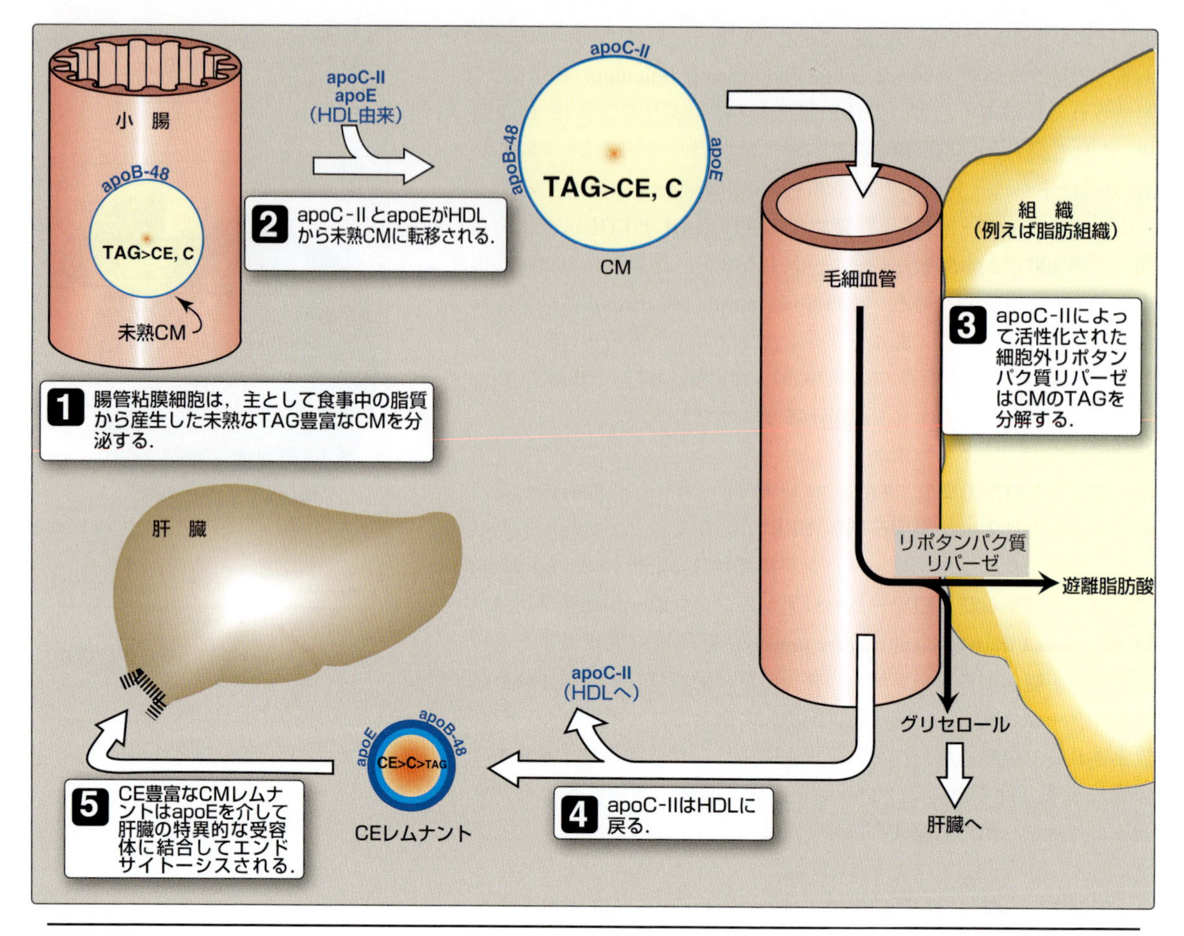

図18.17
キロミクロンの代謝．apoB-48，apoC-II，apoEは血中リポタンパク質粒子の構成要素であるアポリポタンパク質である．リポタンパク質粒子の相対サイズは実際とは異なっている（リポタンパク質の実際の大きさと密度については図18.14参照）．CM:キロミクロン，TAG:トリアシルグリセロール，C:コレステロール，CE:コレステロールエステル．

た**グリセロール**は解糖系の中間体であるジヒドロキシアセトンリン酸に変換され脂質合成や糖新生に利用される．[注：LPLもしくは**apoC-Ⅱ欠損患者**（**高リポタンパク質血症Ⅰ型**（**高脂血症**）**type I hyperlipoproteinemia**，**家族性リポタンパク質リパーゼ欠損症 familial lipoprotein lipase deficiency**，**家族性キロミクロン血症 familial chylomicronemia**）では，空腹時ですら血漿のキロミクロン-トリアシルグリセロールが異常な高値（1,000 mg/dL以上）となる（**高トリアシルグリセロール血症 hypertriacylglycerolemia**）．これらの患者では急性膵炎の危険性が高い．治療は脂肪の摂取制限である．]

5．リポタンパク質リパーゼの発現：LPLは，脂肪組織，心筋，骨格筋で発現している．組織特異的なアイソザイムの発現は，栄養状態やホルモンによって制御されている．例えば，食後はインスリンが増加し，脂肪組織でのLPL発現は増加し，骨格筋では低下する．空腹時はインスリンが低下し，LPLは骨格筋でより発現する．[注：LPLは，心機能に必要なエネルギーを十分に供給するために脂肪酸を利用

することを反映して，心筋で最も発現量が大きい.］

6．キロミクロンレムナントの産生：血中を循環するキロミクロンの核のTAGの90% 以上がLPLによって分解されていくうちに，粒子の大きさは減少し密度は上昇する．さらに，apoCはHDLに戻される（apoBやapoEは戻らない）．そうして残った粒子は，レムナント（残渣）remnantと呼ばれ，**apoE**を認識する**リポタンパク質受容体 lipoprotein receptor**を細胞表面膜に持つ肝臓で血液から除去される．キロミクロンレムナントはこれらの受容体に結合して，肝細胞にエンドサイトーシスによって取り込まれる（図18.17参照）．エンドサイトーシスされた小胞に**リソソーム lysosome**が融合し，アポリポタンパク質，コレステロールエステルなどレムナントの構成要素は加水分解され，アミノ酸，遊離コレステロール，脂肪酸が生成される．受容体はリサイクルされる．［注：LDLの受容体依存性エンドサイトーシスの詳細な説明については，図18.21に示した.］

C．超低密度リポタンパク質の代謝

超低密度リポタンパク質（VLDL）は**肝臓**で産生される（図18.18）．主な成分は内因性**トリアシルグリセロール**（約60%）であり，その機能はこの脂質を肝臓合成部位から末梢組織へ運搬することである．末梢組織ではキロミクロンのところで説明したように，TAGはLPLによって分解される．［注：非アルコール性"**脂肪肝 fatty liver，hepatic steatosis**"は肝臓のTAG合成とVLDL分泌のバランスが傾いたときに生じる病態である（訳注：非アルコール性脂肪性肝疾患nonalcoholic fatty liver disease（NAFLD）がこの非アルコール性脂肪肝という病態を包括的に示し，そのなかで肝硬変に移行しつつある病態を非アルコール性脂肪性肝炎nonalcoholic steatohepatitis（NASH）という）．その誘因としては，肥満や2型糖尿病などがある（25章参照）.］

1．VLDLの肝臓からの分泌：VLDLは**apoB-100**を含んだ未熟粒子として肝臓から直接血中に分泌される．それらは血中の**HDL**から**apoC-Ⅱ**と**apoE**を必ず得る（図18.18参照）．キロミクロンと同様に，apoC-ⅡがLPLの活性化に必須である.［注：**無βリポタンパク質血症 abetalipoproteinemia**はまれな低リポタンパク質血症であり，**ミクロソームトリアシルグリセロール転移タンパク質 microsomal triacylglycerol transfer protein**（MTP）の欠損が原因で，脂質にapoBが結合できなくなる．その結果，キロミクロンやVLDLが生成されなくなり，TAGが肝臓と腸管に蓄積する．LDLが低下すると脂溶性ビタミンの吸収低下をもたらす.］

2．VLDLの血中での修飾：VLDLは循環中にTAGがLPLによって分解され，VLDLの大きさは減少し密度は増加する．apoCやapoEなどの表面構成要素はHDLに戻されるが，apoB-100は維持される．また，交換反応によって，一部のTAGがVLDLからHDLに，一部のコレステロールエステルがHDLからVLDLに転移される．図18.19に示

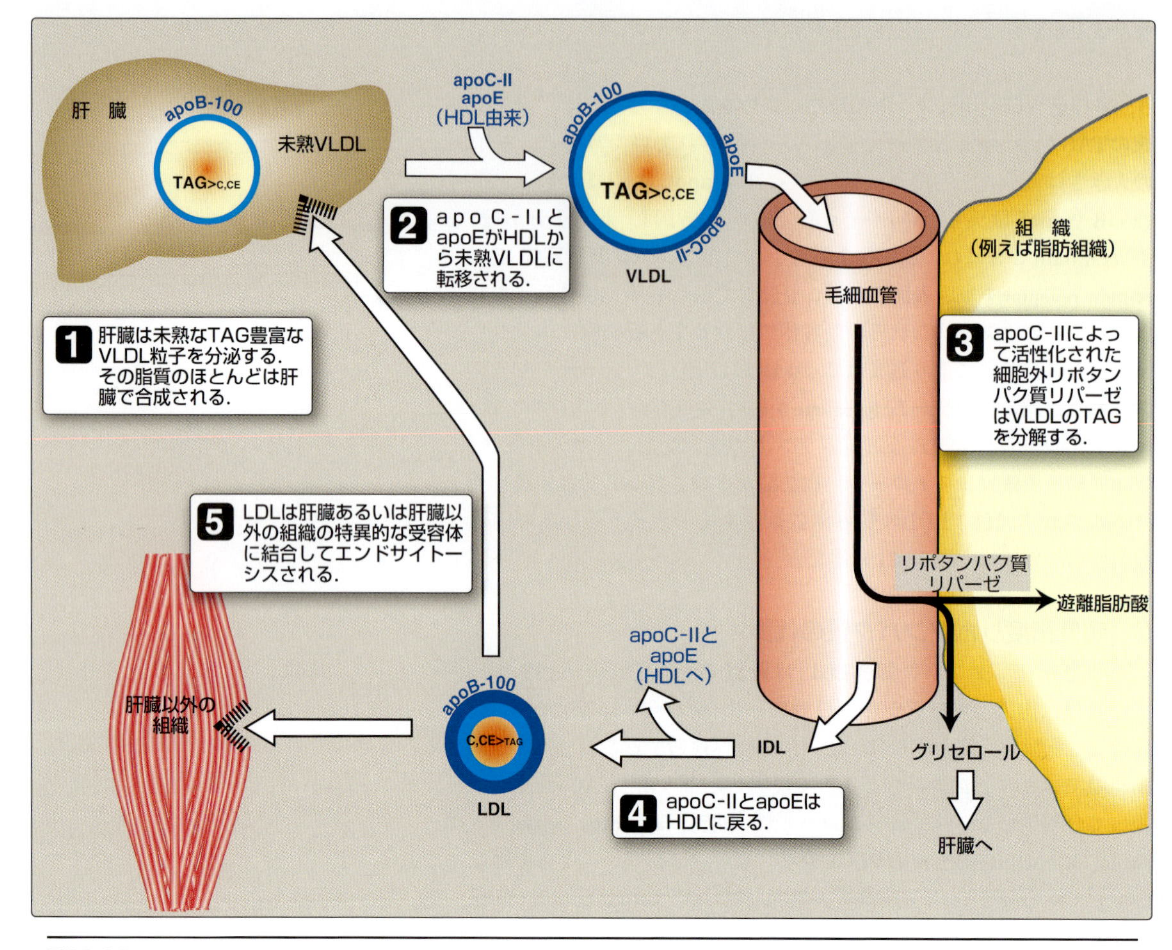

図18.18
VLDLとLDLの代謝．apoB-100，apoC-II，apoEは血中リポタンパク質粒子の構成要素であるアポリポタンパク質である．リポタンパク質粒子の相対サイズは実際とは異なっている(リポタンパク質の実際の大きさと密度については図18.14を参照)．[注：IDLは肝に取り込まれうる．] TAG：トリアシルグリセロール，VLDL：超低密度リポタンパク質，LDL：低密度リポタンパク質，IDL：中密度リポタンパク質，HDL：高密度リポタンパク質，C：コレステロール，CE：コレステロールエステル．

すように，この交換反応は**コレステロールエステル転移タンパク質 cholesteryl ester transfer protein**(CETP)によって行われる．

3．**LDLの変換**：これらの修飾によりVLDLは血中でLDLとなる．VLDLからLDLへの変換の途中で，さまざまなサイズの**中密度リポタンパク質**(IDL)が生じる．IDLもapoEをリガンドとして細胞に**受容体依存性エンドサイトーシス receptor-mediated endocytosis**によって肝細胞内に取り込まれる．apoEには基本的には3個のアイソフォーム，E2(最も頻度が低い)，E3(最も頻度が高い)，E4がある．E2は受容体への結合性が乏しく，apoE 2をホモに持つ患者はキロミクロンレムナントとIDLのクリアランスが低下する．その結果，**家族性高リポタンパク質血症(高脂血症)Ⅲ型 familial type Ⅲ hyperlipoproteinemia**(**家族性異常βリポタンパク質血症 familial dysbetalipoproteinemia**，**ブロードβ病 broad beta disease**)となり，高コレステロール血症や早発性アテローム性動脈硬化症premature atherosclerosisが出現する．［注：機序はいまだ不明であるが，E4 アイソフォームは老年性アルツハイマー病の発症年齢を下げ，生涯発症率を増加させる．この効果はE4 アイソフォームの量依存的であり，E4 ヘテロよりもホモ接合体のほうがさらにリスクが増加する．リスクが増すことは確定しているが，その評価はさまざまである．］

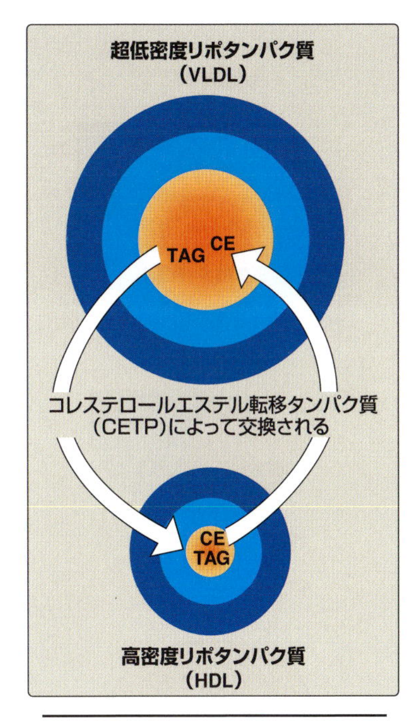

図18.19
トリアシルグリセロール（TAG）とコレステロールエステル（CE）のHDLからVLDLへの変換.

D．低密度リポタンパク質の代謝

低密度リポタンパク質（LDL）粒子は前駆体のVLDLよりもはるかにTAGが乏しく，コレステロールとコレステロールエステルの濃度が高い（図 18.20）．血中コレステロールの 70％ はLDLに存在する．

1．受容体依存性エンドサイトーシス：LDL粒子の第一の機能はコレステロールを末梢組織に供給することである（あるいはそれを肝臓に戻すことである）．そのため，細胞表面の apoB-100 を認識する（apoB-48 は認識しない）LDL受容体に結合する．これらのLDL受容体には apoEも結合することから，それらは**apoB-100/apoE受容体**といわれている．LDL粒子の取り込みと分解の要約を図 18.21 に示した．［注：下記の括弧の数字は図の数字と対応する．］同じような受容体依存性エンドサイトーシスは，肝臓におけるキロミクロンレムナントとIDLの取り込みと分解でも利用されている．

［1］LDL受容体は**マイナスに荷電した糖タンパク質 negatively charged glycoprotein**であり，細胞表面膜ピット（小窩）にクラスターを形成している．このピットの細胞質側はタンパク質**クラスリン clathrin**によって覆われており，安定化されている．

［2］受容体に結合後，LDL受容体複合体は**エンドサイトーシス**により取り込まれる．［注：機能的なLDL受容体の欠損は，血漿LDLが有意な上昇を引き起こす．そのような欠損を有する患者は，**高リポタンパク質血症（高脂血症）Ⅱ型 type Ⅱ a hyperlipidemia（家族性高コレステロール血症 familial hypercholesterolemia，FH）**と早発性アテローム性動脈硬化症を呈する．常染色体優性FHは apoB-100 の受容体結合能の低下や受容体インターナリゼーションとその分解を促進するプロタンパク質変換酵素サブチリシン/ケキシン９型 proprotein convertase subtilisin/kexin type 9（PCSK9）の活性上昇によっても生じる．PCSK9 阻害薬が高コレステロール血症治療薬として臨床使用されている．

［3］LDLを含んだ小胞は急速にクラスリン被覆を失い，他の同種の小胞と融合して，より大きな**エンドソーム endosome**となる．

［4］エンドソームATPアーゼのプロトンポンプ活性により，エンドソーム内のpHは低下し，LDLは受容体から遊離する．受容体はエンドソームの一端に移動し，遊離LDLは小胞の管腔内にとどまり，受容体とLDLが分離される．

［5］受容体はリサイクルされるが，小胞のリポタンパク質レムナントはリソソームに運ばれリソソーム系酸性加水分解酵素 acid hydrolaseによって分解され，遊離コレステロール，アミノ酸，脂肪酸，

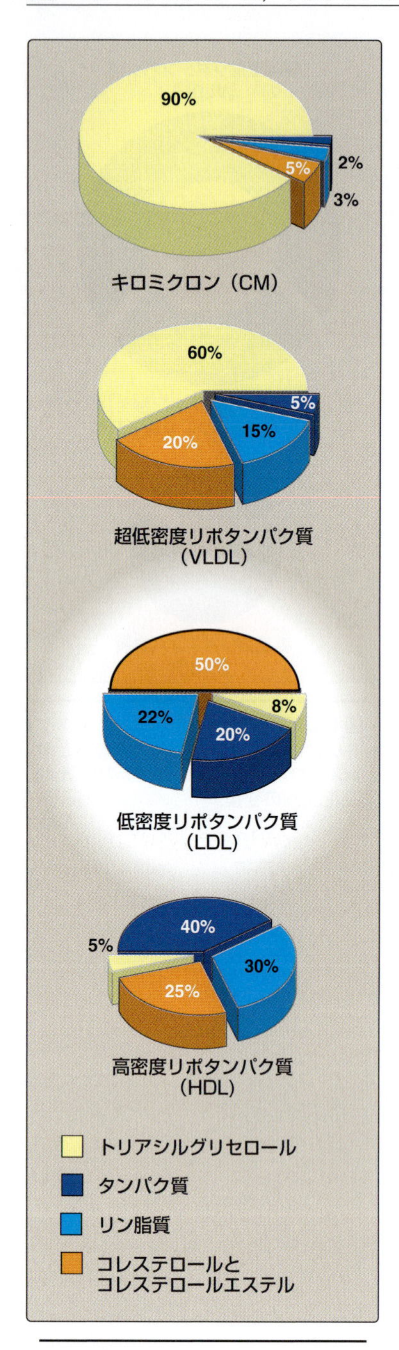

図18.20
血中リポタンパク質粒子の組成．LDLの高コレステロールと高コレステロールエステルに注目．

リン脂質となる．これらの物質は細胞に再利用される．[注：リソソームのコレステロールエステルを分解することができないリソソーム蓄積症として，まれな常染色体劣性遺伝疾患(**遅発性ウォールマン病 late-onset Wolman disease**)やリソソームから非エステル化コレステロールを排出できない疾患(**ニーマン・ピック病C型 Niemann-Pick disease type C**が同定されている．]

2．エンドサイトーシスされたコレステロールと細胞コレステロールホメオスタシス：キロミクロンレムナント，IDL，LDLそれぞれ由来のコレステロールはさまざまな経路から細胞のコレステロール量に影響を及ぼす(図18.21参照)．まず，HMG CoAレダクターゼの遺伝子発現はコレステロール量が高くなると抑制されるため，その結果コレステロール新生が低下する．また，レダクターゼの分解も促進される．第二に，新しいLDL受容体タンパク質の合成はLDL受容体遺伝子の発現が抑制されることによって低下し，それ以上のLDL-Cの細胞内への取り込みが抑えられる．[注：LDL受容体遺伝子の転写制御にはSREとSREBP-2が，HMG CoAレダクターゼの遺伝子制御と同じように関与している．こうしてこれらのタンパク質の発現は協調的に制御される．] 第三に，コレステロールが構造上あるいは合成上特に必要でない場合には，アシルCoA：コレステロールアシルトランスフェラーゼ acyl CoA:cholesterol acyltransferase (ACAT)によってエステル化される．ACATは脂肪酸アシルCoAから脂肪酸をコレステロールに転移し，細胞内に貯蔵することができるコレステロールエステルを産生する(図18.22)．ACATの活性は細胞内コレステロールが上昇すると増加する．

3．マクロファージのスカベンジャー受容体によるLDLの取り込み：上述した非常に特異的で制御された受容体依存性のLDL取り込み経路に加えて，**マクロファージ macrophage**にはスカベンジャー受容体が非常に高いレベルで発現している．これらの受容体は，**スカベンジャー受容体クラスA scavenger receptor class A** (SR-A)と呼ばれているものであり，広い範囲のさまざまなリガンドと結合することができ，化学的に修飾されたLDL(脂質やapoBが酸化されている)のエンドサイトーシスを行う．LDL受容体とは異なり，スカベンジャー受容体は細胞内コレステロールが上昇しても抑制制御を受けない．コレステロールエステルがマクロファージに蓄積すると，それは“**泡沫細胞 foam cell**”となり，**アテローム性動脈硬化プラーク atherosclerotic plaque**の形成に関与する(図18.23)．LCL-Cはアテローム性動脈硬化症の主因となる．

E．高密度リポタンパク質の代謝

高密度リポタンパク質(HDL)は異種のリポタンパク質ファミリーから構成されており，その複雑な代謝経路はいまだ完全には解明されていない．HDL粒子はapoA-Ⅰに脂質が付加されて血中で形成される．apoA-Ⅰは肝臓と小腸で生成されて血中に分泌される．apoA-Ⅰ

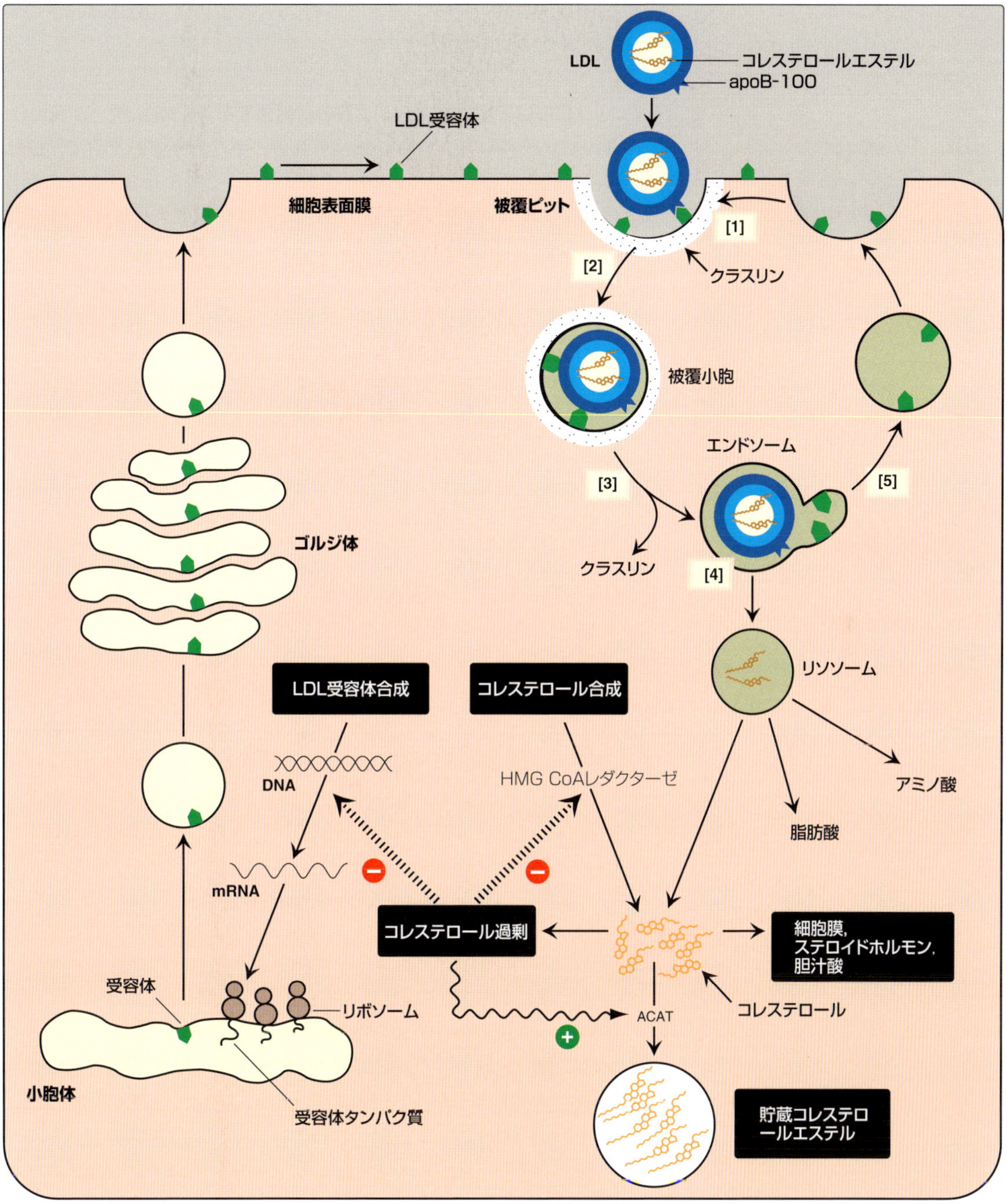

図18.21
LDL粒子の細胞内取り込みと分解[注:コレステロールが過剰になるとHMG CoAレダクターゼの分解が促進される.また,LDL受容体と同様に遺伝子転写が抑制される]ACAT:アシルCoA:コレステロールアシルトランスフェラーゼ,HMG CoA：ヒドロキシメチルグルタリル補酵素A, mRNA：メッセンジャーRNA.

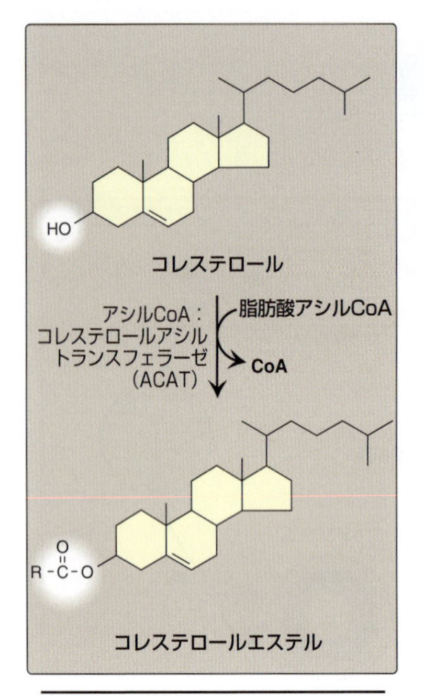

図18.22
ACATによる細胞内コレステロールエステルの合成．［注：LCATはホスファチジルコリン(レシチン)の脂肪酸を用いてコレステロールをエステル化する細胞外酵素である.］CoA：補酵素A.

はHDLのアポリポタンパク質の約70％を占める．HDLは以下のような重要な機能を担っている．

1．**HDLはアポリポタンパク質の供給源である**：HDL粒子はapoC-Ⅱ(VLDLとキロミクロンに転移されるアポリポタンパク質で，LPLの活性化因子である)とapoE(IDLとキロミクロンレムナントの受容体依存性エンドサイトーシスに必要なアポリポタンパク質)の血中貯蔵庫となっている．

2．**非エステル化コレステロールの取り込み**：未熟HDLは，主としてリン脂質(ホスファチジルコリンが大部分)とapoA，apoC，apoEからなる円板状の粒子である．それらは肝臓以外の組織からコレステロールを取り込み，コレステロールエステルとして肝臓に戻す(図18.24)．［注：HDL粒子は，コレステロールの可溶化に重要なリン脂質を高濃度に持っていることから，非エステル化コレステロールの優れたアクセプター(受容体)となる．］

3．**コレステロールのエステル化**：コレステロールがHDL表層に取り込まれると，血漿酵素レシチン-コレステロールアシルトランスフェラーゼ lecithin：cholesterol acyltransferase(LCATあるいは脂肪酸の供給源であるホスファチジルコリンのPを取ってPCATとも呼ばれる)によってただちにエステル化される．この酵素は**肝臓**において合成され分泌される．LCATは未熟HDLに結合し，apoA-Iによって活性化される．LCATはフォスファチジルコリンのC2の脂肪酸をコレステロールに転移する．この過程で生成される疎水性の**コレステロールエステル cholesteryl ester**は，HDLの核に分画され，**リゾホスファチジルコリン lysophosphatidylcholine**はアルブミンと結合する．［注：エステル化によってコレステロールの濃度勾配が維持され，コレステロールのHDLへの流出が持続する．］円板状の未熟HDLにコレステロールエステルが付加されて，まずコレステロールエステルが比較的少ない球状のHDL3となり，やがて，コレステロールエステル豊富なHDL2粒子となって，コレステロールエステルを肝臓に輸送していく．肝性リパーゼ hepatic lipaseはTAGとリン脂質を分解し，HDL2からHDL3への変換に関与している(図18.24参照)．コレステロールエステル転移タンパク質(CETP)は一部のコレステロールエステルをTAGと交換でHDLからVLDLに転移する．その結果LCATの産物抑制が軽減される．VLDLはLDLに異化されるので，CETPによって転移されたコレステロールエステルは，最終的には肝臓に取り込まれる．

4．**コレステロール逆輸送**：コレステロール・ホメオスタシスのポイントは，コレステロールが末梢細胞からHDLに，胆汁酸合成や胆汁への排泄のためにHDLから肝細胞に選択的転移が行われることである．このコレステロールの逆輸送過程(RCT)が，部分的には，血中HDL濃度とアテローム性動脈硬化が逆相関している理由であり，

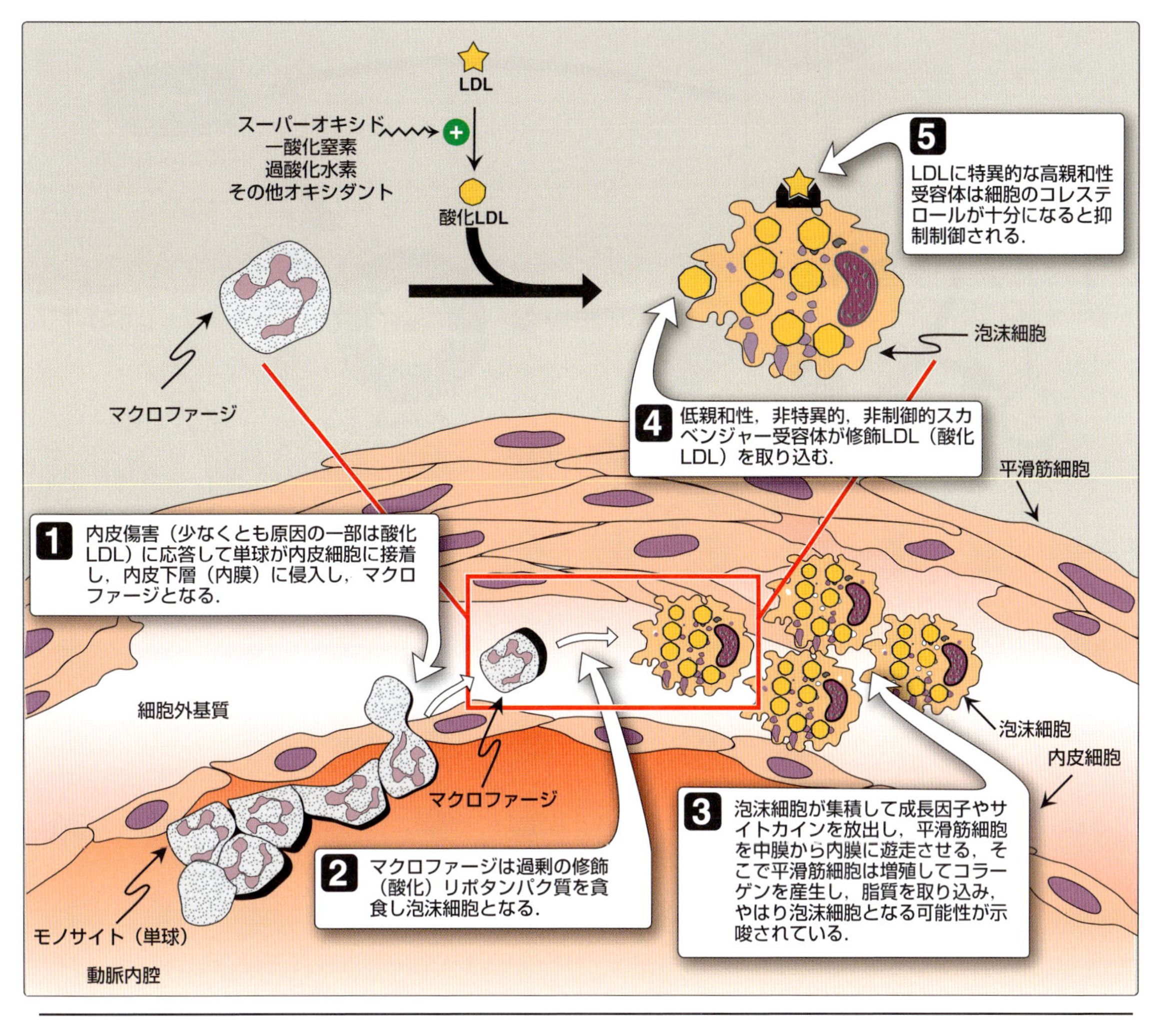

図18.23
動脈壁のプラーク形成における酸化LDL粒子の役割.

HDLが"善玉"コレステロール担体 "good" cholesterol carrierといわれるゆえんである.［注：運動やエストロゲンによりHDLは増加する.］RCTには，末梢細胞からHDLへのコレステロールの流出，LCATによるコレステロールのエステル化，コレステロールエステル豊富なHDL（HDL2）の肝臓やステロイド産生細胞への結合，これらの細胞へのコレステロールエステルの選択的転移，そして脂質枯渇HDL（HDL3）の遊離などがある．末梢細胞からのコレステロールの流出には，主に輸送タンパク質ABCA1が関与している.［注：タンジール病Tangier diseaseは非常にまれなABCA1欠損症であり，脂質に乏しいapoA-Ⅰが分解されるためHDL粒子がほとんど欠損することが特徴である.］肝臓におけるコレステロールエステルの取り込みは，HDLが結合する細胞表面受容体SR-BⅠ（スカベンジャー受容体クラスBⅠ型）によって行われる（SR-A受容体については本章Ⅵ.D.3.参照）．HDL粒子自体が取り込まれることはない．HDL粒子からコレステ

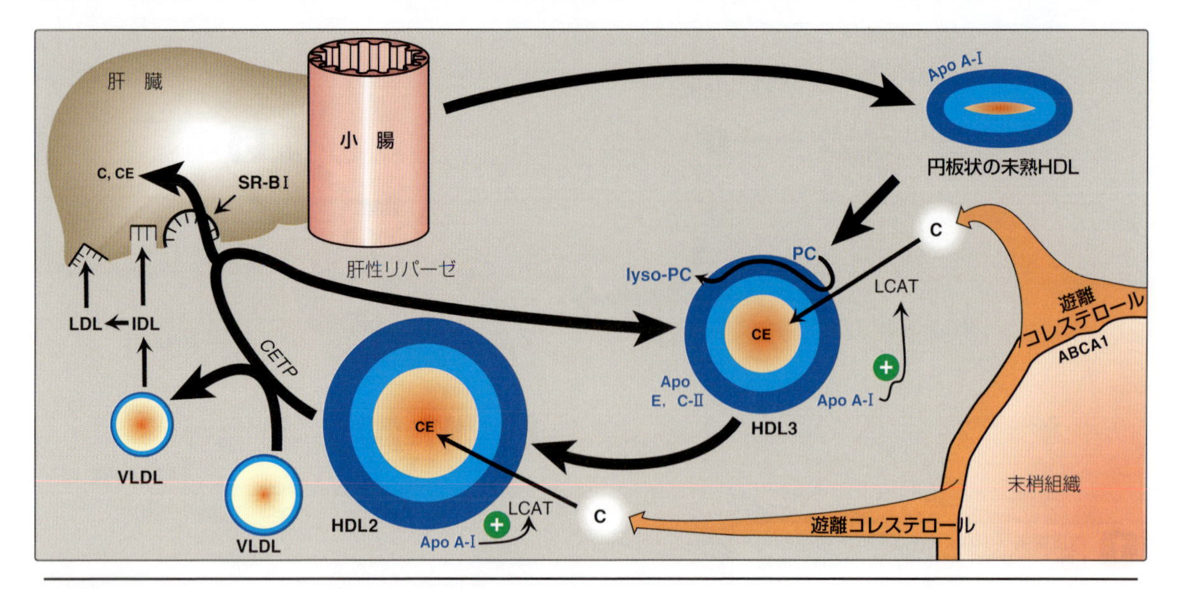

図18.24
HDLの代謝．PC：ホスファチジルコリン，lyso-PC：リゾホスファチジルコリン，LCAT：レシチン-コレステロールアシルトランスフェラーゼ，CETP：コレステロールエステル転移タンパク質，C：コレステロール，CE：コレステロールエステル，ABCA1：ATP結合カセット輸送タンパク質，SR-BI：スカベンジャー受容体クラスBI型（訳注：説明のために，実際とは逆にVLDLの大きさをHDLよりも小さく描いている）．

ロールエステルだけが選択的に取り込まれる．[注：HDL-Cの低下はアテローム性動脈硬化症の危険因子である．]

ABCA1はATP結合カセットATP-binding cassette (ABC)タンパク質である．ABCタンパク質は，ATPの加水分解によって得られるエネルギーを利用して細胞内外間や細胞内小器官間の物質輸送を行う．タンジール病に加えて，特異的なABCタンパク質の欠損は，シトステロール血症 sitosterolemia，嚢胞性線維症，X連鎖副腎白質ジストロフィーX-linked adrenoleukodystrophy，減少した界面活性物質分泌による呼吸窮迫症候群 respiratory distress syndrome (RDS)と脂肪酸分泌不全による肝疾患をもたらす．

F．リポタンパク質(a)と心疾患

リポタンパク質(a)(Lp(a))の構造はLDL粒子とほとんど同じである．その特異な特徴は，さらに別のアポリポタンパク質分子**apo(a)**が，apoB-100の1カ所に共有結合で結合していることである．Lp(a)の血中濃度は基本的には遺伝的に決定される．apo(a)は，フィブリン（血液凝固系の主要なタンパク質）を標的とする血液プロテアーゼproteaseの前駆体，**プラスミノーゲン plasminogen**と構造的に相同性が高い．Lp(a)は心血管疾患の独立した要因である．Lp(a)のapo(a)

は動脈硬化を促進するといわれている．Lp(a)の血中濃度は主に遺伝的に決定される．しかし，食事などにも影響され，トランス脂肪酸はLp(a)を上昇させ，ω-3脂肪酸はLp(a)を低下させる．ナイアシンはLp(a)を低下させて(LDL-CやTAGも低下)，HDL-Cを増加させる．

Ⅶ. ステロイドホルモン

コレステロールはすべてのクラスのステロイドホルモンの前駆体である．ステロイドホルモンには図18.25に示すように，**グルココルチコイド glucocorticoid**(例えば，コルチゾール)，**ミネラルコルチコイド mineralocorticoid**(例えば，アルドステロン)，そして**性ホルモン sex hormone**(アンドロゲン，エストロゲン，プロゲスチン)がある．[注：グルココルチコイドとミネラルコルチコイドを合わせて**コルチコステロイド corticosteroid**という．] ステロイドホルモンの合成と分泌が行われるのは，副腎皮質(コルチゾール，アルドステロン，アンドロゲン)，卵巣と胎盤(エストロゲン，プロゲスチン)，精巣(テストステロン)である．ステロイドホルモンは合成部位から標的器官へは血流で運ばれる．疎水性が高いために血中タンパク質と複合体を形成する必要がある．アルブミンは非特異的な担体であり，アルドステロンを輸送する．しかし，コルチゾールを輸送する**コルチコステロイド結合グロブリン corticosteroid-binding globulin**(**トランスコルチン transcortin**)などアルブミンよりも強固にステロイドホルモンと結合する特異的なステロイド輸送血漿タンパク質が存在する．多くの遺伝性疾患が，ステロイドホルモンの生合成の特異的な段階の欠損によることが知られている．代表的な疾患を図18.26に示した．

A. ステロイドホルモンの合成

合成過程には，コレステロールの炭化水素鎖の短縮過程とステロイド核のヒドロキシ化過程がある．律速段階でもある最初の過程は，コレステロールを21炭素の**プレグネノロン pregnenolone**に変える反応である．酵素はコレステロール側鎖切断酵素 cholesterol side-chain cleavage enzyme，ミトコンドリア内膜のシトクロムP450(CYP)混合機能オキシダーゼ cytochrome P450(CYP) mixed function oxidase(別名デスモラーゼ desmolase，$P450_{SCC}$)である．NADPHとO_2がこの反応に必要である．コレステロール基質としては，新規合成されたもの，リポタンパク質から供給されたもの，あるいはステロイド

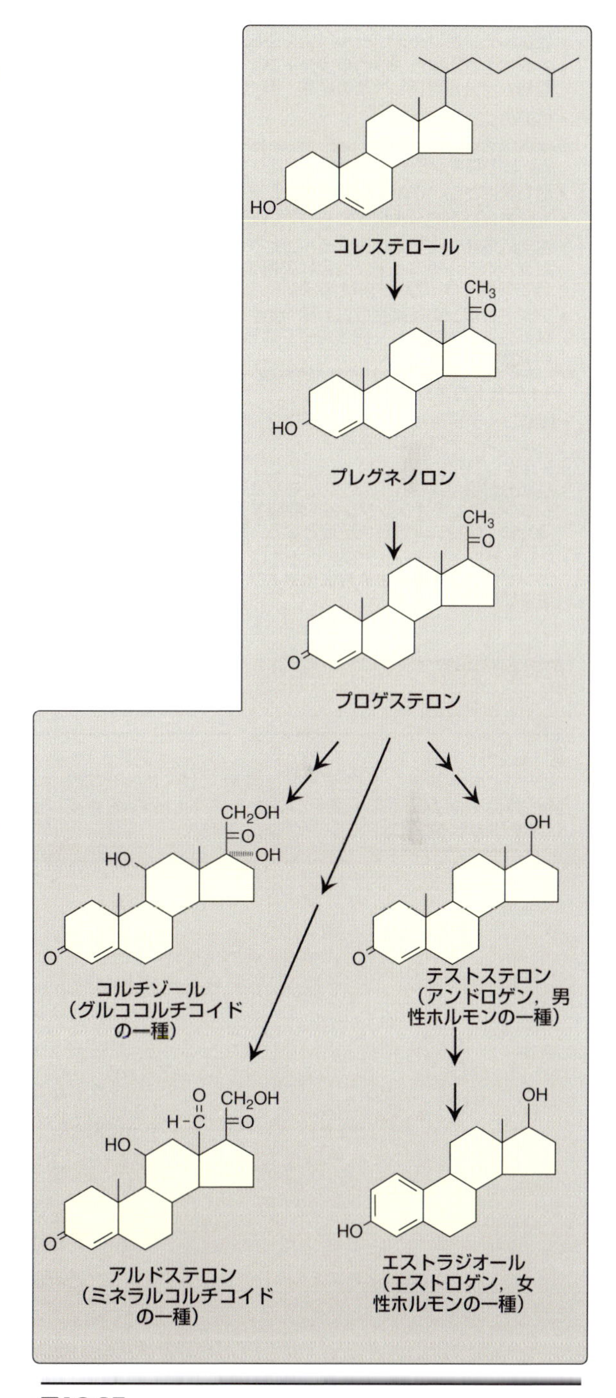

図18.25
重要なステロイドホルモン．

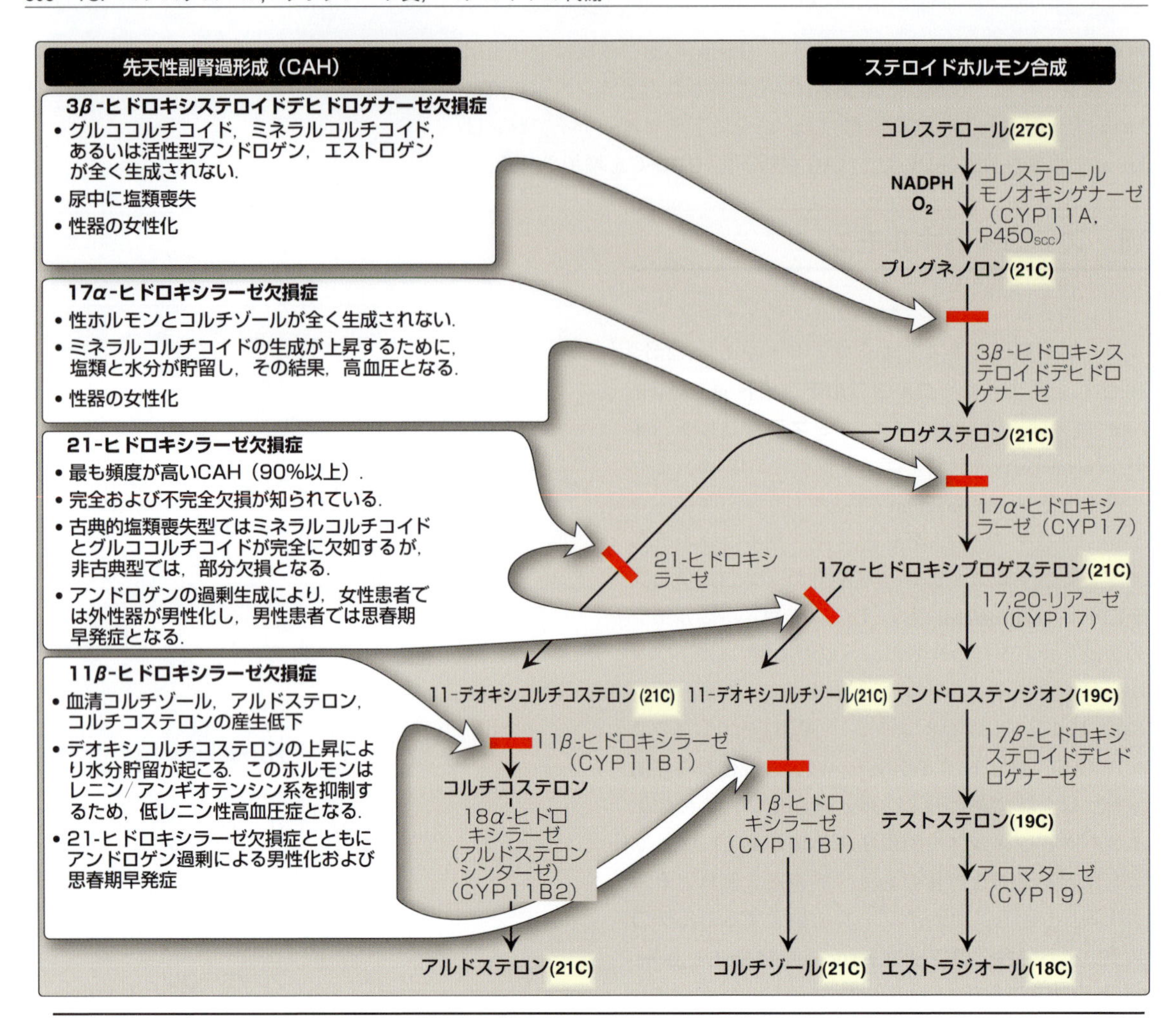

図18.26
ステロイドホルモン合成系と関連疾患.［注：3β-ヒドロキシステロイドデヒドロゲナーゼ，CYP 17，CYP 11 B2は多機能性酵素である．テストステロンとエストロゲンの合成は副腎外が主である．］NADPH：ニコチンアミドアデニンジヌクレオチドリン酸，CYP：シトクロム P450.

合成組織の細胞質ゾルのコレステロールエステルからエステラーゼ esteraseによって遊離されたものなどである．コレステロールはミトコンドリア外膜へ移動する．重要な制御ポイントはその後のコレステロールのミトコンドリア外膜から内膜への輸送である．この過程はステロイド産生急性調節タンパク質 steroidogenic acute regulatory protein（StAR）によって行われる．プレグネノロンはすべてのステロイドホルモンの元（もと）となる化合物である（図 18.26 参照）．酸化され，プロゲステロンへと異性化され，さらにSERとミトコンドリアで起こるヒドロキシ化反応によって他のステロイドホルモンへと変換される．この反応を行う酵素はCYPである．この経路の酵素の活性や量の低下は，その障害された段階以降のホルモンの合成が欠損することになる．その結果，障害された段階より前段階の酵素や代謝物が増加することになる．この経路のすべてのメンバーは強力な生物学的活性を持っているために，酵素欠損は重大な機能異常をもたらすことになる(図18.26参照). これらの疾患を総称して副腎が肥大することから，**先天性副腎過形成 congenital adrenal hyperplasia**(CAH)という. [注：副腎皮質の自己免疫による破壊が原因のアジソン病Addison diseaseは副腎皮質機能不全である.]

B. 副腎皮質ステロイドホルモン

ステロイドホルモンはホルモン刺激によって，合成され分泌される. コルチコステロイドとアンドロゲンは副腎皮質の異なった領域で産生され，異なったシグナルに応じて血中に分泌される. [注：副腎髄質はカテコールアミン(アドレナリン，ノルアドレナリン)を産生/分泌する(21章参照).]

1. コルチゾール cortisol：**副腎皮質中間層 middle layer of the adrenal cortex**(束状帯 zona fasciculata)での産生は視床下部-下垂体によって制御されている(図18.27). 重度のストレス(例えば，感染症)に応答して，視床下部で産生された**副腎皮質刺激ホルモン放出ホルモン corticotropin-releasing hormone**(CRH)は，毛細血管網を流れて下垂体前葉に達し，ペプチドの**副腎皮質刺激ホルモン adrenocorticotropic hormone**(ACTH)の産生と分泌を誘発する. ポリペプチドACTHは，副腎皮質を刺激して，通称"**ストレスホルモン stress hormone**"のグルココルチコイド(コルチゾール)の生成と分泌を刺激する. [注：ACTHは細胞表面のGタンパク質共役受容体(GPCR)に結合し，cAMP産生を促進し，プロテインキナーゼA protein kinase A(PKA)を活性化する. PKAはコレステロールエステルを遊離コレステロールに変換するエステラーゼとStARをリン酸化して活性化する.] コルチゾールは中間代謝(例えば，糖新生の増加)や炎症・免疫応答(抑制)に影響を及ぼして，体にストレスへの対応を行わせる. コルチゾール濃度が上昇すると，CRHとACTHの分泌が抑制される. [注：CAHではコルチゾールが低下するので，ACTHが増加して副腎肥大となる.]

2. アルドステロン aldosterone：アルドステロンの**副腎皮質外側層 outer layer of the adrenal cortex**(球状帯 zona glomerulosa)での産生は，血中Na^+/K^+比の低下とアンギオテンシンⅡ(オクタペプチド)というホルモンによって誘発される. **アンギオテンシンⅡ angiotensin Ⅱ**はアンギオテンシン変換酵素 angiotensin-converting enzyme(ACE)によってアンギオテンシンⅠ(デカペプチド)から生成される. この酵素は主に肺に存在するが，体全般に広く分布する. [注：アンギオテンシンⅠは，肝臓から分泌される不活性型前駆体，アンギオテンシノーゲンから血中で切断されて生成されるペプチドである. この切断を行う酵素がレニンreninであり，腎臓で生成され分泌される.] アンギオテンシンⅡは細胞表面受容体に結合する. しかし，ACTHの場合のcAMPとは異なり，その作用はPIP_2(ホスファチジルイノシトール4,5-ビスリン酸)経路で細胞内に伝達される. アルドステロンの一次的な標的器官は腎尿細管であり，Na^+と水の再吸収とK^+の排泄を促進する(図18.28). [注：アルドステロンの作用は血圧上昇となる.

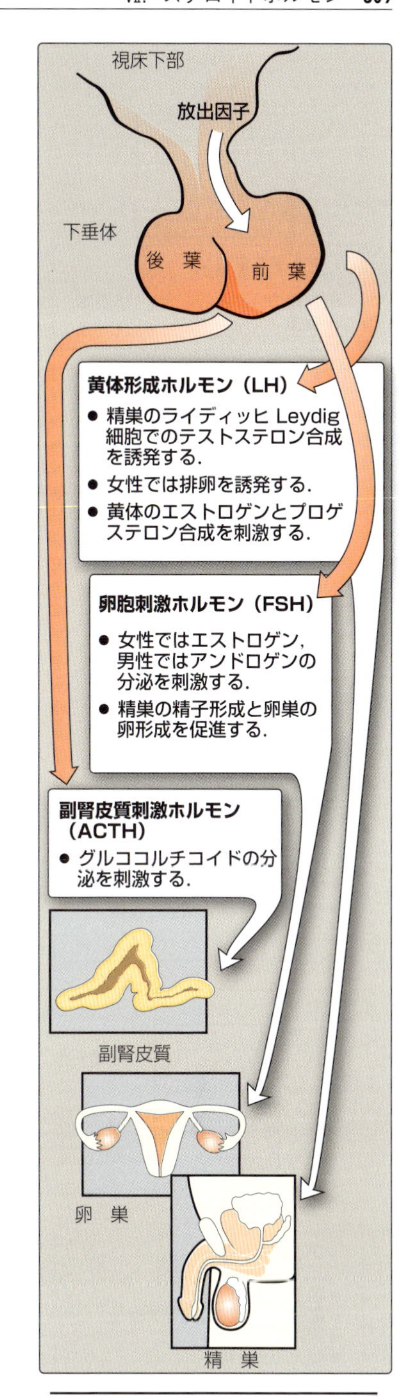

図18.27
下垂体ホルモンによるステロイドホルモン合成と分泌の促進.

ACEの競合的阻害薬はレニン依存性高血圧症の治療に用いられている.］

3．アンドロゲンandrogen：**副腎皮質内側層**(網状帯 zona reticularis)と中間層の両者でアンドロゲン，主として**デヒドロエピアンドロステロン dehydroepiandrosterone**と**アンドロステンジオン androstenedione**が生成される．副腎のアンドロゲン自体の活性は弱いが女性にも存在する．テストステロンはアロマターゼ aromatase (CYP19)によって，閉経前の女性の(主に)卵巣でエストロゲンに変換される．［注：閉経後の女性では乳腺など性腺以外でエストロゲンが産生される．アロマターゼ阻害薬は，閉経後女性のエストロゲン依存性乳がんの治療に用いられる.］

C. 性腺のステロイドホルモン

精巣 testisと**卵巣 ovary**(性腺)は性分化と生殖に必要なホルモンを合成する．1種類の視床下部放出因子(**性腺刺激ホルモン(ゴナドトロピン)放出ホルモン gonadotropin-releasing hormone**，GnRH)が下垂体前葉を刺激して糖タンパク質である**黄体形成ホルモン luteinizing hormone** (LH)と**卵胞刺激ホルモン follicle-stimulating hormone** (FSH)の分泌を刺激する．ACTHと同様に，LHとFSHは細胞表面受容体に結合し，cAMPを上昇させる．LHは精巣を刺激してテストステロンの産生を，卵巣を刺激してエストロゲンとプロゲステロンの産生を促進する(図18.28参照)．FSHは卵胞の成長を制御し，精巣の精子形成を刺激する．

D. ステロイドホルモンの作用メカニズム

それぞれのステロイドホルモンはその標的細胞の細胞表面膜を拡散して通り抜け，細胞質ゾルもしくは核の特異的な受容体と結合する．この受容体-リガンド複合体は核に移行し，二量体となり，他のコアクチベータータンパク質とともにゲノムDNAの特異的な制御配列(**ホルモン応答配列 hormone response element**，HRE)に結合する．そして，標的遺伝子の転写を増加させる(図18.29)．HREはステロイドホルモンに特異的に応答する遺伝子のプロモーター(あるいはエンハンサー配列，31章参照)に見出され，これらの遺伝子を協調して制御することが可能になる．ホルモン-受容体複合体は他のコリプレッサー(共抑制因子)と結合して，ある遺伝子の転写を抑制することもある．［注：ホルモンが受容体に結合すると，受容体に立体構造の変化が生じ，DNA結合領域が開かれ，受容体のジンクフィンガーモチーフはDNAの標的配列と相互作用することが可能になる．ステロイドホルモン，甲状腺ホルモン，レチノイン酸，1,25-ジヒドロキシコレカルシフェロール(ビタミンD)といったさまざまな種類のグループの受容体は，構造的に関連し，同じようなメカニズムを持った遺伝子調節因子の**スーパーファミリー superfamily**のメンバーである.］

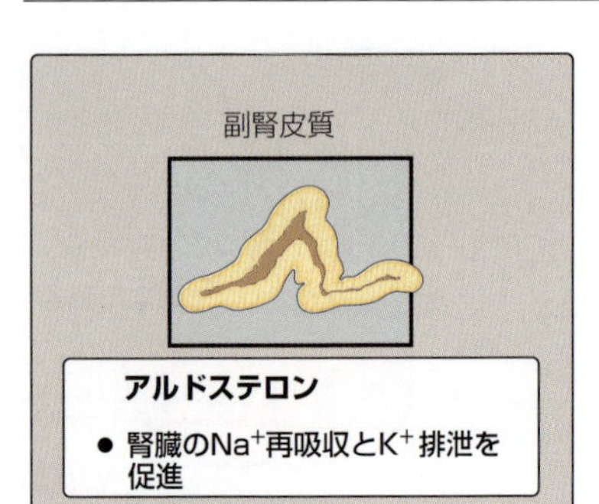

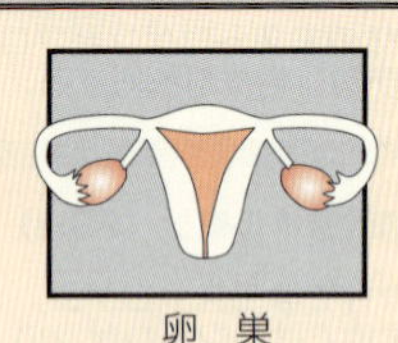

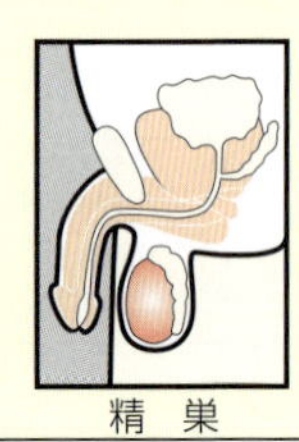

図18.28
ステロイドホルモンの作用.

E. ステロイドホルモンの代謝

ステロイドホルモンは肝臓で不活性型の排泄物に変換される．その反応には，不飽和結合の飽和化とヒドロキシ基の付加が含まれている．その産物はグルクロン酸あるいは硫酸(3′-ホスホアデノシン 5′-ホスホ硫酸(PAPS)由来)と抱合されて，水溶性を高められる．これらの抱合代謝物の水溶性は十分に高いために，タンパク質担体と結合する必要はない．そして，便や尿中に排出される．

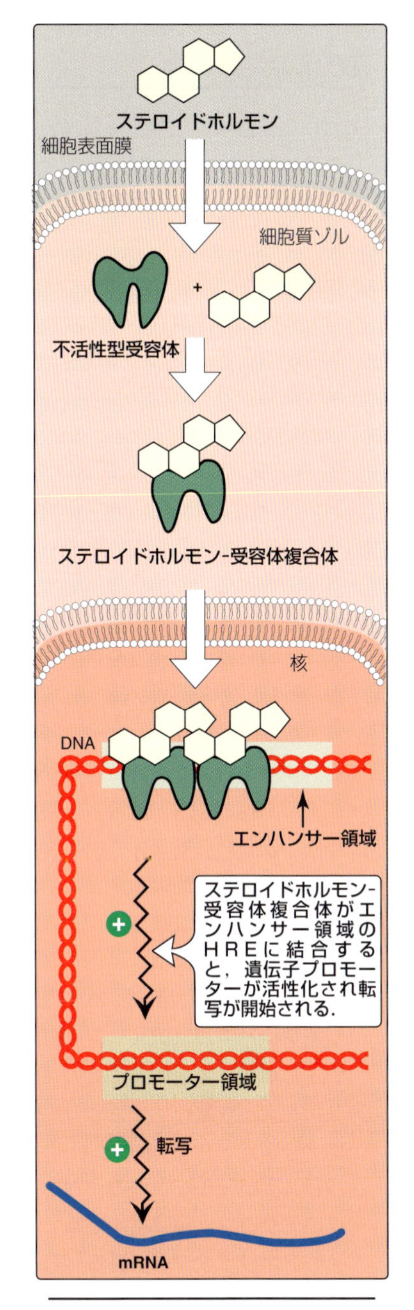

図18.29
ステロイドホルモン-受容体複合体とホルモン応答配列(HRE)との相互作用による転写の活性化．この受容体はホルモン結合ドメイン，DNA結合ドメイン，共活性化タンパク質結合ドメインを備えている．mRNA：メッセンジャーRNA．

18章の要約

- **コレステロール**は疎水性が高い化合物であり，その唯一のヒドロキシ基に脂肪酸が結合してさらに疎水性の**コレステロールエステル**を形成することができる.
- コレステロールは基本的にはすべての組織で産生されるが，主な産生組織は**肝臓**，**腸管**，**副腎皮質**，**生殖器**である.
- **細胞質ゾル**，**滑面小胞体**(**SER**)，**ペルオキシソーム**に存在する酵素群がコレステロールの合成を担う.
- コレステロール合成の律速制御段階は，**3-ヒドロキシ-3-メチルグルタリルCoA**(**HMG CoA**)から**メバロン酸**を生成する滑面小胞体膜タンパク質の**HMG CoAレダクターゼ**である.
- **HMG CoAレダクターゼ**にはさまざまな制御系がある. (1)転写因子，**ステロール調節配列結合タンパク質**(**SREBP-2**). (2)コレステロール上昇時のHMG CoAレダクターゼの**分解促進**. (3) **AMPK**による**リン酸化**(**不活性化**). (4)**インスリン**や**グルカゴン**などによるホルモン調節.
- **スタチン類**はHMG CoAの**競合阻害薬**である. **高コレステロール血症**の患者の血中コレステロールを低下させるために使用されている.
- コレステロールの環状構造はヒトでは分解されない. コレステロールは胆汁酸塩に変換されるか，もしくは**胆汁**中へ分泌されて体外に排泄される.
- 胆汁酸塩合成の律速段階は**胆汁酸**で抑制される**コレステロール-7α-ヒドロキシラーゼ**の反応である.
- 胆汁酸は，肝臓から分泌される前に，**グリシン**か**タウリン**と抱合される. 抱合された胆汁酸が胆汁酸塩であり，塩基性の胆汁中では胆汁酸よりもイオン化しやすく水溶性が高い.
- 腸管では，**細菌**は胆汁酸塩を代謝して**二次胆汁酸**とする.
- 胆汁の95%以上の胆汁酸は効率良く再吸収される. 血中では**アルブミン**と結合して肝臓に戻っていく. 肝細胞へは肝型共輸送体により取り込まれ再利用される(**腸肝循環**).
- 腸肝循環は**胆汁酸隔離剤**によって抑制される.
- 胆汁中に胆汁酸塩とホスファチジルコリンが可溶化できる以上のコレステロールが分泌されると，**コレステロール胆石症**となる.
- 血中リポタンパク質(図18.30参照)には，**キロミクロン**(**CM**)，**超低密度リポタンパク質**(**VLDL**)，**低密度リポタンパク質** (**LDL**)，**中密度リポタンパク質**(**IDL**)，**高密度リポタンパク質**(**HDL**)がある. それらは脂質を可溶化し組織間の脂質の運搬を行っている.
- リポタンパク質は，中性脂質(主として**トリアシルグリセロール**(**TAG**)と**コレステロールエステル**，あるいはその両者を含む)を核として，その周囲を覆う**両親媒性のアポリポタンパク質**，**リン脂質**，**非エステル化コレステロール**などの殻から構成される.
- **キロミクロン**は**腸管粘膜細胞**で**食事由来脂質**を加えられて構築される. 未熟キロミクロン粒子1個には1分子の**アポリポタンパク質B-48**(**apoB-48**)がある.
- **キロミクロン**は巨大なために細胞からリンパ系に分泌されて血流に入る. apoC-Ⅱは，キロミクロンのTAGを脂肪酸とグリセロールに分解する内皮**リポタンパク質リパーゼ**(LPL)を活性化する. 遊離された**脂肪酸**は**脂肪組織**に貯蔵されたり，**筋肉細胞**でエネルギー源として使用される. **グリセロール**は**肝臓**で代謝される.
- TAGのほとんどが除去された**キロミクロンレムナント**(**食事由来コレステロール**のほとんどを輸送する)はapoEを認識する肝臓の受容体と結合する.
- リポタンパク質リパーゼあるいはapoC-Ⅱ**欠損**患者は絶食中でも血中キロミクロンが著しく上昇する(**高リポタンパク質血症**(**高脂血症**) **Ⅰ型**，**家族性キロミクロン血症**).
- 未熟VLDLは肝臓で産生され，主としてTAGから構成されている. 粒子1個には1分子の**apoB-100**が結合している. VLDLはTAGを肝臓から末梢組織に運搬する. そこでリポタンパク質リパーゼによって脂質は分解される.

- VLDLはHDLからTAGと交換に**コレステロールエステル**を受け取る．この過程は**コレステロールエステル転移タンパク質**(**CETP**)によって完遂される．
- 血中VLDLはIDLを経てLDLに変換される．
- LDLのapoB-100はLDLにとどまる．このapoB-100は**LDL受容体**に認識され，**受容体依存性エンドサイトーシス**により取り込まれる．LDLは**リソソーム**によって分解され，受容体はリサイクルされる．プロテアーゼ**PCSK9**は受容体リサイクリングを阻害する．
- これらのキロミクロンレムナントとIDLの取り込み欠損により，**高リポタンパク質血症**(**高脂血症**)**Ⅲ型**(**異常βリポタンパク質血症**)となる．
- 機能的LDL受容体の欠損により**高リポタンパク質血症**(**高脂血症**)**Ⅱ型**(**家族性高コレステロール血症**)となる．
- HDLは肝臓や小腸で合成される**apoA-Ⅰ**に**脂質が付加されて**生成され，さまざまな機能が知られている．(1)キロミクロンとVLDLにapoC-ⅡとapoEを供給するために，それらの**血中貯蔵庫**となっている．(2)末梢組織からABCA1によって**コレステロール**を除去して，それらを**レシチン-コレステロールアシルトランスフェラーゼ**(**LCAT**)によってエステル化する．この酵素は肝臓で合成される血液タンパク質であり，**apoA-Ⅰ**によって活性化される．(3)これらのコレステロールエステルを肝臓に運搬する(**コレステロール逆輸送**，**RCT**)．**SR-BⅠ**(**スカベンジャー受容体クラスBⅠ型**)によって取り込まれる．
- コレステロールはすべてのクラスの**ステロイドホルモン**(**グルココルチコイド**，**ミネラルコルチコイド**，**性ホルモン**)の前駆体である．合成は，**副腎皮質**(**コルチゾール**，**アルドステロン**，**アンドロゲン**)，**性腺**，**胎盤**で行われる．
- 律速段階である第一段階は，側鎖切断酵素**P450**$_{\mathrm{SCC}}$によるコレステロールの**プレグネノロン**への変換である．この酵素が先天的に欠損すると，**先天性副腎過形成**(**CAH**)となる．
- ステロイドホルモンは特異的な細胞内受容体と結合する．この**受容体-ステロイドホルモン複合体**は他のコアクチベーター/コリプレッサータンパク質とともに特異的なDNA制御配列(**ホルモン応答配列**)に結合して，標的遺伝子の**転写**を制御する．

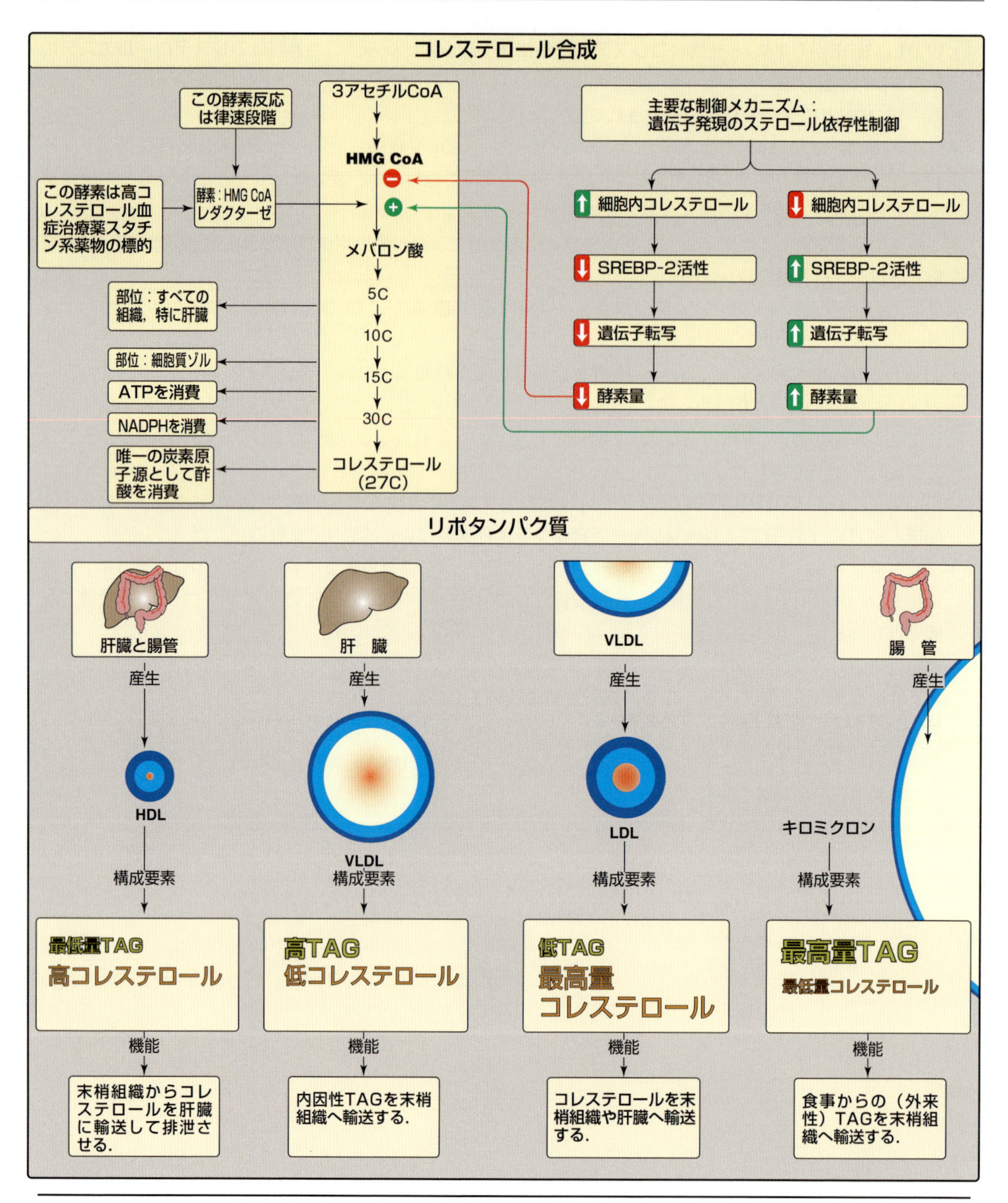

図18.30
コレステロールとリポタンパク質の概念図．HMG CoA：3-ヒドロキシ-3-メチルグルタリル補酵素A，SREBP：ステロール調節配列結合タンパク質，HDL：高密度リポタンパク質，VLDL：超低密度リポタンパク質，LDL：低密度リポタンパク質，TAG：トリアシルグリセロール，NADPH：ニコチンアミドアデニンジヌクレオチドリン酸，C：炭素．

学習問題

最適な答えを1つ選びなさい.

18.1 リン酸化部位のセリン871をアラニンに置換されたHMG-CoAレダクターゼを発現するマウスが作成された. この変異酵素について正しいのはどれか.

A. ATP枯渇に応答しない.
B. スタチン類に影響されない.
C. SRE/SREBP-2系で制御されない.
D. ユビキチン/プロテアソーム系で分解されない.

正解 A. HMG-CoAレダクターゼはリン酸化/脱リン酸化によって制御されている. ATPが欠乏すると, AMPが増加し, AMPKを活性化する. その結果, この酵素はリン酸化されて不活化される. リン酸化部位のセリンが置換されると, AMPKによってリン酸化されなくなる. また, 転写(酵素産生)と分解によっても制御されている. 競合阻害薬のスタチン類は薬理的に制御している. しかし, これらの制御はセリンのリン酸化とは無関係である.

18.2 空腹時の脂質血液検査で総コレステロール300 mg/dL, HDL-コレステロール25 mg/dL, TAG150 mg/dLの場合, LDL-コレステロールの量を推測せよ.

A. 55 mg/dL
B. 95 mg/dL
C. 125 mg/dL
D. 245 mg/dL

正解 D. 空腹時の総コレステロール量はLDL, HDL, VLDLそれぞれのコレステロールの総和である. TAGのほとんどがVLDLに存在し, それとコレステロールの比が5:1であることから, VLDL-コレステロール量はTAG/5で計算される.

問題18.3と18.4について以下のシナリオを用いよ.
重篤な腹痛の既往歴がある若い女性が激しい苦痛で朝5時に近医に連れてこられた. 採血したところ, 血漿はミルク様であり, TAG値は2,000 mg/dL以上であった(正常値は4〜150 mg/dL). 患者は脂肪摂取を厳しく制限されることになったが, 中鎖脂肪酸TAGは補充された.

18.3 患者の血漿の状態に最も影響を及ぼしているリポタンパク質粒子は次のどれか.

A. キロミクロン
B. 高密度リポタンパク質(HDL)
C. 中密度リポタンパク質(IDL)
D. 低密度リポタンパク質(LDL)
E. 超低密度リポタンパク質(VLDL)

正解 A. 彼女の血漿がミルク様だったのは, TAG豊富なキロミクロンによるものである. 午前5時はおそらく彼女が夕食を食べてから数時間は経過していたと考えられる. したがって, このリポタンパク質を分解することに問題があることになる. IDL, LDL, HDLは主としてコレステロールエステルを含み, これらの粒子が上昇した場合には高コレステロール血症となるはずである. VLDLはミルク様血漿をもたらすことはない.

18.4 この患者で欠損しているのはどれか．

A. apoA-Ⅰ
B. apoB-48
C. apoC-Ⅱ
D. コレステロールエステル転移タンパク質
E. ミクロソームTAG転移タンパク質

正解 C．キロミクロンのTAGは内皮リポタンパク質リパーゼ(LPL)によって分解する．この酵素は補酵素としてapoC-Ⅱを必要とする．このLPLもしくはapoC-Ⅱが欠損するとキロミクロンからキロミクロンレムナント(肝臓のapoE受容体により除去される)への代謝が阻害される．apoA-ⅠはLCATの補酵素である．apoB-48はキロミクロンの構成要素である．コレステロールエステル転移タンパク質はHDLとVLDLの間でコレステロールエステルとTAGの交換を行う．ミクロソームTAG転移タンパク質はキロミクロン(およびVLDL)の構築(分解ではない)に関与する．

18.5 古典的21-ヒドロキシラーゼ欠損症での変化を正常と比較して記せ(上昇↑，低下↓)．

変化	上昇	低下
アルドステロン		
アンドロステンジオン		
コルチゾール		
血糖		
ACTH		
血圧		

また，21-ヒドロキシラーゼ欠損症ではなく，17α-ヒドロキシラーゼ欠損症ではどうなるか．

正解 古典的な21-ヒドロキシラーゼ欠損により，ミネラルコルチコイド(アルドステロン)とグルココルチコイド(コルチゾール)はほとんどなくなる．アルドステロンは血圧を上げ，コルチゾールは血糖を上げるため，それらの欠損により，それぞれ低血圧と低血糖をもたらす．コルチゾールはフィードバック阻害により下垂体からのACTH分泌を抑制するため，その低下の結果，ACTHは増加する．プロゲステロンやプレグネノロンからアンドロゲン生成が促進し，アンドロステンジオンが上昇する．17α-ヒドロキシラーゼ欠損では性ホルモン合成が低下する．アルドステロン産生増加により，高血圧症となる．

アミノ酸：窒素の処理 19

Ⅰ．概　要

脂肪や糖質とは異なり，アミノ酸は体に貯蔵されない．言い換えると，将来利用するアミノ酸を供給する役割しか持たないようなタンパク質は存在しない．であるから，アミノ酸は食事から得るか，新たに合成するか，体のタンパク質分解から得るかしかない．細胞が生合成に必要とする量を超えたアミノ酸は迅速に分解される．アミノ酸異化の第1段階はα-アミノ基の除去であり（通常アミノ転移と酸化的脱アミノによる），その結果としてアンモニアとα-ケト酸（アミノ酸の炭素骨格）が生じる．生じたアンモニアの一部は尿中に排泄されるが，ほとんどのアンモニアは尿素の合成に使われる（図19.1）．この経路が体から窒素を排出する量的に最も重要な経路である．アミノ酸異化の第2段階では，α-ケト酸の炭素骨格がエネルギー産生の代謝経路の共通中間体に変換される（20章で述べる）．これらの化合物は8章～13章および16章で記載された代謝の中心経路により，二酸化炭素（CO_2），水（H_2O），グルコース，脂肪酸，ケトン体に代謝される．

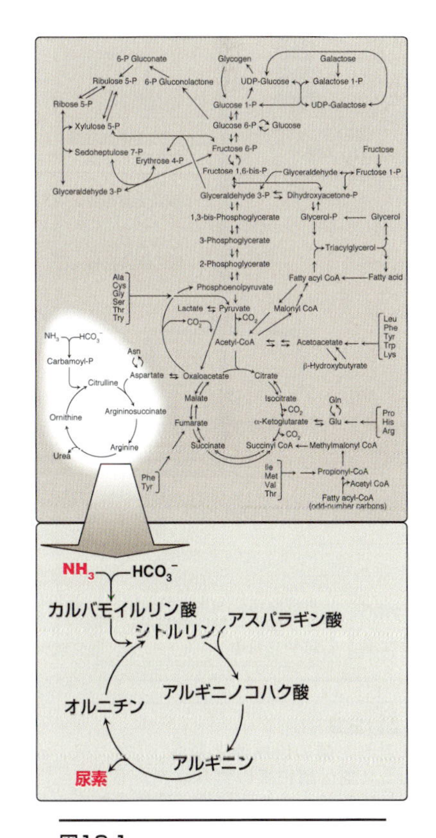

図19.1
エネルギー代謝の重要経路の一部としての尿素回路．［注：中間代謝の詳細についてはp.118の図8.2参照．］NH_3：アンモニア，CO_2：二酸化炭素，

Ⅱ．窒素代謝全般

アミノ酸異化は窒素含有分子の代謝という大きな代謝の一部である．**窒素 nitrogen**は食事中のさまざまな化合物によって体に入るが，最も重要なものは食事性タンパク質に含まれるアミノ酸である．窒素は体から**尿素 urea**，**アンモニア ammonia**，アミノ酸代謝由来の他の産物（クレアチニン等，p.374参照）として排出される．窒素代謝という観点からすると，体を構成するタンパク質の役割は2つの重要な概念を含んでいる．1つは**アミノ酸プール amino acid pool**であり，もう1つは**タンパク質の代謝回転 protein turnover**である．

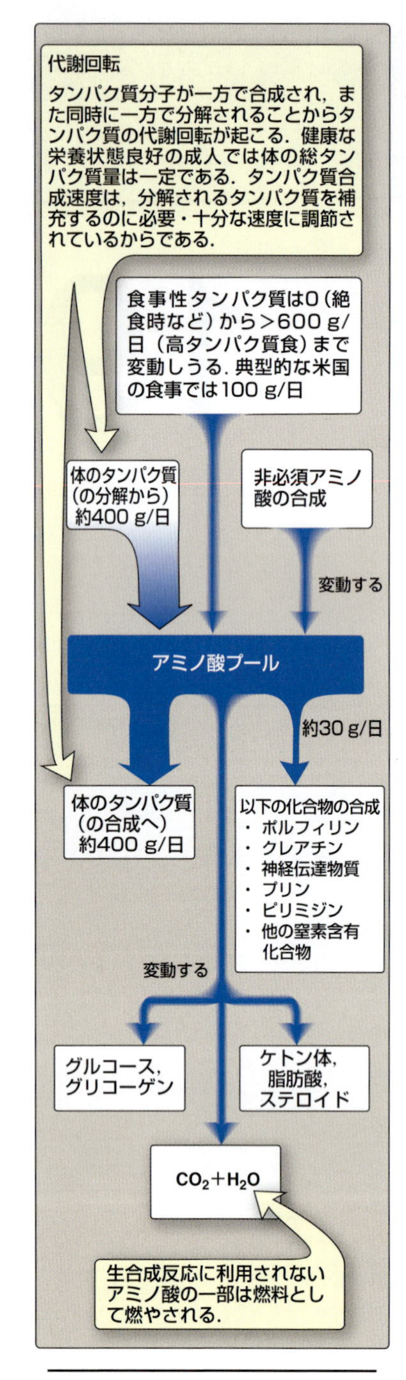

図19.2
アミノ酸の供給源と運命．［注：アミノ酸分解由来の窒素はアンモニアとして放出され，尿素に変換されて排泄される．］CO_2：二酸化炭素．

A．アミノ酸プール

遊離アミノ酸は体中に存在する．例えば，細胞内，血液中，細胞外液などである．ここではこれらすべてのアミノ酸が1つの統一体を構成すると仮定し，それをアミノ酸プールと呼ぶことにする．このプールには3つの源からアミノ酸が供給される．(1)内因性の(体を構成する)タンパク質の分解によって供給されるアミノ酸(そのほとんどは再利用される)，(2)外因性(食事性)タンパク質由来のアミノ酸，(3)代謝の単純な中間体から合成される非必須アミノ酸の3つである(図19.2)．逆に，アミノ酸プールは3つの経路で消費される．(1)体のタンパク質の合成に用いられるアミノ酸，(2)重要な窒素含有小分子の前駆体として消費されるアミノ酸，(3)グルコース，グリコーゲン，脂肪酸，ケトン体，CO_2 + H_2Oへと酸化されるアミノ酸の3つである(図19.2)．アミノ酸プール(およそ90～100 gのアミノ酸から構成される)は体のタンパク質量(70 kgの男性でおよそ12 kg)に比べて小さいけれども，概念的には体全体の窒素代謝の中心的存在である．

> 栄養状態の良い健康な個体では，アミノ酸プールへの流入量はアミノ酸プールからの流出量に等しく，プールに含まれるアミノ酸量は一定である．このときアミノ酸プールは定常状態にあるといい，その人は窒素出納(窒素平衡，窒素バランス)が取れているという(p.477参照)．

B．タンパク質代謝回転

体の中のほとんどのタンパク質は常に合成される一方で分解(代謝回転)されている．このことによって異常なタンパク質や不要なタンパク質は除去されている．多くのタンパク質では**生合成の制御**が細胞内のタンパク質濃度を決定しており，分解制御は小さな役割しか果たしていない．他のタンパク質では生合成の速度は構成的(通常一定)で，そのタンパク質濃度は**選択的分解**によって調節されている．

1．**速度**：健康な成人では体を構成するタンパク質の総量は一定である．タンパク質合成速度が分解されたタンパク質を補うのに十分なように調節されているからである．この過程を**タンパク質の代謝回転 protein turnover**と呼び，毎日300～400 gのタンパク質の加水分解と再合成から成り立っている．タンパク質の代謝回転速度は個々のタンパク質によって大きく異なる．短命のタンパク質(例えば多くの調節タンパク質やミスフォールドタンパク質など)は迅速に分解され，半減期は分単位・時間単位である．半減期が日単位・週単位の長命なタンパク質が細胞内では大多数を占める．コラーゲンなどの構造タンパク質は代謝的に安定で，月単位・年単位の半減期を持つ．

2．**タンパク質分解**：**タンパク質を分解する**ための2つの酵素系が存在する．1つは細胞質ゾルのATP依存性の**ユビキチン(Ub)-プロテア**

ソーム系 ubiquitin-proteasome systemであり，もう1つは**リソソーム lysosome**のATP非依存性の分解酵素である．プロテアソームは損傷を受けたタンパク質や半減期の短いタンパク質を選択的に分解する．リソソームは酸性加水分解酵素(p.213 参照)を用いて細胞内タンパク質を非選択的に分解したり(オートファジーautophagy)エンドサイトーシスによって取り込まれた血漿タンパク質などの細胞外タンパク質を非選択に分解したりする(ヘテロファジーheterophagy)．

a. **ユビキチン(Ub)-プロテアソーム系**：細胞質のUb-プロテアソーム系によって分解されるように決定されたタンパク質は，まずユビキチンという真核生物では高度に保存されている小さな球状の非酵素タンパク質と共有結合する．標的タンパク質のユビキチン化は，基質となるタンパク質のリシンのε-アミノ基にユビキチンのC末端のグリシンのα-カルボキシ基がイソペプチド結合することにより起こる(訳注：イソペプチド結合はタンパク質を構成しているアミノ酸残基のα炭素に結合しているアミノ基やカルボキシ基によるペプチド結合以外の，アミノ基やカルボキシ基が形成するペプチド結合)．これは3段階の酵素によって触媒されるATP依存性の過程である．[注：酵素1 enzyme 1(E1，活性化酵素)がユビキチンを活性化し，それをE2(結合酵素)に移す．E3(リガーゼ)が分解されるべきタンパク質を同定しE2-Ubと相互作用する．E1やE2よりも多くのE3タンパク質が存在する．] 引き続いて起こる4個以上のユビキチン付加により**ポリユビキチン鎖 polyubiquitin chain**が生じる．ユビキチン化されたタンパク質は，**プロテアソーム proteasome**と呼ばれる大きな樽形の高分子量タンパク質分解複合体によって認識される(図19.3)．プロテアソームは標的タンパク質の三次構造を解きほぐし，ユビキチンを外し，断片に切断し，これらの断片はさらに細胞質のプロテアーゼ proteaseによってアミノ酸まで分解され，アミノ酸はアミノ酸プールに入る．ユビキチンは再利用される．Ub-プロテアソーム複合体によるタンパク質の選択的分解が，タンパク質分解酵素 proteolytic enzymeによる単純な加水分解とは異なり，ATPの加水分解を必要とすることは注目に値する．

b. **分解シグナル**：タンパク質はそれぞれ異なる半減期を持つのだから，タンパク質分解がランダムに起きているのではなく，タンパク質の構造によって影響を受けていることは自明である．タンパク質構造のある特徴が分解シグナルとして機能し，E3によって認識され結合される．タンパク質の半減期はアミノ(N)末端残基によっても影響を受け(N末端ルール)，分単位から時間単位に及ぶ．分解されやすいN末端アミノ酸にはアルギニンの他にアセチル化アラニンなどの翻訳後修飾を受けたアミノ酸などがある．これとは対照的にセリンがN末端にあると安定化される．さらにプロリン(Pro, P)，グルタミン酸(Glu, E)，セリン(Ser, S)，トレオニン(Thr, T)を含む配列(これらのアミノ酸の一文字表記から**PEST配列 PEST sequence**と呼ばれる)に富むタンパク質は迅速にユビキチン化・分解され，短い半減期しか持たない．

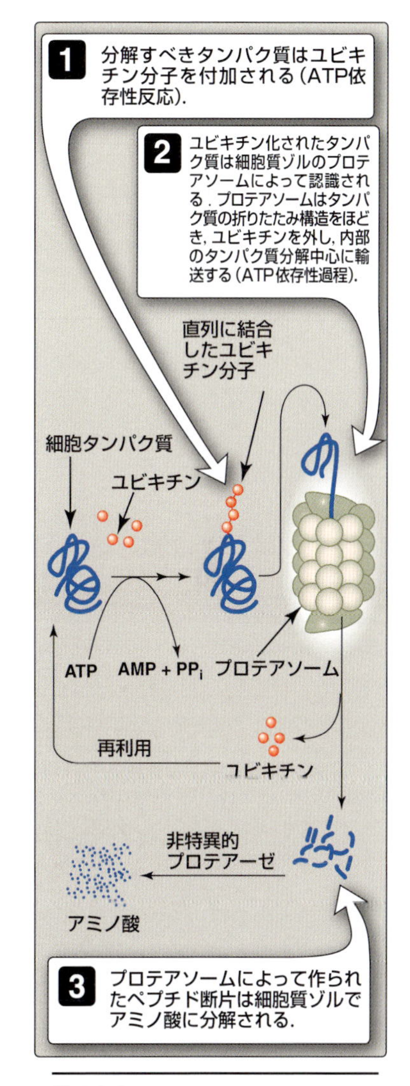

図 19.3
タンパク質のユビキチン-プロテアソーム分解経路．AMP：アデノシン一リン酸，PP_i：ピロリン酸．

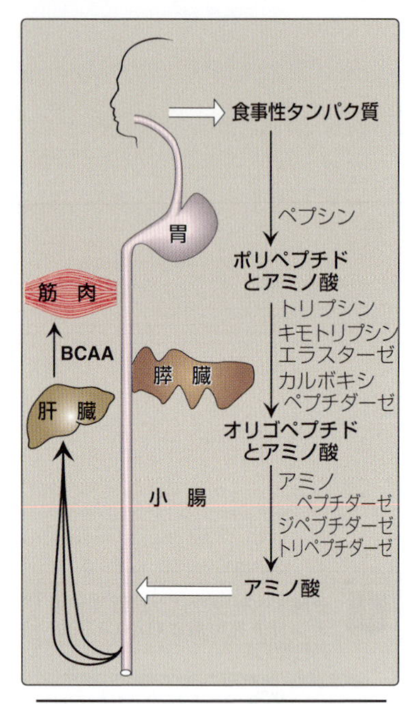

図 19.4
胃腸管のタンパク質分解酵素による食事性タンパク質の消化．BCAA：分子鎖アミノ酸．

Ⅲ．食事性タンパク質の消化

食事中の窒素のほとんどはタンパク質の形で消費される．米国の食事では 1 日 70 ～ 100 g である（図 19.2）．タンパク質は一般的には腸管から吸収されるには大きすぎる．［注：この規則の例外として，新生児は母乳から母親の抗体を取り込むことなどがある．］したがって，タンパク質は吸収されるためにはアミノ酸もしくはジペプチド，トリペプチドにまで加水分解されなければならない（訳注：経口感染するタンパク質であるプリオンや食物アレルゲンなど，腸管は条件によってはかなり大きなペプチドも吸収する）．食事中のタンパク質を分解するタンパク質分解酵素は 3 つの異なる臓器によって産生される．胃と膵臓と小腸である（図 19.4）．

A．胃液による消化

タンパク質の消化は**胃 stomach** ではじまる．胃は胃液を分泌する．胃液は塩酸（HCl）と酵素前駆体（プロ酵素）であるペプシノーゲンを含んでいるユニークな溶液である．

1．**塩酸**：胃酸は酸自体でタンパク質を加水分解するのには薄すぎる（pH 2 ～ 3）．胃の壁細胞から分泌されるこの酸の役割は細菌を殺しタンパク質を変性させプロテアーゼによる加水分解を受けやすくすることにある．

2．**ペプシン**：この酸耐性のエンドペプチダーゼ endopeptidase は胃の主細胞によって不活性のチモーゲン（酵素前駆体）である**ペプシノーゲン pepsinogen** として分泌される．［注：一般的に，チモーゲンはその配列のなかに余分なアミノ酸を含んでおり，これが触媒活性を発揮することを防いでいる．これらのアミノ酸を除去することによりタンパク質が正しく折りたたまれて活性酵素となる．］ペプシノーゲンは塩酸があると自己触媒的にコンホメーション変化を起こし自己消化して活性型のペプシン pepsin となる．ペプシンは食物中のタンパク質を分解してポリペプチドといくらかの遊離アミノ酸を放出させる．

B．膵酵素による消化

小腸に入ると，胃の中でペプシンの作用によって作られた大きなポリペプチドは，一群の膵プロテアーゼ pancreatic protease（ペプチド内部を切断するエンドペプチダーゼとペプチド末端を切断するエキソペプチダーゼ exopeptidase）によりさらにオリゴペプチドとアミノ酸に分解される．［注：やはり腸管ホルモンのセクレチンに応答して膵臓によって分泌される重炭酸イオン（HCO_3^-）が腸管の pH を上げる．］

1．**特異性**：これらの酵素はそれぞれ，切断するペプチド結合に隣接するアミノ酸の側鎖（R 基）に対して異なる特異性を持っている（図 19.5）．例えばトリプシン trypsin は，ペプチド結合のカルボニル基がアルギニンかリシンによって提供されている場合にのみ，そのペプチ

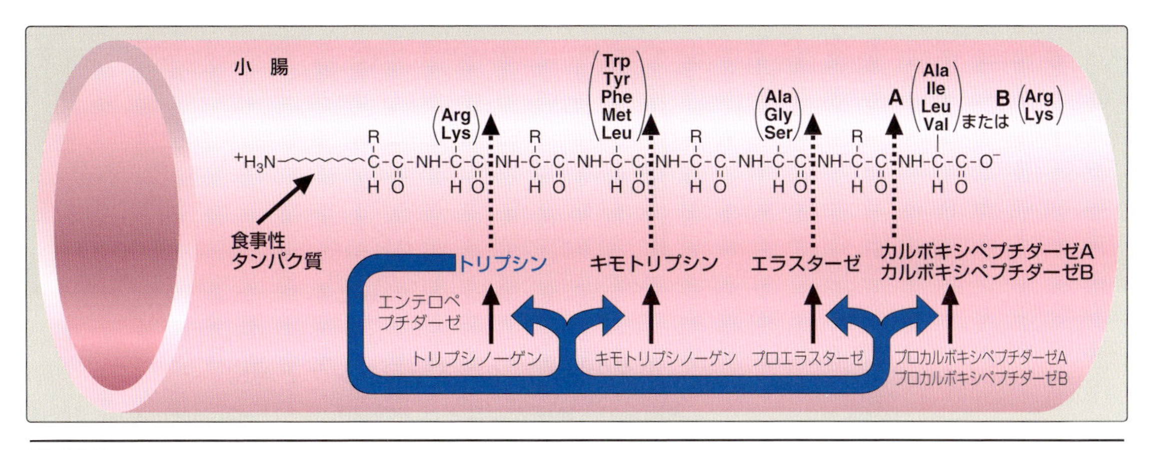

図 19.5
小腸における膵臓からのプロテアーゼ(タンパク質分解酵素)による食事性タンパク質の分解. 主な5つの膵プロテアーゼが特異的に加水分解するペプチド結合を示す.［注：はじめの3つはセリンエンドペプチダーゼであり，最後の2つはエキソペプチダーゼである. これらの消化酵素は不活性のチモーゲンから産生される.］

ド結合を切断する. これらの酵素は，ペプシンと同様に，不活性のチモーゲンとして合成・分泌される.

2．チモーゲンの放出：膵チモーゲンの放出と活性化は小腸のポリペプチドホルモンである**コレシストキニン cholecystokinin**によって促進される(p.230 参照).

3．チモーゲンの活性化：エンテロペプチダーゼ enteropeptidase(エンテロキナーゼ enterokinaseとも呼ばれる)は刷子縁の腸管粘膜細胞(腸細胞)の管腔側(先端側)で合成されそこに存在する酵素であるが，これはトリプシノーゲンのN末端からヘキサペプチド(6個のアミノ酸からなるペプチド)を除去することによって膵チモーゲンであるトリプシノーゲンをトリプシンに変換する. トリプシンはトリプシノーゲン中の特定のペプチド結合を一定数切断することにより，他のトリプシノーゲンをトリプシンに変換する. エンテロペプチダーゼはこのようにして一連のタンパク質分解活性を次々と活性化させる. というのは，トリプシンはすべての膵チモーゲンの共通の活性化因子だからである(図 19.5).

4．消化異常：膵液分泌に欠陥がある症例においては(例えば，**慢性膵炎 chronic pancreatitis**，**嚢胞性線維症 cystic fibrosis**(CF)や膵臓の**外科的切除 surgical removal**によって)，脂肪およびタンパク質の消化・吸収が不完全である. その結果糞便中に異常な脂質出現(**脂肪便 steatorrhea**と呼ばれる，p.232 参照)や未消化のタンパク質出現をきたす.

セリアック病celiac disease（セリアックスプルー celiac sprue，小児脂肪便症）は，小腸で起こる免疫系を介した損傷による吸収不全病である．この病気は小麦，大麦，ライ麦に含まれるグルテンというタンパク質（もしくはグルテン由来のグリアジン）の摂取に反応して起こる．

C. 小腸の酵素によるオリゴペプチド消化

腸細胞の管腔側表面はアミノペプチダーゼ aminopeptidaseと呼ばれる，オリゴペプチドからN末端を繰り返し切り出して遊離アミノ酸とより小さいペプチドを産生するエキソペプチダーゼを含んでいる．

D. アミノ酸と小ペプチドの腸管からの吸収

ほとんどの遊離アミノ酸は，管腔側（先端側）の膜に存在する溶質担体タンパク質solute carrier protein（SLC）によるナトリウム依存性二次能動輸送により腸細胞内に取り込まれる．アミノ酸に対する特異性に関して重なりがある輸送系が少なくとも7つ知られている．これに対して，ジペプチドとトリペプチドはプロトン連関ペプチド輸送体（PepT1）によって取り込まれる．取り込まれたペプチドは加水分解されて遊離アミノ酸になる．いずれにせよ，遊離アミノ酸は腸細胞からその基底側膜に存在するナトリウム非依存性輸送体によって門脈系へと放出される．であるから，タンパク質を含む食事の後で門脈中には遊離アミノ酸しか認められない．これらのアミノ酸は肝臓で代謝されるか体循環に放出される．［注：分枝鎖アミノ酸（BCAA）は肝臓では代謝されず，血流に乗って肝臓から筋肉へと送り出される（図19.4参照）．］

E. 吸 収 異 常

小腸と腎臓の近位尿細管はアミノ酸取り込みに関して共通の輸送系を持っている．したがって，これらの輸送系の欠陥は特定のアミノ酸の腸管と腎尿細管への吸収障害となって表れる．例えばある輸送系はシスチンおよびオルニチン，アルギニン，リシンという塩基性基を2つ持つアミノ酸（COALと総称する）の再吸収を担っている．**シスチン尿症 cystinuria**という遺伝性疾患ではこの輸送系に欠陥があり，尿中にこれら4つのアミノ酸がすべて出現する（図19.6）．シスチン尿症は7,000人に1人の割合で起こり，最もよくみられる遺伝性疾患の1つであり，アミノ酸輸送系の遺伝性欠陥の中で最もよくみられるものである．この病気はシスチンが沈着して腎結石を形成し，尿管を閉塞させることにより臨床症状が出現する．この病気の治療法としては水の経口摂取が重要である．［注：トリプトファンの中性アミノ酸輸送体による取り込みの欠陥によりハートナップ病 Hartnup disease，ペラグラ様皮膚・神経症状（p.499参照）が起きる．］

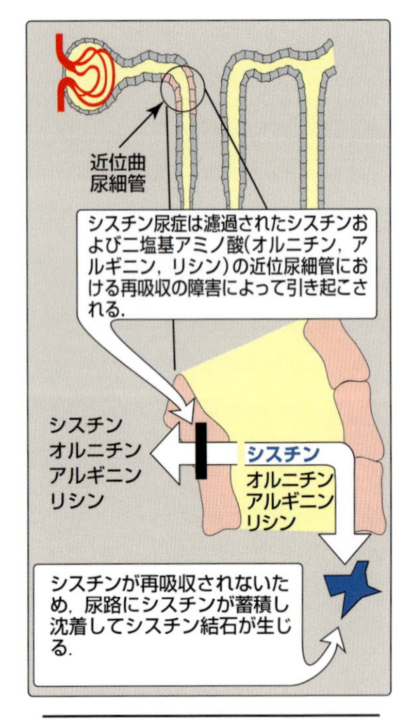

図 19.6
シスチン尿症における遺伝的欠損．［注：シスチン尿症はシスチン（蓄積）症とは異なる．シスチン（蓄積）症はリソソームからのシスチン輸送に欠陥があるまれな疾患であり，リソソーム中にシスチン結晶が析出し広範な組織障害が起こる．］

Ⅳ. アミノ酸からの窒素除去

アミノ酸はα-アミノ基があることによって酸化的分解から守られている．α-アミノ基を除去することがアミノ酸からエネルギーを産生するためには不可欠であり，すべてのアミノ酸異化にとって必須の段階である．いったんアミノ酸から除去されると，この窒素は他の化合物に取り込まれるか尿素として排泄され，残った炭素骨格は代謝される．この節ではアミノ転移および酸化的脱アミノという反応について記載する．これらはアンモニアとアスパラギン酸という尿素窒素の2つの供給源を作り出す反応である(p.326 参照)．

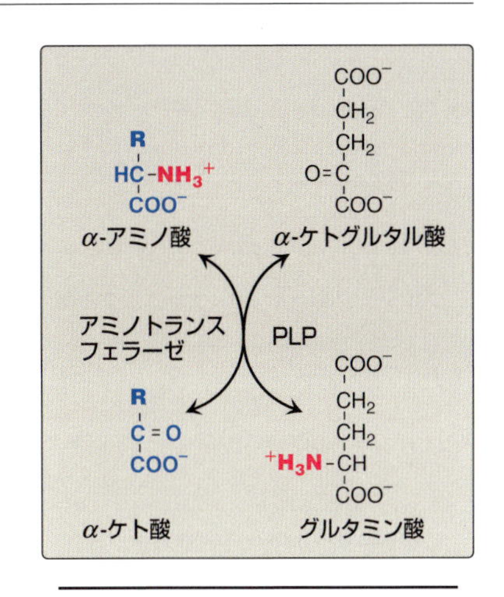

図 19.7
α-ケトグルタル酸をアミノ基受容体とするアミノトランスフェラーゼ反応．PLP：ピリドキサールリン酸．

A. アミノ転移：アミノ基を集めてグルタミン酸を作る

ほとんどのアミノ酸の**異化 catabolism**の第1段階は，そのα-アミノ基をα-ケトグルタル酸に転移させることである(図 19.7)．生成物は**α-ケト酸 α-keto acid**(もとのアミノ酸由来)とグルタミン酸(α-ケトグルタル酸由来)である．クエン酸回路のケト酸中間体であるα-ケトグルタル酸はほとんどのアミノ酸からアミノ基を受け取り，構造的に関連しているグルタミン酸になることによって，アミノ酸代謝において重要な役割を果たしている．**アミノ転移 transamination**によって生じたグルタミン酸は**酸化的脱アミノ oxidative deamination**を受けるか(下記B.参照)，非必須アミノ酸の合成においてアミノ基供与体として使われる．このある炭素骨格から他の炭素骨格へのアミノ転移はアミノトランスフェラーゼ aminotransferase(以前はトランスアミナーゼ transaminaseと呼ばれていた)と呼ばれる容易に可逆的な酵素ファミリーによって触媒される．これらの酵素は体中の細胞の細胞質ゾルとミトコンドリアに存在する．リシンとトレオニンを除くすべてのアミノ酸は異化の過程でアミノ転移の反応を経る．[注：これら2つのアミノ酸は脱アミノによりα-アミノ基を失う(p.345 参照)．]

1．**基質特異性**：それぞれのアミノトランスフェラーゼは1つの，あるいは多くても少数のアミノ基供与体に特異的である．アミノトランスフェラーゼは特異的なアミノ基供与体により命名される．というのは，アミノ基の受容体はほとんど常にα-ケトグルタル酸だからである．2つの重要なアミノトランスフェラーゼ反応は，アラニンアミノトランスフェラーゼ alanine aminotransferase(ALT)とアスパラギン酸アミノトランスフェラーゼ aspartate aminotransferase(AST)によって触媒される(図 19.8)．すべてのアミノトランスフェラーゼは補酵素**ピリドキサールリン酸 pyridoxal phosphate**(ビタミンB_6誘導体，p.496 参照)を必要とし，これは酵素の活性部位の特定のリシン残基のε-アミノ基に共有結合している．

a．**アラニンアミノトランスフェラーゼ**：ALTは多くの組織に存在する(訳注：ALTは肝臓に特異的に多く存在し，腎臓にも多少存在するが，その他の臓器には少ない)．この酵素はアラニンのアミノ基をα-ケトグルタル酸に転移し，ピルビン酸とグルタミン酸を生成する．この反応は容易に逆行しうる．しかし，アミノ酸

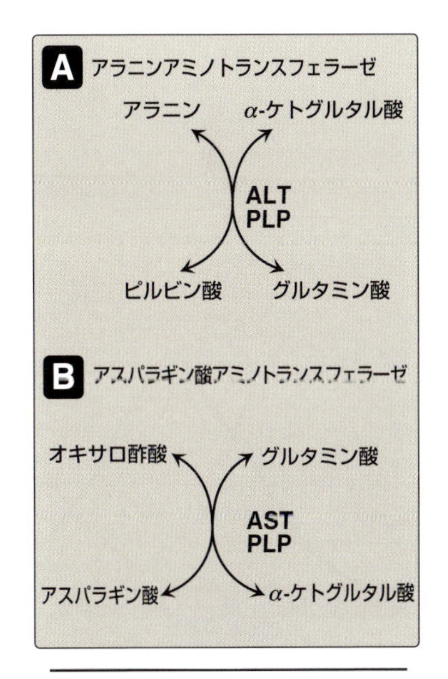

図 19.8
アミノ酸異化で触媒される反応．A. アラニンアミノトランスフェラーゼ(ALT)．B. アスパラギン酸アミノトランスフェラーゼ(AST)．PLP：ピリドキサールリン酸．

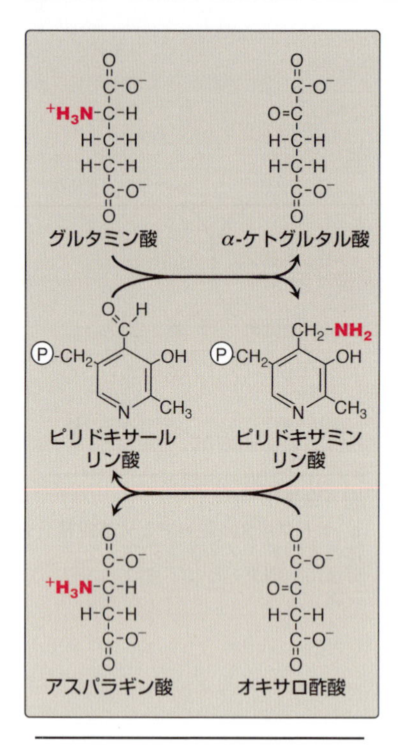

図 19.9
アスパラギン酸アミノトランスフェラーゼ反応におけるピリドキサールリン酸とピリドキサミンリン酸間の循環的相互変換. Ⓟ：リン酸基.

異化においてはこの酵素は(ほとんどのアミノトランスフェラーゼと同様に)グルタミン酸生成の方向に働く.［注：事実上グルタミン酸はほとんどのアミノ酸から窒素を収集する役割を果たす.］

b. **アスパラギン酸アミノトランスフェラーゼ**：ASTは「アミノトランスフェラーゼはアミノ基を集めてグルタミン酸を生成する」という原則に対する例外である．アミノ酸異化において，ASTは主にグルタミン酸からアミノ基をオキサロ酢酸(OAA)に転移し，α-ケトグルタル酸とアスパラギン酸を生成する．アスパラギン酸は尿素回路において窒素の供給源となる(p.327 参照)．他のアミノトランスフェラーゼ反応と同様に，AST反応も両方向性である(逆行しうる).

2. **反応機構**：図 19.9 にASTによって触媒されるアミノ転移の反応機構を示す．アミノトランスフェラーゼは，アミノ酸基質(グルタミン酸)のアミノ基を補酵素のピリドキサール部分に転移して**ピリドキサミンリン酸 pyridoxamine phosphate**を生成する．アミノ酸基質のグルタミン酸はこのようにしてα-ケト酸産物(α-ケトグルタル酸)に変換される．ピリドキサミン型補酵素はα-ケト酸基質(OAA)と反応してアミノ酸産物(アスパラギン酸)を生成すると同時にもとのアルデヒド型補酵素が再生される.

3. **平衡**：ほとんどのアミノ転移反応において，平衡定数は 1 に近い．したがって反応はα-アミノ基の除去によるアミノ酸分解の方向にも(例えば，タンパク質に富む食事のあとなど)，α-ケト酸の炭素骨格にアミノ基を付加して非必須アミノ酸を合成する方向にも(例えば，食物からのアミノ酸供給が細胞が必要とする量に達しない場合など)進みうる.

4. **診断的価値**：アミノトランスフェラーゼは通常細胞内酵素であり，血漿中では正常な細胞代謝回転で放出される細胞内容物を反映する程度の低値しか示さない．血漿アミノトランスフェラーゼ値が上昇しているのは，これらの酵素を多く含む細胞が傷害を受けたことを示している．例えば外傷や疾患によって細胞が溶解されると細胞内酵素が血中に放出される．ASTとALTという 2 つのアミノトランスフェラーゼが血漿中で上昇した場合は診断的価値が高い.

a. **肝疾患**：血漿ASTおよびALTはほとんどすべての肝疾患で上昇するが，重度のウイルス肝炎や中毒，長引いた循環虚脱などのように広範な細胞壊死を引き起こす状態で特に高値を示す．ALTはASTに比べてより肝疾患特異的であるが，ASTはより感度が高い．というのは，肝細胞はASTのほうを多量に含有しているからである．連続的にASTとALTを測ること(肝機能検査と呼ばれる)は肝傷害の経過を決定するのにしばしば有用である．図 19.10 には肝毒素を飲み込んだあと，早期にALTが血中に放出されることが示されている.［注：ビリルビンが上昇しているのは，肝細胞傷害が起きて肝臓におけるビリルビンの抱合および

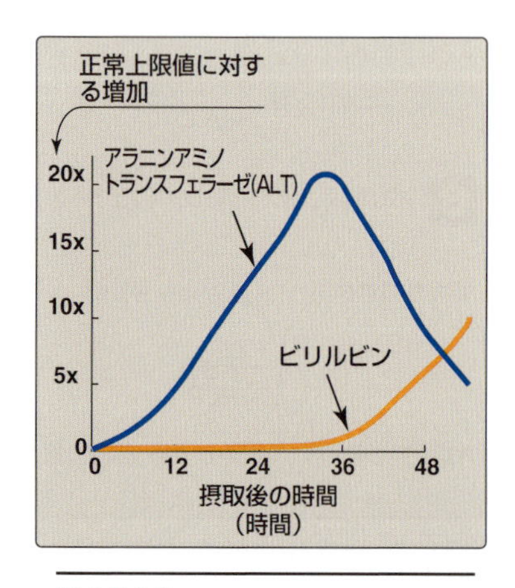

図 19.10
毒キノコ *Amanita phalloides* 摂取による中毒における血漿ALTとビリルビン変化.

排泄が減少していることによる(p.370 参照).]

b. **肝疾患以外の疾患**：アミノトランスフェラーゼは心筋梗塞や筋疾患などの肝疾患以外の疾患でも上昇しうる．しかしこれらの疾患は臨床上，追加の臨床検査試験で肝疾患とは鑑別が容易である（訳注：肝障害ではALT＞ASTのことが多く，心筋梗塞ではALTは正常範囲にある）．筋損傷が疑われる場合は，ASTとALTに加えて，クレアチンキナーゼ creatine kinase（CK），乳酸デヒドロゲナーゼ lactate dehydrogenase（LDH），ミオグロビンの血漿値も上昇するが，血中尿素窒素（BUN），ビリルビン，γ-グルタミルトランスフェラーゼ γ-glutamyl transferase（GGT，γ-GTP）は正常範囲内である．

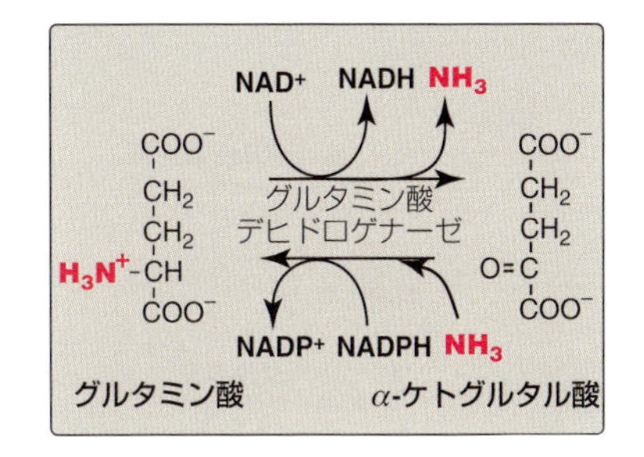

図 19.11
グルタミン酸デヒドロゲナーゼによる酸化的脱アミノ．［注：この酵素はニコチンアミドアデニンジヌクレオチド（NAD^+）とニコチンアミドアデニンジヌクレオチドリン酸（NADPH）の両者を用いる特異な酵素である．］NH_3：アンモニア．

B．酸化的脱アミノ：アミノ基除去

アミノ基を転移するアミノ転移とは対照的に，グルタミン酸デヒドロゲナーゼ glutamate dehydrogenase（GDH）による酸化的脱アミノにおいては，アミノ基は遊離のアンモニア（NH_3）として放出される（図 19.11）．これらの反応は主として肝臓と腎臓のミトコンドリアで起こる．これらの反応によりα-ケト酸およびアンモニアが生じる．α-ケト酸はエネルギー代謝の中心経路に入り，アンモニアは肝臓における尿素合成の窒素の供給源となる．［注：アンモニアは水溶液中ではアンモニウムイオン（NH_4^+）として存在するが，膜を通過するのはイオン化していないNH_3である．］

1．**グルタミン酸デヒドロゲナーゼ**：上述したように，ほとんどのアミノ酸のアミノ基は結局はα-ケトグルタル酸とのアミノ転移によりグルタミン酸に集められる．グルタミン酸は迅速に酸化的脱アミノを受ける唯一のアミノ酸である．この反応を触媒するのがGDH（図 19.11）である．であるから，アミノ転移（ほとんどのアミノ酸からアミノ基をα-ケトグルタル酸に集めてグルタミン酸を生成）とグルタミン酸の酸化的脱アミノ（α-ケトグルタル酸を再生）により，ほとんどのアミノ酸のアミノ基がアンモニアになる．

a. **補酵素**：ミトコンドリア酵素のGDHは補酵素としてNAD^+も$NADP^+$も利用しうる珍しい酵素である（図 19.11）．NAD^+は主として酸化的脱アミノの際に用いられ（アンモニアが失われると同時に炭素骨格が酸化される，図 19.12 A），$NADP^+$は主として還元的アミノ化（アンモニアの獲得と同時に炭素骨格が還元される，図 19.12 B）の際に用いられる．

b. **反応の方向**：反応の方向はグルタミン酸，α-ケトグルタル酸，アンモニアの濃度比と補酵素の酸化型・還元型の比によって決まる．例えばタンパク質を含んだ食事のあとでは，肝臓のグルタミン酸濃度は上昇し，反応はアミノ酸分解・アンモニア生成の方向に進む（図 19.12 A）．高アンモニア濃度が反応をグルタミン酸合成に進ませるのに必要である．

c. **アロステリック調節因子**：グアノシン三リン酸（GTP）はGDHのアロステリック阻害因子であり，アデノシン二リン酸（ADP）

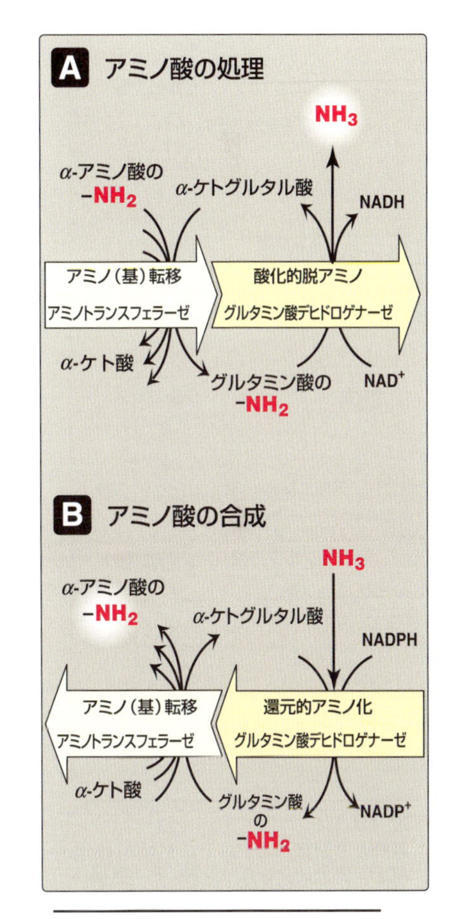

図 19.12
A，B．アミノトランスフェラーゼ反応とグルタミン酸デヒドロゲナーゼ反応の複合作用．［注：還元的アミノ化はアンモニア（NH_3）濃度が高い時のみに起こる.］NAD（H）：ニコチンアミドアデニンジヌクレオチド，NADP（H）：ニコチンアミドアデニンジヌクレオチドリン酸．

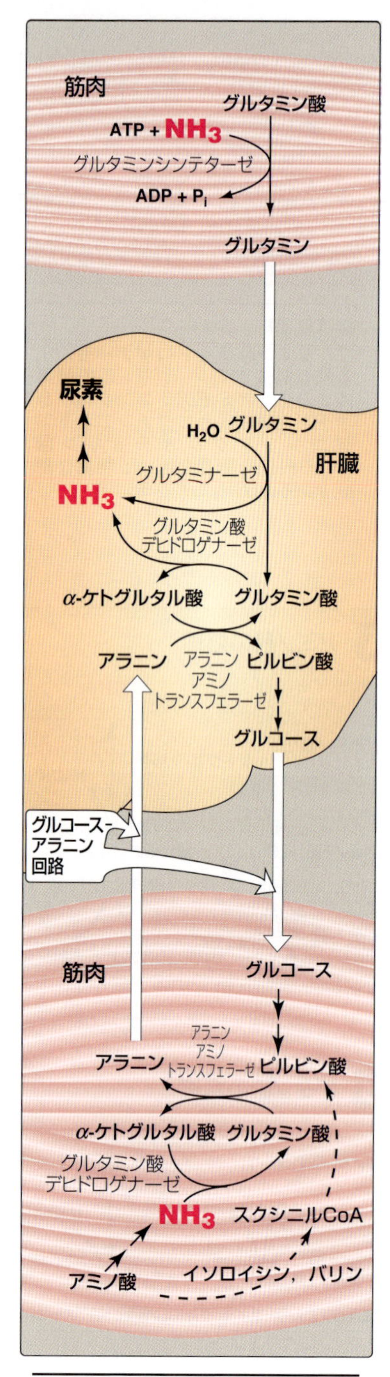

図 19.13
筋肉から肝臓へのアンモニア(NH_3)輸送. ADP：アデノシン二リン酸, P_i：無機リン酸, CoA：補酵素A.

はアロステリック活性化因子である．であるから，細胞内エネルギーレベルが低いときはGDHによるアミノ酸分解が進み，アミノ酸由来の炭素骨格からのエネルギー産生が促進される．

2．D-**アミノ酸オキシダーゼ**：D-アミノ酸(p.6 参照)は食事中に含まれるが，哺乳類のタンパク質合成には用いられない．しかしながらD-アミノ酸は肝細胞と腎細胞のペルオキシソーム内でフラビンアデニンジヌクレオチド依存性**D-アミノ酸オキシダーゼ** D-amino acid oxidase(DAO)により効率的にα-ケト酸，アンモニア，過酸化水素へと代謝される．生じたα-ケト酸はアミノ酸代謝の共通経路に入り，L-異性体に再アミノ化されるかエネルギー代謝に回される．[注：DAOはセリンの異性体であり*N*-メチル-D-アスパラギン酸(NMDA)型グルタミン酸受容体を調節するD-セリンを分解する．DAO活性上昇は統合失調症発症の危険因子とされている．DAOはグリシンのグリオキシル酸への変換反応も触媒する(p.341 参照)．] **L-アミノ酸オキシダーゼ** L-amino acid oxidaseは蛇毒中に存在する．

C．アンモニアの肝臓への輸送

ヒトでは末梢組織で生じたアンモニアを肝臓へ運んで尿素にするための輸送機構が2つある．2つとも骨格筋で重要であるが，骨格筋に限られるわけではない．第一の機構は，**グルタミンシンテターゼ** glutamine synthetaseを用いてアンモニア(NH_3)とグルタミン酸を結合させグルタミン(アンモニアの無毒の輸送型と考えることができる)を生成する機構である(図 19.13)．グルタミンは血中を肝臓まで輸送され，肝臓で**グルタミナーゼ** glutaminaseによりグルタミン酸と遊離のアンモニアに分解される(p.330 参照)．グルタミン酸はGDHによる酸化的脱アミノによりアンモニアとα-ケトグルタル酸に代謝される．アンモニアは尿素に変換される．第二の輸送機構は，ピルビン酸(好気的解糖の最終産物で，BCAAのイソロイシンとバリンの異化で生じるスクシニルCoAの代謝でも産生される)のアミノ転移によるアラニン生成を経るものである．アラニンは血中を肝臓まで輸送されて，肝臓で再びALTによるアミノ転移でピルビン酸に変換される．肝臓では糖新生の経路により，ピルビン酸はグルコースに変えられ，グルコースは血中に入り筋肉によって利用される．この経路は**グルコース-アラニン回路** **glucose-alanine cycle**と呼ばれる．ALTにより生じたグルタミン酸はGDHにより酸化的脱アミノを受けアンモニアを生じる．このようにアラニンとグルタミンの両者がアンモニアを肝臓へ輸送する．

V．尿素回路 urea cycle

尿素(H_2NCNH_2)はアミノ酸に由来するアミノ基の主要な排泄型であり，尿の窒素含有化合物の約90%を占める．尿素分子の窒素のうち1つは**遊離アンモニア** **free ammonia**によって供給され，もう1つはアスパラギン酸によって供給される．[注：グルタミン酸はアンモニアの窒素(GDHによる酸化的脱アミノを通して)とアスパラギン酸の窒素(ASTによるオキサロ酢酸へのアミノ転移を通して)の両者の直前の前駆体である．] 尿素の炭素と酸素は二酸化炭素(HCO_3^-として)に由来する．尿素は**肝臓**によって産生され，血中を腎臓まで輸送されて(血中尿素窒素 BUN)，**尿中**に排泄される．

A．反　応

尿素の合成に至る最初の2つの反応はミトコンドリアマトリックスで起こり，残りの反応を触媒する酵素は細胞質ゾルに存在する(図19.14)．[注：糖新生(p.153 参照)とヘム合成(p.362 参照)もミトコンドリアマトリックスと細胞質ゾルの両者にまたがって起きる．]

1．カルバモイルリン酸生成：カルバモイルリン酸シンテターゼⅠ carbamoyl phosphate synthetase Ⅰ(CPSⅠ)によるカルバモイルリン酸生成はATP 2分子の分解によって駆動される．カルバモイルリン酸に取り込まれるアンモニアは，主としてミトコンドリアのGDHによるグルタミン酸の酸化的脱アミノから供給される(図19.11)．最終的には，このアンモニア由来の窒素原子は尿素の2つの窒素原子の1つになる．CPSⅠはアロステリック活性化因子として*N*-アセチルグルタミン酸(NAG)を必要とする(図19.14)．[注：カルバモイルリン酸シンテターゼⅡ carbamoyl phosphate synthetase Ⅱはピリミジン生合成に関与する(p.391 参照)．この酵素はNAGを必要とせず，グルタミンを窒素源として用い，細胞質ゾルに存在する．]

2．シトルリン生成：カルバモイルリン酸のカルバモイル部分はオルニチントランスカルバミラーゼ ornithine transcarbamylase(オルニチンカルバモイルトランスフェラーゼ，OTC)によってオルニチンへ転移される．このときリン酸は無機リン酸として放出される．反応産物のシトルリンは細胞質ゾルに輸送される．[注：オルニチンとシトルリンは対向輸送体を介してミトコンドリア内膜を通過する．これらの塩基性アミノ酸は細胞のタンパク質には組み込まれない．これらをコードするコドンがないからである(p.575 参照)．] オルニチンは尿素回路が一回りするごとに再生される．クエン酸(TCA)回路でOAAが再生されるのと同様である(p.141 参照)．

3．アルギニノコハク酸合成：アルギニノコハク酸シンテターゼ argininosuccinate synthetaseによりシトルリンはアスパラギン酸と縮合してアルギニノコハク酸になる．アスパラギン酸のα-アミノ基が尿素に取り込まれる第二の窒素を供給する．アルギニノコハク酸の生成はATPがアデノシン一リン酸(AMP)とピロリン酸へ分解されることにより駆動される．これが尿素生成で消費される3番目の，そして最後のATP分子である．

4．アルギニノコハク酸の開裂：アルギニノコハク酸はアルギニノコハク酸リアーゼ argininosuccinate lyaseにより開裂されてアルギニン

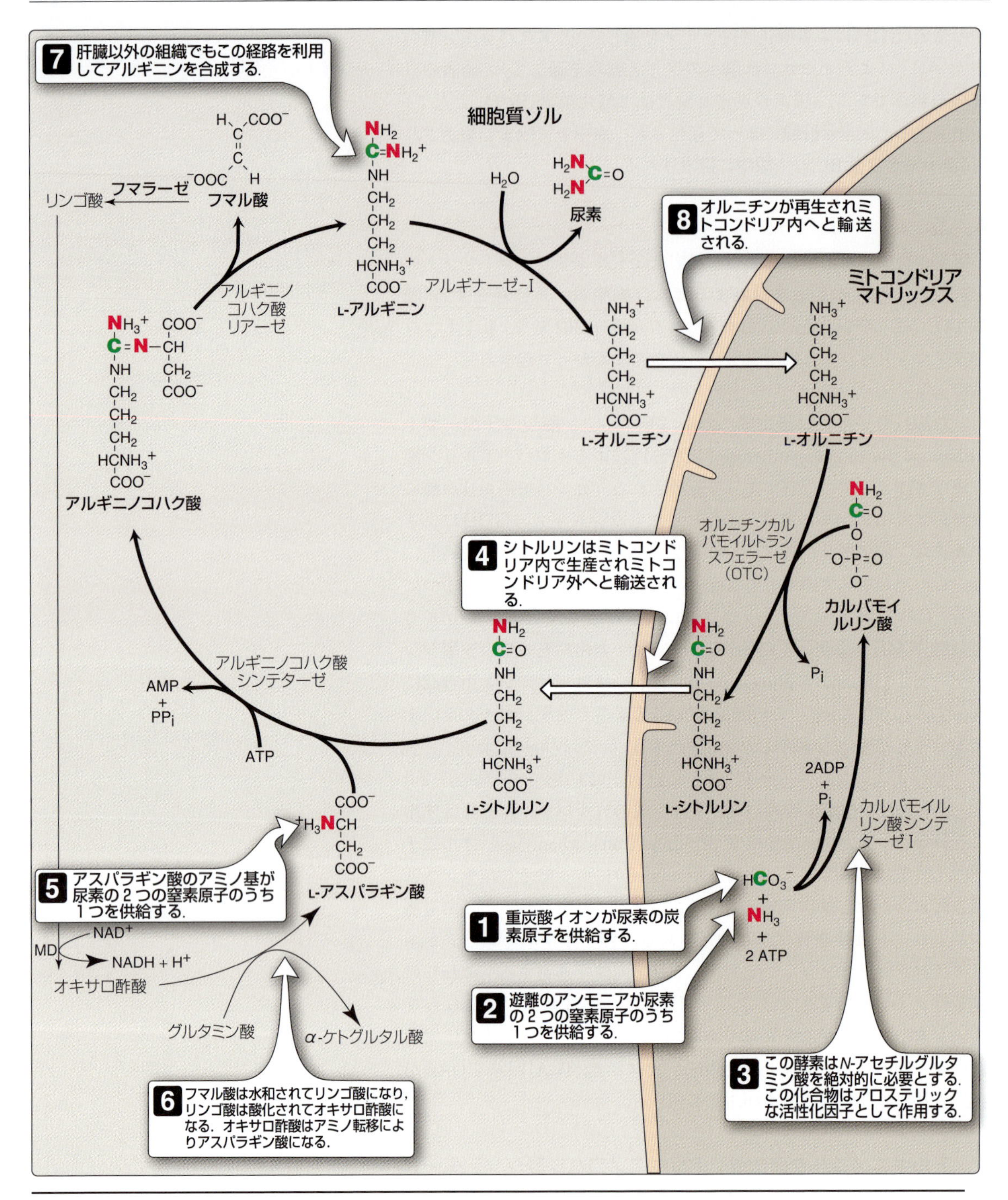

図 19.14

尿素回路の諸反応. ［注：アンチポーター（対向）輸送系がシトルリンとオルニチンのミトコンドリア内膜を越える輸送を担う.］ADP：アデノシン二リン酸，AMP：アデノシン一リン酸，PP_i：ピロリン酸，P_i：無機リン酸，NAD(H)：ニコチンアミドアデニンジヌクレオチド，MD：リンゴ酸デヒドロゲナーゼ.

とフマル酸になる．アルギニンは尿素の直接の前駆体となる．フマル酸は水和されてリンゴ酸となり，いくつかの代謝経路とつながる．リンゴ酸はリンゴ酸デヒドロゲナーゼ malate dehydrogenaseにより酸化されてオキサロ酢酸になり，アミノ転移を受けてアスパラギン酸になり（図19.8）尿素回路に入ることができる（図19.14）．リンゴ酸はリンゴ酸-アスパラギン酸シャトル（p.100参照）を介してミトコンドリアに輸送され，TCA回路に入りOAAに酸化され，糖新生に利用されることもある（p.156参照）．［注：リンゴ酸酸化の際，NADHが産生されるが，これが酸化的リン酸化にまわされ（p.97参照），尿素回路のエネルギーコストを低下させる．］

5．アルギニンの開裂によるオルニチンと尿素の生成：アルギナーゼ-Ⅰ arginase-Ⅰがアルギニンを加水分解してオルニチンと尿素にする．この反応はほとんど肝臓でしか起こらない．であるから，肝臓だけがアルギニンを分解して尿素を合成することができる．これに対して，腎臓のような他の組織ではシトルリンからアルギニンは合成できる．［注：腎臓のアルギナーゼ-Ⅱ arginase-Ⅱは一酸化窒素合成のためのアルギニンの利用可能性を調節する（p.199参照）．］

6．尿素の運命：尿素は肝臓から拡散し，血中を腎臓まで輸送され，そこで濾過され尿中に排泄される（図19.19参照）．尿素の一部は血中から腸に拡散し，細菌のウレアーゼ ureaseによって二酸化炭素とアンモニアに分解される．このアンモニアは一部は便中に失われ，一部は血中に再吸収される．腎不全患者では血漿尿素濃度が上昇し，より多くの尿素が血中から腸に移行する．この尿素に小腸でウレアーゼが作用することが臨床的に重要なアンモニア源となり，腎不全患者でしばしばみられる**高アンモニア血症 hyperammonemia**を引き起こす．抗菌薬の経口投与によりこのアンモニア産生をもたらす腸内細菌の数を減らすことができる．

B．化学量論のまとめ

$$\text{アスパラギン酸} + NH_3 + HCO_3^- + 3\,ATP + H_2O \rightarrow$$
$$\text{尿素} + \text{フマル酸} + 2\,ADP + AMP + 2\,P_i + PP_i$$

尿素1分子の合成に4つの高エネルギーリン酸結合が消費される．であるから，尿素合成は大きな負のΔGを持つ非可逆反応である（p.90参照）．尿素分子の窒素原子の1つは遊離アンモニアから供給され，もう1つはアスパラギン酸から供給される．グルタミン酸がアンモニア（GDHによる酸化的脱アミノにより）とアスパラギン酸（ASTによるOAAへのアミノ転移により）の両方の窒素の直前の前駆体である．実際のところ，尿素の2つの窒素原子はグルタミン酸由来であり，グルタミン酸はこれらの窒素を他のアミノ酸から集めるのである（図19.15）．

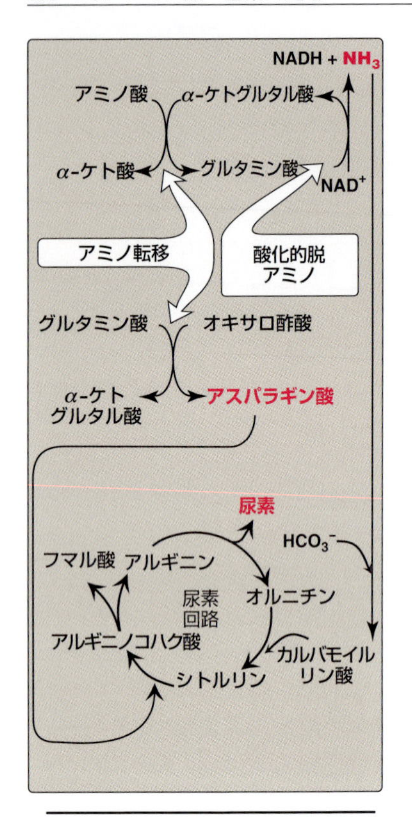

図 19.15
アミノ酸から尿素に至る窒素の流れ．尿素合成のためのアミノ基はアンモニア（NH_3）とアスパラギン酸の形で集められる．NAD（H）：ニコチンアミドアデニンジヌクレオチド，HCO_3^-：重炭酸イオン．

C. 調　節

NAGは尿素回路の律速段階であるCPSⅠの重要な活性化因子である．NAGはCPSⅠのATPへの親和性を増大させる．NAGはアセチルCoAとグルタミン酸から*N*-アセチルグルタミン酸シンターゼ *N*-acetylglutamate synthase（NAGS）によって合成される（図 19.16）．この反応ではアルギニンが活性化因子である．であるから，回路は基質の利用可能性（短期調節）および酵素誘導（長期調節）によっても調節されている．

Ⅵ. アンモニア代謝

アンモニアはすべての組織において多様な化合物の代謝の際に産生され，主として肝臓における尿素生成により排泄される．しかしながら，血中アンモニア濃度は非常に低く保たれなければならない．アンモニア濃度がほんの少しでも上昇すると中枢神経系 central nervous system（CNS）に対して毒性を示すからである（**高アンモニア血症 hyperammonemia**）．ゆえに，末梢組織から，肝臓へと窒素が運ばれ，そこで最終的に尿素として処理され，かつ一方で循環する遊離アンモニア濃度が低値に保たれるような代謝機構が必要となる．

A. 発　生　源

アミノ酸が量的にはアンモニアの最も重要な源である．ほとんどの西洋式食事は高タンパク質で過剰なアミノ酸を供給し，これらは肝臓に運ばれトランスデアミネーション（アミノトランスフェラーゼ反応とGDH反応の組合せ）によりアンモニアを産生する．[注：肝臓は主に直鎖アミノ酸を異化する．] しかしながら，他の源からも相当量のアンモニアが発生する．

1．**グルタミン**：血漿グルタミンの重要な供給源は骨格筋によるBCAAの異化である．このグルタミンは腸管，肝臓，腎臓によって取り込まれる．肝臓と腎臓はグルタミナーゼ（図 19.17）およびGDHの作用で，グルタミンからアンモニアを生成する．腎臓では，このアンモニアのほとんどは尿中にNH_4^+として排泄され，プロトン排泄を介して体の酸塩基平衡を維持する重要な機構となっている．肝臓ではアンモニアは解毒されて尿素となり排泄される．[注：GDHの第2の産物であるα-ケトグルタル酸は肝臓と腎臓で糖新生の材料となる．] アンモニアは**腸管グルタミナーゼ intestinal glutaminase** によるグルタミンの加水分解によっても産生される．腸細胞はグルタミンを血中や食事性タンパク質の消化によって得る．[注：腸管のグルタミン代謝によりアラニンが産生され，このアラニンは肝臓で糖新生に利用される．またシトルリンも産生され，このシトルリンは腎臓に輸送されてアルギニン合成に利用される．]（訳注：もちろん前述のように，肝臓でもグルタミナーゼによりグルタミンからグルタミン酸とアンモニアが生じる．）

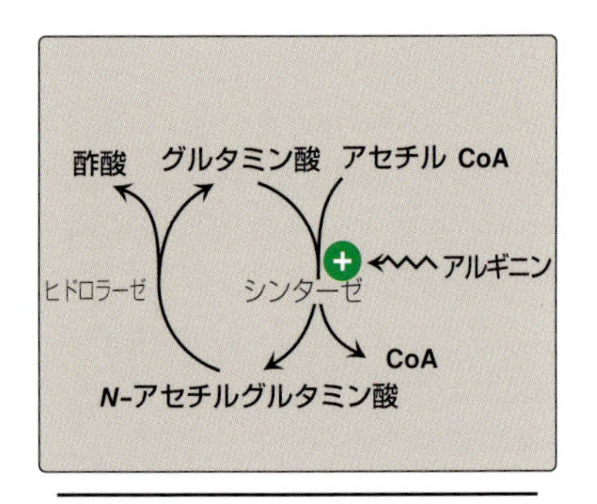

図 19.16
カルバモイルリン酸シンテターゼⅠのアロステリックな活性化因子である*N*-アセチルグルタミン酸の合成と分解．CoA：補酵素A．

2．腸内細菌：アンモニアは腸内の細菌ウレアーゼの作用により尿素から生成される．このアンモニアは腸から門脈を介して吸収され，ほとんどすべてが肝臓において尿素へ変換されて処理される．

3．アミン：食事から得られたアミンと，ホルモンないし神経伝達物質として作用するモノアミンはモノアミンオキシダーゼ monoamine oxidaseの作用によりアンモニアを生成する（p.362参照）．

4．プリンとピリミジン：プリンとピリミジンの異化では環についているアミノ基はアンモニアとして放出される（p.389の図22.15参照）．

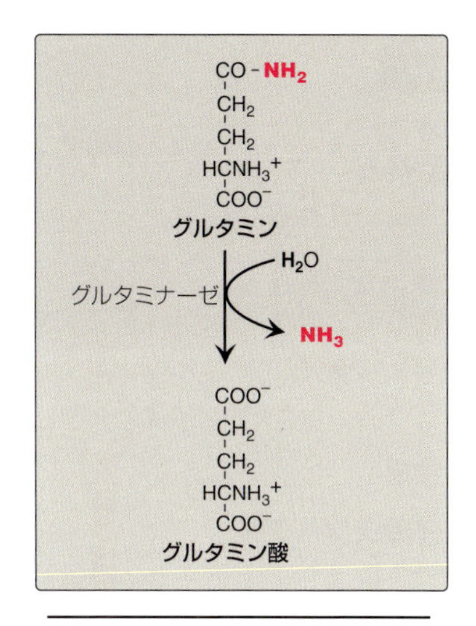

図 19.17
グルタミンの加水分解によるアンモニア（NH_3）生成．

B．循環系における輸送

アンモニアは組織で常に産生されるが，血中濃度は低く保たれている．これは，1つには血中アンモニアが肝臓によって迅速に除去されるからであり，もう1つには多くの組織，とりわけ筋肉はアミノ酸窒素を遊離アンモニアとしてではなくグルタミンないしアラニンの形で放出するからである（図19.13）．

1．尿素：肝臓における尿素生成が量的には最も重要なアンモニア処理経路である．尿素は肝臓から腎臓へ血中を輸送され，糸球体濾液に入る．

2．グルタミン：このグルタミン酸アミドはアンモニアの無毒な貯蔵・輸送型である（図19.18）．グルタミンシンテターゼによるグルタミン酸とアンモニアからのATP依存性グルタミン生成は，主として骨格筋と肝臓で行われるが，CNSでも重要である．脳ではこれがアンモニア除去の主要機構だからである．グルタミンが他のアミノ酸に比べて血漿濃度が高いのは，その輸送という機能と無関係ではない．[注：肝臓は門脈周囲（血液の流入域近く）の肝細胞ではグルタミナーゼ，GDHと尿素回路によって，静脈周囲の肝細胞ではアンモニアスカベンジャーとしてのグルタミンシンテターゼによって血中アンモニア濃度を低く保っている．] アンモニア代謝を図19.19に要約する．

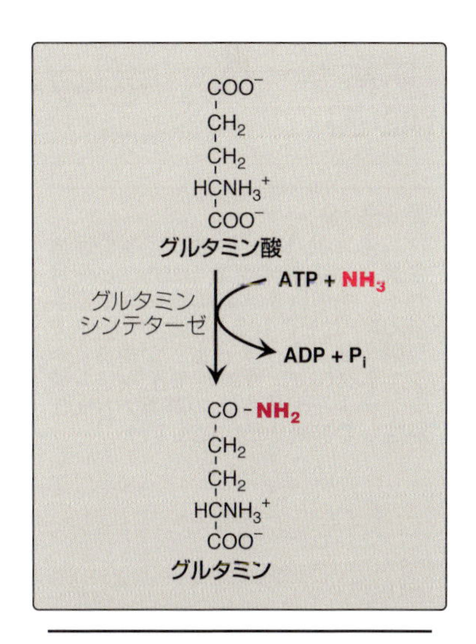

図 19.18
グルタミン合成．ADP：アデノシン二リン酸，P_i：無機リン酸，NH_3：アンモニア．

C．高アンモニア血症

肝臓における尿素回路の能力はアンモニア産生の正常速度より大きいので，血中アンモニア濃度は通常は低い（5～35 μmol/L）．しかしながら肝機能が尿素回路の遺伝的欠陥や肝疾患で低下した場合には，血中濃度は1,000 μmol/L以上にもなる．このような高アンモニア血症は医学的には緊急事態である．アンモニアはCNSに直接的に神経毒性を及ぼすからである．例えば血中アンモニア濃度が上昇すると，振戦・不明瞭言語・傾眠・嘔吐・脳浮腫・霧視など，**アンモニア中毒 ammonia intoxication**の症状が現れる．高濃度になるとアンモニアは昏睡・死をもたらす．高アンモニア血症の主な2つのタイプは以下の通りである．

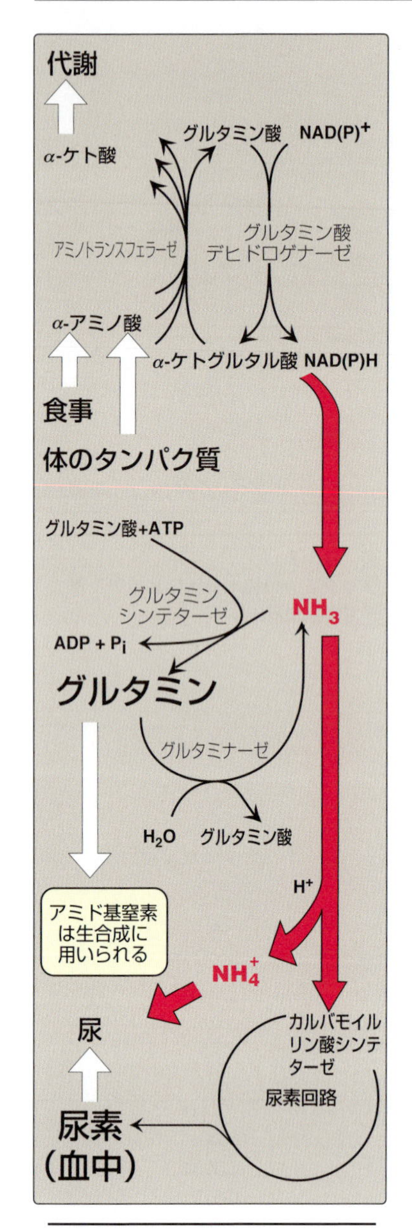

図 19.19
アンモニア (NH_3) 代謝．尿中の尿素含量は尿中尿素窒素 (UUN) と呼ばれる．血中尿素含量は血中尿素窒素 (BUN) と呼ばれる．[注：グルタミン酸デヒドロゲナーゼ，グルタミンシンテターゼ，カルバモイルリン酸シンテターゼⅠなどの酵素がNH_3を固定して有機分子に変える.]

1．**後天性**：成人の後天性高アンモニア血症でよくみられる原因は肝疾患である．例えば，ウイルス性肝炎やアルコールのような肝臓毒によって引き起こされる．肝硬変によって肝臓の側副循環が形成され，その結果として門脈血が直接体循環系に流れ込み肝臓に入らなくなることが起こりうる．このような場合，アンモニアの尿素への変換はひどく障害され，血中アンモニア濃度が上昇することになる．

2．**先天性**：**尿素回路 urea cycle**の5つの酵素（およびNAGS）それぞれの遺伝的欠損がこれまでに報告されており，その発生頻度はおよそ25,000出生あたり1例と推定されている．OTC欠損はX連鎖（伴性）遺伝で，主に男性が罹るが女性の保因者も臨床症状を呈することがある．他の尿素回路の疾患はすべて常染色体劣性遺伝である．どの疾患でも尿素合成が起こらないため，生後数週以内に高アンモニア血症になる．異なる尿素回路欠損においても高アンモニア血症に共通する他の症状（振戦，不明瞭言語，傾眠，嘔吐，脳浮腫，霧視，精神発達障害，そして重度の場合，昏睡と死も）が認められる．診断は症状，臨床検査，遺伝子検査に基づく．歴史的には，尿素回路の酵素欠損は神経学的症状の発症率が高く死亡率も高かった．個々の尿素回路欠損に関する情報を以下にまとめる．

a. **オルニチントランスカルバミラーゼ欠損**：OTC欠損は最もよくみられる尿素回路疾患である．特有の臨床検査結果には，反応の減少と下流の産物であるシトルリンとアルギニンの減少が含まれる．興味深いことに，血清と尿中のオロト酸濃度も上昇する．OTC基質の1つであるカルバモイルリン酸は（尿素回路に入る代わりに）ピリミジン生合成の基質となり，その調節反応の下流の経路に入る（p.392の図22.21参照）．その結果，ピリミジン生合成経路の中間体であるオロト酸が過剰生産される．[注：オロト酸濃度上昇は，先天性オロト酸尿症でも認められる．この疾患の原因はピリミジン生合成経路の酵素であるUMPシンターゼ UMP synthase（UMPS）欠損である．遺伝子検査に加えて，OTC欠損はUMPS欠損とは他の症状により鑑別診断可能である．OTC欠損では高アンモニア血症の症状があるが，UMPS欠損ではこの症状はみられない．代わりにUMPS欠損では巨赤芽球性貧血が症状としてみられる.]

b. **アルギニノコハク酸シンテターゼ欠損**：この欠損は1型シトルリン血症とも呼ばれる．反応の基質であるシトルリンが血中および尿中で増加するからである．新生児期急性型（古典型），妊娠中あるいは妊娠後に発症する症状が軽い遅発型，無症状型がある．新生児期急性型では，新生児スクリーニング検査の一部としてシトルリンが検出可能である．この検出は高アンモニア血症と脳障害を予防するために必須である．

c. **アルギニノコハク酸リアーゼ欠損**：アルギニノコハク酸リアーゼ欠損では，反応の基質であるアルギニノコハク酸が尿中で増加し，アルギニノコハク酸尿症が生じる．これは診断の決め手であり，新生児スクリーニング検査の一部である．この酵素欠損のより重症で遅発性の型では，アルギニノコハク酸尿症は神経学的異常，発達遅延，認知障害を伴う．

d. アルギナーゼ-Ⅰ欠損：アルギナーゼ-Ⅰ欠損では，反応の基質であるアルギニンが血中および尿中で増加し，しばしばアルギニン血症もしくは高アルギニン尿症と呼ばれる．アルギナーゼ arginase 欠損でみられる高アンモニア血症はしばしば重症ではない．アルギニンには2つの廃棄される窒素原子が含まれ，尿中に排泄可能だからである．その結果，この酵素欠損患者は出生時には正常にみえ，最初の1～3年間は正常に発達する．この後，明らかな発達遅延，発達の退行，知的障害などのアルギナーゼ欠損の最初の症状が現れる．高アンモニア血症は高タンパク食や病気・飢餓などのストレス時に一時的に現れることもある．

e. *N*-アセチルグルタミン酸シンターゼ欠損：アルギナーゼ-Ⅰ欠損と同様に，NAGS 欠損でも発達遅延や知的障害が生じうる．症状が重くない型はその後，高タンパク食，ストレス，飢餓などの状態で一時的に症状が現れる．カルグルミン酸は NAGS 欠損に対する FDA（Food and Drug Administration，米国食品医薬品局）で承認された治療薬である．カルグルミン酸は NAG の合成形で，CPS Ⅰのアロステリック活性化因子である．

f. 高アンモニア血症の治療：尿素回路の酵素欠損の治療は，タンパク質異化を予防するのに十分なカロリーの存在下，食事中のタンパク質摂取を制限するのと同時に，血中の過剰なアンモニアを除去することである．治療は欠損する酵素の種類と欠損の程度により変わりうる．患者は健康を保つのに必要な最小限のタンパク質レベルを維持しつつ低タンパク食を遵守すべきである．これは患者の年齢と体重で変わりうる．患者のニーズに応じてタンパク質レベルが調整された特有のドリンクや健康管理食が購入可能である．芳香族酸である安息香酸やフェニル酪酸などの窒素除去薬が血中のアンモニア濃度を低下させる．安息香酸はグリシンと結合して馬尿酸を生成する．フェニル酪酸はフェニル酢酸に変換され，グルタミンと結合してフェニルアセチルグルタミンを生成する（図 19.20）．最終産物の馬尿酸もフェニルアセチルグルタミンも尿中に容易に排泄される．グリシンとグルタミンがともに排泄され，これらが生合成されることにより，効果的にアンモニア濃度が低下し高アンモニア血症の可能性が低減する．重症の高アンモニア血症の場合，患者は永久的脳損傷を予防するために，透析，輸液や他の血中アンモニア濃度を速やかに低下させる治療が必要になる．

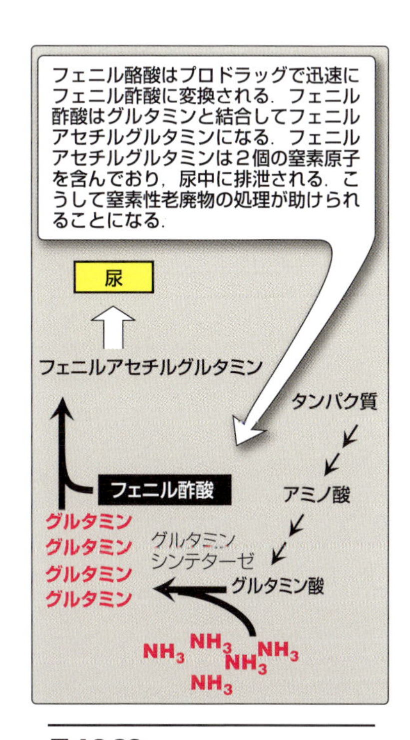

図 19.20
尿素回路酵素欠損患者にフェニル酪酸を投与することによりアンモニア（NH_3）排泄を促進する治療法．

19章の要約

- **窒素**は食物中の多様な化合物により体に入ってくるが，その中で最も重要なものは**食事性タンパク質**に含まれる**アミノ酸**である．
- 窒素はアミノ酸代謝に由来する**尿素・アンモニア**などの形で体から排泄される（図19.21）．
- 体の遊離アミノ酸は食事性タンパク質の胃・腸における**プロテアーゼ**（不活性の**チモーゲン**形から活性化される）による加水分解，組織タンパク質の分解，新規合成によって産生される．この**アミノ酸プール**は体のタンパク質の合成に使われたり，エネルギーを得るために分解されたり，他の窒素含有化合物の前駆体になったりする．
- 消化由来の遊離アミノ酸は**ナトリウム依存性の二次能動輸送**を介して腸管の**腸細胞**によって取り込まれる．小ペプチドは**プロトン連関輸送**により取り込まれる．
- 体のタンパク質は分解される一方で同時に再合成されており，この過程を**タンパク質代謝回転**と呼ぶ．細胞のタンパク質濃度は合成制御や分解制御によって決定される．ATP依存性の細胞質ゾルの選択的**Ub-プロテアソーム**とATP非依存性の（比較的）非選択的**リソソーム酸性加水分解酵素**が**タンパク質を分解する**2つの主要な酵素系である．
- 窒素は貯蔵しておくことができず，細胞が要求する量以上のアミノ酸は迅速に分解される．アミノ酸**異化**の第1段階は**ピリドキサールリン酸**依存性**アミノトランスフェラーゼ**（**トランスアミナーゼ**）を介した**アミノ転移**によるα-アミノ基の転移であり，**GDH**を介した**グルタミン酸の酸化的脱アミノ**が引き続いて起こり，**アンモニア**と相当する**α-ケト酸**ができる．
- **遊離アンモニア**の一部は**尿中**に排泄され，一部はグルタミン酸からの**グルタミン**（グルタミン酸の無害な輸送形）生成に使われるが，大部分は肝臓**尿素**合成に用いられる．尿素は体から窒素を排泄する量的に最も重要な経路である．**アラニン**もまた尿素として窒素を廃棄するために肝臓へとアンモニアを運ぶ．
- **高アンモニア血症**（中枢神経症状が主）の2つの主要な原因は後天性肝疾患と尿素回路の酵素の先天性欠損（X連鎖（伴性）の**OTC欠損**など）である．

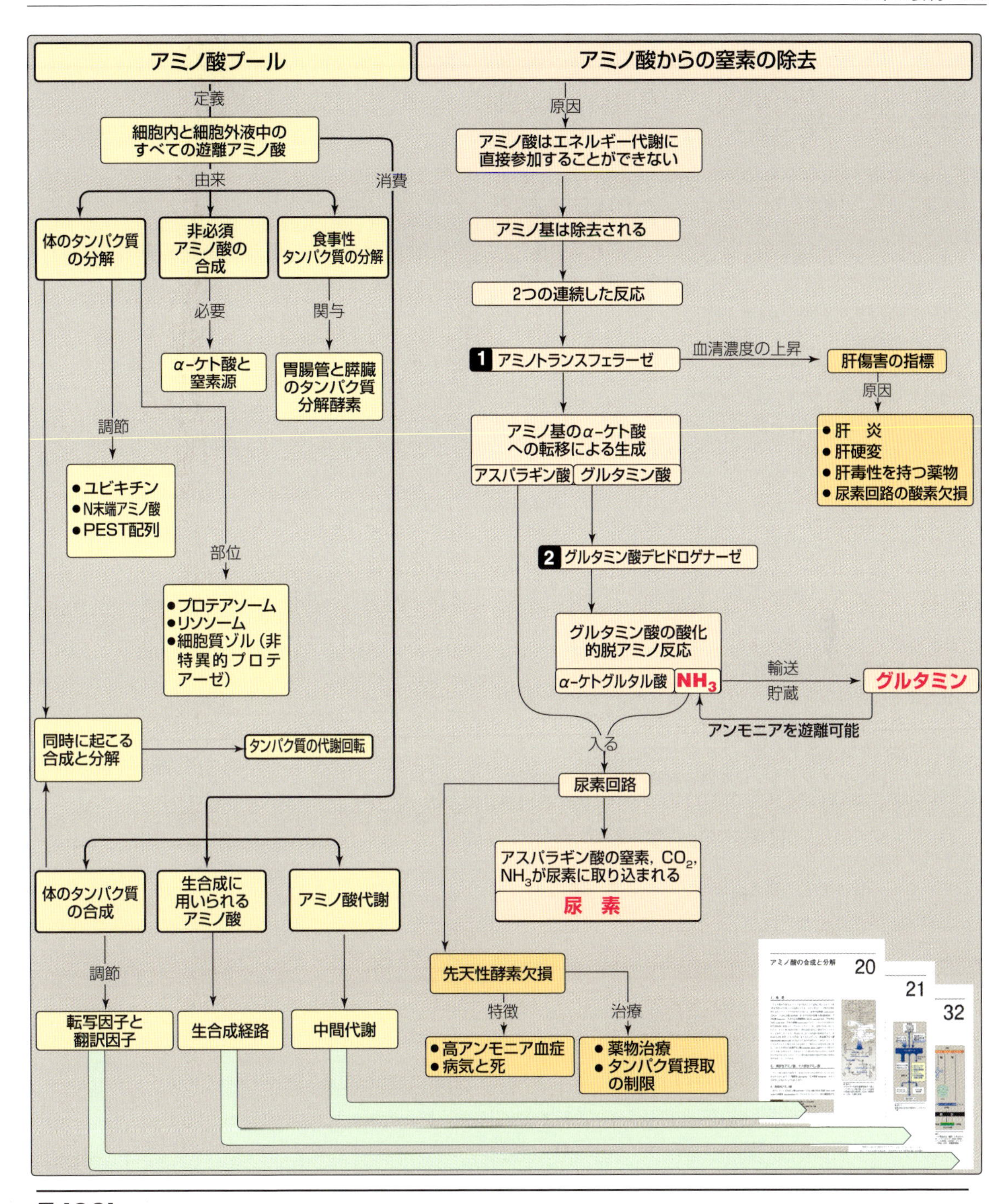

図 19.21
窒素代謝の概念図．GI：胃腸，PEST：プロリン，グルタミン酸，セリン，トレオニン，NH_3：アンモニア，CO_2：二酸化炭素．

学習問題

最適な答えを1つ選びなさい.

19.1　以下に示すアミノ転移反応で，XおよびYに相当する化合物はどれか.

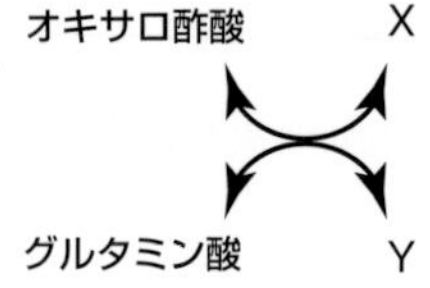

A.　アラニン，α-ケトグルタル酸
B.　アスパラギン酸，α-ケトグルタル酸
C.　グルタミン酸，アラニン
D.　ピルビン酸，アスパラギン酸
E.　アラニン，ピルビン酸

正解　B. アミノ転移反応ではいつも基質としてアミノ酸とα-ケト酸を必要とする. 反応産物もアミノ酸(基質のα-ケト酸から由来)とα-ケト酸(基質のアミノ酸から由来)である. 代謝でよくみられるアミノ酸・α-ケト酸の組合せは以下の3つである.

アラニン/ピルビン酸
アスパラギン酸/オキサロ酢酸
グルタミン酸/α－ケトグルタル酸

この設問ではグルタミン酸は脱アミノされてα-ケトグルタル酸になり，オキサロ酢酸はアミノ化されてアスパラギン酸になる.

19.2　アミノ酸とその代謝に関する以下の記述のうち正しいものはどれか.

A.　遊離アミノ酸は唯一のプロトン連関輸送系を介して腸管細胞に取り込まれる.
B.　健康な満腹状態のヒトでは，アミノ酸プールへの流入量は流出量を上回る.
C.　肝臓はアンモニアを用いてプロトンを中和する.
D.　筋肉由来のグルタミンは肝臓と腎臓でアンモニアと糖新生の材料となる.
E.　ほとんどのアミノ酸異化の第一段階は酸化的脱アミノである.
F.　アミノ酸のアミド窒素由来のアンモニア(毒性を持つ)は血中をアルギニンの形で輸送される.

正解　D. 筋肉における分枝鎖アミノ酸の異化によって産生されたグルタミンは脱アミドされアンモニアとグルタミン酸になる. グルタミン酸はグルタミン酸デヒドロゲナーゼにより脱アミノされてアンモニアとα-ケトグルタル酸になり，α-ケトグルタル酸は糖新生に用いられる. 遊離アミノ酸はいくつかの異なるナトリウム依存性の輸送系を介して腸管細胞に取り込まれる. 健康な満腹状態では，窒素出納は平衡である(窒素の流入量は流出量に等しい). 肝臓はアンモニアを尿素に変換し，腎臓ではアンモニアをプロトンを中和するのに用いる. アミノ酸異化はアミノ転移から始まりグルタミン酸が生じる. そのグルタミン酸は酸化的脱アミノを受ける. 毒性を持つアンモニアはグルタミンやアラニンの形で輸送される. アルギニンは肝臓の尿素回路で合成・加水分解される.

問題 19.3 ～ 19.5 について以下のシナリオを用いよ．
新生児（女児）の症例．生後およそ 24 時間までは順調であったが，24 時間あたりから嗜眠傾向を示すようになった．敗血症の精密検査は陰性であった．56 時間後に焦点てんかん発作を起こしはじめた．血漿アンモニア濃度は 887 μmol/L（正常値は 5 ～ 35 μmol/L）であった．血漿アミノ酸定量ではシトルリンが顕著に上昇していること（アルギニノコハク酸は正常）が明らかになった．

19.3　この患者で欠損している可能性が最も高い酵素活性は以下のうちどれか．
A. アルギナーゼ
B. アルギニノコハク酸リアーゼ
C. アルギニノコハク酸シンテターゼ
D. カルバモイルリン酸シンテターゼⅠ
E. オルニチンカルバモイルトランスフェラーゼ（OCT）

正解　C．尿素回路を構成する 5 つの酵素および *N*-アセチルグルタミン酸シンターゼの遺伝的欠損が報告されている．この患者の血漿のシトルリン濃度上昇（アルギニノコハク酸濃度は正常）から，シトルリンからアルギニノコハク酸への変換に必要な酵素（アルギニノコハク酸シンテターゼ）が欠損し，アルギニノコハク酸を分解する酵素（アルギニノコハク酸リアーゼ）は正常であることが示唆される．

19.4　この患者の血中で高値を示すと考えられるものは以下のうちどれか．
A. アスパラギン
B. グルタミン
C. リシン
D. 尿素
E. アルギニン

正解　B．尿素回路の酵素欠損により，尿素を合成することができなくなり，出生後の数週間で高アンモニア血症を発症する．血漿グルタミン濃度もアンモニアの無毒性の貯蔵･輸送形なので上昇する．であるから，高アンモニア血症は高グルタミン値を伴う．アスパラギン，リシン，アルギニンはこの役割は果たさない．血漿尿素濃度は尿素回路の活性低下に伴い低値となる．［注：この患者では血漿アラニン濃度も上昇しているであろう．］

19.5　この患者に対するアルギニン投与が有益であると考えられる．その理由は何か．

正解　アルギニンはアルギナーゼによって分解されて尿素とオルニチンになる．オルニチンはオルニチンカルバモイルトランスフェラーゼによってカルバモイルリン酸と結合してシトルリンとなる．シトルリンは処理すべき窒素を 1 つ含んで排泄される．

アミノ酸の合成と分解　20

Ⅰ. 概　要

アミノ酸の分解はα-アミノ基の除去という経路と残ったα-ケト酸（炭素骨格）の分解という経路からなる．さまざまなアミノ酸の分解経路は合流して7つの中間産物を生成する．**オキサロ酢酸 oxaloacetate**（OAA），**ピルビン酸 pyruvate**，**α-ケトグルタル酸 α-ketoglutarate**，**フマル酸 fumarate**，**スクシニル補酵素A（CoA）succinyl CoA**，**アセチルCoA acetyl CoA**，**アセト酢酸 acetoacetate**である．これらの生成物は中間代謝経路に直接入り，グルコースやケトン体，脂質の合成に用いられたり，クエン酸（TCA）回路で二酸化炭素（CO_2）に酸化されてエネルギーを産生したりする．図20.1はこれらの経路の概観図であり，図20.15（p.350参照）により詳細にまとめられている．**非必須アミノ酸 nonessential amino acid**（図20.2）は代謝の中間体から，あるいはシステインやチロシンの場合のように必須アミノ酸から十分量合成可能である．これと対照的に**必須アミノ酸 essential amino acid**はヒトの体内では（十分量）合成されず，正常なタンパク質合成が起こるためには食事から得なければならない．アミノ酸代謝の経路の遺伝性欠損は深刻な病気を生じることがある．

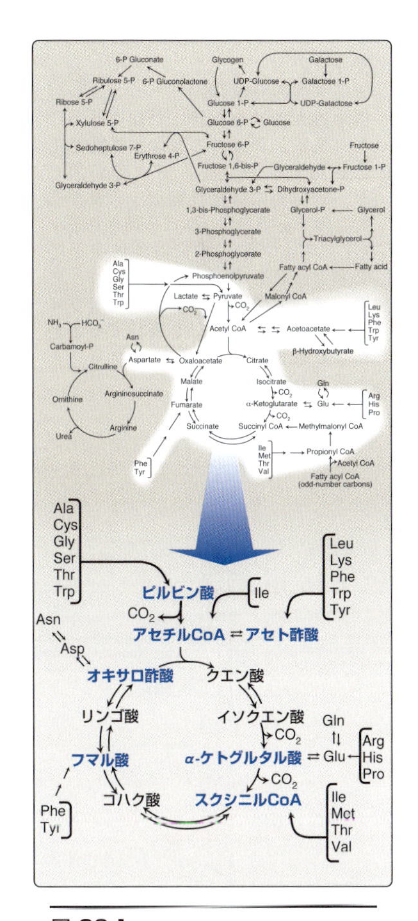

図20.1
エネルギー代謝の重要経路の一部としてのアミノ酸代謝（これらの過程の詳細は図8.2参照）．CoA：補酵素A，CO_2：二酸化炭素．

Ⅱ. 糖原性アミノ酸，ケト原性アミノ酸

アミノ酸は異化の過程で，図20.1の7つの中間体のうちどれが生成されるかに基づいて**糖原性 glucogenic**，**ケト原性 ketogenic**，あるいは両者に分類される（図20.2参照）．

A. 糖原性アミノ酸

異化によって**ピルビン酸 pyruvate**や**クエン酸（TCA）回路 citric acid cycle**の**中間体 intermediate**のいずれかを生じるアミノ酸を**糖原性アミ**

本章で使用する色分け：	
	• 青色：アミノ酸代謝の7つの生成物
	• 赤色：糖原性アミノ酸
	• 茶色：糖原性およびケト原性アミノ酸
	• 緑色：ケト原性アミノ酸
	• 水色：一炭素化合物

	糖原性	糖原性かつケト原性	ケト原性
非必須	アラニン アルギニン アスパラギン アスパラギン酸 システイン グルタミン酸 グルタミン グリシン プロリン セリン	チロシン	
必須	ヒスチジン メチオニン トレオニン バリン	イソロイシン フェニルアラニン トリプトファン	ロイシン リシン

図 20.2
アミノ酸の分類(訳注：トレオニンは糖原性かつケト原性に分類されることもある．アルギニンは尿素回路で合成可能なので成人では非必須だが，幼児期には合性能以上の量が必要なので必須アミノ酸に分類される)．［注：アミノ酸の中には条件次第で必須となるものがある．例えば，外傷，術後感染，免疫抑制時にはグルタミンとアルギニンを補給することにより患者の容態が改善されることが示されている．］

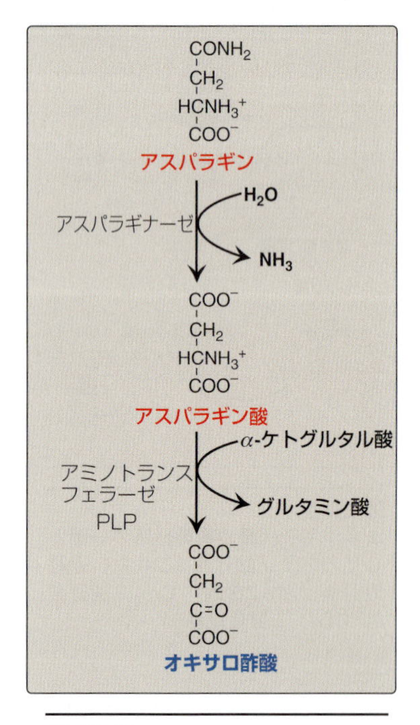

図 20.3
アスパラギンとアスパラギン酸の代謝．PLP：ピリドキサールリン酸，NH_3：アンモニア．

ノ酸 glucogenic amino acid と呼ぶ．これらの中間体は糖新生(p.154 参照)の基質であるから，**肝臓・腎臓**において正味の**グルコース glucose** 生成ができる．

B. ケト原性アミノ酸

異化によって**アセチルCoA acetyl CoA**(ピルビン酸を中間体とすることなく直接的に)もしくは**アセト酢酸 acetoacetate**(もしくはその前駆体の**アセトアセチルCoA acetoacetyl CoA**)を生じるアミノ酸を**ケト原性アミノ酸 ketogenic amino acid** と呼ぶ(図 20.2 参照)．アセト酢酸は 3-ヒドロキシ酪酸，アセトンと並ぶ"ケトン体"の一種である(p.253 参照)．ロイシンとリシンはタンパク質中のアミノ酸の中で唯一の純粋にケト原性のアミノ酸である．これらのアミノ酸の炭素骨格は糖新生の基質ではないので，グルコースの正味の生成には寄与しえない．

Ⅲ. アミノ酸炭素骨格の異化

アミノ酸が異化される経路は，特定のアミノ酸から上記の 7 つの中間体のうちいずれが生じるか(2 つの場合もある)に従って分類するのが便利である．

A. オキサロ酢酸を生成するアミノ酸

アスパラギン asparagine：アスパラギナーゼ asparaginase によって加水分解されアンモニアと**アスパラギン酸 aspartate** を生じる(図 20.3)．アスパラギン酸はアミノ(基)転移により相当するケト酸に変換され**オキサロ酢酸 oxaloacetic acid** (OAA)になる(図 20.3 参照)．［注：迅速に分裂する白血病細胞のなかには増殖を維持するのに十分な量のアスパラギンを合成できないものがある．このためにこれらの細胞にとってはアスパラギンは必須アミノ酸となり，血中からアスパラギンを取り込む必要がある．アスパラギンをアスパラギン酸に加水分解するアスパラギナーゼの全身投与は白血病の治療に用いられる．アスパラギナーゼは血漿中のアスパラギン濃度を低下させ，がん細胞に必要な栄養分を奪うからである．］

B. グルタミン酸を経てα-ケトグルタル酸を生成するアミノ酸

1．グルタミン glutamine：このアミノ酸はグルタミナーゼ glutaminase という酵素により加水分解されてグルタミン酸とアンモニウムイオンになる(p.331 参照)．**グルタミン酸 glutamate** はアミノ(基)転移もしくはグルタミン酸デヒドロゲナーゼ glutamate dehydrogenase による酸化的脱アミノによりα-ケトグルタル酸になる(p.325 参照)．

2．プロリン proline：このアミノ酸は酸化されてグルタミン酸になる．グルタミン酸はアミノ転移，もしくは酸化的脱アミノによりα-ケトグルタル酸になる．グルタミン酸セミアルデヒドが中間体である．

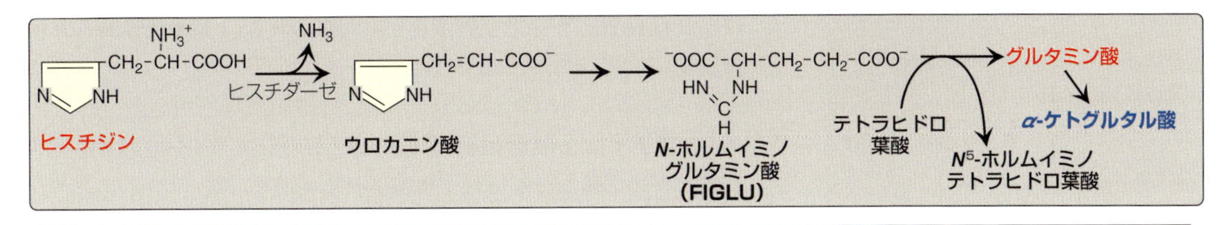

図 20.4
ヒスチジンの分解. NH_3：アンモニア.

3. アルギニン arginine：このアミノ酸はアルギナーゼ arginaseにより加水分解されてオルニチン(と尿素)になる. [注：この反応は**尿素回路 urea cycle**の一部として主に肝臓で起こる(p.329 参照).] オルニチンはグルタミン酸セミアルデヒドを中間体としてα-ケトグルタル酸になる.

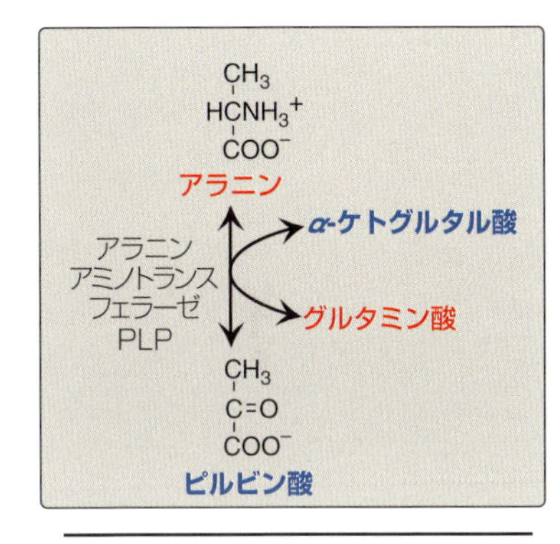

図 20.5
アラニンのアミノ転移によるピルビン酸生成. PLP：ピリドキサールリン酸.

4. ヒスチジン histidine：ヒスチジンはヒスチダーゼ histidaseにより酸化的に脱アミノされてウロカニン酸になり, これは***N*-ホルムイミノグルタミン酸 *N*-formiminoglutamate**(FIGLU, 図 20.4)になる. FIGLUはホルムイミノ基をテトラヒドロ葉酸(THF)に与え, 残ったグルタミン酸は前述のように分解される. ヒスチダーゼ欠損は比較的軽症の先天代謝異常であるヒスチジン血症をもたらす. ヒスチジン血症では血中・尿中のヒスチジン濃度が上昇する. [注：葉酸欠乏症の患者は尿中へのFIGLU排泄量が増加し, 特に大量のヒスチジンを服用したあとには著増する. この**FIGLU排泄試験 FIGLU excretion test**は葉酸欠乏の診断に用いられてきた. 葉酸, THF, 一炭素代謝の議論に関してはp.346 参照.]

C. ピルビン酸を生成するアミノ酸

1. アラニンalanine：このアミノ酸はアミノ転移によりアミノ基を失ってピルビン酸になる(図 20.5). [注：トリプトファン異化によってアラニンが生じ, これからピルビン酸が生じる(p.345 の図 20.10 参照).]

2. セリン serine：このアミノ酸はグリシンに変換される. このとき, THFは図 20.6Aに示すようにN^5, N^{10}-メチレンテトラヒドロ葉酸(N^5, N^{10}-MTHF)に変換される. セリンはピルビン酸にも変換されうる(図 20.6B参照).

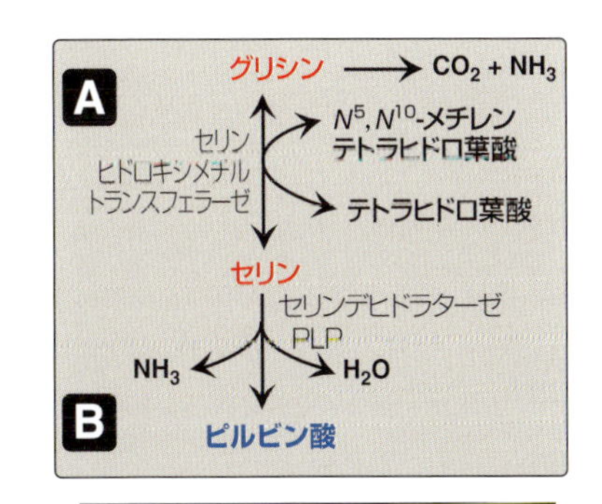

図 20.6
A. セリンとグリシンの相互変換とグリシンの酸化.
B. セリンの脱水によるピルビン酸生成. PLP：ピリドキサールリン酸, NH_3：アンモニア.

3. グリシン glycine：このアミノ酸はN^5, N^{10}-MTHFからのメチレン基の可逆的付加によりセリンになるか(図 20.6A参照), グリシン開裂系により酸化されてCO_2とアンモニアになる. グリシンは(D-アミノ酸オキシダーゼ D-amino acid oxidaseによる. p.326 参照)脱アミノでグリオキシル酸に変換される. グリオキシル酸は酸化されてOAAになるか, アミノ転移を受けてグリシンになる. 肝臓のペルオキシソームのアミノトランスフェラーゼ欠損によりOAAが過剰に生

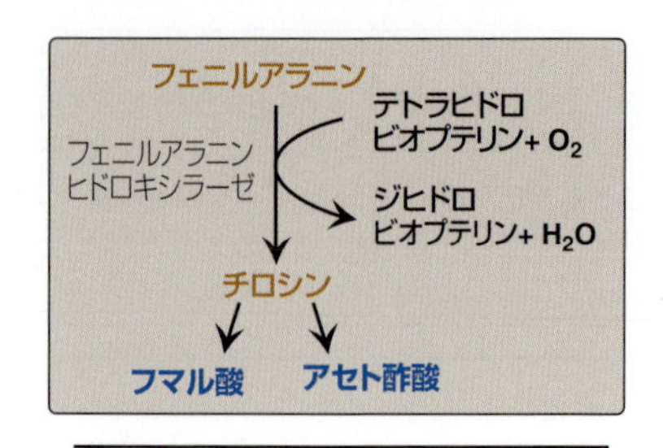

図 20.7
フェニルアラニンの分解.

成されOAA結石が生じ，腎障害がもたらされる（1型原発性高シュウ酸尿症）.

4．システイン cysteine：含硫アミノ酸のシステインは硫黄を外されてピルビン酸になる.［注：放出される硫酸基は3′-ホスホアデノシン-5′-ホスホ硫酸（3′-ホスホアデニリル硫酸，PAPS）合成に利用される．PAPSは活性硫酸として多様な受容体分子に硫酸基を供与する.］システインは酸化されてジスルフィド誘導体であるシスチンにもなる.

5．トレオニン threonine：このアミノ酸はほとんどの生物でピルビン酸に変換されるが，ヒトでは主要経路ではない（訳注：アセチルCoAとピルビン酸ができるので，トレオニンはケト原性かつ糖原性に分類されることも多い）.

D．フマル酸を生成するアミノ酸

1．フェニルアラニンとチロシン：フェニルアラニンのヒドロキシ化（水酸化）によりチロシンが生成される（図 20.7）．この不可逆反応はテトラヒドロビオプテリン（BH_4）依存性の**フェニルアラニンヒドロキシラーゼ phenylalanine hydroxylase（PAH）**によって触媒されるが，これがフェニルアラニン異化の第1段階である．このようにフェニルアラニンとチロシンの代謝は合流し，最終的にはフマル酸とアセト酢酸が生成される．であるから，フェニルアラニンとチロシンは糖原性でもありケト原性でもある.

2．遺伝性欠損：フェニルアラニンとチロシン代謝の酵素の**遺伝性欠損**により**フェニルケトン尿症 phenylketonuria（PKU）**（p.349 参照），チロシン血症 tyrosinemia（p.350 参照）や**アルカプトン尿症 alkaptonuria**（p.354 参照），**白皮症 albinism**（p.353 参照）になる.

E．スクシニルCoAを生成するアミノ酸：メチオニン

メチオニン methionineはスクシニルCoAを生成する4つのアミノ酸のうちの1つである．この含硫アミノ酸は一炭素代謝における主要なメチル基供与体である***S*-アデノシルメチオニン *S*-adenosylmethionine（SAM）**に変換されるので，注目に値する（図 20.8）．メチオニンは**アテローム性動脈硬化血管疾患 atherosclerotic vascular disease**と血栓症 thrombosisに関係する代謝産物である**ホモシステイン homocysteine（Hcy）**の源でもある（p.343 参照）.

1．*S*-アデノシルメチオニンの合成：メチオニンはATPと縮合してSAMを生成する．SAMはリン酸を含んでいないという点で特異な高エネルギー化合物である．SAMの生成はATPの3つのリン酸結合のすべての加水分解によって駆動される（図 20.8 参照）.

2．活性化メチル基：SAMの硫黄についているメチル基は活性化さ

れており，アドレナリン（エピネフリン）合成におけるノルアドレナリン（ノルエピネフリン）のような，さまざまな受容分子にメチルトランスフェラーゼ methyltransferaseによって転移しうる．メチル基は通常窒素原子か酸素原子に転移するが（前者はアドレナリン合成，後者はアドレナリン分解，p.372参照），ときには炭素原子にも転移する（シトシンなど）．反応産物の*S*-アデノシルホモシステイン*S*-adenosylhomocysteine（SAH）はメチオニンと相同の単純なチオエステルである．反応に伴う自由エネルギー喪失によりメチル転移は実際上不可逆である．

3．*S*-アデノシルホモシステインの加水分解：メチル基供与のあと，SAHは加水分解されてホモシステイン（Hcy）とアデノシンになる．Hcyは2つの運命をたどる．メチオニンが不足であればHcyは再メチル化されてメチオニンになる（図20.8参照）．メチオニンが十分にあればHcyは硫黄原子転移経路 transsulfuration pathwayに入り，システインに変換される．

a．**メチオニン再合成**：Hcyは**ビタミンB_{12} vitamin B_{12}**由来の補酵素である**メチルコバラミン methylcobalamin**に依存する反応によって，N^5-メチルテトラヒドロ葉酸（N^5-メチル-THF）からメチル基を受け取る（p.493参照）．［注：メチル基は**メチオニンシンターゼ methionine synthase**によってB_{12}誘導体からHcyに転移し，メチオニンが再生される．コバラミンはN^5-メチル-THFから再びメチル基を受け取る．］

b．**システイン合成**：シスタチオニンβ-シンターゼ cystathionine β-synthaseによって触媒され，Hcyはセリンと縮合し，シスタチオニンを生成，シスタチオニンは加水分解されてα-ケト酪酸とシステインになる（図20.8参照）．このビタミンB_6要求性反応の正味の結果はセリンをシステインに，Hcyをα-ケト酪酸に変換することになる．α-ケト酪酸は酸化的脱炭酸によりプロピオニルCoAとなる．さらにプロピオニルCoAはスクシニルCoAとなる（図16.20参照）．Hcyは必須アミノ酸であるメチオニンから合成されるので，システインはメチオニンが十分にあれば必須アミノ酸ではない．

4．ホモシステインと血管病との関連：血漿Hcy濃度の上昇は酸化的損傷，炎症，内皮細胞機能不全を促進し，心血管疾患 cardiovascular disease（CVD）や脳卒中 strokeなどの閉塞性血管病の独立したリスクファクターである（図20.9）．軽度の上昇（高ホモシステイン血症）は人口のおよそ7%に認められる．疫学的調査から，血漿Hcy濃度はHcyからメチオニンないしシステインへの変換に関与する葉酸，B_{12}，B_6という3つのビタミンの血漿濃度と逆相関関係にあることが示されている．これらのビタミンを補うことによりHcyの血中濃度を低下させることができるが，CVD患者にビタミンを投与しても心血管イベントや死を減少させることはできない．このことから，Hcyが血管損傷の原因なのか，単なるマーカーなのか，という疑問が生じる．

［注：古典的ホモシスチン尿症（重度の高ホモシステイン血症（> 100 μmol/L，p.354 参照）に由来する）の患者では，硫黄原子転移経路のシスタチオニン β-シンターゼ欠損というまれな酵素欠損の結果として血漿Hcy濃度の高度上昇が認められる．患者は早期に血管病を発症し，およそ25％が30歳になる前に血栓性の合併症で死亡する．］再メチル化反応の酵素欠損でもHcy濃度が上昇する．

> 妊娠女性でHcy濃度が高いと通常葉酸不足が示唆され，胎児の神経管欠損（二分脊椎のような閉鎖不全）の発生率が高いことが示されている（p.493 参照）．葉酸を受胎前後の時期に補給するとそのような欠損が生じるリスクを低下させることができる．

F. スクシニルCoAを生成する他のアミノ酸

バリン，イソロイシン，トレオニンの分解によってもスクシニルCoAが生じる．スクシニルCoAはTCA回路の中間体であり糖新生の材料となる．［注：スクシニルCoAはピルビン酸に代謝される．］

1．バリン valineとイソロイシン isoleucine：プロピオニルCoAを生じる分枝鎖アミノ酸branched-chain amino acid（BCAA）である．プロピオニルCoAはまずメチルマロニルCoAに変換され，さらにビオ

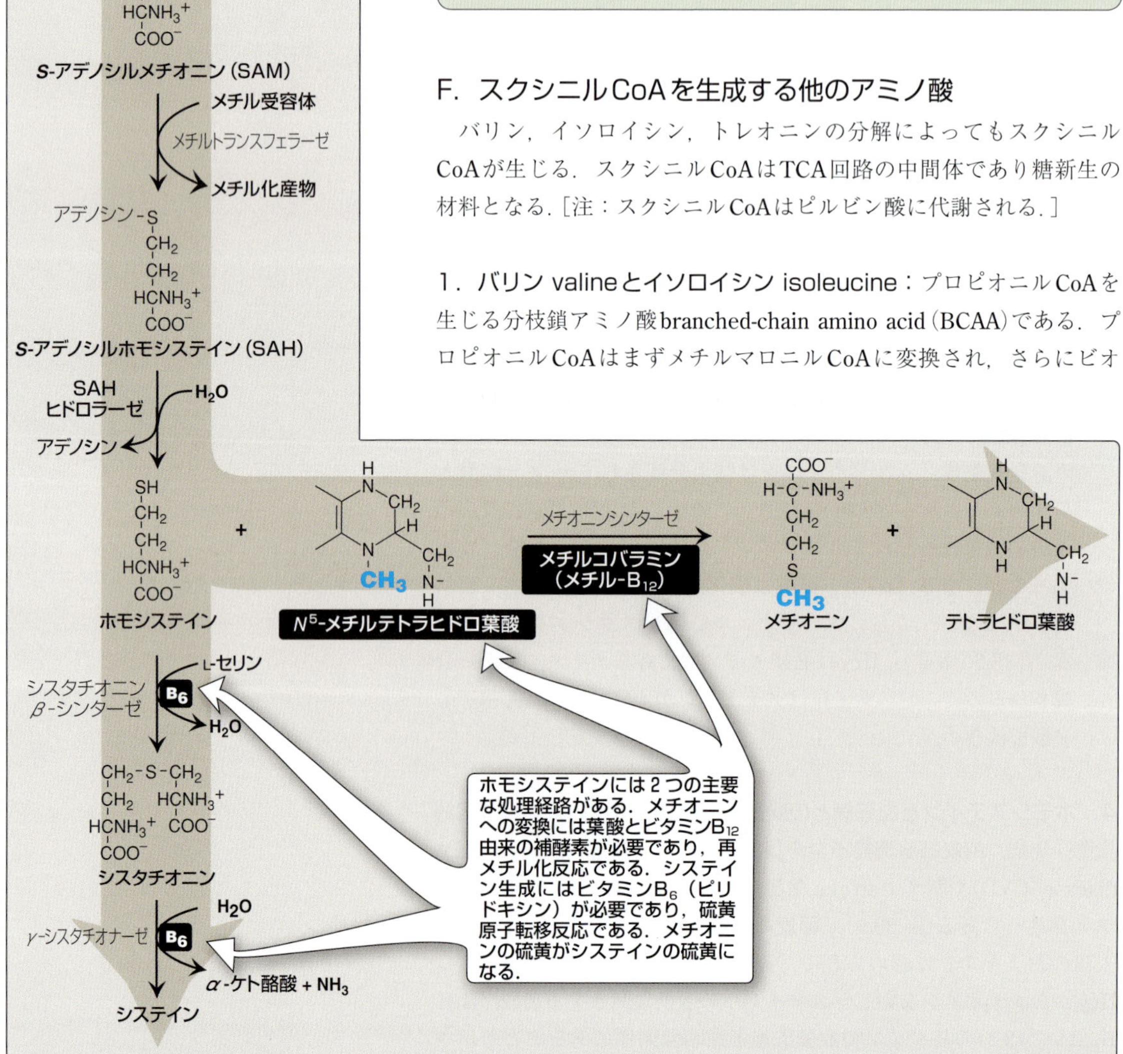

図 20.8
メチオニンの分解と再合成．［注：ホモシステインからのメチオニン再合成はテトラヒドロ葉酸がメチル（$-CH_3$）基を運搬し供与する唯一の反応である．他のすべての反応では，SAMがメチル基の運搬・供与を担う．］PP_i：ピロリン酸，P_i：無機リン酸，NH_3：アンモニア．

チンとビタミンB_{12}を要求する反応によりスクシニルCoAに変換される.

2. トレオニン threonine：脱水されてα-ケト酪酸となり，α-ケト酪酸はプロピオニルCoAを経てスクシニルCoAとなる．プロピオニルCoAはメチオニン，バリン，イソロイシン，トレオニンの異化によって生じる．[注：プロピオニルCoAは奇数炭素脂肪酸の酸化によっても生じうる(p.251参照).]

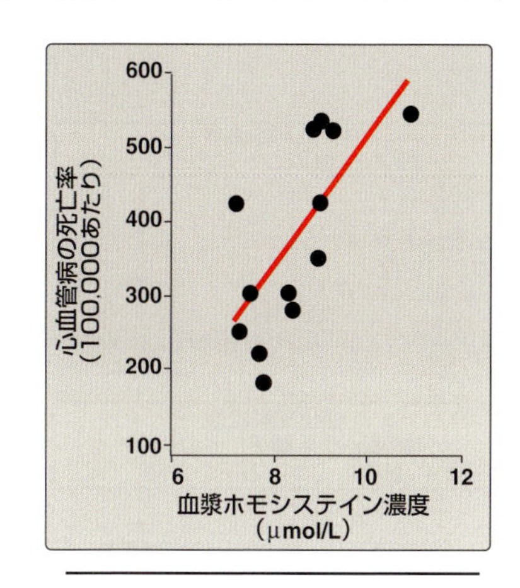

図 20.9
心血管疾患の死亡率と血漿ホモシステイン濃度の関係.

G. アセチルCoAもしくはアセトアセチルCoAを生成するアミノ酸

トリプトファン，ロイシン，イソロイシン，リシンはピルビン酸を中間体とすることなく直接アセチルCoAないしアセトアセチルCoAを生成する．前述のように，**フェニルアラニン phenylalanine**と**チロシン tyrosine**もまた異化の過程でアセト酢酸を生成する(図20.7参照)．であるから**ケト原性アミノ酸 ketogenic amino acid**は全部で6つある(訳注：トレオニンもピルビン酸生成を介することなくアセチルCoAを生成しうるので，ケト原性アミノ酸である．これを入れるとケト原性アミノ酸は全部で7つということになる).

1. トリプトファン tryptophan：代謝されてアラニンとアセトアセチルCoAになるので，**糖原性 glucogenic**でもあり**ケト原性 ketogenic**でもある(図20.10)．[注：トリプトファン異化で生じるキノリン酸はニコチンアミドアデニンジヌクレオチド(NAD，p.499参照)の合成に用いられる(細菌などで).]

2. ロイシン leucine：異化においてアセチルCoAとアセト酢酸を生成するので，**純ケト原性 exclusively ketogenic**である(図20.11)．ロイシンと他のBCAAsであるイソロイシンとバリンの異化の最初の2つの反応は，3つすべてのBCAA(もしくはその誘導体)を基質として用いる酵素によって触媒される(下記H.参照).

3. イソロイシン isoleucine：**ケト原性**でもあり**糖原性**でもある．代謝によりアセチルCoAとプロピオニルCoAができるからである.

4. リシン lysine：**純ケト原性アミノ酸**であり，2つのアミノ基とも異化の第1段階でアミノ転移を経ないという点で特異なアミノ酸である．リシンは最終的にはアセトアセチルCoAになる.

H. 分枝鎖アミノ酸の異化

BCAAである**イソロイシン**，**ロイシン**，**バリン**は必須アミノ酸である．他のアミノ酸とは対照的に，これらのアミノ酸は主として肝臓よりも末梢組織(特に筋肉)で代謝される．これらのアミノ酸は共通の異化経路で代謝されるので，1グループとして記載する(図20.11参照).

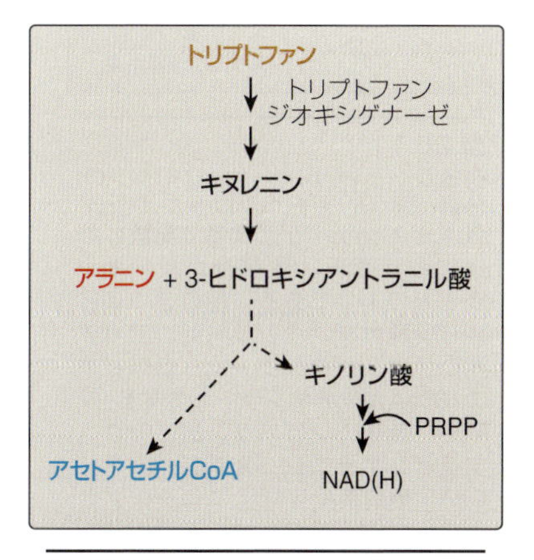

図 20.10
キヌレニン経路(省略版)によるトリプトファン代謝．CoA：補酵素A，PRPP：ホスホリボシルピロリン酸，NAD(H)：ニコチンアミドアデニンジヌクレオチド.

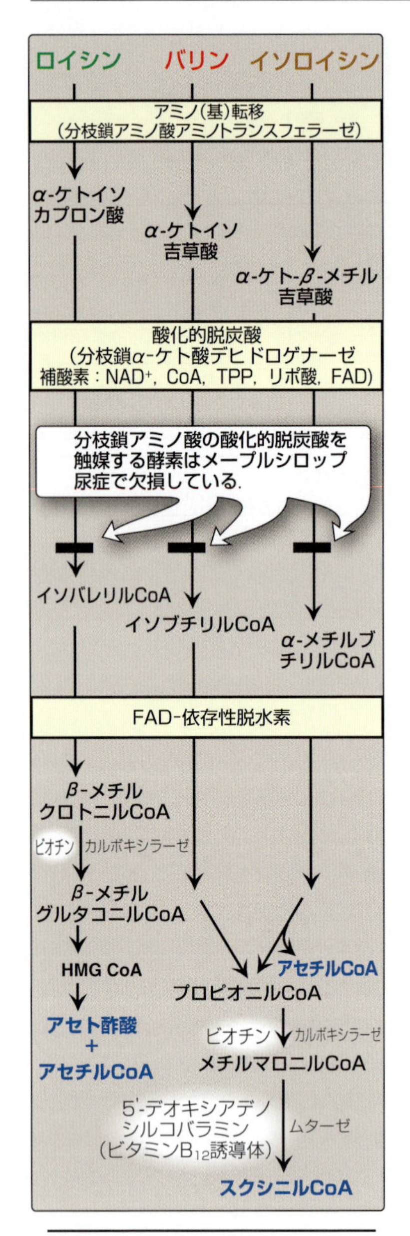

図 20.11
ロイシン, バリン, イソロイシンの分解.［注：β-メチルクロトニルCoAカルボキシラーゼは本書で記載した4つのビオチン依存性カルボキシラーゼの1つである. 他の3つはピルビン酸カルボキシラーゼ, アセチルCoAカルボキシラーゼ, プロピオニルCoAカルボキシラーゼである.］
TPP：チアミンピロリン酸, FAD：フラビンアデニンジヌクレオチド, CoA：補酵素A, NAD：ニコチンアミドアデニンジヌクレオチド, HMG：ヒドロキシメチルグルタリル.

1. **アミノ転移**：これら3つのBCAAのアミノ基のα-ケトグルタル酸への転移は1つのビタミンB_6要求性酵素, 分枝鎖アミノ酸アミノトランスフェラーゼ branched-chain amino acid aminotransferase（主に骨格筋に発現）によって触媒される.

2. **酸化的脱炭酸**：ロイシン, バリン, イソロイシン由来のα-ケト酸のカルボキシ基除去は1つの多酵素複合体, 分枝鎖α-ケト酸デヒドロゲナーゼ branched-chain α-keto acid dehydrogenase（BCKD）複合体によって触媒される. この複合体の欠損はメープルシロップ尿症 maple syrup urine disease（MSUD）をもたらす（図20.11とp.353参照）. この複合体はチアミンピロリン酸, リポ酸, 酸化型フラビンアデニンジヌクレオチド（FAD）, NAD^+, CoAを補酵素として用いてNADHを産生する.［注：この反応はピルビン酸デヒドロゲナーゼ（PDH）複合体 pyruvate dehydrogenase complexによるピルビン酸からアセチルCoAへの変換反応（p.142参照）, α-ケトグルタル酸デヒドロゲナーゼ複合体 α-ketoglutarate dehydrogenase complexによるα-ケトグルタル酸からスクシニルCoAへの酸化反応（p.145参照）と同様である. これら3つの複合体ジヒドロリポイルデヒドロゲナーゼ dihydrolipoyl dehydrogenase（酵素3 enzyme 3, E3）で共通である.］

3. **脱水素反応**：上記のBKCD反応で生成した産物の酸化によりα, β-不飽和アシルCoA誘導体 **α,β-unsaturated acyl CoA derivative** と$FADH_2$ができる. これらの反応は脂肪酸分解のβ酸化で記載したFAD依存性脱水素反応と類似の反応である（p.249参照）.［注：イソバレリルCoAに特異的なデヒドロゲナーゼ dehydrogenase欠損により神経症状が起き, 体液が"汗臭い足"の臭いを呈する（汗臭足症候群）.］

4. **最終生成物**：イソロイシンの異化によりアセチルCoAとスクシニルCoAが生じるので, イソロイシンはケト原性でもあり糖原性でもある. バリンはスクシニルCoAを生じるので糖原性である. ロイシンはアセト酢酸とアセチルCoAに代謝されるのでケト原性である. さらにNADHが脱炭酸反応で, $FADH_2$が脱水素反応で産生される.［注：BCAAの異化によって筋肉から血中へのグルタミンとアラニンの合成・放出も起きる（p.326参照）.］

Ⅳ. 葉酸とアミノ酸代謝

合成経路のなかには一炭素基付加を必要とするものがある. これらの"一炭素単位"は, さまざまな酸化状態で存在しうる. **ホルミル formyl**, **メテニル methenyl**, **メチレン methylene**, **メチル methyl**などである. これらの一炭素単位は**テトラヒドロ葉酸 tetrahydrofolic acid**（THF）や***S*-アデノシルメチオニン *S*-adenosylmethionine**（SAM）などの担体化合物から合成中あるいは修飾中の化合物へと転移される. "**一炭素プール one-carbon pool**"はこのグループの担体に結合している一炭素単位のことをいう.［注：重炭酸イオン（HCO_3^-）由来のCO_2はビタミンであるビオチン(p.500参照)によって運搬される．ビオチンはほとんどのカルボキシ化反応の補欠分子族であるが，一炭素プールのメンバーとはしない．カルボキシラーゼ carboxylaseからビオチンを除去する活性，もしくはビオチンを添加する活性の欠損により複合カルボキシラーゼ欠損症 multiple carboxylase deficiencyが生じる．この治療はビオチン補充である.］

A．葉酸と一炭素代謝

葉酸の活性化型であるTHFはNADPH 2分子を要する2段階反応で，ジヒドロ葉酸レダクターゼ dihydrofolate reductaseにより葉酸から作られる．THFによって運搬される一炭素単位はN^5ないしN^{10}窒素のいずれかもしくは両者に結合している．図20.12にTHFファミリーのさまざまなメンバーの構造，メンバー間の相互変換，一炭素単位の供給源と各々のメンバーが関与する合成反応を示す．［注：葉酸欠乏ではDNA合成に必要なプリンとチミジン一リン酸(dTMP)が十分量得られないために，巨赤芽球性貧血を呈する(p.393参照).］

V．非必須アミノ酸の生合成

非必須アミノ酸は代謝の中間体から合成されるか，チロシンやシステインの場合のように，それぞれフェニルアラニン，メチオニンという必須アミノ酸から合成される．非必須アミノ酸の合成反応を以下に記し，図20.15にまとめる．［注：タンパク質中にみられるアミノ酸のなかにはヒドロキシプロリンやヒドロキシリシン(p.55参照)のように，それらの前駆(親)アミノ酸がタンパク質に組み込まれたあとに翻訳後修飾されるものもある.］

A．α-ケト酸からの合成

アラニン alanine，アスパラギン酸 aspartate，グルタミン酸 glutamateはそれぞれのα-ケト酸であるピルビン酸，OAA，α-ケトグルタル酸にアミノ基を転移することにより合成される．これらのアミノ転移反応(図20.13)は生合成経路のなかで最も直接的なものである．グルタミン酸はアンモニア濃度が高いときにはグルタミン酸デヒドロゲナーゼによって触媒される酸化的脱アミノの逆反応によっても合成されるという点において特別である(図19.11参照).

B．アミド化による合成

1．グルタミン glutamine：このアミノ酸はγ-カルボキシ基にアンモニアがアミド結合しており，グルタミン酸とアンモニアからグルタミンシンテターゼ glutamine synthetaseにより合成される(p.331の図19.18参照)．この反応はATPの加水分解で駆動される．タンパク質合成のためのグルタミン産生に加えて，この反応は，アンモニアを無毒の形で輸送する主要な機構としても働く(アンモニア代謝の議論に関してはp.330参照).

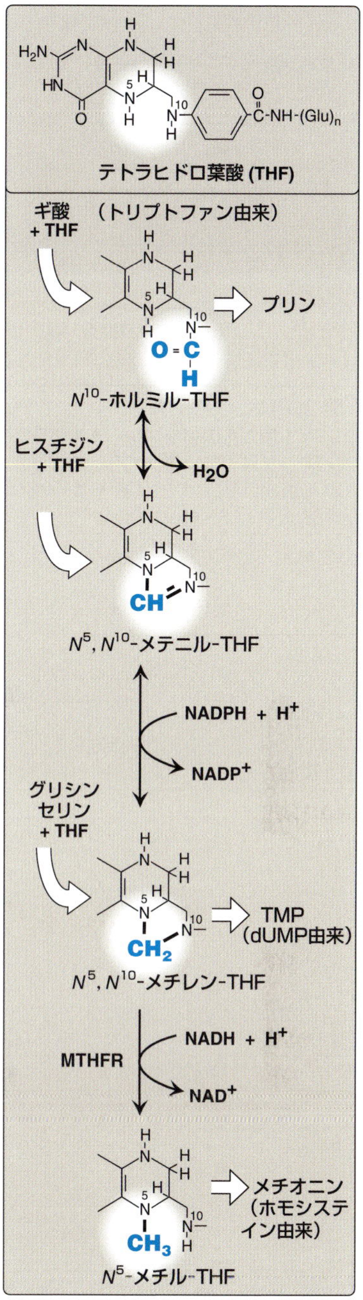

テトラヒドロ葉酸 (THF)
ギ酸 + THF　（トリプトファン由来）
プリン
N^{10}-ホルミル-THF
ヒスチジン + THF　H_2O
N^5, N^{10}-メテニル-THF
$NADPH + H^+$　$NADP^+$
グリシン セリン + THF
TMP (dUMP由来)
N^5, N^{10}-メチレン-THF
MTHFR　$NADH + H^+$　NAD^+
メチオニン（ホモシステイン由来）
N^5-メチル-THF

図20.12
一炭素単位の担体であるTHFの相互変換と利用のまとめ．［注：N^5, N^{10}-メテニル-THFはN^5-ホルムイミノ-THFからも生じる(図20.4参照).］NADP(H)：ニコチンアミドアデニンジヌクレオチドリン酸，NAD(H)：ニコチンアミドアデニンジヌクレオチド，TMP：チミジン一リン酸，dUMP：デオキシウリジン一リン酸，MTHF：N^5, N^{10}-メチレン-THFレダクターゼ．

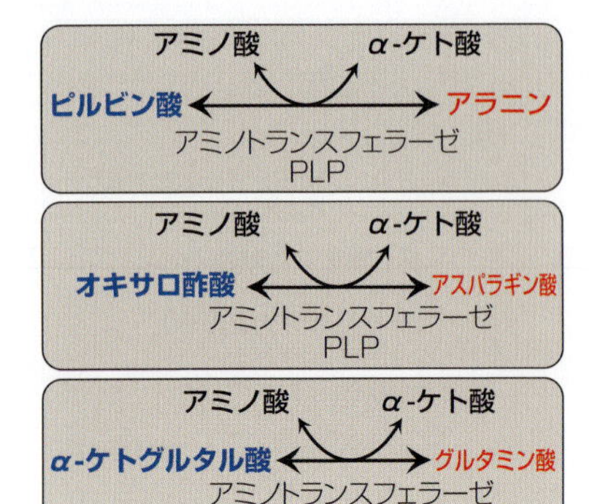

図 20.13
α-ケト酸からのアラニン，アスパラギン酸，グルタミン酸のアミノ転移による生成．PLP：ピリドキサールリン酸．

2．アスパラギン asparagine：このアミノ酸はβ-カルボキシ基にアンモニアがアミド結合しており，アスパラギンシンテターゼ asparagine synthetaseにより，グルタミンをアミド供与体として用いてアスパラギン酸から作られる．グルタミン合成と同様に，この反応はATPを必要とし，グルタミン合成と同様に，平衡はアミド合成の方向に偏っている．

C．プロリン proline

グルタミン酸は環化と還元反応によりグルタミン酸セミアルデヒドを経てプロリンになる．［注：セミアルデヒドはアミノ転移を受けてオルニチンにも変換されうる．］

D．セリン，グリシン，システイン

これらのアミノ酸の合成経路は互いにつながっている．

1．セリン serine：解糖系の中間体である3-ホスホグリセリン酸（図8.18参照）から生じる．3-ホスホグリセリン酸はまず酸化されて3-ホスホピルビン酸になり，アミノ転移により3-ホスホセリンになる．セリンはリン酸エステルの加水分解により生成される．セリンは一炭素供与体としてN^5, N^{10}-MTHFを用いるセリンヒドロキシメチルトランスフェラーゼ serine hydroxymethyltransferaseによるグリシンへのヒドロキシメチル基転移によっても生じる（図20.6A参照）．［注：21番目の遺伝子によってコードされるアミノ酸であるセレノシステイン（Sec）はセリンがtRNAに結合しているときにセリンとセレン（p.525参照）から合成される．Secはグルタチオンペルオキシダーゼ glutathione peroxidase（p.197参照）やチオレドキシンレダクターゼ thioredoxin reductase（p.386参照）など約25のヒトタンパク質中に存在する．］

2．グリシン glycine：セリンヒドロキシメチルトランスフェラーゼによるセリンからのヒドロキシメチル基除去によって生じる（セリン合成の逆反応，図20.6A参照）．THFが一炭素受容体である．

3．システイン cysteine：Hcyがセリンと結合してシスタチオニンを生成する反応と，シスタチオニンが加水分解してα-ケト酪酸およびシステインが生じる反応の2つが連続することにより合成される（図20.8参照）．［注：Hcyはp.342に記載したようにメチオニンから生じる．メチオニンは必須アミノ酸なので，システイン合成はメチオニンが食事から十分に供給されるときのみに維持される．］

E．チロシン tyrosine

チロシンはフェニルアラニンからPAH（p.342参照）によって生じる．この反応は分子状酸素および補酵素BH_4を必要とする．BH_4は生体内でグアノシン三リン酸（GTP）から合成可能である．分子状酸素の1原子がチロシンのヒドロキシ基（水酸基）となり，もう1つの原子は還元されて水になる．この反応でBH_4は酸化されてジヒドロビオプテリン(BH_2)になる．BH_4はNADH依存性のジヒドロプテリジンレダクターゼ dihydropteridine reductaseによりBH_2から再生される．チロシンはシステインと同様に必須アミノ酸から合成されるので，食事性のフェニルアラニンが十分にある場合のみ非必須アミノ酸である．

Ⅵ. アミノ酸代謝疾患

これらの単一遺伝子疾患は先天性代謝異常の一種であり，一般的にアミノ酸代謝に関連する酵素の機能喪失型変異により起きる．遺伝性欠損により酵素活性が全くなくなる場合もあるし，触媒活性が部分的に低下することもある(こちらのほうが多い)．治療しないとアミノ酸代謝の遺伝性欠損により，ほとんどの場合有害な代謝産物の蓄積が知的障害や他の発達異常を引き起こす．これらの疾患は50以上が報告されているが，多くはまれな疾患であり，250,000人に1例程度でしか起こらない(図20.14)．しかし，これらアミノ酸代謝異常全体は小児の遺伝疾患の大変重要な部分を占める(図20.15)．

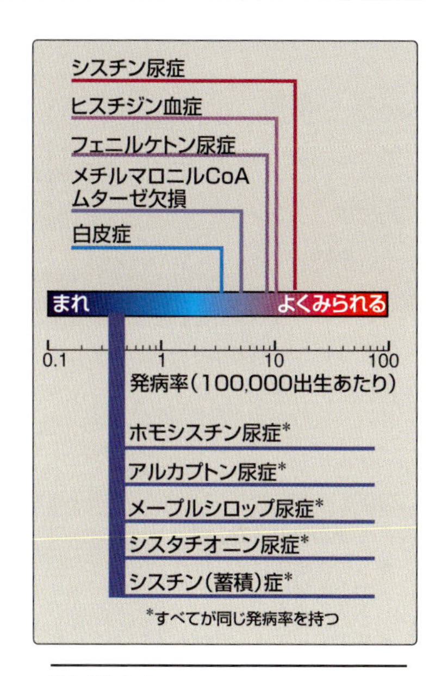

図 20.14
アミノ酸代謝の遺伝性疾患の発病率．[注：シスチン尿症はアミノ酸輸送の最もよくみられる先天性異常である.]

A. フェニルケトン尿症

フェニルケトン尿症 phenylketonuria (PKU)はアミノ酸代謝の先天性異常のなかで臨床的に最もよく遭遇する疾患である(有病率は15,000人に1人)．古典的なPKUはPAHをコードする遺伝子の機能喪失型変異によって起こる常染色体劣性疾患である(図20.16)．生化学的には高フェニルアラニン血症を特徴とする．フェニルアラニンは血漿のみならず尿や体組織中に高濃度(正常の10倍)に存在する．チロシンは通常PAHによってフェニルアラニンから作られるので欠乏する．治療は食事中のフェニルアラニン制限とチロシン補充である．[注：**高フェニルアラニン血症 hyperphenylalaninemia**はBH_4の合成に必要な数種の酵素の欠損やBH_2からBH_4を再生するジヒドロプテリジンレダクターゼの欠損によっても起こりうる(図20.17)．PAHはBH_4を補酵素として要求することから，これらの変異によりBH_4合成が阻害され間接的にフェニルアラニン濃度が上昇する．BH_4はセロトニンやカテコールアミンなどの神経伝達物質合成につながる反応を触媒するチロシンヒドロキシラーゼ tyrosine hydroxylaseとトリプトファンヒドロキシラーゼ tryptophan hydroxylaseにとっても必要である．単に食事中のフェニルアラニンを制限するだけでは神経伝達物質欠損による中枢神経系の症状を軽減することはできない．BH_4をサプリメントとして投与し，L-3,4-ジヒドロキシフェニルアラニン(L-DOPA, p.372参照)および5-ヒドロキシトリプトファン(チロシンヒドロキシラーゼとトリプトファンヒドロキシラーゼによる反応生成物)の補充療法により，これらの高フェニルアラニン血症の亜型の臨床症状は改善される(治療に対する反応は予測不能ではあるが)．]

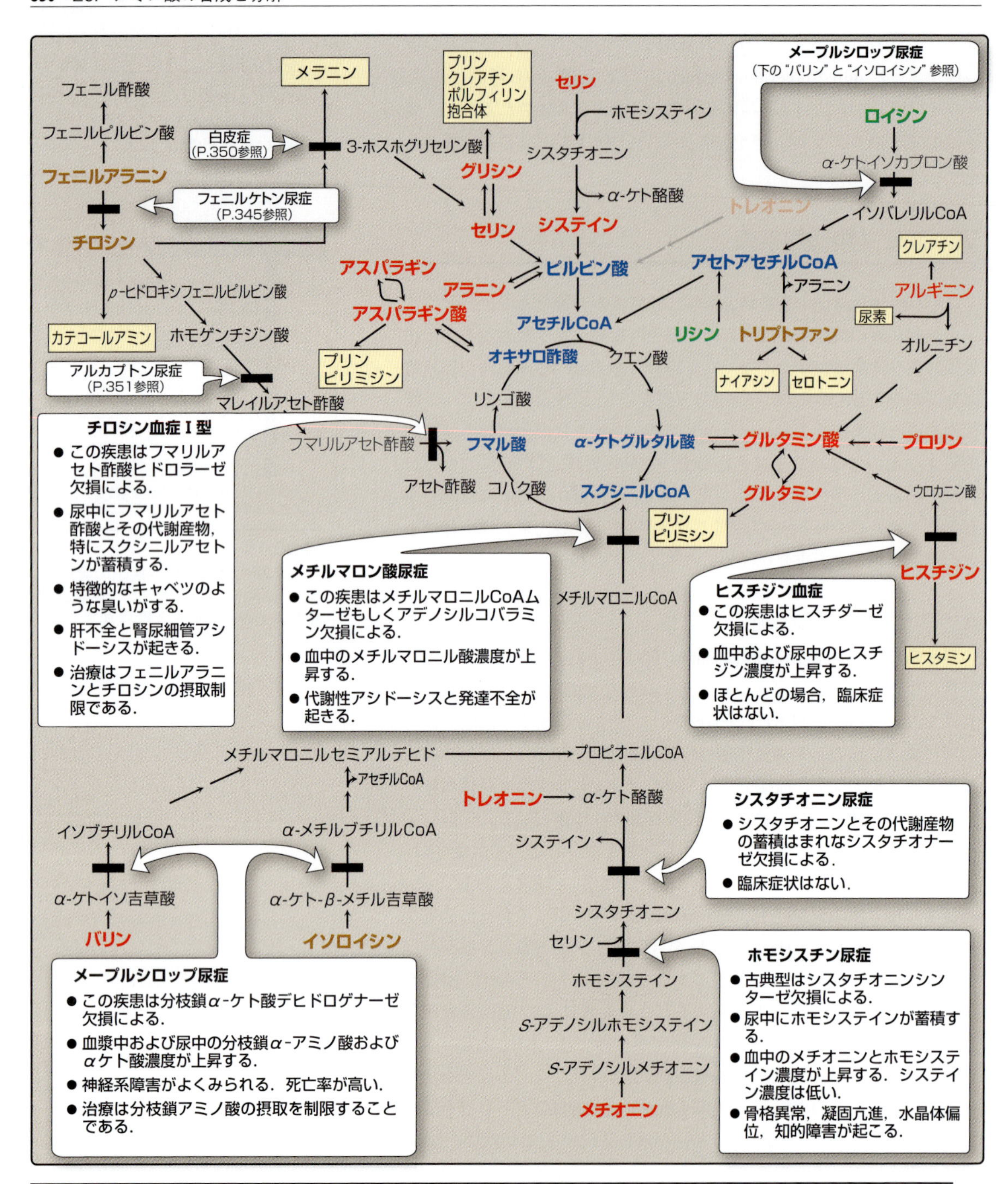

図 20.15
ヒトにおけるアミノ酸代謝のまとめ.遺伝的に決定されている酵素欠損を白抜きで示す.アミノ酸由来の窒素含有化合物を小さな黄色いボックスで示す.アミノ酸の分類は色別で示す.赤色:糖原性,茶色:糖原性かつケト原性,緑色:ケト原性.青色で書かれた化合物はすべてのアミノ酸代謝が合流する7つの代謝産物である(訳注:トレオニンは茶色に分類されることもある).CoA:補酵素A,NAD(H):ニコチンアミドアデニンジヌクレオチド.

かかとから採取した血液をタンデム（縦列）質量分析にかけることにより，アミノ酸代謝異常を含む治療可能な疾患の多くを新生児に対してスクリーニングすることができる．法律によって，すべての州で20以上の疾患のスクリーニングが義務付けられており，州によっては50以上の疾患のスクリーニングが義務付けられている．すべての州がPKUのスクリーニングを行っている（米国の場合）．

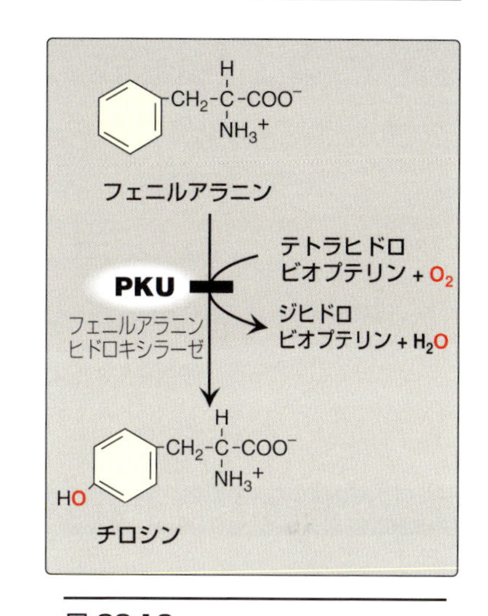

図 20.16
フェニルアラニンヒドロキシラーゼ欠損はフェニルケトン尿症（PKU）を引き起こす．

1．**他の特徴**：名称が示唆するように，PKUでは尿中のフェニルケトン濃度の上昇も特徴の1つである．

a．**フェニルアラニン代謝産物の上昇**：正常なPAHが存在する場合にはほとんど存在しないフェニルピルビン酸（フェニルケトンの一種），フェニル酢酸，フェニル乳酸が，フェニルアラニンに加えて，PKUにおいては上昇している（図20.18）．これらの代謝産物のせいで尿は特徴的なカビ臭い（ネズミのような）臭いがする．

b．**中枢神経症状**：重度の知的障害 intellectual disability，発達遅延，小頭症，痙攣などが未治療のPKUの特徴的症状である．未治療のPKU患者では1歳になるまでに知的障害の徴候を呈し，IQ 50以上に達することはまれである（図20.19）．［注：これらの臨床症状は新生児スクリーニングプログラムで早期診断・早期治療が可能となったおかげで現在ではまれにしかみられない．］

c．**色素形成不全**：未治療のPKU患者ではしばしば色素形成不全が認められる（白髪，色白，青い目）．**メラニン melanin** 色素生成の第1段階である銅要求性のチロシナーゼ tyrosinase によるチロシンのヒドロキシ化がPKU患者ではチロシン減少のため減少する．

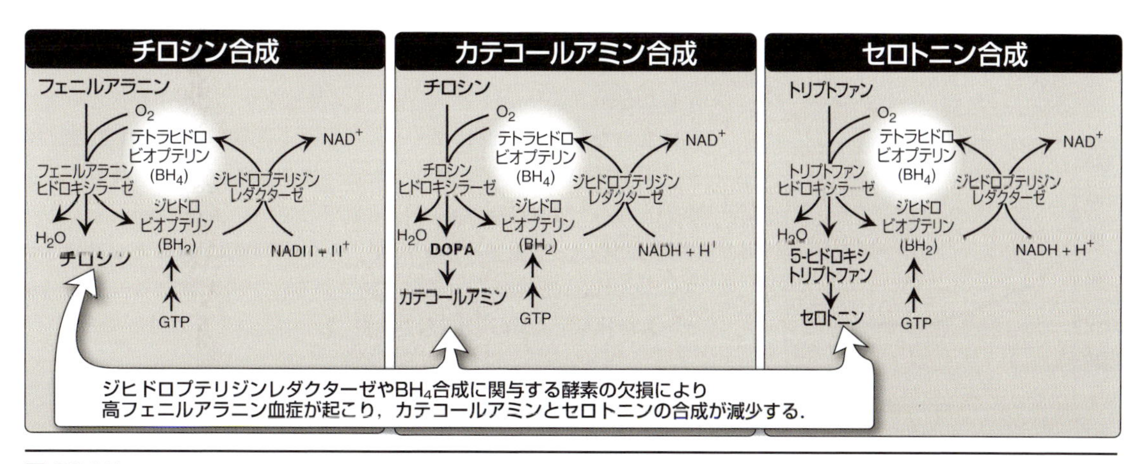

図 20.17
アミノ酸とテトラヒドロビオプテリンが関与する生合成反応．［注：芳香族アミノ酸ヒドロキシラーゼはPLP（ピリドキサールリン酸）ではなく，BH_4を用いる．］NAD（H）：ニコチンアミドアデニンジヌクレオチド，GTP：グアノシン三リン酸，DOPA：L-3,4-ジヒドロキシフェニルアラニン，O_2：酸素．

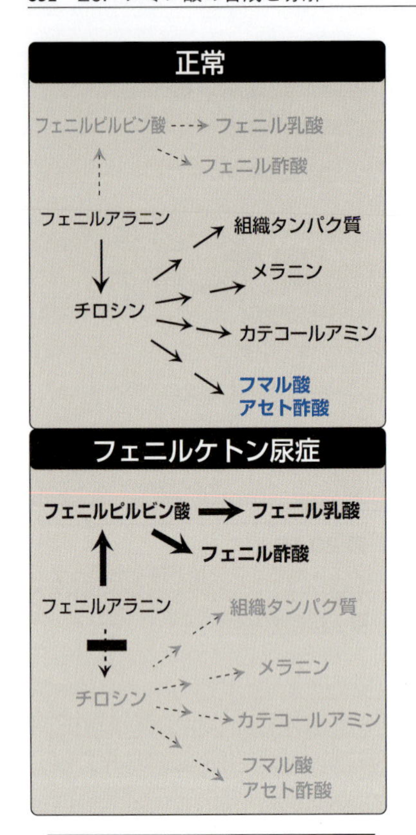

図 20.18
健常者とフェニルケトン尿症患者におけるフェニルアラニン代謝経路.

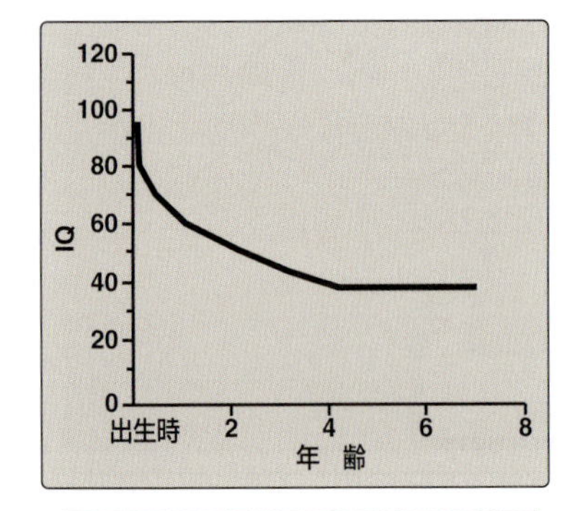

図 20.19
年齢別の未治療PKU患者の知能. IQ：知能指数.

2. 新生児スクリーニングおよび診断：PKUは食事療法によって治療可能であるから，その早期診断が重要である．新生児では無症状であるために，血中フェニルアラニン濃度の上昇を検知する検査がPKU発見には不可欠である．しかしながらPKU乳児は出生時にしばしば正常血中フェニルアラニン値を示すことがある．母親が胎盤を通して胎児の血中のフェニルアラニン値を低下させるからである．新生児がタンパク質摂取を開始してから24～48時間はフェニルアラニン濃度が正常値のままであることもある．したがって，偽陰性の結果を避けるために，スクリーニングテストは通常タンパク質摂取開始48時間以降に行われる．陽性の結果が出た場合には，血中フェニルアラニン濃度を定量することにより診断を確定する．

3. 出生前診断：古典的PKUはPAHをコードする遺伝子の100以上の変異のいずれかによって引き起こされる．変異の頻度は人種によって異なり，この疾患はしばしば二重ヘテロ接合である(つまり，*PAH*遺伝子は各アレル(対立遺伝子)alleleに異なる変異を持つ)．このように複雑ではあるが，出生前診断は可能である(p.633参照)．

4. 治療：ほとんどの正常なタンパク質は必須アミノ酸のフェニルアラニンを含んでおり，通常の食事を摂取する場合，フェニルアラニンを許容量以上にとらずに体のタンパク質要求量を満足させることは不可能である．したがって，PKUの場合，フェニルアラニンを含まない合成アミノ酸製剤をフェニルアラニン含量が低い自然食品(果物，野菜，ある種の穀物など)と一緒に与える(補充する)ことにより血中フェニルアラニン濃度を正常範囲に近く保つ．与える量は個々の許容量(血中フェニルアラニン値を測定することにより決定)に従って調整される．治療開始が早ければ早いほど，神経系障害はより完全に予防可能である．適切な治療を受けた患者は正常な知能を持ちうる．[注：認知障害を予防するためには，治療は生後7～10日目には開始しなければならない.] フェニルアラニンは必須アミノ酸なので，過度の治療により血中フェニルアラニン値が正常以下になることは避けなければならない．PKU患者ではチロシンはフェニルアラニンから合成することができないので，必須アミノ酸となり，食事中からとらなければならない．幼児期にフェニルアラニン制限食を中断すると，IQテストで良い結果を得られなくなる．成人PKU患者では食事療法を中止したあとでIQ値がゆっくりと低下していく(図20.20)．したがって長期にわたって食事中フェニルアラニンを制限することが推奨される．[注：PKU患者はフェニルアラニンを含む人工甘味料のアスパルテームを摂取しないよう指示される.]

5. 母性PKU：低フェニルアラニン食をとっていないPKU女性が妊娠した場合，子どもはしばしば母性PKU症候群に罹患する．たとえ胎児が疾患に罹患していなくても(すなわち胎児がPAH変異に関してヘテロ接合性であっても)，母体の血中フェニルアラニン濃度が高いと催奇形作用を及ぼし，胎児に小頭症および先天性心異常を引き起こす．高フェニルアラニンによってもたらされるこれらの発育応答は妊娠初期に起こるものなので，血中フェニルアラニン値の食事によるコントロールは妊娠前に開始し，妊娠中ずっと維持されなければならない．

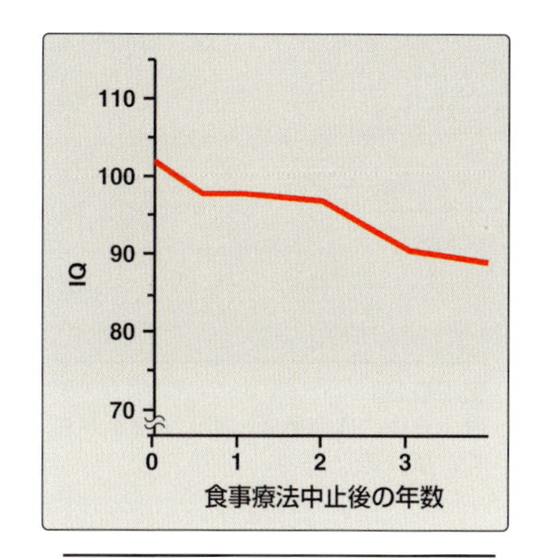

図 20.20
フェニルケトン尿症患者が低フェニルアラニン食を中止したあとの知能指数（IQ）値の変化.

B. メープルシロップ尿症 maple syrup urine disease（MSUD）

MSUDはロイシン **leucine**，イソロイシン **isoleucine**，バリン **valine** を酸化的脱炭酸するミトコンドリアの酵素複合体である分枝鎖α-ケト酸デヒドロゲナーゼ branched-chain α-keto acid dehydrogenase（BCKD）が部分的に，あるいは完全に**欠損**しているまれな（185,000出生に1例）常染色体劣性疾患である（図 20.11 参照）．これらのBCAAおよび相当するα-ケト酸が血中に蓄積し，脳機能を障害する毒性を発揮する．この疾患は乳の飲みの悪さ，嘔吐，ケトアシドーシス，筋緊張の変化，昏睡に至る神経症状（主としてロイシン濃度の上昇による），特有の尿のメープルシロップ臭（イソロイシン濃度の上昇による）が特徴である．未治療の場合，死に至る．治療が遅れると知的障害が起こる．

1．**分類**：MSUDは，古典型およびいくつかの亜型variantを含む．新生児期に発症する古典型は最もよくみられるMSUDである．患者の白血球・培養皮膚線維芽細胞にはBCKD活性がほとんどない．古典型MSUD患児は生後数日で症状を現す．診断・治療がなされない場合，生後数週で死に至る．中間型の患者の酵素活性は比較的高い（正常の約30％程度まで）．症状は軽く発症時期は幼年期から青年期にわたる．まれなチアミン依存性のMSUD亜型ではこのビタミンを大量に与えるとある程度効果がある．

2．**スクリーニングと診断**：PKUと同様に，出生前診断および新生児スクリーニングが可能である．ほとんどの患児は複合ヘテロ接合体である．

3．**治療**：MSUDは，正常な発育には十分だが毒性は発揮しない程度のロイシン，イソロイシン，バリンを添加したBCAA除去合成調合乳で治療する．[注：MSUDにおいてはロイシン濃度の上昇が神経系障害をもたらすので，ロイシン濃度を注意深くモニターしなければならない.] 患児の正常発達のためには早期診断と生涯にわたる食事療法が不可欠である．[注：BCAAは代謝の緊急時には重要なエネルギー源であり，MSUD患者はタンパク質異化が増加するような状況では危機的状態になりやすい.]

C. 白 皮 症

白皮症 albinism はチロシン代謝の欠損によりメラニン産生の不足がもたらされる一群の疾患を指す．これらの欠損により皮膚・毛髪・眼から色素が完全に，あるいは部分的になくなってしまう．白皮症は異

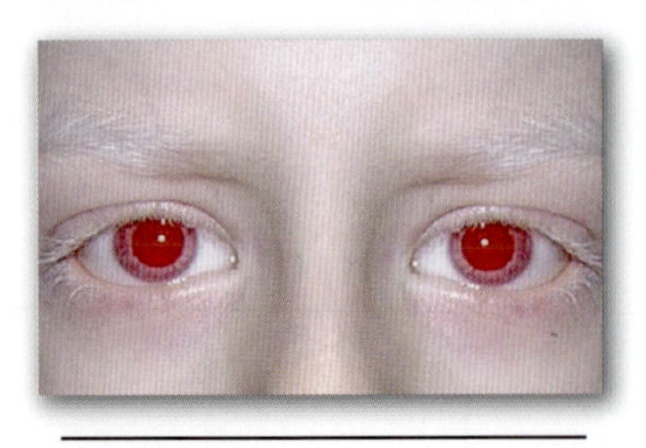

図 20.21
眼・皮膚白皮症患者．眉毛・睫毛が白く，眼は赤い．

なる症状を呈し，常染色体劣性(多くはこのタイプ)，常染色体優性，伴性のいずれの遺伝型も取りうる．チロシナーゼ陰性**眼皮膚型白皮症 oculocutaneous albinism**(白皮症 1 型)はチロシンからのメラニン合成の最初の 2 段階を触媒する銅依存性チロシナーゼ欠損によって引き起こされ，毛髪，皮膚，眼から色素が完全に欠如しており(図 20.21)，最も重症な疾患である．色素欠如に加えて，患者は視覚障害および羞明もある(日光が眼を痛める)．また皮膚がん発症のリスクも高い．

D. ホモシスチン尿症

ホモシスチン尿症 homocystinuriaはHcy代謝に欠損がある一群の疾患である．この疾患は常染色体劣性遺伝で，Hcyの尿中濃度高値，Hcyとメチオニンの血漿濃度高値，システインの血漿濃度低値を特徴とする．ホモシスチン尿症の最も多い原因はHcyをシスタチオニンへ変換するシスタチオニンβ-シンターゼ酵素の欠損である(図 20.22)．シスタチオニンβ-シンターゼのアレルを 2 つとも欠損している患者では水晶体偏位(眼球水晶体の位置異常)，骨格異常(手足と指が長い)，知的障害，血栓(血液凝固塊)を作りやすい傾向を示す．血栓症がこの疾患を持つ患者の早期死亡の主な原因である．治療はメチオニン制限とビタミンB_{12}および葉酸補充である．システインは必須アミノ酸となり，補充しなければならない．グルタチオンはシステインから合成されるので(図 13.6)，食事にシステインを添加することは酸化ストレスを軽減するのにも役立つ．加えてピリドキシン(ビタミンB_6)の経口投与に反応する患者もいる．ピリドキシンはシスタチオニンβ-シンターゼの補酵素であるピリドキサールリン酸に変換されるからである．ピリドキシンに反応する患者は反応しない患者に比べて通常症状が軽く発症も遅い．[注：メチルコバラミン(図 20.8 参照)やN^5, N^{10}-MTHFレダクターゼ N^5, N^{10}-MTHF reductase(MTHFR，図 20.12 参照)の欠乏によってもHcy値は上昇する．]

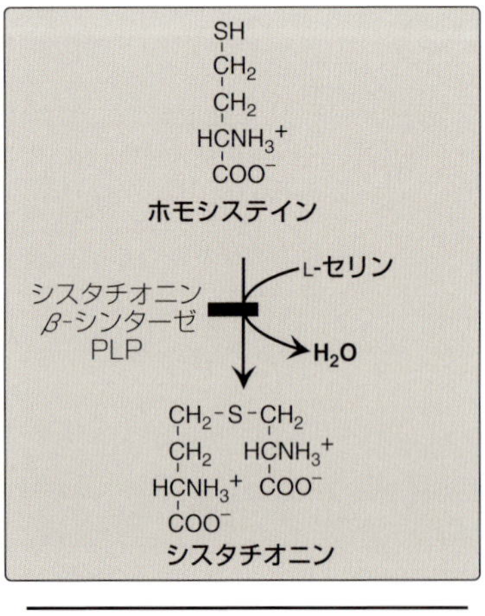

SH–CH₂–CH₂–HCNH₃⁺–COO⁻
ホモシステイン
L-セリン
シスタチオニン
β-シンターゼ
PLP
H_2O
CH_2–S–CH_2 / CH_2 / $HCNH_3^+$ / COO^- / $HCNH_3^+$ / COO^-
シスタチオニン

図 20.22
ホモシスチン尿症における酵素欠損．
PLP：ピリドキサールリン酸．

E. アルカプトン尿症

アルカプトン尿症 alkaptonuriaはホモゲンチジン酸オキシダーゼ homogentisic acid oxidase欠損によりホモゲンチジン酸(HA，チロシン分解経路の中間体，図 20.15 参照)が蓄積するまれな有機酸尿症 organic aciduriaである．この疾患には 3 つの特徴的な症状がある．**ホモゲンチジン酸尿症 homogentisic aciduria**(患者の尿は高濃度のHAを含み，放置しておくと酸化されて黒くなる，図 20.23A)，**大関節の関節炎 large joint arthritis**の早期発症，**軟骨**・コラーゲン組織への**黒色色素沈着 deposition of black pigment**(組織黒変症，オクロノーシス ochronosis)である(図 20.23B)．アルカプトン尿症患者はおむつが黒く染まることにより，幼児期に病気が気づかれることもあるが，通常 40 歳ぐらいまで無症状である．治療は低フェニルアラニン・低チロシン食によりHA濃度を低下させることである．アルカプトン尿症は生命を脅かすことはないが，それに伴う関節炎は重症になることがある．[注：チロシン代謝の最終酵素であるフマリルアセト酢酸ヒドロラーゼ fumarylacetoacetate hydrolaseの欠損でチロシン血症 I 型(図 20.15

参照)になり，尿は特徴的なキャベツ臭を呈する．]

F. メチルマロン酸血症

メチルマロン酸血症 methylmalonic acidemia（MMA）はL-メチルマロニルCoAをスクシニルCoAに変換するメチルマロニルCoAムターゼ methylmalonyl CoA mutase欠損により引き起こされるまれな（1：100,000）常染色体劣性疾患である．このムターゼ mutaseはビタミンB_{12}を必要とするので，この疾患は重度のB_{12}欠乏によっても引き起こされうる．この酵素欠損により，奇数鎖脂肪酸，バリン，イソロイシン，メチオニン，トレオニンの分解はすべてMMAを生じうる．血中・尿中のメチルマロン酸濃度上昇は代謝性アシドーシスを引き起こす．プロピオニルCoA濃度も上昇し，プロピオン酸もまた蓄積することにより酸性尿を増悪させる．症状は乳児期初期に出現するが，酵素欠損の程度により出現時期は変化する．症状は体重増加不良，嘔吐，脱水，筋緊張低下，発育遅延，痙攣，肝腫大，高アンモニア血症，進行性脳症などである．重症で治療されない場合，知的障害，慢性腎障害・肝障害，膵炎，昏睡，死に至る．治療は低タンパク質・高カロリー食，ビタミンB_{12}補充である．食事はイソロイシン，トレオニン，メチオニン，バリン摂取を制限する．これらのアミノ酸はムターゼ欠損のためにメチルマロン酸蓄積をもたらすからである．

図 20.23
アルカプトン尿症患者の試料．
A. 尿．B. 脊椎．

20章の要約

- 異化により**ピルビン酸**もしくは**TCA回路の中間体**を生み出すアミノ酸を**糖原性アミノ酸**と呼ぶ(図20.24). これらのアミノ酸は**肝臓・腎臓**での**グルコース**の正味の産生に寄与する.(ケト原性でない)純糖原性アミノ酸はグルタミン, グルタミン酸, プロリン, アルギニン, ヒスチジン, アラニン, セリン, グリシン, システイン, メチオニン, バリン, アスパラギン酸, アスパラギンである.
- 異化により**アセチルCoA**(ピルビン酸を中間体とすることなく直接的に)もしくは**アセト酢酸**(もしくはその前駆体である**アセトアセチルCoA**)を産生するアミノ酸を**ケト原性アミノ酸**と呼ぶ. ロイシンとリシンは純ケト原性である.
- チロシン, フェニルアラニン, トリプトファン, イソロイシン(訳注：およびトレオニン)はケト原性でもあり糖原性でもある.
- **非必須アミノ酸**は代謝中間体や必須アミノ酸の炭素骨格から合成可能である.
- **必須アミノ酸**は**食事**からとらなければならない. 必須アミノ酸はヒスチジン, メチオニン, トレオニン, バリン, イソロイシン, フェニルアラニン, トリプトファン, ロイシン, リシンである(訳注：アルギニンは尿素回路で合成可能だが, 幼児期には合成能以上のアルギニンが必要なので, 必須アミノ酸に分類される).
- **フェニルケトン尿症**(**PKU**)はフェニルアラニンをチロシンに変換する酵素**フェニルアラニンヒドロキシラーゼ**(**PAH**)の**欠損**により生じる. **高フェニルアラニン血症**はPAHの補酵素である**テトラヒドロビオプテリン**(**BH_4**)を産生する酵素・再生する酵素の欠損によっても起こる. PKU患者を治療しないと重度の知的障害, 発達遅延, 小頭症, 痙攣となり, 尿は特有のネズミのような臭いがする. 治療は食事性フェニルアラニンを制限することである. PKU患者では**チロシン**が必須アミノ酸となることを覚えておくべきである.
- **メープルシロップ尿症**(**MSUD**)は**分枝鎖アミノ酸**(**BCAA**)である**ロイシン**, **イソロイシン**, **バリン**を脱炭酸する酵素**分枝鎖α-ケト酸デヒドロゲナーゼ**(**BKCD**)の部分的または完全欠損により生ずる疾患である. 症状は乳の飲みの悪さ, 嘔吐, ケトアシドーシス, 筋緊張の変化, 尿の特有の甘いにおいなどである. 未治療の場合, 神経症状を発症し死に至る. 治療は食事性BCAAの制限である.
- アミノ酸代謝に関連した他の重要な遺伝疾患としては, **白皮症**, **ホモシスチン尿症**, **メチルマロン酸血症**(**MMA**), **アルカプトン尿症**, **ヒスチジン血症**, **チロシン血症**, **シスタチオニン尿症**などがある.

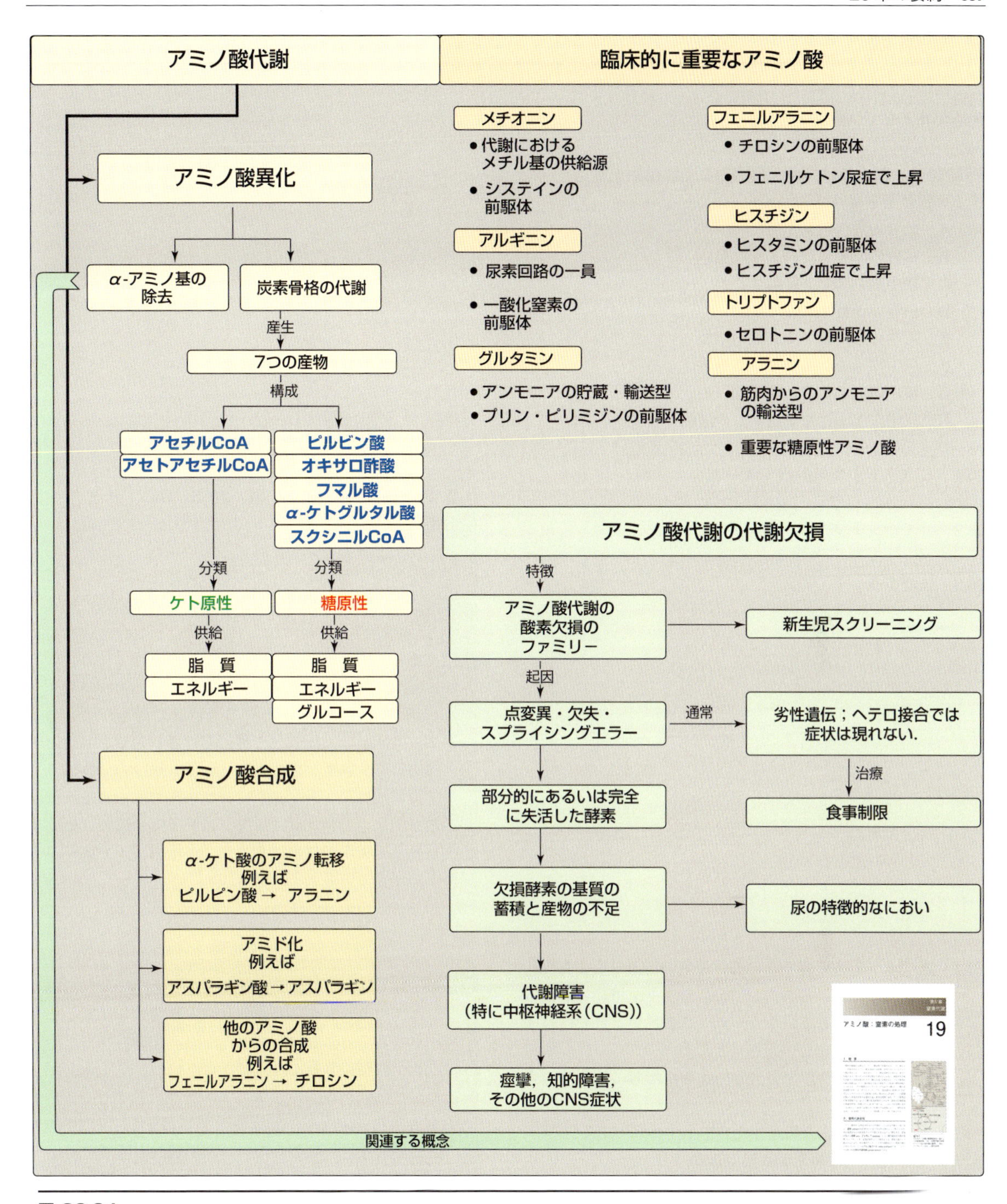

図 20.24
アミノ酸代謝の概念図．CoA：補酵素A.

学習問題

最適な答えを1つ選びなさい.

問題20.1～20.3では，臨床症状もしくは尿検査所見と合致する欠損酵素を選べ.

A. 軟骨の黒色色素沈着
B. 体液の汗臭い足のような臭い
C. 尿中のシスチン結晶
D. 白髪，赤目
E. 尿中の分枝鎖アミノ酸の増加
F. 尿中のホモシステインの増加
G. 尿中のメチオニンの増加
H. 尿中のフェニルアラニンの増加

20.1 シスタチオニンβ-シンターゼ

20.2 ホモゲンチジン酸オキシダーゼ

20.3 チロシナーゼ

正解 20.1 F，20.2 A，20.3 D. メチオニン分解経路のシスタチオニンβ-シンターゼの欠損により，ホモシステインが上昇する．チロシン分解経路のホモゲンチジン酸オキシダーゼの欠損によりホモゲンチジン酸が上昇し，黒色色素が生成，結合組織に沈着する(組織黒変症，オクロノーシス)．チロシナーゼ欠損により皮膚，毛髪，眼でチロシンからのメラニン生成が減少する．汗臭い足のような臭いは，イソバレリルCoAデヒドロゲナーゼ欠損の特徴である．尿中のシスチン結晶は，腸管と腎臓におけるシスチン吸収の欠損を持つシスチン尿症でみられる．尿中の分枝鎖アミノ酸増加は，メープルシロップ尿症でみられる．尿中のメチオニン増加は，ホモシステイン代謝の欠損でみられる．尿中のフェニルアラニン増加は，フェニルケトン尿症でみられる．

20.4 医療サービスの良くない農村地帯の自宅で生まれた生後1週間の乳児．古典的なフェニルケトン尿症にかかっているが気づかれていなかった．この乳児と乳児に対する治療に関して正しい記述はどれか.

A. フェニルアラニン完全除去食をただちに始めるべきである.
B. 食事療法は成人に達したら中止すべきである.
C. ビタミンB_6補充が必要である.
D. チロシンは必須アミノ酸である.
E. 葉酸の補充がフェニルアラニンヒドロキシラーゼ(PAH)活性を増加させるかもしれない.

正解 D. フェニルケトン尿症患者では，チロシンはフェニルアラニンから合成されず，必須アミノ酸となり，食事からとらなければならない．食事性フェニルアラニンは制限されなければならないが，全く除去するわけにはいかない．必須アミノ酸だからである．食事療法は知的障害を予防するためには生後7～10日の間に始めなければならない．認知機能の低下を防ぐためには，生涯にわたるフェニルアラニン制限を勧めるべきである．高濃度のフェニルアラニンは発達中の胎児に対して催奇形性がある．PAHの補因子はテトラヒドロビオプテリン(BH_4)である．BH_4の補充は，酵素欠損がBH_4産生の段階であったりジヒドロビオプテリンからの還元段階であったりする場合はフェニルアラニン濃度を減少させるかもしれない.

20.5　アミノ酸に関する記述のうち正しいのはどれか．

A.　アラニンはケト原性である．

B.　異化されて（中間体としてピルビン酸を産生することなく）直接アセチル補酵素A（CoA）を産生するアミノ酸は糖原性である．

C.　分枝鎖アミノ酸は主として肝臓で異化される．

D.　システインはメチオニン制限食をとっている患者にとっては必須アミノ酸である．

E.　アラニンは必須アミノ酸である．

正解　**D**．メチオニンはシステインの前駆体であり，メチオニンが厳格に制限されている患者にとっては，システインは必須アミノ酸である．アラニンは重要な糖原性アミノ酸である．アセチルCoAはグルコースの正味の産生には用いられない．異化されてアセチルCoA，アセト酢酸，アセトアセチルCoAとなるアミノ酸はケト原性である．分枝鎖アミノ酸は主として骨格筋で異化される．アラニンは非必須アミノ酸であり，ピルビン酸からトランスアミナーゼにより合成される．

20.6　メープルシロップ尿症のジヒドロリポイルデヒドロゲナーゼ（E3）欠損型の患者ではどうして乳酸アシドーシスを呈することが予想されるのか．

正解　3つのα-ケト酸デヒドロゲナーゼ複合体（ピルビン酸デヒドロゲナーゼ（PDH），α-ケトグルタル酸デヒドロゲナーゼ，分枝鎖アミノ酸デヒドロゲナーゼ（BCKD））は共通の酵素3（E3）を持つ．E3欠損メープルシロップ尿症では，BCKDの活性減少の結果，分枝鎖アミノ酸とそのα-ケト酸誘導体が蓄積するのに加えて，PDHの活性減少の結果，乳酸が上昇することが予想される．

20.7　ほとんどのアミノ酸が関与する酵素反応で要求されるビタミンB_6由来のピリドキサールリン酸とは対照的に，芳香族アミノ酸ヒドロキシラーゼが要求する補酵素は何か．

正解　グアノシン三リン酸から作られるテトラヒドロビオプテリンが要求される補酵素である．

アミノ酸：特殊な産物への変換

21

Ⅰ. 概　要

アミノ酸はタンパク質の構成要素を提供する他に，重要な生理機能を持つ多くの窒素(N)含有化合物の前駆体にもなる(図 21.1)．これらの分子はポルフィリン，神経伝達物質，ホルモン，プリン，ピリミジンなどである．[注：アルギニンからの一酸化窒素合成については p.199 参照．]

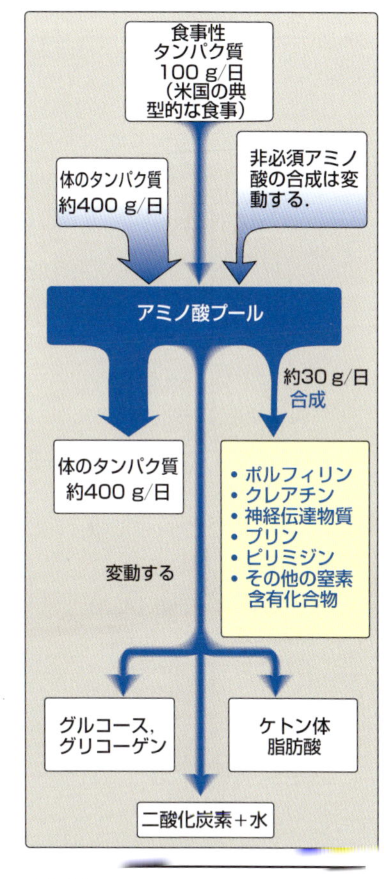

図 21.1
窒素含有化合物の前駆体としてのアミノ酸.

Ⅱ. ポルフィリン代謝

ポルフィリン porphyrin は容易に金属イオン(通常第一鉄(鉄(Ⅱ))イオン ferrous iron (Fe^{2+})か第二鉄(鉄(Ⅲ))イオン ferric iron (Fe^{3+}))を結合する環状化合物である．ヒトで最も多い**金属ポルフィリン metalloporphyrin** は**ヘム heme** である．ヘムはプロトポルフィリンⅨのテトラピロール環の中央に Fe^{2+} 1 個が配位した構造を持つ(p.364 参照)．ヘムはヘモグロビン(Hb)，ミオグロビン，シトクロムP450(CYP)モノオキシゲナーゼ系 cytochrome P450 (CYP) monooxygenase system を含むシトクロム，カタラーゼ catalase，一酸化窒素(NO)シンターゼ nitric acid (NO) synthase，ペルオキシダーゼ peroxidase の補欠分子族である．これらのヘムタンパク質は迅速に合成・分解される．例えば毎日 6 ～ 7 g の Hb が赤血球の正常な代謝回転を通して失われるヘムを置換するために合成される．ヘムタンパク質の代謝回転に協調して，相当するポルフィリンの合成・分解，結合鉄イオンのリサイクリングも行われる．

A. 構　造

ポルフィリンは 4 つのピロール環がメチン架橋によりつながった平面状環状分子である(図 21.2)．この分子の 3 つの構造的特徴はその医学における重要性を理解するのに役立つ．

1. **側鎖**：異なるポルフィリンは，4 つのピロール環のそれぞれに結合している側鎖の性質が異なる．例えばウロポルフィリンは酢酸基($-CH_2-COO^-$)とプロピオン酸基($-CH_2-CH_2-COO^-$)を持つのに対し，

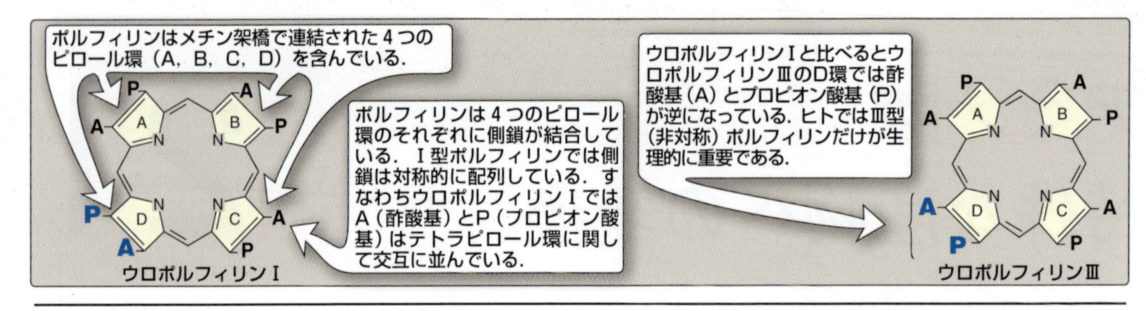

図 21.2
ウロポルフィリンIとウロポルフィリンIIIの構造．

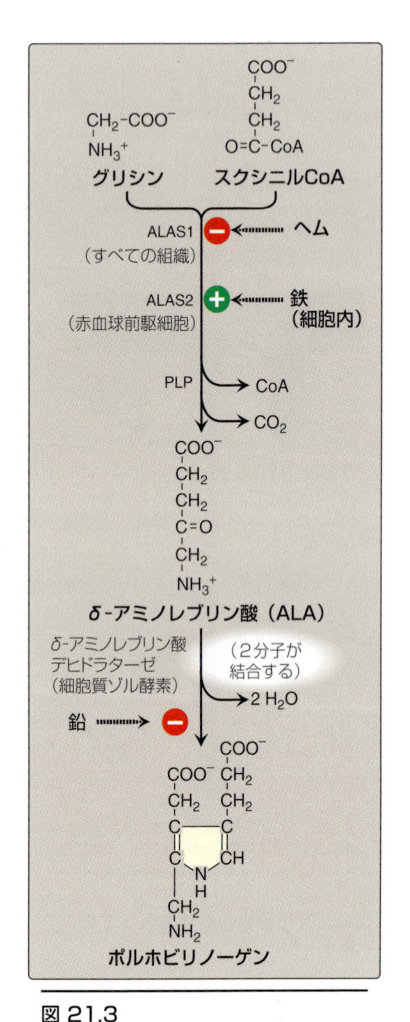

図 21.3
ポルフィリン合成経路：ポルホビリノーゲン生成．［注：ALAS1はヘムによって調節される．ALAS2は鉄によって調節される．］ALAS：δ-アミノレブリン酸シンターゼ，CoA：補酵素A，CO_2：二酸化炭素，PLP：ピリドキサールリン酸（図21.4と図21.5に続く）．

コプロポルフィリンはメチル基($-CH_3$)とプロピオン酸基を持ち，プロトポルフィリンIX（およびヘム*b*，最も一般的なヘム）はビニル基($-CH=CH_2$)，メチル基，プロピオン酸基を持つ．［注：メチル基，ビニル基はそれぞれ酢酸基，プロピオン酸基の脱炭酸により生じる．］

2．**側鎖の分布**：ポルフィリンの側鎖はテトラピロール核に対して4つの異なる配位を取りうる．これらはローマ数字でI～IVと命名されている．III型ポルフィリンではD環に非対称な側鎖を含んでいるが（図21.2），ヒトではこのIII型ポルフィリンのみが生理的に重要なポルフィリンである．［注：プロトポルフィリンIXはIII型ポルフィリンの一員である．］

3．**ポルフィリノーゲン**：このポルフィリン前駆体（例えばウロポルフィリノーゲン）は化学的に還元された無色の形で存在し，ヘム生合成において，ポルホビリノーゲン(PBG)からプロトポルフィリン（酸化されて有色）への変換過程の中間体である．

B．ヘムの生合成

ヘム生合成 heme biosynthesisの主要な場は**肝臓**と骨髄の**赤血球産生（造血）細胞 erythrocyte-producing cell**である．数多くのヘムタンパク質（特にCYPタンパク質）を合成する肝臓におけるヘム合成速度は，ヘムタンパク質の必要性に応じて変動する細胞のヘムプールに従って，大幅に変動する．これとは対照的に赤芽球（活発にHb合成を行う）におけるヘム合成は比較的一定であり，グロビン合成速度に適合している．［注：すべてのヘム合成の85%以上が造血組織で起こる．成熟赤血球(RBC)はミトコンドリアを欠き，ヘムを合成できない．］**ポルフィリン合成 porphyrin synthesis**の最初の反応と最後の3つの反応はミトコンドリアで起こり，途中の反応は細胞質ゾルで起こる．［注：図21.8にヘム合成の概要を示す．］

1．**δ-アミノレブリン酸 δ-aminolevulinic acid（ALA）生成**：ポルフィリン分子のすべての炭素原子・窒素原子は**グリシン glycine**（非必須アミノ酸）と**スクシニル補酵素A（CoA）succinyl CoA**（クエン酸回路中間体）によって供給される．グリシンとスクシニルCoAはALAシンターゼALA synthase（ALAS）により触媒される反応により縮合してALAを生成する（図21.3）．この反応は**ピリドキサールリン酸 pyridoxal phosphate**（PLP，p.496参照）を補酵素として必要とし，肝臓におけるポルフィリン生合成の方向決定段階かつ**律速段階 rate-controlling step**である．［注：ALASには2つのアイソザイムがあり，それぞれが違う遺伝子によってコードされ違う機構で調節されている．ALAS1はすべての組織に存在するのに対して，ALAS2は造血組織にしか存在しない．ALAS2の機能喪失変異はX連鎖（伴性）鉄芽球性貧血および鉄過剰をもたらす．］

a．**ヘム（ヘミン）の効果**：ポルフィリン合成がそのアポタンパク質の入手可能性量を超えたときには，ヘムが蓄積しFe^{2+}がFe^{3+}に酸化されて**ヘミン hemin**になる．ヘミンは遺伝子発現を抑制するとともにmRNAの分解を促進し，また酵素のミトコンドリア内への輸送を阻害することにより，ALAS1の酵素量および活性を減少させる．［注：赤芽球ではALAS2は細胞内鉄イオンの入手可能性量によって制御されている（p.608参照）．］

b．**薬物の効果**：数多くの薬物（およびある種の食物，化粧品，市販品に含まれる多様な環境由来化学物質）の投与により，肝臓のALAS1活性は有意に上昇する．これらの分子はミクロソームのCYPモノオキシゲナーゼ系（肝臓に存在するヘムタンパク質オキシダーゼ系 heme protein oxidase system）により代謝される（p.197参照）．これらの薬物に反応してCYPタンパク質の合成が上昇し，CYPタンパク質の一成分であるヘムの消費が増加する．このために肝細胞における遊離（非結合）ヘム濃度が減少する．細胞内遊離ヘム濃度の減少によりALAS1合成が上昇し，ALA合成が増加する．

2．**ポルホビリノーゲン生成**：亜鉛含有ALAデヒドラターゼ ALA dehydratase（PBGシンターゼ PBG synthase）によるALA 2分子の細胞質ゾルにおける縮合によりポルホビリノーゲンが生成する．この反応は重金属イオンによる抑制（例えば鉛など）に対してきわめて敏感である（図21.3参照）．この抑制によって**鉛中毒 lead poisoning**のALA上昇と貧血が（部分的には）もたらされる．

3．**ウロポルフィリノーゲン生成**：ヒドロキシメチルビランシンターゼ hydroxymethylbilane synthaseによって触媒される4つのPBG分子の縮合により，直鎖のテトラピロールであるヒドロキシメチルビランが生じる．この酵素欠損により急性間欠性ポルフィリン症（AIP）が起こる（図21.4，他の形のポルフィリン症の詳細についてはp.365および図21.8参照）．ヒドロキシメチルビランがウロポルフィリノーゲンIIIシンターゼ uroporphyrinogen III synthaseにより環化・異性化されて，非対称のウロポルフィリノーゲンIIIが生成する．この酵素欠損により先天性赤芽球性ポルフィリン症（CEP）が起こる．ウロポルフィリノーゲンIIIがウロポルフィリノーゲンIIIデカルボキシラーゼ uroporphyrinogen III decarboxylase（UROD）による酢酸基の脱炭酸を受けて

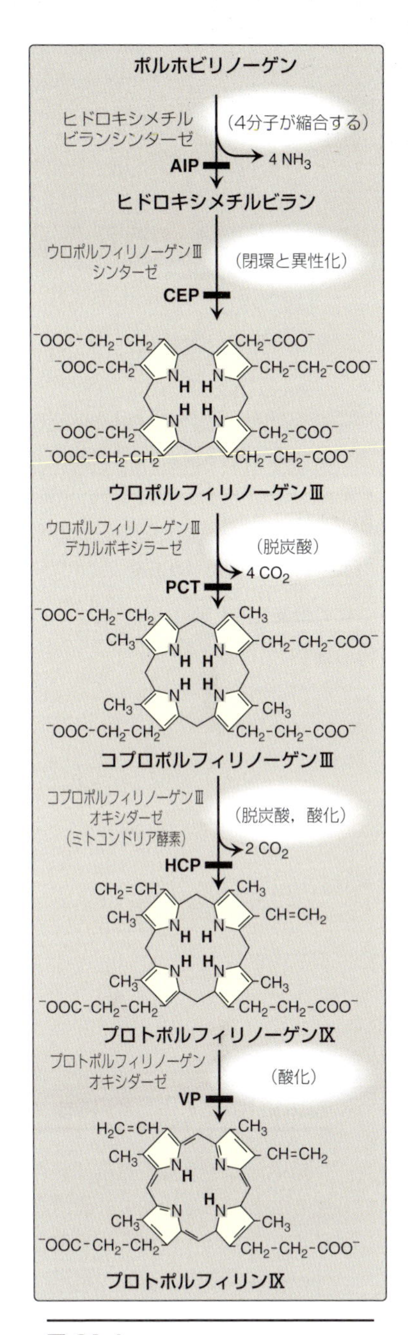

図21.4
ポルフィリン合成経路：プロトポルフィリンIX生成（図21.3から続く）．接頭辞-uro（尿）および-copro（便）は最初に発見された場所による．ポルフィリン症の酵素欠損を黒いバーで示す．AIP：急性間欠性ポルフィリン症，CEP：先天性赤芽球性ポルフィリン症，PCT：晩発性皮膚ポルフィリン症，HCP：遺伝性コプロポルフィリン症，VP：異型ポルフィリン症．［注：ウロポルフィリノーゲンIIIシンターゼ欠損により異性化が阻害され（閉環は阻害されない）I型ポルフィリンが産生される．］

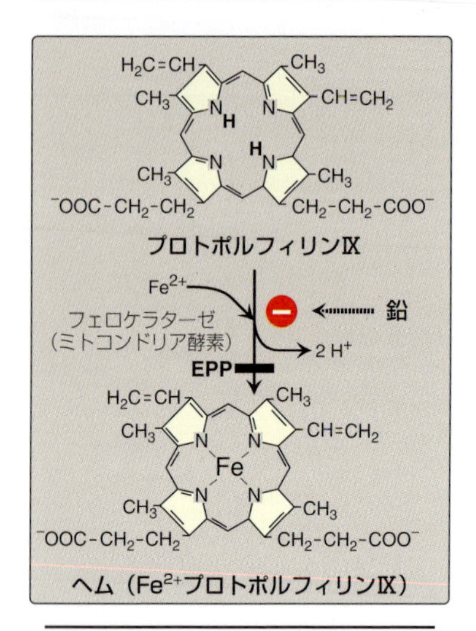

図 21.5
ポルフィリン合成経路：ヘム*b*生成（図21.3および図21.4から続く）．Fe^{2+}：第一鉄（鉄（Ⅱ））．ポルフィリン症の酵素欠損を黒いバーで示す．EPP：赤血球産生性プロトポルフィリン症．

コプロポルフィリノーゲンⅢが生じる．この酵素欠損により晩発性皮膚ポルフィリン症 porphyria cutanea tarda（PCT）が起こる．これら3つの反応は細胞質ゾルで起こる．

4. ヘム生成：コプロポルフィリノーゲンⅢはミトコンドリアに入り，2つのプロピオン酸側鎖が**コプロポルフィリノーゲンⅢオキシダーゼ** coproporphyrinogen Ⅲ oxidaseによる脱炭酸を受けてビニル基となり，プロトポルフィリノーゲンⅨになる．この酵素欠損により遺伝性コプロポルフィリン症（HCP）が起こる．プロトポルフィリノーゲンⅨが**プロトポルフィリノーゲンオキシダーゼ** protoporphyrinogen oxidaseによって酸化されてプロトポルフィリンⅨが生じる．この酵素欠損により異型ポルフィリン症（VP）が起こる．プロトポルフィリンⅨへのFe^{2+}の導入は自発的に起こりヘムが生成するが，その速度はALAデヒドラターゼと同様に鉛によって阻害されるフェロケラターゼ ferrochelataseにより促進される（図21.5）．この酵素欠損により赤血球産生性プロトポルフィリン症（EPP）が起こる．

C. ポルフィリン症

ポルフィリン症 porphyriaはヘム合成の遺伝性（後天性のこともある）欠損によって引き起こされ，ポルフィリンないしポルフィリン前駆体が蓄積するまれな疾患である（図21.8参照）．［注：遺伝性ポルフィリン症は**常染色体優性（AD）遺伝病 autosomal-dominant disorder**か**常染色体劣性（AR）遺伝病 autosomal-recessive disorder**である．］それぞれのポルフィリン症では，ヘム合成経路の酵素の欠損によってヘム合成の途中段階が阻害を受け独自の中間体群が蓄積する．［注：ポルフィリン症はヘム生合成経路に欠陥を持つ患者の尿が，着色したポルフィリンのために紫色（ギリシャ語でporphyra＝紫色）を呈することから

臨床応用 21.1：鉛中毒

鉛中毒は数カ月～数年にわたって体に鉛が蓄積することである．鉛の一般的な出所は，古い建物によくみられる鉛が入った塗料，その粉や塗装片への曝露である．家庭の配管パイプの鉛が飲料水を汚染することもある．曝露は吸入，皮膚あるいは粘膜との接触，摂取を介して起こる．鉛は甘いので，摂取による曝露は幼児・小児の場合特に問題となる．鉛中毒の症状は，発達遅延，学習障害，低IQ値，腹痛，便秘，神経学的変化，怒りっぽさなどがある．鉛濃度が非常に高いと死に至ることもある．鉛はALAデヒドラターゼとフェロケラターゼを阻害する．両酵素ともヘム合成に関与しているので，ヘム合成の減少が起こる．さらに高濃度の鉛は鉄利用を阻害する．これによりフェロケラターゼによるプロトポルフィリンⅨへのキレート化の際の基質として（鉄の代わりに）亜鉛の利用が増加する．その結果，鉛中毒患者は貧血となり，亜鉛プロトポルフィリン濃度が上昇する．ALA濃度の上昇は神経細胞に毒性を発揮する．鉛も血液脳関門を通過し神経毒性を発揮する．通常の治療は鉛汚染源への曝露を除去することである．しかしながら重度の鉛中毒の場合（血清測定値が45 μg/dL以上），サクシマー（DMSA，2,3-ジメルカプトコハク酸）などの二価キレート剤，エチレンジアミン四酢酸（EDTA）カルシウム二ナトリウム水和物などが血液から過剰な鉛イオンを除去する目的で使用される．

名づけられた．]

1．臨床症状：ポルフィリン症は，酵素欠損が骨髄赤血球産生細胞で起こるのか肝臓で起こるのかによって，**骨髄（造血）性 erythropoietic** と**肝性 hepatic** の 2 種に分類される．肝性ポルフィリン症はさらに慢性と急性に分類される．一般的に，テトラピロール合成の上流の酵素欠損を持つ患者は，腹部症状と神経精神症状を呈するのに対して，テトラピロール中間体の蓄積をもたらす酵素欠損患者は，**光線過敏症 photosensitivity** を示す．すなわち日光を受けたときに痒みが生じ，火ぶくれを生じる（**掻痒症 pruritus**）．[注：光線過敏症は無色のポルホビリノーゲンが酸化されて有色のポルフィリンに変換された結果起きる．ポルフィリンは酸素からのスーパーオキシドラジカル生成に関与すると考えられている光感受性分子である．このラジカルは膜に酸化的ダメージを与え，リソソームから破壊的な酵素を放出させる．]

a. **慢性肝性ポルフィリン症**：PCTは最もよくみられるポルフィリン症で，肝臓の慢性疾患である．この疾患はURODの重度欠損によって引き起こされるが，欠損の臨床症状は肝臓鉄の過負荷，日光照射，アルコール摂取，エストロゲン治療B型・C型肝炎，HIV感染の有無などの多様な因子によって影響を受ける．[注：URODの変異は患者の 20% にしか認められない．遺伝形式は ADである．] 臨床症状の発症は 30 ～ 40 歳代であることが多い．ポルフィリンの蓄積により皮膚症状（図 21.6）が起こり，尿は自然光では赤～茶色（図 21.7），蛍光ではピンク～赤色を呈する．

b. **急性肝性ポルフィリン症**：急性肝性ポルフィリン症（ALAデヒドラターゼ欠損ポルフィリン症，**急性間欠性ポルフィリン症 acute intermittent porphyria**（AIP），**遺伝性コプロポルフィリン症 hereditary coproporphyria**（HCP），**異型ポルフィリン症 variegate porphyria**（VP））は光線過敏症を伴う胃腸症状，神経精神症状，運動症状の急性発作が特徴である（図 21.8）．AIPのようなALAとPBGが蓄積するポルフィリン症では腹痛と神経精神症状（不安からせん妄まで）が起きる．急性肝性ポルフィリン症の症状はしばしばバルビツレートやエタノールなどによって誘発される．これらはヘム含有CYPミクロソーム薬物酸化系の合成を促進するからである．このために利用可能なヘム量が減少し，ALAS1 の合成が促進される．

c. **骨髄（造血）性ポルフィリン症**：慢性骨髄（造血）性ポルフィリン症には**先天性赤芽球性ポルフィリン症 congenital erythropoietic porphyria**（CEP）および**赤血球産生性プロトポルフィリン症 erythropoietic protoporphyria**（EPP）の 2 つがあり，これらは小児期早期に現れる皮膚の発疹・水疱が特徴の光線過敏症を示す（図 21.8）．

2．δ-アミノレブリン酸シンターゼ活性上昇：肝性ポルフィリン症に共通する特徴の 1 つはヘム合成の減少である．肝臓においてヘムは通常 *ALAS1* 遺伝子のリプレッサーとして機能している．であるからこの最終産物（ヘム）の欠如により ALAS1 合成が増加する（脱抑制/

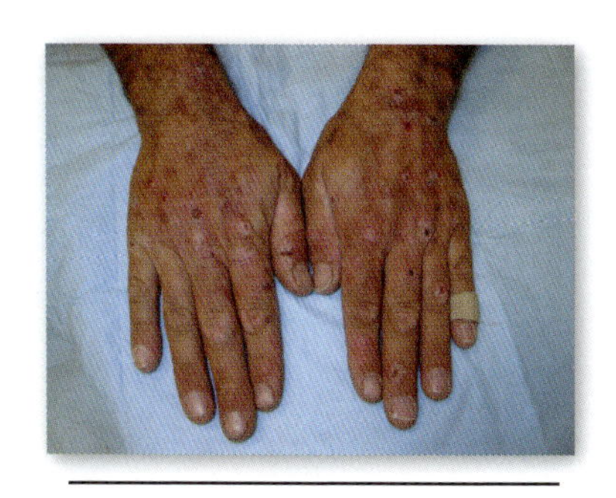

図 21.6
晩発性皮膚ポルフィリン症患者の皮疹．

図 21.7
晩発性皮膚ポルフィリン症患者の尿（右）と正常なポルフィリン排泄を持つ患者の尿（左）．

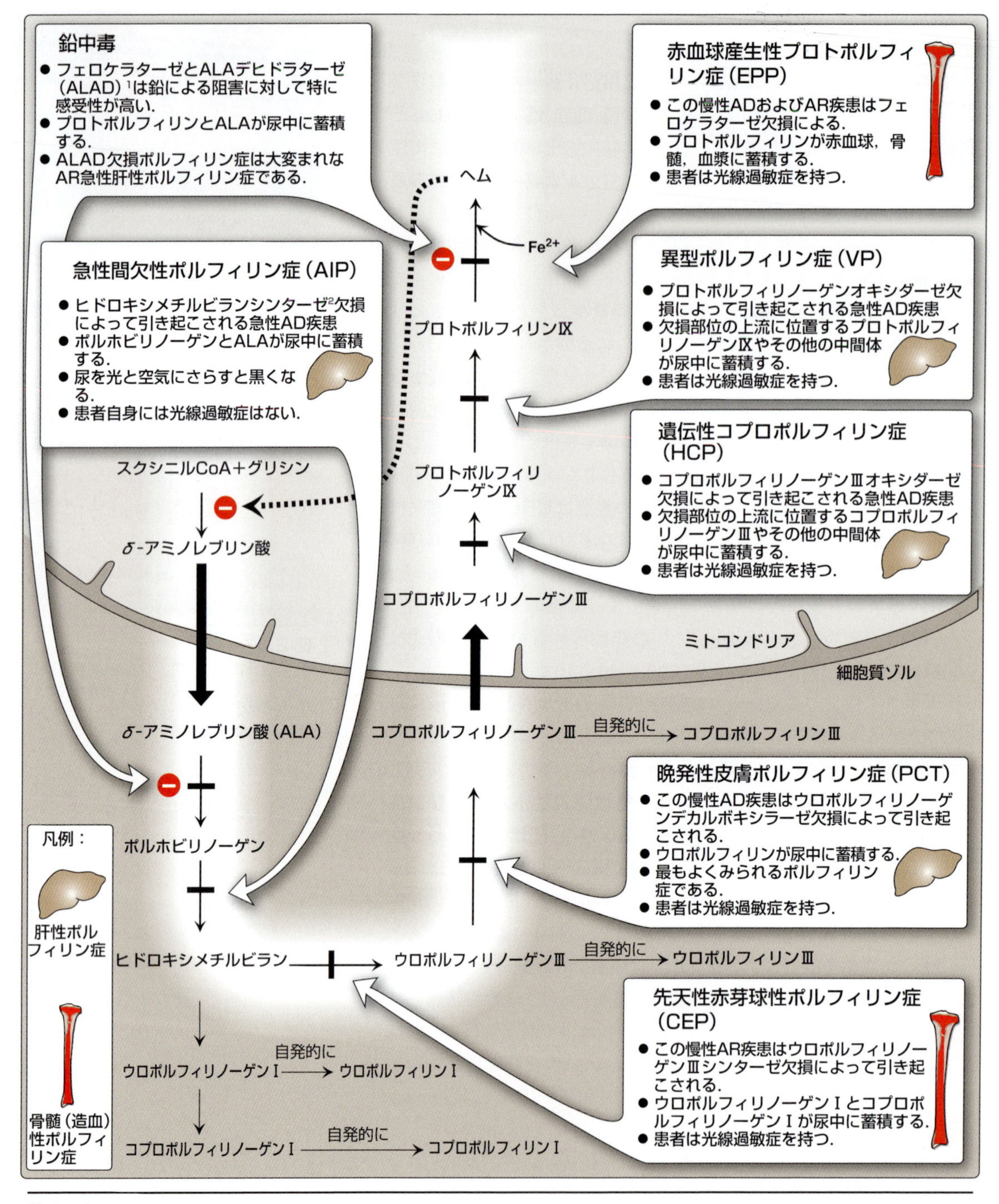

図 21.8

ヘム合成のまとめ．[1]ポルホビリノーゲンシンターゼとも呼ばれる．[2]ポルホビリノーゲンデアミナーゼとも呼ばれる．［注：症状を呈するALAシンターゼ-1（ALAS1）欠損は知られていない．伴性ALAS2欠損は貧血をもたらす．］ALA：δ-アミノレブリン酸，AD：常染色体優性，AR：常染色体劣性，Fe：鉄．

活性化)．これによって遺伝的欠損部位の上流に位置する中間体の合成が増加する．これらの毒性中間体の蓄積によって，ポルフィリン症の主要な病態生理がもたらされる．

3．治療：ポルフィリン症の急性発作に対しては，疼痛・嘔吐に対する治療など医学的処置が必要である．ポルフィリン症の急性症状は**ヘミン hemin**とグルコースの静注によって軽減される．ヘミンは第二鉄イオン(Fe^{3+})が塩素イオンと配位したプロトポルフィリン構造からなる．ヘミン投与はポルフィリン不足を軽減する．これによりALAS 1 合成が減少し，毒性を持つポルフィリン中間体産生が最小化される．グルコースを大量に与えることによっても肝臓におけるポルフィリン生合成を減少させることができる．これらの治療はAIPおよび他の急性ポルフィリン症に対して特に有効である．光線過敏症を伴うポルフィリン症に対しては，日光に当たることを避け，フリーラジカルを消去するβ-カロテン(プロビタミンA，p.503 参照)を摂取すること，瀉血(ポルフィリンを除く)が有益である．

D．ヘムの分解

赤血球はおよそ120日間循環したあとに，**単核食細胞系 mononuclear phagocyte system**(MPS)(特に**肝臓**と**脾臓**)によって取り込まれて分解される(図21.9)．分解されるヘムのおよそ85％は老化RBCs由来であり(図21.10)，残りはHb以外のヘムタンパク質の分解に由来する．

1．ビリルビン生成：ヘム分解の第1段階は，MPSのマクロファージの**ミクロソームヘムオキシゲナーゼ microsomal heme oxygenase**系によって触媒される．この酵素はNADPHとO_2の存在下に3つの連続する酸化反応を触媒し，ポルフィリン環の開裂(環状のヘムが線状のビリベルジンになる)，一酸化炭素(CO)の産生，Fe^{2+}の放出が起きる(図21.9)．[注：COはシグナル分子や抗炎症因子などの生物機能を持っている．鉄については29章で記載する．] 緑色の色素ビリベルジンは還元され赤オレンジ色の**ビリルビン bilirubin**ができる．ビリルビンとその誘導体はまとめて**胆汁色素 bile pigment**と呼ぶ．[注：打撲傷の色が変化するのはヘム分解の際に起きる中間体の変化を反映している．]

ビリルビンは哺乳類にだけ存在し，低濃度で抗酸化因子として機能しているらしい．抗酸化因子として働く際，酸化されてビリベルジンになり，ビリベルジンレダクターゼ biliverdin reductaseにより還元されてビリルビンが再生される．

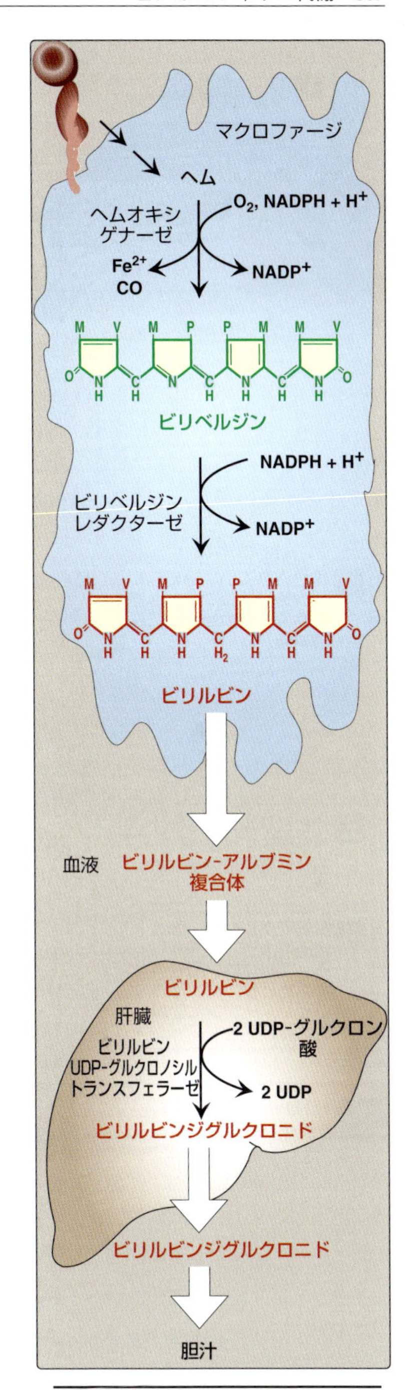

図 21.9
ヘムからのビリルビン生成とビリルビンジグルクロニドへの変換．UDP：ウリジン二リン酸，Fe：鉄，CO：一酸化炭素，NADPH：ニコチンアミドアデニンジヌクレオチドリン酸．

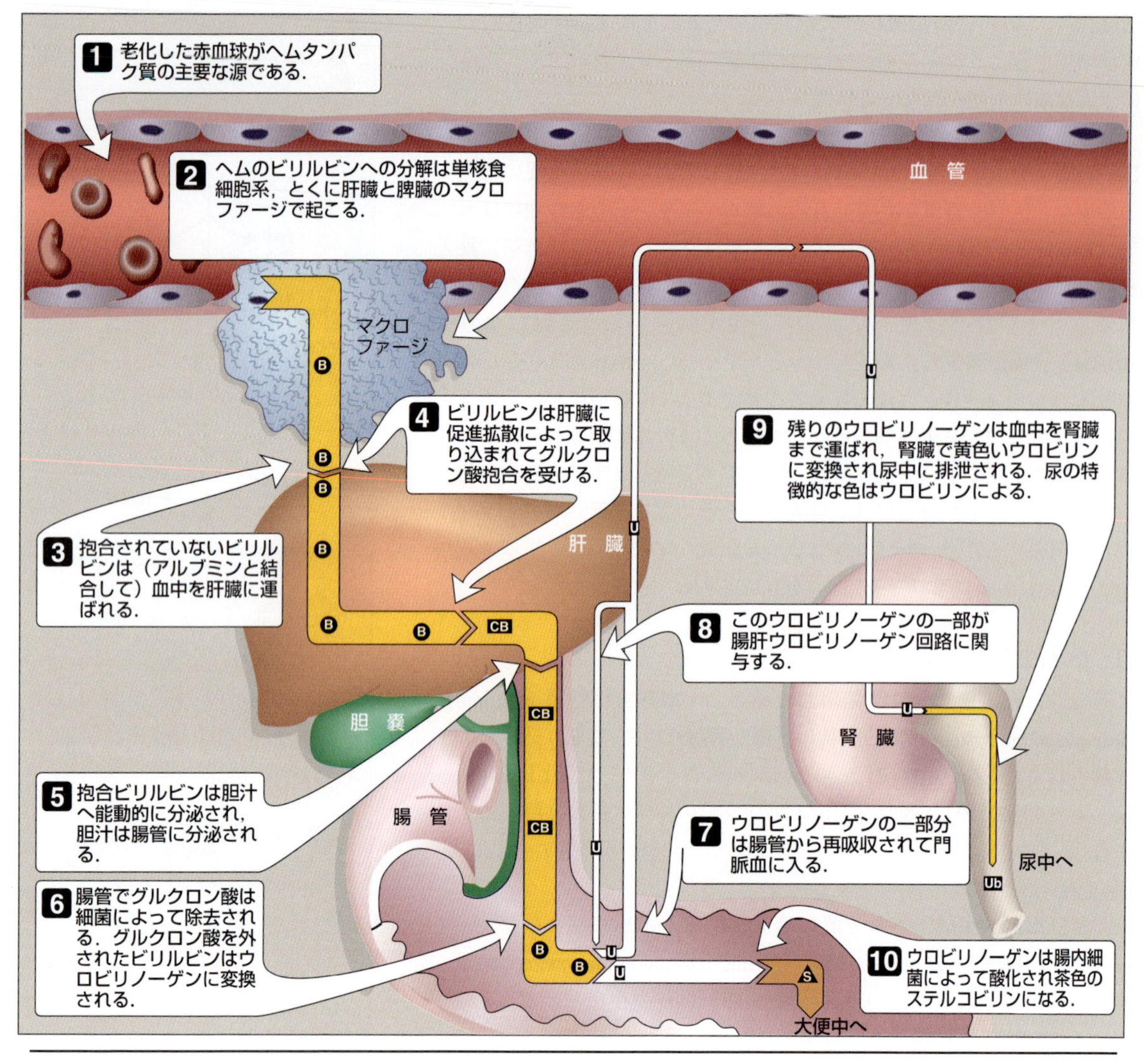

図 21.10
ヘムの異化．B：ビリルビン，CB：抱合ビリルビン，U：ウロビリノーゲン，Ub：ウロビリン，S：ステルコビリン．

2．**肝臓によるビリルビンの取り込み**：ビリルビンは血漿にはほんの少ししか溶けないので**アルブミン albumin** に非共有結合的に結合して血中を肝臓に輸送される．[注：サリチル酸やスルホンアミドなど陰イオン性薬物のなかにはアルブミンからビリルビンを外すものがある．その結果ビリルビンは中枢神経系（CNS）に入り，乳児においては神経障害をもたらすこともある（p.370 参照）．] ビリルビンは担体であるアルブミン分子から解離し促進拡散により肝細胞に入る．そこで細胞内タンパク質，特に**リガンジン ligandin** に結合する．

3．**ビリルビンジグルクロニド生成**：ビリルビンの溶解性は，肝細胞のなかで**グルクロン酸 glucuronic acid** 2 分子を順次付加されビリルビンジグルクロニドになることにより増大する．この過程は**抱合 conjugation** と呼ばれる．この反応はミクロソームのビリルビン-ウリジン二リン酸（UDP）-グルクロノシルトランスフェラーゼ bilirubin uridine diphosphate（UDP）-glucuronosyltransferase（ビリルビンUGT bilirubin UGT）によって**UDP-グルクロン酸 UDP-glucuronic acid**をグルクロン酸供与体として触媒される．ビリルビンジグルクロニドは抱合ビリルビン（CB）と呼ばれる（訳注：直接（反応性）ビリルビンとも呼ばれる）．［注：この酵素の，さまざまな程度の欠損により，クリグラー・ナジャーCrigler-Najjar症候群Ⅰ型・Ⅱ型，ジルベールGilbert症候群が引き起こされる．最も重篤な欠損症がクリグラー・ナジャー症候群Ⅰ型である．］

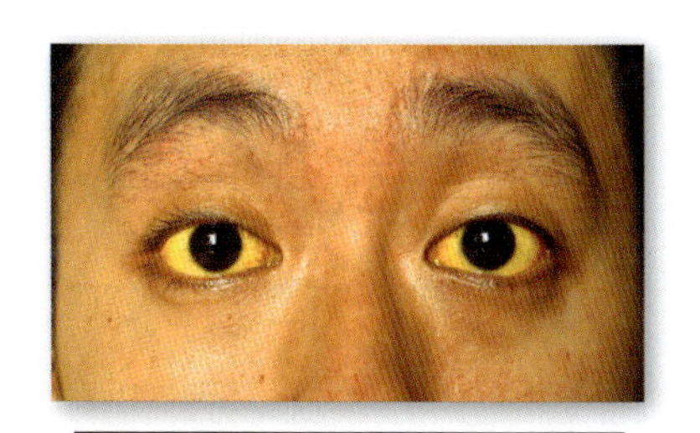

図 21.11
黄疸患者．強膜が黄色い．

4．**ビリルビンの胆汁への分泌**：CBは濃度勾配に逆らって**毛細胆管 bile canaliculus**に，さらには胆汁へと能動輸送される．このエネルギー依存性の律速段階は肝疾患で肝機能が低下すると阻害される．［注：CBの肝外への輸送に必要なタンパク質のまれな欠損によりデュビン・ジョンソンDubin-Johnson症候群が引き起こされる．］非抱合ビリルビン unconjugated bilirubin（UCB，間接（反応性）ビリルビンとも呼ばれる）は通常胆汁中には排泄されない．

5．**腸におけるウロビリン生成**：CBは腸内細菌によって加水分解・還元されて無色の**ウロビリノーゲン urobilinogen**となる．ほとんどのウロビリノーゲンは腸内細菌によって酸化され**ステルコビリン stercobilin**になる．このステルコビリンによって大便は特徴的な茶色になる．しかしウロビリノーゲンの一部は腸管から再吸収されて門脈血中に入る．このウロビリノーゲンの一部が**腸肝ウロビリノーゲン回路 enterohepatic urobilinogen cycle**を形成する．すなわち肝臓によって取り込まれ胆汁へと再排泄される．残りのウロビリノーゲンは血中を腎臓まで輸送され，黄色の**ウロビリン urobilin**になり排泄される．このために尿はその特徴的な色を呈する．ビリルビン代謝を図21.10に要約する．

E．黄　疸

黄疸 jaundice（もしくはicterus）は血中ビリルビン濃度の上昇（**高ビリルビン血症 hyperbilirubinemia**，図21.11）の結果ビリルビンの沈着により皮膚，爪床，強膜（白目）が黄色くなることをいう．黄疸それ自体は病気ではないが通常潜在する疾患の徴候である．［注：血中ビリルビン値は通常≦1 mg/dLである．黄疸は2～3 mg/dLでみられる．］

1．**種類**：黄疸は以下に記すように大きく3つに分類される．しかし実際の臨床の場では，黄疸はこの単純な分類で示されるよりしばしば複雑であることが多い．例えばビリルビン蓄積は代謝の2カ所以上の欠損の結果生じていることもある．

a．**溶血性hemolytic（肝前性prehepatic）**：肝臓は1日あたり3,000 mg以上のビリルビンを抱合し排泄する能力を持つ．これに対して正常のビリルビン産生量は1日300 mgにすぎない．このように予備能力が十分にあるのでヘム分解が上昇し，それに伴ってCBの抱合・排泄が増加しても肝臓は対応することができる．しかしながら赤血球が大量に溶血する場合には（例えば鎌状

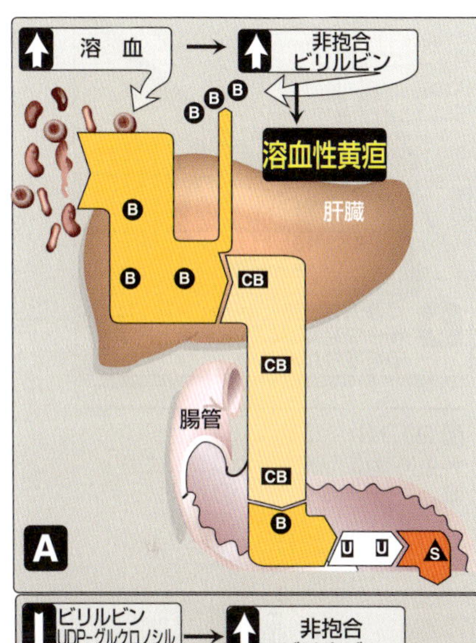

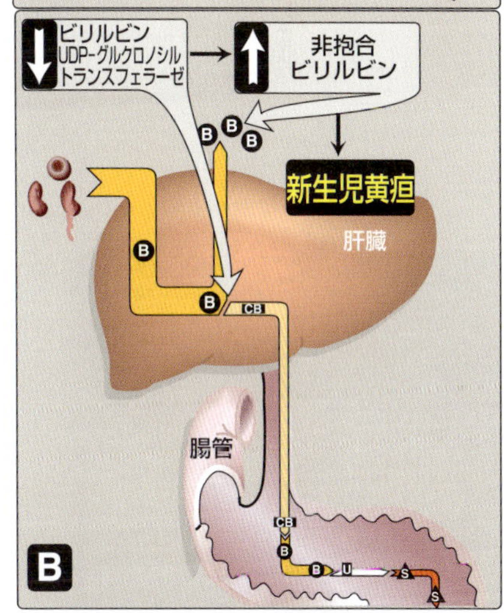

図 21.12
ヘム代謝の異常．A．溶血性黄疸．B．新生児黄疸．CB：抱合ビリルビン，B：ビリルビン，U：ウロビリノーゲン，S：ステルコビリン，UDP：ウリジン二リン酸．

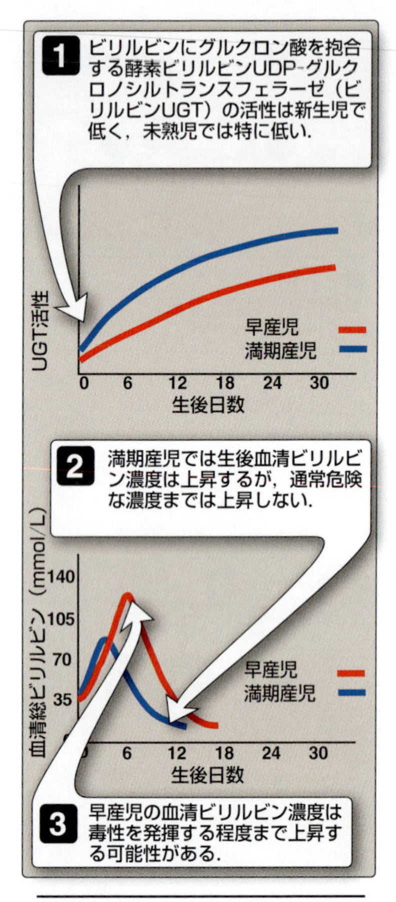

図 21.13
新生児黄疸．UDP：ウリジン二リン酸．

赤血球貧血，ピルビン酸キナーゼ pyruvate kinase欠損，グルコース-6-リン酸デヒドロゲナーゼ glucose 6-phosphate dehydrogenase欠損など），肝臓の能力以上にビリルビンが産生される．血中UCB濃度が上昇し（非抱合型高ビリルビン血症），黄疸が生じる（図 21.12 A）．溶血に伴いCB濃度が高度に上昇し正常な肝臓の処理能力の上限（胆汁中に排泄させる）に近づくかもしれない．腸肝循環に入るウロビリノーゲン量も増加し，尿中ウロビリノーゲンも増加する．それでもCB，ウロビリノーゲン，ステルコビリン，ウロビリンの濃度は正常範囲の上限以下である．溶血性黄疸ではUCB濃度だけが血中で異常高値を示す．

b. **肝細胞性 hepatocellular（肝性 hepatic）**：肝細胞への傷害（例えば肝硬変や肝炎など）によりビリルビン抱合が減少し，その結果として非抱合型高ビリルビン血症となる．肝障害によりウロビリノーゲンの腸肝循環が減少し，より多くのウロビリノーゲンが血中に入りそれが尿中に濾過されるために，尿中ウロビリノーゲンが増加する．このため尿は黒くなり便は白く粘土色になる．血漿アラニンアミノトランスフェラーゼ alanine transaminaseおよびアスパラギン酸アミノトランスフェラーゼ aspartate transaminase（ALTおよびAST，p.323 参照）値が上昇する．もし産生されたCBが肝臓から胆汁中に効率的に排泄されないと（肝内胆汁うっ滞），CBは血中に漏出（逆流）し，抱合型高ビリルビン血症をもたらす．肝性黄疸ではUCB濃度とCB濃度がともに血中で異常高値を示す．

c. **閉塞性黄疸 obstructive（肝後性 posthepatic）**：この場合，黄疸はビリルビンの過剰産生によって生じるのではなく，総胆管閉塞により生じる（肝外胆汁うっ滞）．例えば腫瘍や胆石によって胆管が閉塞しCBの腸管への排泄が障害される．閉塞性黄疸患者は胃腸の痛み，吐き気を経験し，白い粘土のような便を排泄する．CBは血中へ逆流する（抱合型高ビリルビン血症）．CBは最終的に尿中に排泄され尿中ビリルビンと呼ばれる（尿は時間とともに黒くなる）．尿中にウロビリノーゲンは出ない．

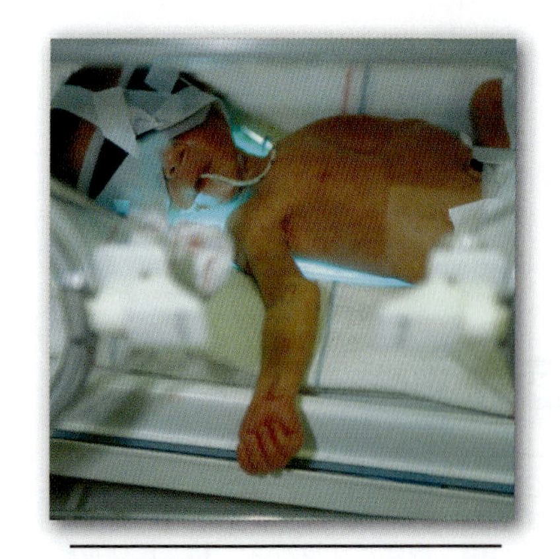

図 21.14
新生児黄疸の光線療法．

2．**新生児黄疸**：新生児の大部分（満期産の 60%，早期産の 80%）で生後 1 週間にUCBの上昇（および一過性の生理的黄疸）がみられる．肝臓のビリルビンUGT活性が出生時には低いからである（おおよそ生後 4 週間以内に成人レベルに達する，図 21.12 Bおよび図 21.13 参照）．アルブミンの結合容量（20 ～ 25 mg/dL）を超えてUCBが上昇すると，UCBは大脳基底核に浸透し中毒性脳症（核黄疸 kernicterus）および病的黄疸を引き起こす（図 21.13）．このためビリルビン値が有意に上昇した新生児は図 21.14 に示すような青い蛍光で治療する（光療法）．青い蛍光により，ビリルビンはより極性の高い水溶性の異性体に変換されるからである．これらの光学異性体はグルクロン酸抱合を受けなくても胆汁中に排泄可能である．［注：水溶性の違いから，UCBのみが血液脳関門を通過可能で，CBのみが尿中に出現する．］

3．ビリルビンの測定：ビリルビンは通常**ファンデンベルグ反応 van den Bergh reaction**によって測定される．この反応ではジアゾ化スルファニル酸がビリルビンと反応して赤いアゾジピロールができるのでこれを比色定量する．水溶液中では，可溶性のCBは試薬と素早く（1分以内に）反応するので"**直接反応性 direct-reacting**"ビリルビンと呼ばれる．UCBは水溶液に溶けにくいのでゆっくりとしか反応しない．しかし反応をメタノール中で行うと，CBもUCBも可溶性であり試薬と反応するので**総ビリルビン値 total bilirubin value**が得られる．"**間接反応性 indirect-reacting**"ビリルビン（UCBに相当）は総ビリルビンから直接反応性ビリルビンを差し引いて得られる．［注：正常血漿では総ビリルビンのおよそ4% しか抱合（すなわち直接反応性）されていない．抱合ビリルビンのほとんどが胆汁中に排泄されるからである．］

Ⅲ．他の窒素含有化合物

A．カテコールアミン

ドーパミン（ドパミン）dopamine，**ノルアドレナリン noradrenaline**（**ノルエピネフリン norepinephrine**），**アドレナリン adrenaline**（**エピネフリン epinephrine**）などの生物学的活性を持つアミン（生体アミン）を総称して**カテコールアミン catecholamine**と呼ぶ．ドーパミンとノルアドレナリンは脳で合成され神経伝達物質として機能する．アドレナリンは副腎髄質でノルアドレナリンから合成される．

1．機能：CNS以外では，ノルアドレナリンとそのメチル誘導体であるアドレナリンは糖質・脂質代謝のホルモン性調節因子として作用する．ノルアドレナリンとアドレナリンは恐怖，運動，寒冷刺激，低血糖値などに反応して副腎髄質の貯蔵小胞から放出される．これらはグリコーゲンとトリアシルグリセロールの分解を促進し，血圧，心拍出量を増大させる．これらの効果はストレスに対処する協調反応の一部であり，しばしば"**闘争・逃走"反応 fight-or-flight reaction**と呼ばれる．

2．合成：カテコールアミンは図21.15に示したように**チロシン**

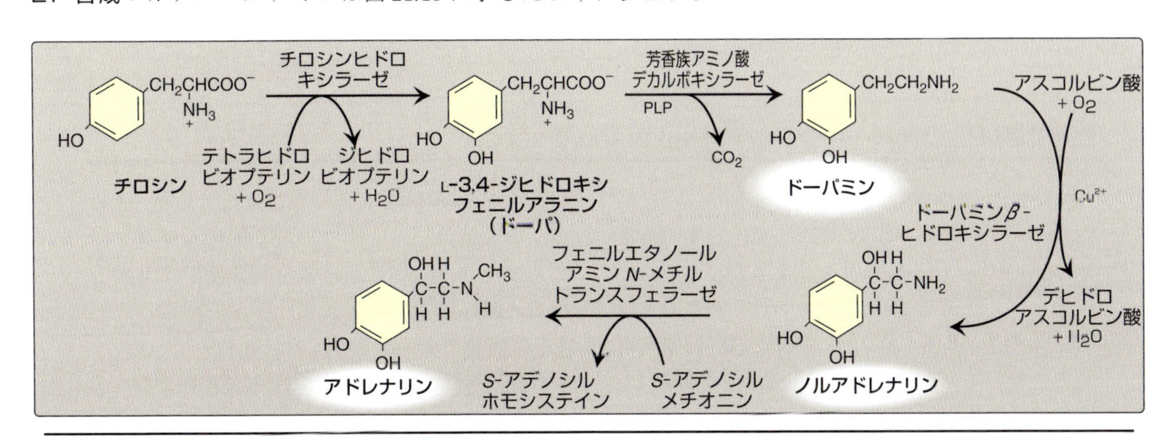

図 21.15
カテコールアミンの合成．［注：カテコールは2つの隣接するヒドロキシ基を持つ．］PLP：ピリドキサールリン酸．

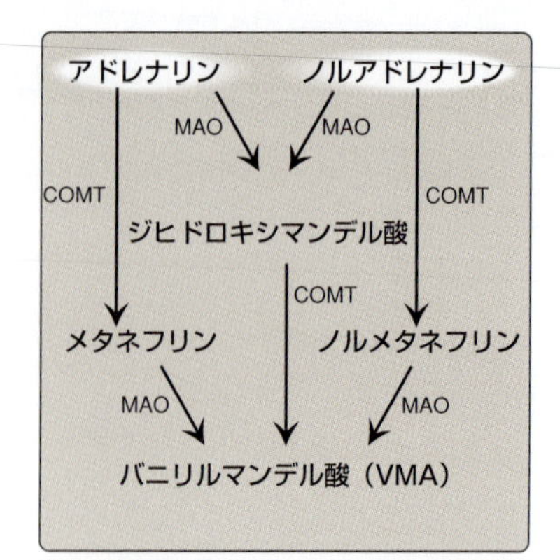

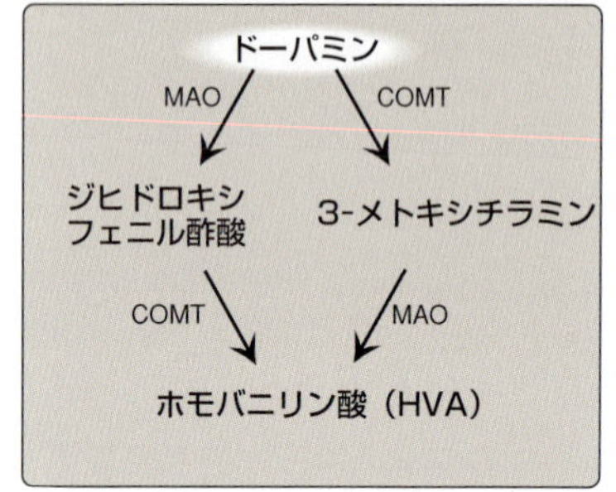

図 21.16
カテコール-*O*-メチルトランスフェラーゼ(COMT)とモノアミンオキシダーゼ(MAO)によるカテコールアミン代謝．［注：COMTは*S*-アデノシルメチオニンを必要とする．］

tyrosineから合成される．チロシンはまずチロシンヒドロキシラーゼ(チロシン水酸化酵素) tyrosine hydroxylaseによって，フェニルアラニンのヒドロキシ化と同様の反応により(p.342 参照)ヒドロキシ化され，L-3,4-ジヒドロキシフェニルアラニン(ドーパ(DOPA)，カテコールの一種)になる．このテトラヒドロビオプテリン(BH_4)要求性酵素はCNS，**交感神経節 sympathetic ganglia**，**副腎髄質 adrenal medulla**に豊富に存在し，カテコールアミン合成経路の律速段階酵素である．ドーパはPLPを必要とするDOPAデカルボキシラーゼ DOPA decarboxylase (DDC)によって触媒される反応で脱炭酸されドーパミンになる(ドーパミンは経路で産生される最初のカテコールアミンである)．ドーパミンはドーパミンβ-ヒドロキシラーゼ(ドーパミンβ-水酸化酵素) dopamine β-hydroxylaseによりヒドロキシ化されてノルアドレナリンになる(この反応はアスコルビン酸(ビタミンC)と銅を必要とする)．アドレナリンは***S*-アデノシルメチオニン *S*-adenosylmethionine** (SAM)をメチル供与体とする*N*-メチル化反応によりノルアドレナリンから作られる(p.343 参照)．

3．**分解**：カテコールアミンはモノアミンオキシダーゼ monoamine oxidase (MAO)によって触媒される酸化的脱アミノと，SAMをメチル供与体として用いるカテコール-*O*-メチルトランスフェラーゼ catechol-*O*-methyltransferase (COMT)によって触媒される*O*-メチル化によって不活性化される(図 21.16)．これらの反応はどちらが先でもいい．MAO反応のアルデヒド産物は酸化されて相当する酸になる．これらの反応の産物は，アドレナリンおよびノルアドレナリンはバニリルマンデル酸 vanillylmandelic acid (VMA)として，ドーパミンはホモバニリン酸(HVA)として尿中に排泄される．［注：VMAおよびメタネフリンは褐色細胞腫で増加する．このまれな副腎腫瘍はカテコールアミンの過剰産生を特徴とする．］

4．**MAO阻害薬**：MAOは神経組織および腸管・肝臓などその他の組織に存在する．ニューロンにおいてはこの酵素はニューロン静止時にシナプス小胞から漏出する過剰な神経伝達物質分子(ノルアドレナリン，ドーパミン，セロトニンなど)を酸化的脱アミノによって不活

臨床応用 21.2：パーキンソン病 Parkinson disease

神経変性(運動)疾患であるパーキンソン病は脳内のドーパミン産生細胞の原因不明の喪失の結果として，ドーパミンが十分量産生されないために起きる．L-ドーパ(レボドーパ)の投与が最も一般的な治療法である．ドーパミンは血液脳関門を通過できない．カルビドパはDDC活性を抑制し，末梢神経系でL-ドーパのドーパミンへの変換を阻害する薬物である．カルビドパは血液脳関門を通過できないので，L-ドーパと併用すると，より多くの末梢のL-ドーパが血液脳関門を通過することになり，CNSにおける有効濃度がより高くなる．BH_4欠損の場合には，L-ドーパはドーパミン，ノルアドレナリン，アドレナリンを産生するための神経伝達物質補給物として投与されることがある．

性化する．MAO阻害薬（MAOI）はMAOを可逆的あるいは不可逆的に不活性化し，神経伝達物質を分解から免れさせる．その結果これらの神経伝達物質はシナプス前ニューロン内に蓄積し，シナプス間隙に漏出する．これによりノルアドレナリン受容体およびセロトニン受容体が活性化される．これがMAOIの抗うつ作用の作用機序と考えられている．［注：MAOIとチラミン含有食物との相互作用はp.484参照．］

B. ヒスタミン

ヒスタミン histamineはアレルギー反応，炎症反応，胃酸分泌など，広範囲の細胞応答を媒介する化学伝達物質（メッセンジャー）である．強力な血管拡張物質でもあるヒスタミンはPLPを補因子として必要とするヒスチジンデカルボキシラーゼ histidine decarboxylaseにより触媒される反応で，ヒスチジンの脱炭酸により生成する（図21.17）．ヒスタミンはアレルギー反応や外傷の結果肥満細胞から分泌される．ヒスタミンは臨床的に使用されていないが，ヒスタミン作用を阻害する抗ヒスタミン薬は臨床的に重用されている．抗ヒスタミン薬は通常，ヒスタミンの受容体への結合を阻害してヒスタミン応答を減少させるヒスタミンアナログ（類似化合物）である．

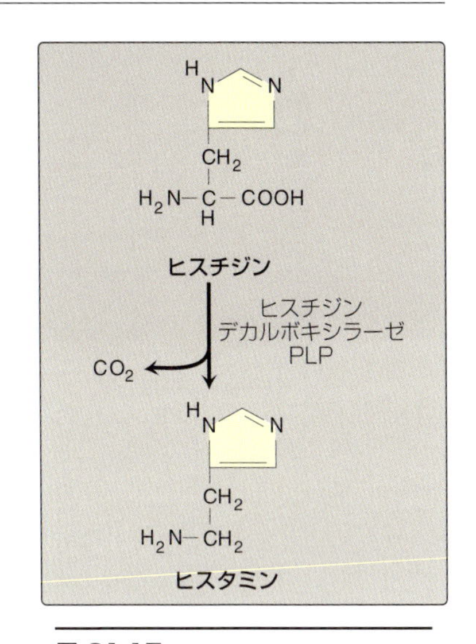

図 21.17
ヒスタミンの生合成．PLP：ピリドキサールリン酸．

C. セロトニン

セロトニン serotoninは**5-ヒドロキシトリプタミン 5-hydroxytryptamine**（**5-HT**）とも呼ばれ，体のいくつかの部位で合成・貯蔵される（図21.18）が，セロトニンが最も多いのは腸管粘膜である．少量はCNS（神経伝達物質として機能する）や血小板にも存在する．セロトニンは**トリプトファン tryptophan**が（フェニルアラニンヒドロキシラーゼ phenylalanine hydroxylaseによって触媒される反応と同様のBH_4依存性反応によって）ヒドロキシ化されて合成される．生成物の5-ヒドロキシトリプトファンは脱炭酸されて5-HTになる．BH_4欠乏の場合，5-ヒドロキシトリプトファンはセロトニンを産生させるために神経伝達物質補給物として投与される場合がある．セロトニンは疼痛受容，睡眠調節，食欲調節，体温調節，血圧調節，認知機能調節，気分調節（幸福感をもたらす）など多数の生理的役割を担っている．［注：選択的セロトニン再取り込み阻害薬selective serotonin reuptake inhibitor（SSRI）はセロトニン濃度を維持し，抗うつ薬として機能する．］セロトニンはMAOによって分解されて5-ヒドロキシ-3-インドール酢酸（5-HIAA）になる．

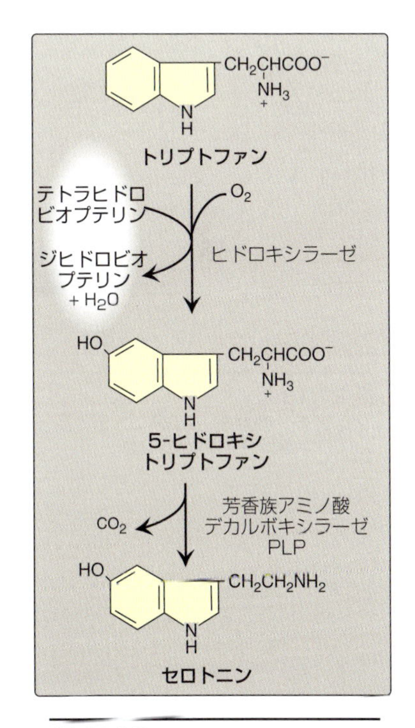

図 21.18
セロトニンの合成．［注：セロトニンは松果体では日内リズムの調節因子であるメラトニンに変換される．］PLP：ピリドキサールリン酸，CO_2：二酸化炭素．

D. クレアチン

クレアチンリン酸 creatine phosphate（**ホスホクレアチン phosphocreatine**）は筋肉に存在する**クレアチン creatine**のリン酸化誘導体であり，小さいながら迅速に動員可能な高エネルギーリン酸の備蓄として機能し，ADPに可逆的にリン酸基を転移して（図21.19），激しい筋収縮の最初の数分間細胞内ATPレベルを維持するのに用いられる．［注：体のクレアチンリン酸量は筋肉量に比例する．］

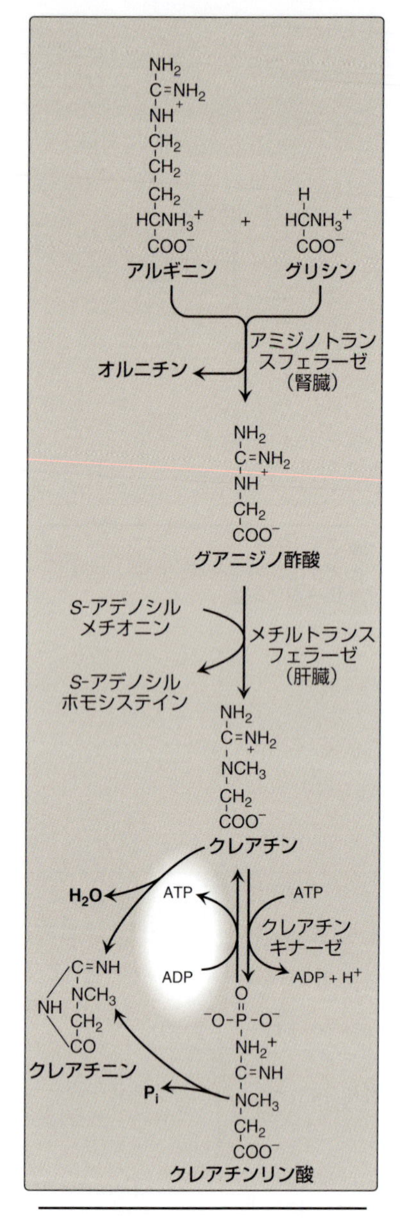

図 21.19
クレアチンの合成．ADP：アデノシン二リン酸，P_i：無機リン酸．

1．合成：クレアチンは**グリシン glycine**と**アルギニン arginine**のグアニジノ基とSAMのメチル基から肝臓と腎臓で合成される（図 21.19）．食事としては肉類から入る．クレアチンはクレアチンキナーゼ creatine kinase（CK）によりATPをリン酸基供与体として可逆的にリン酸化されてクレアチンリン酸になる．［注：血漿にクレアチンキナーゼ（MBアイソザイム）が存在することは心筋組織の損傷を示唆し，心筋梗塞の診断に用いられている（p.82 参照）．］

2．分解：クレアチンおよびクレアチンリン酸は遅いが一定の速度で自発的に環化して**クレアチニン creatinine**になり，尿中に排泄される．排泄されるクレアチニン量は体の総クレアチンリン酸含量に比例し，したがって筋肉量を推定するのに用いられる．筋肉量が減少するとき（例えば，麻痺とか筋ジストロフィーなどで）尿中クレアチニン値は減少する．さらに，血中クレアチニン値の上昇は腎機能不全の鋭敏な指標となる．というのはクレアチニンは通常血中から迅速に取り除かれ尿中に排泄されるからである．典型的な男子成人は1日あたりおよそ1～2gのクレアチニンを排泄する．

E. メラニン

メラニン melaninは体のいくつかの組織，特に眼，毛髪，皮膚などに存在する色素である．メラニンは**メラノサイト melanocyte**と呼ばれる色素形成細胞により表皮でチロシンから合成される．その機能は日光の有害な作用から細胞を保護することにある．メラニン産生の欠損により眼・皮膚白皮症が引き起こされる．最も一般的なものは銅含有チロシナーゼ tyrosinase欠損によるものである（p.353 参照）．

21 章の要約

- **アミノ酸**は多くの*N*-含有化合物の**前駆体**である．その中には**ポルフィリン**も含まれる．ポルフィリンは**第一鉄**(Fe^{2+})イオンと結合して**ヘム**を生成する(図 21.20)．
- **ヘム生合成**の主要な場は**肝臓**と骨髄の**赤血球産生**(**造血**)**細胞**である．肝臓におけるヘム合成速度は，ヘムタンパク質(特に**CYP酵素**)の必要性の変化に応じて変動する細胞内ヘムプールに反応して大幅に変動する．これと対照的に，赤芽球系でのヘム合成は比較的一定で，ヘモグロビン(Hb)合成速度に適合している．
- ヘム合成は**グリシン**と**スクシニル CoA**からはじまる．ヘム合成の**律速段階**は**δ-アミノレブリン酸**(**ALA**)合成である．このミトコンドリア内の反応は肝臓の**ALAシンターゼ-1**(**ALAS1**，ヘムがあまり利用されないときに細胞内に蓄積するヘムの酸化型である**ヘミン**によって阻害される)と造血組織の**ALAS2**(鉄によって調節される)によって触媒される．
- **ポルフィリン症**はヘム合成の遺伝的ないし後天的(**鉛中毒**による)欠損により生じ，ポルフィリンないしポルフィリン前駆体が蓄積したり尿中への排泄が増加したりする．ヘム合成経路の初期段階の酵素欠損により**腹痛**と**神経精神症状**が起き，後期段階の酵素欠損により**光線過敏症**が起きる．
- ヘムタンパク質の**分解**は**単核食細胞系**(**MPS**)，特に**肝臓**と**脾臓**で起こる．第 1 段階は**ヘムオキシゲナーゼ**による**ビリベルジン**産生である．ビリベルジンは還元されて**ビリルビン**となる．ビリルビンは**アルブミン**により肝臓に運ばれて**ビリルビンUGT**により 2 分子の**グルクロン酸**を付加されて可溶性が増大する．**ビリルビンジグルクロニド**(**CB**)は**毛細胆管**に輸送され腸管で細菌により加水分解・還元され**ウロビリノーゲン**となる．ウロビリノーゲンは腸内細菌によって酸化されて**ステルコビリン**になる．
- **黄疸**は血中ビリルビン濃度の上昇の結果，皮膚，強膜が黄染することをいう．最もよくみられる 3 種の黄疸は**溶血性**(**肝前性**)，**閉塞性**(**肝後性**)，**肝細胞性**(**肝性**)である(図 21.20 参照)．
- アミノ酸由来の他の重要な*N*-含有化合物には**カテコールアミン**(**ドーパミン**，**ノルアドレナリン**，**アドレナリン**)，**クレアチン**，**ヒスタミン**，**セロトニン**，**メラニン**，**一酸化窒素**がある．

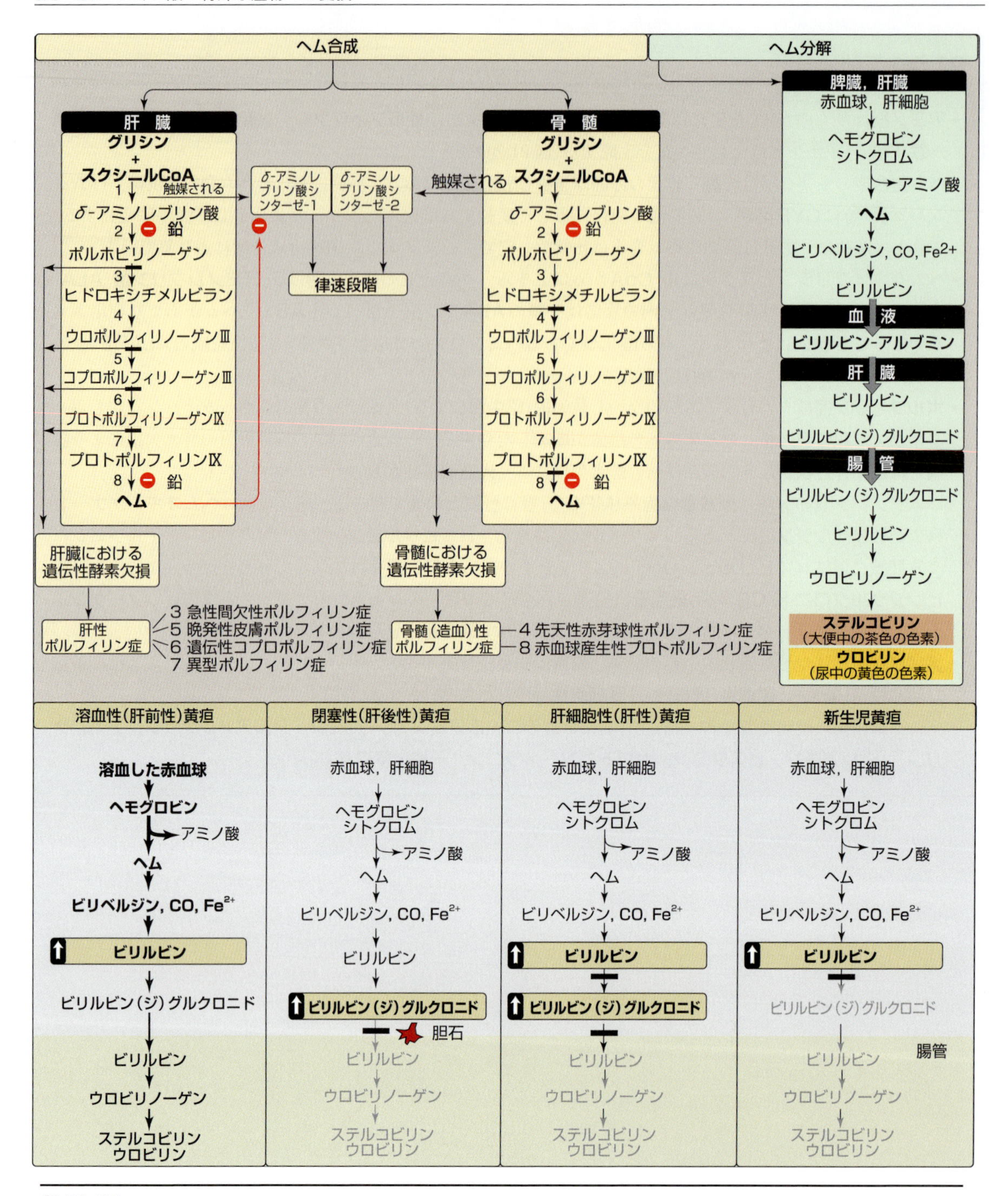

図 21.20
ヘム代謝の概念図．▬：経路の阻害箇所．［注：肝細胞性黄疸はビリルビン抱合の減少もしくは抱合ビリルビンの肝臓から胆汁中への分泌減少によって引き起こされる.］CoA：補酵素A，CO：一酸化炭素，Fe：鉄.

学習問題

最適な答えを1つ選びなさい.

21.1　δ-アミノレブリン酸シンターゼ活性について正しいものはどれか.

A. ポルフィリン生合成の律速段階を触媒する.
B. 赤血球では鉄によって減少する.
C. フェノバルビタールなどバルビツレート系の薬物の治療を受けている患者ではしばしば肝臓の酵素活性が低下している.
D. 細胞質ゾルに存在する.
E. 補酵素としてテトラヒドロビオプテリンを必要とする.

正解　A. δ-アミノレブリン酸シンターゼはミトコンドリアに存在し,ポルフィリン合成の律速・調節段階を触媒する.この酵素はピリドキサールリン酸を補酵素として必要とする.鉄は赤血球のアイソザイムの産生を増加させる.肝臓のアイソザイムはある種の薬剤投与を受けている患者で増加している.

21.2　50歳の男性が手の甲の有痛性の水疱を訴えている.患者はゴルフのインストラクターで,水疱はゴルフシーズンが開始直後に出現したとのこと.最近皮膚の刺激物質に曝されたことはない.3年前の頭部外傷のあとから複雑部分痙攣発作があり,痙攣発作の開始時からフェニトインを服用している.現在服用している薬物はこれだけである.平均して1週間に12オンス(約355 cc)の缶ビールを約18缶飲んでいる.患者の尿は赤っぽいオレンジ色である.皮疹からの培養は細菌陰性であった.24時間蓄尿ではウロポルフィリンが増加していた(1,000 mg;正常値 < 27 mg).最も可能性が高い診断は以下のうちどれか.

A. 急性間欠性ポルフィリン症
B. 先天性骨髄(造血)性ポルフィリン症
C. 骨髄(造血)性プロトポルフィリン症
D. 遺伝性コプロポルフィリン症
E. 晩発性皮膚ポルフィリン症

正解　E. 晩発性皮膚ポルフィリン症はウロポルフィリノーゲンⅢデカルボキシラーゼ(UROD)欠損が原因だが,臨床症状は環境因子(エタノールなど)や感染因子(B型肝炎など)が原因の肝障害によって影響される.日光への曝露も増悪因子である.臨床症状がはじまるのは典型的には30～40歳代である.ポルフィリンの蓄積により皮膚症状と尿の変色(赤～茶色)が起こる.患者の痙攣発作をフェニトインで治療するとδ-アミノレブリン酸シンターゼ合成が増加し,欠損酵素URODの基質であるウロポルフィリノーゲンが増加する.検査結果と臨床症状から他のポルフィリン症は考えにくい.

21.3　黄疸,腹痛,悪心を示す患者.臨床検査の結果は以下の通りである.

血漿ビリルビン	尿ウロビリノーゲン	尿ビリルビン
抱合ビリルビン(CB)増加	陰性	陽性

黄疸の原因として最も考えられるのはどれか.

A. 肝臓におけるビリルビン抱合の減少
B. 肝臓におけるビリルビン取り込みの減少
C. 腸管への胆汁排泄の減少
D. 溶血の増加

正解　C. 臨床検査の結果は閉塞性黄疸と矛盾しない.閉塞性黄疸では総胆管の閉塞によりCBを含む胆汁の腸管への分泌が減少する(便の色は白っぽくなる).CBは血中に逆流する(抱合型高ビリルビン血症).CBは尿中に排泄され(尿は黒くなる),尿中ビリルビンと呼ばれる.尿中ウロビリノーゲンは陰性となる.その元になるのは腸管ウロビリノーゲンであり,それが低下するからである.他の選択肢は検査結果と一致しない.

21.4 2歳の男児が消化管症状の検査のために小児科に連れられてきた．両親がいうには，この数週間だるそうだったとのこと．臨床検査により，小球性低色素性貧血が明らかになった．血中鉛濃度が上昇している．この男児の肝臓で正常以上の活性を持っているのはどの酵素か．

A. δ-アミノレブリン酸シンターゼ
B. ビリルビンUDP-グルクロノシルトランスフェラーゼ
C. フェロケラターゼ
D. ヘムオキシゲナーゼ
E. ポルホビリノーゲンシンターゼ

正解 A. この男児は鉛中毒による後天的ポルフィリン症である．鉛はδ-アミノレブリン酸デヒドラターゼとフェロケラターゼの両者を阻害することによりヘム合成を阻害する．ヘムの減少によりδ-アミノレブリン酸シンターゼ-1(ALAS1，肝臓の酵素)の抑制が外れて活性が上昇する．ヘムの減少によりヘモグロビン合成も減少し，貧血となる．フェロケラターゼは鉛によって直接阻害される．他の選択肢はヘム分解の酵素である．

21.5 50歳の男性が手の震え，ゆっくりとした不安定な歩行，こわばりを示している．神経学的スキャンと追加検査から患者はパーキンソン病と診断された．この患者に対して以下に挙げる治療のうちどれが最も有効か．

A. ビオプテリン
B. β-カロテン
C. ヘミン
D. レボドーパ-カルビドーパ
E. セロトニン再取り込み阻害薬

正解 D. レボドーパ(L-ドーパ)は血液脳関門を通過できるのでDOPAデカルボキシラーゼの基質となって中枢神経系のドーパミン濃度を上昇させる．カルビドーパは血液脳関門を通過できず末梢のDOPAデカルボキシラーゼを阻害する．この組合せにより中枢神経系でL-ドーパの有効濃度を高くすることができる．ビオプテリンはこの補因子が欠乏している場合には芳香族アミノ酸ヒドロキシラーゼ(訳注：トリプトファンヒドロキシラーゼ，チロシンヒドロキシラーゼ，フェニルアラニンヒドロキシラーゼ等)反応の有用な治療薬となりうる．β-カロテンはアンチオキシダント(抗酸化剤)であり，フリーラジカルを除去する．β-カロテンは瀉血とともに急性ポルフィリン症の光線過敏症に対して有効である．ヘミンはポルフィリン欠乏に対して有効である．その結果ALAS1合成が減少し毒性のあるポルフィリン中間体の産生が減少する．セロトニン再取り込み阻害薬はセロトニン濃度の維持に有効であり，抗うつ剤として機能する．

21.6 患者の腎機能不全は以下の検査のうちどれによって示唆されるか．

A. 血中クレアチンキナーゼMBアイソザイム濃度高値
B. 尿中バニリルマンデル酸濃度およびメタネフリン濃度高値
C. 血中ビリルビンジグルクロニド濃度高値
D. 尿中クレアチニン濃度低値
E. 血中クレアチニン濃度高値

正解 E. クレアチニンは正常では腎臓により血中から速やかに除かれて尿中に排泄される．血中クレアチニン濃度上昇は腎不全を示唆する．血中クレアチンキナーゼMBアイソザイム濃度上昇は心筋梗塞などの心筋組織の損傷を示唆する．尿中バニリルマンデル酸濃度およびメタネフリン濃度上昇はカテコールアミン産生増加を特徴とする副腎腫瘍を示唆する．血中ビリルビンジグルクロニド濃度上昇は閉塞性黄疸を示唆する．尿中クレアチニン濃度低下は，麻痺による筋萎縮や筋ジストロフィーなどによる筋肉量の減少を示唆する．

ヌクレオチド代謝 22

Ⅰ. 概　要

リボヌクレオシドリン酸およびデオキシリボヌクレオシドリン酸(ヌクレオチド)はすべての細胞にとって不可欠のものである．ヌクレオチドなしには，リボ核酸(RNA)もデオキシリボ核酸(DNA)も作れないし，タンパク質合成もできないし，細胞増殖もできない．ヌクレオチドは糖質(例えば，UDP-グルコース)，脂質(例えば，CDP-コリン)，タンパク質合成(アミノアシルAMP)の活性化中間体の担体としても機能する．また補酵素A(CoA)，フラビンアデニンジヌクレオチド(FAD(H_2))，ニコチンアミドアデニンジヌクレオチド(NAD(H)$^+$)，ニコチンアミドアデニンジヌクレオチドリン酸(NADP(H)$^+$)などいくつかの重要な補酵素の構成成分でもある．サイクリックアデノシン3′,5′-一リン酸(cAMP)やサイクリックグアノシン3′,5′-一リン酸(cGMP)などのヌクレオチドはシグナル伝達系でセカンドメッセンジャーとして働く．さらにヌクレオチドは細胞におけるエネルギー通貨として重要な役割を果たしている．最後にヌクレオチドは，代謝上重要な酵素を抑制したり活性化したりすることにより，多くの中間代謝経路における重要な調節性化合物である．ヌクレオチド中のプリン塩基，ピリミジン塩基は新規に(*de novo*)合成することも可能であり，正常な細胞の代謝回転から得られた塩基を再利用するサルベージ経路により得ることも可能である．[注：食事中のプリン，ピリミジンはほとんど利用されず，消化管に入るほとんどすべての核酸は分解される.]

Ⅱ. 構　造

ヌクレオチド nucleotide は**窒素塩基 nitrogenous base**，**ペントース単糖類 pentose monoscacharide**，ならびに1，2ないしは3個の**リン酸基 phosphate group** から構成されている．窒素(含有)塩基はプリンとピリミジンの2つの種類に分類される．

A. プリンとピリミジン塩基

プリンが2つの環構造を持つのに対し，ピリミジンは1つの環構造

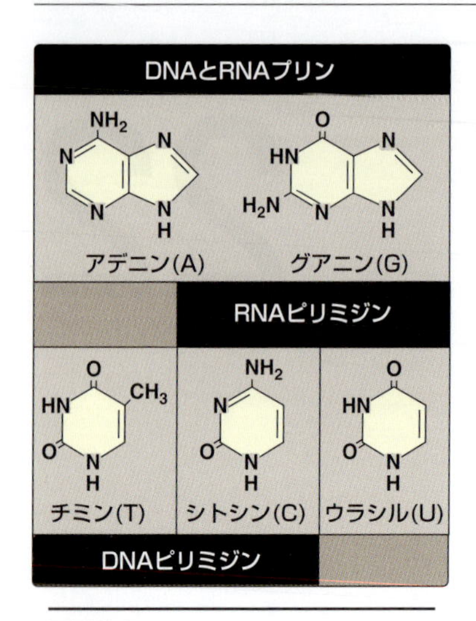

図 22.1
DNAとRNA中に最もよくみられるプリンとピリミジン.

を持つ. DNAもRNAも同じ**プリン塩基 purine base**(**アデニン adenine** (A)と**グアニン guanine** (G))を含む. DNAもRNAも**シトシン cytosine** (C)という**ピリミジン pyrimidine**塩基は共通に含むが, もう1つのピリミジン塩基が異なる. DNAは**チミン thymine** (T)を含むがRNAは**ウラシル uracil** (U)を含む. TとUの違いはTだけがメチル基を持っていることである(図22.1). ある種のDNA(例えばウイルスDNA)やRNA(例えばトランスファーRNA, tRNA)などには**異常塩基 unusual base** (**修飾塩基modified base**)がしばしば認められる. 塩基の修飾にはメチル化, グリコシル化(糖鎖付加), アセチル化, 還元などがある. 修飾塩基の例をいくつか図22.2に示す. [注:ヌクレオチド配列中に修飾塩基があることによって, ある場合には特定の酵素によって認識されるようになるし, ある場合にはヌクレアーゼ nucleaseによる分解から守られるようになる.]

B. ヌクレオシド

塩基にペントース糖が*N*-グリコシド結合により付加されてヌクレオシドになる(p.110参照). 糖が**リボース ribose**の場合リボヌクレオシドになるし, 糖が2-デオキシリボースの場合デオキシリボヌクレオシドとなる(図22.3 A). A, G, C, Uの**リボヌクレオシド ribonucleoside**は, それぞれ**アデノシン adenosine**, **グアノシン guanosine**, **シチジン cytidine**, **ウリジン uridine**と命名される. A, G, C, Uの**デオキシリボヌクレオシド deoxyribonucleoside**は**デオキシアデノシン deoxyadenosine**のようにその前にデオキシをつける. [注:デオキシチミジンの場合はDNAのみに取り込まれることからデオキシであることはわかっているのでしばしば単にチミジンと呼ばれる.] 塩基環と糖環の炭素原子と窒素原子は別々に番号を付されている(図22.3 B参照). [注:ペントースの炭素原子は1′から5′の番号を付されている. であるから, ヌクレオシド(ヌクレオチド)の5′-炭素という場合にはペントースの炭素原子のことを指し, 塩基の炭素原子のことではない.]

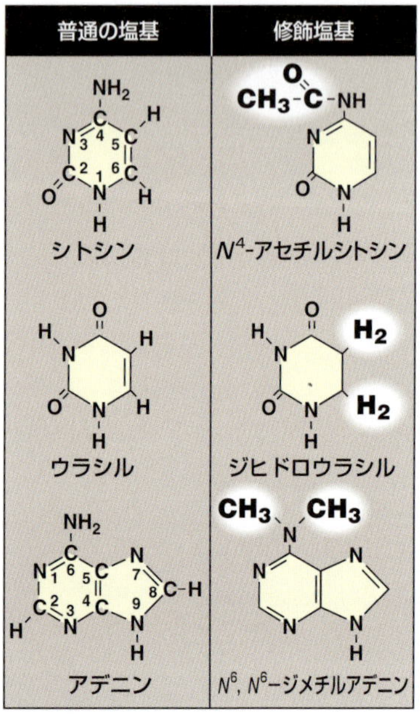

普通の塩基 | 修飾塩基
シトシン | N^4-アセチルシトシン
ウラシル | ジヒドロウラシル
アデニン | N^6, N^6-ジメチルアデニン

図 22.2
修飾塩基の例.

C. ヌクレオチド

ヌクレオシドに1個以上のリン酸基が付加されてヌクレオチドになる. 第一のリン酸基はエステル結合でペントースの5′-OHについている. このような化合物を, **ヌクレオシド5′-リン酸 nucleoside 5′-phosphate**もしくは**5′-ヌクレオチド 5′-nucleotide**と呼ぶ. ペントースの種類は5′-リボヌクレオチドや5′-デオキシリボヌクレオチドという名称の接頭辞によって示される. もし1つのリン酸基がペントースの5′-炭素についている場合には, アデノシン一リン酸(AMP, アデニル酸とも呼ばれる)などの**ヌクレオシド一リン酸 nucleoside monophosphate** (NMP)である. もし第二・第三のリン酸基がヌクレオシドにつく場合には, ヌクレオシド二リン酸(例えば, アデノシン二リン酸, ADP), ヌクレオシド三リン酸(例えば, アデノシン三リン酸, ATP)ができる(図22.4). 第二・第三のリン酸はそれぞれヌクレオチドに**"高エネルギー"結合 high-energy bond** (加水分解が大きな負の自由エネルギー変化($-\Delta G$, p.90参照)を持つ結合)により結合している.

［注：リン酸基によりヌクレオチドは負に荷電する．このためDNAとRNAは核酸と呼ばれる．］

Ⅲ．プリンヌクレオチド合成

プリン環の原子はアミノ酸（**アスパラギン酸 aspartic acid**，**グリシン glycine**，**グルタミン glutamine**），二酸化炭素（CO_2），**N^{10}-ホルミルテトラヒドロ葉酸 N^{10}-formyltetrahydrofolate**（N^{10}-ホルミル-THF）などの多くの化合物から供与される（図22.5）．プリン環は前もって合成されたリボース5-リン酸に炭素と窒素を付加していく一連の反応で主として肝臓で生成される．［注：ペントースリン酸経路によるリボース5-リン酸合成の議論はp.195参照．］

A．5-ホスホリボシル1-ピロリン酸合成

5-ホスホリボシル1-ピロリン酸 5-phosphoribosyl1-pyrophosphate（PRPP）はプリン，ピリミジンの合成およびサルベージ経路に関与する活性化型ペントースである．ATPとリボース5-リン酸からのPRPP合成はPRPPシンテターゼ PRPP synthetase（リボースリン酸ピロホスホキナーゼ ribose-phosphate pyrophosphokinase，図22.6）によって触媒される．このX染色体上の酵素は無機リン酸によって活性化され，プリンヌクレオチド（ADP，GDP）によって阻害される（最終産物阻害）．［注：PRPPの糖部分はリボースなので，リボヌクレオチドがプリンの新規（*de novo*）合成の最終産物である．DNA合成にデオキシリボヌクレオチドが必要な場合は，リボース糖部分が還元される（p.386参照）．］

B．5-ホスホリボシルアミン合成

PRPPとグルタミンからの5-ホスホリボシルアミン合成を図22.7に示す．**グルタミン**のアミド基がPRPPの炭素1（C1）に結合しているピロリン酸基と置き換わる．これがプリンヌクレオチド生合成の方向決定段階である．この反応を触媒する酵素グルタミンホスホリボシルピロリン酸アミドトランスフェラーゼ glutamine phosphoribosyl pyrophosphate amidotransferase（GPAT，アミドホスホリボシルトランスフェラーゼ amidophosphoribosyltransferaseともいう）は経路の最終産物であるプリン5′-ヌクレオチドAMP，グアノシン一リン酸（GMP，グアニル酸とも呼ばれる）によって**阻害**される（訳注：ADP，ATP，GDP，GTPによっても阻害される）．反応速度は基質であるグルタミンとPRPPの細胞内濃度によっても調節されている．［注：PRPPの濃度は通常GPATのミカエリス定数（K_m）よりもはるかに低い．だからPRPP濃度の小さな変化も相応の比例する変化を反応速度にもたらす（p.74参照）．PRPPはこの酵素のフィードフォワード活性化因子である．］

C．イノシン一リン酸合成

5′-ホスホリボシルアミンからイノシン一リン酸 inosine monophos-

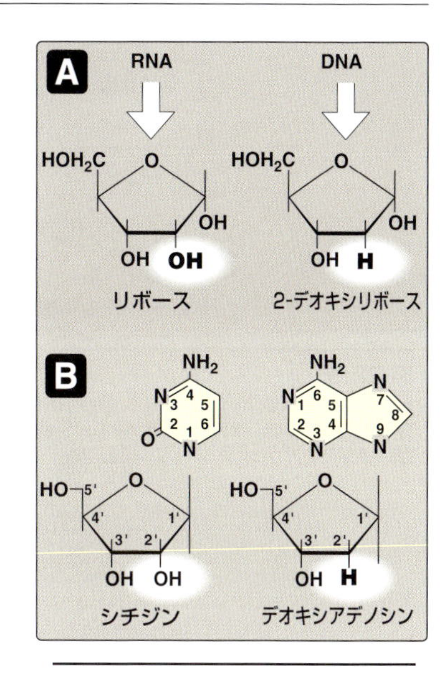

図22.3
A. 核酸中にみられるペントース．
B.プリン含有ヌクレオシド，ピリミジン含有ヌクレオシドの番号体系の例．

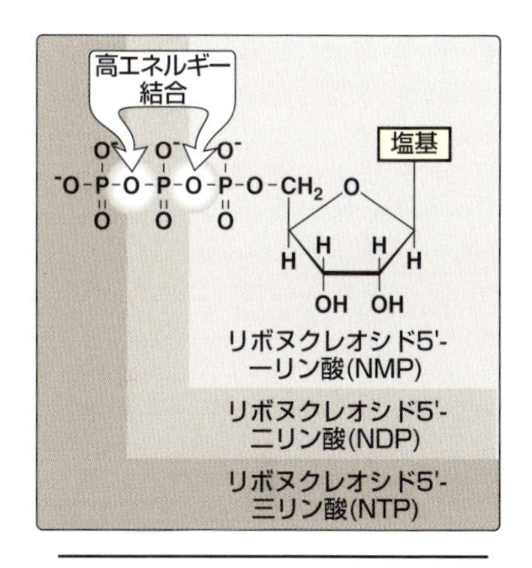

図22.4
リボヌクレオシド一リン酸，二リン酸，三リン酸．

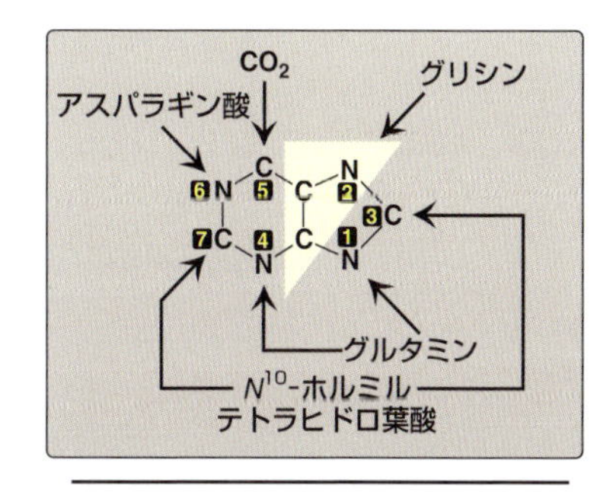

図22.5
プリン環の個々の原子の供給源．原子が付加される順番を黒囲みの数字で示す（図22.7参照）．CO_2：二酸化炭素．

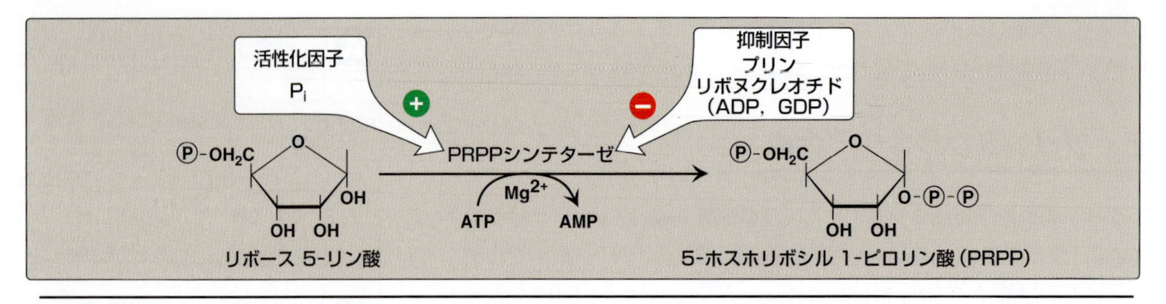

図 22.6
5-ホスホリボシル 1-ピロリン酸(PRPP)の合成．反応の活性化因子と抑制因子を示す．［注：この段階はプリン合成の方向決定段階ではない．PRPPはサルベージ経路（p.385参照）など他の経路でも使われるからである．］Ⓟ：リン酸，P_i：無機リン酸，AMP：アデノシン一リン酸，Mg^{2+}：マグネシウム．

phate（IMP，その塩基はヒポキサンチン）合成に至るプリンヌクレオチド生合成の9つの段階を図22.7に示す．IMPはAMPおよびGMPの"親"プリンヌクレオチドである．この経路の4段階はエネルギー源としてATP分子を必要とする．経路の2段階でN^{10}-ホルミル-THFを一炭素供与体として必要とする（p.346参照）．［注：ヒポキサンチンはtRNA中に存在する（p.582の図32.9参照）．］

D. 合成阻害薬

プリン合成の合成阻害薬のなかには，**スルホンアミド sulfonamide**のようにヒト細胞の機能を阻害することなく，急速に分裂する微生物の増殖を阻害するようにデザインされているものがある（図22.7参照）．他のプリン合成阻害薬は，例えば葉酸の構造アナログ（**メトトレキセート methotrexate**など）のように，ヌクレオチド（したがって，もちろんDNAとRNAも）合成を阻害することにより，がんの進展を薬理学的に阻止する目的で用いられる（図22.7参照）．

ヒトのプリン合成阻害薬は組織に対して毒性が非常に高い．特に胎児のような発達中の構造や，骨髄，皮膚，消化管，免疫系，毛包などの急速に分裂している細胞種に対しては毒性が高い．その結果として，このような抗がん薬を服用している患者は貧血，皮膚の落屑，消化管障害，免疫不全，脱毛などの副作用を経験する．

E. アデノシン一リン酸およびグアノシン一リン酸合成

IMPのAMPないしGMPへの変換は2段階のエネルギーおよび窒素要求性の経路を用いる（図22.8）．［注：AMPの合成にはグアノシン三リン酸（GTP）がエネルギー源として，窒素源としてアスパラギン酸が必要で，GMPの合成にはATPおよびグルタミンが必要であることに注意してほしい．］またそれぞれの経路の第1段階はその経路の最終産物によって阻害されることにも注意してほしい．これによりIMPが2つのプリンのうち，より少ないほうの合成に進むのである．もしもAMPもGMPも十分量ある場合には，プリンの新規合成経路は

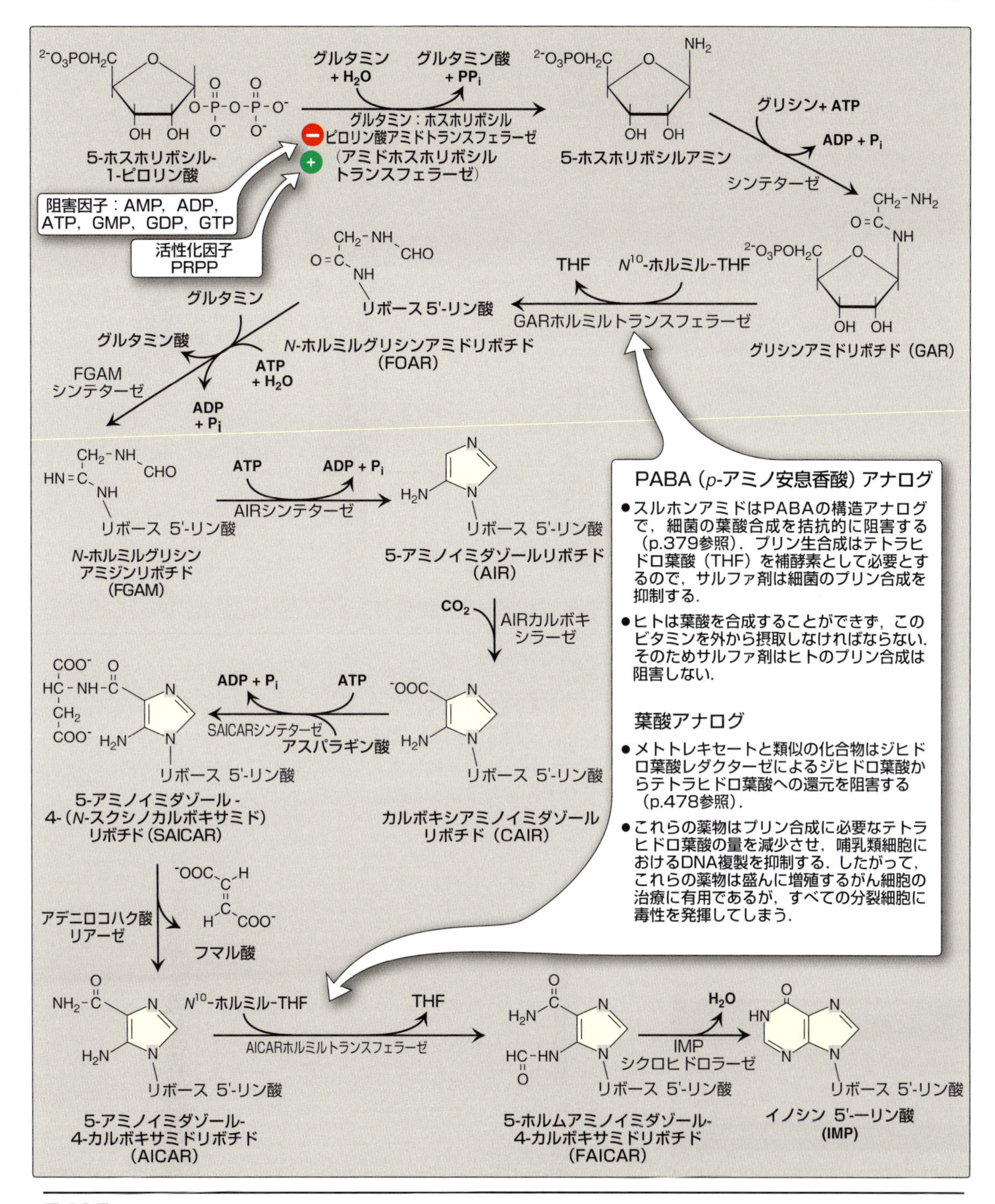

図 22.7
プリンヌクレオチドの新規合成．いくつかの構造アナログの抑制効果を示す．THF：テトラヒドロ葉酸，AMP：アデノシン一リン酸，ADP：アデノシン二リン酸，GMP：グアノシン一リン酸，PRPP：5-ホスホリボシル-1-ピロリン酸，P_i：無機リン酸，PP_i：ピロリン酸，CO_2：二酸化炭素．

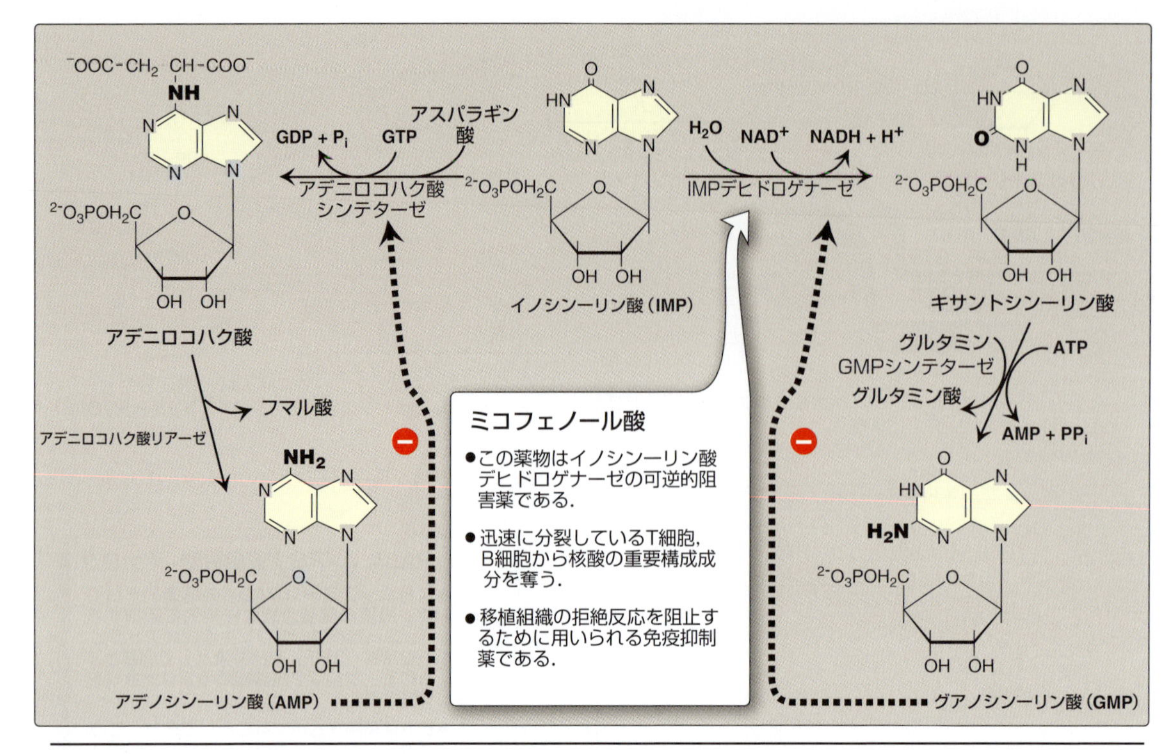

図 22.8
IMPのAMP（アデニル酸），GMP（グアニル酸）への変換．フィードバック阻害箇所を示す．NAD（H）：ニコチンアミドアデニンジヌクレオチド，GDP：グアノシン二リン酸，GTP：グアノシン三リン酸，P_i：無機リン酸，PP_i：ピロリン酸．

GPAT段階でストップする．

> ミコフェノール酸はGMP産生に用いられる酵素であるIMPデヒドロゲナーゼ IMP dehydrogenaseの可逆的阻害剤である．増殖中のTリンパ球やBリンパ球はこの重要なプリンヌクレオチド（GMP）の低濃度に対して非常に影響を受けやすいので，臓器移植（腎臓，心臓，肝臓）の拒絶反応の予防や，全身性エリテマトーデスやクローン病などの免疫疾患の治療に有効な免疫抑制剤である．

塩基特異的ヌクレオシド一リン酸キナーゼ

	酵素	
AMP + ATP	⇌ アデニル酸キナーゼ	2 ADP
GMP + ATP	⇌ グアニル酸キナーゼ	GDP + ADP

ヌクレオシド二リン酸キナーゼ

GDP + ATP	⇌	GTP + ADP
CDP + ATP	⇌	CTP + ADP

図 22.9
ヌクレオシド一リン酸のヌクレオシド二リン酸，ヌクレオシド三リン酸への変換．AMP：アデノシン一リン酸，ADP：アデノシン二リン酸，GMP：グアノシン一リン酸，GDP：グアノシン二リン酸，GTP：グアノシン三リン酸，CDP：シチジン二リン酸，CTP：シチジン三リン酸．

F. ヌクレオシド二リン酸およびヌクレオシド三リン酸合成

ヌクレオシド二リン酸 nucleoside diphosphateは相当するヌクレオシド一リン酸 nucleoside monophosphateから塩基特異的ヌクレオシド一リン酸キナーゼ base-specific nucleoside monophosphate kinaseにより合成される（図 22.9）．[注：これらのキナーゼは基質中のリボースとデオキシリボースは区別しない．] 通常ATPが，転移されるリン酸基の供与体となる．ATPは他のヌクレオシド三リン酸 nucleoside triphosphate（NTP）よりも高濃度で存在するからである．アデニル酸キナーゼ adenylate kinaseは肝臓と筋肉で特に活性が高い．これらの組織ではATPを利用するエネルギー代謝回転が盛んだからである．アデニル酸キナーゼの機能はアデニンヌクレオチドのAMP，ADP，ATP間の平衡を維持することである．ヌクレオシド二リン酸とヌクレオシド三リン酸はヌクレオシド二リン酸キナーゼ nucleoside diphosphate kinaseにより相互変換可能である．この酵素はヌクレオシド一リン酸キナーゼ nucleoside monophosphate kinaseとは異なり**広い基質特異性 broad substrate specificity**を持つ．

G．プリンのサルベージ経路

細胞の正常な代謝回転で生じたプリンや，食事から得られ分解されなかった少量のプリンはヌクレオシド三リン酸に変換され，再利用される．これをプリンの**サルベージ（再利用）経路 salvage pathway**と呼ぶ．［注：サルベージ経路は特に脳で重要である．］

1．プリン塩基のヌクレオチドへのサルベージ：2つの酵素が関与する．アデニンホスホリボシルトランスフェラーゼ adenine phosphoribosyltransferase（APRT）と伴性のヒポキサンチン-グアニンホスホリボシルトランスフェラーゼ hypoxanthine-guanine phosphoribosyltransferase（HGPRT）である．ともにリボース5-リン酸基の供給源としてPRPPを使う（図22.10）．ピロリン酸の放出と引き続いて起こるピロホスファターゼ pyrophosphataseによるピロリン酸の加水分解により，これらの反応は不可逆となる．［注：アデノシンはサルベージされる唯一のプリンヌクレオシドである．アデノシンはアデノシンキナーゼ adenosine kinaseによりリン酸化され，AMPになる．］

2．レッシュ・ナイハン症候群 Lesch-Nyhan syndrome：この症候群はX連鎖（伴性）劣性遺伝でHGPRTのほとんど完全な欠損に起因する．この酵素欠損によりヒポキサンチンやGを回収することができず，過剰な尿酸（プリン分解の最終産物）が産生される（p.387参照）．さらにこのサルベージ経路の欠如によりPRPP濃度が上昇し，IMP濃度・GMP濃度が減少する．その結果，GPAT（プリン合成の方向決定段階酵素）は基質が過剰となり阻害因子が減少する．こうしてプリンの新規合成が増加する．プリン再利用の減少とプリン合成の増加が重なってプリン分解が増加し，大量の尿酸が産生されることになる．このためHGPRT欠損は重症の遺伝性**痛風 gout**となるのである．レッシュ・ナイハン症候群患者は尿酸性腎石を持つことが多く（尿路結石症），関節に尿酸結晶が沈着し（痛風性関節炎），軟部組織にも尿酸結晶が沈着することが多い．さらに特徴的な神経症状として運動機能障害，認知障害，自傷行為（口唇と指を咬む，図22.11）を含む行動異常がある．

Ⅳ．デオキシリボヌクレオチド合成

これまで記載してきたヌクレオチドはすべてリボースを含むもので

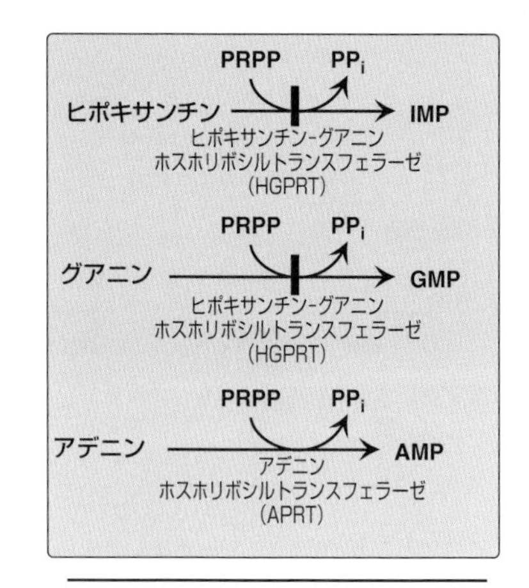

図22.10
プリンヌクレオチド合成のサルベージ経路．［注：ほとんど完全なHGPRT欠損によりレッシュ・ナイハン症候群が引き起こされる．部分的なHGPRT欠損も知られている．機能する酵素の量が増えるにつれて，症状の重症度が減少する．］IMP：イノシン一リン酸，GMP：グアノシン一リン酸，AMP：アデノシン一リン酸，PRPP：5-ホスホリボシル-1-ピロリン酸，PP_i：ピロリン酸．

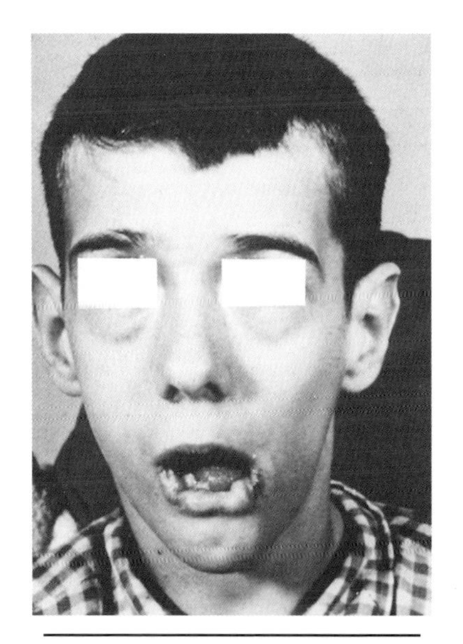

図22.11
レッシュ・ナイハン症候群患者でみられる口唇の傷．

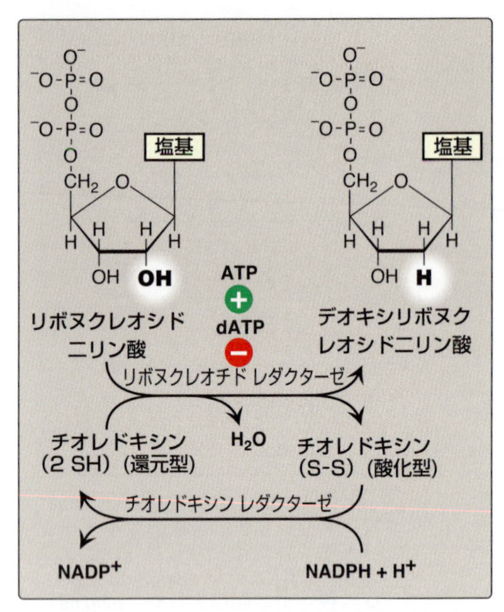

図 22.12
リボヌクレオチドのデオキシリボヌクレオチドへの変換. NADP(H):ニコチンアミドアデニンジヌクレオチドリン酸, dATP:デオキシアデノシン三リン酸.

ある(**リボヌクレオチド ribonucleotide**). しかしDNA合成に必要なヌクレオチドは **2′-デオキシリボヌクレオチド 2′-deoxyribonucleotide** であり, これは細胞周期のS期(p.544 参照)にリボヌクレオチドレダクターゼ ribonucleotide reductaseによりリボヌクレオシド二リン酸から産生される. [注:同じ酵素がピリミジンリボヌクレオチドにも作用する.]

A. リボヌクレオチドレダクターゼ

リボヌクレオチドレダクターゼ(リボヌクレオシド二リン酸レダクターゼ ribonucleoside diphosphate reductase)はR1(もしくはα)サブユニットのホモ二量体とより小さなR2(もしくはβ)サブユニットのホモ二量体から構成される四量体で, プリンヌクレオシド二リン酸(ADPとGDP), ピリミジンヌクレオシド二リン酸(CDPとUDP)をデオキシ型(dADP, dGDP, dCDP, dUDP)に特異的に還元する. 2′-ヒドロキシ基の還元に必要な水素原子の直接の供与体は酵素自体(R1サブユニット)のSH基で, これは反応の過程でS-S結合になる(p.21 参照). [注:R2はR1における触媒作用に必要な安定なチロシルラジカルを含む.]

1. **還元型酵素の再生**:リボヌクレオチドレダクターゼがR1でデオキシリボヌクレオチドを産生し続けるためには, 2′-デオキシ炭素を作る間にできたS-S結合が還元されなければならない. その還元当量の供給源は**チオレドキシン thioredoxin** であり, これはリボヌクレオチドレダクターゼのタンパク性補酵素である. チオレドキシンはそのペプチド鎖中に2つのアミノ酸によって隔てられた2つのシステイン残基がある. チオレドキシンの2つのSH基がリボヌクレオチドレダクターゼに水素原子を与え, 自らはS-S結合を作る(図 22.12).

2. **還元型チオレドキシンの再生**:チオレドキシンが働き続けるためには還元型に再変換されなければならない. これに必要な還元当量は $NADPH + H^+$ によって供給される. この反応はセレノプロテイン(p.348 参照)であるチオレドキシンレダクターゼ thioredoxin reductaseによって触媒される.

B. デオキシリボヌクレオチド合成の調節

リボヌクレオチドレダクターゼによりDNA合成に必要なデオキシ

臨床応用 22.1:ヒドロキシ尿素

ヒドロキシ尿素(ヒドロキシカルバミド)という薬物は, リボヌクレオチドレダクターゼを阻害し, DNA合成の基質生成を抑制する. ヒドロキシ尿素は抗がん薬であり, メラノーマのような腫瘍の治療に用いられてきた. また, ヒドロキシ尿素は鎌状赤血球貧血の治療にも用いられている(p.44 参照). しかし, ヒドロキシ尿素を投与した際の胎児性ヘモグロビン増加は, リボヌクレオチドレダクターゼの抑制によるものではなく, 遺伝子発現変化によるものである.

リボヌクレオチドがバランスよく供給される．この機能を果たすためにこの酵素は複雑な調節を受けている．触媒（活性）部位に加えて，R1には活性調節にかかわる2つの異なるアロステリック部位がある（図22.13）．

1．活性制御部位：酵素のアロステリック部位（活性制御部位と呼ばれる）にデオキシアデノシン三リン酸（dATP）が結合すると触媒活性が抑制され，4つのヌクレオシド二リン酸の還元はすべて止まる．これによりDNA合成は阻害される．アデノシンデアミナーゼ adenosine deaminase（ADA）欠損（p.390参照）のようにdATPが上昇すると毒性が現れるのはこれで説明できる．これに対して，これらの部位にATPが結合すると酵素は活性化される．

2．特異性制御部位：R1上のもう1つ別のアロステリック部位（特異性制御部位と呼ばれる）にヌクレオシド三リン酸が結合することにより基質特異性が調整され，DNA合成に必要な特定のデオキシリボヌクレオチドのリボヌクレオチドからの変換が増加する．例えば，活性化部位にATPが結合しているときに，基質特異性部位にデオキシチミジン三リン酸が結合するとコンホメーション変化が起こり，触媒部位でGDPからdGDPへの還元が起こるようになる．

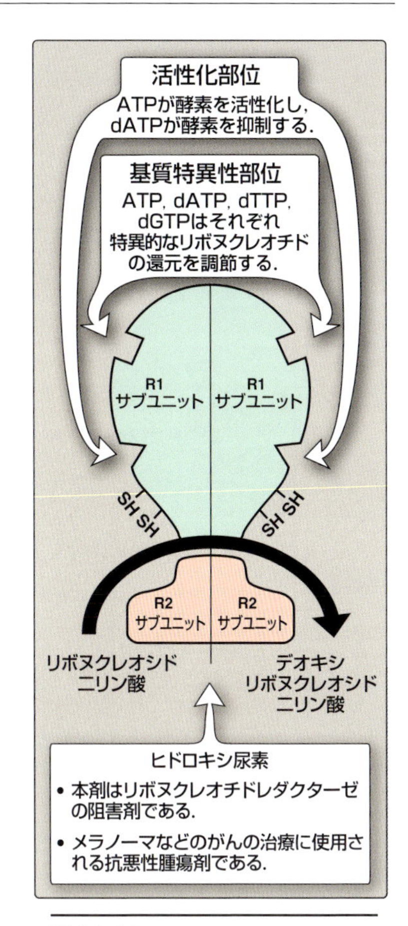

図22.13
リボヌクレオチドレダクターゼの調節．
［注：R1サブユニットはα，R2サブユニットはβとも呼ばれる．］
dATP：デオキシアデノシン三リン酸，
dTTP：デオキシチミジン三リン酸，
dGTP：デオキシグアノシン三リン酸．

V．プリンヌクレオチドの分解

食事中の核酸の分解は小腸で行われる．小腸では膵臓のヌクレアーゼが核酸を加水分解してヌクレオチドにしている．プリンヌクレオチドは腸管の酵素によって順次分解されヌクレオシド，リン酸化糖，遊離塩基になる．**尿酸 uric acid**が腸管におけるプリン分解の最終産物である．［注：新規（*de novo*）合成されたプリンヌクレオシドは主として肝臓で分解される．遊離塩基は肝臓から出て末梢組織でサルベージされる．］

A．小腸での分解

膵臓によって分泌されるリボヌクレアーゼ ribonucleaseおよびデオキシリボヌクレアーゼ deoxyribonucleaseは食事中のRNAとDNAを分解してオリゴヌクレオチドにする．オリゴヌクレオチドはさらに膵臓のホスホジエステラーゼ phosphodiesteraseによって加水分解されて3′-モノヌクレオチドと5′-モノヌクレオチドの混合物となる．腸管粘膜表面でヌクレオチダーゼ nuclcotidaseが加水分解によりリン酸基を取り除き，ヌクレオシドを放出し，ヌクレオシドはナトリウム依存性の輸送体により腸細胞に取り込まれ，ヌクレオシダーゼ nucleosidase（ヌクレオシドホスホリラーゼ nucleoside phosphorylase）によってさらに遊離塩基と（デオキシ）リボース1-リン酸にまで分解される．食事中のプリン塩基は組織の核酸合成にはほとんど用いられず，腸細胞内で尿酸に変換される．尿酸のほとんどは血中に入り最終的に尿中に排泄される．この経路を図22.14に要約する．［注：類人猿

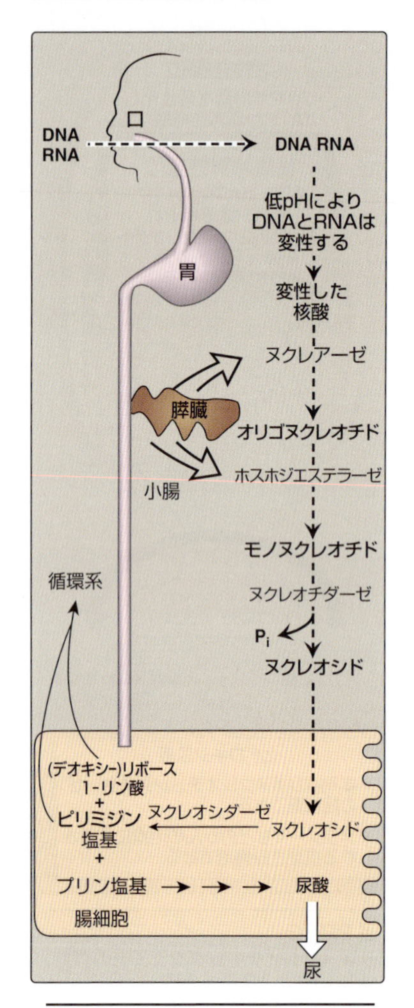

図 22.14
食事中の核酸の消化．P_i：無機リン酸．

以外の哺乳類は尿酸オキシダーゼ urate oxidase（ウリカーゼ uricase）を持ち，この酵素はプリン環を開裂してアラントインを生成する．リコンビナント尿酸オキシダーゼ recombinant urate oxidase は尿酸値を低下させる治療戦略に利用されている（訳注：この尿酸オキシダーゼであるリコンビナントラスブリカーゼ rasburicase は抗がん薬治療における腫瘍崩壊症候群に伴う高尿酸血症治療薬として認可された）.］

B. 尿 酸 生 成

尿酸生成の諸段階と特異的な分解酵素の欠損による遺伝病を図 22.15 に要約する．［注：［ ］の数字は図中の特異反応を示す.］

［1］アミノ基はAMP（アデニル酸）デアミナーゼ AMP deaminase により AMP から除去されて IMP ができる．もしくはアミノ基は ADA によりアデノシンから除去されてイノシン（ヒポキサンチン-リボース）ができる．

［2］IMP と GMP は 5′-ヌクレオチダーゼ 5′-nucleotidase によってそれぞれヌクレオシドであるイノシンとグアノシンになる．

［3］プリンヌクレオシドホスホリラーゼ purine nucleoside phosphorylase によってイノシンとグアノシンはそれぞれプリン塩基のヒポキサンチンと G になる．［注：ムターゼ mutase によりリボース 1-リン酸とリボース 5-リン酸の相互変換が起こる.］

［4］G は脱アミノされてキサンチンになる．

［5］ヒポキサンチンはモリブデン含有キサンチンオキシダーゼ xanthine oxidase（XO）によって酸化されてキサンチンになる．キサンチンはさらに XO によって酸化されて尿酸になる．これがヒトでのプリン分解の最終産物である．尿酸は主として尿中に排泄される．

C. プリン分解に関連した疾患

1. 痛風 gout：痛風はプリン異化の最終産物である尿酸の過剰生産ないし排泄低下の結果として血中の尿酸値が上昇する（高尿酸血症）疾患である．高尿酸血症の結果，尿酸一ナトリウム塩 monosodium urate（MSU）結晶が関節に沈着し，この結晶に対する炎症反応としてまず急性痛風性関節炎が起こり，これが進行して慢性痛風性関節炎となる．軟部組織に MSU 結晶が結節性の塊として沈着し，慢性結節性痛風が起きることもある（図 22.16）．腎臓に尿酸結石が生じることもある（尿石症）．［注：高尿酸血症は痛風発症の必要条件であるがそれだけでは痛風は起きない．しかし，痛風は常に高尿酸血症に引き続いて起きる．高尿酸血症は多くの場合無症状だが，高血圧などの合併症を示唆することがある.］確定診断は罹患関節の滑膜液を吸引採取し（もしくは結節の一部を採取し，図 22.17）偏光顕微鏡で針状の MSU 結晶が存在することを確認することが必要である（図 22.18）．

a. 尿酸排泄低下：痛風患者の 90% 以上で，高尿酸血症は尿酸の排泄低下によって起きている．排泄低下はいまだ同定されていない内因性の排泄障害による一次性のものか，腎臓における尿酸代謝を阻害する疾患（例えば乳酸アシドーシスでは乳酸は腎臓にお

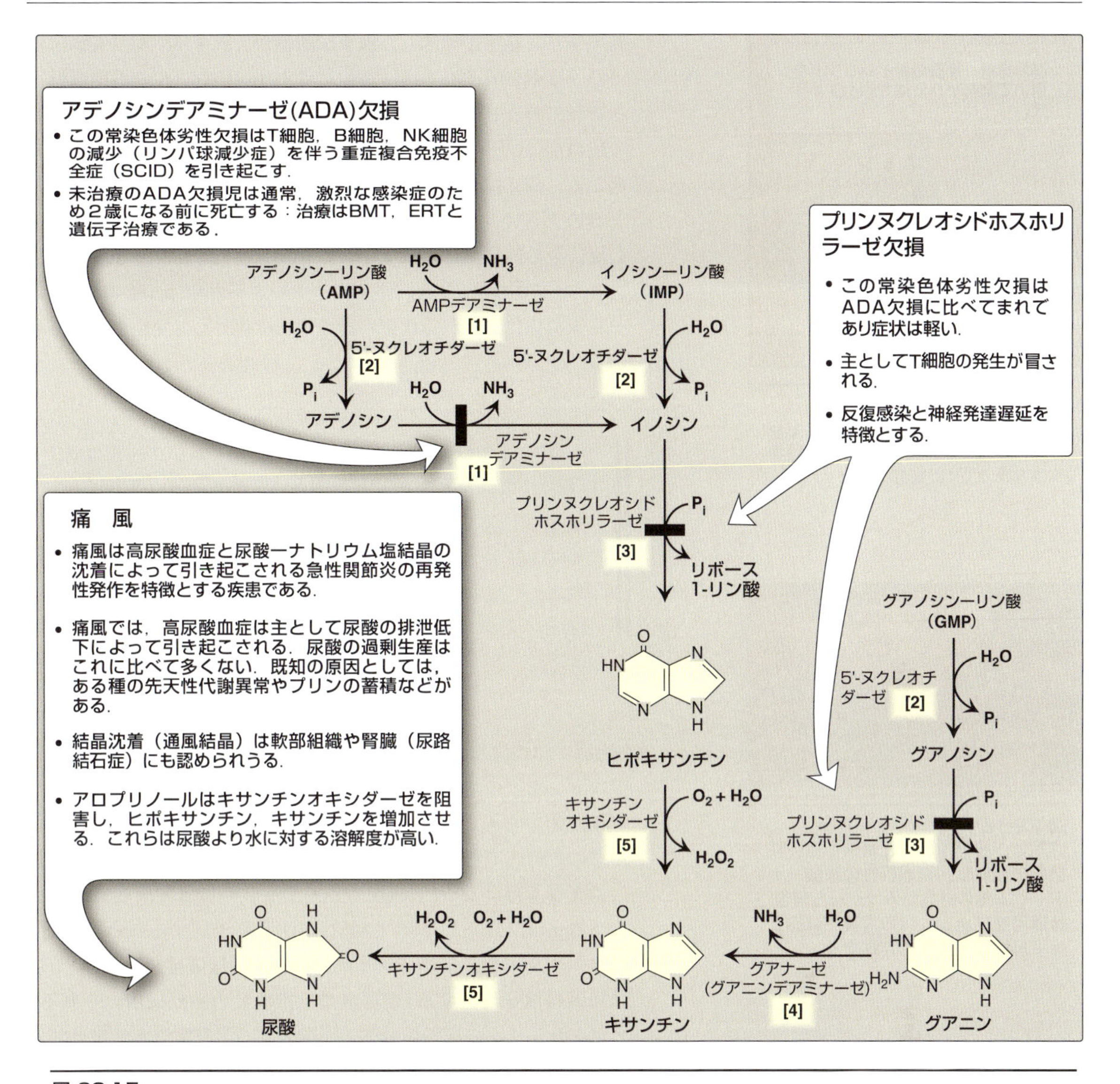

図 22.15
プリンヌクレオチドの尿酸への分解．この経路に関する遺伝性疾患をいくつか示す．[注：[　]で囲んだ数字は本文中の[　]で囲んだ数字に対応する．] BMT：骨髄移植，ERT：酵素補充療法，P_i：無機リン酸，H_2O_2：過酸化水素，NH_3：アンモニア．

ける尿酸再吸収を促進することにより尿酸排泄を減少させる)や，薬物使用(例えばサイアザイドなどの利尿薬)や鉛中毒(鉛痛風)などの環境因子による二次性のものがある．

b．**尿酸過剰生産**：排泄低下に比べて頻度は低いものの，尿酸の過剰産生による高尿酸血症により痛風が起きることもある．原発性高尿酸血症は大部分特発性(原因不明)である．しかしPRPPシンテターゼ遺伝子(X染色体上に存在)の変異で，PRPP産生の最大速度([V_{max}]，p.72参照)増加，リボース5-リン酸のK_m低下(p.74参照)，プリンヌクレオチド(この酵素のアロステリック阻害因子，p.78参照)による阻害に対する感受性の低下をもたらすものがいくつか同定されている．いずれの場合でもPRPP蓄積の

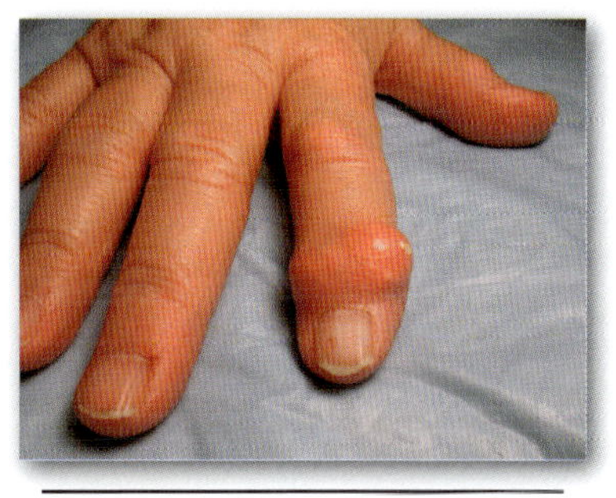

図 22.16
結節性痛風．

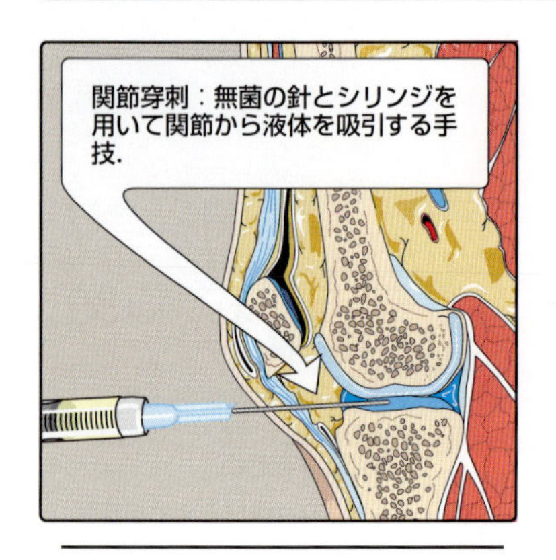

図 22.17
関節液の分析は関節腫脹ないし関節炎の原因解明（感染症，痛風，関節リウマチなど）に役立つ．

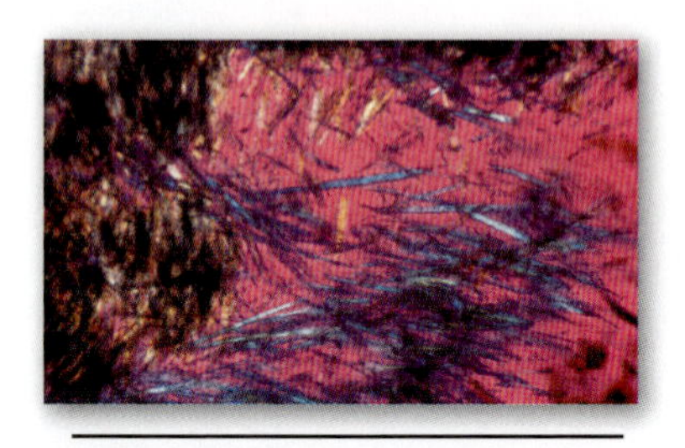

図 22.18
痛風は，吸引採取した滑液を偏光顕微鏡で観察し，複屈折性の尿酸一ナトリウム塩の結晶がみつかった場合，診断可能である．この写真では結晶は多形核白血球中に存在する．

結果プリン産生が増加し，血漿尿酸値が上昇する．レッシュ・ナイハン症候群（p.385参照）でもヒポキサンチン・Gの再回収低下とそれに伴うPRPPの蓄積の結果，高尿酸血症となる．二次性高尿酸血症はプリン蓄積を引き起こすさまざまな病態の結果として起こる．例えば骨髄増殖性疾患患者や化学療法を受けている患者などのように，細胞の代謝回転が速い場合に高尿酸血症となる．痛風に至る高尿酸血症はフォンギールケ病von Gierke disease（図11.8，p.170参照）や遺伝性フルクトース不耐症（p.182参照）など一見無関係に思われる代謝疾患の付随症状として発症することもある．

肉と魚介類（特に甲殻類）に富む食事とエタノールは痛風のリスクを高めることが確かめられている．低脂肪の乳製品に富む食事はリスクを低下させることも示されている（訳注：あまり食事の質とは関係ないとされるようになっている．一般的なバランスの良い食事を心がけ，過食を避けることが肝要である）．

c．**治療**：急性痛風発作は抗炎症薬で治療する．コルヒチン，プレドニゾンなどのステロイド剤，インドメタシンなどの非ステロイド剤が用いられる．[注：コルヒチンは微小管の重合を阻害し好中球の患部への移動を減少させる．他の抗炎症薬と同様に尿酸値には影響を与えない．] 痛風の長期治療戦略は尿酸濃度を飽和点（6.5 mg/dL）以下に下げてMSUの沈着を予防することである．プロベネシドやスルフィンピラゾンなどの尿酸排泄薬（腎臓からの尿酸排泄を促進する）が尿酸の低排泄者の治療に用いられる．ヒポキサンチンの構造類似体で尿酸合成の阻害薬であるアロプリノールが尿酸の過剰生産者の治療に用いられる．アロプリノールは体内でXOの長寿命阻害剤であるオキシプリノールに酸化される．その結果ヒポキサンチンとキサンチンが蓄積する（図22.15参照）．これらの化合物は尿酸よりも水溶性が高いので炎症反応を引き起こしにくい．HGPRT活性が正常な患者では，ヒポキサンチンは再回収されPRPP濃度は低下し，プリンの新規合成は減少する．XOの非プリン阻害薬であるフェブキソスタット（訳注：日本で開発）がいまや利用可能である．[注：血中尿酸値は通常飽和点に近い．これは尿酸が強力な抗酸化作用があるためと考えられる．]

2．**アデノシンデアミナーゼ adenosine deaminase（ADA）欠損**：ADAは多様な細胞に発現しているが，ヒトではリンパ球においてこの酵素活性（細胞質に存在）が最も高い．ADA欠損の結果アデノシンが蓄積し，これは細胞のキナーゼによりリボヌクレオチド型やデオキシリボヌクレオチド型に変換される．dATPレベルが上昇するとリボヌクレオチドレダクターゼは阻害され，すべてのデオキシリボース含有ヌクレオチドの産生が阻害される(p.387参照)．その結果細胞はDNAを合成することができず，分裂することができない．[注：ADA欠損で蓄積するdATPとアデノシンはリンパ球の発達停止とアポトーシスをもたらす.］最も重篤な形では，この常染色体劣性疾患は**重症複合免疫不全症 severe combined immunodeficiency disease**（SCID）を引き起こし，T細胞，B細胞，ナチュラルキラー(NK)細胞が減少する．米国ではADA欠損がSCIDのおよそ14％を占めると推定されている．治療は骨髄移植 bone marrow transplantation（BMT），酵素補充療法 enzyme replacement therapy（ERT），遺伝子治療(p.641参照)である．適切に治療しないと，この障害を持つ子供たちは通常，2歳までに感染症で死亡する．[注：プリンヌクレオシドホスホリラーゼ欠損により主としてT細胞が冒されるより軽症の免疫不全が起きる.］

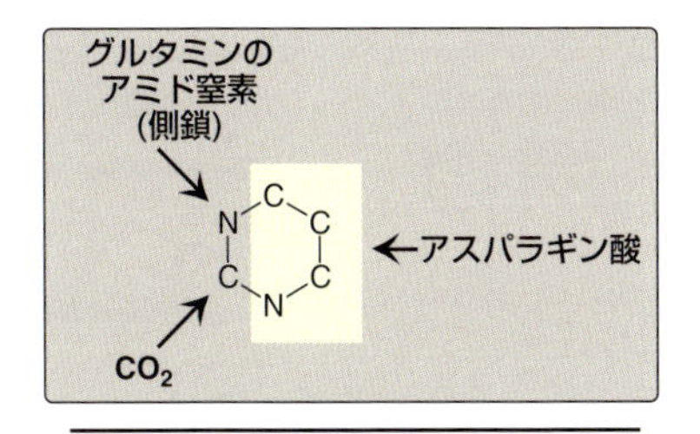

図 22.19
ピリミジン環の個々の原子の供給源．
CO_2：二酸化炭素．

Ⅵ. ピリミジンの合成と分解

塩基環が既存のリボース5-リン酸上に構築されていくプリン環合成とは異なり，ピリミジン環はリボース5-リン酸に結合する前に合成され，合成されたあとでPRPPからリボース5-リン酸をもらって結合する．ピリミジン環の原子の供給源は**グルタミン**，**CO_2**，**アスパラギン酸**である(図22.19)．

A. カルバモイルリン酸合成

ピリミジン合成経路の**調節段階 regulated step**はカルバモイルリン酸シンテターゼⅡ carbamoyl phosphate synthetase Ⅱ（CPSⅡ）によって触媒される**グルタミン**と**CO_2**からのカルバモイルリン酸合成である．CPSⅡはウリジン三リン酸(UTP，この経路の最終産物であり他のピリミジンヌクレオチドに変換される)により**阻害**され，ATPとPRPPによって**活性化**される．[注：CPSⅠによって合成されるカルバモイルリン酸は尿素の前駆体でもある(p.327参照)．尿素回路のオルニチントランスカルバミラーゼ ornithine transcarbamylase欠損ではカルバモイルリン酸をピリミジン合成に用いることになるためピリミジン合成が亢進する．2つの酵素の比較を図22.20に示す.］

異なる点	CPSⅠ	CPSⅡ
細胞内局在	ミトコンドリア	細胞質ゾル
関与する経路	尿素回路	ピリミジン合成
窒素の供給源	アンモニア	グルタミンのγ-アミド基
調節因子	活性化因子：*N*-アセチルグルタミン酸	活性化因子：ATP, PRPP 阻害因子：UTP

図 22.20
カルバモイルリン酸シンテターゼ(CPS)ⅠとⅡの違いのまとめ．PRPP：5-ホスホリボシル-1-ピロリン酸，UTP：ウリジン三リン酸．

B. オロト酸合成

ピリミジン合成の第2段階は**アスパラギン酸カルバモイルトランスフェラーゼ aspartate transcarbamoyltransferase**によって触媒されるカルバモイルアスパラギン酸生成である．次に**ジヒドロオロターゼ dihydroorotase**による分子内縮合でピリミジン環が閉環する．生成したジヒドロオロト酸は酸化されてオロト酸が生じる(図22.21)．フラビンモノヌクレオチド(FMN)はこの反応で還元される．

C. ピリミジンヌクレオチド合成

完成したピリミジン環は，ピリミジンヌクレオチド合成の第2段階で**オロチジン一リン酸 orotidine monophosphate**（OMP）ヌクレオチドに

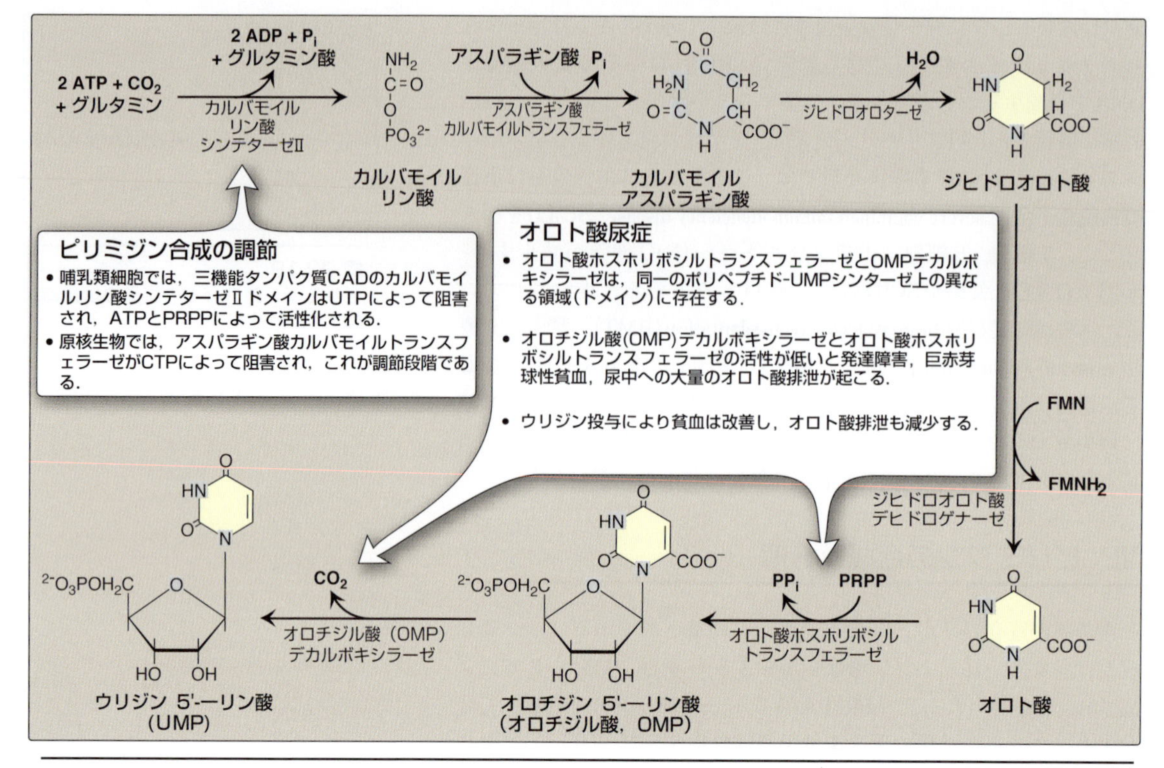

図 22.21
ピリミジンの新規(*de novo*)合成．ADP：アデノシン二リン酸，P_i：無機リン酸，FMN(H_2)：フラビンモノヌクレオチド，CTP：シチジン三リン酸，PRPP：5-ホスホリボシル-1-ピロリン酸，PP_i：ピロリン酸．

変換される(図22.21参照)．プリンと同様にPRPPがリボース5-リン酸の供与体となる．オロト酸ホスホリボシルトランスフェラーゼ orotate phosphoribosyltransferaseという酵素がOMPを産生しピロリン酸を放出する．このピロリン酸の放出によって，この反応は生物学的に不可逆となる．[注：このようにプリン合成もピリミジン合成もグルタミン，アスパラギン酸，PRPPが不可欠の前駆体である．] OMP(オロチジル酸)はオロチジル酸デカルボキシラーゼ orotidylate decarboxylaseによって脱炭酸され**ウリジン一リン酸 uridine monophosphate** (UMP)に変換される．オロト酸ホスホリボシルトランスフェラーゼとオロチジル酸デカルボキシラーゼもまたUMPシンターゼ UMP synthaseと呼ばれる単一のポリペプチド鎖上の異なる触媒領域(ドメイン)上にある．まれな疾患である**遺伝性オロト酸尿症 hereditary orotic aciduria**はこの二機能性酵素の1つないし2つの活性欠損によって引き起こされ，尿中にオロト酸が出るようになる(図22.21参照)．ピリミジン生合成の第1段階はUTPによりフィードバック阻害されるので，遺伝性オロト酸尿症とそれに付随する貧血はウリジンで治療する．尿素回路のOTC欠損では尿中オロト酸濃度が上昇することを思い出してほしい(p.332参照)．これはOTCの基質であるカルバモイルリン酸が(尿素回路ではなく)ピリミジン合成へと送り込まれるためである．UMPは順次リン酸化されてUDP，UTPになる．[注：UDPはリボヌクレオチドレダクターゼの基質であり，dUDPとなる．

dUDPはリン酸化されdUTPとなり，dUTPはUTPジホスファターゼ UTP diphosphatase（dUTPアーゼ dUTPase）により速やかに加水分解されてdUMPになる．このようにdUTPアーゼはdUTPがDNA合成の基質として利用される可能性を低下させ，UがDNAに誤って取り込まれるのを防ぐという重要な役割を果たしている．］

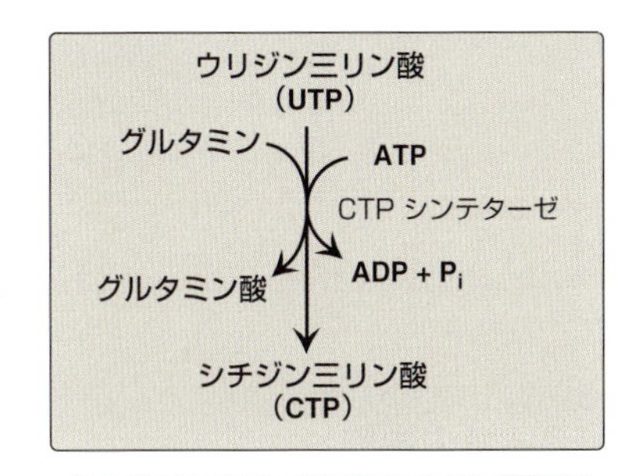

図 22.22
UTPからのCTP合成．［注：RNA合成に必要なCTPはDNA合成のためにdCTPに変換される．］ADP：アデノシン二リン酸，P_i：無機リン酸．

D．シチジン三リン酸（CTP）合成

CTPはCTPシンテターゼ CTP synthetaseによってUTPがアミノ化されて合成される（図 22.22）．アミノ基の窒素はグルタミンから供与される．CTPの一部は脱リン酸されCDPとなり，CDPはリボヌクレオチドレダクターゼの基質となる．産生されたdCDPはリン酸化されdCTPとなりDNA合成に用いられるか，脱リン酸されてdCMPとなりさらに脱アミノされてdUMPになる．

E．デオキシチミジン一リン酸（dTMP）合成

dUMPはチミジル酸シンターゼ thymidylate synthaseによりdTMPに変換される（訳注：dTMPは"デオキシ"であることは自明なのでしばしばTMPとも表記される）．この際**N^5,N^{10}-メチレンTHF N^5, N^{10}-methylene THF**がメチル基の供給源となる（p.347 参照）．これはTHFがプテリジン環から1炭素原子のみならず2つの水素原子をも与えてTHFがジヒドロ葉酸dihydrofolate（DHF）に酸化されるという点で特異な反応である（図 22.23）．チミジル酸シンターゼの阻害薬には**5-フルオロウラシル 5-fluorouracil**などのTアナログがあり，これらは抗がん薬として用いられている．5-フルオロウラシルは5-フルオロデオキシウリジン一リン酸（5-FdUMP）に代謝され，5-FdUMPは不活性化されたチミジル酸シンターゼに結合して離れない．このためこの薬物は自殺阻害薬と呼ばれる（p.75 参照）．DHFはジヒドロ葉酸レダクターゼ dihydrofolate reductaseによってTHFに還元される（p.492 の図 28.2 参照）．この酵素は**メトトレキセート methotrexate**などの葉酸アナログで阻害される．THFの供給を減少させることにより，これらの葉酸アナログはプリン合成を阻害するだけでなく（図 22.7 参照），dUMPからdTMPへのメチル化をも阻害する．その結果DNAの不可欠の構成成分であるdTMPの入手可能性は減少し，DNA合成は阻害され細胞増殖は抑制される．上記の薬物はがん治療に利用される．［注：アシクロビルacyclovir（プリンアナログ）とAZT（3′-アジド-3′-デオキシチミジン，ピリミジンアナログ）はそれぞれ単純ヘルペスウイルスとヒト免疫不全ウイルス（HIV）の感染症を治療するのに用いられる．ともにウイルスのDNAポリメラーゼを阻害する．］

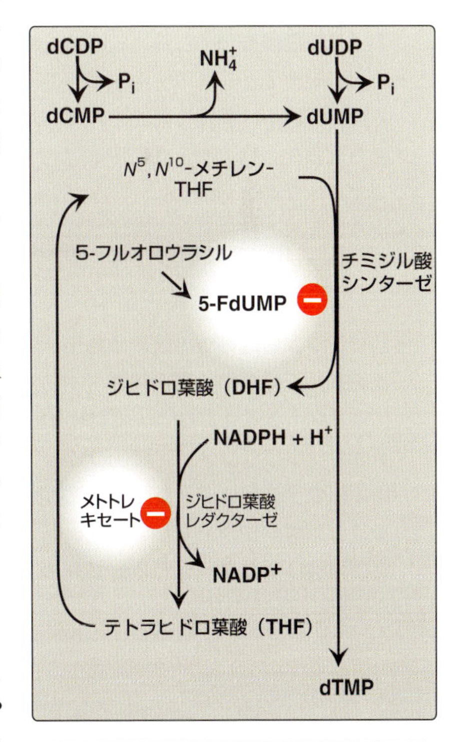

図 22.23
dUMPからのdTMPの合成．抗がん薬の作用部位を示す．

F．ピリミジンのサルベージ（再利用）分解

ヒトでは開裂されず可溶性の低い尿酸として排泄されるプリン環とは異なり，ピリミジン環は開裂され水溶性の高いβ-アラニン（CMPとUMPの分解により），β-アミノイソ酪酸（TMPの分解により），アンモニアとCO_2を生じる．ピリミジン塩基はサルベージ（再利用）されてヌクレオシドになり，ヌクレオシドはリン酸化されてヌクレオチ

ドになる．しかし，ピリミジン塩基は水溶性が高いので，ピリミジンのサルベージ経路はプリンのサルベージ経路に比べると臨床的にはそれほど重要ではない．[注：ピリミジンヌクレオシドのサルベージが遺伝性オロト酸尿症の治療にウリジンが用いられる科学的根拠である(p.392 参照)．]

22章の要約

- **ヌクレオチド**は**窒素塩基**(A，G，C，U，T)，**ペントース糖**，ならびに1，2ないしは3個の**リン酸基**から構成される(図22.24)．
- AとGは**プリン**であり，C，U，Tは**ピリミジン**である．
- ペントースが**リボース**のものが**リボヌクレオシドリン酸**(例えばAMP)であり，**RNA**の構成成分であることに加えて細胞内でいくつかの機能を果たしている．ペントースが**デオキシリボース**のものは**デオキシリボヌクレオシドリン酸**(例えばdAMP)であり，**DNA**の構成成分以外にはほとんど存在しない．
- **プリン合成**の**方向決定段階**では**5-ホスホリボシル 1-ピロリン酸**(**PRPP**，プリンとピリミジンの新規合成およびプリンとピリミジンのサルベージ(再利用)に際して**リボース 5-リン酸**を供与する活性化型ペントース)および**グルタミン**からの窒素を利用してホスホリボシルアミンが合成される．この反応を触媒する酵素は**グルタミンホスホリボシルピロリン酸アミドトランスフェラーゼ**(**GPAT**)であり，AMP，ADP，ATP，GMP，GDP，GTP(経路の最終産物)によって阻害され，PRPPによってフィードフォワード活性化を受ける．
- プリンヌクレオチドは**アデニンホスホリボシルトランスフェラーゼ**(**APRT**)と**ヒポキサンチン-グアニンホスホリボシルトランスフェラーゼ**(**HGRPT**)によって触媒される**サルベージ**(再利用)経路を用いることによってすでに形成されているプリン塩基からも合成される．HGPRTのほとんど完全な欠損により**レッシュ・ナイハン症候群**が生じる．これは重症の遺伝性高尿酸血症であり，強迫的な自傷行為を伴う．
- すべてのデオキシリボヌクレオチドは**リボヌクレオチドレダクターゼ**によりリボヌクレオチドから合成される．この酵素は高度に調節されている(例えば**アデノシンデアミナーゼ**(**ADA**)**欠損**患者の骨髄細胞で過剰生産される化合物である**dATP**により強力に阻害される)．ADA欠損は**重症複合免疫不全症**(**SCID**)を引き起こす．
- プリン分解の最終産物は**尿酸**である．水溶性の低い尿酸の過剰産生ないし排泄不全によって**高尿酸血症**になる．高尿酸血症に関節や軟部組織への**MSU結晶**の沈着とこれらの結晶に対する炎症反応が伴うと**痛風**になる．
- **ピリミジン合成**の第1段階は**カルバモイルリン酸シンテターゼⅡ**(**CPS Ⅱ**)によるカルバモイルリン酸産生であり，この経路の**調節段階**である(**UTP**により阻害され，ATPとPRPPにより活性化される)．この経路により産生されたUTPからCTPが作られる．
- **デオキシウリジン一リン酸**(**dUMP**)は**チミジル酸シンターゼ**により**dTMP**に変換される．この酵素は**5-フルオロウラシル**のような抗がん薬の標的となる．
- **チミジル酸シンターゼ**反応で生成した**ジヒドロ葉酸**(**DHF**)から**テトラヒドロ葉酸**を再生するためには**ジヒドロ葉酸レダクターゼ**が必要であり，この酵素は**メトトレキセート**の標的である．

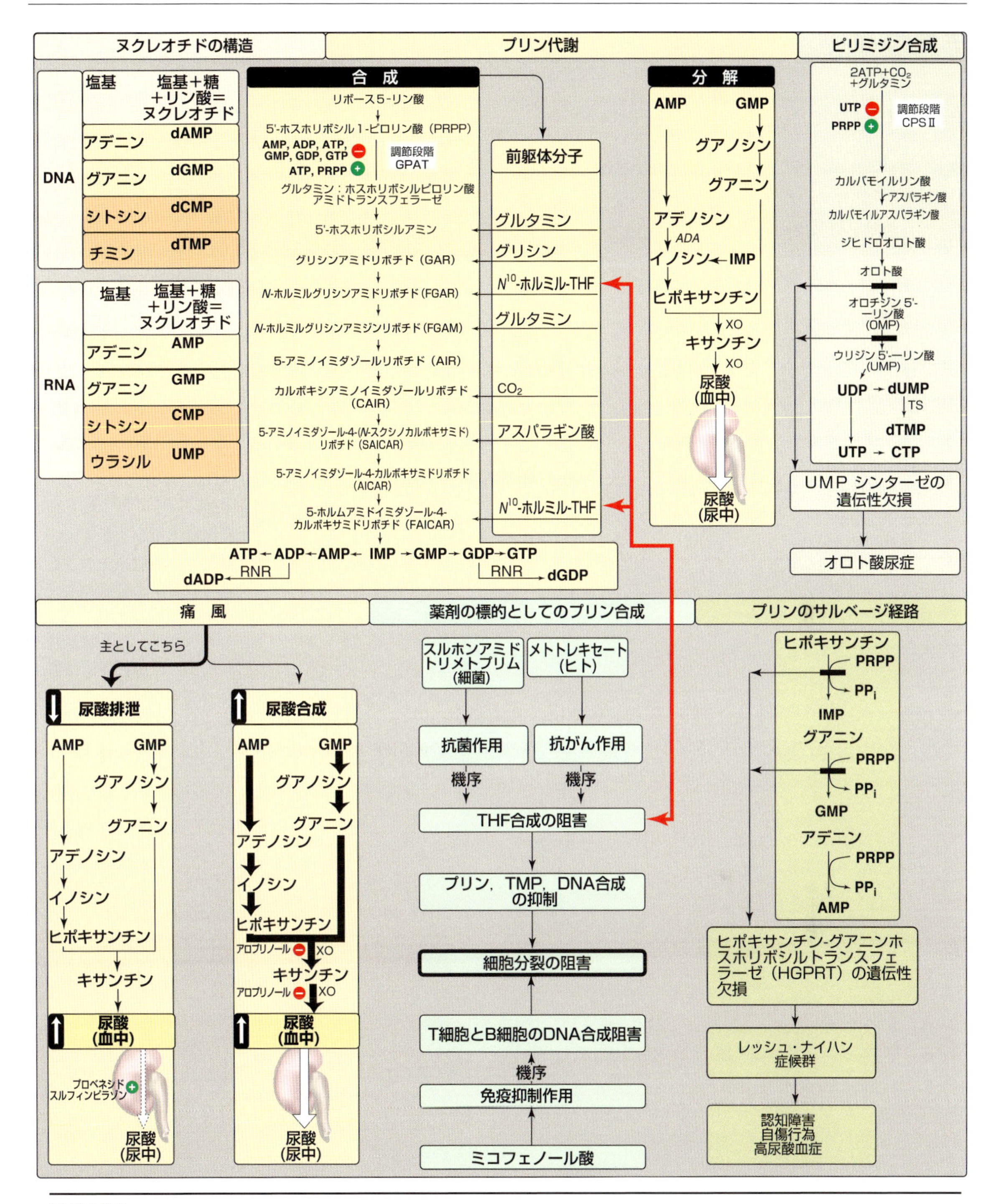

図 22.24
ヌクレオチド代謝の概念図．THF：テトラヒドロ葉酸，GPAT：グルタミンホスホリボシルピロリン酸アミドトランスフェラーゼ，ADA：アデノシンデアミナーゼ，XO：キサンチンオキシダーゼ，TS：チミジル酸シンターゼ，RNR：リボヌクレオチドレダクターゼ，CPS II：カルバモイルリン酸シンターゼ II，AMP：アデノシン一リン酸，GMP：グアノシン一リン酸，CMP：シチジン一リン酸，TMP：チミジン一リン酸，IMP：イノシン一リン酸，d：デオキシ，PP_i：ピロリン酸，PRPP：5-ホスホリボシル-1-ピロリン酸．

学習問題

最適な答えを1つ選びなさい.

22.1 研究用試薬のアザセリン azaserine はグルタミン依存性酵素を阻害する. プリン構造への取り込みがアザセリンによって最も影響を受けるのは下記のどの窒素(N)か.

A. 1
B. 3
C. 7
D. 9

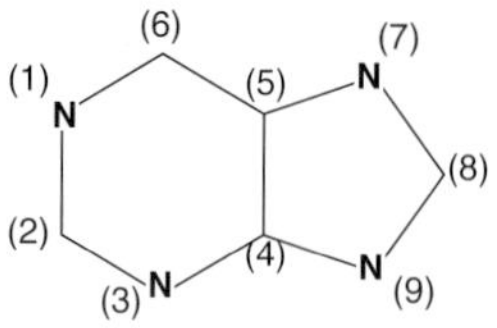

正解 D. 9位のNはプリンの新規合成の第1段階でグルタミンから供給される. したがって, この取り込みがアザセリンの影響を受けると考えられる. 1位のNはアスパラギン酸から, 7位のNはグリシンから供給される. 3位のNもまたグルタミンから供給されるが, アザセリンはこの段階より前でプリン合成を阻害するはずである.

22.2 前立腺がんに対して放射線治療を受けている42歳の男性がん患者が右足親指の中足骨趾節骨関節に激しい疼痛発作を起こした. 偏光顕微鏡によりこの関節から採取された液中に尿酸一ナトリウム塩結晶の存在が明らかになった. この患者の疼痛は, 以下に記す代謝経路のうちどの経路の最終産物の過剰生産によって引き起こされるのか.

A. ピリミジンの新規(*de novo*)生合成
B. ピリミジン分解
C. プリンの新規(*de novo*)生合成
D. プリンのサルベージ経路
E. プリン分解

正解 E. この患者の疼痛は痛風によるものである. 痛風は過剰な尿酸が関節で(尿酸一ナトリウム塩として)結晶化し, これに対して炎症反応が起こることにより疼痛を引き起こす. 放射線治療は細胞死を引き起こし, 核酸とその構成成分であるプリンの分解をもたらす. プリン分解の最終産物である尿酸は比較的水溶性の低い化合物なので, 痛風を引き起こしたり腎結石を形成したりする. ピリミジン代謝は尿酸産生とは無関係である. プリンの過剰産生は間接的に高尿酸血症を引き起こしうる. プリンのサルベージにより尿酸産生は減少する.

22.3 以下のヌクレオチド代謝酵素とその薬理学的阻害薬の組合せのうち, 正しいものはどれか.

A. ジヒドロ葉酸レダクターゼ—メトトレキセート
B. イノシン一リン酸(IMP)デヒドロゲナーゼ—ヒドロキシウレア
C. リボヌクレオチドレダクターゼ—5-フルオロウラシル
D. チミジル酸シンターゼ—アロプリノール
E. キサンチンオキシダーゼ—プロベネシド

正解 A. メトトレキセートはジヒドロ葉酸レダクターゼの拮抗的阻害薬として作用することにより葉酸代謝を妨害する. これによって細胞はテトラヒドロ葉酸不足となり, プリンとチミジン一リン酸(dTMP)を合成することができなくなる. イノシン一リン酸(IMP)デヒドロゲナーゼはミコフェノール酸によって阻害される. リボヌクレオチドレダクターゼはヒドロキシウレアによって阻害される. チミジル酸シンターゼは5-フルオロウラシルによって阻害される. キサンチンオキシダーゼはアロプリノールによって阻害される. プロベネシドは腎臓からの尿酸排泄を促進するが, 尿酸産生は阻害しない.

22.4 1歳の女児. 嗜眠傾向があり, 虚弱で貧血もある. 身長・体重ともに1歳児の平均以下である. 尿中のオロト酸濃度が高い. ウリジン一リン酸(UMP)シンターゼ活性は低い. 以下の化合物のうちどれを投与するとこの子の症状が改善すると考えられるか.

A. アデニン
B. グアニン
C. ヒポキサンチン
D. チミジン
E. ウリジン

正解 **E**. 尿中へのオロト酸排泄上昇およびUMPシンターゼ活性が低いことからこの女児はオロト酸尿症であることが示唆される. オロト酸尿症はピリミジンの新規(*de novo*)生合成経路の非常にまれな遺伝性疾患である. OMPデカルボキシラーゼ/オロト酸ホスホリボシルトランスフェラーゼ活性(両者ともにUMPシンターゼ酵素上の異なる領域に存在する)の欠損により, ピリミジンを合成することができない. ピリミジンヌクレオシドのウリジンはこの疾患の治療に有効である. ウリジンは欠損酵素をバイパスし, UMPとして再利用(サルベージ)可能で, UMPは他のすべてのピリミジンに変換可能だからである. チミジンもピリミジンヌクレオシドだが他のピリミジンに変換されない. ヒポキサンチン, グアニン, アデニンはすべてプリン塩基であり, 欠損しているピリミジンに変換されない.

22.5 オルニチントランスカルバミラーゼ欠損によって生じるオロト酸尿症とウリジン一リン酸(UMP)シンターゼ欠損によって生じるオロト酸尿症を鑑別するのに有用な臨床検査試験は何か.

正解 オロト酸尿症でもオルニチントランスカルバミラーゼ欠損でも, 尿中オロト酸濃度は上昇する. 尿素回路に影響を与えるオルニチントランスカルバミラーゼ欠損では血中アンモニア値が上昇するがUMPシンターゼ欠損では上昇しない(訳注:オルニチントランスカルバミラーゼ欠損ではカルバモイルリン酸が尿素回路で処理されずピリミジン合成にまわされるためピリミジン産生が亢進し, 結果的に尿中オロト酸値が高くなる).

第V編：
代謝の統合

インスリンとグルカゴンによる代謝の制御

23

I. 概　要

肝臓，脂肪組織，筋肉，脳の4つがエネルギー（燃料）代謝に主要な役割を担っている代表的な器官である．これらの組織には独特な酵素群が存在し，それぞれの組織に特異的な燃料の貯蔵，利用，産生に特化している．これらの組織は別個に独立して機能しているのではなく，ある組織が別の組織に基質を提供するとか，他の組織の代謝産物の処理を行うなど，いわばネットワークの一部として機能している．組織間のコミュニケーションは神経系，血液中の基質量，そして，血中ホルモンの濃度変化によって行われる（図23.1）．エネルギー代謝の統合は基本的には2種類のホルモン，インスリンとグルカゴン（主な分泌制御は血糖の変化）の作用によって実施されている．アドレナリン（エピネフリン）とノルアドレナリン（ノルエピネフリン，主な分泌制御は神経系）といったカテコールアミン類は補佐的な役割を担っている．これらのホルモンの血中濃度の変化により，体は食物が豊富なときにはエネルギーを貯蔵し，空腹時や生存危機時（飢餓，重傷，あるいは"闘争か逃走か fight-or-flight"）といった状況には，貯蔵したエネルギーを駆使できるようになっている．本章では，エネルギー代謝に最も深く関与しているこの2つのホルモンの構造，分泌，そして代謝に及ぼす影響を説明していく．

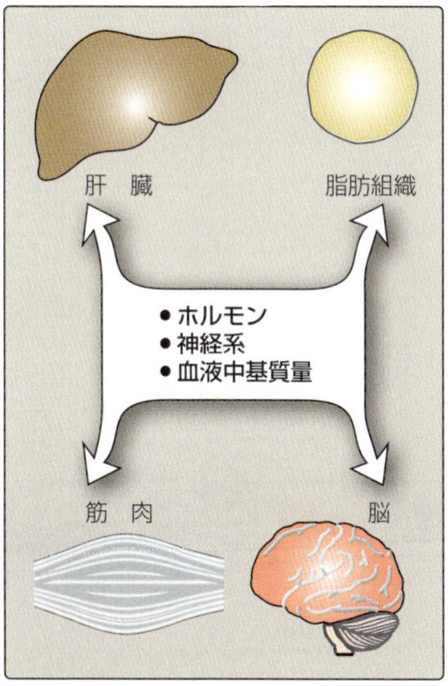

図23.1
4つの臓器間におけるコミュニケーションのメカニズム．

II. インスリン

インスリン insulin は **膵ランゲルハンス島 islet of Langerhans** の **β（B）細胞 β（B）cell**（訳注：膵臓の外分泌腺中に埋め込まれたクラスター（集団を形成している細胞群））で生成されるペプチドホルモンである（図23.2）．［注：インスリン insulin はラテン語の島 insula に由来する．］膵ランゲルハンス島は膵臓の全細胞数の1～2% を占めているにすぎな

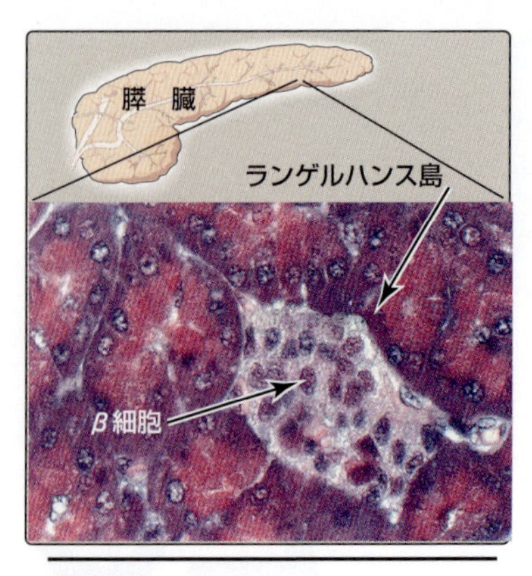

図 23.2
膵ランゲルハンス島.

い．インスリンは，組織の協調のとれた"燃料(エネルギー源)"の利用に最も重要なホルモンである．その代謝への影響は**同化 anabolic** 作用促進であり，グリコーゲン，トリアシルグリセロール(TAG)，タンパク質などを合成系に傾斜させる．

A. 構 造

インスリンは2本のペプチドからなり，総アミノ酸数は51個である．2本のペプチドはそれぞれA鎖(21アミノ酸)，B鎖(30アミノ酸)と名前がつけられており，2カ所でシステイン間のジスルフィド結合によって連結されている(図23.3 A)．さらにA鎖ペプチド内に1カ所ジスルフィド結合がある．[注：インスリンはアミノ酸配列(一次構造)が初めて決定されたペプチドであり，組換えDNA技術(p.622参照)による最初の治療製剤である．

B. 生成と分解

インスリンの生成過程に生じる中間代謝物のプロセシングと輸送を図23.3 Bと図23.4に示した．生合成にはプレプロインスリンとプロインスリン(両者とも1本のペプチドにA鎖とB鎖がある)という2種類の不活性前駆体があることに注目してほしい．この前駆体は逐次的に切断されて，活性型ホルモン：インスリンとC(connecting)ペプチドが1：1で産生される(図23.3参照)．[注：Cペプチドはインスリン分子の適切な折りたたみに必要である．また，その血漿中半減期はインスリンより長いために，Cペプチド濃度はインスリン産生と分泌の優れた指標となる.] インスリンは細胞質ゾル内の顆粒に貯蔵され，適切な刺激により(下記C.1.参照)，エキソサイトーシスによって分泌される(分泌タンパク質の合成についてはp.585参照)．インスリンは肝臓と，より少ないが腎臓に存在するインスリン分解酵素insulin

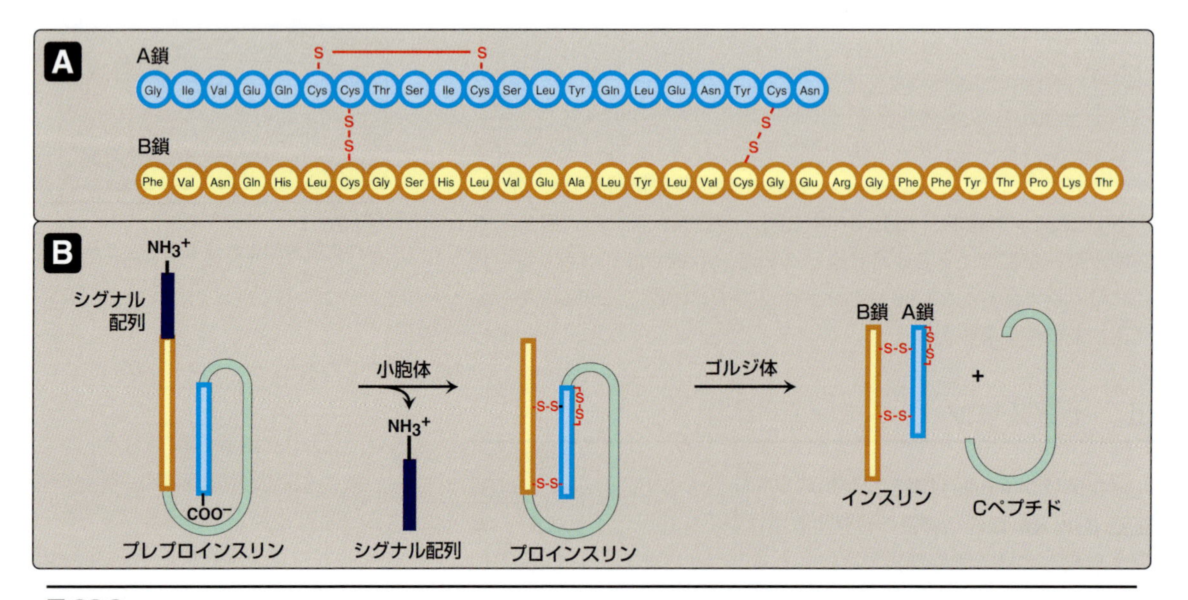

図 23.3
A. インスリンの構造．B. ヒトでのプレプロインスリンからインスリンの生成過程．S-S：ジスルフィド結合．

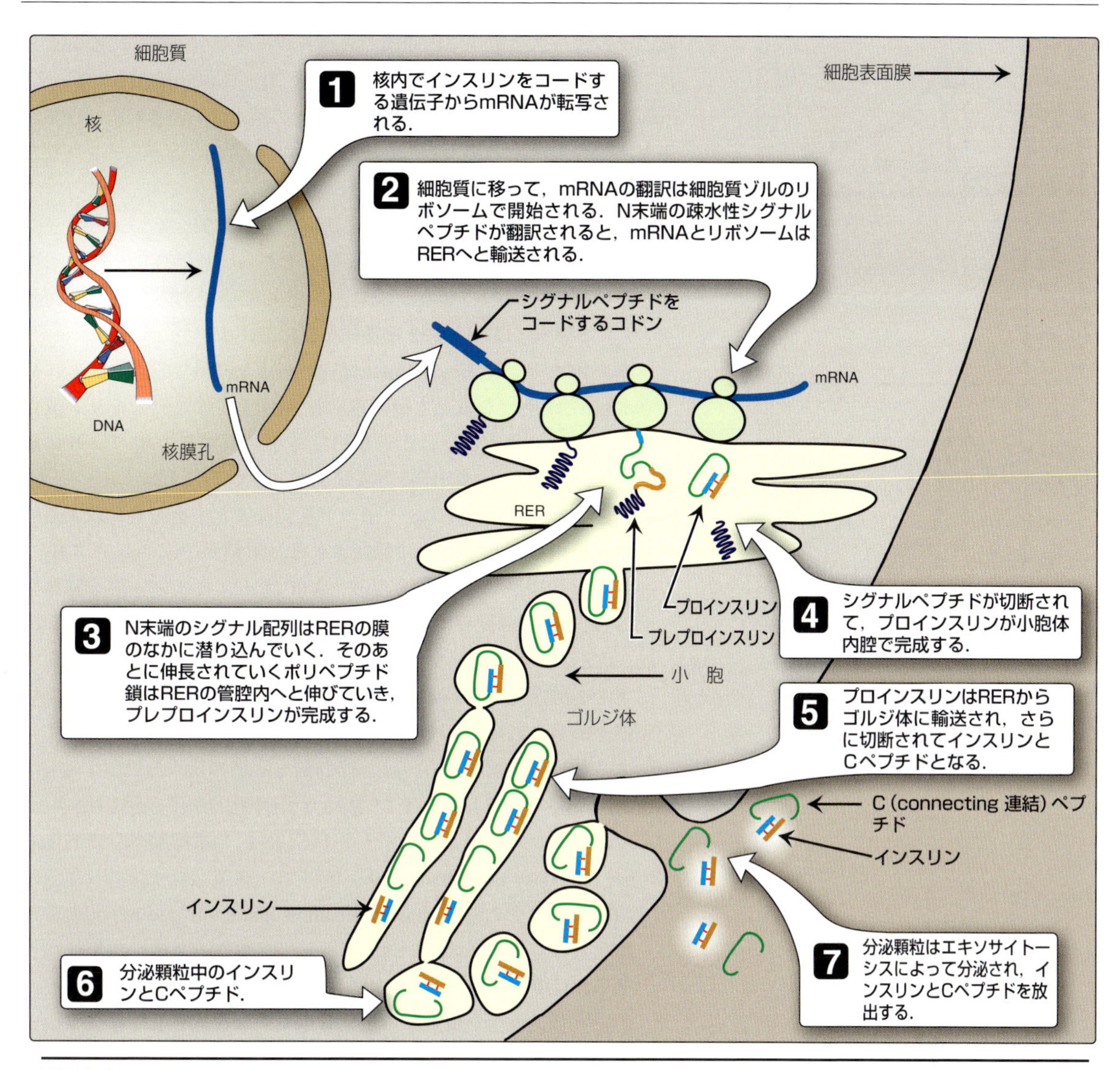

図 23.4
インスリンとその前駆体の細胞内動態．mRNA：メッセンジャーRNA，RER：粗面小胞体．

degrading enzyme（インスリナーゼ insulinase）によって分解される．インスリンの血漿中半減期は約 6 分である．この短い作用時間のおかげで，血液中のホルモンの量を迅速に変化させることができる（訳注：脳内のインスリン分解酵素はネプリライシン neprilysin とともにアルツハイマー病脳で沈着するアミロイドタンパク質（Aβ）を分解除去する）．

C．分泌制御

インスリンは血糖や液性因子によって制御されている．

1．分泌刺激：膵β細胞 pancreatic β cell のインスリン分泌は，膵α細胞 pancreatic α cell からのグルカゴン分泌と密に協調している（図 23.5）．膵臓から分泌されるインスリンとグルカゴンの相対量は，肝

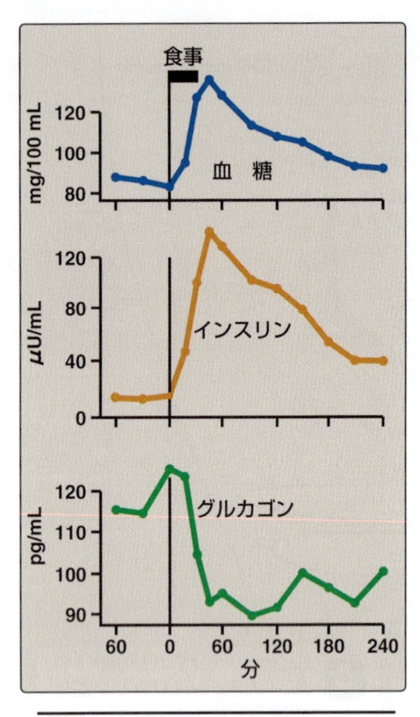

図 23.5
糖質豊富な食事の摂取後の血糖，血中インスリンとグルカゴンの変動．

臓のグルコース生成が末梢組織でのグルコース消費と等分になるように制御されている．その結果，血糖は 70 ～ 140 mg/dL（3.9 ～ 7.8 mmol/L）に維持される．この協調的役割の観点から，β細胞がさまざまな種類の刺激に応答することは不思議なことではない．インスリンの分泌を特に促進するのは以下のものである．

a. **グルコース glucose**：糖質が豊富な食事の摂取は，血糖（インスリン分泌の主要な刺激）の上昇をもたらす（図 23.5 参照）．β細胞は体内で最も重要なグルコース感知細胞である．肝臓と同様に，β細胞にはGLUT-2 輸送体とグルコキナーゼ glucokinase（ヘキソキナーゼⅣ hexokinase Ⅳ）がある（p.126 参照）．血糖が 45 mg/dL以上になると血糖濃度に比例してグルコースをリン酸化する．この濃度依存は産生産物であるグルコース 6-リン酸によるグルコキナーゼの直接阻害が欠如していることによる．また，反応速度と基質濃度のシグモイド関係により，血糖変化による酵素活性の変化が最大限に発揮される．解糖系でグルコース 6-リン酸は代謝されてATPとなり，ATPはインスリン分泌を惹起する（後述の囲み記事参照）．

b. **アミノ酸 amino acid**：タンパク質を摂取すると一時的に血中アミノ酸濃度が上昇する．それによって，ただちにインスリン分泌が刺激される．例えば，血中アルギニンの上昇はβ細胞のインスリン分泌を刺激する．[注：脂肪酸も同様の効果を発揮する．]

c. **消化管ペプチドホルモン gastrointestinal peptide hormone**：グルカゴン様ペプチド 1（GLP-1）や**胃抑制ペプチド gastric inhibitory polypeptide**（GIP，グルコース依存性インスリン分泌刺激ポリペプチド glucose-dependent insulinotropic peptide）など消化管ペプチドホルモンは，β細胞のグルコース感受性を増加させる．GIPやGLP-1 など，摂食に応答して腸管から分泌され，インスリン分泌を促進する消化管ホルモンを総称して**インクレチン incretin**という（訳注：GLP-1 アナログやGLP-1 分解酵素阻害薬が糖尿病治療薬として使用されている．ペプチドのGLP-1 アナログは消化されるので，経口投与は一般的には不可である．しかし，ペプチドの重合を防ぎ，疎水性を高め，胃酸から防護する吸収促進剤を添加した経口剤が開発され，臨床使用されている．GLP-1 アナログには体重減少作用（中枢性食欲低下作用等）があり，ダイエット薬としても安易に処方されている）．これらのペプチドは食物の摂食後に小腸から分泌され，インスリン濃度を先行的に上昇させる．このことは，同じ量のグルコースを静注するよりも経口摂取させたほうがはるかにインスリン分泌が促進されることを説明する．2 型糖尿病治療薬のインクレチン類似薬に分類される血糖降下薬はβ細胞のグルコース感受性を上昇させて，インスリン分泌を促進する．

グルコース依存性のインスリンの血中分泌は，β細胞内のカルシウム濃度の上昇によって引き起こされる．β細胞にGLUT-2によって取り込まれたグルコースはリン酸化され代謝され，ATPが産生される．このATPの上昇によりATP感受性カリウムチャネルが閉じられ，形質膜の脱分極，電位依存性カルシウムチャネルの開口，カルシウム(Ca^{2+})の細胞内への流入が生じる．細胞質ゾルのカルシウム上昇はβ細胞の小胞からインスリンの開口分泌を引き起こす．2型糖尿病の経口血糖降下治療薬であるスルホニル尿素は，ATP感受性カリウムチャネルを閉口させてインスリン分泌を促進する．この作用機序からインスリン分泌促進薬と総称される．スルホニル尿素類と類似した薬効のグリニド類(glinide，別名メグリチニドmeglitinide)はATP感受性カリウムチャネルへの結合性が低く解離定数が大きい．そのため速効型インスリン分泌促進薬である(訳注：低血糖を起こしやすいこと，β細胞を疲弊させることなどから，臨床的にはあまり使用されない)．逆に，ジアゾキシドはATP感受性カリウムチャネルを開口し，インスリン分泌を促進する．ジアゾキシドは先天性高インスリン血症やインスリノーマ(インスリン分泌性腫瘍)に使用される．

2．**インスリン分泌の抑制**：インスリンの合成と分泌は，低血糖にならないように，空腹時，ストレス下(例えば，感染，低酸素，過度の運動)で低下する．これらの作用は基本的には，過度の運動に応答して副腎髄質から分泌される**アドレナリン adrenaline**(エピネフリン epinephrine)やノルアドレナリン(ノルエピネフリン)といったカテコールアミンによって行われる．チロシンから合成されるカテコールアミンは交感神経系や副腎髄質から分泌される．これらの分泌は大きくは神経系によって制御されている．カテコールアミン(主としてアドレナリン)はエネルギー代謝に直接作用があり，肝臓からのグルコース(グリコーゲン分解や糖新生によって産生される，p.158参照)や脂肪組織からの脂肪酸(脂肪分解によって産生される，p.246参照)といったエネルギー産生系物質の急速な動員をもたらす．さらに，これらの生体アミンは通常のグルコース誘導性インスリン分泌に打ち勝つ．したがって，“非常事態”では，β細胞のインスリン分泌系ではなく，交感神経系が血糖値制御の主導権を握ることになる．インスリン分泌の制御系を図23.6に要約した．

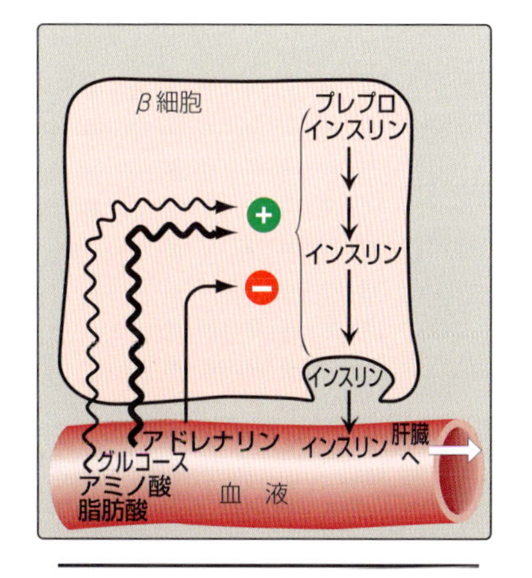

図 23.6
膵臓β細胞からのインスリン分泌の制御．[注：消化管ホルモンもインスリン分泌を促進する．]

D．インスリンの代謝への影響

インスリンは細胞の栄養素(主としてグルコース)の取り込みを促進する．そして，グリコーゲン，TAG，タンパク質といった栄養素を貯蔵することを促進し，それらの動員を抑制する．

1．**糖質代謝への影響**：グルコース代謝へのインスリンの影響はその貯蔵の促進であり，肝臓，筋肉，脂肪組織の3つの組織で著しい．**肝臓liver**と**筋肉muscle**では，インスリンはグリコーゲン合成を促進する．**筋肉**と**脂肪組織 adipose tissue**では，インスリンは細胞表面膜のグルコース輸送体(GLUT-4，p.124参照)の数を増やすことによって，グルコースの取り込みを増加させる．したがって，インスリンの静注はただちに血糖値を低下させる．**肝臓**では，インスリンはグリコーゲン分解と糖新生を抑制して，グルコースの産生を低下させる．[注：インスリンの効果は酵素活性の変化だけではなく，インスリン系情報伝達による遺伝子発現制御によって酵素量も変化している．]

2．**脂質代謝への影響**：脂肪組織はインスリンが上昇するとただちに反応して，脂肪酸の分泌を有意に低下させる．インスリンは脂肪組織のTAGを分解する律速酵素のホルモン感受性リパーゼ hormone-sensitive lipaseの活性を抑制して血中への脂肪酸の遊離を低下させる．インスリンの作用メカニズムは脱リン酸による酵素の不活性化である(p.246参照)．インスリンは脂肪細胞へのグルコースの輸送と代謝も促進し，TAG合成のための**グリセロール 3-リン酸 glycerol 3-phosphate**基質を提供する(p.245参照)．脂肪組織では，血中のキロミクロンやVLDLのTAGを分解するリポタンパク質リパーゼ lipoprotein lipase(p.299参照)の遺伝子発現がインスリンによって増加する．その結果，増加した脂肪酸は脂肪組織でグリセロールとエステル化する．[注：肝臓では，インスリンはグルコースのTAGへの変換を促進する．TAGはVLDLとして分泌される．]

3．**タンパク質合成への影響**：ほとんどの組織で，インスリンはアミノ酸の細胞内への取り込みを促進して，タンパク質合成(翻訳)を促進する．[注：インスリンは翻訳開始に必要な因子の共有結合(リン酸化)による活性化によってタンパク質合成を促進する．]

E. インスリンの作用メカニズム

インスリンは，肝臓，筋肉，脂肪組織をはじめとして，ほとんどの組織の細胞膜に存在する特異的な高親和性受容体に結合する．これが，さまざまな一連の生物学的反応を引き起こすことになるカスケード反応の最初の段階である(図23.7)．

1．**インスリン受容体 insulin receptor**：インスリン受容体は単一のポリペプチド鎖として合成され，グリコシル化され，αサブユニットとβサブユニットに切断され，ジスルフィド結合によって連結された四量体として構築される(図23.7参照)．細胞外αサブユニットにインスリン結合部位が存在する．各βサブユニットの疎水性領域(ドメイン)は，細胞膜を貫いている．βサブユニットの細胞質ゾルのドメインには**チロシンキナーゼ tyrosine kinase**があり，インスリンによって活性化される．したがって，インスリン受容体は**受容体型チロシンキナーゼ receptor tyrosine kinase**に分類される．

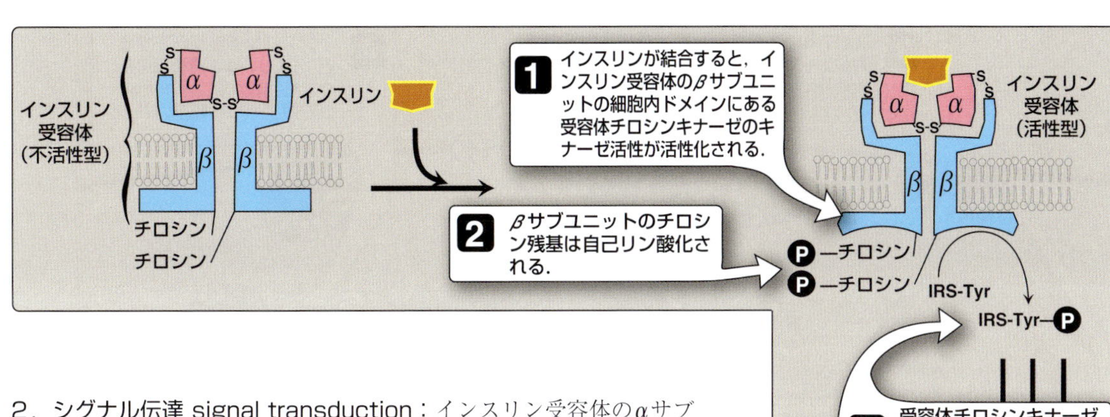

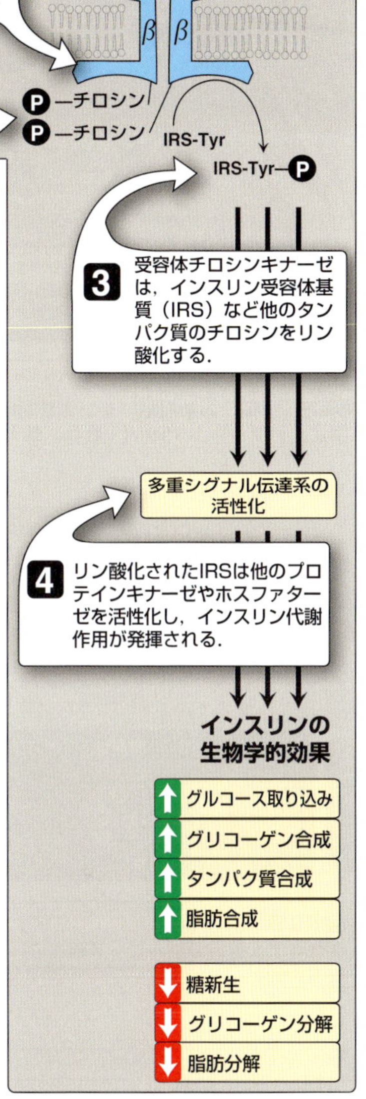

図 23.7
インスリンの作用機序．P：リン酸基，IRS：インスリン受容体基質，Tyr：チロシン．

2．シグナル伝達 signal transduction：インスリン受容体のαサブユニットにインスリンが結合すると，立体構造が変化し，βサブユニットにシグナルが伝達される．これによって各βサブユニットのチロシン残基の急速な自己リン酸化が生じる（図 23.7 参照）．自己リン酸化によって，**インスリン受容体基質 insulin receptor substrate**（IRS）ファミリーのリン酸化など，細胞シグナル伝達のカスケードが開始される．IRSには，構造上は類似しているが組織分布が異なった少なくとも 4 種類が見出されている．リン酸化 IRS タンパク質はその特異的ドメイン（SH2）を介して他のシグナル伝達因子と作用し，遺伝子発現，細胞代謝や成長に影響を及ぼす数多くの経路を活性化する．インスリンの作用は受容体の脱リン酸によって終結する．

3．インスリンの膜作用：骨格筋や脂肪組織など一部の組織のグルコース輸送（トランスポート）は，インスリン存在下で上昇する（図 23.8）．インスリンは**インスリン感受性グルコース輸送体 insulin-sensitive glucose transporter**（GLUT-4）の細胞内小胞のプールから細胞表面膜への移動を促進する．［注：この移動は，IRSがキナーゼ kinase（ホスファチジルイノシトール 3-キナーゼ phosphoinositide 3-kinase）に結合して，それを活性化して行われるシグナル伝達の結果である．その結果，膜リン脂質のホスファチジルイノシトール 4,5-ビスリン酸（PIP_2）がリン酸化されて，ホスファチジルイノシトール 3,4,5-トリスリン酸（IP_3）となる．IP_3 はホスファチジルイノシトール依存性キナーゼ 1 phosphoinositide-dependent kinase-1 に結合して活性化する．そのキナーゼはAkt（プロテインキナーゼB protein kinase B）を活性化して，GLUT-4 の移動が開始される．一方，インスリン非感受性（インスリンに無関係な）グルコース輸送系を持つ組織も多い（図 23.9）．例えば，肝細胞，赤血球，神経系細胞，腸管粘膜細胞，腎尿細管細胞，角膜細胞などは，グルコース取り込みにインスリンを必要としない．］

4．受容体制御：インスリンが結合した受容体はシグナル伝達の後，ホルモン受容体複合体として細胞内に取り込まれる（インターナリゼーション）．細胞内に入ると，インスリンはリソソームで分解される．受容体の一部は分解されるが，大半は細胞表面膜へリサイクルされる．［注：インスリン濃度が上昇すると受容体分解が促進され，そ

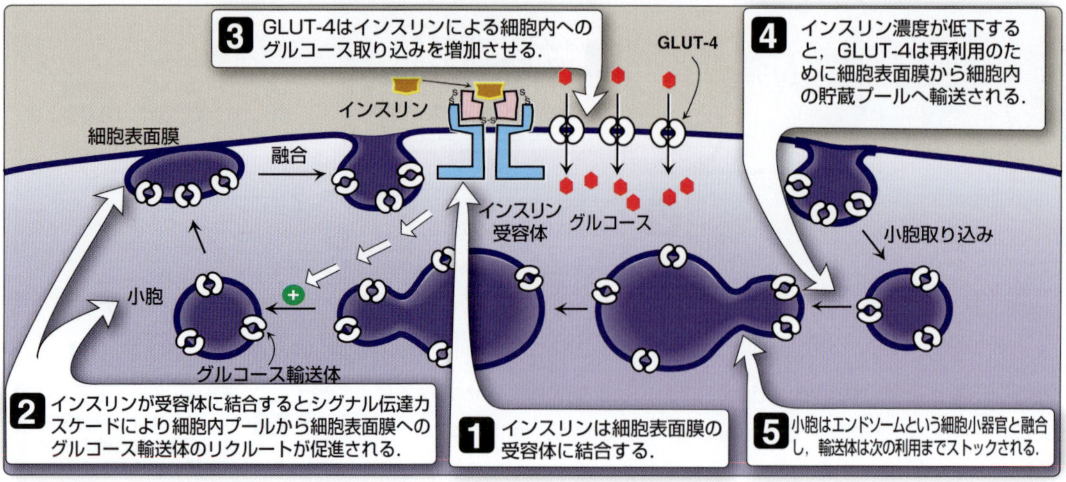

3 GLUT-4はインスリンによる細胞内へのグルコース取り込みを増加させる.

4 インスリン濃度が低下すると，GLUT-4は再利用のために細胞表面膜から細胞内の貯蔵プールへ輸送される.

GLUT-4

インスリン

細胞表面膜

融合

インスリン受容体

グルコース

小胞取り込み

小胞

グルコース輸送体

2 インスリンが受容体に結合するとシグナル伝達カスケードにより細胞内プールから細胞表面膜へのグルコース輸送体のリクルートが促進される.

1 インスリンは細胞表面膜の受容体に結合する.

5 小胞はエンドソームという細胞小器官と融合し，輸送体は次の利用までストックされる.

図 23.8
骨格筋，心筋，脂肪組織でインスリンは細胞内プールからグルコース輸送体(GLUT-4)を細胞膜へリクルートする(訳注：リクルート recruit；新兵，新人，モノを募集して補充すること). S-S：ジスルフィド結合.

	能動輸送	拡散輸送
インスリン感受性		骨格筋，心筋，脂肪組織（これらをあわせると最大組織群となる）
インスリン非感受性	小腸上皮細胞 腎尿細管細胞 脈絡膜	赤血球 白血球 水晶体 角　膜 肝　臓 脳

図 23.9
さまざまな組織のグルコース輸送の特徴.

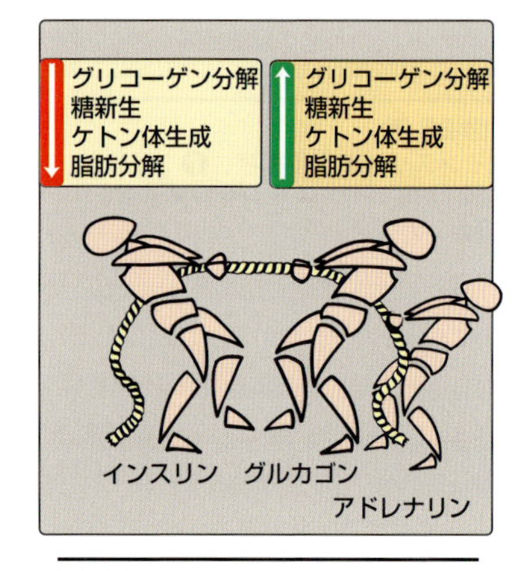

図 23.10
インスリンとグルカゴンおよびアドレナリンの相反する作用.

の結果，細胞表面の受容体数が低下する．これはある種のダウンレギュレーション down-regulation(下向き調節)である.]

5．インスリン作用の時間経過：インスリンが結合すると広範囲な応答が生じる．最も直接的な応答は，脂肪細胞，骨格筋，心筋へのグルコース輸送の上昇であり，これは，インスリンが細胞膜受容体に結合して数秒以内に生じる．さまざまな種類の細胞のインスリンによる酵素活性の変化は数分から数時間で生じ，現存するタンパク質のリン酸化状態の変化に反映される．インスリンによって，グルコキナーゼ，肝臓のピルビン酸キナーゼ pyruvate kinase，アセチルCoAカルボキシラーゼ acetyl CoA carboxylase(ACC)，脂肪酸シンターゼ fatty acid synthase など，さまざまな酵素の量そのものの変化も引き起こされ，これは数時間から数日を要する．これらは転写(ステロール調節配列結合タンパク質(SREBP-1c)が関与，p.240 参照)と翻訳の促進による遺伝子発現の上昇の結果である.

Ⅲ．グルカゴン

グルカゴン glucagon は膵ランゲルハンス島の A(α)細胞 **A(α) cell** から分泌されるペプチドホルモンである．グルカゴンは，アドレナリン，ノルアドレナリン，コルチゾール，成長ホルモン(いわゆる**インスリン拮抗ホルモン counterregulatory hormone**)と同様に，多くのインスリン作用と相反する作用を持っている(図 23.10)．最も重要なのは，グルカゴンが肝臓のグリコーゲン分解と糖新生を活性化して血糖値を維持する作用である．グルカゴンは 29 アミノ酸からなる 1 本のポリペプチドである．[注：インスリンとは異なり，グルカゴンのアミノ酸配列は，現在までに報告されている限りでは，すべての哺乳類で同じである.］グルカゴンも，インスリンの生合成と同様に，巨大な前駆体(プレプログルカゴン preproglucagon)から一連の選択的タンパク質切断反応を経て生成される(図23.3参照)．インスリンとは対照的に，プレプログルカゴンは組織ごとにプロセシングが異なっている．例えば，小腸L細胞ではGLP-1が生成される．インスリンと同様にグルカゴンの半減期は短い(訳注：小腸上皮細胞にはセクレチンを分泌するS細胞，GIPを分泌するK細胞など，独特な内分泌性細胞が見出されている)．

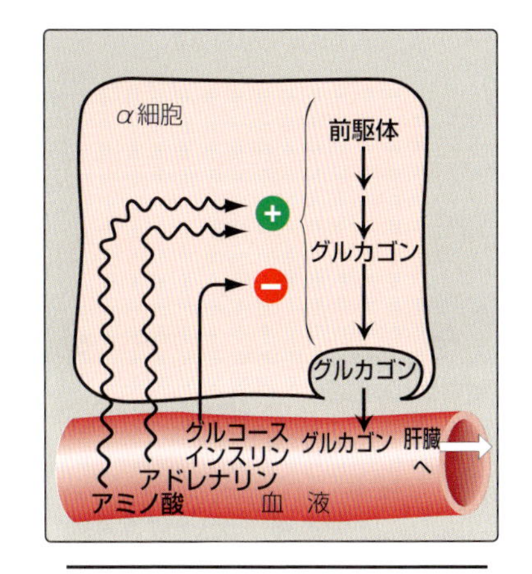

図 23.11
膵α細胞からのグルカゴン分泌の制御.［注：アミノ酸はインスリンとグルカゴンの分泌を促進するが，グルコースはインスリン分泌のみを促進し，グルカゴン分泌を抑制する.］

A. グルカゴン分泌の刺激

α細胞は，低血糖そのものか，あるいはそれを促すさまざまな刺激によってグルカゴンを分泌する(図23.11)．その代表例は以下である．

1．低血糖：血糖値(血漿グルコース濃度)の低下はグルカゴン分泌の主要な刺激である．一晩もしくは長期の空腹時には，グルカゴンが上昇して低血糖に陥らずにすむ(低血糖については下記Ⅳ. に詳説)．

2．アミノ酸：タンパク質を含む食事に由来するアミノ酸(代表例はアルギニン)はグルカゴンとインスリン両者の分泌刺激となる．グルカゴンは，タンパク質摂食によって分泌されるインスリンによる低血糖を防いでいる．

3．カテコールアミン：副腎髄質から分泌される血中アドレナリンの増加，膵臓を支配している交感神経系からのノルアドレナリンの増加，あるいはその両者はグルカゴン分泌を促進する．したがって，ストレス下では，カテコールアミンはその他の循環性因子以上にα細胞に働きかけることになる．このような状況では，血糖の濃度にかかわらず，将来のグルコース消費の増加を予想して，グルカゴン濃度が上昇する．一方，インスリン分泌は抑制される．

B. グルカゴン分泌の抑制

グルカゴン分泌は血糖値の上昇とインスリンによって有意に抑制される．血糖値とインスリンはグルコースや糖質豊富な食事の摂取によって増加する(図23.5参照)．グルカゴン分泌の制御を図23.11に要約した．

C. グルカゴンの代謝への影響

グルカゴンは異化ホルモンであり，血糖を維持する．その主要標的は肝臓である．グルカゴンは脂肪組織と筋肉組織で脂肪酸の動員と利用に影響する．

1．糖質代謝への影響：グルカゴンの静注はただちに血糖値上昇をもたらす．これは，肝臓の貯蔵グリコーゲンの分解と糖新生の上昇による．日中の食間の血糖は主として肝臓のグリコーゲン分解と糖新生によって維持される．睡眠を挟んで夜間は食間時間が長くなり，貯蔵グ

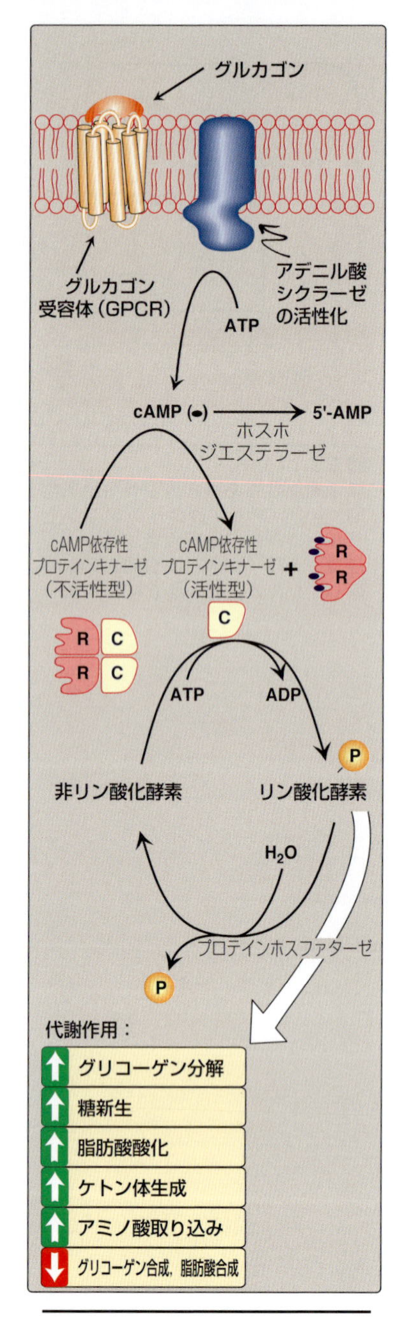

図 23.12
グルカゴン作用のメカニズム. [注:わかりやすくするためにGタンパク質によるアデニル酸シクラーゼの活性化過程を省略している.] R:制御サブユニット, C:触媒サブユニット, cAMP:サイクリックAMP, ADP:アデノシン二リン酸, (P):リン酸.

リコーゲンが低下するので, 夜間空腹が進行するに従って血糖の維持には糖新生の寄与が高まっていく. グルカゴンはPFK-1のアロステリック活性化因子フルクトース2,6-ビスリン酸を低下させて解糖を抑制する(p.159参照).

2. 脂質代謝への影響:グルカゴンの脂質代謝への主要な作用はACC(p.239参照)のAMPKによるリン酸化(阻害)に基づく脂肪酸合成の阻害である. ACC阻害によりマロニルCoAが低下すると, 長鎖脂肪酸をβ酸化のためにミトコンドリアマトリックスに輸送するのに必要なカルニチンパルミトイルトランスフェラーゼⅠ carnitine palmitoyltransferase-Ⅰの抑制が解除される. (p.247参照). グルカゴンは脂肪組織での脂肪分解にも関与している. しかし, ホルモン感受性リパーゼの代表的な活性化因子はカテコールアミンである(プロテインキナーゼA protein kinase A(PKA)によるリン酸化を介する). 脂肪細胞から遊離した脂肪酸は肝臓と骨格筋に取り込まれ, アセチルCoAへと酸化される. 肝臓はアセチルCoAからケトン体合成を行う. 骨格筋細胞はアセチルCoAをエネルギー産生に用いる. グルカゴンとカテコールアミンは心筋と骨格筋のリポタンパク質リパーゼを活性化し, 空腹時にVLDLからの脂肪酸取り込みが可能になる. グルカゴンは細胞内分画のGLUT-4を活性化することを考えれば, 骨格筋がエネルギー源として脂肪酸の利用を高めるのは合理的である.

3. タンパク質代謝への影響:グルカゴンは肝臓の筋肉由来アミノ酸の取り込みを促進し, 糖新生のための炭素骨格の材料を提供する. その結果, 血中アミノ酸濃度は低下する.

D. グルカゴンの作用メカニズム

グルカゴンは肝細胞表面膜の高親和性受容体(GPCR)に結合する. グルカゴン受容体はインスリン受容体あるいはアドレナリン受容体とは別個のものである. [注:骨格筋にはグルカゴン受容体はなく, アドレナリン受容体が存在する.] グルカゴンが結合すると細胞膜のアデニル酸シクラーゼが活性化される(図23.12, p.120参照). その結果cAMP(セカンドメッセンジャー)が上昇し, 次に, cAMP依存性プロテインキナーゼA cAMP-dependent protein kinase Aが活性化され, 特異的な酵素やその他のタンパク質のリン酸化が上昇する. この酵素活性が次々に増加していくカスケードの結果, 糖質や脂質代謝に関与する重要な酵素群のリン酸化依存性の制御(活性化あるいは不活性化)が行われる. グリコーゲン分解系のこのようなカスケードの例を, 図11.9に示した. [注:グルカゴンもインスリンと同様に遺伝子発現に影響を及ぼす. 例えば, グルカゴンはホスホエノールピルビン酸カルボキシキナーゼ phosphoenolpyruvate carboxykinaseの発現を誘導する(p.159参照).]

Ⅳ. 低　血　糖

低血糖 hypoglycemiaの特徴は以下である．(1)錯乱，異常行動，昏睡など中枢神経系(CNS)症状．(2)血糖値は 40 mg/dL以下(訳注：日本の低血糖症の定義は，50 mg/dL未満)．(3)グルコース投与によって数分以内に症状が改善する(図 23.13)．中枢神経系はそのエネルギー代謝を全面的に持続的に血中のグルコースに依存していることから，低血糖は臨床的に救急処置の対象である．一時的な低血糖により脳機能不全となり，それが長期化すれば脳障害を引き起こす．したがって，体内には低血糖を防いだり修正するために何重ものシステムがあることは当然ともいえよう．低血糖に対処するために最も重要なホルモンの変化は，グルカゴンとカテコールアミンの上昇，そして，インスリン分泌の抑制である．

A．低血糖の症状

低血糖の症状は 2 つのカテゴリーに分類することができる．第一のカテゴリーは**アドレナリン作動性(神経性，自律性)症状 adrenergic symptom**(不安，動悸，振戦，発汗など)であり，低血糖に応答して視床下部によって制御されるカテコールアミン(主としてアドレナリン)

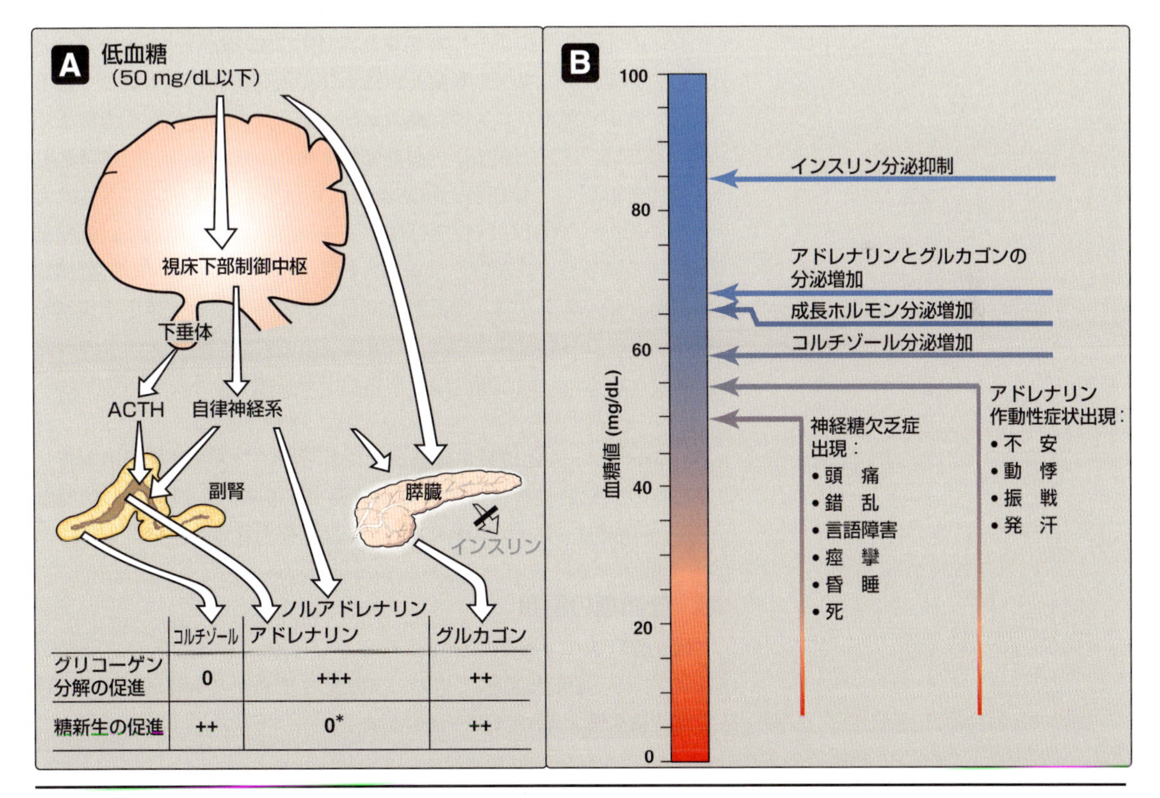

	コルチゾール	アドレナリン	グルカゴン
グリコーゲン分解の促進	0	+++	++
糖新生の促進	++	0*	++

図 23.13
A. 低血糖への代表的血糖値制御ホルモンの反応．B. さまざまな段階の血糖値に対応した反応．［注：正常空腹時血糖は 70〜99 mg/dLである．］ +：弱い刺激，++：中等度の刺激，+++：強い刺激，0：変化なし，ACTH：副腎皮質刺激ホルモン（訳注：*肝細胞はアドレナリン β 受容体を持ち（α 受容体も持つ），アドレナリンに応答して細胞内cAMP濃度が上昇するので，アドレナリンはグルカゴン分泌促進を介した間接作用以外に糖新生を直接促進する作用もあると考えられる）．

分泌が原因である．通常，アドレナリン作動性症状は，急激な血糖値の低下に伴って生じる．低血糖症状の第二のカテゴリーは**神経糖欠乏症 neuroglycopenia**である．神経糖欠乏症(脳へのグルコース供給不全)は，脳機能の障害であり，頭痛，錯乱，不明瞭発語，痙攣，昏睡，死などをもたらす．神経糖欠乏症は，一般的には，慢性的な血糖の低下(多くの場合 50 mg/dL以下に低下)により出現する．グルコースが緩慢に低下すると，中枢神経系のエネルギー源が枯渇しても，アドレナリン応答が適切に行われないことが原因である．

B. 血糖制御機構

ヒトには低血糖に応答する 2 種類のオーバーラップする血糖制御系が存在する．(1)グルカゴンを分泌する膵α細胞，(2)異常に低い血糖に応答する視床下部受容体，の 2 つである．視床下部グルコース受容体はカテコールアミン(交感神経系を介す)と，下垂体前葉からのACTHと成長ホルモン(GH)の分泌を刺激する(図 23.13 参照)．[注：ACTHは副腎皮質でのステロイドホルモンの産生と分泌を促進する(p.309 参照)．] グルカゴン，カテコールアミン，コルチゾール，成長ホルモンは，グルコース代謝に関してインスリンと相反する作用を持つことから，いわゆるインスリン拮抗ホルモンということになる．

1．グルカゴンとアドレナリン：低血糖はこれらのインスリン拮抗ホルモンの分泌増加によって対処される(図 23.13 参照)．グルカゴンとアドレナリンが，急性，短期間の血糖値の制御メカニズムとして最も重要である．グルカゴンは肝臓のグリコーゲン分解と糖新生を刺激する．アドレナリンはグリコーゲン分解と脂肪分解を促進し，インスリン分泌を抑制し，骨格筋と脂肪組織におけるインスリン依存性グルコース取り込み(GLUT-4)を抑制する．アドレナリンは通常は低血糖への対処に必須ではない．しかし，1 型(別名インスリン依存性)糖尿病末期など，グルカゴン分泌が低下している場合には，重要な役割を担うことになる(p.441 参照)．グルカゴンとアドレナリン両者の分泌が障害されると，低血糖の阻止や修正が不可能となる．

2．コルチゾールと成長ホルモン：これらのインスリン拮抗ホルモンは血糖の短期的維持にはそれほど重要ではない．しかし，長期的な(遺伝子調節による)グルコース代謝には重要な役割を担っている．

C. 低血糖の種類

低血糖は次の 4 種類に分けることができる．(1)インスリン誘発性低血糖，(2)食後低血糖(ときとして反応性低血糖とも呼ばれる)，(3)空腹時低血糖，(4)アルコール性低血糖．

1．インスリン誘発性低血糖：低血糖は，インスリン治療を受けている糖尿病患者，特にコントロール不調の場合にしばしば発生する．意識に問題がない中程度の低血糖は，糖質の経口投与で治療が可能である．しかし，意識を失った患者は，グルカゴンの皮下注もしくは筋注による投与が治療法として選択される(図 23.14)(訳注：皮下注や筋注は非医療従事者でも容易に行うことができる．静脈確保ができるならグルコースの直接投与が有効なのはいうまでもない).

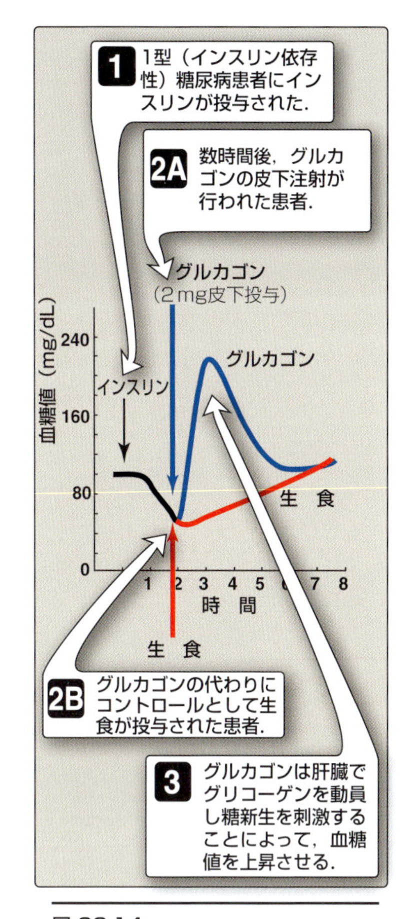

図 23.14
インスリンによる低血糖のグルカゴン皮下注射による治療(生食：生理的食塩水).

2．**食後低血糖**：これは 2 番目に頻度が高い低血糖症である．食後にインスリン分泌が過剰になることによって発症し，軽度のアドレナリン作動性(交感神経系)症状を伴った低血糖症状が一過性に出現する．血糖値は，自然に正常値に戻ることがほとんどである．治療法としては，通常の 1 日 3 食の食事ではなく，少量を何回かに分けて食するようにすることぐらいである．

3．**空腹時低血糖**：空腹時の低血糖は，まれであるが，重大な疾患を抱えている患者に出現することがある．空腹時低血糖は神経糖欠乏症を誘発する傾向があり，肝臓におけるグリコーゲン分解や糖新生の低下が原因のことがある．したがって，この種の低血糖は，肝細胞障害，副腎不全，空腹時にエタノール(アルコール)を大量飲用した患者に出現しやすい(下記 4. 参照)．あるいは，インスリンの過剰産生の結果として，末梢組織でのグルコース利用速度の上昇によって空腹時低血糖がもたらされることもある．まれな膵臓腫瘍の場合などである．空腹時低血糖の患者を治療せずに放置すると，意識を失い，痙攣や昏睡に陥ることがある．[注：脂肪酸酸化の欠損など先天性代謝異常によっても空腹時低血糖となる．]

4．**アルコール性低血糖**：アルコール(エタノール)は肝臓で 2 段階の酸化反応により代謝される(図 23.15)．エタノールはまずアルコールデヒドロゲナーゼ alcohol dehydrogenase (亜鉛酵素)によりアセトアルデヒドに変換される．アセトアルデヒドはその後にアルデヒドデヒドロゲナーゼ aldehyde dehydrogenase (ALDH)により酢酸へと酸化される．[注：この酵素を阻害する薬物**ジスルフィラム disulfiram** は，

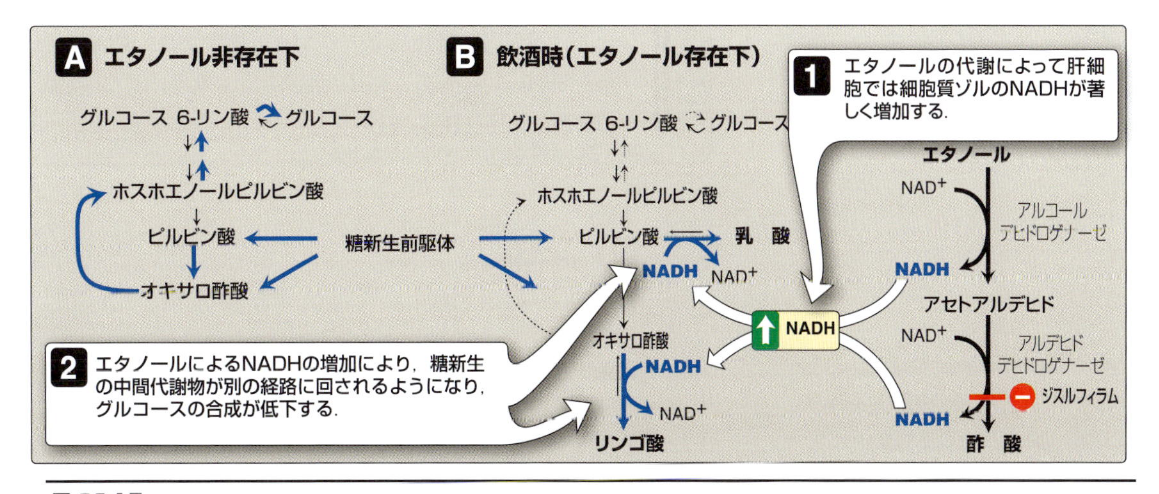

図 23.15
A. アルコール非存在下の正常糖新生．B. エタノールの肝臓での代謝による糖新生の阻害．NAD(H)：ニコチンアミドアデニンジヌクレオチド．

アルコール依存症の治療に用いられる．この薬物により，紅潮，頻脈，過呼吸，悪心など不快な症状の原因となるアセトアルデヒドが血中に蓄積する.］この各反応で電子がニコチンアミドアデニンジヌクレオチド(NAD$^+$)に渡されて，細胞質ゾルの還元型のNADH濃度が著しく上昇する．NADHが増加すると，ピルビン酸は乳酸に，オキサロ酢酸(OAA)はリンゴ酸に還元されるようになる．p.154を思い出してほしいが，ピルビン酸とOAAはグルコース新生経路の中間代謝物である．したがって，エタノールによるNADHの上昇は糖新生の前駆体を別の経路に振り向けることになり，グルコースの産生が低下する．その結果，特に肝臓のグリコーゲン貯蔵が不十分な場合には，低血糖が生じることになる.［注：OAAが不足すると，肝臓でアセチルCoAはケトン体に変換されるようになる(p.247参照)．その結果，アルコール性ケトーシスからケトアシドーシスとなる.］低血糖は，興奮，判断能力低下，攻撃性など，アルコール中毒で出現する多くの症状の原因となる．したがって，空腹状態あるいは長時間過度の運動を行っていたような場合など，すでに負荷がかかっているヒトのアルコール摂取は低血糖症を誘発し，アルコールの行動的作用の要因となる．インスリンを使用している患者では，アルコールによる低血糖症のリスクはさらに増加する．そのため強力なプロトコール(p.441参照)に基づいてインスリン療法を行っている患者の場合には，アルコールによる低血糖症は飲酒数時間後に出現することが多いことを教えておかなくてはならない．

長期間にわたる(慢性的)アルコール摂取は，TAGが増加し，VLDLの生成や分泌が不調となり，アルコール性脂肪肝となる．これはNAD$^+$/NADH比の低下により脂肪酸酸化が低下すること，脂肪酸とグリセルアルデヒド3-リン酸の増加により脂肪産生が亢進すること(異化の低下)の結果である(デヒドロゲナーゼ dehydrogenaseはNAD$^+$/NADH比の低下によって活性が低下する(p.130参照))．継続的なアルコール摂取では，アルコール性脂肪肝はまずアルコール性肝炎となり，そして，アルコール性肝硬変へと進行していく．

23 章の要約

- **エネルギー代謝**の統合は主として，**インスリン**とそれに拮抗する**グルカゴン**とカテコールアミン，特に**アドレナリン**によって制御されている(図 23.16)．これらのホルモンの血中濃度の変化により，体は，十分に摂食できるときにはエネルギーを貯蔵し，**生理的ストレス**(例えば，飢餓などの生存危機)に直面したときには，貯蔵したエネルギーを利用することができる．
- **インスリン**は**膵ランゲルハンス島**の**β細胞**から分泌されるペプチドホルモンである．インスリンはA鎖とB鎖がSS(ジスルフィド)結合により連結している．血糖の上昇がインスリン**分泌**を促進する最も重要なシグナルである．インスリン分泌は，ストレス，外傷，過度の運動に応答して分泌される**カテコールアミン**によって抑制される．
- インスリンは筋肉と脂肪組織のグルコース取り込み(GLUT-4 による)と，**グリコーゲン**，**タンパク質**，**トリアシルグリセロール**(TAG)の合成を上昇させる．インスリンは**同化**ホルモンである．これらの反応は，インスリン受容体(細胞膜**チロシンキナーゼ受容体**)へのインスリン結合によって開始される．受容体への結合により，**インスリン受容体基質タンパク質**(IRS)と呼ばれる一連のファミリータンパク質のリン酸化など，シグナル伝達の応答カスケードが開始される．
- **グルカゴン**は膵ランゲルハンス島の**α細胞**から分泌される単量体のペプチドホルモンである．インスリンもグルカゴンも不活性型の前駆体から切り出されて活性型ホルモンとなる．グルカゴンは，アドレナリン，ノルアドレナリン，コルチゾール，成長ホルモンとともに，インスリンの多くの作用に拮抗する(いわゆる**インスリン拮抗ホルモン**)．
- グルカゴンは低血糖要因下で血糖の維持を行う．グルカゴンは，**グリコーゲン分解**，**糖新生**，**脂肪酸酸化**，**ケトン新生**，**アミノ酸取り込み**を促進する．グルカゴンは**異化**ホルモンである．グルカゴン分泌は，低血糖，アミノ酸，カテコールアミンによって刺激される．また，高血糖とインスリンによって抑制される．
- グルカゴンは肝細胞の**グルカゴン受容体**(GPCR)に結合する．結合すると，**アデニル酸シクラーゼ**が活性化され，cAMPが産生される．その後，**cAMP依存性プロテインキナーゼA**(PKA)が活性化され，糖質と脂質代謝に関与する重要な酵素が**リン酸化**によって，活性化されたり不活性化されたりする制御が行われる．インスリンもグルカゴンも**遺伝子転写**に影響を及ぼす．
- **低血糖**の特徴的症状は**アドレナリン作動性症状**と**神経糖欠乏症**であり，これらはグルコースの投与により速やかに改善する．インスリンによる食後あるいは空腹時低血糖によりグルカゴンやカテコールアミンの分泌が促進される．**飲酒**(エタノール摂取)によって**還元型NADH**が増加すると，糖新生が抑制され，グリコーゲン貯蔵が不十分な場合には低血糖となる．アルコール摂取はインスリン療法を受けている患者でも低血糖症のリスクを高める．長期のアルコール摂取は**脂肪性肝疾患**の原因となる．

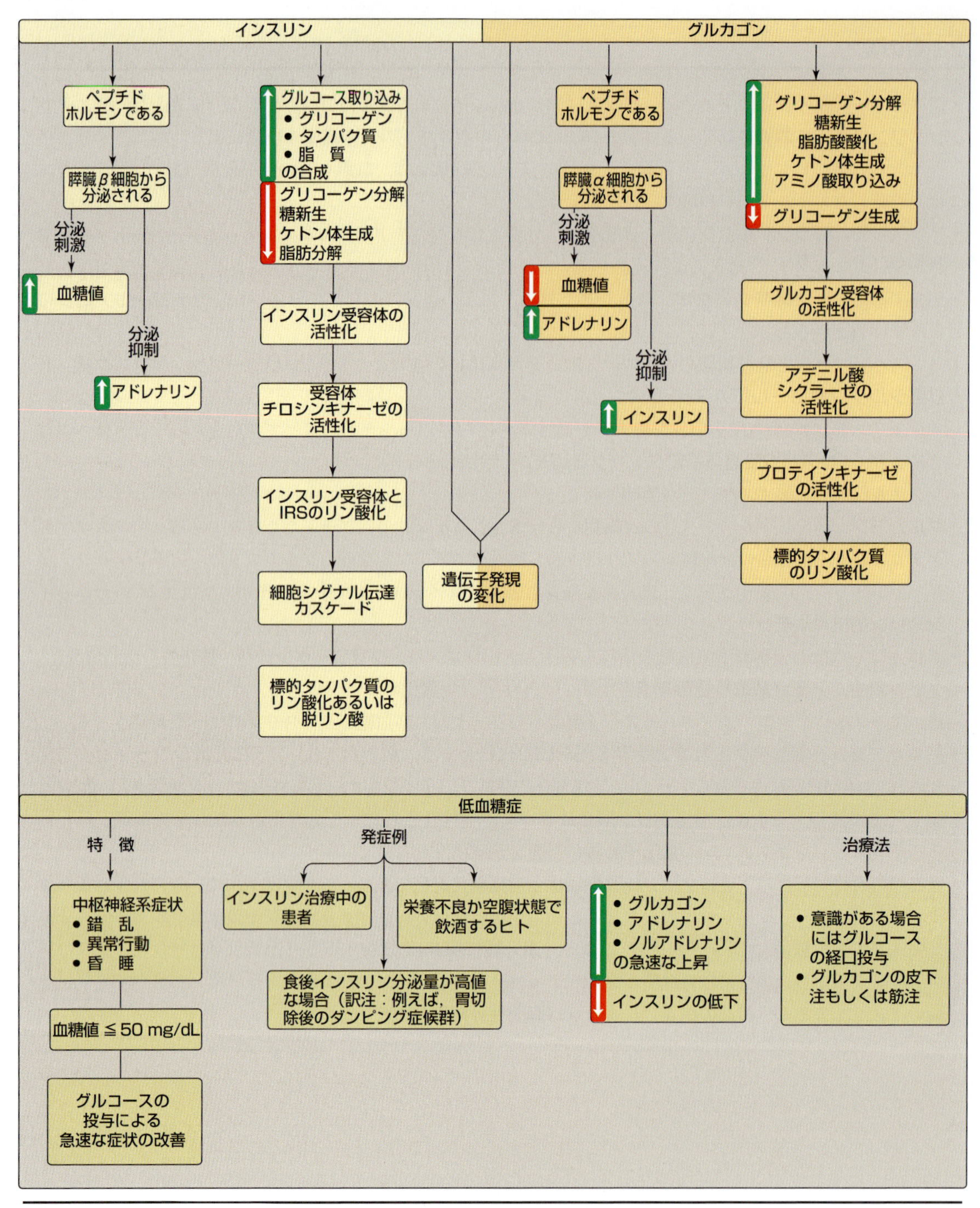

図 23.16
インスリン，グルカゴン，低血糖の概念図．IRS：インスリン受容体基質．

学習問題

最適な答えを1つ選びなさい.

23.1 グルカゴンには当てはまらず，インスリンのみに当てはまるのはどれか.

A. 膵臓から分泌されるペプチドホルモンである.
B. 肝細胞の細胞表面膜の受容体に結合して作用する.
C. 遺伝子発現の制御も行う.
D. カテコールアミンによって分泌が抑制される.
E. 不活性の前駆体から切り出されて活性型ホルモンとなる.

正解 D. 膵臓β細胞からのインスリン分泌はカテコールアミンによって抑制される．グルカゴンのα細胞からの分泌は促進される．その他の記述はインスリンにもグルカゴンにも当てはまる.

23.2 グルコースの細胞内への輸送がインスリン依存性なのはどれか.

A. 脂肪組織
B. 脳
C. 肝臓
D. 赤血球
E. 膵臓

正解 A. 脂肪組織(および筋肉)のグルコース輸送体GLUT-4はインスリン依存性がある．インスリンによって細胞内小胞のGLUT-4は細胞表面膜へ移送される．他の組織のGLUTは常に細胞表面膜に存在するためにインスリン非依存性である.

23.3 39歳の女性が脱力と傾眠傾向を訴えて救急に運ばれてきた．彼女は，仕事のために早起きをして朝食を抜いたと話した．昼飯はコーヒー1杯のみで何も食べていないという．午後8時に友人と会って酒を数杯飲んだ．そして，その後しばらくして意識がはっきりしなくなり倒れて，病院に連れてこられた．血液検査の結果，血糖は45 mg/dL(基準値70～99 mg/dL)であった．オレンジジュースの摂取によりただちに症状は改善した．彼女のアルコール誘発性低血糖の生化学的機序として，増加していたのはどれか.

A. 脂肪酸酸化
B. NADH
C. オキサロ酢酸とピルビン酸
D. 脂肪酸合成におけるアセチルCoAの消費
E. グリコーゲン合成

正解 B. デヒドロゲナーゼによるエタノールの酢酸への酸化の結果，NAD^+はNADHに還元される．NADHが増加すると，ピルビン酸は乳酸へ，オキサロ酢酸(OAA)はリンゴ酸への代謝に傾く．そのため糖新生の基質が不足して低血糖となる．また，脂肪酸酸化に必要なNAD^+も不足することになる．OAAの低下により，アセチルCoAはケトン産生に回される．脂肪酸酸化が低下すると，脂肪酸はTAGに再エステル化され，脂肪肝となる．グリコーゲンは低血糖の状態では合成されない.

23.4 インスリノーマは，典型的には膵臓β細胞に由来するまれな神経内分泌性腫瘍である．インスリノーマの患者について正しいのはどれか.

A. 体重減少
B. 血中Cペプチドの低下
C. 血糖の低下
D. 血中インスリンの低下
E. GLUT-4活性の低下

正解 C. インスリノーマは持続的にインスリンを分泌する(Cペプチドも産生される)．インスリンが増加すると，インスリン依存性グルコース輸送体を持つ筋肉や脂肪組織によるグルコースの取り込みが増加して，低血糖となる．しかし，インスリノーマのインスリン分泌は低血糖によって抑制されない．その結果，インスリノーマの患者では，血中インスリン増加と低血糖が生じる．インスリンは同化ホルモンであり，体重増加をもたらす.

23.5　インスリノーマよりもさらにまれなグルカゴン分泌腫瘍(膵臓α細胞由来)の患者とインスリノーマ患者との違いを論ぜよ.

正解　膵臓のグルカゴン分泌腫瘍(グルカゴノーマ)では，低血糖ではなく高血糖となる．グルカゴンが持続的に分泌されると，タンパク質分解産物のアミノ酸を基質として持続的に糖新生が行われる．その結果，体重は減少する．

摂食/空腹サイクル　24

Ⅰ．吸収相の概要

消化吸収相は通常は食後2～4時間である．この期間に，血中のグルコース，アミノ酸，トリアシルグリセロール(TAG，主として腸管粘膜細胞で合成/分泌されるキロミクロンの構成要素となる)が一過性に上昇する(p.297参照)．膵ランゲルハンス島は胃小腸から分泌されるインクレチン(p.402参照)とグルコースの上昇に反応して，インスリンの分泌を上昇させ，グルカゴンの分泌を低下させる．インスリン/グルカゴン比と循環中の基質の上昇により，吸収相からエネルギー源を再貯蔵するためのTAGやグリコーゲンの合成/貯蔵上昇と，タンパク質の合成上昇で特徴づけられる同化相となる．この吸収相ではほとんどすべての組織はエネルギー源としてグルコースを用いる．これらの体の代謝応答は肝臓，脂肪組織，骨格筋，脳の代謝変化によって決定づけられている．本章では，代表的な代謝産物の組織間の相互関係を明示した"組織マップ"を示す．包括的および臨床的に有用な代謝の全体像を確立することが目標である．

Ⅱ．制御機構

代謝経路の中間代謝物の流れは4つのメカニズムによって制御されている．(1)基質の入手可能性(血中濃度)，(2)酵素のアロステリック制御，(3)酵素のリン酸化などの共有結合修飾による制御，(4)酵素タンパク質合成の上昇あるいは低下(基本的には転写の制御による)．この制御系は必要以上に重複しているように一見思えるが，各メカニズムは作動時間が異なっている(図24.1)．そして，そのおかげで体はさまざまな生理的状況の変化に適応することができる．吸収相では，これらの制御メカニズムによって，取得した栄養素をグリコーゲン，TAG，タンパク質として確保することができる．

A．基質の確保

吸収相では，ほとんどの細胞でグルコースが主なエネルギー産生基質となる．グルコース輸送体 glucose transporter(GLUT)により細胞内にグルコースが取り込まれ，ヘキソキナーゼ hexokinaseによるリ

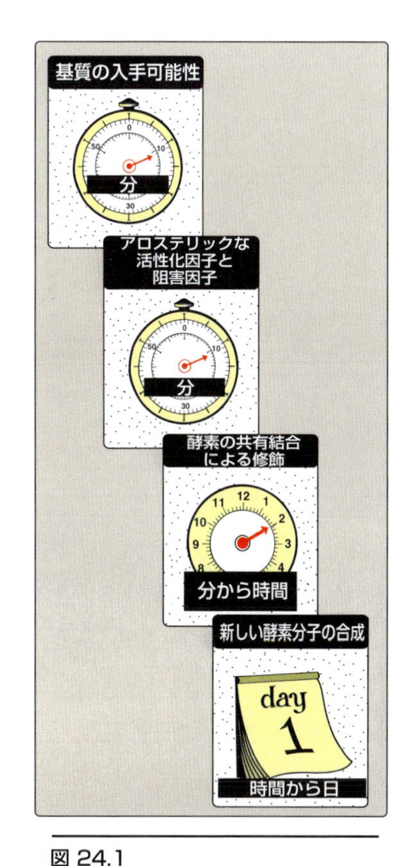

図 24.1
代謝の制御メカニズムと典型的な応答時間．[注：応答時間は刺激の種類と組織によって異なっている.]

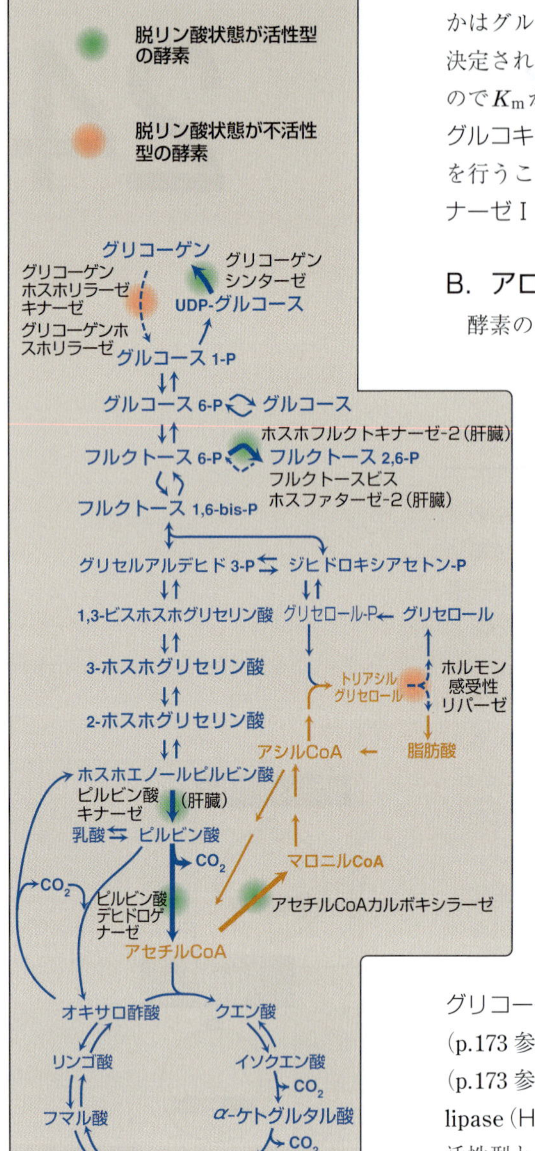

図 24.2
酵素のリン酸化によって制御される重要な中間代謝反応．青色：糖質代謝の中間代謝物，茶色：脂質代謝の中間代謝物．P：リン酸，CoA：補酵素 A.

ン酸化からグルコース利用を開始する．どのサブタイプが使用されるかはグルコース濃度と各酵素の相対的K_m（ミカエリス定数）によって決定される．吸収相でグルコース濃度が高いときは，基質濃度が高いのでK_mが大きい（親和性が低い）肝臓型アイソフォームのGLUT-2とグルコキナーゼ glucokinase（ヘキソキナーゼⅣ hexokinase Ⅳ）も代謝を行うことができる（骨格筋型アイソフォームのGLUT-4とヘキソキナーゼⅠ hexokinase ⅠはK_mが小さい）.

B. アロステリック調節因子

酵素のアロステリック制御は主として律速段階の反応に関与している．例えば，肝臓の解糖系は，摂食後にはホスホフルクトキナーゼ-1 phosphofructokinase-1（PFK-1，p.128参照）のアロステリックな活性化因子であるフルクトース 2,6-ビスリン酸の上昇によって促進される．一方，糖新生はフルクトース-1,6-ビスホスファターゼ fructose 1,6-bisphosphatase のアロステリック阻害因子であるフルクトース 2,6-ビスリン酸によって低下する（p.157参照）.

C. 共有結合修飾による酵素の制御

多くの酵素は特異的なセリン，トレオニン，チロシン残基のリン酸化（cAMP依存性プロテインキナーゼ cAMP-dependent protein kinase AやAMP依存性プロテインキナーゼ AMP activated protein kinase A（AMPK）などキナーゼ kinaseによる）あるいは脱リン酸（ホスファターゼ phosphataseによる）によって活性が制御されている．吸収相では，これらのリン酸化制御酵素のほとんどは脱リン酸状態であり活性型となっている（図24.2）．3つの例外が，グリコーゲンホスホリラーゼキナーゼ glycogen phosphorylase kinase（p.173参照），グリコーゲンホスホリラーゼ glycogen phosphorylase（p.173参照），脂肪組織のホルモン感受性リパーゼ hormone-sensitive lipase（HSL，p.246参照）であり，これらの酵素は脱リン酸状態で不活性型となる．[注：肝臓のホスホフルクトキナーゼ-2 phosphofructokinase-2（PFK-2）は二機能性であり，キナーゼドメインとホスファターゼドメインがある．脱リン酸化状態ではキナーゼドメインが活性化され，アロステリック活性化因子であるフルクトース 2,6-ビスリン酸（p.128参照）の産生が増加する．脱リン酸状態ではホスファターゼドメイン（フルクトース-2,6-ビスホスファターゼ fructose 2,6-bisphosphatase）は不活性化状態となっている．]

D. 酵素タンパク質合成の誘導と抑制

タンパク質合成の上昇（誘導）あるいは低下（抑制）によって，現存する酵素の活性には影響しないものの，活性部位の全体数が変化することになる．合成制御の対象となる酵素は，発生のある1段階のみ，あるいは，限定的な生理条件のみに必要なものが多い．例えば，摂食時では，インスリン濃度の上昇により，同化性代謝の鍵酵素（アセチル

CoAカルボキシラーゼ acetyl CoA carboxylase（ACC）や脂肪酸シンターゼ fatty acid synthaseなど，p.414参照）の合成が上昇する．飢餓時には，グルカゴンにより糖新生のホスホエノールピルビン酸カルボキシキナーゼ phosphoenolpyruvate carboxykinase（PEPCK）の発現が誘導される（p.431参照）．［注：インスリンもグルカゴンも遺伝子転写に制限する．］

Ⅲ．摂食時の肝臓：栄養配給センター

肝臓は，腸管や膵臓からの静脈系が体循環に入る前に肝臓の門脈系を経由することから，食事栄養素の処理と分配に特異な位置を占めている．したがって，摂食後，肝臓には，吸収された栄養素と膵臓から分泌された高濃度のインスリンを含んだ血液が充満することになる．吸収相では，肝臓は糖質，脂質，そしてほとんどのアミノ酸を取り込む．これらの栄養素は，そこで代謝され，貯蔵され，あるいは他の組織へ送られる．したがって，肝臓は末梢組織が利用できる栄養素の量が大きく変動するのを防いでいるともいえる．

A．糖質代謝

肝臓は，通常はグルコース消費器官ではなくグルコース産生器官である．しかし，糖質を含む食事後は，グルコースを正味で消費するようになり，門脈系の約60％のグルコースを取り込んでしまう．この消費の増加は肝細胞のグルコース取り込みの増加の結果である．インスリン非依存性グルコース輸送体（GLUT-2）のグルコース親和性は低く（K_mが大），血糖が上昇していないとグルコースを取り込むことができない（p.126参照）．肝臓のグルコース代謝が増大する機序は以下である．

1．グルコースのリン酸化の上昇：細胞外のグルコース濃度が上昇すると，肝細胞内のグルコース濃度も上昇し，グルコキナーゼによってグルコースがリン酸化されグルコース6-リン酸になる反応が促進される（図24.3）．［注：グルコキナーゼのグルコースに対するK_mは大きいこと，酵素反応生成物による直接阻害を受けないこと，シグモイド反応曲線に従うことを思い出そう，p.126参照．］

2．グリコーゲン合成の上昇：グルコース6-リン酸のグリコーゲンへの変換は，グリコーゲンシンターゼ glycogen synthaseの活性化（脱リン酸と活性化（陽性）アロステリック調節因子であるグルコース6-リン酸の上昇による）によって促進される（図24.3）．

3．ペントースリン酸経路（PPP）の活性上昇：吸収相でグルコース6-リン酸が豊富になり，さらに，肝臓の脂肪合成でニコチンアミドアデニンジヌクレオチドリン酸（NADPH）を盛んに消費することから，PPPが活性化される（p.194参照）．この経路は典型的な場合には肝臓のグルコース代謝の5～10％を占める（図24.3）．

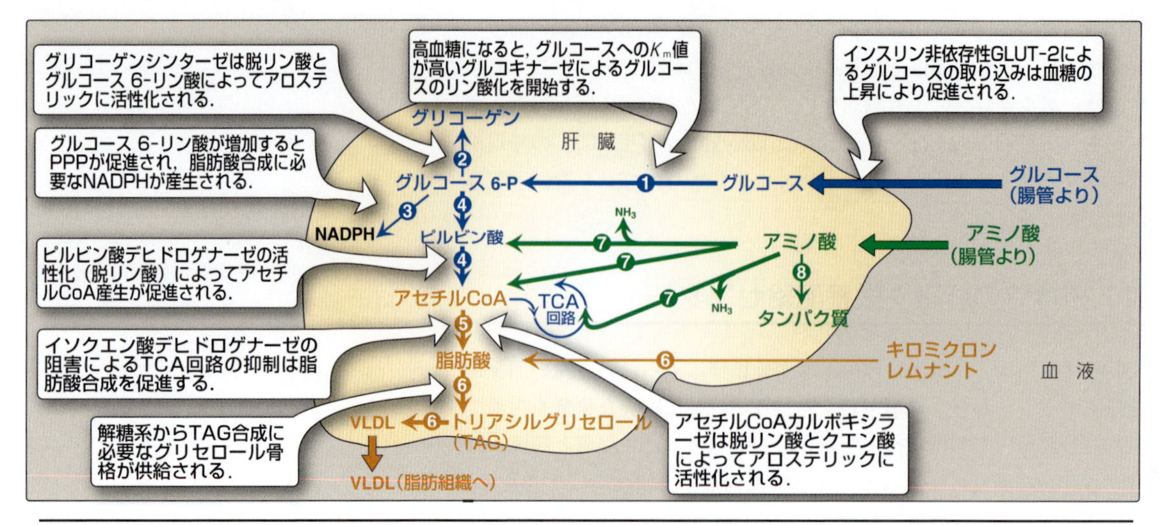

図 24.3
吸収相の肝臓の主要な代謝経路. [注：アセチルCoAはコレステロール合成にも用いられる.] 図と本文の丸数字は糖質, 脂質, タンパク質代謝の重要な経路を示している.
青色：糖質の中間代謝物, 茶色：脂質の中間代謝物, 緑色：タンパク質の中間代謝物. P：リン酸, PPP：ペントースリン酸経路, TCA：トリカルボン酸, CoA：補酵素A, VLDL：超低密度リポタンパク質, GLUT：グルコース輸送体, NADPH：ニコチンアミドアデニンジヌクレオチドリン酸.

4. **解糖の上昇**：肝臓では, グルコースの解糖的代謝は糖質豊富な食事後の吸収相のみで意味を持つことになる. インスリン/グルカゴン比の増加により, グルコキナーゼ, PFK-1, ピルビン酸キナーゼ pyruvate kinase（PK, p.134 参照）など解糖系の制御系酵素の活性と量が増加して, グルコースのピルビン酸への代謝が増加する. さらに, PFK-1 は, 二機能性酵素PFK-2 の活性化（脱リン酸）されたキナーゼドメインによって生成されるフルクトース 2,6-ビスリン酸によって, アロステリックに活性化される. PKは脱リン酸されており活性化されている. ピルビン酸デヒドロゲナーゼ pyruvate dehydrogenase（PDH）は, ピルビン酸からアセチルCoAを産生するが, ピルビン酸はPDHキナーゼ PDH kinaseを阻害するために, 脱リン酸状態となり, 活性化されている（図 24.3）. アセチルCoAは脂肪酸合成の分子骨格の合成に用いられたり, トリカルボン酸（TCA）回路で酸化されてエネルギーを供給する（グルコース 6-リン酸の中心的役割については図 24.4 を参照のこと）.

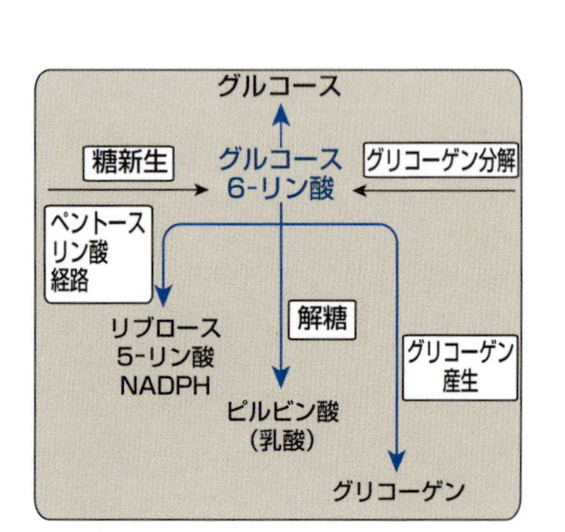

図 24.4
代謝におけるグルコース 6-リン酸の中心的役割. [注：肝臓にはグルコース-6-ホスファターゼが存在するために, グリコーゲン分解や糖新生により産生されたグルコース 6-リン酸を脱リン酸してリン酸化されていないグルコースが産生される.] NADPH：ニコチンアミドアデニンジヌクレオチドリン酸, P：リン酸.

5. **糖新生の低下**：吸収相では, 肝臓の解糖とグリコーゲン新生（グルコースを貯蔵する経路）は促進され, 糖新生とグリコーゲン分解（グルコースを供給する過程）は低下する. 糖新生の第 1 段階を触媒するピルビン酸カルボキシラーゼ pyruvate carboxylase（PC）は, アセチルCoA（この酵素活性に必須のアロステリック制御因子）が低濃度のためにほとんど非活性である（p.155 参照）. [注：アセチルCoAは脂肪酸合成に用いられる.] 吸収相ではインスリン/グルカゴン比が高いために, アロステリック抑制因子フルクトース 2,6-ビスリン酸によりフルクトース-1,6-ビスホスファターゼなど糖新生の他の酵素群も抑制される（p.129, 図 8.17 参照）. グリコーゲン分解はグリコーゲンホスホリラーゼとホスホリラーゼキナーゼ phosphorylase kinaseの脱リン酸によって阻害される.［注：吸収相では血中からのグルコースの取り込み上昇と肝臓グルコース新生の低下により，過度の高血糖が防がれている.］

B．脂肪代謝

1．脂肪酸合成の上昇：肝臓は脂肪酸新生の主要な組織である（図24.3）．細胞質ゾルでの脂肪酸合成は，基質となるアセチルCoA（グルコースやアミノ酸の代謝産物）とNADPH（グルコースの代謝過程（PPP）で産生）が豊富となり，脱リン酸とアロステリック活性化因子クエン酸によってACCが活性化される吸収相で盛んになる.［注：AMPKが不活化されているので，脱リン酸が優位となる.］ACCはアセチルCoAからマロニルCoAを産生する脂肪酸合成の律速段階を担う（p.239参照）.［注：マロニルCoAは脂肪酸酸化のカルニチンパルミトイルトランスフェラーゼ-Ⅰ carnitine palmitoyltransferase-Ⅰ（CPT-Ⅰ）を阻害する（p.248参照）．したがって，クエン酸は直接的に脂肪酸合成を促進し，間接的に脂肪酸分解を阻害する.］

a．**細胞質ゾルアセチルCoAの供給源**：好気的解糖から得られるピルビン酸はミトコンドリアに移行し，PDHによって脱カルボキシ化されアセチルCoAとなる．アセチルCoA はTCA回路のクエン酸シンターゼ citrate synthaseによって，オキサロ酢酸（OAA）と結合してクエン酸となる．TCA回路が活発になるとATP濃度が上昇する．ATPはイソクエン酸デヒドロゲナーゼ isocitrate dehydrogenaseを阻害するのでクエン酸が蓄積する．クエン酸はミトコンドリアから細胞質に移行し，クエン酸はATP-クエン酸リアーゼ ATP citrate lyase（インスリンによって誘導される）によってACCの基質であるアセチルCoAとOAAになる.

b．**NADPHの第二の供給源**：OAAは還元されてリンゴ酸となり，リンゴ酸酵素によって酸化的に脱カルボキシ化されNADPHが産生される（図16.11参照）.

2．TAG合成の上昇：脂肪アシルCoAが新生と肝細胞が血液から回収したキロミクロンレムナントのTAGの加水分解（p.232参照）の両方から得られるために，TAG合成が促進される．TAG合成の分子骨格となるグリセロール3-リン酸は，解糖系から供給される（p.245参照）．肝臓で肝由来TAGは超低密度リポタンパク質（VLDL）にパッケージされ，血中に分泌されて肝臓以外の組織，特に脂肪組織と骨格筋が利用する（図24.3）.

C．アミノ酸代謝

1．アミノ酸分解の上昇：吸収相では，肝臓がタンパク質やその他の窒素含有分子の合成に用いることができる以上に豊富にアミノ酸が存在する．余分なアミノ酸は貯蔵されずに，他の組織でのタンパク質合成に用いられるように血中に分泌されるか，脱アミノされて，炭素骨格は肝臓でピルビン酸，アセチルCoA，あるいはTCA回路中間代謝

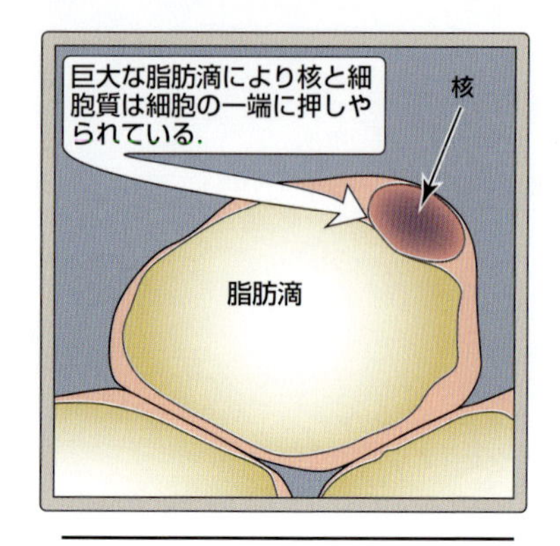

図 24.5
脂肪細胞の疑似カラー化電子顕微鏡写真.

物へと分解される．これらの代謝物はエネルギー産生のために酸化されるか，脂肪酸合成に用いられる（図 24.3）．肝臓のロイシン，イソロイシン，バリンなど分枝鎖アミノ酸 branched-chain amino acid（BCAA）の分解能は限定的である．それらは肝臓を基本的には未代謝のまま素通りして，骨格筋で代謝される（p.345 参照）．

2．タンパク質合成の上昇：体はグリコーゲンやTAGを貯蔵するようにタンパク質をエネルギー源として蓄えることはできない．しかし，吸収相では肝臓でのタンパク質合成が一過性に上昇し，以前の空腹時に分解されたタンパク質の補充が行われる（図 24.3）．

Ⅳ．脂肪組織：エネルギー貯蔵倉庫

脂肪組織は，エネルギー（燃料）分子の配給に関して，肝臓に次いで2番目の地位を占めている．70 kgの男性では，白色脂肪組織は約 14 kg，体全体の骨格筋の約半分である．白色脂肪組織の脂肪細胞のほとんどの容積は無水でカロリー密度の高いTAGの脂肪滴が占めている（図 24.5）．

A．糖質代謝

1．グルコース取り込みの上昇：脂肪細胞のGLUT-4 によるグルコース取り込みは，血中インスリン濃度に感受性が高い．血中インスリン濃度が吸収相に上昇すると，インスリン感受性GLUT-4 は細胞内小胞から細胞表面にリクルートされ，脂肪細胞にグルコースが流入する（図 24.6）．グルコースはヘキソキナーゼによりリン酸化される．

2．解糖の上昇：細胞内のグルコースが上昇するために解糖が上昇する（図 24.6）．脂肪組織では，解糖はTAG合成に必要なグリセロール 3-リン酸を供給することから合成的機能を担っている（p.238 参照）．［注：脂肪組織にはグリセロールキナーゼ glycerol kinaseがない.］

3．ペントースリン酸経路(PPP)の上昇：脂肪組織はPPPでグルコースを代謝することができ，脂肪酸合成に必須なNADPHを産生する（図 24.6 参照）．しかし，ヒトでは空腹後に摂食する場合を除いて，この脂肪酸新生は脂肪組織の脂肪酸の主要な供給源ではない．

B．脂肪代謝

脂肪摂食後に脂肪細胞の貯蔵TAGとなる脂肪酸のほとんどは，小腸からキロミクロンとして輸送される外来性（食事性）TAGと肝臓からVLDLとして輸送される内在性TAGの分解に由来する（図 24.6）．リポタンパク質からの脂肪酸遊離はリポタンパク質リパーゼ lipoprotein lipase（LPL）によって行われる．LPLは細胞外酵素であり，多くの組織（特に脂肪組織と筋肉）の毛細血管壁内皮細胞に結合している（p.297 参照）．脂肪組織では，LPLはインスリンによってアップレギュレートされる．そのため，摂食時には，血中グルコースとインス

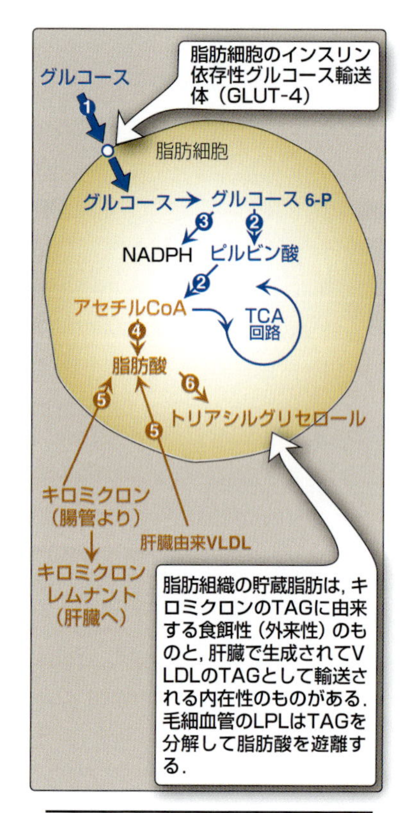

図 24.6
吸収相における脂肪組織の主要な代謝経路．［注：図と本文のそれぞれ対応した丸数字は脂肪組織の重要な代謝経路を示している．］GLUT：グルコース輸送体，P：リン酸，PPP：ペントースリン酸経路，CoA：補酵素A，TAG：トリアシルグリセロール，VLDL：超低密度リポタンパク質，LPL：リポタンパク質リパーゼ．

リンが上昇するのでTAGは貯蔵されるようになる(図24.6). TAGのグリセロールの炭素はすべてグルコースに由来する. [注: インスリンが増加するとホルモン感受性リパーゼ(p.246参照)は脱リン酸(不活性化)され, 摂食時の貯蔵TAG分解は抑制される.]

V. 静止期骨格筋

骨格筋は健常者では体重の約40%を占めている. エネルギー源として, グルコース, アミノ酸, 脂肪酸, ケトン体を用いることができる. 摂食時には, 骨格筋はアミノ酸(エネルギーとタンパク質産生)とGLUT-4を介してグルコース(エネルギーとグリコーゲン産生)を取り込む. 肝臓とは対照的に, 骨格筋ではPFK-2のリン酸化制御は行わない. しかし, 心筋のPFK-2のキナーゼドメインはアドレナリン依存性にリン酸化されて活性化される(p.128参照).

骨格筋のエネルギー代謝は独特であり, 膨大なATPを必要とする収縮に対応できるようになっている. 静止期の骨格筋の酸素消費量は体全体の25%程度であるが, 激しい運動時にはそれは90%にも達する. 骨格筋は, 嫌気的解糖を主に行うことはあるにしても, 基本的には酸化的組織であることが明らかであろう.

A. 糖質代謝

1. グルコース輸送の上昇: 糖質豊富な食事のあとの血中グルコースとインスリンの一過性の上昇により, GLUT-4による筋細胞 myocyteへのグルコース輸送が上昇する(図24.7). その結果, 血糖は低下する. グルコースはヘキソキナーゼによってリン酸化されグルコース6-リン酸となり, 筋細胞に必要なエネルギーを得るために代謝される.

2. グリコーゲン合成の上昇: インスリン/グルカゴン比の上昇と, グルコース6-リン酸が豊富になるので, グリコーゲン合成が上昇する. 特に, 貯蔵グリコーゲンが運動後のために枯渇していた場合にはグリコーゲン合成が著しい(図24.7).

B. 脂肪代謝

脂肪酸はLPLによりキロミクロンとVLDLから遊離される(p.297, p.299参照). しかし, 摂食時には静止期骨格筋の第一のエネルギー源はグルコースであり, 脂肪酸はエネルギー源としては二次的な意義しかない. そのため, 骨格筋は吸収相では基底レベルのLPLを常時分泌している. [注: 心筋は骨格筋よりも高い基底レベルのLPLを常時分泌している. 心筋は吸収相でも50～60%のエネルギーを脂肪酸から得ている. 空腹時には90%に達する.]

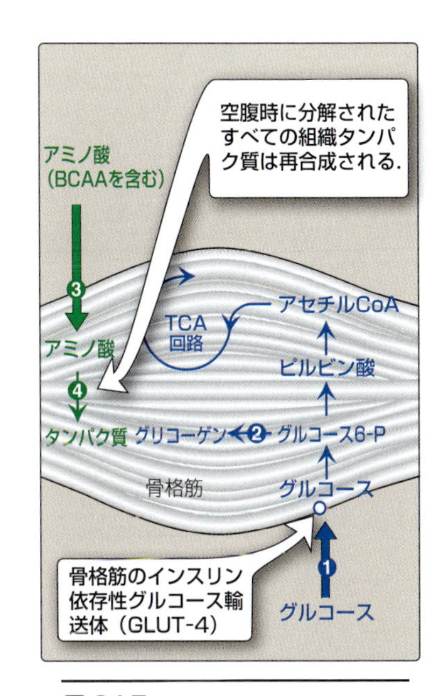

図24.7
吸収相での骨格筋の主要な代謝経路. [注: 図と本文のそれぞれ対応した丸数字は, 糖質とタンパク質の重要な代謝経路を示している.] CoA: 補酵素A, P: リン酸, GLUT: グルコース輸送体, BCAA: 分枝鎖アミノ酸.

C. アミノ酸代謝

1. タンパク質代謝の上昇：アミノ酸取り込みとタンパク質合成の急激な上昇がタンパク質を含む摂食後の吸収相で生じる（図 24.7）．この合成により摂食前の空腹時に分解されたタンパク質が補充される．

2. 分枝鎖アミノ酸取り込みの上昇：骨格筋は必要なトランスアミナーゼを持っており，分枝鎖アミノ酸（BCAA）の主な分解組織である（p.346 参照）．分枝鎖アミノ酸とは，ロイシン leucine，イソロイシン isoleucine，バリン valine であり，食事性 BCAA は肝臓で代謝されることなく，骨格筋で取り込まれて，タンパク質合成やエネルギー源として利用される（図 24.7）（訳注：この BCAA（必須アミノ酸）が筋肉のエネルギー源となることを強調して（筋力増強作用），これらを含む栄養ドリンクがマラソン用などとして販売されている）．

Ⅵ. 脳

脳は，成人体重の 2% しか占めないものの，安静時の体全体の基礎酸素消費量の 20% を占めている．脳はエネルギーを一定の率で消費する．脳は体のすべての組織の適切な機能に必須であることから，そのエネルギー必要性にも特権が与えられている．エネルギーを脳に供給するためには，基質は脳の血管を裏打ちしている内皮細胞（血液脳関門 blood-brain barrier，BBB）を通過しなければならない．摂食時には，脳はグルコースだけをエネルギー源として使用し（BBB の GLUT-1 はインスリン非依存性である，K_m は低く 1 ～ 2 mM），1 日あたり 140 g 程度のグルコースを完全に水と二酸化炭素に酸化する．脳には有意な貯蔵グリコーゲンは存在しないので，血中から得られるグルコースに完全に依存している（図 24.8）．［注：血糖値が 50 mg/dL 以下に低下すると（正常空腹時血糖値は 70 ～ 99 mg/dL），脳機能には障害が生じる（図 23.13，p.409 参照）．］脳には有意な貯蔵 TAG はなく，血中の脂肪酸はほとんどエネルギー産生に寄与していない（訳注：理由不明）．吸収相における特徴的な組織間の授受については図 24.9 に要約した．

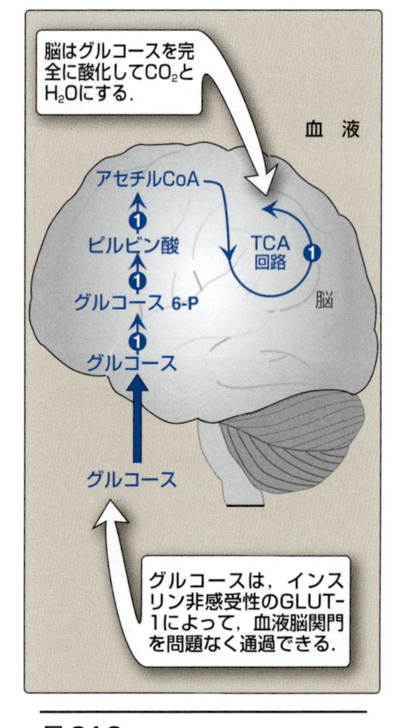

図 24.8
吸収相での脳の主要な代謝経路．［注：図と本文のそれぞれ対応した丸数字は糖質の重要な代謝経路を示している．］CoA：補酵素A，P：リン酸，GLUT：グルコース輸送体．

Ⅶ. 空腹時の概要

空腹とは吸収相が終了した後から摂食を開始するまでを指し，食料を得ることが不可能な場合，急速な減量を望む場合，あるいは，外傷，手術，悪性腫瘍，熱傷，その他によって摂食ができない患者などに生じる．摂食できない場合，血中のグルコース，アミノ酸，TAG は低下し，インスリン分泌は抑制され，グルカゴンおよびアドレナリンの分泌が増加する．インスリン/インスリン拮抗ホルモン比と血液中の基質の低下により，空腹時は，TAG，グリコーゲン，タンパク質の分解によって特徴づけられる**異化相 catabolic period** ということになる．そのため，肝臓，脂肪組織，骨格筋，脳の間の基質の授受は 2 つの原則に従って実行されることになる．（1）脳や赤血球など血中グ

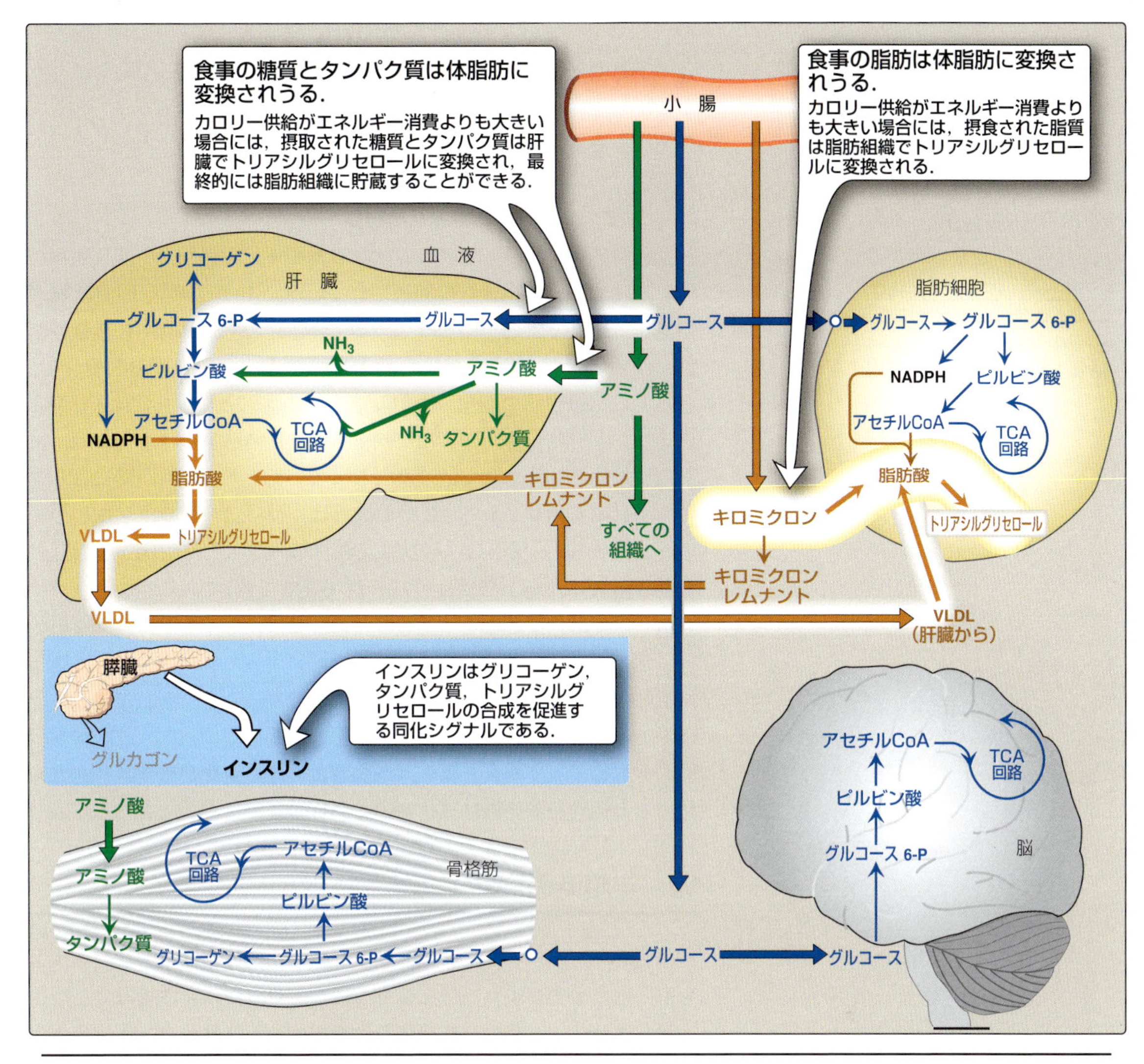

図 24.9
吸収相で特徴的な組織間の相互関係と制御シグナル.［注：筋肉と脂肪組織の組織境界の小さな○はインスリン依存性グルコース輸送体(GLUT-4)を表している.］ P：リン酸，PPP：ペントースリン酸経路，CoA：補酵素A，NADPH：ニコチンアミドアデニンジヌクレオチドリン酸，VLDL：超低密度リポタンパク質.

ルコースにエネルギー代謝が依存している組織に必要な血中グルコース濃度を維持する.（2）白色脂肪細胞(WAT)のTAGから脂肪酸を動員し，肝臓はそれを利用して，組織にエネルギーを供給して，体内のタンパク質の消費を防ぐために，ケトン体を合成して放出する．その結果，飢餓時には，最低限の血糖が維持され，脂肪酸とケトン体は増加する.［注：血糖の維持にはピルビン酸，アラニン，グリセロールといった糖新生の基質が必要となる.］

A. エネルギー源の貯蔵

絶食当初の 70 kgの健常男性に存在する代謝エネルギー源を図24.10に示した．グリコーゲンよりもTAGとして膨大なカロリー源が貯蔵されていることに注目してほしい.［注：タンパク質もエネルギー

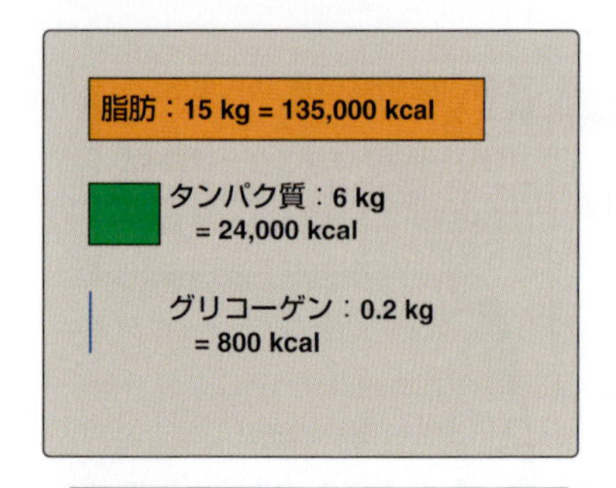

図 24.10
絶食当初の70 kg男性に存在する代謝エネルギー源. 貯蔵脂肪のエネルギーは約80日分に相当する.

源として示しているが，タンパク質はエネルギー産生とは無関係に，体の構造要素や酵素など，それぞれ特化した機能を担っている．したがって，生命に必須な機能の妨げにならない範囲でエネルギーとして使用できるタンパク質は3分の1程度でしかない.]

B. 空腹時における酵素の変化

空腹時には(摂食時と同様に)，エネルギー代謝過程の中間代謝物の流れは4つのメカニズムで制御されている．(1)基質の入手可能性(血中濃度)，(2)酵素のアロステリックな制御，(3)酵素の共有結合性修飾による制御，(4)酵素合成の増減である．空腹時の代謝的変化は，基本的には摂食時の変化で説明したものの反対となる(図24.9参照)．例えば，共有結合修飾によって制御されている酵素のほとんどは，摂食時には脱リン酸されて活性型となっていたものが，空腹時にはリン酸化されて不活化される．3つの例外は，グリコーゲンホスホリラーゼ(p.173参照)，グリコーゲンホスホリラーゼキナーゼ(p.173参照)，脂肪組織のホルモン感受性リパーゼ(p.246参照)であり，これらはリン酸状態で活性型となる．空腹時には，食事から基質が得られないので，例えば，肝臓ではグリコーゲン分解によってグルコースを，脂肪組織では脂肪分解によって脂肪酸とグリセロールを，そして，筋肉ではタンパク質分解によってアミノ酸を得るというように，貯蔵物や組織の分解によって基質を得る．空腹時における変化が摂食時と逆方向になるという基本認識は，代謝の方向性の理解に有効であろう．

Ⅷ. 空腹時の肝臓

空腹時のエネルギー代謝における肝臓の主な役割は，グリコーゲン分解と糖新生でグルコースを産生してグルコース依存性組織のために血糖を維持し，グルコース非依存性組織のためにはケトン体を合成して供給することである．したがって，肝臓代謝と肝外もしくは末梢代謝と二分することができる．

A. 糖質代謝

肝臓は，空腹時はグルコースを必要とする脳や他の組織のエネルギー代謝を確保するために必要な血糖を維持するのに，最初はグリコーゲンの分解を利用し，その後は糖新生を行う．[注：肝臓にはグルコース-6-ホスファターゼ glucose 6-phosphataseが存在するために，グリコーゲン分解からもグルコース新生からもグルコースを産生することができることを思い起こそう(図24.4参照).]

1．グリコーゲン分解の上昇：図24.11は典型的な1日3回の食事摂取時における血中グルコースの由来を示している．朝食後，昼食後，夕食後の吸収相の間は食事からのグルコースが血中グルコースの主な供給源となる(ピークは食後2時間)．この間に肝臓のグリコーゲンの備蓄が行われる(図24.3)．食後に血糖が低下しはじめると，グルカゴンの分泌が上昇し，インスリンの分泌は低下するようになる．イン

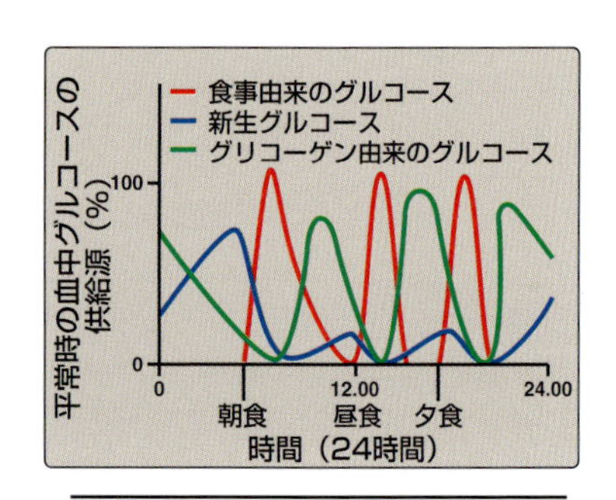

図 24.11
典型的な1日3食の場合のグルコース供給源.

スリン/グルカゴン比の低下により，急速に肝臓の貯蔵グリコーゲンの動員がリン酸化カスケードにより開始される(摂食時には肝臓には80 g程度のグリコーゲンが貯蔵されている)．このリン酸化カスケードでは，プロテインキナーゼA protein kinase A(PKA)がグリコーゲンホスホリラーゼキナーゼ(GPK)をリン酸化して活性化する．その次に，GPKはグリコーゲンホスホリラーゼをリン酸化して活性化する(p.173参照)．朝食後と昼食後の血糖維持は貯蔵グリコーゲンで十分にまかなえるので，糖新生はあまり貢献していない．夕食後から睡眠を含めて長い空腹期間の血糖維持では貯蔵グリコーゲンは不十分となる．深夜あるいは朝食前には貯蔵グリコーゲンは枯渇し，翌日の食事まで糖新生が血糖維持の主役となる．図24.12は，肝臓の空腹時の全体的な応答の一部としてグリコーゲン分解を捉えている．[注：グリコーゲンシンターゼがリン酸化されて，グリコーゲン新生も阻害される．]

2．糖新生の上昇：グルコースの合成とその後の血中への放出は短期および長期絶食時の肝臓の重要な役割である(図24.12)．糖新生の炭素骨格は主として骨格筋からの糖原性アミノ酸と乳酸，そして脂肪組織からのグリセロールに由来する．グルカゴンによるホスホエノールピルビン酸カルボキシキナーゼの誘導(p.159参照)と，フルクトース-1,6-ビスホスファターゼの活性化(抑制因子のフルクトース2,6-ビスリン酸が低下するため，p.157参照)によって促進される糖新生は，最後の摂食後4～6時間で開始され，肝臓のグリコーゲンが枯渇するときに完全に活性化される(図24.11)．[注：フルクトース2,6-ビスリン酸が減少するとPFK-1の段階でグリコーゲン分解も抑制される(p.128参照)．]

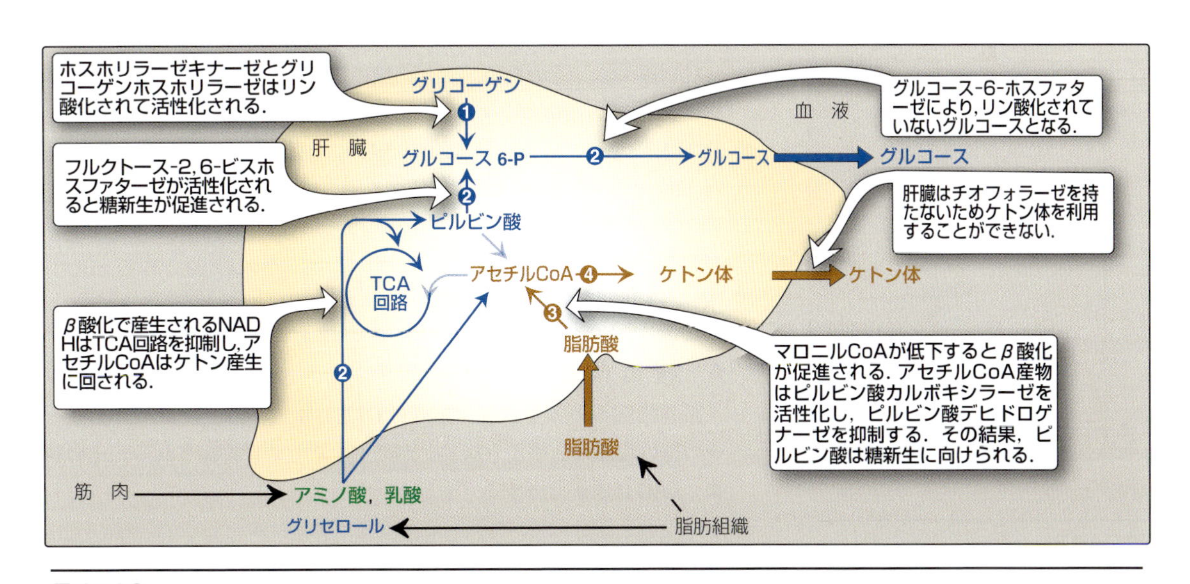

図24.12
空腹時の肝臓の代表的な代謝経路．[注：図と本文のそれぞれ対応した丸数字は糖質と脂質の重要な代謝経路を示している．]
P：リン酸，CoA：補酵素A，NADH：ニコチンアミドアデニンジヌクレオチド．

B. 脂肪代謝

1. 脂肪酸代謝の上昇：TAGの加水分解由来の脂肪酸の酸化は空腹時の肝臓組織の主要なエネルギー源となる(図24.12). AMPKによるリン酸化によってACCが不活性化される. その結果, マロニルCoAが低下すると, カルニチンパルミトイルトランスフェラーゼ-I(CPT-I)の抑制が消失し, β酸化が促進される(p.248参照). 脂肪酸の酸化によってNADH, $FADH_2$, アセチルCoAが産生される. NADHはTCA回路を抑制し, OAAからリンゴ酸の産生へシフトする. その結果, ケトン産生に必要なアセチルCoAが増加する. アセチルCoAはピルビン酸カルボキシラーゼのアロステリックな活性化因子でもあり, ピルビン酸デヒドロゲナーゼのアロステリックな阻害因子でもある. したがって, アセチルCoAが増加すると, ピルビン酸は糖新生に利用される(図10.9, p.159). [注：アセチルCoAは糖新生の基質にはならない. その理由の1つは, ピルビン酸デヒドロゲナーゼの反応が非可逆的なためである.] NADHと$FADH_2$は酸化的リン酸化により, 糖新生のピルビン酸カルボキシラーゼとホスホエノールピルビン酸カルボキシキナーゼに必要なエネルギーを供給する.

2. ケトン体合成の上昇：肝臓の特異な能力として, 末梢組織のエネルギー源としてケトン体(主として**3-ヒドロキシ酪酸 3-hydroxybutyrate**, およびアセト酢酸)を合成・分泌できる. しかし, 肝臓自身はチオフォラーゼ thiophoraseがないためにケトン体をエネルギー源として用いることはできない(p.254参照). 絶食初日には有意なケトン体の合成が開始される(図24.13). ケトン体合成は, 脂肪酸代謝で産生されたアセチルCoAの濃度がTCA回路の酸化能力を凌駕した場合に促進される. [注：ケトン体合成によってCoAが遊離し, 脂肪酸酸化を持続することができる.] 水溶性のケトン体の血中濃度が十分に高くなれば, 脳を含めてほとんどの組織のエネルギー源になるために, その存在意義は大きい. 血中ケトン体濃度は約50 μMから6 mMに達する. そのため, アミノ酸の炭素骨格から糖新生を行う必要性が減弱し, 必須タンパク質の消費を低下させることができる(図24.11). ケトン体合成は肝臓の空腹時の反応全体の一部である(図24.12). [注：ケトン体は有機酸であり, その濃度が上昇するとケトアシドーシスをもたらす.]

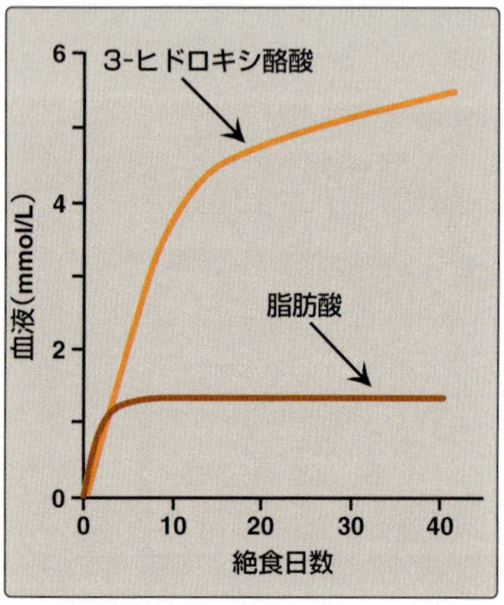

図 24.13
絶食時の脂肪酸と3-ヒドロキシ酪酸の血中濃度の変化. [注：3-ヒドロキシ酪酸はアセト酢酸が還元されて産生される.]

IX. 空腹時の脂肪組織

A. 糖質代謝

脂肪細胞へのインスリン感受性GLUT-4によるグルコース輸送とその後の代謝は血中インスリンが低下するために抑制される. その結果, TAG合成が低下する.

B. 脂肪代謝

1. 脂肪分解の上昇：ホルモン感受性リパーゼ(p.246参照)のPKAのリン酸化による活性化とそれによる貯蔵脂肪(TAG)分解は, カテコールアミン，アドレナリンとノルアドレナリンの上昇により促進される（図 24.14）．これらのカテコールアミンは脂肪組織の交感神経末端や副腎髄質から分泌され，生理的に重要なホルモン感受性リパーゼの活性化因子である．

2．脂肪酸放出の上昇：脂肪細胞の貯蔵TAGの分解によって産生された脂肪酸は主として血中に放出される（図 24.14）．それはアルブミンに結合して，さまざまな組織に運搬されてエネルギー源となる．TAG分解によって生成されたグリセロールは，グリセロールキナーゼを備える肝臓で糖新生の前駆体となる．［注：脂肪酸もアセチルCoAに酸化されて，TCA回路に入り，脂肪細胞のエネルギー源となる．］

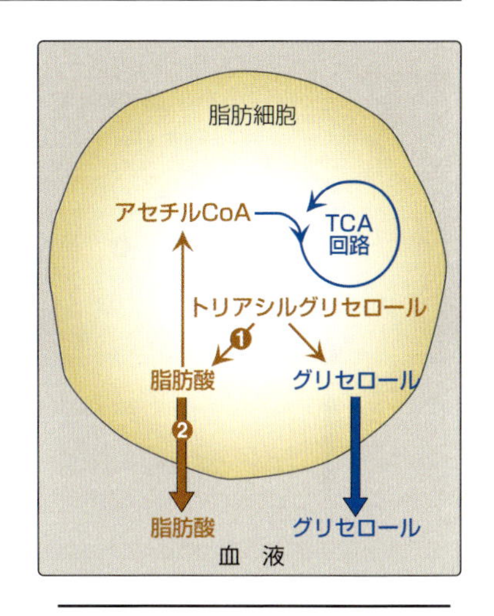

図 24.14
空腹時の脂肪組織の代表的な代謝経路．図と本文のそれぞれ対応した丸数字は脂質の重要な代謝経路を示している．CoA：補酵素A.

> 脂肪酸はグリセロール新生（p.247）に由来するグリセロール 3-リン酸に再エステル化される．血糖降下薬チアゾリジンジオン thiazolidinedione は脂肪組織でホスホエノールピルビン酸カルボキシキナーゼの転写を促進し，グリセロール新生とTAG再エステル化を増加させる．血中脂肪鎖が低下すると，骨格筋などのグルコース酸化系へのエネルギー依存性が高まり，インスリン感受性が改善される．

3．脂肪酸取り込みの低下：絶食時は，脂肪組織のLPLの活性は低下している．その結果，血中リポタンパク質のTAGの脂肪酸は脂肪組織よりも骨格筋で利用される．

X．空腹時の静止期骨格筋

静止期骨格筋の主なエネルギー源はグルコースよりも脂肪酸である．対照的に，収縮期骨格筋の主なエネルギー源はクレアチンリン酸と貯蔵グリコーゲンである．過度の運動時には，グリコーゲン分解から生成されたグルコース 6-リン酸は嫌気的解糖により乳酸となる（p.154 参照）．乳酸は肝臓で糖新生に用いられる（コリ回路，p.154 参照）．貯蔵グリコーゲンが枯渇すると，脂肪組織から動員されたTAGから供給された脂肪酸が主なエネルギー源となる．収縮に伴ってAMPが増加するとAMPKが活性化されてACC（筋肉型サブタイプ）をリン酸化して不活性化する．その結果，マロニルCoAが低下して脂肪酸酸化が促進される（p.239 参照）［注：骨格筋細胞にはグルコース-6-ホスファターゼがないために，空腹時に骨格筋のグリコーゲン分解で産生されたグルコース 6-リン酸の脱リン酸化が行われず，血糖維持には貢献しない．］

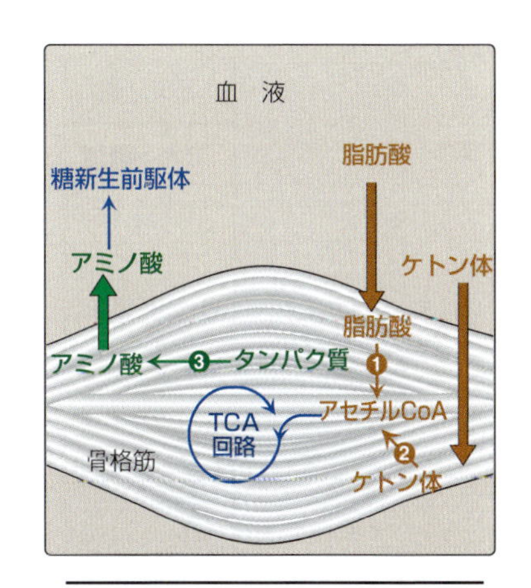

図 24.15
空腹時の骨格筋の代表的な代謝経路．図と本文のそれぞれ対応した丸数字は脂質とタンパク質の重要な代謝経路を示している．CoA：補酵素A.

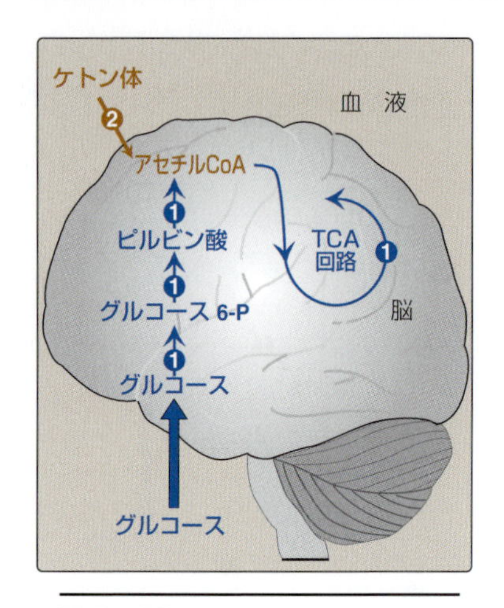

図 24.16
空腹時の脳の代表的な代謝経路．図と本文のそれぞれ対応した丸数字は脂質と糖質の重要な代謝経路を示している．[注：図と本文の丸数字は対応しており，脂質や糖質の重要な代謝過程を示している．] CoA：補酵素 A，P：リン酸．

A. 糖質代謝

骨格筋細胞のインスリン感受性グルコース輸送体(GLUT-4)によるグルコースの取り込み(p.124 参照)とそのグルコースの代謝は，血中インスリン濃度の低下により抑制される．したがって，骨格筋と脂肪組織は肝臓の糖新生で産生されたグルコースを消費することはない．

B. 脂質代謝

絶食の初期では，骨格筋は脂肪組織からの脂肪酸と肝臓からのケトン体をエネルギー源とする(図 24.15)．その後，ケトン体を脳に回すために，その使用は低下し，骨格筋のエネルギー源はほとんど脂肪酸の酸化となる．アドレナリン情報伝達系は骨格筋でLPLの発現を増加させ，空腹時のVLDLトリグリセリドから脂肪酸の取り込みを上昇させる．[注：脂肪酸酸化で得られるアセチルCoAは間接的にPDHキナーゼを活性化することにより，間接的にPDHを抑制して，ピルビン酸の消費を抑える．ピルビン酸はアミノ転移によりアラニンとなり，肝臓で糖新生に用いられる(グルコース-アラニン回路，図 19.13)．]

C. タンパク質代謝

絶食当初の数日で，骨格筋のタンパク質(例えば，解糖系酵素)は急速に分解されて，肝臓での糖新生に用いられるアミノ酸が提供される(図 24.15)．骨格筋にはグルカゴン受容体が存在しないため，骨格筋のタンパク質分解はインスリン低下によって開始され，グルココルチコイドの上昇によって維持される．[注：骨格筋から提供される糖原性アミノ酸としては，アラニンとグルタミンが量的に最も重要である．これらはBCAAの代謝によって産生される(図 19.13)．例えば，腸上皮細胞はグルタミンをエネルギー源として，肝臓の糖新生に用いられるアラニンを産生する(グルコース-アラニン回路)．] 絶食 2 週間後に，脳はエネルギー源としてケトン体を使用するようになり，グルコースの必要性が低下し，骨格筋でのタンパク質分解も低下する．

XI. 空腹時の脳

絶食当初は，脳のエネルギー源はまだグルコースのみである(図 24.16)．タンパク質分解によるアミノ酸や脂肪分解によるグリセロールなどを前駆体とする肝臓での糖新生により，血糖値は維持されている．さらに絶食が続くと(2 ～ 3 週間以上)，血漿ケトン体(図 24.12 参照)が有意に上昇し，脳はグルコースに代わってケトン体を主なエネルギー源として用いるようになる(図 24.16，図 24.17)．その結果，糖新生のためのタンパク質異化の必要性が低下する．ケトン体によってグルコース(そして，その結果として筋肉タンパク質)の消費を節約することができる．[注：絶食が一晩から数日，数週間に及ぶと血糖値は急速に 65 ～ 70 mg/dL まで低下するが，その後はその濃度が維持される．] 空腹時にはすべての組織が必要なエネルギー源を確保できるように代謝が変化する．エネルギー代謝に関与する主要な組織の

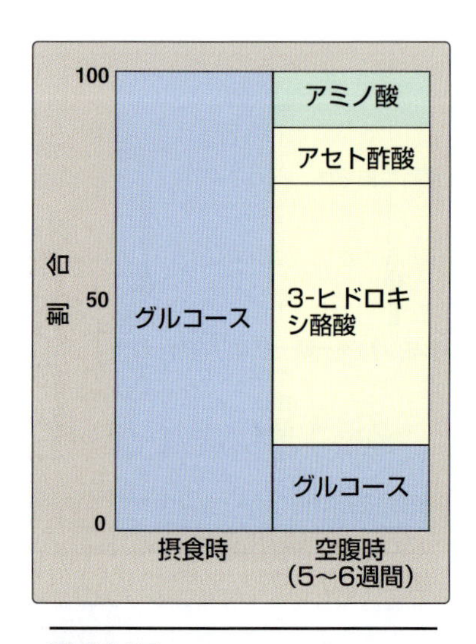

図 24.17
摂食時と空腹時の脳のエネルギー源．

絶食に対する応答を図 24.18 に要約した.

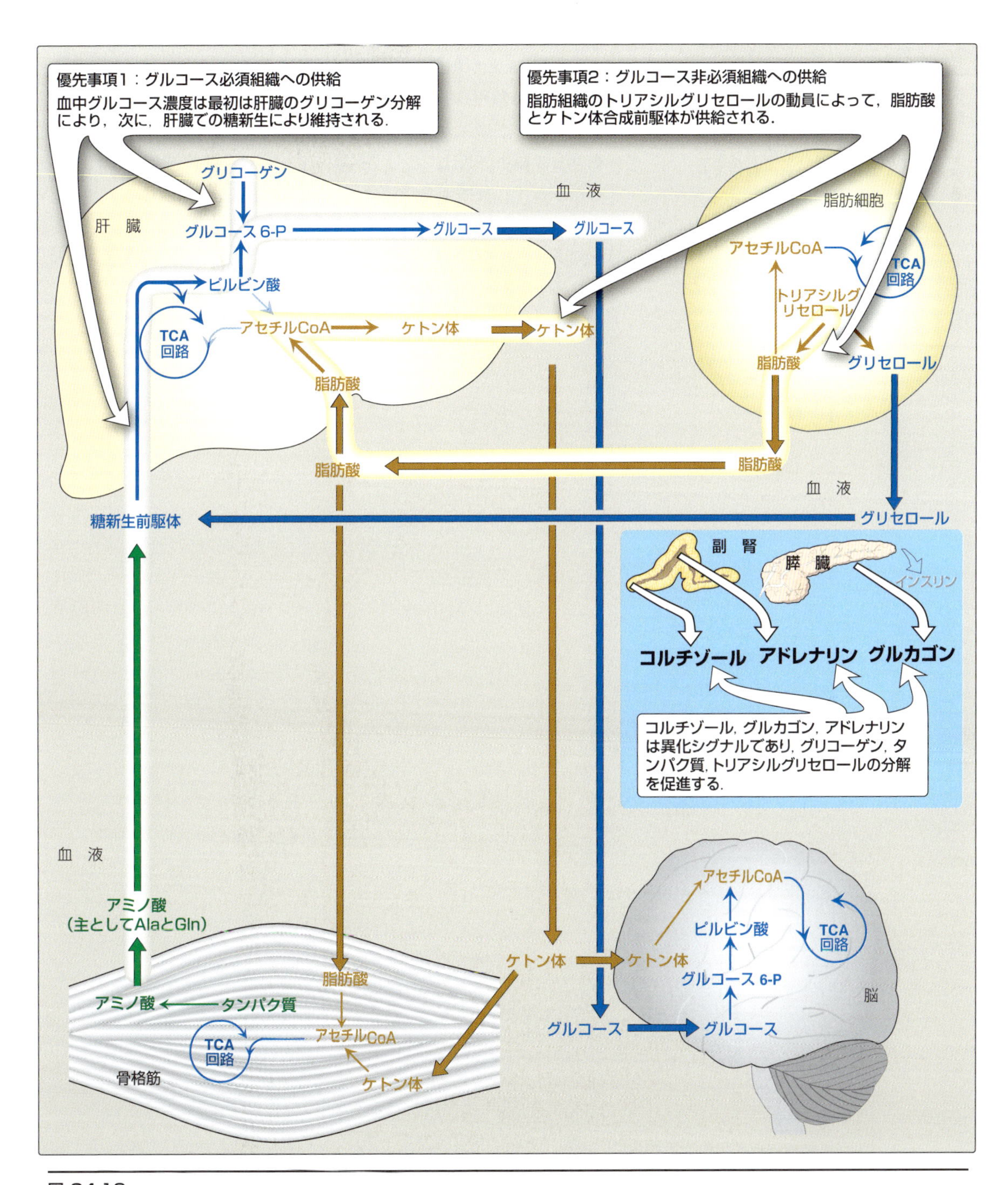

図 24.18
空腹時の組織間の相互関係とホルモン制御.

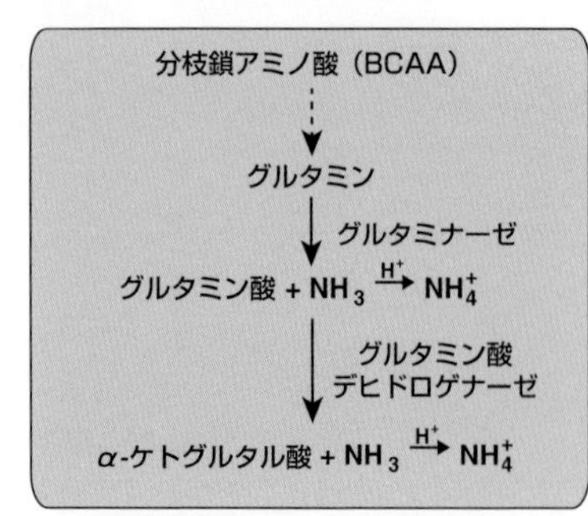

図 24.19
筋肉の分枝アミノ酸代謝で得られたグルタミンは，腎臓で，H^+をNH_4^+として尿中に排出するためのアンモニア（NH_3）を産生するために利用される．

XII. 長期絶食時の腎臓

絶食が長期に及ぶと，腎臓の役割が増してくる．腎臓皮質はグルコース-6-ホスファターゼなど糖新生の酵素を発現しており，長期絶食時では糖新生の約 50% は腎臓で行われる．[注：このグルコースの一部は腎臓自身によって利用される．] また，ケトン体（有機酸）の産生に伴うアシドーシスの補正も腎臓が担っている．筋肉のBCAA代謝から産生されたグルタミンは腎臓に取り込まれ，腎グルタミナーゼ glutaminaseとグルタミン酸デヒドロゲナーゼ glutamate dehydrogenase（p.330 参照）によって，糖新生の基質となるα-ケトグルタル酸とアンモニアが産生される．アンモニアはケトン体から解離したH^+を結合して尿中へNH_4^+として排泄され，酸性化を軽減する（図 24.19）．したがって，長期絶食時には，窒素排泄は尿素からNH_4^+へとシフトする．[注：ケトン体濃度が上昇すると，典型的なグルタミン消費細胞である腸細胞はケトン体を消費するようになる．その結果，腎臓により多くのグルタミンが供給される．]

24 章の要約

- 代謝経路の中間代謝物の動向は以下の**4つのメカニズム**によって制御されている.(1)基質の入手可能性(血中濃度),(2)酵素のアロステリックな活性化と抑制,(3)酵素のリン酸化など共有結合修飾による制御,(4)酵素タンパク質合成の上昇あるいは低下.
- **吸収相**では,これらの制御メカニズムにより,摂取した栄養素は**グリコーゲン**,**トリアシルグリセロール**(**TAG**),**タンパク質**として保持される(図 24.20).吸収相では,通常の食事を摂取したあと,2~4 時間継続する.この間に,血中のグルコース,アミノ酸,TAG は一過性に上昇する.TAG は主として腸管粘膜細胞で合成される**キロミクロン**の構成物として血中を流れる.
- 吸収相では,**膵臓**はグルコースとアミノ酸の上昇に応答して,ランゲルハンス島からのインスリン分泌を上昇させてグルカゴン分泌を低下させる.**インスリン/グルカゴン比**の上昇により,また,循環中の基質を容易に利用する準備が整っていることから,摂食後の 2~4 時間は**同化相**となる.この吸収相の間は,ほとんどすべての組織のエネルギー源は**グルコース**となる.
- 吸収相では,**肝臓**はグリコーゲン貯蔵を回復させ,必要な肝臓タンパク質を補充し,TAG 合成を上昇させる.これは**超低密度リポタンパク質**(**VLDL**)にパックされて末梢組織へ輸送される.
- **脂肪組織**は TAG 合成と貯蔵を盛んに行い,**骨格筋**はそれまでの空腹時に分解されたタンパク質を合成して補充する.摂食時の**脳**のエネルギー源はグルコースのみである.
- **空腹時**,血中グルコース,アミノ酸,TAG は低下し,インスリン分泌は低下し,グルカゴンと**アドレナリン**(**エピネフリン**)分泌が上昇する.**インスリン/インスリン拮抗ホルモン比**の低下,そして,血液中の基質が不足することから,空腹時は**異化相**となる.
- 空腹時,肝臓,脂肪組織,骨格筋,脳の間における**基質の交換**は,以下の 2 点を優先するように行われる.(1)脳やその他の血中グルコースにエネルギー代謝が依存している組織に必要な血中グルコース濃度を維持すること.(2)他の組織に必要なエネルギーを供給するために,脂肪酸を脂肪組織から**ケトン体**を肝臓から動員して維持すること.
- これらの目的を達成するために,肝臓はグリコーゲンを分解し,**糖新生**を開始する.その際,糖新生に必要なエネルギー,還元体,**ケトン体合成**の骨格であるアセチル CoA を得るために**脂肪酸を盛んに酸化する**.
- 空腹時,脂肪組織は貯蔵 TAG を分解し,肝臓に脂肪酸と**グリセロール**を供給する.骨格筋もエネルギー源として脂肪酸および肝臓から供給されるケトン体を利用する.肝臓はグリセロールを糖新生に用いる.
- 空腹時,**骨格筋タンパク質**は肝臓での糖新生に必要なアミノ酸を供給するために分解される.しかし,ケトン体が増加するとタンパク質分解は低下する.脳はエネルギー源としてグルコースだけでなくケトン体も使用することができる.
- 長期空腹時,飢餓時,**腎臓**はグルコース新生と,ケトン体からの**プロトン**を NH_4^+ として排泄する重要な役割を担うようになる.

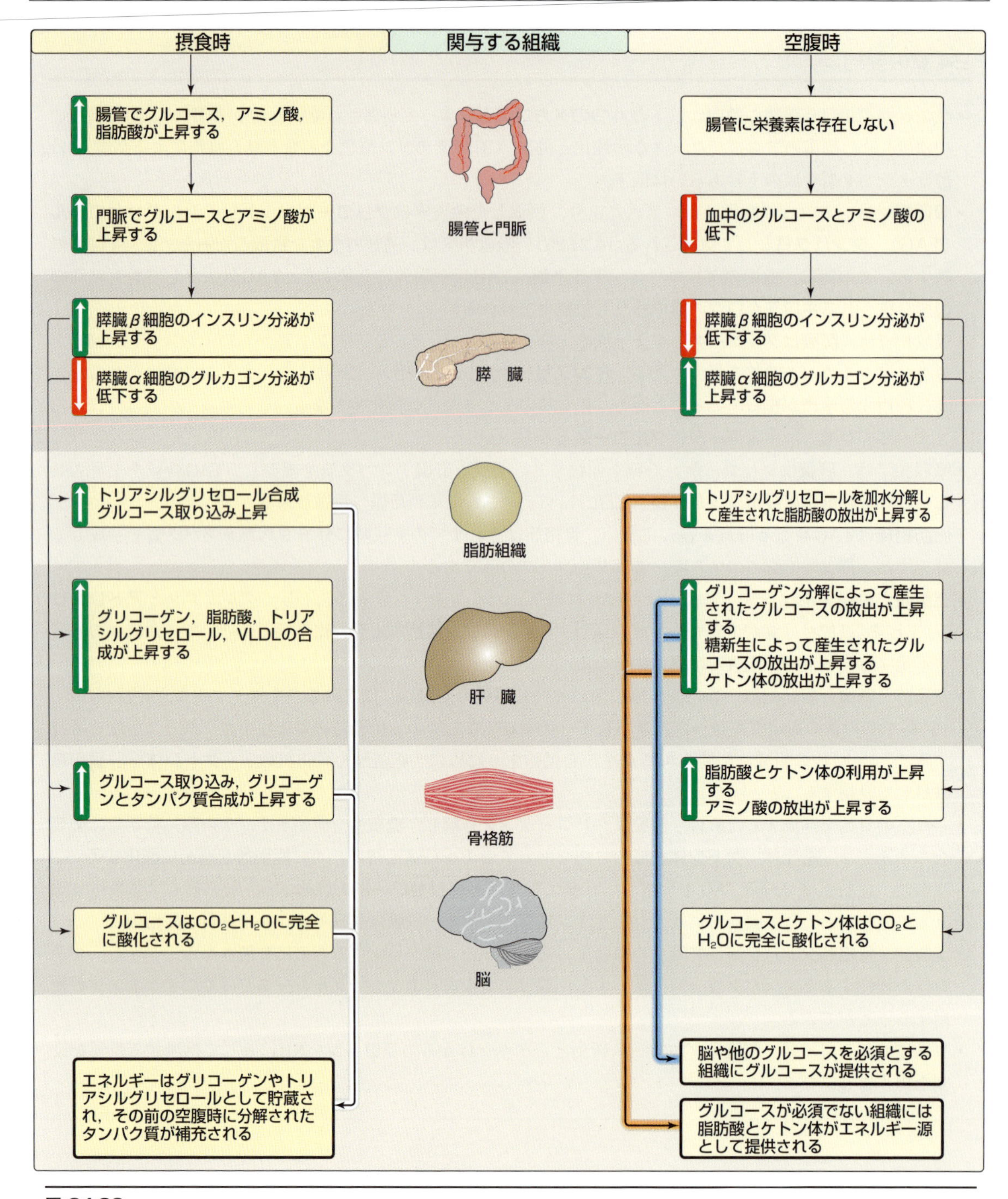

図 24.20
摂食-空腹サイクルの概念図．VLDL：超低密度リポタンパク質．

学習問題

最適な答えを1つ選びなさい.

24.1 空腹時と比して吸収相(摂食時)に血中で上昇するのはどれか.
A. アセト酢酸
B. キロミクロン
C. 遊離脂肪酸
D. グルカゴン
E. グリセロール

正解 B. TAG豊富なキロミクロンは摂食後に腸管で合成され, 分泌される. アセト酢酸, 遊離脂肪酸, グルカゴン, グリセロールは吸収相ではなく空腹時に上昇する.

24.2 吸収相の肝臓に関して正しいのはどれか.
A. フルクトース2,6-ビスリン酸は上昇している.
B. インスリンは肝細胞のグルコース取り込みを促進する.
C. 共有結合修飾される酵素のほとんどはリン酸化状態である.
D. アセチルCoAの酸化は上昇している.
E. グルコキナーゼの合成は抑制されている.

正解 A. 吸収相の特徴であるインスリンの上昇とグルカゴンの低下により, アロステリックに解糖系のホスホフルクトキナーゼ-1を活性化し, 糖新生のフルクトース-1,6-ビスホスファターゼを抑制するフルクトース2,6-ビスリン酸の合成が促進される. ほとんどの共有結合修飾される酵素は, グリコーゲンホスホリラーゼキナーゼ, グリコーゲンホスホリラーゼ, ホルモン感受性リパーゼ以外は脱リン酸された活性化状態となっている. 摂食時にはアセチルCoAは脂肪酸合成に使用されるため酸化されない. 肝臓のGLUT-2のグルコース取り込みはインスリン非感受性である. グルコキナーゼ合成は摂食時にインスリンによって上昇している.

24.3 絶食12時間のヒトでリン酸化されて活性化されている酵素はどれか.
A. アルギナーゼ
B. カルニチンパルミトイルトランスフェラーゼ-1
C. 脂肪酸シンターゼ
D. グリコーゲンシンターゼ
E. ホルモン感受性リパーゼ
F. ホスホフルクトキナーゼ-1
G. ピルビン酸デヒドロゲナーゼ

正解 E. 脂肪細胞のホルモン感受性リパーゼは, アドレナリンに応答して, プロテインキナーゼAによってリン酸化され活性化される. A, B, C, Fはリン酸化制御を受けない. DとGはリン酸化制御されているが, リン酸化されると不活性化される.

24.4 70 kgの男性の場合, 脳の主要なエネルギー源がケトン体となっている時期はどれか.
A. 吸収相
B. 絶食一晩後
C. 絶食3日後
D. 絶食4週間後
E. 絶食5カ月後

正解 D. 脂肪酸酸化産物のアセチルCoAから生成されるケトン体は, 絶食により増加するが, 血管脳関門を通過するためにはある程度以上の濃度に達しなければならない. 通常は, 絶食2週間から3週間を必要とする. 70 kgの男性の貯蔵エネルギーでは, 5カ月の絶食には耐えられないだろう.

24.5 飢餓が長期化すると，腎臓は過剰な窒素残基を除去するために尿素に加えてNH_4^+を分泌するようになる．このNH_4^+分泌の別の主目的はどれか．

A. 腎臓のグルタミン取り込みの抑制
B. ケトアシドーシスの抑制
C. 腸管のグルタミン消費の促進
D. 骨格筋アラニンアミノ基転移の促進
E. 腎臓尿素サイクルの増強

正解 B．飢餓が長期化すると，肝臓の糖新生のためのアラニンを供給する骨格筋タンパク質分解が低下し，ケトン体の産生が増加する．腎臓はケトン体産生とその電離によるアシドーシスを補正する．小腸腸細胞のグルタミン消費は低下し，腎臓のグルタミン取り込みは増加する．腎臓でグルタミンはα-ケトグルタル酸となり，糖新生の基質になり，アンモニアが産生される．アンモニアはケトン体からプロトンを得てNH_4^+として尿中に排出される．その結果，酸負荷が軽減する（図24.19）．長期空腹時には尿素サイクルによる窒素除去が低下し，NH_4^+分泌が増加する．

24.6 下図はエネルギー代謝の中心的分子であるピルビン酸の代謝経路を示している．ビオチンを必要として，アセチルCoAによって活性化される経路はどれか．

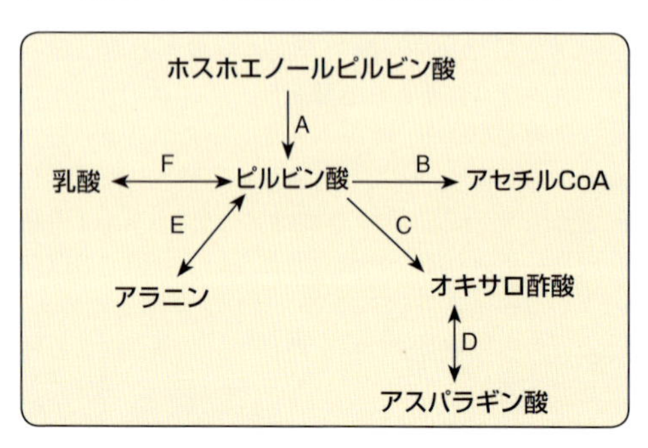

正解 C．ピルビン酸カルボキシラーゼは，ミトコンドリアの糖新生酵素であり，ATPとビオチンを必要とし，脂肪酸酸化由来のアセチルCoAによってアロステリックに活性化される．他の経路は条件に合致しない．A＝ピルビン酸キナーゼ，B＝ピルビン酸デヒドロゲナーゼ，D＝アスパラギン酸アミノトランスフェラーゼ，E＝アラニンアミノトランスフェラーゼ，F＝乳酸デヒドロゲナーゼ．

糖　尿　病　25

Ⅰ．概　要

糖尿病 diabetes mellitusは単一の疾患というわけではなく，インスリンの相対的，もしくは絶対的な不足に起因する血糖値上昇という特徴を持ったさまざまな疾患からなる多因子性，多遺伝子性の症候群である．米国の人口の9% に相当する3,000万人以上が糖尿病とされる（訳注：日本では約1,000万人）．おそらく，さらに800万人が診断されずにいると思われる．さらに米国では成人の3分の1以上が境界型糖尿病と推測され，そのほとんどは病識もない．糖尿病は，成人の失明（糖尿病性網膜症など）と手足の切断（糖尿病性壊死）の主要な原因であり，かつ腎不全，神経損傷，心血管障害と脳血管障害の主な原因である．米国の死亡原因の第7位でもある．糖尿病は大きく**1型糖尿病 diabetes mellitus type 1**（同義：若年（発症）型糖尿病，**インスリン依存性糖尿病 insulin-dependent diabetes mellitus**）と**2型糖尿病 diabetes mellitus type 2**（同義：成人（発症）型糖尿病，インスリン非依存性糖尿病 non-insulin-dependent diabetes mellitus）の2つのグループに分けることができる（図25.1）．どちらのタイプの糖尿病も小児でも高齢者でも発症しうるが，発症年齢の分布から同義語が命名されている．高齢化，肥満，運動不足の増加（p.453参照）に伴って2型糖尿病が増加している．2型糖尿病が小児において増加していることは，非常に憂慮すべき事態である．現状のままだと，20歳以下の2型糖尿病の患者は2050年までには49% 増加するとされ，さらに発症率が増加すると，4倍にもなるという推測がある．

Ⅱ．1型糖尿病

1型糖尿病患者は米国において3,000万人の既知の糖尿病患者の約10% 弱を占める．この疾患の特徴は，**膵島β細胞 β cell of the pancreas**での**自己免疫傷害 autoimmune attack**による**絶対的なインスリン欠損 absolute deficiency of insulin**である．1型糖尿病では**ランゲルハンス島 islet of Langerhans**が活性化したTリンパ球による浸潤を受け，いわゆる**膵島炎 insulitis**になる．何年にもわたって，この自己免疫によってβ細胞は徐々に減少していく（図25.2）．しかし，症状としてはβ細胞

	1型糖尿病	2型糖尿病
発症年齢	通常，小児期や思春期 症状の急性的進行	通常，35歳以降 症状の慢性的進行
発症時の栄養状況	栄養不足が多い	肥満のことが多い
罹患率	糖尿病と診断されたうちの10%以下	糖尿病と診断されたうちの90%以上
遺伝的素因の影響	低	強
病態生理	β細胞の破壊によるインスリン産生の消失	β細胞の十分なインスリン産生能力低下とインスリン抵抗性の合併
ケトーシスの頻度	頻 発	ま れ
血漿中インスリン	低，時としてなし	初期は高いが長期になると低下する
急性合併症	ケトアシドーシス	高浸透圧高血糖症
血糖降下薬治療	無 効	有 効
治 療	インスリンが必須	減量，運動療法，経口血糖降下薬，インスリンは症例によっては必要. 禁煙，血圧管理，脂質異常症の治療といった危険因子の軽減も治療に必須である.

図 25.1
1型糖尿病と2型糖尿病の比較.［注：diabetesはギリシャ語(サイホン，絶え間ない尿)に，mellitusはラテン語(蜂蜜のように甘い)に由来し，グルコースを含んだ大量の尿という典型的な臨床症状を表している.］(訳注：抗利尿ホルモンの機能低下による薄い大量の尿が特徴の尿崩症(diabetes insipidus)のinsipidusは無味という意味である.)(訳注：糖尿病はしばしばDMと省略される．しかし，神経内科領域ではDMは筋強直性ジストロフィー([英]myotonic dystrophy：MD,［ラテン語］dystrophia myotonica：DM)を示すことが多い．一般にはDMといえば direct mailであろう．略号は簡潔な記載や円滑な意思疎通に有益であるが，十分な確認が必要なことはいうまでもない.)

が 80 ～ 90% 破壊されたときに突然出現する．この時点で，膵臓はグルコースの経口摂取に対して十分に対応できなくなり，代謝制御の維持と生命をも脅かす**ケトアシドーシス ketoacidosis**の予防のためにインスリン治療が必要となる．このβ細胞の破壊には，**環境要因 environmental determinant**（例えばウイルス感染）と“非自己”としてβ細胞が誤認される**遺伝要因 genetic determinant**の両方が必要である.［注：一卵性双生児では，片方が糖尿病を発病しても，もう片方が糖尿病を発病する割合は 30 ～ 50% しかない．このことは，遺伝的影響が強い 2 型糖尿病（p.442 参照）では，ほとんどの一卵性双生児では双方が発病することと対照的である.］1 型糖尿病の発症率は人種によって異なる．米国では，ヒスパニック系を除く白人/ヨーロッパ系で最も頻度が高く，次いでアフリカ系とヒスパニック系で高い．アジア系では比較的低く，アメリカ先住民が最も低くなる．

A. 1 型糖尿病の診断

1 型糖尿病はたいてい小児期や思春期に急性に発症する．そのため若年性糖尿病とも呼ばれる．もっとも近年は小児でも 2 型糖尿病が増加しているので，若年性というのは当てはまらなくなってきている．1 型糖尿病患者は，しばしば感染などの生理的ストレスが引き金となって，**多尿 polyuria**（頻尿 frequent urination），**多飲 polydipsia**（過度の口渇 excessive thirst），**多食 polyphagia**（過度の空腹感 excessive hunger）といった症状が突然現れる．こうした症状は通常疲労や体重減少を伴う．糖尿病の確定診断基準は，空腹時血糖値（FBG）が 125 mg/dL以上（正常値 70 ～ 99 mg/dL）である．［注：空腹時とは，少なくとも 8 時間以上カロリー摂取が行われないこととして定義される．］FBG 100 ～ 125 mg/dLは境界型あるいは耐糖能異常に分類される．境界型（FBGは正常より高値だが，糖尿病診断基準より低値）は前糖尿病段階とされ，2 型糖尿病となるリスクが高い．血中の糖化ヘモグロビン（HbA_{1c}，p.41 参照）は糖尿病の診断基準であり，糖尿病の血糖管理の指標でもある．HbA_{1c} 値は 2 ～ 3 カ月間の平均血糖を反映している．HbA_{1c} の正常は 5.7% 以下，耐糖能異常（全糖尿病）は 5.7 ～ 6.4%，6.5% 以上は糖尿病となる．HbA_{1c} の測定は空腹時でなくても可能である．随時血糖値（摂食を問わない）が 200 mg/dL以上の場合も糖尿病と診断されるが，多くの場合，確定診断のためにFBGおよびHbA_{1c}が測定される．経口グルコース負荷試験（75 g グルコースを経口摂取して 2 時間後の血糖値を評価）は手間暇がかかり，結果の変動が著しいことから，診断的意義は低下している．妊娠第 3 期（トリメスター）初期の妊娠糖尿病のスクリーニングには使用されている（p.444 参照）．

> 血糖値が 180 mg/dL以上になると腎臓のSGLT（sodium-dependent glucose transporter，ナトリウム依存性グルコース共輸送体）による再吸収能を超えてしまうために，尿中に糖が漏出される．糖とともに水も過剰に排出されるために，多尿と多飲（脱水への対応）は糖尿病の特徴的な症状となる．

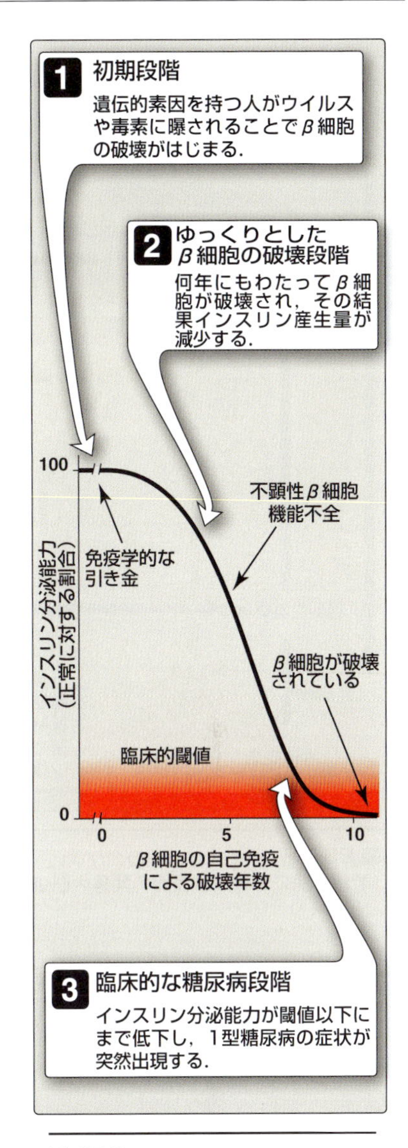

図 25.2
1型糖尿病の発症過程のインスリン分泌能力．［注：自己免疫によるβ細胞の破壊の速さは，ここに示されているよりもより速いかもしれないし，遅いかもしれない．］

B．1 型糖尿病における代謝変化

1 型糖尿病では絶対的インスリン欠乏により代謝異常（高血糖，ケトン体血症，高トリアシルグリセロール（TAG）血症）となる．インスリンは，肝臓，骨格筋，白色脂肪組織という 3 つの組織の代謝に非常に大きな影響を及ぼしている（図 25.3）．

1．高血糖症とケトン体血症：血中のグルコースとケトン体の高値が未治療の 1 型糖尿病の特徴である（図 25.3，付録：臨床症例Ⅰの症例 3，p.671）．**高血糖症 hyperglycemia**は肝臓でのグルコース新生とグリコーゲン分解の増加と，末梢でのグルコース利用量の減少に伴って起こる（骨格筋と脂肪組織にはインスリン感受性なGLUT-4が存在する．p.124 参照）．ケトン体血症は，脂肪組織でのTAGから脂肪酸の動員が増加し，それに伴い肝臓での脂肪酸のβ酸化，3-ヒドロキシ酪酸塩やアセト酢酸（ケトン体，p.253 参照）の生成が促進されて起きる．［注：β酸化に由来するアセチルCoAはケトン体合成の基質であり，糖新生

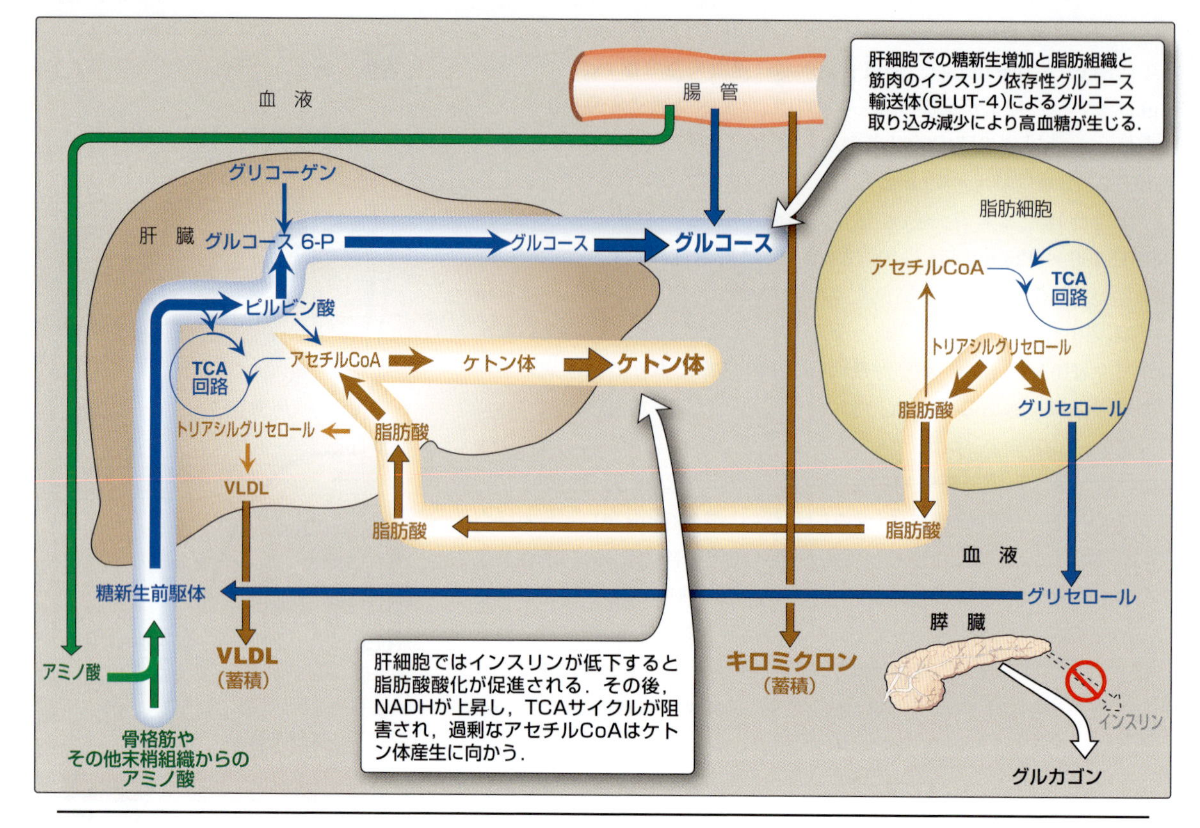

図 25.3
1型糖尿病における臓器間の関係．CoA：補酵素A，VLDL：超低密度リポタンパク質．

酵素ピルビン酸カルボキシラーゼ pyruvate carboxylaseのアロステリックな活性化因子である．］1 型糖尿病と新たに診断された人のうち 25 ～ 40% に**糖尿病性ケトアシドーシス diabetic ketoacidosis**（DKA，ケトン体産生と消費のアンバランスによる代謝性アシドーシスの一種）が起こり，さらに患者が他の疾患（たいていは感染症）になったり，治療を受けなかったりすると再発する可能性がある．DKAは水分と電解質を補充し，低血糖症を誘発しないような短時間作用型（short-acting）インスリン投与により高血糖症を徐々に正常に戻すことで治療する．

2．**高トリアシルグリセロール血症 hypertriacylglycerolemia**：肝臓を流れる脂肪酸のすべてが，酸化やケトン体合成により処理されていくわけではない．これら余った脂肪酸はTAGに変換され，**超低密度リポタンパク質 very-low-density lipoprotein**（VLDL，p.299 参照）のなかにパッケージされて血中に分泌される．TAG豊富な**キロミクロン chylomicron**は食事後に腸管粘膜細胞により食物に含まれる脂質から合成される（p.296 参照）．脂肪組織の毛細血管床のリポタンパク質リパーゼ lipoprotein lipase（p.297 参照）によるリポタンパク質/TAGの分解は糖尿病患者では低いために（インスリンが少ないと，この酵素の合成も減少する），血中のキロミクロンやVLDLは増加し，その結果，高TAG血症になる(図25.3参照).

C．1 型糖尿病の治療

1型糖尿病患者では高血糖やケトン体血症の治療には**外来性インスリン exogenous insulin**を頻回もしくはポンプによって持続的に皮下注射する必要がある．現在用いられている治療法は，標準インスリン療法と強化インスリン療法の2つある．[注：インスリンポンプも強化療法に分類される．]（訳注：インスリンパウダーを吸入することによる肺からのインスリン投与は，注射しないですむために期待されたが，肺組織の悪性腫瘍発生の危険性(インスリンの増殖作用)と投与量の不安定さにより開発中止となった．しかし，2014年に米国食品医薬品局(FDA)は新型を認可した．自己注射にどうしてもなじめない患者には朗報であるが，前述の問題点は依然として存在する．2022年現在，これらの問題により，販売は低迷している．）

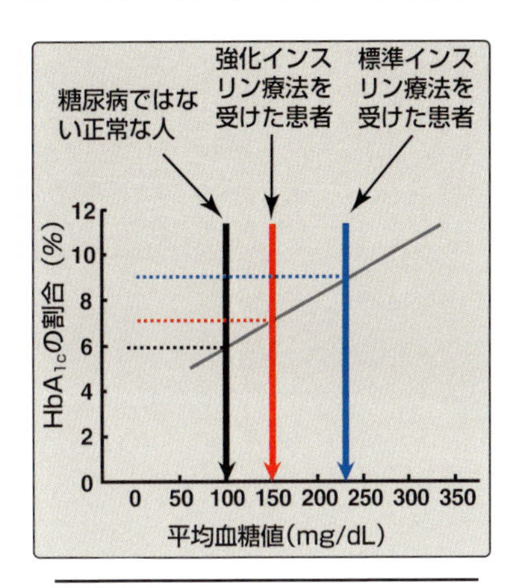

図 25.4
1型糖尿病患者の標準療法と強化療法による平均血糖とHbA_{1c}(%)の変化と相関．健常者をコントロールとして含めた．

1．標準療法と強化療法：典型的な標準療法では，ヒト組換えインスリンを毎日2，3回注射する．標準療法では通常血糖値は平均225～275 mg/dL，HbA_{1c}濃度は総ヘモグロビンの8～9％となる(図25.4，青色の矢印)．[注：HbA_{1c}形成の割合は，それ以前3カ月間の血糖値の平均に比例する．このため，HbA_{1c}は糖尿病患者の血糖がその期間にどの程度の異常であったのかという指標になる．] 標準療法とは対照的に，強化療法は，より頻繁に血糖を監視し，インスリンを頻回に投与し(1日に4回以上)，血糖をより正確に正常になるようにする．治療後には血糖値は平均150 mg/dLに，HbA_{1c}は7％程度にまで低下させることが可能である(図25.4，赤色の矢印)．[注：正常な平均血糖値は約110 mg/dLであり，HbA_{1c}は6％以下である(図25.4，黒色の矢印)．] このように，強化療法を施した患者でも，血糖は正常血糖値 euglycemiaにまで到達しない．にもかかわらず，強化療法は，糖尿病の長期にわたる合併症(網膜症，腎症，神経障害)が標準療法の患者よりも50％以上減少する．このことにより，糖尿病の微小血管合併症は血漿グルコースの上昇に関係があることが確かになった．

2．1型糖尿病の副作用：糖尿病の治療における目標の1つは，この疾患における長期にわたる合併症の進行を最小限にするために血糖値を下げることである(p.447の慢性合併症と糖尿病に関する説明参照)．しかしながら，患者すべてにとって適切なインスリン投与量の設定は困難である．過剰なインスリンによる低血糖症 hypoglycemiaがインスリン治療の際の最も一般的な合併症であり，90％以上の患者に起こっている．低血糖の症状，昏睡や痙攣の頻度は，血糖を厳密にコントロールするようなプロトコールの強化療法のほうが高い(図25.5)．健常者では，低血糖症はそれに対抗するグルカゴンやアドレナリン(エピネフリン)といった肝臓でのグルコース産生を促進させるインスリン拮抗ホルモンを代償的に分泌する引き金となる(p.410参照)．しかしながら，1型糖尿病患者ではグルカゴンを分泌する能力も欠けている．この欠損は疾患の初期段階に起こり，診断確定後4年以内にほ

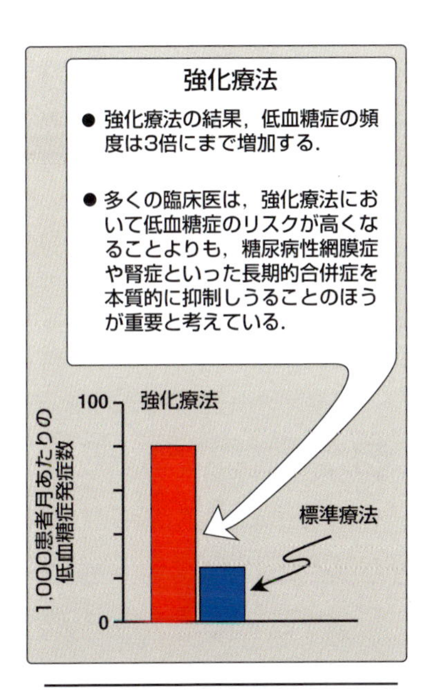

図 25.5
強化療法あるいは標準療法の患者の低血糖症発症率．

とんどの患者に存在する．したがって，これらの患者は重症の低血糖を防ぐためにアドレナリン分泌に依存することになる．しかしながら，1 型糖尿病患者は病状が進行するにつれ糖尿病性自律神経障害 diabetic autonomic neuropathy や低血糖症に対するアドレナリン分泌能力障害を呈するようになる．グルカゴンとアドレナリン分泌能力欠損が重なると，ときとして“**無症候性低血糖症 hypoglycemia unawareness**”と呼ばれる症状のない状態に陥る．このように，長期にわたる 1 型糖尿病患者は特に低血糖に対してリスクが高くなる．低血糖症は激しい運動によっても起こりうる．運動することで骨格筋のグルコース取り込みが増加し，外来性インスリンの必要量が低くなるためである．したがって，患者が低血糖にならないよう過度の運動の前後では血糖値をチェックするよう指導する必要がある．

3．**強化療法（強力な血糖降下療法）の禁忌**：低血糖発症は発達過程の脳に障害をもたらすリスクが高いために，8 歳以下の小児では強化療法は原則禁忌である．高齢者でも，低血糖から脳や心の血管障害を招きやすいため，強化療法は一般的ではない．強化療法の目的は数年後の合併症を予防することであることを強調しておく．強化療法は，少なくとも余命が 10 年以上あり，合併症を伴っていない場合に特に有益である．［注：妊娠を伴わない成人糖尿病患者では，糖尿病罹患期間，年齢/余命，併発疾患/合併症を総合的に勘案して治療方針が決定される．］

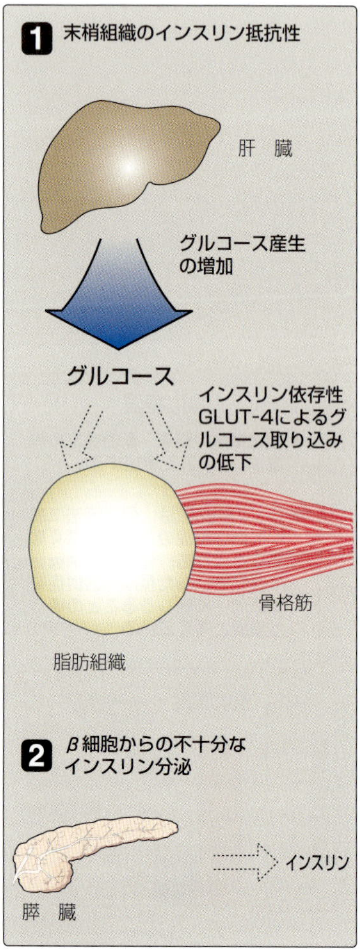

Ⅲ．2 型糖尿病

2 型糖尿病は糖尿病の最も一般的な型であり，米国の糖尿病患者の約 90% 以上を占めている．［注：1 型糖尿病とは逆に，いわゆるアメリカ先住民が最も有病率が高く，アラスカ先住民，ヒスパニック（ラテン）系，アフリカ系，アジア系，白人/ヨーロッパ系の順で低くなる．］通常 2 型糖尿病は，はっきりした症状が出ないまま徐々に進行していく．この疾患は一般健康診断でしばしば見つかる．しかし，2 型糖尿病の多くの患者は，数週間の間，多尿や多飲の症状が出る．多食も呈するかもしれないが，あまり一般的ではない．2 型糖尿病患者は**インスリン抵抗性 insulin resistance** と **β 細胞の機能不全 dysfunctional β cell** を併発している（図 25.6）．しかし，高血糖のコントロールや HbA_{1c} を 7% 以下に維持するために，結局はインスリンを 90% 以上の患者で使用することにはなるものの，インスリン投与が患者の生命維持に必須というわけではない．2 型糖尿病にみられる代謝変化は，1 型糖尿病におけるものよりも穏やかである．その 1 つの理由は，2 型糖尿病ではインスリン分泌により（十分量ではないが）ケトン体生成が抑制され，DKA の進行が遅いためである．［注：インスリンはグルカゴンの分泌を抑制する（p.407 参照）．］診断法としては，前述（Ⅱ.A.）したように高血糖（つまり，空腹時血糖値が 126 mg/dL 以上）かどうかに基づく．2 型糖尿病には病原性ウイルスや自己免疫抗体は関係しておらず，原因不明である．［注：高齢者の 2 型糖尿病の急性合併症

1 末梢組織のインスリン抵抗性
肝 臓
グルコース産生の増加
グルコース
インスリン依存性 GLUT-4 によるグルコース取り込みの低下
骨格筋
脂肪組織
2 β 細胞からの不十分なインスリン分泌
インスリン
膵 臓

図 25.6
2型糖尿病の高血糖の主な要因.
GLUT：グルコース輸送体.

は，重度の高血糖と脱水症による神経症状を伴う高血糖性高浸透圧性昏睡 hyperosmolar hyperglycemic state である．]

> 2 型糖尿病の特徴は高血糖，インスリン抵抗性，インスリン分泌不全，そして，β細胞の機能不全に至る．インスリン療法がしばしば必要となることから，2 型糖尿病の旧名「インスリン非依存性糖尿病」は使われなくなった．

A. インスリン抵抗性

インスリン抵抗性とは，肝臓や白色脂肪組織，骨格筋といった標的組織において正常の（あるいは増加した）インスリン濃度に対する適切な反応性が低下していることである．例えば，インスリン抵抗性の特徴は，肝臓におけるグルコース産生が増加すること，骨格筋や脂肪組織によるグルコース取り込みの減少，そして，脂肪分解による遊離脂肪酸産生が促進されることである（図 25.7）．

1．インスリン抵抗性と肥満：肥満 obesity は，インスリン抵抗性と 2 型糖尿病の最も一般的な原因であるが，肥満とインスリン抵抗性が存在しても大半の人々は糖尿病ではない．β細胞の機能不全が起こっていなければ，肥満のヒトはインスリン量を増加させることでインスリン抵抗性を補い，糖尿病にならないのである．例えば，図 25.7 A のように，インスリン分泌量はやせているヒトよりも肥満患者のほうが 2 ～ 3 倍も多い．このより高いインスリン濃度によって，ホルモンに対する効果の減少（インスリン抵抗性）を補い，やせているヒトと同じような血糖値となる（図 25.7 B）．

2．インスリン抵抗性と 2 型糖尿病：2 型糖尿病はインスリン抵抗性だけでは発症せず，β細胞に障害がみられるインスリン抵抗性のヒト

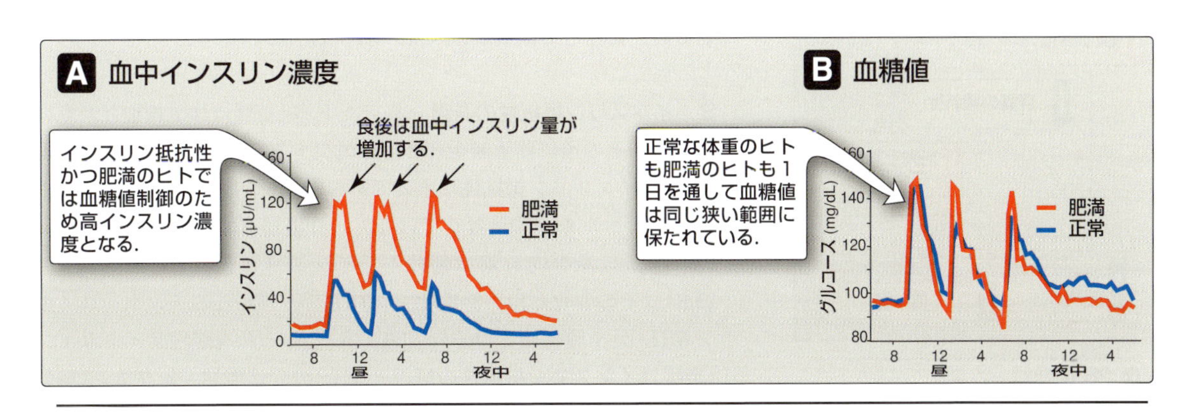

図 25.7
正常なヒトと肥満のヒトの血中インスリン濃度（A）と血糖値（B）の日内変動．

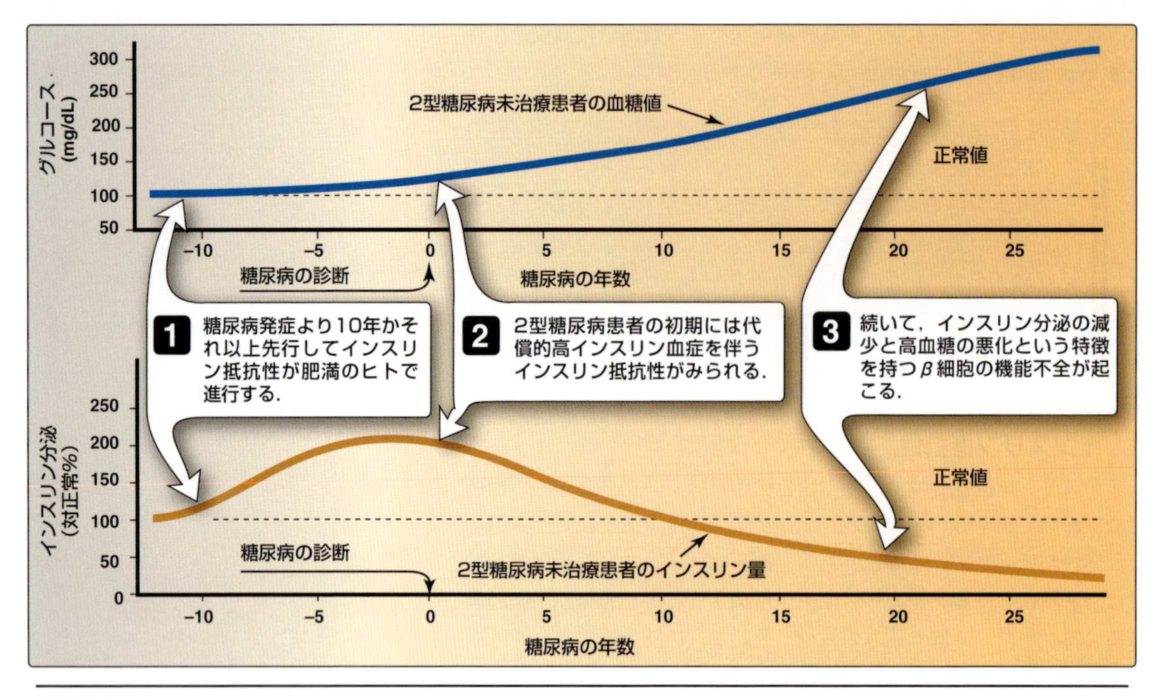

図 25.8
2 型糖尿病患者の血糖値とインスリン濃度の経過.

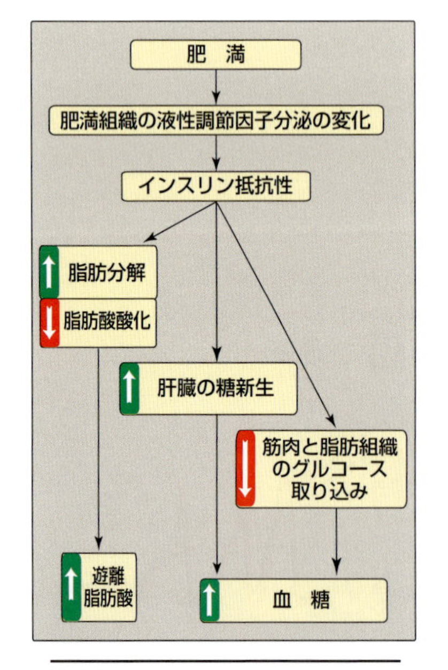

図 25.9
肥満，インスリン抵抗性，高血糖.
［注：インスリン抵抗性には炎症も関与している.］

において進行する．インスリン抵抗性とそれに続く 2 型糖尿病のリスクは，肥満で運動しないヒト，高齢者，および 3 ～ 5% の妊娠糖尿病の女性において一般的にみられる．こうした患者は，インスリン抵抗性に対してインスリン分泌を増加させて十分に補償することができない．図 25.8 は，インスリン抵抗性，高血糖，β細胞機能不全の進行の時系列を示す．2 型糖尿病が発症するまで，インスリン抵抗性は過量のインスリン分泌（正常以上）で代償される．結果として，血糖はほぼ正常範囲もしくは境界型領域に維持される．やがて，過量のインスリンをもってしてもインスリン抵抗性を代償することができなくなり，血糖は診断基準値（血糖 125 mg/dL以上，HbA_{1c} 6.5% 以上）を超える．発症（診断）後，β細胞の機能不全はさらに進行し，血糖が上昇していくこともある．インスリン分泌は正常以下に低下しうる．

3．インスリン抵抗性の原因：インスリン抵抗性は体重増加とともに増加し，その逆に体重減少とともに減少する．過剰な脂肪組織（特に腹部）がインスリン抵抗性に重要である（図 25.7 参照）．脂肪組織はただ単にエネルギー貯蔵器官ではなく，分泌器官でもある．肥満に伴い，脂肪組織の内分泌は変化し，インスリン抵抗性が生じる（図 25.9）．その変化とは，活性化マクロファージからのインターロイキン 6（IL-6）や腫瘍壊死因子-α（TNF-α）といった炎症性サイトカイン（炎症はインスリン抵抗性の原因となる）の分泌増加，レプチン（炎症誘発性作用があるタンパク質，詳細は p.457 参照）の生成増加，脂肪細胞の抗炎症作用のあるアディポネクチンの分泌低下などである

(p.455 参照)．これらにより，慢性軽度炎症が持続する．インスリン抵抗性が増加すると，脂肪分解と遊離脂肪酸産生が増加する(図25.9)．遊離脂肪酸が増加すると，グルコース消費が低下し，高血糖をもたらし，肝臓への異所性のTAG沈着を促進する(脂肪肝 hepatic steatosis)．[注：肝への脂肪沈着はNAFLD (nonalcoholic fatty liver disease，非アルコール性脂肪性肝疾患，読み方はナッフルディー)をもたらす．NAFLDの中で炎症性反応を伴い重症化したのがNASH (nonalcoholic steatohepatitis，非アルコール性脂肪肝，読み方はナッシュ)である．] 遊離脂肪酸は炎症誘発性作用も持っている．長期的には，遊離脂肪酸はグルコースによるインスリン分泌を抑制する．[注：アディポネクチンは脂肪酸のβ酸化を促進する(p.455 参照)．したがって，アディポネクチンが低下すると遊離脂肪酸が余剰する．]

B．β細胞の機能不全

２型糖尿病初期において膵臓のβ細胞は機能しており，そのためにインスリン量は正常値以上から以下まで変化する．しかし，時間経過とともに高血糖を是正するのに十分なインスリンを分泌することができなくなり，β細胞は機能不全に陥る．典型的な肥満を伴う２型糖尿病のヒトのインスリン量は高いが，同程度の肥満だが糖尿病でないヒトほどは高くない．このように，病状が自然に進行し，その結果インスリン分泌による高血糖の制御能力が低下する(図 25.10)．持続的な高血糖と遊離脂肪酸の上昇，炎症誘発性環境の毒性作用によりさらにβ細胞障害が加速されることも考えられる．

C．２型糖尿病における代謝変化

２型糖尿病のグルコースとTAGの代謝異常は，主に肝臓や骨格筋，白色脂肪組織に生じるインスリン抵抗性の結果によるものである(図25.11)．

1．高血糖症 hyperglycemia：高血糖症は，インスリン抵抗性による骨格筋と脂肪組織におけるグルコース使用量の減少と肝臓におけるグルコース産生量の増加によって引き起こされる．一般的に２型糖尿病患者では高ケトン体血症はほとんどない．インスリンが存在するた

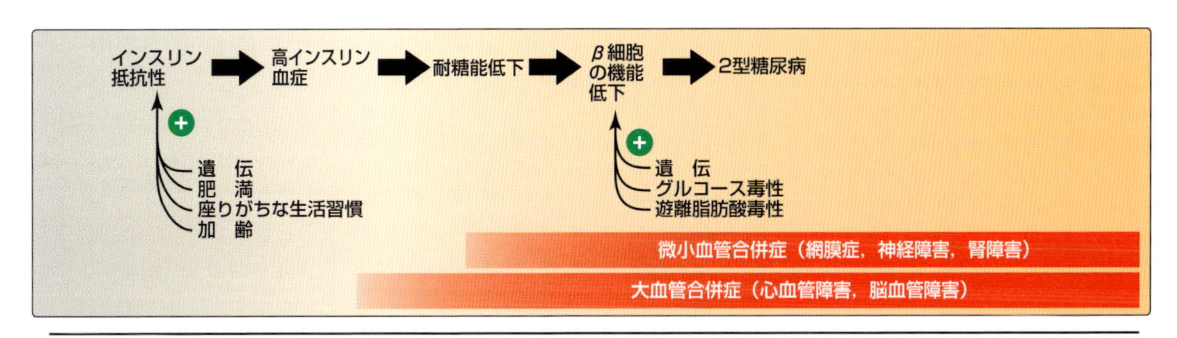

図 25.10
２型糖尿病の典型的な経過．

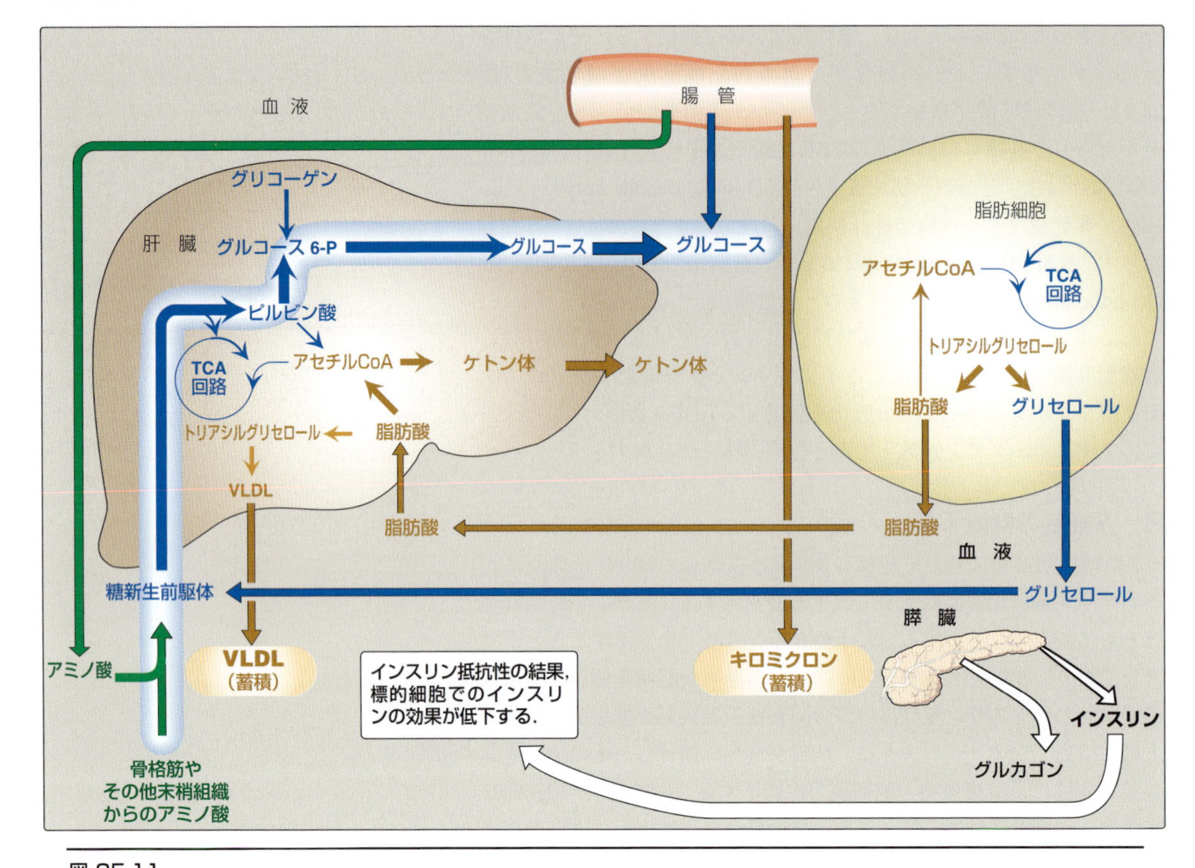

図 25.11
2型糖尿病における臓器間の関係.［注：インスリン作用があれば，ケトン産生は制御される.］CoA：補酵素A，VLDL：超低密度リポタンパク質.

めに(たとえインスリン抵抗性であっても)肝臓でのケトン体生成が抑制されているからである.

2．脂質異常症 dyslipidemia：肝臓では，脂肪酸はTAGに変換され，VLDLにパッケージされて血中に分泌される．食事性TAGを豊富に含む**キロミクロン chylomicron**は食後に腸管粘膜細胞により合成され分泌される．リポタンパク質/TAGの脂肪細胞でのリポタンパク質リパーゼによる分解が糖尿病では不十分であるため，血漿中のキロミクロンやVLDLが増加し，高TAG血症になる(図25.10)．低HDLも，おそらくその分解が促進するため2型糖尿病で生じる.

D．2型糖尿病の治療

2型糖尿病治療の目標は血糖値を正常とされる限界値以下に維持することであり，長期にわたる合併症の進行を防ぐことである．体重減少，運動，そして食事療法(食事改善)により初期の2型糖尿病の高血糖はしばしば改善される．2型糖尿病では血糖を下げるために経口抗高血糖薬が用いられる．［注：抗高血糖薬は血糖を下げるために血糖降下薬ともいわれる.］経口抗高血糖薬には，ビグアニド類のメトホ

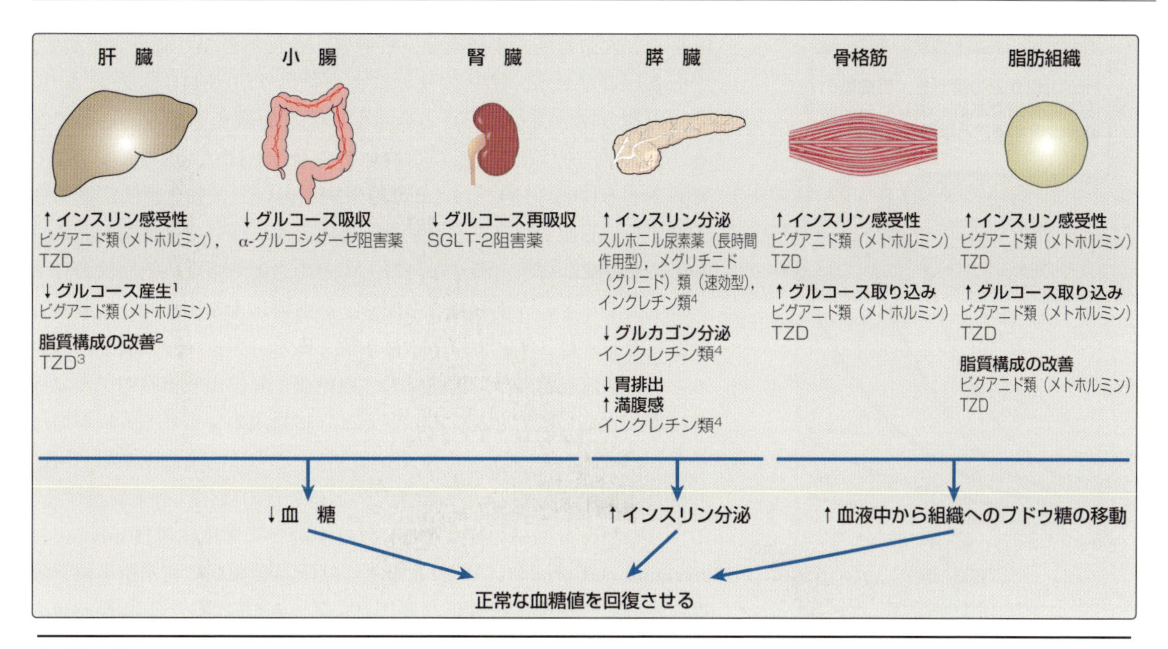

図 25.12
抗高血糖薬の2型糖尿病におけるグルコース代謝と脂質代謝に及ぼす組織特異的作用. 1. 肝臓の糖新生とグリコーゲン分解の抑制. 2. HDL上昇, TAG低下, 脂肪細胞の脂質分解の低下. 3. 脂肪細胞からのアディポネクチン分泌とβ酸化の促進. 4. インクレチン類とDPP4阻害薬. TZD:チアゾリジン類, DPP4:ジペプチジルペプチダーゼ4, SGLT-2:ナトリウム依存性グルコース共輸送体.

ルミン(肝臓のグルコース産生を抑制する), スルホニル尿素薬やメグリチニド(グリニド)類(インスリン分泌を促進する, p.403 参照), チアゾリジン薬(遊離脂肪酸の低下と組織インスリン感受性の増加), α-グルコシダーゼ阻害薬(炭水化物の吸収阻害), インクレチン類(グルカゴン分泌抑制, インスリン分泌促進, 食欲抑制), SGLT-2 阻害薬(腎臓のグルコース再吸収を抑制)といった経口抗高血糖薬およびインスリン注射が血糖値を正常化するために用いられる. [注:減量手術(胃を絞扼したり, 腸を短縮するなど, 外科的に消化管機能を低下させること)は過度の病的肥満を伴う 2 型糖尿病患者に有効とされる. ただし, あくまで補助治療であり, 一般的な治療も継続する必要がある.] 経口抗高血糖薬の組織特異的なグルコースや脂質代謝への作用を図 25.12 に要約した(訳注:新規の作用機序の糖尿病治療薬として 2021 年にイメグリミンが認可された. ミトコンドリアの酸化ストレスを軽減して, インスリン分泌を促し, インスリン改善を改善する. また, 2021 ~ 22 年ではSGLT-2 阻害薬が全盛であり, 心不全への適応が拡大している. その昔はスタチン類がもてはやされていた. メトホルミンも抗がん作用など再評価されている).

Ⅳ. 慢性的な影響と糖尿病の予防

先述したように, 現在有効な治療法により糖尿病の高血糖症を軽減することはできるが, 代謝機能を完全に正常にすることはできない. 長期間の血糖値上昇により慢性的な糖尿病性合併症(心臓や脳の血管

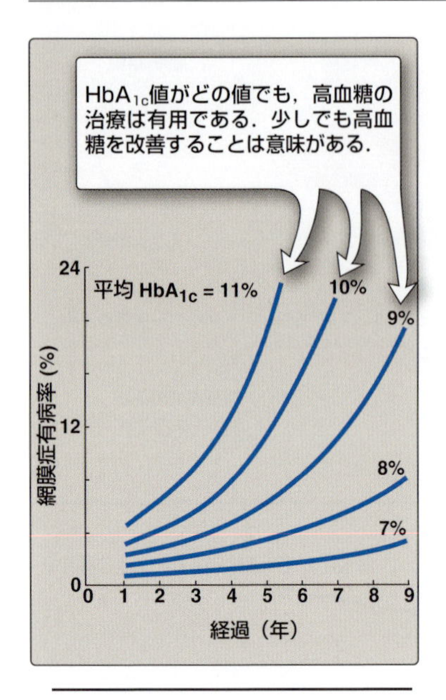

図 25.13
高血糖のコントロールと糖尿病性網膜症の関係.

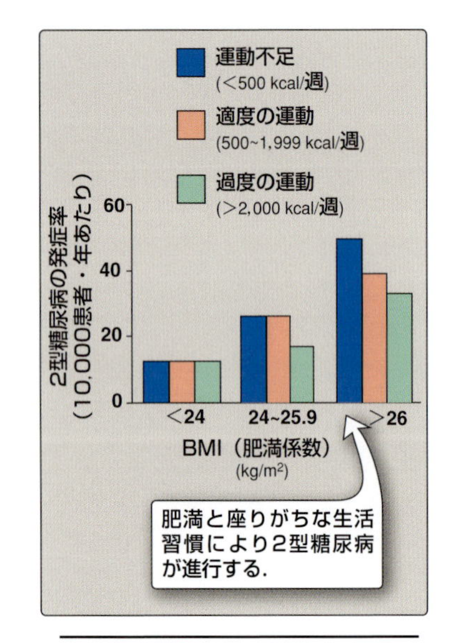

図 25.14
2型糖尿病における体重と運動の効果.

障害など大血管病変や網膜症，腎障害，神経障害など微小血管病変）が引き起こされる．インスリンによる強化療法(p.441 参照)により，発症を遅らせ，長期にわたる合併症の進行を緩和させることができる．例えば，網膜症の発症は，高血糖の改善やHbA_{1c}量の減少に従って減少する(図 25.13)．［注：2 型糖尿病において，強化療法が標準療法に比して心血管障害をどの程度改善するかについては議論がある．］厳密に血糖を制御する利点は，ほとんどの患者で重度の低血糖のリスクが増大するという不利益を上回る．高血糖により慢性的な糖尿病性合併症を引き起こすメカニズムは不明である．グルコース取り込みがインスリン依存的でない細胞でも，血糖値上昇により細胞内グルコースは増大するし代謝も起こる．例えば，細胞内のソルビトールが増加すると白内障へとつながる(p.184 参照)．さらに，高血糖症はHbA_{1c}形成と類似する反応により細胞内タンパク質の糖化反応を促進する．こうした糖化タンパク質はさらに反応を経て終末糖化産物 advanced glycation end product (AGE)となる．AGEは糖尿病の初期微小血管障害に関与し，創傷治癒遅延の原因となる．AGEは膜受容体 receptor for AGE (RAGE，AGE特異的受容体)に結合し，炎症性サイトカインの放出を促進する．現在，1 型糖尿病を予防する治療法はない．2 型糖尿病のリスクは，医学的栄養療法，体重減少，運動療法，さらに高血圧症と脂質異常症の厳格な管理を行うことで十分減少させることが可能である．図 25.14 には体重別による運動の程度と疾患の発症率を示している(訳注：2008 年，ACCORD臨床研究は強化療法群で総死亡率が上昇し中止となった．急激な血糖低下が問題という意見がある)．

25 章の要約

- **糖尿病**とは，インスリンの相対的，もしくは絶対的な欠乏により**空腹時血糖値が上昇**する症状を呈する種々の疾患からなる症候群である(図 25.15)．
- 糖尿病は，**後天的な失明**や**手足の切断**の主な原因であり，**腎不全**，**神経障害**，**心血管障害**，**脳血管障害**の代表的な要因となる．
- この疾患はさらに**1 型**と**2 型**の 2 つの型に分類することができる．
- **1 型糖尿病**は米国の糖尿病患者約 3,000 万人のうち 10% 弱を占めている．1 型糖尿病は，**膵臓の β 細胞**に対する**自己免疫**による**インスリンの絶対的な欠乏**として特徴づけられる．この β 細胞の障害は，**環境因子**(例えばウイルス感染)や β 細胞を“非自己”として誤認する**遺伝要因**によるものである．1 型糖尿病の**代謝異常**としては，**高血糖症**や糖尿病性**ケトアシドーシス**，**高トリアシルグリセロール血症**が挙げられ，これらはインスリンの欠乏の結果起こる．1 型糖尿病患者は，高血糖やケトアシドーシスを制御するために**外来性インスリン**を皮下注射することが必須となる．
- **2 型糖尿病**は，**遺伝**要因が強くあり，**インスリン抵抗性**と **β 細胞の機能不全**が組み合わさることで起こる．インスリン抵抗性とは，肝臓や白色脂肪組織，骨格筋といったインスリンの標的組織が正常な(あるいは上昇した)インスリン濃度に対して適切に反応することができなくなることである．インスリン抵抗性の最も一般的な原因は，**肥満**である．しかし，肥満かつインスリン抵抗性を示すヒトの大半は糖尿病にはならない．β 細胞の機能障害がなければ糖尿病とはならず，肥満のヒトでもインスリン濃度の上昇によりインスリン抵抗性を補っている．インスリン抵抗性だけでは 2 型糖尿病にはならない．むしろ，2 型糖尿病は β 細胞の機能に障害がみられるインスリン抵抗性のヒトで進行する．2 型糖尿病にみられる急性**代謝異常**は，1 型(完全インスリン依存性)糖尿病にみられるものよりも**穏やか**である．その理由の 1 つは，2 型糖尿病ではインスリン分泌(十分ではないが)により**ケトン体生成**が抑制され，糖尿病性ケトアシドーシスの進行が軽減しているからである．
- 糖尿病に対する有効な治療法は高血糖を緩和することであるが，代謝を完全に正常にすることはできない．血糖値の長期にわたる上昇は**慢性的な糖尿病性合併症**(**心臓や脳の血管障害**(**大血管障害**)**や網膜症**，**腎障害**，**神経障害**(**微小血管障害**))と関連がある．

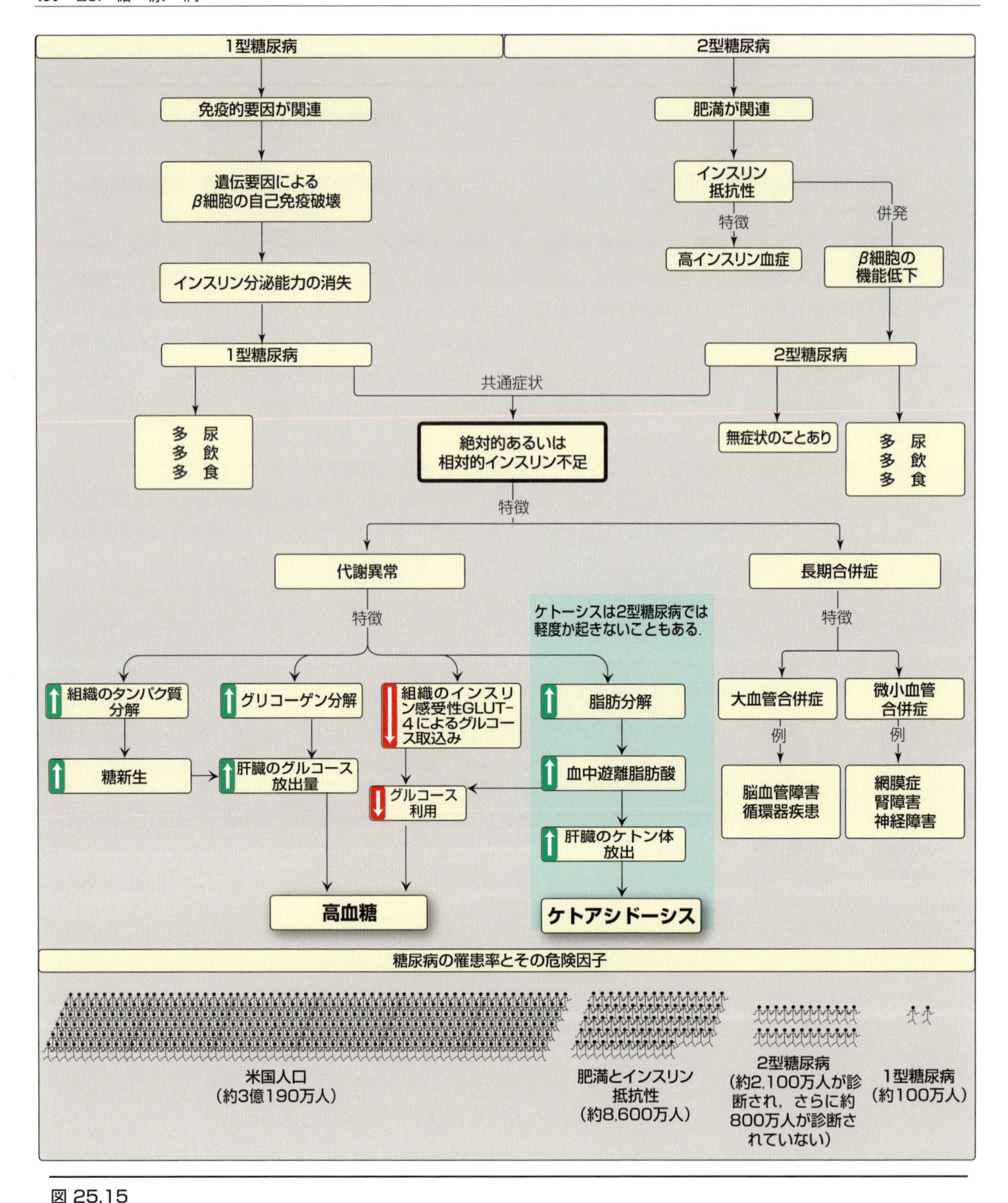

図 25.15
糖尿病の概念図.［注：2014年のデータ.］GLUT：グルコース輸送体.

学習問題

最適な答えを1つ選びなさい.

25.1　妊娠糖尿病の診断のために経口グルコース負荷試験が行われた．下記の検査結果で，前糖尿病段階なのはどれか.

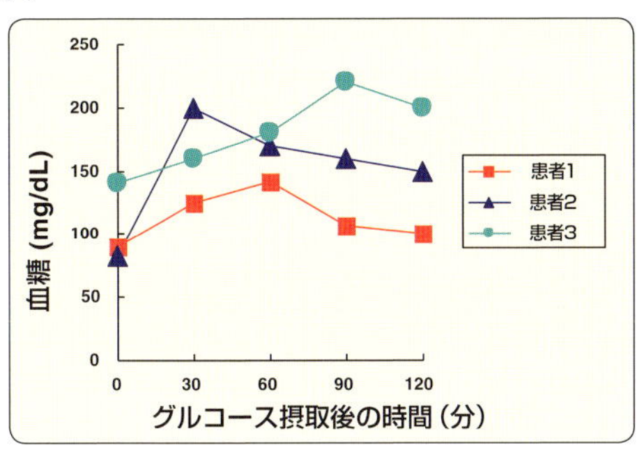

A.　患者1
B.　患者2
C.　患者3
D.　上記のすべて
E.　いずれでもない

正解　B．患者2は空腹時血糖値は正常だが，2時間後の血糖値が高く，グルコース耐性が低下しており，前糖尿病段階と診断される．患者1は正常，患者3はすでに糖尿病である.

25.2　ヒトでインスリンの相対的，絶対的な欠乏の結果，肝臓で生じることはどれか.
A.　ホルモン感受性リパーゼの活性減少
B.　乳酸からの糖新生の減少
C.　グリコーゲン分解の減少
D.　3-ヒドロキシ酪酸産生の増加
E.　グリコーゲン合成の増加

正解　D．低インスリン下では，肝臓では脂肪組織由来（肝ではない）で脂肪酸のホルモン感受性リパーゼによるβ酸化によって得られたアセチルCoAを使ってケトン体合成が行われる．また，低インスリンによりホルモン感受性リパーゼが活性化し，グリコーゲン合成が減少し，糖新生とグリコーゲン分解が増加する.

25.3　次のうち1型あるいは2型糖尿病どちらの未治療患者で頻繁にみられることはどれか.
A.　高血糖症
B.　ケトアシドーシス
C.　HbA_{1c}低値
D.　Cペプチド正常
E.　肥満
F.　単純な遺伝様式

正解　A．1型糖尿病では，インスリン欠損のために血糖値上昇が起こる．2型糖尿病の高血糖症は，β細胞の機能低下とインスリン抵抗性により高血糖となる．高血糖が持続するとHbA_{1c}が上昇する．ケトアシドーシスは2型糖尿病ではまれである．肥満は1型糖尿病ではまれである．C（連結）ペプチドはインスリン分泌量の指標となる．1型糖尿病ではCペプチドは非常に低値であり，2型糖尿病では初期は増加し，やがて低下する．どちらの型の糖尿病も遺伝様式は複雑である.

25.4 肥満な2型糖尿病で一般的に正しいのはどれか.

A. 食後約6時間でインスリンを投与するとよい.
B. 正常のヒトよりも血中グルカゴンレベルが高い.
C. 正常なヒトよりも血漿中のインスリン量が少ない.
D. 体重を正常値まで戻せば耐糖能が顕著に改善する.
E. 通常は急性発症する.

正解 D. 2型糖尿病患者のほとんどが肥満であり，ほぼ全員が体重減少により血糖値の改善がみられる．症状は慢性的に進行する．こうした患者は，比較的長期にわたってインスリン量が多く，通常はインスリンを必要としない(食後6時間に限らない)．一般的にはグルカゴン量は正常か低い．

問題25.5～25.7の抗高血糖薬の作用機序はどれか.

25.5 スルホニル尿素薬
25.6 SGLT-2阻害薬
25.7 チアゾリジン薬

A. 遊離脂肪酸の低下と末梢のインスリン感受性の上昇
B. インスリン分泌促進
C. 糖質吸収阻害
D. 糖新生抑制
E. 腎臓の糖再吸収の抑制

正解 25.5 B，25.6 E，25.7 A. スルホニル尿素薬は膵臓β細胞からのインスリン分泌を促進する．SGLT-2阻害薬は腎臓のグルコース再吸収を阻害し，尿中へのグルコース排出を増加させる．チアゾリジン薬は脂肪細胞の遊離脂肪酸貯蔵を制御するPPAR(peroxisome proliferator-activated receptor)を介して作用し，末梢組織のインスリン感受性を増加させる．α-グルコシダーゼ阻害薬は小腸のグルコース吸収を低下させる(訳注：正確には遅延させて食後高血糖を抑制する)．メトホルミンは肝臓のグルコース産生を抑制する．

肥　満　26

Ⅰ．概　要

肥満 obesity は体脂肪の過剰を特徴とする体重制御系の疾患である．原始社会では，日々の生活での身体活動 physical activity 量は多かった上に食物も継続的には得られなかった．そのため，カロリーの超過分を中性脂肪として蓄積する遺伝的特質が生存のために有利であった．しかしながら，今日の先進国では，座りがちな生活習慣となり，美味しく，安い食品があふれかえるようになり，肥満が蔓延している．肥満（脂肪過多）が蔓延するに従って，2 型糖尿病，心血管性疾患，高血圧症，がん，関節炎などの疾患のリスクも増加している．特に驚くべきことは，この 40 年で 3 倍の増加を示した小児や青少年の肥満の爆発的な増加である．[注：2 ～ 19 歳の 5 人に 1 人が肥満とされる．] 米国では，**過体重 overweight** あるいは肥満になる生涯リスクは，それぞれ約 50% および 25% に達している．肥満は全世界的に増加している．事実，全世界で（慢性的に栄養不足の）飢餓人口よりも肥満のほうが多いとする報告もある．

Ⅱ．肥満の評価

体脂肪を直接測定するのは困難なため，通常は間接的な測定から判定される．**ボディマス指数 body mass index**（BMI，体格指数ともいう）がほとんどのヒトで体脂肪率とよく相関することが知られている．[注：脂肪がほとんどなく骨格筋が主である運動選手は例外で著しく乖離する．] ウエスト周囲径はいわゆる内臓脂肪を反映していると考えられ，メジャーによる測定も肥満のスクリーニングに用いられている．過剰な内臓脂肪は BMI とは無関係に罹患率や死亡率の増加と関連している．[注：女性で腹囲 40 インチ（約 102 cm）以上，男性で 35 インチ（約 89 cm）以上は危険因子とされる．]（訳注：測定法の問題もあり腹囲をメタボリック症候群の診断基準に加えて良いかについては議論もある．が，一つの簡便な目安として日本では男性 85 cm 以上，女性 90 cm 以上に加えて，高脂血症，高血圧，空腹時高血糖のいずれか 2 項目が存在するとメタボリックシンドロームと診断される．）

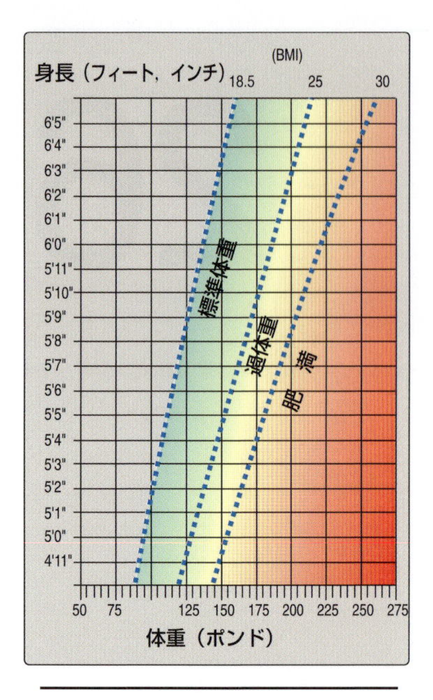

図 26.1
ボディマス指数（BMI）チャート．縦軸の身長と横軸の体重の交点がBMI値となる．［注：BMIをインチとポンドで計算する場合には，BMI＝（体重ポンド）/（身長インチ）^{2}× 703となる．標準体重より100ポンド（45.4 kg）以上の過体重は病的肥満である．］（訳注：1インチ＝2.54 cm，1フィート＝30.48 cm，1ポンド＝約0.454 kg）

A. ボディマス指数（BMI）

BMI（体重kg）/（身長m）^{2} は身長に対して調整した相対的体重である．この指数を用いればある集団内あるいは集団間で肥満度を比較することができる．BMIの健康的範囲は，**18.5～24.9（普通体重）**である．**BMI25～29.9は過体重**とみなされ，30以上は肥満と定義される．そして**BMI40以上は重度の肥満**とみなされる（図26.1）．これらのカットオフ値はBMIと早期死亡との相関を調べた研究に基づいており，男女でもほぼ同じである．米国の成人の3分の2近くが過体重であり，3分の1以上が肥満となっている．小児では，体重が95パーセンタイル以上を肥満とする．

B. 脂肪蓄積の解剖学的な違い

体脂肪の解剖学的分布によって，体脂肪の健康リスクへの影響は大きく異なる．ウエスト/ヒップ比が女性では0.8以上，男性では1.0以上は体幹部により脂肪が蓄積しており，男性型，リンゴ型，上半身（腹部）肥満と定義される（図26.2 A）．反対に，低いウエスト/ヒップ比（女性で0.8未満，男性で1.0未満）は脂肪蓄積がより臀部や大腿部に多いことを示しており，女性型，西洋ナシ型，下半身（臀部）肥満と定義される．女性に多い西洋ナシ型は代謝性疾患のリスクがリンゴ型よりもはるかに少なく，防護的であることを示唆する研究もある．したがって，体型を示すこの単純な指標を用いて，臨床的に代謝性疾患のリスクが高い肥満のタイプを識別することができる．

ヒト体内の脂肪の80～90%は皮下脂肪（皮膚の直下）であり，特に腹部（上半身）と臀部大腿部（下半身）に多い．さらに，体脂肪の10～20%はいわゆる内臓脂肪として貯蔵されている（図26.2 B）．過剰な内臓脂肪と腹部皮下脂肪は，肥満に関係した健康リスクを上昇させる．

C. 脂肪の蓄積部位による生化学的な違い

上記の蓄積部位が異なった脂肪は生化学的にも異なっている．特に女性における下半身の皮下脂肪細胞は，腹部皮下の脂肪細胞より大きく，脂肪（トリアシルグリセロール，TAG）貯蔵の効率が非常に高く，脂肪酸の動員も緩慢である．内臓脂肪細胞は最も代謝活性が高い．肥満者では腹部皮下脂肪と内臓脂肪では脂肪分解が活発であり，遊離脂肪酸を豊富に供給している．これらの代謝特性の違いは上半身（腹部）肥満で健康リスクが高いことに関与していると考えられる．［注：遊離脂肪酸はインスリンシグナルを障害し，炎症誘発性である（p.445参照）．］

1．**内分泌機能**：白色脂肪組織white adipose tissue（WAT）は，以前は代謝には受動的なTAG貯蔵所にすぎないとされていた．しかし，現在では体重制御系で能動的な役割を担っていることが明らかになっている．例えば，脂肪細胞は，食欲や代謝を制御しているレプチン(p.457 参照)やアディポネクチンをはじめとして多数のタンパク質性制御因子(アディポカイン)を分泌している．アディポネクチンは骨格筋の脂肪酸酸化を促進して血中遊離脂肪酸を低下させ，脂質状態を改善し，糖尿病患者のインスリン抵抗性を軽減して血糖を低下させ炎症を抑制する．[注：体重が増加すると，アディポネクチン濃度は低下し，レプチン濃度は増加する．]

2．**門脈循環の重要性**：肥満に伴って，脂肪組織からの遊離脂肪酸と炎症性サイトカイン(インターロイキン 6(IL-6)や腫瘍壊死因子-α(TNF-α)など)の分泌が増加する．[注：サイトカインは，細胞から分泌され炎症を制御する比較的小分子のタンパク質の総称である．] 内臓脂肪が肥満における代謝異常にこのように重大な影響を及ぼす仮説の 1 つは，内臓脂肪組織から分泌されるサイトカインや遊離脂肪酸が門脈に分泌され，肝臓に直接作用することである．その結果，インスリン抵抗性(p.444 参照)や TAG の合成が増加する．TAG は VLDL 粒子として分泌され，肥満に伴う高 TAG 血症をもたらす．対照的に，皮下脂肪から分泌される遊離脂肪酸は体循環に入り，筋肉で酸化されるため，肝臓にはあまり到達しない．

D．脂肪細胞の大きさと数

TAG が蓄積されるにつれて，脂肪細胞の容積は通常の 2 ～ 3 倍に膨大していく(図 26.3)．しかし，この膨大化にも限度がある．栄養過多が継続すると，脂肪組織内の脂肪細胞前駆細胞が刺激されて分裂を開始し，成熟脂肪細胞へと分化し，脂肪細胞の数が増えていく．その結果，ほとんどの肥満では，脂肪細胞の大きさの増加(肥大)と数の増加(増殖)の両者が生じている．肥満のヒトは，正常の 5 倍程度までの脂肪細胞数が存在しうる．[注：他の組織と同じように，脂肪組織でもリモデリング(再構築)が行われている．初期のドグマに反して，現在は脂肪組織も細胞死することがわかっている．脂肪細胞の寿命は 10 年と推定されている．]

余分なカロリーを脂肪組織が処理できなくなると，過剰な脂肪酸は，心臓や肝臓など他の組織へ"溢流 spill over"することになる．このようないわゆる異所性脂肪 ectopic fat はインスリン抵抗性の重大な原因となる．肥満者が減量すると，脂肪細胞の容積は低下するが，細胞数は維持される．その結果，正常脂肪量になるためには，脂肪細胞は正常よりも小さくなる必要がある．しかし小型の脂肪細胞の脂肪再蓄積能は非常に優れており，食欲と体重再増加を引き起こすと考えられる．

Ⅲ．体重調節

ほとんどのヒトの体重は，長期にわたって比較的一定である．この結果から，各個人の体重には生物学的にあらかじめ定められた(プレセットされた)"**セットポイント set point**(設定値)"が存在するという

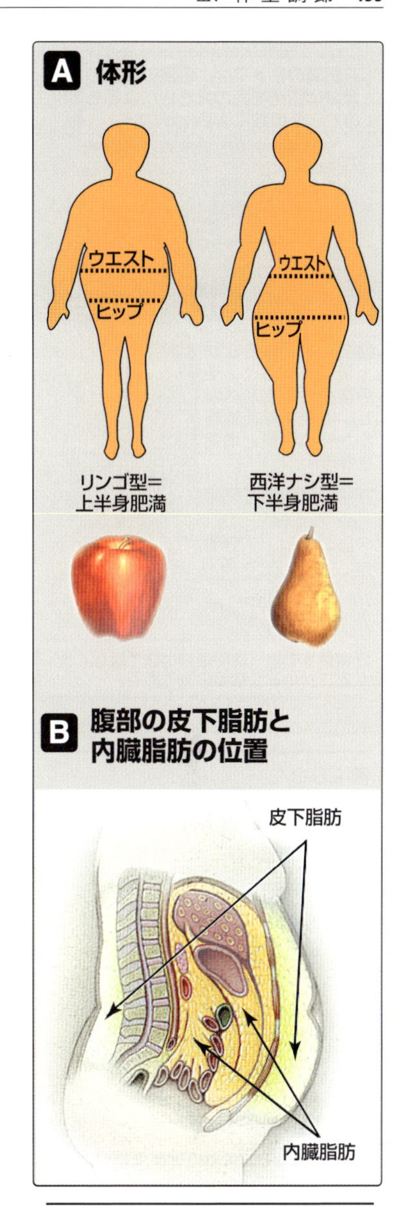

図 26.2
A. 脂肪蓄積部位．腹部に脂肪が蓄積している"リンゴ型"上半身(腹部)肥満(左図)は"西洋ナシ型"下半身(臀部)肥満(右図)よりも健康リスクが高い．B. 内臓脂肪は腹腔内の消化器の間に蓄積している．皮下脂肪は皮膚直下に蓄積している．

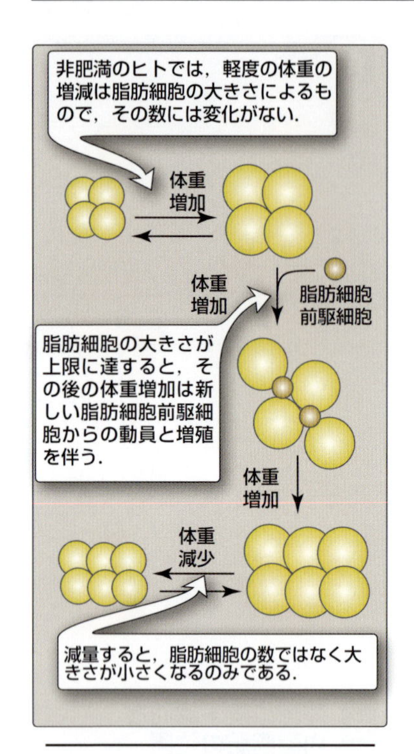

図 26.3
重度の肥満では肥大型（容積の増加）および増殖型（数の増加）の変化が脂肪細胞に生じると考えられる.

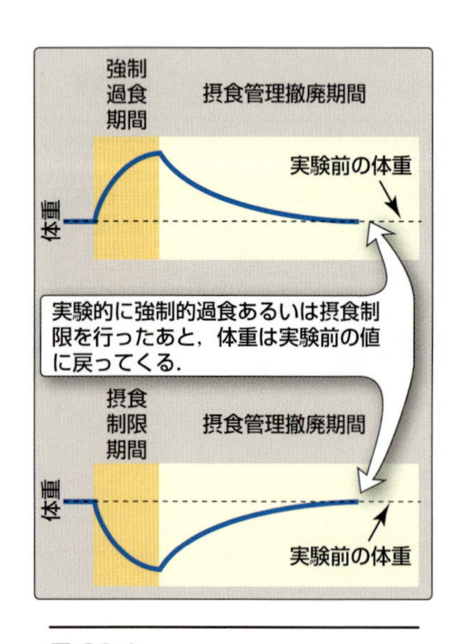

図 26.4
強制過食あるいは摂食制限後に随意に摂食させた場合の体重変化.

仮説が提唱されている．セットポイントよりも体重が低下した場合には脂肪組織を増大させ，それよりも上昇した場合には脂肪貯蔵を下げるようにする．こうしてセットポイントを維持する．例えば，体重減少時には食欲が増進し，エネルギー消費は低下する．逆に，過食後には食欲が低下して，エネルギー消費が多少増大する（図 26.4）．しかしながら，単純なセットポイントモデルは，昨今の肥満の蔓延や，多くの人が過食後の体重増加を是正できないことなどを説明することができない．

A. 肥満への遺伝の影響

遺伝的メカニズムが体重を決定する上で大きく影響していることが現在明らかになっている．

1．一般論（生物学的起源）：肥満の決定因子としての遺伝の重要性は，養父母よりも生物学的父母の影響が肥満に相関性が高いことから明らかである．一緒に育てられようとも別々に育てられようとも，一卵性双生児のBMIは二卵性双生児よりも相同なものになる．

2．遺伝子変異：まれではあるが，単一遺伝子の変異によって，ヒトの肥満が生じることがある．例えば，脂肪細胞ホルモンのレプチン（産生低下変異）あるいはその受容体（機能低下変異）の遺伝子に変異があると，過食（食欲の異常亢進と過度の摂食）を招き，極度の肥満となる（図 26.5）．これはヒトの体重制御におけるレプチン系の重要性も示している（下記Ⅳ. 参照）．［注：ほとんどの肥満のヒトでは，レプチン濃度が上昇しており，このホルモンの食欲制御（抑制）作用に耐性が生じている．］

B. 環境および行動の影響

この数十年間の肥満の蔓延は遺伝因子の変化だけでは説明することができない．このような短い期間では遺伝子はそれほど変化するはずがない．美味しい，カロリー豊富な食事が容易に入手できるなどの環境因子が肥満の蔓延の原因の1つである．さらに，座りがちの生活習慣により，身体活動は低下し，体重増加の傾向が増してきた．摂食行動，例えば，一口サイズなどさまざまな新しい食品，仲間との会食，各個人の食癖など，多様な食生活要因が摂食に影響を及ぼす．しかし，全く同じ環境でも，肥満になるのは一部であることを指摘しておこう．肥満への感受性は，少なくとも部分的には，遺伝因子や環境因子で説明できよう．母親による過度（栄養過多）もしくは過小（低栄養）な食事に適応して，過度もしくは過小な体脂肪を防ぐように胎児の体内制御系がセットされることも考えられる．つまり，エピジェネティック epigenetic な変化（p.610 参照）も肥満のリスクに影響を及ぼす．

Ⅳ. 肥満に影響を及ぼす分子

肥満の原因は一見熱力学第一法則(訳注：エネルギー保存の法則. ここでは〈摂取したエネルギー＝消費エネルギー＋貯蔵エネルギー(脂肪)〉を意味する)に従って単純に要約することができよう. つまり, 肥満とはエネルギー(カロリー)摂取量がエネルギー消費量を上回った状況ということになる. しかし, このアンバランスの底辺に存在するメカニズムには, 生化学的因子, 神経学的要因, 環境要因, 心理的要因の複雑な相互作用が関与している. 食欲, エネルギー消費, 体重を制御している基本的な神経ホルモン経路には, 短期(ある食事から次の食事まで)の摂食制御系と長期(1日ごと, あるいは, 週ごと)の体重制御系が存在する(図26.6).

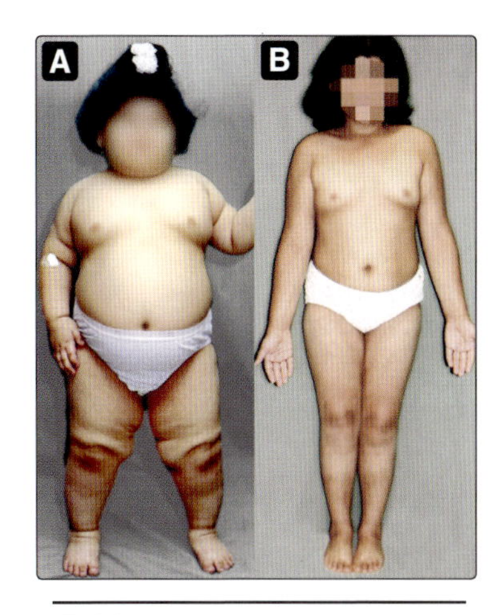

図 26.5
A. 治療を開始する前の5歳時のレプチン欠損患児.
B. 4年間の遺伝子組換えレプチンの皮下注射を継続した治療後の9歳になった患児.

A. 長期シグナル

長期シグナルはTAG貯蔵に影響を及ぼす.

1. レプチン：レプチンは脂肪細胞のペプチドホルモンであり, 脂肪貯蔵の量に応じて産生されて分泌される. レプチンは脳に作用して, 摂食量とエネルギー消費量を調節する. 必要量以上のカロリーを摂取すると, 体脂肪が増加し, 脂肪細胞からのレプチン分泌も上昇する. レプチンが増加すると, エネルギー消費量を増加させ(活動増加), 摂食量を低下させる(食欲低下)という応答が行われる. 体内脂肪が低下すると, レプチンが低下して逆の応答となる. 残念なことに, 多くの肥満者はレプチン抵抗性である. レプチン系は肥満よりも体重減少の予防に有効である. [注：レプチンは視床下部の弓状核の特異的受容体に結合して作用する.]

2. インスリン：多くの肥満のヒトはインスリン抵抗性の増加への代償としてインスリンが過多となっている(訳注：p.443参照). レプチンと同じように, インスリンは視床下部ニューロンに作用して食欲を低下させる(インスリンの作用については23章を参照).

B. 短期シグナル

消化管からは空腹感と満腹感を制御する短期シグナルが発信され, 数分から数時間のオーダーで食事の量と回数に影響を及ぼしている. 摂食していない時(食事と食事の間)では, 胃から食欲促進(食欲刺激)ホルモンのグレリンが分泌され, 空腹感を加速する. 摂食時(食事)にはコレシストキニンcholecystokininやペプチドYY peptide YYといった消化管ホルモンが分泌され, 胃内容排出作用や視床下部への神経シグナルにより, 満腹感を生み出し(食欲不振誘発作用 anorexigenic effect), 摂食を中止させる. 視床下部では, 神経ペプチドY(NPY, 食欲促進)やα-メラノサイト刺激ホルモン(α-MSH, 食欲低下)といった神経ペプチド, セロトニンやドーパミンといった食欲低下性神経伝達物質が空腹感や満腹感の制御に重要とされる. レプチンはα-MSHの分泌を増加させ, NPYの分泌を抑制するというように, 長期シグ

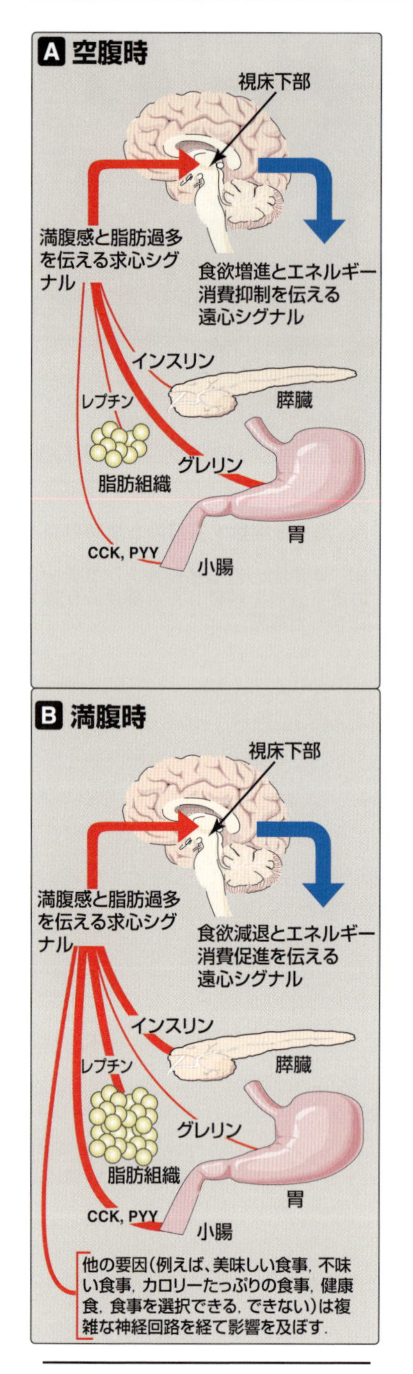

図 26.6
空腹感と満腹感を制御するシグナルの一例．A：空腹時，B：満腹時．CCK：コレシストキニン，PYY：ペプチドYY

ナルと短期シグナル間の相互作用もある．したがって，体内の脂肪貯蔵と関連した食事の量と回数の制御系には複雑な調整ループがある．[注：プロオピオメラノコルチン proopiomelanocortin から切断されて生成される α-MSH はメラノコルチン 4 受容体(MC4R)に結合する．MC4R の機能喪失型変異は早発性肥満をもたらす．]

Ⅴ．肥満における代謝の変化

肥満の直接的な代謝への影響には，脂質異常症，耐糖能異常，インスリン抵抗性，肝機能障害，骨格筋や脂肪組織の変化などである．これらの代謝異常には過多となった脂肪組織からの分子シグナルが影響している(図 25.9，p.444，図 26.6 参照)．[注：肥満患者の 30% にはこのような代謝異常は認められない．]

A．メタボリックシンドローム

腹部肥満は，いわゆるメタボリックシンドローム metabolic syndrome とされるさまざまな代謝異常(耐糖能異常(境界型糖尿病とされる軽度高血糖，p.439 参照)，インスリン抵抗性，高インスリン血症，動脈硬化性脂質異常症(LDL上昇，HDL低下，TAG上昇)，高血圧など)を伴う(図 26.7)．これは心血管疾患(CVD)と 2 型糖尿病(T2D)発症の危険因子となる．また，肥満は慢性の軽度全身性炎症を伴い，インスリン抵抗性や 2 型糖尿病の病態やメタボリックシンドロームにも関与している．肥満では，脂肪細胞は IL-6 や TNF-α といった炎症性サイトカインを分泌する．さらに，炎症を抑制し，インスリン感受性を増加させるアディポネクチンも低下する(訳注：過度なやせがリスクが高いことはいうまでもない．また，現在の診断基準からすると軽度肥満のほうが健康的であるという意見もある)．

B．非アルコール性肝疾患

肥満とインスリン抵抗性があると，白色脂肪組織の脂肪分解が促進され，血中の TAG と脂肪酸が上昇する．その結果，肝臓の異所性 TAG 沈着(脂肪肝)をもたらし，非アルコール性脂肪性肝疾患 nonalcoholic fatty liver disease(NAFLD)の危険因子となる(p.445 参照)．

Ⅵ．肥満と健康

肥満は死亡のリスクの増加と相関しており(図 26.8)，2 型糖尿病，脂質異常症，高血圧症，心疾患，一部のがん，胆石，関節炎，痛風，骨盤底疾患(尿失禁など)，NAFLD，睡眠時無呼吸などさまざまな慢性疾患の危険因子でもある．肥満と関連疾患の相関は 55 歳以下の若いヒトで強い．74 歳以上になると，BMI と死亡率とは関係がなくなる．[注：肥満は社会的問題(侮蔑や差別)も伴う．] 肥満のヒトの減量は，血圧，血中 TAG，血糖値の低下をもたらす．HDL 濃度は上昇する．

Ⅶ. 減　量

減量には，肥満の合併症を改善する効果がある．減量するためには，エネルギー摂取量を減らすか，エネルギー消費量を増やすことになるが，エネルギー摂取量軽減のほうが効果的であるとされる．一般的には，食事療法，運動療法，行動療法が組み合わされて減量が行われる．栄養教育，食事管理（食生活の計画を立て，食事日記などにより食事を記録していく），過食をもたらす要因への対応，満腹感を得るための再教育などが実施される．薬物療法や手術も状況によっては検討する．減量目標に到達してからも体重維持を別のプロセスとして行う必要がある．これを厳格に行わないと，減量努力を怠ってしまい，いわゆるリバウンドといわれる体重増加がしばしば観察される．

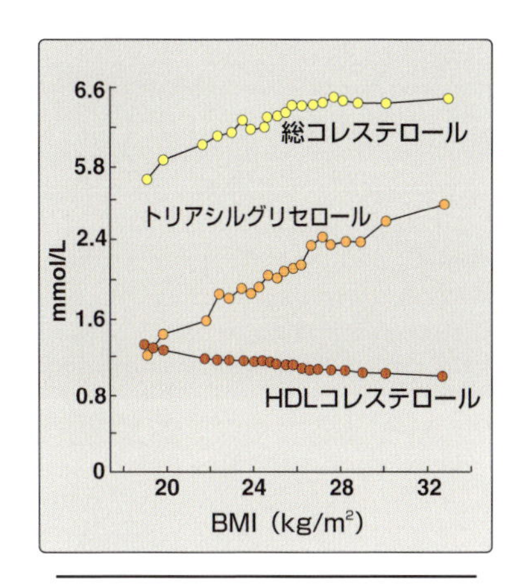

図 26.7
BMIと血中脂肪の関係．HDL：高密度リポタンパク質．

A. カロリー制限

ダイエット（食事療法）は，最も一般的に実施される減量法である．1ポンド（約450 g）の脂肪組織は約3,500 kcalに相当する．これからカロリー制限が脂肪組織に及ぼす効果を推定することができよう．初期のカロリー制限による減量で重要なのは栄養素の内容ではなく総カロリーである．[注：食事の栄養素（糖質，脂質，タンパク質）の組成の違いは，血糖値や血液脂質構成に影響を及ぼす．] カロリー制限は，多くのヒトにとって長期的にはほとんど効果がない．減量を試みる90% 以上の人たちがダイエット・インターベンション（介入，治療）を中止することになり，減量した分だけ体重が増加してしまう．しかしながら，ごく少数ではあるが，この減量法によって理想体重となり，6カ月ほどで10% 程度の減量に成功して，血圧や血中脂質が低下し，2型糖尿病のコントロールが向上する．

B. 身体活動

身体活動の増加はエネルギー不足をもたらし，減量療法の重要な要素となる．低カロリー食に運動を加えても当初の減量効果は相乗的ではないが，減量を継続させるためには運動は非常に重要な要素である．さらに，身体活動は減量効果とは無関係に心肺系を整え，心血管疾患のリスクを軽減する．行動療法を伴ったカロリー制限と運動療法を行った場合には，4～6カ月の間にインターベンション開始前の体重から5～10% の減量を期待することができる．運動プログラムを継続しているほうが減量を維持しやすいことが報告されている．

C. 薬物療法

FDA（米国食品医薬品局）はBMI 30以上の成人を対象に数種類の肥満治療薬を認可している．長期投与が認められているのは以下の5剤である．(1) オルリスタット（脂肪吸収阻害薬），(2) ロルカセリン（満腹感亢進薬），(3) フェンテルミン（食欲抑制薬）とトピラマート（抗てんかん薬，満腹感亢進作用）徐放剤の併用，(4) リラグルチド（インクレチン，GLP-1受容体作動薬で食欲を低下させる，図25.12参照），(5) ブプロピオンとナルトレキソンの併用（食欲を減退させ代謝を活

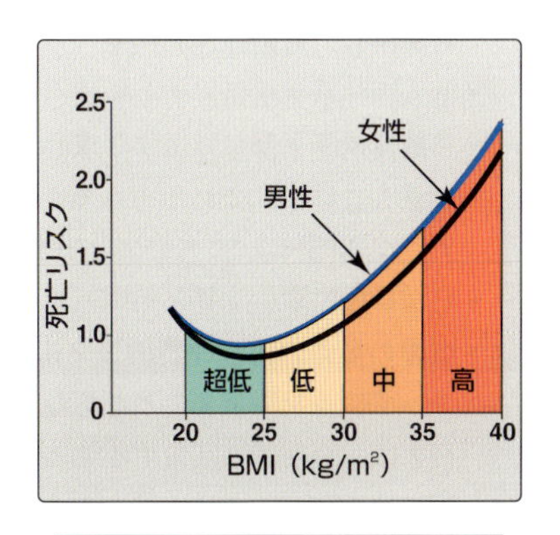

図 26.8
BMIと死亡の相対リスク．

発にする). [注：褐色脂肪細胞を活性化する薬物が開発中である.](訳注：抗うつ作用のないセロトニン/ノルアドレナリン再取り込み阻害薬のシブトラミン sibutramine は心血管系副作用により，2010 年より販売見合わせとなっている.)

D. 外科療法

胃をバイパスしたり，胃に絞扼リングを取り付けるといった手術療法による栄養吸収の抑制は，他の治療法が無効な極度の肥満患者に有効な減量法である．その作用機序には不明な点も多いが，病的肥満の糖尿病患者の血糖コントロールの改善に非常に有効である. [注：摂食量を抑制する埋め込み型の迷走神経電気刺激装置が認可された(訳注：迷走神経を刺激し，脳に満腹情報を伝えるとされる).]

26 章の要約

- **肥満**(過剰な体脂肪の蓄積)は**エネルギー(カロリー)摂取量**が**エネルギー消費量**を上回った結果である(図 26.9)．日々のエネルギー消費量が低下し，安価で美味で高カロリーの食物があふれている先進国では肥満が増加している.
- **ボディマス指数**(BMI)は肥満度の簡便かつ正確な指標である．米国成人の約 69% は**過体重**(BMI ≧ 25)であり，その 33% 以上が**肥満**(BMI ≧ 30)となっている.
- 体脂肪の解剖学的分布によって健康リスクが異なる．**腹部**に蓄積した余剰脂肪(リンゴ型，内臓脂肪，**腹囲**に反映)は，臀部や大腿部に蓄積した脂肪(西洋ナシ型)よりも，**高血圧症**，**インスリン抵抗性**，**糖尿病**，**脂質異常症**，**冠動脈性心疾患**のリスクとの関連が高い.
- 個人の体重は遺伝因子と環境因子によって決定される.
- **食欲**は**視床下部**に作用する**求心性**(入力)シグナル(神経シグナル，**レプチン**など血中ホルモン，代謝産物)の影響を受ける．これらのさまざまなシグナルを視床下部は統合し，視床下部性ペプチド(**ニューロペプチド Y** や α-MSH など)の分泌と出力性神経シグナルが活性化される.
- 肥満は**死亡率**の上昇と相関しており，また，数多くの**慢性疾患**の危険因子である.
- **減量**の最善の方法は**負のエネルギーバランス**(カロリー摂取量を減らすか，エネルギー消費を増やすか)によって体重を減らすことである．基本的には，一部あるいは主要栄養素を制限するダイエット(食事療法)を行えば，短期間に減量することができる．しかし，長期の減量維持は困難である.
- **薬物療法**によって摂食量をある程度軽減することができる．栄養吸収を低下させる**外科処置**(胃バイパス手術など)は他の治療法が無効な高度の肥満患者のオプション治療である.

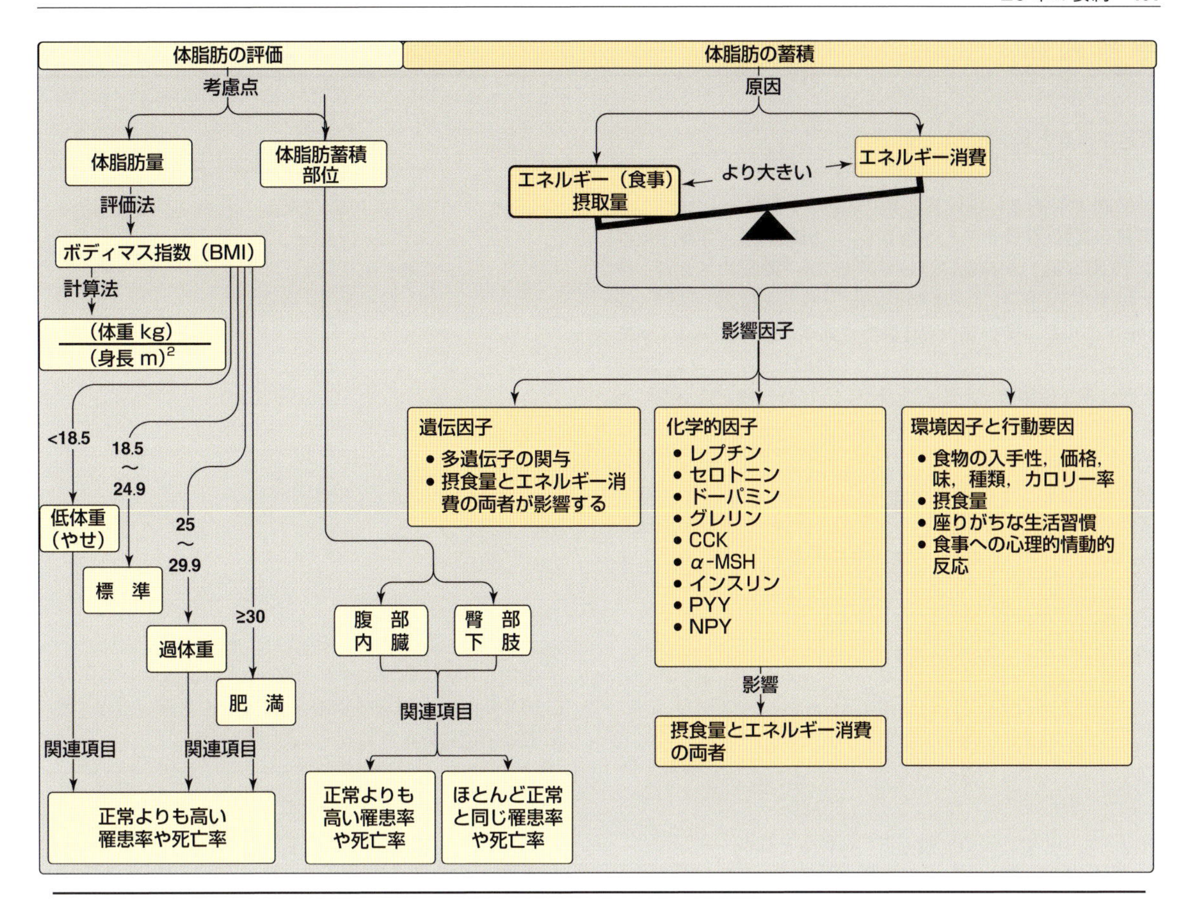

図 26.9
肥満の概念図．［注：BMI＝体重（kg）/（身長（m））^{2}もしくは体重（ポンド）/（身長（インチ））^{2}×703.］CCK：コレシストキニン，α-MSH：メラノサイト刺激ホルモン，PYY：ペプチド YY，NPY：神経ペプチド Y.

学習問題

最適な答えを1つ選びなさい.

問題26.1と26.2について以下のシナリオを用いよ.
40歳の女性(身長5フィート1インチ(155 cm), 体重188ポンド(85.5 kg))が減量についてアドバイスを求めてきた. 彼女のウエストは41インチ(104 cm), ヒップは39インチ(99 cm)であった. その他の身体診察と血液検査の結果はすべて正常範囲であった. 彼女の唯一の子供(14歳), 彼女の姉妹, 両親はみな過体重である. 両親がいうには, 彼女は小児期から青年期を通して過体重であった. この15年の間, 彼女は2週間から3カ月にわたってさまざまなダイエットを7回試み, そのたびに5ポンド(2 kg)から25ポンド(11 kg)の減量に成功していた. が, ダイエットを止めると体重が戻りはじめ, 185ポンド(84 kg)から190ポンド(86 kg)となってしまっていた.

26.1　上記患者のBMIを求めよ.

正解　BMI(体重kg)/(身長m)^2 = 85.5/(1.55)^2 = 35.6 kg/m^2. 彼女のBMIは30よりも大きいため, 患者は肥満に分類される.

26.2　この患者について最も正しいのはどれか.

A. 彼女の脂肪細胞の数は健常者と同じだが, 各細胞は肥大している.
B. 彼女の脂肪蓄積は「リンゴ型」となる.
C. 彼女ではアディポネクチンが増加していると思われる.
D. 彼女の血中レプチンは正常レベルより低いと思われる.
E. 彼女の血中トリアシルグリセロール(TAG)は正常よりも低いと思われる.

正解　B. 彼女のウエスト/ヒップ比は41/39 = 1.05である. リンゴ型はウエスト/ヒップ比が女性で0.8以上, 男性で1.0以上という定義である. したがって, 彼女の脂肪蓄積は男性により一般的なリンゴ型ということになる. 女性に多い西洋ナシ型脂肪蓄積と比較すると, 男性型肥満の彼女は内臓あるいは腹部内脂肪組織が増加していることから, 糖尿病, 高血圧症, 脂質異常症, 冠動脈性心疾患のリスクが高くなる. 著しい肥満が小児の頃からある場合には, 脂肪細胞は増殖して数が増えていて, かつ, それぞれがTAGを上限まで蓄積して肥大している. 肥満者の血中レプチンは脂肪組織あたりに換算すると基本的には正常であり, 肥満ではレプチンが欠損しているというよりは抵抗性が生じていると考えられる. 体脂肪が増加するとアディポネクチンは低下する. 肥満で特徴的な血中で上昇している遊離脂肪酸は肝臓に輸送され, TAGに変換される. TAGはVLDLとして分泌され, その結果, 血中TAG濃度が上昇する. そして, 肝臓に蓄積して脂肪肝となる.

26.3 内臓脂肪型肥満とメタボリック症候群に関与している代謝異常はどれか.
A. 血糖高値
B. HDL高値
C. 低血圧
D. インスリン低値
E. TAG低値

正解 A. 内臓脂肪型肥満はメタボリック症候群と関連がある. メタボリック症候群の定義は, 高血糖, インスリン抵抗性, 動脈硬化性脂質異常症(LDL高値, HDL低値, TAG高値)といった代謝異常の併発である. メタボリック症候群は心血管障害と2型糖尿病の危険因子である. 肥満に伴う軽度慢性全身性炎症がインスリン抵抗性, 2型糖尿病, メタボリック症候群と関連があるとされる.

26.4 レプチンについて正しいのはどれか.
A. レプチンの発現と分泌は脂肪貯蔵量と反比例する.
B. レプチンにより食欲は低下してエネルギー消費は増加する.
C. レプチンによりα-MSHの分泌は低下する.
D. レプチンにより脂肪細胞のアディポネクチンの分泌は増加する.
E. レプチンによりニューロペプチドYの分泌は増加する.

正解 B. 必要以上のカロリーを摂取すると体脂肪は増加し, 体重増加とともにレプチンは増加し, アディポネクチンは低下する. エネルギー消費の増加(活動の増加)と食欲抑制によってエネルギーの増大に対応する. レプチンにより食欲低下作用のあるα-MSHの分泌は上昇し, 食欲促進作用のあるニューロペプチドYは低下する.

26.5 非アルコール性脂肪性肝疾患(NAFLD)と肥満との関係で正しいのはどれか.
A. キロミクロンは肝への脂肪酸輸送を促進する.
B. 血中遊離脂肪酸の増加は肝臓へのTAG蓄積の要因となる.
C. NADH/BAD$^+$比の上昇はグリセロール3-リン酸デヒドロゲナーゼの活性を上昇させる.
D. インスリン抵抗性により白色脂肪組織の貯蔵TAGの分解を低下させる.
E. 肥満により肝臓の脂肪酸合成が促進される.

正解 B. 肥満とインスリン抵抗性は白色脂肪組織のTAG分解と血中遊離脂肪酸を増加させる(キロミクロンとは無関係である). その結果, 肝臓にTAGが蓄積して脂肪肝となり, NAFLDの危険性が増加する. 肥満とインスリン抵抗性は肝臓の脂肪酸合成を低下させる. NADH/BAD$^+$比の上昇は慢性アルコール中毒で生じる.

第Ⅵ編：臨床栄養学

栄養：概要と主要栄養素 27

Ⅰ. 概　要

栄養素とは，体の機能を正常に保つために必要な食品成分である．すべてのエネルギー（カロリー）は，脂肪，糖質，タンパク質の3つに分類される（図27.1）．高エネルギー分子の摂取量は他の食事性栄養素の摂取量（mgからμgオーダー）よりも多いので，これらは**主要栄養素 macronutrient**と呼ばれている．アルコールはエネルギー源ではあるが，栄養素には分類されず，成長，健康維持，損傷治癒に影響を及ぼす．この章では，最適な健康を維持し，慢性疾患の予防に必要な主要栄養素の種類と摂取量について焦点をあてる．ビタミンやミネラルといった栄養素は必要量が少なく（mgもしくはμgオーダー），**微量栄養素 micronutrient**と呼ばれている．これらの栄養素については28章と29章で述べる．主要栄養素あるいは微量栄養素の主要と微量は栄養素の重要性を意味しているのではなく，相対的な必要量を表している．1日必要量が1g以下を微量栄養素と分類する．

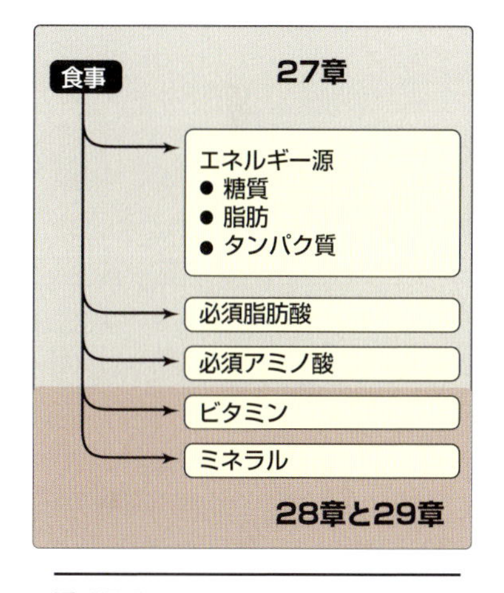

図 27.1
食事から得られる必須栄養素．［注：エタノールは食事の必須成分と考えられてはいないが，一部のヒトでは日々のカロリー源として貢献している．］

Ⅱ. 食事摂取基準

米国の委員とカナダの専門家によって組織された，全米科学アカデミー医学研究所の食品栄養委員会は，**食事摂取基準 dietary reference intake**（DRI）を編集しており，欠乏を防ぎ，最適な健康と成長を維持するために必要な栄養量を算出している．DRIは1941年以来，定期的に改訂を重ねてきた**栄養所要量 recommended dietary allowance**（RDA）を包括し発展させたものである．RDAとは異なり，DRIにはいくつかの栄養素の**許容上限摂取量 tolerable upper intake level**（UL）が示されており，欠乏性疾患の単なる予防だけではなく生涯健康における栄養の役割について述べられている．毎日完全な栄養所要量を摂取する必要はなく，DRIとRDAは長期的にみた1日の平均栄養摂取量

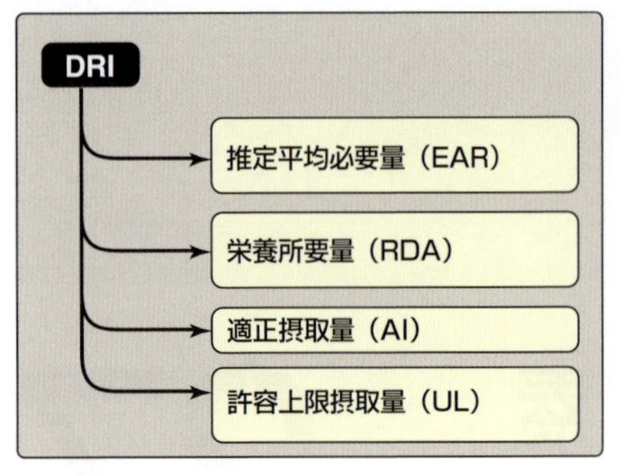

図 27.2
食事摂取基準（DRI）の内容．

を示している．

A．DRIの定義

DRIは栄養摂取のための4つの指標から構成されており，特定のライフステージ（年齢）群，生理条件，性別ごとに示されている（図27.2）．

1．**推定平均必要量** estimated average requirement（EAR）：EARとは，年齢や性別ごとの健常者のうち50％のヒトの必要量を満たすと推定される1日の平均栄養摂取量のことである（図27.3）．集団において実際の必要量を推定する際に有用である．

2．**栄養所要量** recommended dietary allowance（RDA）：RDAとは，年齢および性別ごとに**ほとんどの**ヒト（97～98％）の栄養必要量を満たすのに十分とされる1日の平均食事摂取量のことである（図27.3参照）．RDAは健常者の必須最低限度ではなく，大半のヒトにとって安全と考えられる許容量を設定することを意図している．EARはRDAの値を決めるための基準である．EARの標準偏差（SD）が判明しており，その栄養の必要量が標準分布しているとすると，RDAはEARに2 SD分上乗せした量である．つまり，$RDA = EAR + 2\ SD_{EAR}$となる．

3．**適正摂取量** adequate intake（AI）：AIは，EARやRDAを算出するのに科学的データが不十分な場合にRDAの代わりに設定される．AIは，健常者集団で適切とみなされる推定栄養摂取量に基づいている．例えば，母乳が推奨される唯一の食事源とされる生後6カ月の乳児のAIは，母乳のみで育てられた健康な正期産児における母乳からの1日あたりの平均栄養摂取量の推定に基づいている．

4．**許容上限摂取量** tolerable upper intake level（UL）：ULは，一

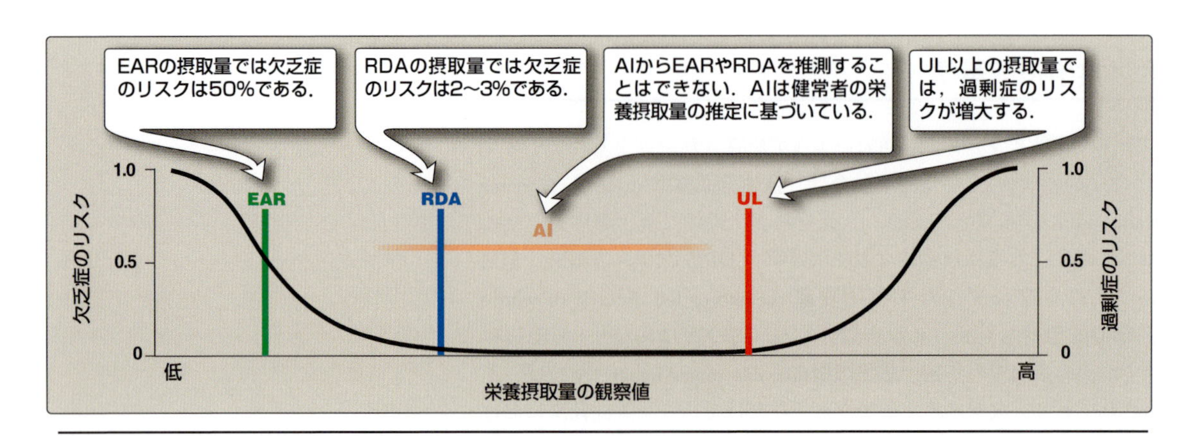

図 27.3
食事摂取基準量のそれぞれの比較．EAR：推定平均必要量，RDA：栄養所要量，AI：適正摂取量，UL：許容上限摂取量．

般集団のほとんどすべてに対して健康状態に悪影響のリスクをもたらさないと思われる1日あたりの平均栄養摂取量の最大値である．ULを超える量の摂取は，悪影響のリスクを増加させる．栄養が高い食品やサプリメントの摂取量が増加しつつある現在，ULは重要な意味を持つようになっている．ULを求めるのに十分なデータがない栄養素もある．

B．DRIの利用

大半の栄養素にDRIが設定されている（図27.4）．通常，EARとそれに対応するRDAが求められており，年齢と性別ごとに決められているが，女性の妊娠や授乳といった特別な要因により影響がある（下記Ⅸ．参照）．EAR（もしくはRDA）を推定するのに十分なデータがない場合は，AIが求められる．摂取量がEAR以下であると，その妥当性は50％以下となり改善の必要性がある（図27.3参照）．EARとRDAの中間の摂取量でも，98％以下ということで改善の余地があることになる．摂取量がRDAかそれ以上であれば，妥当であるとみなされ，AI以上であっても妥当といえよう．ULとRDAの中間の摂取量であれば，悪影響の危険もないと判断できる．［注：DRIは健常者の栄養必要量を指示するものであり，疾患ごとに検討が必要な患者を対象とするものではない．］

微量栄養素	EAR, RDA もしくは AI	UL
チアミン	EAR, RDA	—
リボフラビン	EAR, RDA	—
ナイアシン	EAR, RDA	UL
ビタミンB_6	EAR, RDA	UL
葉酸塩	EAR, RDA	UL
ビタミンB_{12}	EAR, RDA	—
パントテン酸	AI	—
ビオチン	AI	—
コリン	AI	UL
ビタミンC	EAR, RDA	UL
ビタミンA	EAR, RDA	UL
ビタミンD	EAR, RDA	UL
ビタミンE	EAR, RDA	UL
ビタミンK	AI	—
ホウ素	—	UL
カルシウム	EAR, RDA	UL
クロム	AI	—
銅	EAR, RDA	UL
フッ化物	AI	UL
ヨウ素	EAR, RDA	UL
鉄	EAR, RDA	UL
マグネシウム	EAR, RDA	UL
マンガン	AI	UL
モリブデン	EAR, RDA	UL
ニッケル	—	UL
リン	EAR, RDA	UL
セレン	EAR, RDA	UL
バナジウム	—	UL
亜鉛	EAR, RDA	UL

図27.4
1歳以上のヒトにおけるビタミンやミネラルの食事摂取基準．RDAは主要栄養素の糖質とタンパク質には設定されているが，脂質にはない．EAR：推定平均必要量，RDA：栄養所要量，AI：適正摂取量，UL：許容上限摂取量，—：値なし．

Ⅲ．ヒトのエネルギー必要量

推定エネルギー必要量 estimated energy requirement（EER）とは，体重や身体活動 physical activity が健康的とされる成人健常者集団の年齢別，男女別，身長別に，エネルギーバランス（カロリー摂取量とエネルギー消費量が等しくなる）を維持するための，食事によるエネルギー摂取量の推定平均値のことである．個人のカロリー消費量を予測することは，個人の遺伝的，身体組成，代謝的，行動的差異のために，実際は難しい．しかし，単純な近似値も有用な指標となる場合がある．例えば，体重維持のためには，座りがちの生活習慣の成人では約30 kcal/kg/日，中程度の活動の成人では約35 kcal/kg/日，きわめて活動的な成人では約40 kcal/kg/日を必要とする．

A．食物のエネルギー量

食物のエネルギー量は，カロリーメーター（熱量計）で食物をすべて燃焼させたときに放出される熱量を測定したものであり，キロカロリー（kcalもしくはCal）という単位で表される．脂肪やタンパク質，糖質を代謝したときのカロリーを算出するための標準的な変換率を図27.5に示した．1カロリーの定義は1 gの水の温度を1℃上昇させるのに必要なエネルギーである．1 kcalは1,000 calであるが，栄養学の分野ではCalとも表記される．「糖質1 gは4 Cal相当である」というのは「糖質1 gは4,000 cal相当である」ということになる．

注目すべきは，脂肪に含まれるエネルギー量は糖質やタンパク質の2倍以上あり，エタノール（アルコール）のエネルギー量は脂肪と糖質

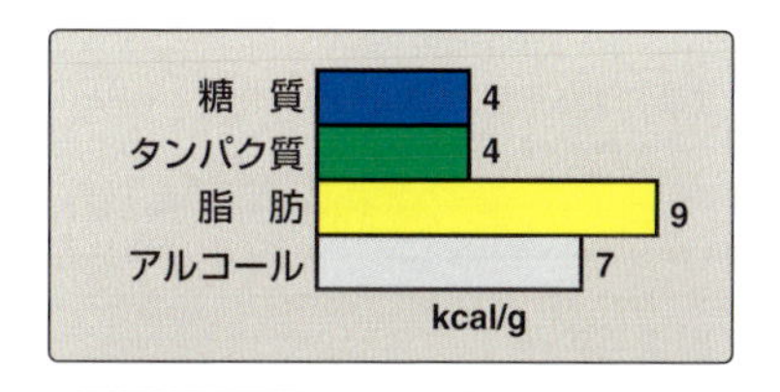

図27.5
主要栄養素とアルコールの平均エネルギー．

栄養素	呼吸商（RQ）
糖 質	1.00
タンパク質	0.84
脂 質	0.71

図 27.6
呼吸商（RQ）．［注：タンパク質については，N（窒素）は除去されて排出され，α-ケト酸は酸化される．］

の中間であることである．［注：米国以外の国で広く用いられているエネルギーの国際単位系単位はジュール（J）である．統一化のために，多くの科学者達はカロリーよりもジュールを用いることを奨励している（1 cal = 4.2 J；1 Cal（大カロリー）= 1 kcal，4.2 kJ）．しかし，kcalは依然として汎用されており，本書でも用いることにする．］

B. 体内の食物エネルギーの使われ方

主要栄養素の代謝により産生されるエネルギーは，体内で次の3つのエネルギー要求過程において消費される．安静時代謝率（RMR），身体活動，食事による産熱効果 thermic effect of foodである（他に体温維持にも少量のエネルギーを消費するが，これは図 27.7 では省略している）．これらの過程で24時間で消費されるkcalの総和が総エネルギー消費量 total energy expenditure（TEE）である．

1．**安静時代謝率**：安静時，つまり食物吸収後において1人のヒトが消費するエネルギーのことを**安静時代謝率 resting metabolic rate**（RMR）と呼ぶ．それは，通常の人体機能，例えば呼吸や血流，イオン輸送などに必要なエネルギーを表している．RMRは直接的全身熱量測定法，二重標識水法，計算式（性別，年齢，身長，体重から計算）などから得られる．しかし，酸素消費量もしくは二酸化炭素排出量から計測する間接的全身熱量測定法が汎用される．CO_2/O_2 比が呼吸商 respiratory quotient（RQ）である．組織で酸化的エネルギー産生に用いられる代謝燃料あるいは基質の構成を反映している（図 27.6）．RQは糖質（1.0），タンパク質（0.84），脂質（0.7）である．例えば，グルコースの完全酸化には6分子の O_2 が必要であり，その結果，6分子の CO_2 が生成される．したがって，グルコースのRQは1となる．一方，代表的なパルミチン酸の完全酸化では23分子の O_2 を消費して16分子の CO_2 が生成される．パルミチン酸のRQ（O_2/O_2：16/23）は0.7となる．RQが0.8弱ということは主なエネルギー源は脂質と推測される．

RMRは身長と体重，および性別と年齢を加味して概算することができる（RMRは骨格筋量を反映しており，それは若年男性で最大となる）．一般的には1 kcal/kg/時（男性）と0.9 kcal/kg/時（女性）を用いて概算される．［注：基礎代謝率basal metabolic rate（BMR）は厳密な条件下で測定する必要があり，一般的には用いられない．RMRはBMRよりも約10% 高くなる．］成人の24時間RMR（安静時エネルギー消費量 resting energy expenditure，REE）は70 kgの男性で約1,800 kcal，50 kgの女性で1,300 kcalである．座りっきりの場合には，TEEの60～75% がREEに相当するとされる（図 27.7）．［注：入院患者は一般的には異化が亢進しており，TEEの計算では「外傷性要素」を加味する必要がある．］

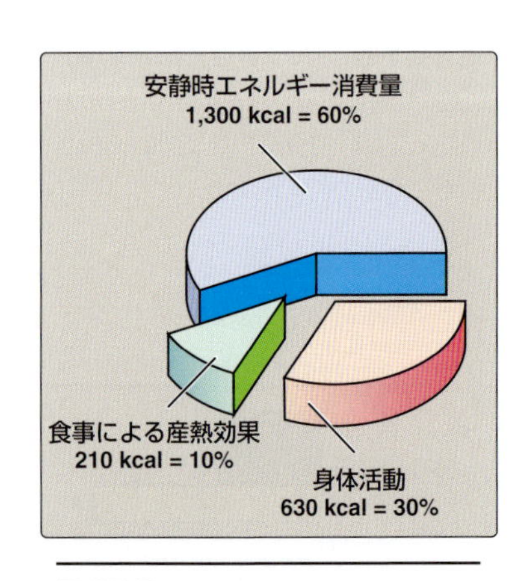

図 27.7
健常20歳女性（身長が165 cm（5フィート4インチ），体重が50 kg（110ポンド），そして軽く運動をする）での推定総エネルギー消費量．

2．**身体活動**：筋肉活動によりTEEは劇的に変化し，消費されるエネルギー量は運動の接続時間と強度次第である．エネルギー消費量はRMRの倍数（1.1から8以上）で示される．この倍数を身体活動強係数

physical activity ratio（PAR）あるいは代謝当量 metabolic equivalent of task（MET）という．一般的に，軽作業が主なヒトが必要なエネルギー量はRMRよりも約30～50％以上となろうが（図27.7参照），高度に活動（運動）するヒトではRMRよりも100％かそれ以上のカロリーが必要となろう．

3．**食事による産熱効果**：体による熱産生は，食物を消化吸収している間には安静時よりも30％増加する．この効果は食事による産熱効果や**食事誘導性熱産生 diet-induced thermogenesis**と呼ばれている．24時間以上にわたって，食物摂取性発熱応答がTEEの5～10％に達することもありうる．

4．**熱産生**：熱産生には適応性熱産生と**非運動性熱産生 nonexercise activity thermogenesis**（NEAT）の2種類がある．適応性熱産生は，寒いときに震えて熱を産生するというように，気温や食事といった環境変化に対応して行われる熱産生である．NEATはいわゆる運動ではない日常的な活動（貧乏揺すり，通常の歩行，会話，立位維持など）における熱産生である．

Ⅳ．認容主要栄養素配分

認容主要栄養素配分 acceptable macronutrient distribution range（AMDR）とは，必須栄養素を適当量摂取していることを前提として，慢性的な疾患のリスクを減少することが期待できる主要栄養素摂取量の配分と定義されている．成人のAMDRは，糖質が45～65％，脂肪が20～35％，タンパク質が10～35％となっている（図27.8）．食事による脂肪や糖質，タンパク質の生物学的側面については後述する．

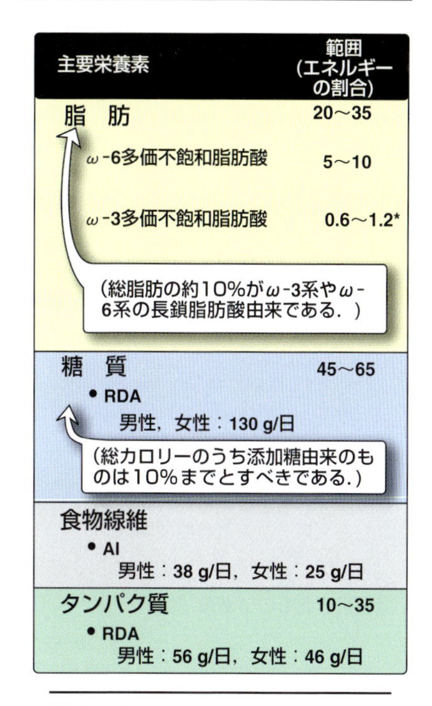

図27.8
成人における認容主要栄養素配分（AMDR）．［注：*ω-3多価不飽和脂肪酸が高いと冠動脈性心疾患を予防することを示唆する報告が増えている．］RDA：栄養所要量，AI：適正摂取量．

V．食事脂肪

数多くの慢性疾患の発病は栄養の種類や摂取量によって大きく影響される（図27.9）．脂肪摂取と冠動脈性心疾患（CHD）が最も関係が深い．しかし，脂肪とがんや肥満に関してのエビデンスは弱い．

> 従来の推奨栄養摂取量では，食物脂肪の総量の摂取を減らすことが強調されていた．しかし，そうすると，困ったことに精製穀物や添加糖の摂取量が増加してしまう．最近のデータでは全体量ではなく，脂肪の種類ごとの摂取量がより重要な危険因子であることが明らかになってきた．

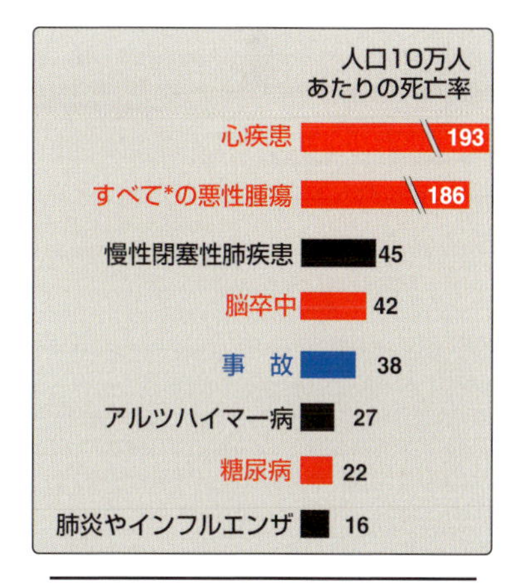

図27.9
2010年度の米国の主な死因における栄養の影響．赤色は食事が重要な役割を担っている死因を示しており，青色はアルコールの超過摂取がある程度関与する死因を示している．［注：*食事が関与しているのは数種類のがんだけである．］

A．血中脂質と冠動脈性心疾患

血中コレステロールには，食事由来のものと内在性の生体合成由来

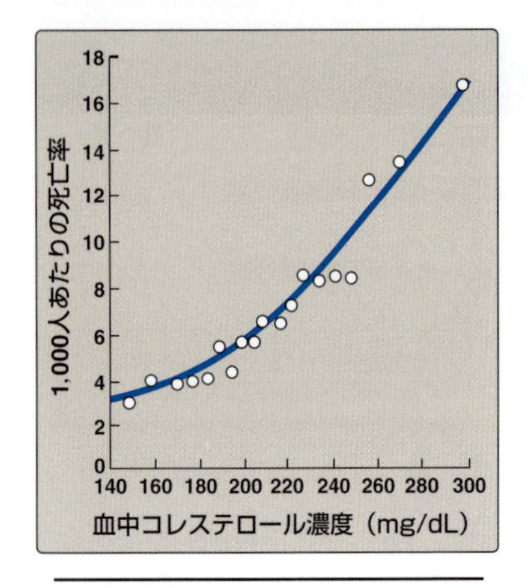

図 27.10
冠動脈性心疾患による死亡率と血中コレステロール濃度の相関関係.
［注：この数値は，複数年の追跡研究のデータに基づいて，死亡率を年齢で修正したものである.］

のものがある．どちらの場合も，コレステロールはリポタンパク質としてタンパク質やリン脂質に結合して組織間を移動する．

1．低密度リポタンパク質(LDL)と高密度リポタンパク質(HDL)： 血中コレステロール量は，厳密に制御されているわけではなくむしろ食事によって変動する．総コレステロール量が増加する(高コレステロール血症)と冠動脈性心疾患coronary heart disease(CHD)のリスクが増大する(図27.10)．総血中コレステロール量の値が高いほどそのリスクは増大し，血中LDL-コレステロール(LDL-C)量と心疾患の間には非常に強い相関が存在する(18章参照)．LDL-Cが増加するとCHDも増加する．逆に，HDLコレステロール(HDL-C)量が高いことと，心疾患のリスクが低いことも相関している(18章参照)．［注：血中トリアシルグリセロール(TAG)の増加は，決定的ではないが，CHDの危険因子とされる.］血中脂質量の異常(脂質異常症)は，喫煙や肥満，座りがちな生活習慣，インスリン抵抗性など他の危険因子と組み合わさって，CHDのリスクを増大させる．

2．血中コレステロール低下の有益性： 高コレステロール血症hypercholesterolemiaの食事や薬物による治療が，LDL-Cの減少，HDL-Cの増加，CHDの減少に効果的であることが臨床試験により示されている．食事による血中コレステロールの減少は10～20％程度と軽度であるが，スタチン系薬物では30～40％まで血中コレステロールを減少させる(p.291参照)．［注：食事療法や薬物療法によってTAGを低下させることも可能である.］

B．食事脂肪と血中脂質

トリアシルグリセロール triacylglycerol(TAG)は，量的に最も重要な食事脂肪である．TAGの血中脂質への影響は，それに含まれる脂肪酸の化学的性質によって決定される．二重結合の有無やその数(飽和脂肪酸，一価不飽和脂肪酸，多価不飽和脂肪酸)，二重結合の位置(ω-6やω-3)，シス型不飽和脂肪酸やトランス型不飽和脂肪酸が，血中脂質に影響を及ぼす最も重要な構造的特徴である．

1．飽和脂肪： 炭化水素鎖に二重結合を持たない脂肪酸を主成分とするTAGを**飽和脂肪 saturated fat**と呼ぶ．飽和脂肪の消費と，総血中コレステロールやLDL-C量の増加，CHDのリスク増大は非常に強く正に相関している．主な飽和脂肪酸の源は，乳製品や肉製品，さらにはココナッツ油やパーム油(米国以外のラテンアメリカやアジアにおける脂肪源)といった植物性油もいくつかある．多くの専門家が飽和脂肪の摂取を総カロリーの10％未満に制限し，代わりに不飽和脂肪(および全粒穀物)を摂取するよう忠告している．

> 炭素鎖が14個(ミリスチン酸)と16個(パルミチン酸)の飽和脂肪酸が，最も血中コレステロールを増加させる．ステアリン酸(18炭素，チョコレートを含む多くの食物にみられる)は血清コレステロールにほとんど影響しない．

2．**一価不飽和脂肪**：二重結合を1つだけ持つ脂肪酸を主成分とするTAGを**一価不飽和脂肪 monounsaturated fat**と呼ぶ．二重結合成分を2個以上持つ脂肪酸を多価不飽和脂肪酸 polyunsaturated fatty acid(PUFA)という．一価不飽和脂肪酸 monounsaturated fatty acid(MUFA)は，野菜由来のものが一般的である．飽和脂肪の代わりに一価不飽和脂肪を摂取すると，総血中コレステロールとLDL-Cの両方が減少し，HDL-Cが不変あるいは増加する．このように一価不飽和脂肪がリポタンパク質量を改善する効果があることから，オリーブ油(一価不飽和オレイン酸が多い)を豊富に含む食事文化の地中海ではCHDの発生が少ないという知見をある程度説明できるのかもしれない．[注：MUFAのAMDRは設定されていないが，食事由来脂肪はなるべく不飽和脂肪酸(MUFAもしくはPUFA)とすることが推奨されている．]

a．**地中海型の食事**：地中海型の食事は，MUFA(オリーブ油，オリーブ，ナッツ，魚由来)とPUFA(魚油，植物油，ナッツ由来)を多く含み，飽和脂肪は少ない食事の一例である．図27.11には，米国で消費されるような西洋型の食事と典型的な低脂肪の食事の比較を通して，地中海型の食事の組成を示してある．地中海型の食事には，豊富な植物成分を含む旬の新鮮な食物，少量の赤身の肉と主な脂肪源となるオリーブ油が含まれている．飽和脂肪が多い典型的な西洋型の食事と比較すると，地中海型の食事は総血中コレステロール，LDL-C，TAGを減少させ，HDL-Cを増加させる．

3．**多価不飽和脂肪**：二重結合を2つ以上持つ脂肪酸を主成分とするTAGを**多価不飽和脂肪 polynusaturated fat**と呼ぶ．PUFAの心血管疾患に対する効果は，その分子の二重結合の位置に影響される．

a．**ω-6脂肪酸**：最初の二重結合が6番目(脂肪酸分子のメチル基(ω)末端から数える)の炭素原子からはじまるPUFAである．[注：n-6脂肪酸とも呼ばれる(16章参照)．] 主に植物性油からのリノール酸，18:2(9, 12)である**ω-6多価不飽和脂肪酸 ω-6 PUFA**は，飽和脂肪酸とは異なり血中コレステロールを低下させる．血漿LDL-Cも低下させるが，CHDを予防するHDL-Cも低下させてしまう．LDLの低下による有益性は，HDLも低下させてしまうために部分的に相殺されてしまう．ナッツ，アボカド，オリーブ，大豆，そしてひまわり油やとうもろこし油といったさまざまな油が，この脂肪酸の一般的な摂取源である．リノール酸の認容主要栄養素配分(AMDR)は5～10%とされる．[注：MUFAに比

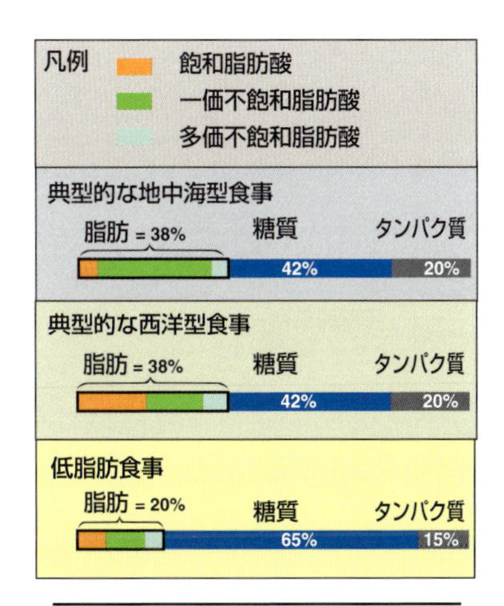

図 27.11
地中海型食事，西洋型食事，低脂肪食事の成分．

してPUFAの推奨量が低いのは，フリーラジカルによってPUFAが酸化(過酸化)されて，有害物質が産生されるリスクを考慮しているためである.］

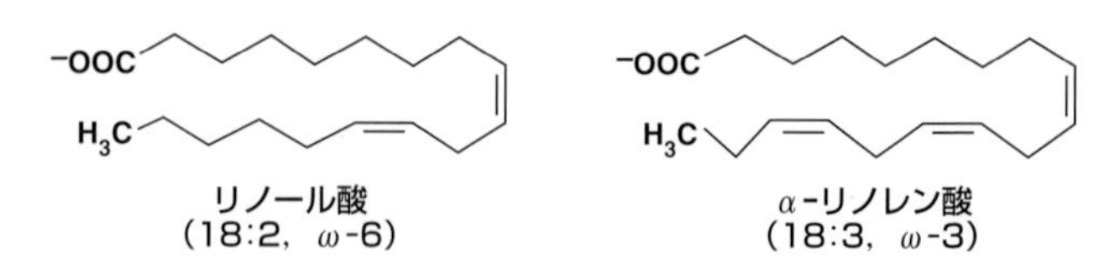

b. **ω-3 脂肪酸**：最初の二重結合が3番目(脂肪酸分子のメチル基(ω)末端から数える)の炭素原子からはじまる長鎖PUFAである．食事により**ω-3 多価不飽和脂肪酸 ω-3 PUFA**を摂取すると，心不整脈を抑制し，血中TAGを減少させ，血栓症の傾向を減少させ，血圧を降下させ，そして心血管疾患による死亡率のリスクを大幅に低下させる．しかし，LDL-CもしくはHDL-Cに対しては，ほとんど効果はない．それらの抗炎症作用を示すエビデンスもある．植物油(亜麻仁，キャノーラ，ナッツ類など)のω-3 PUFAは主にα-リノレン酸，18:3(9, 12, 15)であり，そのAMDRは0.6～1.2%である．長鎖ω-3 PUFAのドコサヘキサエン酸 docosahexaenoic acid (DHA, 22:6)やエイコサペンタエン酸 eicosapentaenoic acid (EPA, 20:5)は魚油に含まれる．1週間に2回くらいの脂肪分の多い魚(サケ，サバ，アンチョビー，イワシ，ニシン)食が推奨される．［注：DHAは離乳食(育児用粉ミルク(乳児用調製乳))にも含まれており，脳の発育に有益とされる.］リノール酸およびα-リノレン酸は必須脂肪酸 essential fatty acid (EFA)であり，生体膜流動性の維持とエイコサノイド合成(17章V. 参照)に必要である．主として脂肪吸収不全に伴うEFA欠乏症は，皮膚の長鎖脂肪酸(17章Ⅲ.F.参照)が結合したセラミドの不足による落屑性皮膚炎である．

4．トランス型脂肪酸：トランス型脂肪酸 trans fatty acid (図27.12)は，化学的には不飽和脂肪酸として分類されるが，体内での挙動はむしろ飽和脂肪酸に似ている．つまり，血漿LDL-Cを上昇させ，HDL-Cを低下させて，CHDのリスクを増大させる．天然では，トランス型脂肪酸は植物に存在せず，動物に少量だけ存在する．しかしながら，水素化が行われるマーガリンやサラダ油の製造過程でトランス型脂肪酸が生成される．トランス型脂肪酸は，クッキー，揚げ物(フライ)といった多くの市販の焼成食品の主な成分である．多くのメーカーがトランス型脂肪酸を含まないように改良を進めている．2006年より，米国食品医薬品局(FDA)は食品の栄養成分表(以下Ⅷ.B.2参照)にトランス型脂肪酸の含有量を明記することを規定した．人工的トランス型脂質の加工食品での使用が提唱されている．

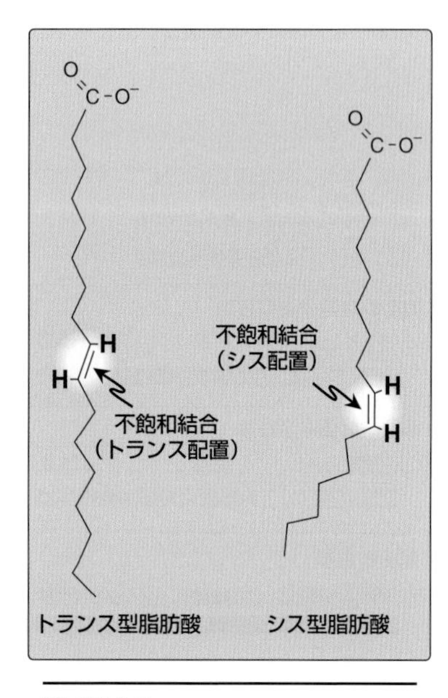

図 27.12
トランス型脂肪酸とシス型脂肪酸の構造.

5．食事性コレステロール：コレステロールは動物性食品にのみ存在する．アメリカ心臓協会 American Heart Association (AHA)は2015年「コレステロール摂取制限がLDL-Cを低下させるかについては十分な

脂肪の種類	代謝への影響	疾患との関連
トランス型脂肪酸	↑ LDL ↓ HDL	↑ 冠動脈性心疾患（CHD）の発症率
飽和脂肪酸	↑ LDL HDL：影響小	↑ CHDの発症率，前立腺および大腸がんの発症率を増加させる可能性
一価不飽和脂肪酸	↓ LDL HDL：不変か増加	↓ CHDの発症率
多価不飽和脂肪酸 ω-6（リノール酸など）	↓ LDL ↓ HDL プロスタグランジンとロイコトリエンの重要な前駆体であるアラキドン酸の供給源	↓ CHDの発症率
多価不飽和脂肪酸 ω-3（DHAなど）	LDL：影響小 HDL：影響小 不整脈の抑制，血清トリアシルグリセロールの低下，血栓形成傾向を減少，血圧の低下，炎症抑制．	↓ CHDの発症率 ↓ 心原性突然死のリスク

図 27.13
食事性脂肪酸の効果．LDL：低密度リポタンパク質，HDL：高密度リポタンパク質．

エビデンスは存在しない」と宣言した．食事ガイドライン諮問委員会は「現在までに得られているエビデンスでは血中コレステロールとコレステロール摂取量は無関係である」と結論した．

C. CHDに影響を及ぼすその他の食事性要因

適度なアルコール（エタノール）摂取（例えば，1日に男性は2杯，女性は1杯程度まで）は，CHDのリスクを減少させる．これは，適度なアルコール摂取と血漿HDL-C濃度に正の相関があるからである．しかし，アルコール乱用のリスクがあるので，医療専門家は患者にアルコール摂取を勧めようとはしない．赤ワインには，アルコールが含まれていることに加え，リポタンパク質の酸化を防ぐポリフェノール類が含まれており，心筋保護的な作用がある可能性がある．［注：こうした抗酸化物質は干しブドウやグレープジュースにも含まれる．］図27.13に食事性脂肪酸の効果を要約した．［注：最近のメタアナリシスを含む研究では，CHD予防の脂肪摂取ガイドラインに異議が生じている．］

VI. 食事性糖質（炭水化物）

食事性糖質 dietary carbohydrateの一番の役割は，エネルギー energy供給である．米国におけるカロリー摂取量（自己申告）は2003年にピークとなってからは漸減しているが，肥満は劇的に増加している（26章参照）．同時期に，糖質消費は有意に増加（脂肪消費は低下）したので，専門家の中には糖質消費を肥満と関連付ける人もいる．しかしながら，この時期に生活様式はますます活動性の少ないものになり，食事は高カロリーのものをたくさん食べるようになってきているので，これらを肥満と関連付ける専門家もいる．糖質は本来的に肥満

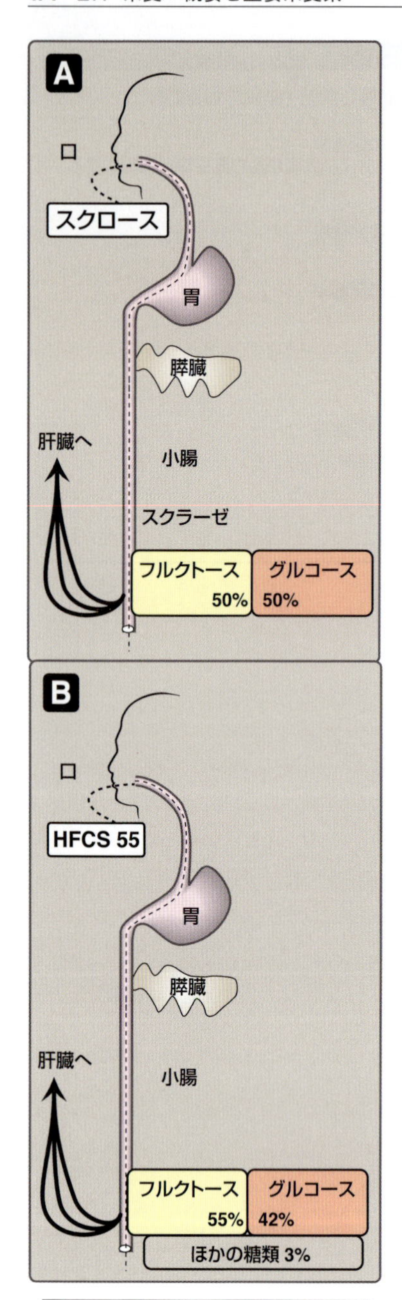

図 27.14
スクロース（フルクトースとグルコースが結合した二糖類）(A) と HFCS 55 (55%フルクトース, 42%グルコースの混和物) (B) の吸収の比較.

をもたらすということではない（訳注：炭水化物と糖質は生化学的には同義ではあるが，ヒトが消化吸収できるのを糖質とし，糖質とヒトが消化吸収できない食物線維などを含めた総称として炭水化物が使われることがある）．

A. 糖質の分類

食事性糖質は，単純糖質（単糖類 monosaccharide や二糖類 disaccharide），多糖類 polysaccharide，線維 fiber に分類される．

1．単糖類：グルコース glucose や**フルクトース fructose** が食事に多い単糖類である．グルコースは果物，スイートコーン，コーンシロップ，蜂蜜に豊富に含まれる．遊離フルクトースは，蜂蜜や果物（リンゴなど）に，遊離グルコースとともに含まれる．

a. 高フルクトース・コーンシロップ： 高フルクトース・コーンシロップ high-fructose corn syrup (HFCS) は，コーン（トウモロコシ）シロップを酵素処理してグルコースをフルクトース（果糖）に変換したものである．未処理（100% グルコース）のものを混和して，良質の甘味料としたものである．米国では，HFCS 55（55% フルクトース，42% グルコース）はスクロース（ショ糖）の代替品としてソフトドリンクなど飲料物に用いられている．HFCS 42（42% フルクトース，55% グルコース）は加工食品に用いられている．HFCS とスクロースの組成と代謝はほとんど同等であるが，HFCS は単糖類の混和物として吸収されることが異なる（図 27.14）（訳注：スクロースはグルコースとフルクトースが連結した二糖類，下記 2. 参照）．ほとんどの研究で，スクロースと HFCS との間には食後の血糖上昇やインスリン応答に違いはないとされる（訳注：フルクトース含有量によって若干異なるものの，HFCS の甘さはスクロースとほぼ同等でありながら，スクロースよりも米国では価格が安い．また，液体のために取り扱いやすいことから，米国食品業界では頻用されている．肥満促進や安全性については若干の議論があるが，基本的には問題ないとされている）．［注：HFCS の消費増加と並行して肥満も増加しているが，その因果関係は不明である．］

2．二糖類： 最も豊富にある二糖類は**スクロース sucrose**（グルコース＋フルクトース）や**ラクトース lactose**（グルコース＋ガラクトース），**マルトース maltose**（グルコース＋グルコース，麦芽糖）である．スクロースは普通の“テーブルシュガー”であり，糖蜜やメープルシロップに豊富に含まれる．ラクトースは主にミルクに含まれる糖分である．マルトースは，多糖類の酵素処理産物であり，グリコーゲンやデンプンの消化産物である．ビールや麦芽酒に大量に含まれる．発芽大麦にも存在する．“**糖 sugar**”とは，単糖類や二糖類のことであり，“**添加糖 added sugar**”は食品の加工や調理の際に加えられる糖分やシロップ（HFCS など）のことである．

3. **多糖類**：複合糖質はオリゴ糖類と多糖類(たいてい，グルコースのポリマー)からなる．多糖類とはデンプン，グリコーゲン，食物線維などのことである．**デンプン starch**とは植物に豊富に含まれる多糖類の1つである．小麦やその他の穀物，ジャガイモ，乾燥させたエンドウマメやソラマメ(豆果)，野菜が一般的な原料である．

4. **線維**：食物線維とは，食用植物に存在する非消化性(非デンプン性)の糖質とリグニン(芳香族アルコールの非糖質ポリマー)と定義されている．**可溶性線維 soluble fiber**とは，ヒト小腸での吸収や消化には抵抗性があるが，ヒト大腸の細菌の発酵作用により，部分的もしくは完全に短鎖脂肪酸 short-chain fatty acid (SCFA)に処理される食用植物成分のことである(訳注：水溶性でゲル状になる，吸収されない多糖類を示していることもある．いずれにしても，糖類などを捕捉して吸収を緩慢にしたり，蠕動運動を刺激して便秘を軽減する効果が期待できる)．SCFAは代謝系，免疫系，細胞増殖などに重要な影響を及ぼす．**不溶性線維 insoluble fiber**は消化経路をほとんど無変化で通り抜けてしまう．食物線維はエネルギーにはほとんどならないが，いくつかの有益な効能が期待できる．第一に，食物線維は食物の容積の大部分を占める(図27.15)．線維はその重量の10～15倍もの水を吸収することが可能であり，腸管腔へ液体を引き込むため腸の流動性が増加され，自然な便通をもたらす．可溶性線維により胃が空になるのが遅れ，満腹感を覚えさせる．この遅れのために，食後の血糖値上昇が抑えられる．第二に，可溶性線維を摂食すると，排泄物の胆汁酸が増加し，再吸収も阻害されることにより，LDL-C量が低下する(18章V.参照)．例えば，オートブラン(エン麦ふすま)といった可溶性線維を豊富に含む食物を摂取(25～50 g/日)すると，総コレステロールやLDL-C量の低下によりCHDに対するリスクが軽度ではあるが有意に減少する．さらに，線維を豊富に含む食物は，便秘や痔核，憩室症のリスクも減少させる．食物線維の適正な摂取量(AI)は，女性で25 g/日，男性で38 g/日である．しかしながら，大半の米国人の食事では，そのはるか下，約15 g/日である．[注：**機能性線維 functional fiber**とは，単離，抽出，あるいは合成された健康によいとされている線維であり，サプリメントとして販売されている．] 食物線維の食事への添加は適度にしないと，腹部不快感，ガス貯留，下痢，ときとして便秘をもたらすことがある．

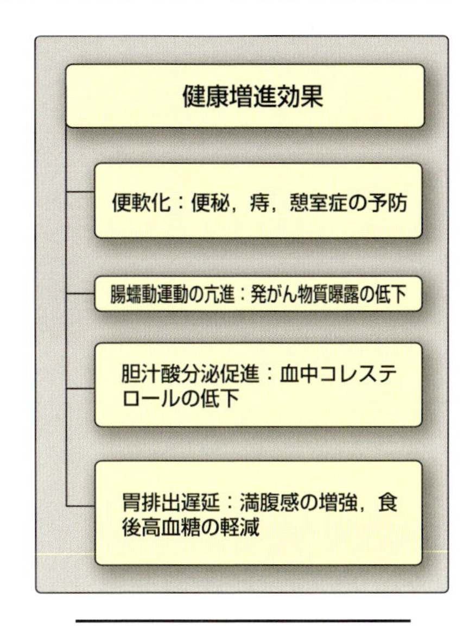

図 27.15
食物線維の作用.

B. 食事性糖質と血糖

食物に含まれる糖質には，摂取後に血糖値が急速に上昇した後に急激に低下するものがある一方で，徐々に上昇しゆっくりと低下するものもある(図27.16)．このように食物によって食後血糖の変化(血糖応答 glycemic response，GR)が異なる．[注：食物線維はGRを穏やかにする．] ある食品50 gのGRと基準食(グルコース，白米，白パン)50 gのGRとの比(%表示)をグリセミック指数 glycemic index (GI)という．55未満を低GI，75以上を高GIとする．低GI食のほうが糖尿病患者の血糖コントロールが良好になるというエビデンスが得られて

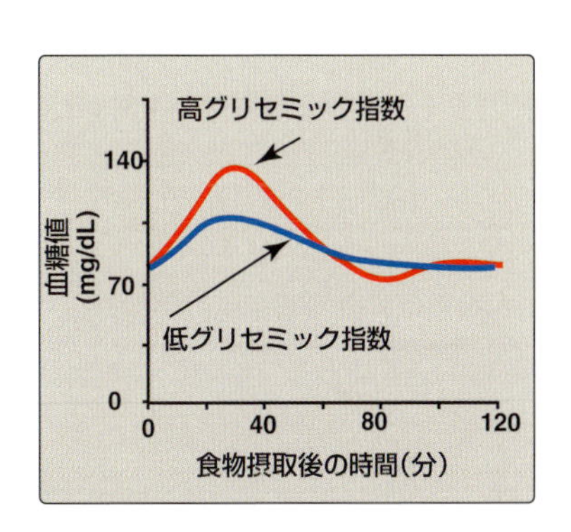

図 27.16
低または高グリセミック指数（GI）を有する食物摂取後の血糖値.［注：GIは血糖値曲線の下側面積と定義される（訳注：基準食（グルコース，白米，白パン）との百分率で示される）.］

いる．グリセミック指数が低い食品は，長時間にわたって満腹感がある傾向にあり，カロリー摂取を制限するのに役立つかもしれない．[注：ある食物の通常に食される量の摂食による血糖の上昇値をグリセミック負荷 glycemic load（GL）という．ニンジンはGIは高いがGLは低い（訳注：一般的には（GL＝GI × 摂食量）であり，グルコース総吸収量に匹敵する）．]（訳注：糖尿病はインスリン不足が根本的な問題という考え方に反して，高血糖こそ危険であるという考え方が提唱されている．高血糖を防ぐための糖質を摂食しない糖質制限食の有効性が議論されている．実際，糖尿病の治療薬として，血糖を尿中に排出するGLUT阻害薬が期待されている．）

C. 糖質の必要性

糖質は，必ずしも必須栄養素ではない．それは，ほとんどのアミノ酸の炭素骨格はグルコースへと変換されうるからである（20章Ⅱ.A.参照）．また，糖質とともにビタミン類やミネラル類といった必須栄養素が摂取される．さらに，糖質を摂取しないことにより，ケトン体が産生され（16章Ⅴ.参照），糖新生（10章Ⅱ.C.参照）のためにアミノ酸の炭素骨格が使われ，タンパク質の分解が起きる．糖質の栄養所要量（RDA）は，成人でも小児でも130 g/日に設定されており，それは糖質依存的な組織（例えば脳や赤血球）で必要とされるグルコース量に基づいている．しかし，この摂取量は通常は過剰である．成人は総カロリーの45～65％を糖質から摂るべきである．また，糖質を過剰に摂取することによって他の栄養素を豊富に含む食事の摂取が低下するという考えから，添加糖によるエネルギー摂取は総エネルギーの10％以下が推奨されている．[注：添加糖は体重増加と2型糖尿病の要因となる．]（訳注：糖質制限食ではしばしば便秘となる．）

D. 単純糖質と疾患

天然に含まれる単純糖質が有害であるという直接的な証拠は何もない．一般的にいわれていることとは反対に，スクロースが多い食物により糖尿病や低血糖になることはないし，糖質により肥満になることも直接的にはない．糖質は4 kcal/gのエネルギーを持ち（タンパク質と同程度で，脂肪の半分以下，図27.5参照），体のエネルギー必要量を超過したときのみ脂肪合成に用いられる．しかしながら，スクロース消費量とう歯（虫歯，特にフッ素塗布をしていないとき）は相関がある（29章Ⅲ.E.参照）．

Ⅶ. 食事性タンパク質

タンパク質のAMDRは10～35％である．食事性タンパク質 dietary proteinは必須アミノ酸 essential amino acid（EAA）を含んでいる（図20.2参照）．20種類のアミノ酸のうち9種類が，体のタンパク質合成に必須，つまり体内で十分な量を合成することができない．

A. タンパク質の質

食事性タンパク質の質とは，組織維持のために必要な必須アミノ酸を提供できる特性をみたものである．米国の大半の政府機関により，タンパク質の質を評価する標準値としてタンパク質消化吸収率補正アミノ酸スコア protein digestibility corrected amino acid score (PDCAAS)が採用されている．PDCAASは，必須アミノ酸の特性やタンパク質の修正吸収率に基づいており，最も高いスコアは1.00である．このアミノ酸スコアは質の高いタンパク質と質の低いタンパク質のバランスをとるための指標となっている．

1．**動物性タンパク質**：動物性タンパク質(肉，家禽，牛乳，魚)は，ヒトの組織を作るタンパク質合成に必要な必須アミノ酸の割合と似通っており，吸収性がよく良質である(図27.17)．[注：動物性コラーゲンから作られるゼラチンは例外である．必須アミノ酸をいくつか欠乏しているために，生物価は低い．]

2．**植物性タンパク質**：植物性タンパク質は必須アミノ酸に乏しく，動物性タンパク質より質は低い．不完全タンパク質ともいわれる(卵，ミルク，肉などは適度にすべての必須アミノ酸を含んでいるために，完全タンパク質といわれる)．しかし，さまざまな植物源のタンパク質を組み合わせることで，動物性タンパク質と同程度の栄養価値のあるものになる．例えば，小麦(リシンが欠乏しているが，メチオニンが豊富)はインゲンマメ(メチオニンは少ないが，リシンは豊富)と組み合わせることで，個々のタンパク質よりも優れた生物価を持つものとなる(図27.18)．[注：動物性タンパク質は，植物性タンパク質の生物価を補うことができる．]

原 料	PDCAAS値
動物性タンパク質	
卵	1.00
牛乳	1.00
牛肉/家禽/魚	0.82~0.92
ゼラチン	0.08
植物性タンパク質	
大豆タンパク質	1.00
インゲンマメ	0.68
小麦パン	0.40

図 27.17
食事性タンパク質における相対的な質．PDCAAS：タンパク質消化吸収率補正アミノ酸スコア．

B. 窒素出納(平衡，バランス)

窒素摂取量と，尿(主として尿中尿素窒素 urinary urea nitrogen, UUN)，汗，便としての窒素排泄量が同じであるときに，窒素出納 nitrogen balanceは保たれているとされる．ほとんどの成人は，通常であれば窒素出納を維持している．[注：6.25 gのタンパク質に平均1 gの窒素が含まれる．]

1．**正の窒素出納 positive nitrogen balance**：これは窒素摂取量が窒素排泄量を超えていることを指しており，組織が成長過程にあるとき，例えば小児期や，妊娠中，消耗性疾患から回復している間にみられる．

2．**負の窒素出納 negative nitrogen balance**：これは窒素排泄量が窒素摂取量よりも多いことを指しており，食事性タンパク質を十分量摂取していないことや，必須アミノ酸の欠乏，外傷，熱傷，疾病，手術といった生理的なストレスに伴ってみられる．

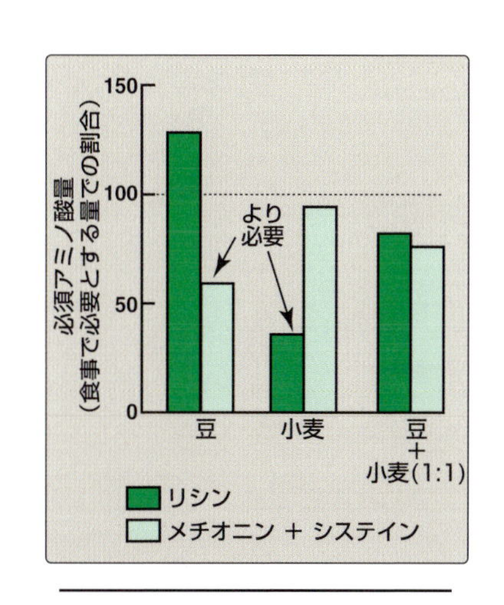

図 27.18
アミノ酸不足を補い合う2種類のタンパク質を組み合わせることで，高い生物価の配合物となる．

> 24時間の窒素バランス（摂取窒素－排出窒素）は以下の式で求められる．
> 窒素バランス＝タンパク質1日摂取量(g) / 6.25－(1日尿中尿素窒素＋4 g)
> 4 gは尿素以外の尿中窒素，便や皮膚から排出される窒素量に相当する．

C. ヒトにおけるタンパク質必要量

摂取する必要のある食事性タンパク質は，その生物価次第で変化する．食事における動物性タンパク質の割合が増加すればするほど，必要とされるタンパク質量は減少する．タンパク質の栄養所要量（RDA）は，さまざまな生物価のタンパク質として，成人の体重あたり0.8 g/kg，つまり70 kgのヒトで約56 gと計算されている．日常的に精力的な運動をしている人々は，筋肉量を維持するために余分にタンパク質を摂取することが有益であろう．運動選手であれば，1日約1 g/kgの摂取量が推奨されている．妊娠中や授乳中の女性では，自分の基礎必要量に30 g/日以上加えた量を必要とする．乳児の成長を維持するためには，2 g/kg/日の量を摂取すべきである．[注：疾患によってもタンパク質の必要量が変化する．腎臓疾患ではタンパク質制限が必要となることがある．熱傷ではタンパク質摂取量を増加させる必要がある．]

1．過剰タンパク質の消費：RDA以上のタンパク質を摂取することの生理的利点はない．必要以上に摂取したタンパク質は脱アミノされ，エネルギーへと代謝される炭素骨格と脂肪酸合成のためのアセチルCoAとなる．過剰なタンパク質が体内から尿中の窒素として除去されるときに，尿中カルシウムの増加をしばしば伴い，腎石症や骨粗鬆症のリスクが増大する．

2．糖質のタンパク質節約効果：食事性タンパク質の必要量は，その食事に含まれる糖質量によって左右される．糖質摂取量が低いと，アミノ酸はグルコース合成の炭素骨格を作り出すために脱アミノされる．グルコースは中枢神経系でエネルギー源として必要である．糖質摂取量が130 g/日以下になると，相当量のタンパク質が糖新生のための前駆体へと代謝される．このように，糖質によってアミノ酸は糖新生よりも組織タンパク質の修復や維持のために使われるようになることから，糖質は「タンパク質節約効果」を持つといえる．

D. タンパク質・エネルギー（カロリー）栄養障害

先進国では，**タンパク質・エネルギー栄養障害 protein-energy malnutrition**（PEM．タンパク質・エネルギー低栄養 protein-energy undernutrition（PEU）ともいわれる）は，食欲不振をもたらしたり栄養分の消化・吸収に影響を与えたりする疾患を持つ患者や，重大な外傷や感染

表 27.1 小児の重症PEMの身体的特徴. [注：クワシオルコルの特徴的な脂肪肝や皮膚や頭髪の変化は消耗症では出現しない.]

疾患名	標準体重比	身長相当体重	浮腫	筋肉脂肪量
クワシオルコル	60～80%	正常もしくは低下	(+)	低下
消耗症	60%以下	著しく低下	(−)	著しく低下

で入院している患者で, 最も一般的にみられる. [注：そのような非常に異化が亢進した患者では, 多くの場合, 栄養を静脈内(IV, 非経口 parental)あるいは経管(経腸 enteral)投与する必要性が生じる.] PEMは食料不良の小児や高齢者にも生じやすい. 開発途上国では, タンパク質やカロリーの摂取不足がPEMの主な原因である. 患者にはさまざまな症状がみられ, 免疫力が低下し, 感染症に対する抵抗力が減少するため, 二次感染による死亡もまれなことではない. PEMもさまざまであり, 極端な2例が, クワシオルコルと消耗症である(表27.1). [注：両者が併発しているのを消耗性クワシオルコル marasmic kwashiorkorという.]

1. クワシオルコル kwashiorkor：クワシオルコルは総カロリーの減少よりもむしろタンパク質の欠乏が重篤な場合に生じる. タンパク質欠乏により, 深刻な内臓性タンパク質の合成低下となる. クワシオルコルは, 途上国ではまれではなく, 1歳くらいで離乳したあとの, 食事が主に糖質の小児にしばしばみられる. 典型的な症状としては, 発育阻害, 皮膚病変, 脱色素化毛髪, 無食欲, 脂肪肝, 両側下肢の圧痕性浮腫 pitting edema, 血中アルブミン濃度の低下がある. 浮腫は, 血液と組織間で水分の分配を維持するための血中タンパク質(特にアルブミン)が不十分なことによる. 浮腫により, 肥満のような腹になり, 筋肉と脂肪の低下がマスクされる. 血中アルブミンの低下は慢性的な栄養失調を反映するものである. [注：糖質によるカロリー摂取がある程度あるので, インスリンによって脂肪分解とタンパク質分解が抑制される. そのため, クワシオルコルは非適応栄養失調といえる.]

2. 消耗症 marasmus：消耗症はタンパク質の欠乏よりカロリー欠乏が深刻なときに起こる. 通常, 途上国でカロリーやタンパク質が十分ではない天然の穀物を薄い粥状にしたもの, あるいはそれで母乳を薄めたものが与えられている1歳以下の幼児に発症する. 典型的な症状としては, 成長抑制, 極度の筋萎縮と皮下脂肪の消失(やせ), 虚弱, 貧血がある(図27.19). 消耗症の患者には, クワシオルコルにみられるような浮腫はみられない. [注：極度の栄養障害の患者に栄養を投与すると低リン酸血症を誘発する危険性がある(29章II.A.2.参照). 糖質代謝のリン酸化に大量のリン酸が消費されるためである. リン酸豊富なミルクを慎重に投与する.] (訳注：神経性食欲不振症などに急速な栄養補給を行うと, このリフィーディング症候群 refeeding syndromeの危険性がある. 低リン酸血症が主症状だが, さまざまな代謝や電解質の異常が生じる.)

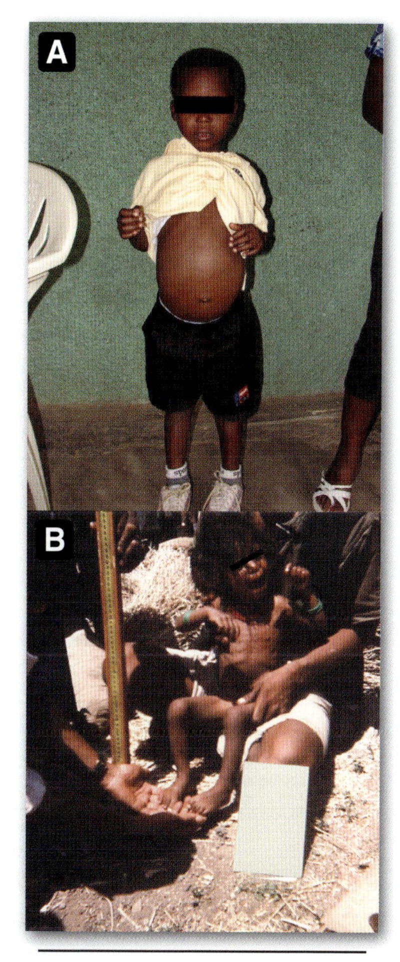

図 27.19
A. 感情鈍麻しているクワシオルコル小児. 膨満した腹部と下肢に注意.
B. 消耗症の小児.

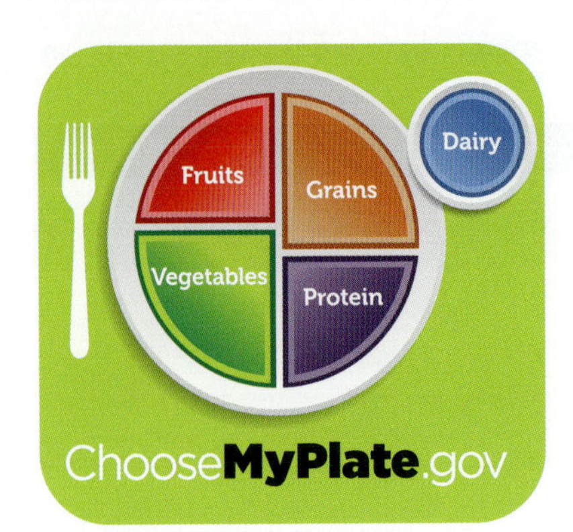

図 27.20
マイプレート．

> 悪液質 cachexiaは，食欲低下と筋萎縮（脂肪分解を伴う場合と伴わない場合がある）が特徴的な消耗性疾患である．通常の栄養補給療法を行っても回復させることができない．がん，肺疾患，腎疾患など慢性疾患にしばしば生じる．治療への認容性や反応性を低下させ，死期を早める原因になる．

Ⅷ．栄養情報ツール

一般消費者が摂取すべき食物の種類や量，および食品の成分の情報を容易に得るツールが提供されている．医療従事者が各個人の栄養摂取状況を評価するためのツールも開発されている．

A．マイプレートMyPlate

マイプレートは1日あたりの摂取が推奨される食物の種類と量を図解するツールであり，米国農務省（USDA）が開発した．マイプレートでは，5つの食品類（野菜，穀物，タンパク質，果実，乳製品）の相対的推奨摂取量が皿に占める面積で図示されている（図27.20）．推奨量は年齢や性別などを加味して調整される．ハーバード公衆衛生大学院の専門家が作成した健康的食事プレートHealthy Eating Plateも使用されている．マイプレートとは異なり，ミルクを制限して飲水を推奨している．健康的な植物油と身体活動も薦めている（訳注：日本人の食事摂取基準については厚生労働省 https://www.mhlw.go.jp/stf/seisakunitsuite/bunya/kenkou_iryou/kenkou/eiyou/syokuji_kijyun.htmlに掲載されている．食事バランスガイドはhttps://www.mhlw.go.jp/bunya/kenkou/eiyou-syokuji.htmlに記載されている．以前は「日本型食事ピラミッド」が使用されていた）．

Nutrition Facts
Serving Size 1 cup (228 g)
Servings Per Container about 2

Amount Per Serving	
Calories 250	Calories from Fat 110
	% Daily Value*
Total Fat 12 g	**18%**
Saturated Fat 3 g	**15%**
Trans Fat 3 g	
Cholesterol 30 mg	**10%**
Sodium 470 mg	**20%**
Total Carbohydrate 31 g	**10%**
Dietary Fiber 0 g	**0%**
Sugars 5 g	
Proteins 5 g	
Vitamin A	4%
Vitamin C	2%
Calcium	20%
Iron	4%

* Percent Daily Values are based on a 2,000 calorie diet. Your Daily Values may be higher or lower depending on your calorie needs:

	Calories:	2,000	2,500
Total Fat	Less than	65 g	80 g
Saturated Fat	Less than	20 g	25 g
Cholesterol	Less than	300 mg	300 mg
Sodium	Less than	2,400 mg	2,400 mg
Total Carbohydrate		300 g	375 g
Dietary Fiber		25 g	30 g

図 27.21
栄養成分表ラベル（食品成分表）．

B．栄養成分表ラベルnutrition facts label

ほとんどの包装された食品には栄養成分表ラベル（図27.21）の表示が義務付けられている．成分表には単体あたりの重量，総カロリー，包装個数が明示されている．さらに，ほとんどの栄養素について，1日推奨量の何%（% DV）に相当するかも記されている．［注：% DVは1日2,000 kcalを摂取する健常成人を標準としている．］

1．1日摂取量パーセント（% DV）：% DVはその食品の摂取により1日に摂取すべき栄養の量の何% が摂取できるかを意味している．例えば，糖質や食物線維などとともに，微量栄養素の% DVが1日あたりの推奨摂取量をもとに示されている．カルシウムの% DVが20% ということは，その食品の摂取により1日あたりのカルシウムの推奨最小量の20% を摂取することができるという意味である．あるいは，飽和脂肪酸，コレステロール，食塩の場合には，推奨上限量に基づいて% DVが算出されている．上限量の何% を摂取することになるかを反映している．タンパク質の推奨摂取量は体重によって異なるために% DVを算出できないので記載されていない．[注：「糖類」は単糖と二糖類を意味する．その他の糖質(全糖質－[食物線維＋糖類])はオリゴ糖や多糖類である．]

2．食品成分表：2014 年，USDAは次のような食品成分表ラベルの変更を告示した．内容は添加物としての糖，ビタミンD，カリウムの表示を追加すること，ビタミンA，ビタミンC，総脂肪，脂肪由来のカロリーの表示を削除すること(脂肪については量よりも質が重要)，現状の摂食量に合致するように推定摂食量を調整すること，重要な項目を強調するデザインとすることである(図 27.22)．

Nutrition Facts

8 servings per container
Serving size 2/3 cup (55 g)

Amount per 2/3 cup
Calories 230

% DV*	
12%	**Total Fat** 8 g
5%	Saturated Fat 1 g
	Trans Fat 0 g
0%	**Cholesterol** 0 mg
7%	**Sodium** 160 mg
12%	**Total Carbs** 37 g
14%	Dietary Fiber 4 g
	Sugars 1 g
	Added Sugars 0 g
	Protein 3 g
10%	Vitamin D 2 mcg
20%	Calcium 260 mg
45%	Iron 8 mg
5%	Potassium 235 mg

* Footnote on Daily Values (DV) and calories reference to be inserted here.

図 27.22
2014年に告知された栄養成分表ラベルの例.

C. 栄養評価

栄養評価とは臨床データに基づく栄養状態の評価である．これには，食生活，身体計測，検査データなどがある．栄養評価の結果が，食事を改善する治療法である臨床栄養療法 medical nutrition therapy (MNT)に取り入れられることもある．MNTはある疾患についてエビデンスに基づいた医学的治療であり，個別化された栄養指導が行われる．例えば，高脂血症のMNTでは，摂取脂質の質の改善と脂質を含めて総摂取カロリーの軽減が指示される．

1．食生活歴：これはある期間の摂食状況の記録(食事歴)である．食事日記では，食事の量と質を「リアルタイム」(食事後可及的速やかに)に 3 ～ 7 日間記録していく(一種のプロスペクティブ研究)．レトロスペクティブ研究では，食事に関する質問(例えば，ある日，週，月にどのような果実をどのくらい食べたかという質問)や，ある食品をこの 24 時間の間にどのくらい食べたかが調べられる．

2．身体計測：これは身体測定である．体重，身長，BMI(肥満度の指標，26 章Ⅱ.A.参照)，皮膚を挟むキャリパー法による皮下脂肪，腹囲(内臓脂肪の指標，26 章Ⅱ.参照)などである．[注：至適体重はHamwi法で計算される．身長 5 フィート(150 cm)までは男性 106 ポンド(48 kg)，女性 100 ポンド(45 kg)，その後，1 インチ(2.5 cm)あたり 5 ポンド(2.3 kg)ずつ付加する．小柄な場合には 10% 減，大柄な場合には 10% 増しとする)．] (訳注：男性至適体重＝106ポンド(48 kg)＋6ポンド(2.7 kg)×(身長(インチ)－60)，女性至適体重＝100 ポンド(45 kg)＋5ポンド(2.3 kg)×(身長(インチ)－60)，60 インチ＝5フィート．日本ではBMIが標準に収まるよう身長/体重が目標になる．)

3．臨床検査データ：これらは体液，組織，排泄物の臨床検査によって得られる．血清LDL-C(心血管系の危険因子)，便脂肪(吸収不全の指標)，赤血球指標(色素量や容積．ビタミン欠乏の指標)，窒素バランスや血清タンパク質(アルブミン，トランスチレチン(プレアルブミ

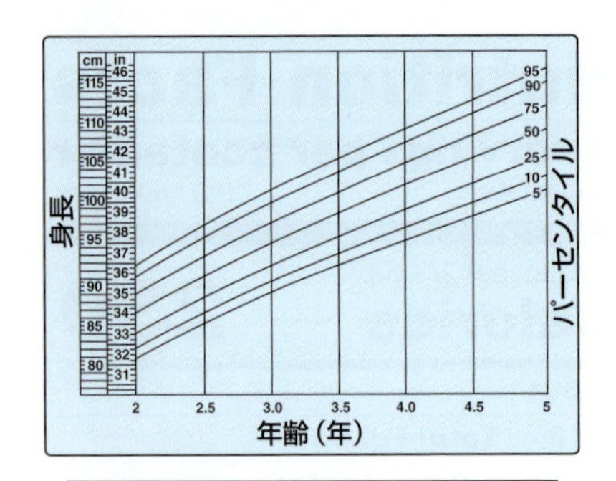

図 27.23
男児2〜5歳の臨床身長成長グラフ．米国疾病管理予防センターCenters for Disease Control and Prevention（CDC）（https://www.cdc.gov/growthcharts/を参照）を参考に作成．

ン））はタンパク質摂取量/エネルギーバランスの指標である．［注：これらのタンパク質は肝臓で生成されて，脂肪酸や甲状腺ホルモン（29章Ⅳ.A.参照）の血中輸送を担っている．入院患者の低アルブミン血症は罹病率と死亡率の増加と相関している．半減期の短い（2〜3日）トランスチレチンと比較的半減期の長い（20日）アルブミンはそれぞれ患者の状態モニタに有用である．］

栄養不良の要因としては，摂取不足（摂食障害，食欲低下，食料不足など），吸収不全，利用率低下，排出増加，消費（必要量）増加などがある．

Ⅸ．栄養とライフステージ

主要栄養素（主なエネルギー源），微量栄養素，必須脂質（EFA），必須アミノ酸（EAA）は，すべてのライフステージで必須である．さらにライフステージの各段階で特に重要な栄養素がある．

A．乳児期，小児期，思春期

乳児期（生後1年），小児期（1歳から思春期）は，急速な成長発達期のために，年長者と比して，体重あたりのエネルギーとタンパク質の必要性が高い．思春期には身長と体重が著しく増加するために，栄養必要性も高くなる．成長曲線（図27.23）は，ある個人の身長/体重（体格）と同年齢の標準値との比較に有用である．この成長曲線は長年の健常者の膨大なデータをもとに作成された．［注：パーセンタイルにして2位以上離れた値は要注意とみなされる．］

1．乳児期：理想的な乳児用の栄養基準はヒトの母乳を参考にしている．カロリーやほとんどの栄養素について母乳はヒト乳児に最適化されているのである．糖質，タンパク質，脂質は7：3：1の比で含まれている．［注：ヒト母乳には，二糖類のラクトース（乳糖）以外に200種にも及ぶさまざまなオリゴ糖が含まれている．母乳育児の小児の腸の細菌叢（細菌の集団）90％はビフィズス菌*Bifidobacterium infantis*が占めている．このビフィズス菌はこれらの糖質を分解するために必要な酵素を備えている．逆にいえば，これらの糖質は善玉菌（プロバイオティックprobiotic．有益な細菌，正確には細菌類のみならず真菌類など，すべての微生物を含む）の増殖を促進するためのプレバイオティクスprebiotics（善玉菌促進物質）でもある．］残念なことに，母乳はビタミンDが乏しい．完全母乳育児の場合にはビタミンDサプリが必要となる．［注：母乳には抗体なども含まれており，感染の危険性を低下させている．］

> ヒトの体の中(消化管)と外(皮膚)の細菌叢とそのゲノムを包括してマイクロバイオーム microbiomeという. 誕生後に外界(環境)から得て, 加齢とともに変貌していく. 腸管マイクロバイオームは消化/吸収に関与し, 宿主の栄養状態に影響を及ぼす. 逆に, マイクロバイオームは宿主が摂取した食物の影響を受ける. るいそう(やせ), 肥満, あるいは糖尿病とマイクロバイオームの関係が研究されている(訳注：単に体を維持するための栄養学的側面だけではなく, 免疫や精神状態にも影響を及ぼしていることが明らかになっている. また, クロストリジウム腸炎や潰瘍性大腸炎には健常児の便の移植(注腸)も試みられている(便移植)).

2. **小児期**：乳児期と同様に, 小児もカロリーと栄養の必要性が高い. 特にこの時期は鉄とカルシウムの不足に注意する必要がある.

3. **思春期**：10代中後半は身長や体重の著しい増加に伴って, カロリー, タンパク質, カルシウム, 鉄, リンの必要性が増加する. この世代の食生活は, 脂質, 塩分, 砂糖を過剰摂取し, ビタミンA, チアミン, 葉酸の不足に陥りやすい. [注：この年代では, 摂食障害や肥満もまた問題となる.]

B. 成 人

若年成人は栄養過多, そして高齢者は栄養不足になりやすい.

1. **若年成人**：若年成人の栄養は健康維持と疾患予防を念頭に置く必要がある. 野菜が豊富(食物線維や全粒穀物が特に重要), 飽和脂肪やトランス脂肪の制限, ω-3およびω-6 PUFA(多価不飽和脂肪酸)の適度な摂取が目標となる.

2. **妊婦や授乳女性**：妊娠や授乳によってカロリー, タンパク質, あるいは微量栄養素のほとんどすべての需要は増加する. 葉酸(神経管欠損症の予防, 28章Ⅱ.2.参照), ビタミンD, カルシウム, イオン, ヨウ素, DHAなどを特に補充すべきである.

3. **高齢者**：加齢に伴って栄養不良の危険性は増加する. 味覚や嗅覚の障害などによっても食欲不振となり, 栄養摂取が低下する. [注：歯科疾患や独居といった精神社会的問題なども食欲不振の要因となる.] タンパク質, カルシウム, ビタミンD, ビタミンB_{12}の不足もまれではない. ビタミンB_{12}不足は胃酸低下(胃腔内の塩酸低下, 28章Ⅳ.参照)も原因となる. 加齢に伴い, 筋肉量は低下し, 脂肪量は増加し, その結果, 安静時代謝率(RMR)が低下する. [注：食事(栄養)と薬物の相互作用はどの年代でも生じうるが, 服用薬剤数が増加する高

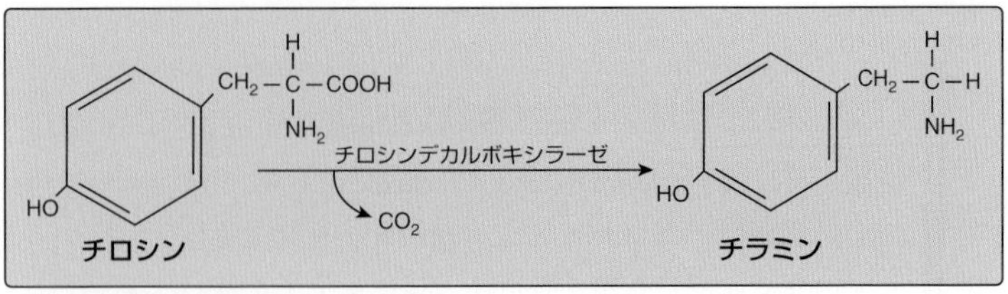

チロシン → チロシンデカルボキシラーゼ → チラミン（CO_2）

図 27.24
チロシンの脱カルボキシ化反応.

齢者ではより生じやすい.］

臨床応用 27.1：モノアミンオキシダーゼ阻害薬

うつ病（21章Ⅲ.A.4.参照）やパーキンソン病などに用いられるモノアミンオキシダーゼ阻害薬（MAOI）とチロシン含有食物で相互作用が生じうる. チラミンはチロシンの脱炭酸によって生成されるモノアミンである. 食物の熟成, 経年変化, 発酵に伴って生じる（図27.24）. ノルアドレナリンの放出を促進し, その結果, 血圧や心拍数を上昇させる. MAOIを服用していると, チラミンを分解するモノアミンオキシダーゼが阻害されているために, チーズやワインなどを摂取すると, チラミンの作用が著しく発揮され, 高血圧クリーゼ（急激な血圧上昇）の危険性が生じる.

27章の要約

- **食事摂取基準**（DRI）は欠乏症を予防し, 良好な健康と成長を維持するために必要な基準栄養量を提供する.
- DRIは以下のEAR, RDA, AI, ULから構成される.
- **推定平均必要量**（EAR）とは, 年齢や性別ごとの健常者のうち50％のヒトの必要量を満たすと推定される1日の平均栄養摂取量のことである.
- **栄養所要量**（RDA）とは, 年齢や性別ごとにほとんどのヒト（97～98％）の栄養必要量を満たすのに十分とされる1日の平均食事摂取量のことである.
- **適正摂取量**（AI）とは, RDAを算出するのに十分な科学的証拠が得られないときに, RDAの代わりに設定されるものである.
- **許容上限摂取量**（UL）とは, 一般の人々のほとんどすべてに対して健康状態に過剰症の危険性がないと思われる1日あたりの平均栄養摂取量の最大値である.
- **主要栄養素**の代謝により産生されるエネルギー（脂質9 kcal/g, タンパク質および糖質4 kcal/g）は, 体内で**安静時代謝率**（RMR）, **食事による産熱効果**, **身体活動**の3つのエネルギー要求過程において消費される.
- **認容主要栄養素配分**（AMDR）とは, 必須栄養素を適当量摂っていることを前提として, 慢性的な疾患のリスクを減少することが期待できる, 主要栄養素摂取量の配分と定義されている.
- 成人は, **総カロリー**のうち**糖質**から**45～65％**, **脂肪**から**20～35％**, **タンパク質**から**10～35％**となるように摂取すべきである（図27.25）.
- 総コレステロール量やLDLコレステロール（LDL-C）量が増加すると, **冠動脈性心疾患**（CHD）のリスクが増える.

- HDLコレステロール(HDL-C)量が高いこととCHDのリスクが低いことは相関しているとされる.
- **高コレステロール血症**の食事や薬物による治療は，LDL-Cを減少させ，HDL-Cを増加させ，CHDのリスクを減少させるという点で効果的である．**飽和脂肪**摂食と総血中コレステロール量やLDL-C量高値は非常に強い関連がある.
- 食事の飽和脂肪酸を**一価不飽和脂肪**にすると，総血中コレステロール量とLDL-C量の両方が減少し，HDL-Cが増加するか維持される.
- **ω-6 多価不飽和脂肪酸**を含む脂肪は血漿LDL-Cを減少させるが，CHDに対して保護作用があるHDL-Cも低下させてしまう.
- 食事により**ω-3 多価不飽和脂肪**を摂取すると，心不整脈を抑制し，血中トリアシルグリセロールを減少させ，血栓症の傾向を減少させ，そして心血管疾患による死亡のリスクを大幅に低下させる.
- **糖質**は食事に**エネルギー**と線維を提供する．カロリー摂取量とエネルギー消費量が等しいように糖質を食事として摂取しているのであれば，糖質により肥満になることはない.
- **必須アミノ酸**は食事性**タンパク質**からもたらされる.
- **タンパク質の質**は，組織を維持するための必須アミノ酸をどれだけ含んでいるかによって決まる．通常，動物性タンパク質は植物由来のものよりも高い質を持っている．しかし，さまざまな植物性タンパク質を組み合わせることで動物性タンパク質に等しい栄養価にすることができる.
- 窒素摂取量が窒素排泄量を超えていることを**正の窒素出納**という．組織が成長過程にあるとき，例えば小児期や妊娠中疾病による衰弱から回復している間にみられる.
- 窒素排泄量が窒素摂取量よりも多いことを**負の窒素出納**という．食事性タンパク質を十分量摂取していないことや，必須アミノ酸の欠乏，外傷や火傷，疾患，手術といった生理的なストレスに伴ってみられる.
- **クワシオルコル**は，低栄養状態で特にタンパク質が不足している場合に生じ，浮腫が特徴的である.
- **消耗症**は，タンパク質はもとより，特にカロリーそのものが不足している状態である．浮腫を伴わない．どちらも極度の**タンパク質・エネルギー栄養障害**(PEM)である.
- **栄養成分表ラベル**は消費者に食品の栄養素成分の情報を提供する.
- 臨床的栄養評価では，**食生活歴**，**身体計測**，**臨床検査データ**などが参考にされる.
- 出生から成人までの成長パターンの評価には**成長曲線**が有用である.
- **食事により摂取した栄養素と薬物の相互作用**は特に高齢者で注意すべきである.

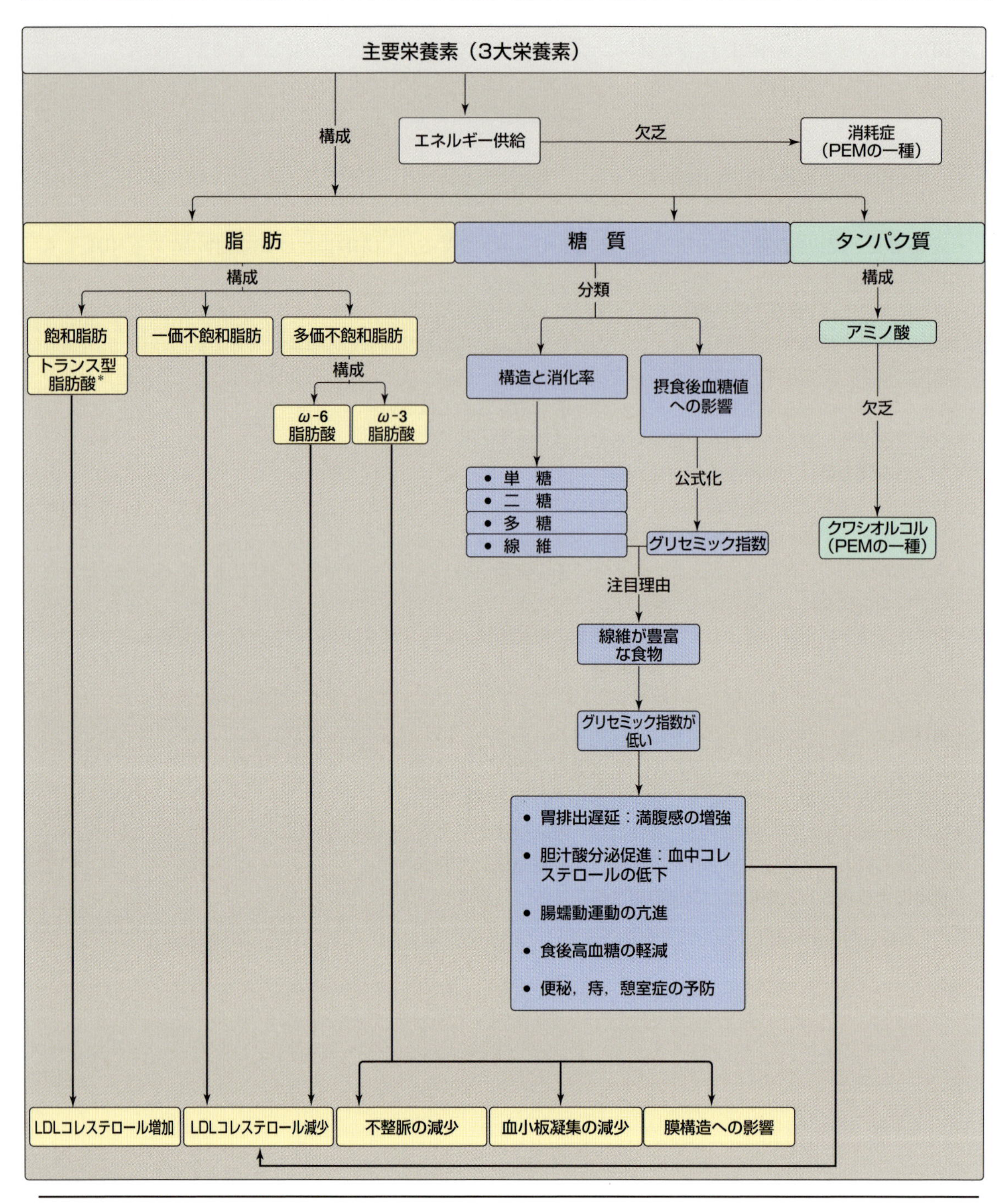

図 27.25
主要栄養素（3大栄養素）の概念図．［注：*トランス型脂肪酸は化学的には不飽和脂肪酸として分類される．］PEM：タンパク質-エネルギー栄養障害．

学習問題

最適な答えを1つ選びなさい.

27.1 下図の小児がクワシオルコルであることを支持する所見はどれか.

A. 脂肪組織の増加による肥満様体型
B. 腹部および末端の浮腫
C. 血清アルブミンの上昇
D. 身長に比して体重の著しい低下

正解 B. クワシオルコルはエネルギー(カロリー)摂取が適当あるいは良好でタンパク質摂取が不足することが原因である. クワシオルコルの典型所見は, 血清アルブミンの低下による腹部/末端の浮腫(写真の小児の膨満した腹部と下肢に注目)である. 体脂肪は低下しているが, 浮腫のために身長比体重はそれほど異常とはならない. 治療はエネルギーとタンパク質の量が適切な食事の提供である.

27.2 次のうち食事性脂肪に関する正しい記述はどれか.

A. ココナッツ油には多価不飽和脂肪が, オリーブ油には飽和脂肪が豊富に含まれる.
B. トランス型の二重結合を持つ脂肪酸は, 天然のシス型と違って血中HDLコレステロールを上昇させる.
C. 多価不飽和脂肪酸のリノール酸とリノレン酸は必須脂肪酸である.
D. 一般的に植物由来のトリアシルグリセロール(TAG)には動物由来のものよりも不飽和脂肪酸が少ない.

正解 C. ヒトはリノール酸とリノレン酸を合成することができない. そのため, これらの脂肪酸は必須脂肪酸となる. ココナッツ油は飽和脂肪酸が豊富で, オリーブ油は一価不飽和脂肪酸が豊富である. トランス型脂肪酸はHDLコレステロールではなく, 血中LDLコレステロールを上昇させる. 植物由来のTAGは, 動物由来のものよりも不飽和脂肪酸を多く含む.

27.3 70 kgの男性が1日に平均275 gの糖質, 75 gのタンパク質, 65 gの脂質を摂取したとき, ここから導き出されることは次のどれか.

A. カロリーの約20%が脂質由来である.
B. 十分量の食物線維を摂取している.
C. 窒素出納は維持されている.
D. 糖質, タンパク質, 脂質の割合は現在の推奨値に適合している.
E. 1日あたりの総エネルギー摂取量は約3,000 kcalである.

正解 D. 総エネルギー摂取量は(275 g糖質×4 kcal/g)+(75 gタンパク質×4 kcal/g)+(65 g脂質×9 kcal/g) = 1,100 + 300 + 585 = 1,985 kcal/日である. 糖質のカロリー率は1,100/1,985 = 55%; タンパク質のカロリー率は300/1,985 = 15%; 脂質のカロリー率は585/1,985 = 30%となる. これらの値は, 現在推奨されているものに非常に近い値である. 線維や窒素出納の量はこのデータから推定することはできない. タンパク質の生物価が低いと, 窒素出納は負となる可能性がある.

27.4 慢性気管支炎では，粘液の過剰分泌により気道閉塞が生じ，低酸素症（血中酸素の低下），呼気障害，高二酸化炭素症（CO_2 蓄積）となる．慢性気管支炎などによる慢性閉塞性肺疾患 chronic obstructive pulmonary disease（COPD）の患者には高脂質低糖質食が推奨される理由はどれか．

A. 脂質は炭素原子や水素原子よりも酸素原子の比率が糖質よりも高いため．

B. 脂質のカロリー密度が糖質よりも低いため．

C. 脂質代謝は糖質代謝よりも二酸化炭素の産生がすくないため．

D. 脂質の呼吸商 respiratory quotient（RQ）が糖質よりも高いため．

正解 C. 慢性気管支炎によるCOPDの治療では，RQ（産生CO_2/消費O_2の比）を上昇させない（CO_2発生をなるべく軽減する）栄養管理が必要になる．脂質代謝（RQ＝0.7）のCO_2産生量は糖質代謝（RQ＝1.0）よりも少ない．脂質の酸素原子比率は糖質よりも少なく，カロリー密度が高い．［注：個体のRQは間接熱量計（呼気のガス分析）によって算出される．］

27.5 火災家屋から救出された32歳男性は熱傷面積45％以上の重度熱傷を負っていた．この患者の体重は70 kg，身長は183 cmである．この患者の1日栄養量として適切なのはどれか．

A. 1,345 kcal

B. 1,680 kcal

C. 2,690 kcal

D. 3,360 kcal

正解 D. 総エネルギー消費量（TEE）の概算は男性1 kcal/kg体重/1時間（女性は0.8）である．この患者は70 kgなので，1 kcal/kg/時間×70 kg×24時間で1日1,680 kcalとなる．重症熱傷の傷害係数は2なので，1日推奨栄養量は1,680×2 ＝ 3,360 kcalとなる．

27.6 栄養成分表ラベルに記載されている1日摂取量パーセント（％ DV）の説明として正しいのはどれか．

A. 各栄養素について1日摂取量の100％以上を摂取する．

B. すべての栄養素について％ DVがなるべく高い食品を摂取する．

C. 微量栄養素の％ DVがなるべく低い食品を摂取する．

D. 飽和脂肪酸の％ DVがなるべく低い食品を摂取する．

正解 D. ある食品のある栄養素の％ DVは，その食品に含まれるその栄養素の量が1日の推奨摂取量の何％に相当するかを示している．微量栄養素，糖質，食物線維の％ DVは推奨最小摂取量（それ以上を摂ることが好ましい）に基づいて算出されている．一方，飽和脂肪，コレステロール，ナトリウム（塩分）の％ DVは上限（それ以下にすることが望ましい）に基づいて算出されている．

問題27.7と27.8について以下のシナリオを用いよ．

体重80 kg（176ポンド）の座りがちな生活が主な50歳の男性が受診した．彼は健康上全く問題ないといい，通常の血液検査では，血中コレステロールが295 mg/dL（基準値200 mg/dL未満）である以外注目する点はない．男性は高コレステロール血症のための薬物治療を拒否している．1日の食事を分析すると次の通りである．

キロカロリー	3,475 kcal	コレステロール	822 mg
タンパク質	102 g	飽和脂肪	69 g
糖質	383 g	総脂肪	165 g
粗線維	6 g		

27.7 次の食事の構成成分のうち制限することによって血中コレステロールを減少させるのに最も効果があるものはどれか.

A. 糖 質
B. コレステロール
C. 食物線維
D. 一価不飽和脂肪
E. 多価不飽和脂肪
F. 飽和脂肪

正解 **F**. 食事では，飽和脂肪の摂取が最も強く血中コレステロールに影響を及ぼしている．この患者は脂肪の40% が飽和脂肪という高カロリー，高脂肪食を摂取している．最も重要な食事改善は，総カロリー摂取量の減少，飽和脂肪を一価不飽和もしくは多価不飽和脂肪へ改善，食物線維量の増加である．食事性コレステロールの減少も有益であろうが，優先事項ではない．

27.8 この患者の総エネルギー消費量を推測するために必要な情報は何か.

正解 1日あたりの基礎エネルギー消費量(安静時代謝率×24時間で推測)と身体的活動の種類と時間に基づく身体活動係数(PAR)が必要な情報である．食事による産熱効果を加味して10% 上乗せする．患者が入院している場合には，PARを修正し，さらに外傷性要素(IF)も加味する必要がある．PARとIFの概算表が作成されている．

微量栄養素：ビタミン 28

I. 概　要

ビタミン **vitamin** とは生体内で十分量を産生できない有機化合物の総称であり，化学的には無関係な物質群である．ほとんどのビタミンは食事から摂取しなければならない．**水溶性ビタミン water-soluble vitamin** には9種類(葉酸，コバラミン，アスコルビン酸，ピリドキシン，チアミン，ナイアシン，リボフラビン，ビオチン，パントテン酸)がある．水溶性ビタミンは尿中に容易に排泄されるために，その過剰症はまれである．しかし，欠乏症はすぐに進行する．ビタミンA，D，E，Kの4つは，**脂溶性ビタミン fat-soluble vitamin** である(図28.1)．脂溶性ビタミンは摂食脂肪と一緒に分泌され，吸収され，輸送される(キロミクロン，18章Ⅵ.B.参照)．脂溶性ビタミンは肝臓や脂肪組織に貯蔵され，水溶性ビタミンよりも排泄は遅い．事実，ビタミンAやDの推奨された食事摂取基準 dietary reference intake (DRI)(27章参照)以上の摂取によって有毒量まで蓄積される可能性がある．

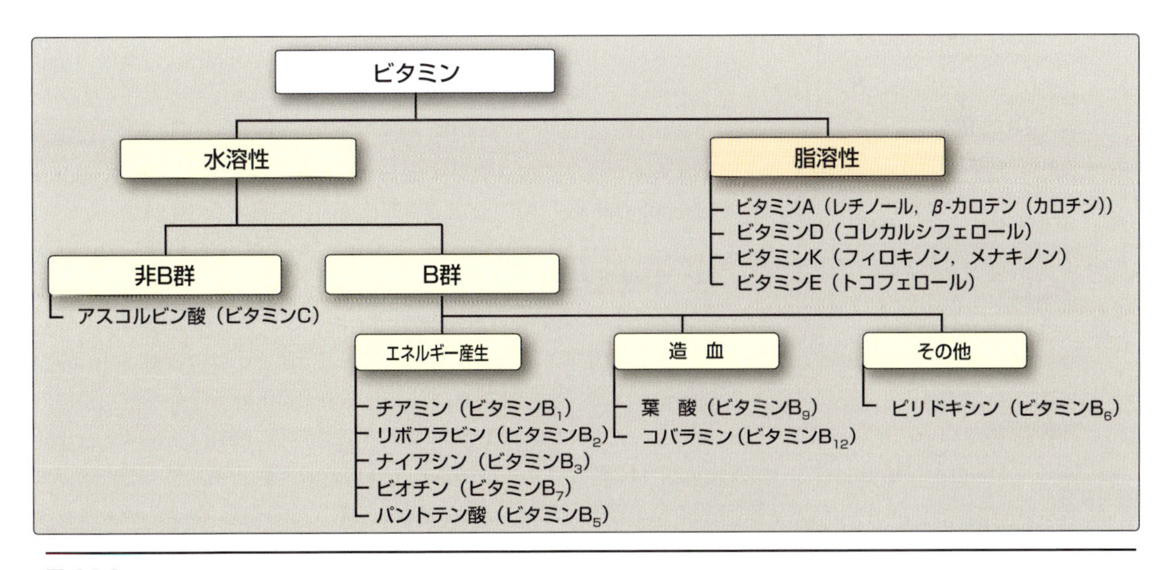

図 28.1
ビタミンの分類．ビタミンは主要栄養素（糖質，タンパク質，脂質）よりも必要量は微量のために微量栄養素に分類される（訳注：その他の微量栄養素については29章参照）．

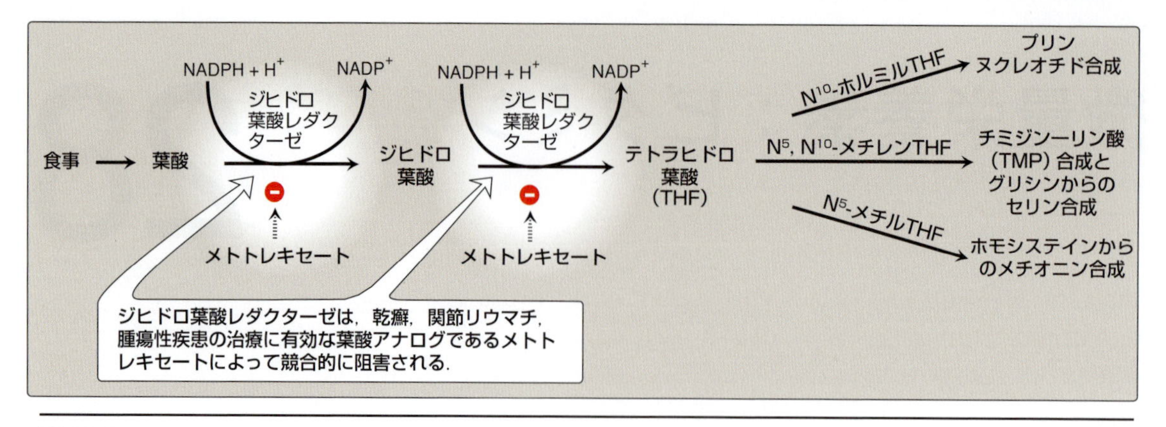

図 28.2
テトラヒドロ葉酸の産生と消費．NADP(H)：ニコチンアミドアデニンジヌクレオチドリン酸．

ビタミンはそれぞれ特異的な細胞機能に必須である．例えば，水溶性ビタミンの多くは，中間代謝酵素の補酵素の前駆体である．水溶性ビタミンと異なり，ビタミンKのみが補酵素機能を担っている．

Ⅱ．葉酸(ビタミンB_9)

ビタミンB_9はさまざまな天然型葉酸の総称である．人工葉酸 folic acidはサプリや食品添加物として使用される．が，人工葉酸(folic acid)と天然葉酸(folate)は，ほとんどの場合，同義に使われている．葉酸は一炭素代謝に重要な役割を果たし，いくつかの化合物の生合成に必須である．米国では，葉酸欠乏症は最もよく見受けられるビタミン欠乏症であり，特に，妊婦とアルコール依存症患者に多い．[注：濃緑色の野菜は葉酸の優れた供給源である．]

A．葉酸の機能

テトラヒドロ葉酸 tetrahydrofolate (THF，還元葉酸)は葉酸の補酵素型であり，セリンや，グリシン，ヒスチジンのようなドナーから一炭素単位を受け取り，アミノ酸やプリンヌクレオチドやDNAに組み込まれるピリミジンヌクレオチドであるチミジン一リン酸 thymidine monophosphate (TMP)合成の中間代謝物に転移する(図 28.2)．

B．栄養性貧血

貧血とは，通常よりも血液中のヘモグロビン量が少ないことであり，その結果として酸素の運搬能が低下する．栄養性貧血 nutritional anemia (1つ，または，それ以上の必須栄養素の不十分な摂取が原因となる)は，赤血球の大きさ(平均赤血球容積 mean corpuscular volume，MCV)によって分類される(図 28.3)．鉄イオンの欠乏によって起こる**小球性貧血 microcytic anemia** (MCVが基準以下)は，最もよくみられる栄養性貧血である．栄養性貧血のなかで，次に頻度の高い貧血として位置づけられるものは，葉酸またはビタミンB_{12}欠乏による**大球性貧血 macrocytic anemia** (MCVが基準以上)である．[注：これらの

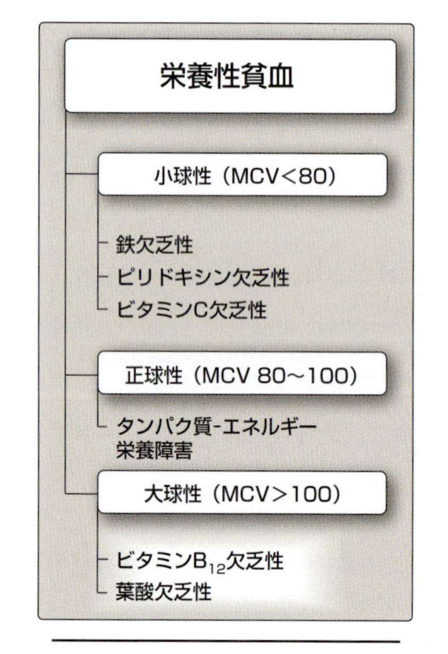

図 28.3
栄養性貧血の赤血球の大きさによる分類．18歳以上の通常の平均赤血球容積(MCV)は，80～100 μm^3の間である．[注：小球性貧血は鉛など重金属中毒でもみられる．]

大球性貧血は，通例，**巨赤芽球性貧血 megaloblastic anemia** と呼ばれる．なぜなら，葉酸やビタミンB_{12}の欠乏によって骨髄中や血中に巨赤芽球（巨大で未熟な赤血球前駆細胞）が出現するためである（図 28.4）．過分葉した好中球も出現する．］

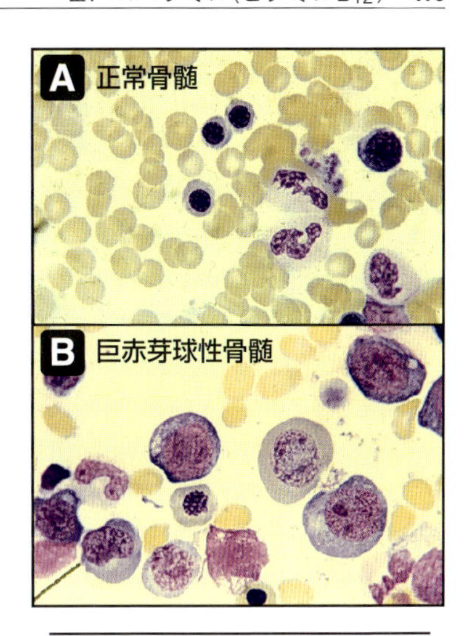

図 28.4
健常者（A）と葉酸欠乏（巨赤芽球性貧血）患者（B）の骨髄組織図．

1．葉酸と貧血：血中の葉酸濃度の低下の原因としては，需要の増大（例えば，妊娠や授乳，27 章Ⅸ.参照）や吸収の低下（小腸などの異常による），アルコール中毒，メトトレキセートなどジヒドロ葉酸レダクターゼ dihydrofolate reductase 阻害薬による薬物治療がある（図 28.2）．葉酸が含まれていない食事は，数週間以内に欠乏症を起こすことになる．葉酸欠乏症の代表的な症状は，赤芽球などでプリンヌクレオチドや TMP 合成の減少によって DNA 合成が低下し，細胞分裂が阻害されることによる**巨赤芽球性貧血**である（図 28.4）．

2．葉酸と神経管障害：神経管障害 neural tube defect（NTD，奇形）で最も多い二分脊椎と無脳症は，米国では，毎年約 3,000 人の妊婦で生じる．妊娠前や妊娠の第 1 期（はじめの 3 カ月）における葉酸の補充によって，NTD はほとんどみられなくなった．そのため，妊娠可能年齢のすべての女性は，胎児の NTD のリスクを減らすために，0.4 mg（400 μg）/ 日（過去の妊娠で障害が生じていた場合にはその 10 倍）の葉酸を摂取することが勧められた．懐妊時には葉酸の適切な栄養補給は当然必要といえよう．なぜなら，妊娠初期の数週間は葉酸欠乏が致命的となる胎児の発達段階であるためである．そして，その時期は多くの女性が自分の妊娠に気づいていないときである．そこで，1998 年，米国食品医薬品局（FDA）は約 0.1 mg/ 日の補充量として穀物産物に葉酸を加えることを認可し，葉酸サプリも推奨した．この補充量は，すべての生殖年齢の女性の約 50% の人たちがすべての食品から 0.4 mg 摂取すると推測して設定された．［注：高用量葉酸補給は**ビタミンB_{12}欠乏症の診断を困難にする**ことがありえるので，ほとんどの成人への葉酸サプリメントは推奨されない．］

Ⅲ．コバラミン（ビタミンB_{12}）

ビタミンB_{12} vitamin B_{12} は，ヒトの 2 つの重要な酵素反応に必要である．それは，ホモシステインを再メチル化してメチオニンを合成する反応とアミノ酸（イソロイシン，バリン，トレオニン，メチオニン）の分解や炭素原子が奇数個の脂肪酸の分解過程でつくられるメチルマロニル CoA の異性化である（図 28.5）．ビタミンB_{12}が欠乏すると，異常な（分枝）脂肪酸が蓄積して細胞膜に取り込まれる．これが中枢神経系でも生じることから，ビタミンB_{12}欠乏症の神経症状発現の一部の要因といえよう．［注：葉酸（N^5-メチル THF として）はホモシステインの再メチル化にも必要である．したがってビタミンB_{12}や葉酸の欠乏により，血中ホモシステイン濃度が上昇する．］

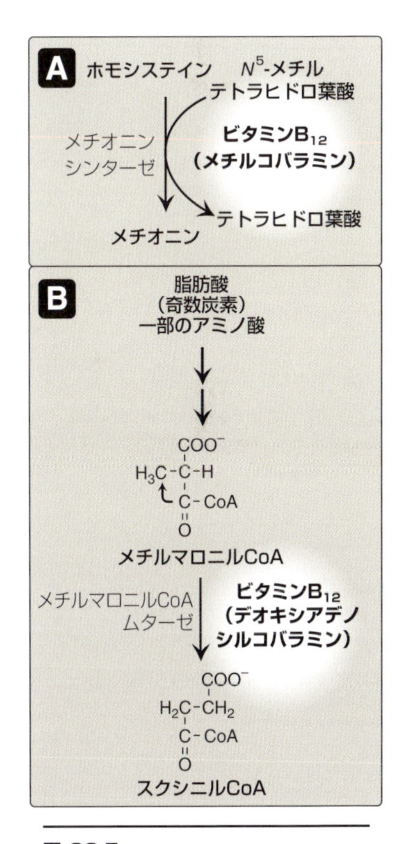

図 28.5
ビタミンB_{12}の補酵素型を必要とする反応．CoA：補酵素A．

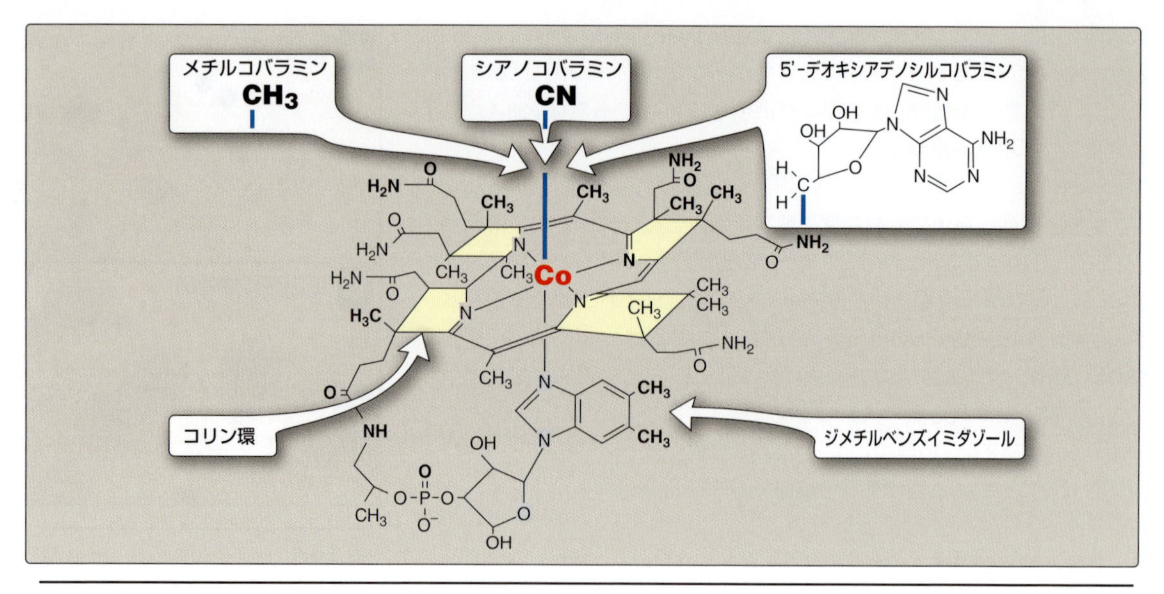

図 28.6
ビタミンB_{12}（シアノコバラミン）とその補酵素型（メチルコバラミンと5′-デオキシアデノシルコバラミン）の構造.

A. コバラミンの構造と補酵素型

コバラミンのコリン環構造はヘムのポルフィリン環（21 章参照）と類似しているが，メチン架橋されているポルフィリンとは異なり，2 つのピロール環の間が直結されている．コバルト（29 章Ⅳ. 参照）は，ピロール環にある窒素原子との配位結合によって，コリン環の中央に位置している．コバルトのその他の配位結合は，5,6-ジメチルベンズイミダゾールの窒素と，また，シアノコバラミンとして市販されているビタミンB_{12}ではシアノ基となっている（図 28.6）．コバラミンの生理的な補酵素型は，シアノ基が 5′-デオキシアデノシンに置換された **5′-デオキシアデノシルコバラミン 5′-deoxyadenosylcobalamin**，あるいは，シアノ基がメチル基に置換されたときは**メチルコバラミン methylcobalamin** である（図 28.6 参照）.

B. コバラミンの分布

ビタミンB_{12}は微生物によってしか合成されず，植物には存在しない．動物は自らの腸内細菌叢（27 章Ⅸ.A. 参照）によって産生されたものか，他の動物由来の食物を摂取することによって，ビタミンB_{12}を得る．コバラミンが多く含まれるのは，肝臓，赤身肉，魚，卵，乳製品，強化シリアルなどである.

C. 葉酸トラップ仮説

コバラミン欠乏症の影響は，骨髄の赤血球生成組織や腸の粘膜といった細胞分裂が盛んな細胞で最も著明となる．このような組織では，DNA 複製に必要な核酸の合成のために，テトラヒドロ葉酸のN^5, N^{10}-メチレン型とN^{10}-ホルミル型の両方が要求される（p.381，p.393 参照）．しかしながら，ビタミンB_{12}欠乏症では，N^5-メチル型テトラヒドロ葉酸を利用するホモシステインからメチオニンへのビタミンB_{12}依存的メチル化が障害される．メチル型テトラヒドロ葉酸は他の型のテトラヒドロ葉酸に直接変換することができないために，N^5-メチル型が蓄積してしまう．一方，その他の型のテトラヒドロ葉酸量は減少する．このように，コバラミン欠乏症ではプリンやTMP合成で必要なテトラヒドロ葉酸の欠乏症となり，巨赤芽球性貧血の症状が生じるという仮説が立てられている．

D．コバラミンの臨床適応

他の水溶性ビタミンと違って，2～5 mgという大量のビタミンB_{12}が体内に蓄えられている．そのため，ビタミンB_{12}を摂取することができなくなったことが原因の場合には，臨床的なビタミンB_{12}欠乏症の症状が出現するまでには数年かかることがある．［注：吸収不全の場合には，欠乏症がより早く（数カ月）出現することがある（後述）．シリング試験 Schilling testはB_{12}吸収能の検査である（訳注：放射性コバルト標識コバラミンを用いる）．］ビタミンB_{12}欠乏症は，ビタミンB_{12}低摂取あるいは吸収低下の場合血中メチルマロン酸濃度が上昇するので，この濃度により診断可能である．

1．**悪性貧血**：ビタミンB_{12}欠乏症の代表的な原因は小腸での吸収不全である（図28.7）．ビタミンB_{12}は胃の酸性条件で食物から遊離される．［注：高齢者のビタミンB_{12}吸収不全は，多くの場合胃酸分泌低下である（無遊離塩酸症 achlorhydria）．］遊離ビタミンB_{12}は糖タンパク質（R-タンパク質，ハプトコリン）に結合して腸に行く．そこで膵酵素によってR-タンパク質から離れ，別の糖タンパク質（内因子 intrinsic factor，IF）と結合する．ビタミンB_{12}-IF複合体は回腸に達し，そこで粘膜細胞表面の特異的な受容体（クビリン）と結合する．粘膜細胞内に取り込まれたビタミンB_{12}は結合タンパク質（トランスコバラミン）と結合して血中を循環する．主として，肝臓で取り込まれて貯蔵される．胆汁に分泌されるが，ほとんどが回腸で再吸収される．ビタミンB_{12}の重度の吸収不全は，**悪性貧血 pernicious anemia**に至る．代表的なのが，ビタミンB_{12}の吸収に必須のIFを合成する胃壁細胞の自己免疫破壊である．IFがなければ，ビタミンB_{12}は吸収されなくなる．［注：胃の全摘もしくは部分切除が行われた患者ではIFが不十分となり，ビタミンB_{12}欠乏となることがある．］ビタミンB_{12}（コバラミン）欠乏症では，通常貧血が生じ（葉酸リサイクルの不全），重篤になると神経精神症状が出現する．中枢神経系の障害は非可逆的であり，血液系障害（巨赤芽球性貧血）とは異なった機序が存在すると考えられる．悪性貧血の治療には，生涯にわたる高用量のビタミンB_{12}の経口投与か，シアノコバラミンの筋注が必要となる．［注：IFが欠落している場合でも，1％程度のビタミンB_{12}はIF非依存性拡散によって吸収されるので，大量投与は有効である．］

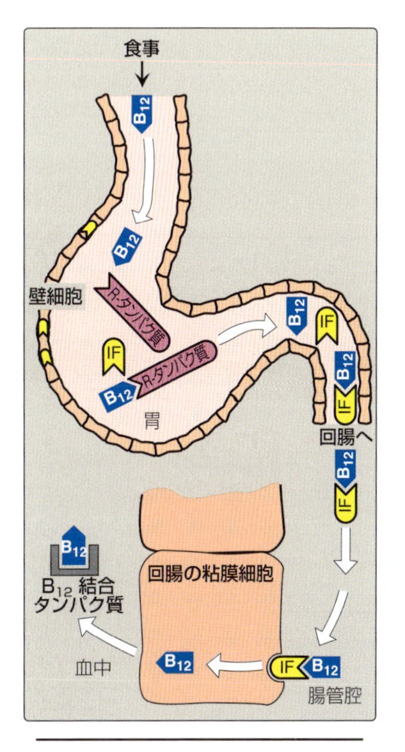

図 28.7
ビタミンB_{12}の吸収．［注：胃酸による食物からのビタミンB_{12}の遊離は省略されている．］IF：内因子．

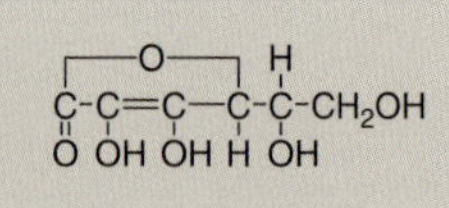

図 28.8
アスコルビン酸の構造.

葉酸サプリメントは血液異常を部分的に改善し，その結果，ビタミンB_{12}不足（コバラミン欠乏症）をわからなくしてしまう．したがって，ビタミンB_{12}欠乏症の中枢神経系障害を防ぐために，巨赤芽球性貧血の治療は，貧血の原因が特定されるまでビタミンB_{12}と葉酸によって開始される．

Ⅳ. アスコルビン酸（ビタミンC）

ビタミンCの活性型は，アスコルビン酸である（図 28.8）．アスコルビン酸は主に還元物質として機能する．アスコルビン酸は水酸化反応（例えば，コラーゲンのプロリル基やリシン残基の水酸化．また，アドレナリン合成ではドーパミンを水酸化してノルアドレナリンとする）では，**ヒドロキシラーゼ hydroxylase**の鉄（Fe）を還元型の第一鉄 ferrous（Fe^{2+}）に維持する．そのため，アスコルビン酸は結合組織の維持や損傷治癒に必須である．また，小腸では，三価鉄イオン（Fe^{3+}）を二価鉄イオン（Fe^{2+}）に還元して，食物中の非ヘム鉄の吸収を促進する（29 章Ⅲ.B. 参照）．

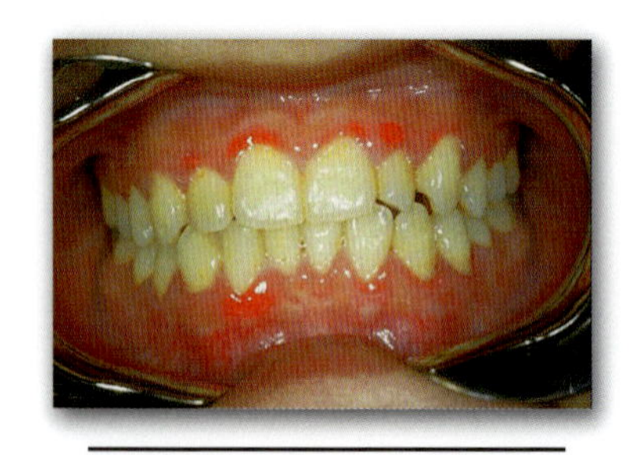

図 28.9
壊血病患者の歯肉の出血と腫脹.

A. アスコルビン酸欠乏症

アスコルビン酸の欠乏症の 1 つは，歯肉の出血と腫脹，動揺歯，脆弱血管，出血，関節腫大，骨異常，疲労感，鉄吸収低下による小球性貧血などを特徴とする壊血病である（図 28.9）．欠乏症状の多くは，コラーゲンのヒドロキシ化低下による結合組織不全によって説明できる．鉄吸収低下による小球性貧血も生じうる．

B. 慢性病の予防

ビタミンCは，ビタミンE（p.513 参照）やβ-カロテン（カロチン）（下記Ⅺ.A. 参照）など**抗酸化物質 antioxidant**として知られているグループに属する．[注：アスコルビン酸は酸化ビタミンEを還元してビタミンEの抗酸化作用を回復させる.] ビタミンCやビタミンEの補充によって，何らかの慢性疾患を予防することができるという都市伝説があるが，エビデンスは得られていない．

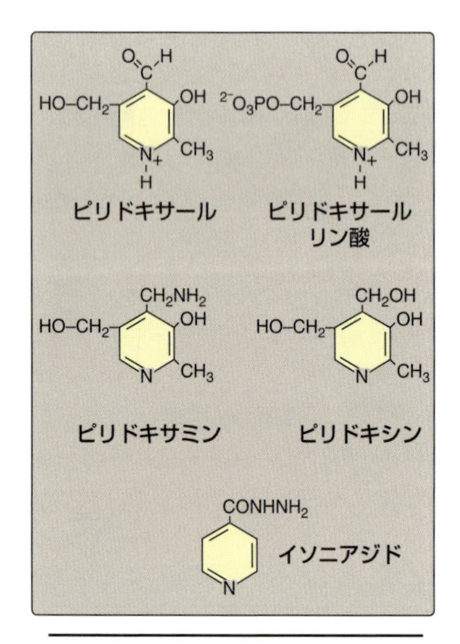

図 28.10
ビタミンB_6と抗結核薬 イソニアジドの構造.

Ⅴ. ピリドキシン（ビタミンB_6）

ビタミンB_6は，ピリジン誘導体である**ピリドキシン pyridoxine**，**ピリドキサール pyridoxal**，**ピリドキサミン pyridoxamine**の総称である．これらは，環構造に付加された官能基の性質だけが異なる（図 28.10）．ピリドキシンは，主に植物に含まれ，ピリドキサールとピリドキサミンは動物由来の食物に存在する．これら 3 種類の化合物はすべて，生物学的に活性型の補酵素，**ピリドキサールリン酸 pyridoxal**

phosphate(PLP)の前駆体となる．ピリドキサールリン酸は多くの酵素の補酵素として機能するが，特に，ホモシステインからのシステイン合成(トランスサルフレーション，硫黄基転移)，ドーパミンとセロトニンの合成などアミノ酸が関与する反応を触媒する．[注：PLPは**グリコーゲンホスホリラーゼ glycogen phosphorylase**も必要とする(11章参照)．]

反応型	例
アミノ基転移作用	オキサロ酢酸＋グルタミン酸 ⇄ アスパラギン酸＋α-ケトグルタル酸
脱アミノ作用	セリン → ピルビン酸＋NH_3
脱カルボキシ作用	ヒスチジン → ヒスタミン＋CO_2
縮合作用	グリシン＋スクシニルCoA → δ-アミノレブリン酸

A. ピリドキシンの臨床適応

結核治療によく用いられている薬物である**イソニアジド isoniazid**は，PLPと不活性型の誘導体を形成してビタミンB_6欠乏症を誘発する．したがって，ビタミンB_6補充はイソニアジドによる末梢神経障害の予防のために必須である．イソニアジド療法の副作用を軽減する補助療法となる．それ以外では，ピリドキシンの食事性欠乏症はまれであるが，ビタミンB_6が少ない粉ミルクを与えられている新生児や，経口避妊薬を服用している女性，アルコール依存症患者で出現することがある．

B. ピリドキシンの毒性

ピリドキシンははっきりとした毒性を有する唯一の水溶性ビタミンである．栄養所要量 recommended dietary allowance (RDA)の400倍以上，許容上限摂取量 tolerable upper intake (UL)の5倍以上，500 mg/日以上を摂取すると神経症状(感覚神経障害)が生じる(RDAやULについては27章参照)．ビタミンB_6の摂取を止めると，完全ではないにしろ大幅な改善が認められる．

Ⅵ. チアミン(ビタミンB_1)

チアミンピロリン酸 thiamine pyrophosphate (TPP)は，ピロリン酸基をATPからチアミンに転移されて形成される生物学的活性型ビタミンである(図28.11)．チアミンピロリン酸は，**トランスケトラーゼ transketolasc**によるα-ケトールの生成や分解(図28.12 A)，また，α-ケト酸の酸化的脱炭酸反応(図28.12 B)で補酵素として機能する．

A. チアミンの臨床適応

ピルビン酸とα-ケトグルタル酸の酸化的脱炭酸反応は，ほとんどの細胞のエネルギー代謝で重要な役割を果たしているが，特に中枢神経系組織では重要である．**チアミン欠乏症 thiamine deficiency**では，こ

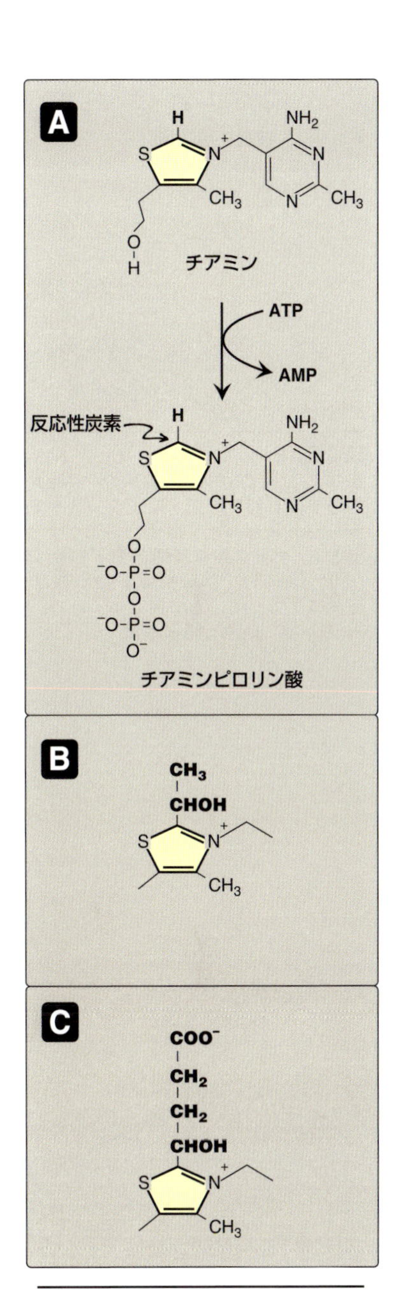

図 28.11
A. チアミンと補酵素型であるチアミンピロリン酸の構造式．B. ピルビン酸デヒドロゲナーゼ反応における中間代謝物の構造．C. α-ケトグルタル酸デヒドロゲナーゼ反応における中間代謝物の構造．AMP：アデノシン一リン酸．

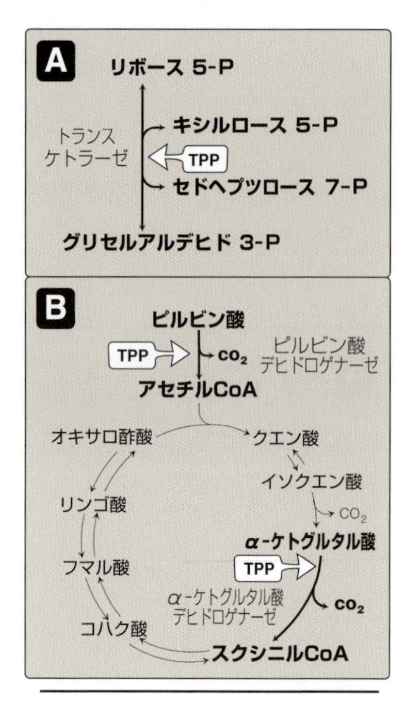

図 28.12
チアミンピロリン酸(TPP)が補酵素として使われる反応．A.トランスケトラーゼ．B.ピルビン酸デヒドロゲナーゼとα-ケトグルタル酸デヒドロゲナーゼ．[注：TPPは分枝鎖α-ケト酸デヒドロゲナーゼにも必要である.]
P：リン酸，CoA：補酵素A.

れら2つの脱炭酸反応に関与するデヒドロゲナーゼ dehydrogenaseの活性が低下し，ATPの産生が低下して，細胞機能が障害される．チアミンピロリン酸は筋肉の分枝鎖α-ケト酸デヒドロゲナーゼ α-keto acid dehydrogenaseにも必要である(p.346参照)．[注：チアミンピロリン酸を必要とするのは，これらのα-ケト酸デヒドロゲナーゼ酵素複合体 α-keto acid dehydrogenase multi-enzyme complexのなかのデカルボキシラーゼ decarboxylaseである.]チアミン欠乏症は，チアミンピロリン酸付加による赤血球のトランスケトラーゼ transketolase活性上昇によって診断される．

1．**脚気 beriberi**：脚気は重篤なチアミン欠乏症状で，極度の低栄養状態，精米やデンプンといった低チアミン食を主食とする地域で発生する(訳注：昔はカップ麺だけを食べていて脚気となる症例があった．現在のインスタント食品は適宜栄養素が補充されているのでだいたいは問題ない)．成人の脚気は乾性(末梢神経障害，特に下肢)と湿性(心機能不全による浮腫，拡張型心筋症)に分類される．乳児脚気 infantile beriberiは母親のチアミンが不足している乳児においてみられる．

2．**ウェルニッケ・コルサコフ Wernicke-Korsakoff症候群**：米国では，主に慢性アルコール依存症に併発するチアミン欠乏症は，食事による摂取不足や腸からの吸収が悪化したことが原因である．一部のアルコール依存症患者では，ウェルニッケ脳症(錯乱，歩行失調，眼球の律動的往復運動(眼振 nystagmus，眼筋麻痺 ophthalmoplegia)とコルサコフ症候群(記憶障害と幻覚)が特徴的なチアミン欠乏症であるウェルニッケ・コルサコフ症候群を発症することがある．この症候群の神経症状はチアミン補充によって治療可能であるが，記憶障害の回復は概して不十分である．

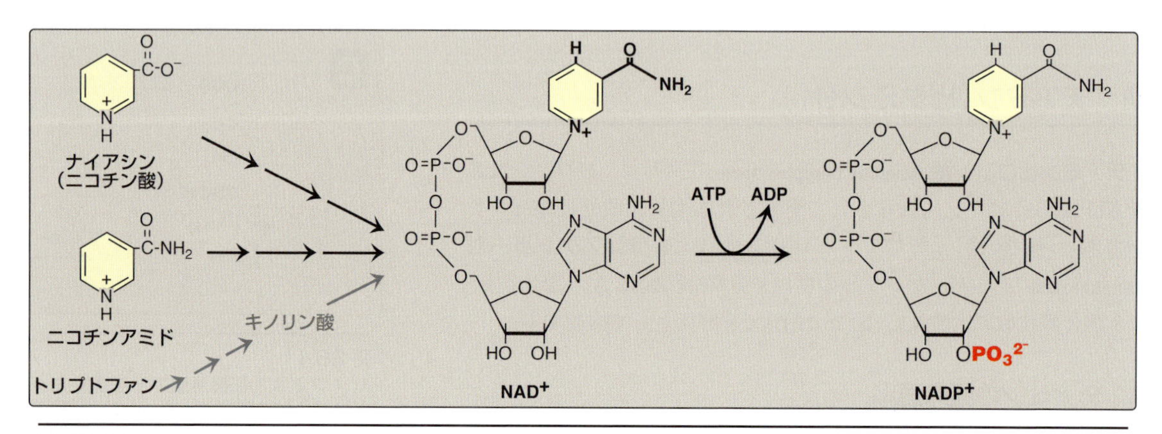

図 28.13
酸化型ニコチンアミドアデニンジヌクレオチド(NAD$^+$)とニコチンアミドアデニンジヌクレオチドリン酸(NADP$^+$)の構造と生合成(訳注：トリプトファンの代謝産物(キノリン酸)もNAD$^+$の合成に必要である)．ADP：アデノシン二リン酸．

Ⅶ. ナイアシン(ビタミンB_3)

ナイアシン niacin，または**ニコチン酸 nicotinic acid**はピリジン誘導体(ピリジンカルボン酸もしくはそのアミド)である．生物学的に活性のある補酵素は，**ニコチンアミドアデニンジヌクレオチド nicotinamide adenine dinucleotide**(NAD^+)とそのリン酸化誘導体の**ニコチンアミドアデニンジヌクレオチドリン酸 nicotinamide adenine dinucleotide phosphate**($NADP^+$)である(図28.13)．ニコチン酸の誘導体であるニコチンアミドは，カルボキシ基の代わりにアミドを持ち，また食物中にも存在する．ニコチンアミドはただちに体内で脱アミノされるため，栄養要素としてニコチン酸と同等である．酸化還元反応ではNAD^+と$NADP^+$は補酵素として機能し，そのピリジン環はヒドリドイオン(水素原子＋電子1個，図28.14)の電子2個を受容して還元される．NAD^+と$NADP^+$の還元型はそれぞれNADHとNADPHである．[注：トリプトファンの代謝産物であるキノリン酸もNAD(P)に変換される．トリプトファン60 mgはナイアシン1 mgに相当する．]

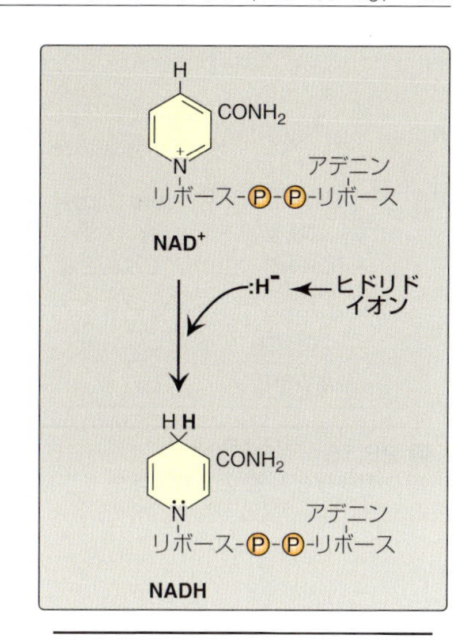

図28.14
酸化型ニコチンアミドアデニンジヌクレオチド(NAD^+)のNADHへの還元．[注：ヒドリドイオンは水素原子H1個と電子1個からなる.] Ⓟ：リン酸.

A. ナイアシンの分布

ナイアシンは，未精製穀物，強化穀物，シリアル，ミルク，赤身肉，特に肝臓にある．

B. ナイアシンの臨床適応

1．**ナイアシン欠乏症**：ナイアシン欠乏症の1つは，皮膚，消化管，中枢神経系の疾患である**ペラグラ pellagra**である．ペラグラの症状は，3つの**D**(光過敏性皮膚炎 dermatitis，下痢 diarrhea，認知症 dementia)として進行し，未治療の場合，死に至る(death，4つ目のD)．トリプトファン吸収不全症のハートナップ病 Hartnup diseaseでもペラグラ様症状が出現する．[注：コーン(トウモロコシ)はナイアシンもトリプトファンも少ない．コーンに偏った食事ではペラグラが生じる可能性がある．]

2．**脂質異常症(高脂血症)の治療**：ナイアシン(1.5 g/日服用，または，RDAの100倍)は，脂肪組織(血中遊離脂肪酸の主な産生組織)の脂肪分解を強く阻害する．通常，肝臓はトリアシルグリセロール(TAG)合成のための主な前駆体として，血中の遊離脂肪酸を使用する．そのため，ナイアシンは超低密度リポタンパク質(VLDL，p.299参照)産生に必要な，肝臓におけるTAG合成の減少を引き起こす．低密度リポタンパク質(LDL，コレステロール含有リポタンパク質)は血中VLDLに由来する．その結果，(VLDL中の)血漿TAGと(LDL中の)コレステロールの両者が低下する．したがって，ナイアシンはVLDLとLDLの両者が高値を示す**高リポタンパク質血症Ⅱb型 type Ⅱb hyperlipoproteinemia**(脂質異常症)の治療に特に有効である．大量のナイアシン投与によって急性のプロスタグランジンによる潮紅が出現しうる．プロスタグランジン産生を阻害するアスピリンが有効である(p.276)．掻痒症も生じうる．[注：ナイアシンはHDL値を上昇させ，

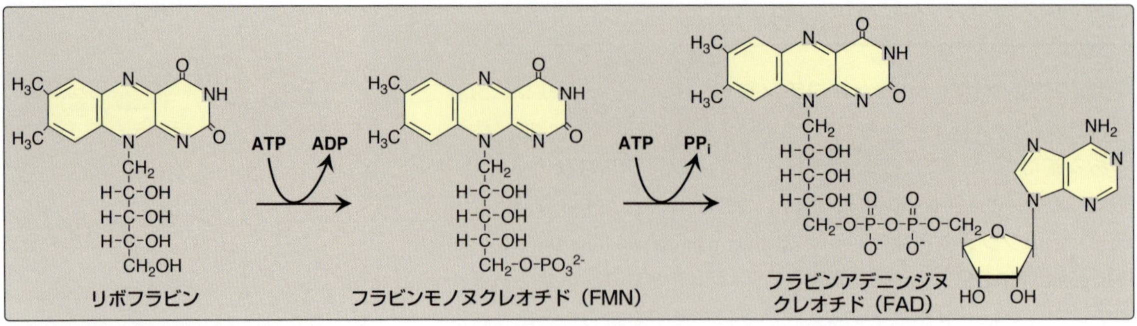

図 28.15
酸化型フラビンモノヌクレオチド(FMN)とフラビンアデニンジヌクレオチド(FAD)の構造と生合成.

Lp(a)を低下させる(p.307 参照).］

Ⅷ. リボフラビン(ビタミンB_2)

ビタミンB_2の生物学的活性型は**フラビンモノヌクレオチド flavin mononucleotide**(FMN)と，ATPのAMP領域がFMNへ転移されて形成される**フラビンアデニンジヌクレオチド flavin adenine dinucleotide**(FAD)である(図 28.15). FMNとFADはそれぞれ可逆的に2つの水素原子を受容することができ，$FMNH_2$と$FADH_2$となる．FMNとFADは強固に(ときに共有結合によって)，基質の酸化や還元を行うフラビン酵素(例えば，NADHデヒドロゲナーゼ NADH dehydrogenaseはFMNを，コハク酸デヒドロゲナーゼ succinate dehydrogenaseはFADを結合している)と結合する．リボフラビン欠乏症は特別な疾患の原因とはならないが，他のビタミン欠乏症にしばしば併発する．症状としては，皮膚炎，口角症(口角の亀裂)，舌炎(平坦で暗色な舌)である．［注：リボフラビンは光分解性のため，高ビリルビン血症の光療法(p.370 参照)の際には補充する必要がある．］

Ⅸ. ビオチン(ビタミンB_7)

ビオチン biotinは，カルボキシ化反応における補酵素であり，活性化二酸化炭素の担体として機能する(ビオチン依存性カルボキシ化機構)．ビオチンはビオチン依存性酵素のリシン残基のε-アミノ基と共有結合をする(図 28.16)．ビオチンは広く食物に分布していることから，通常，ビオチン欠乏症を発症することはない．また，ビオチンの必要量の大部分は腸内細菌によっても供給される．しかしながら，タンパク質の供給源として生の卵白を過剰に摂取すると，皮膚炎，脱毛，食欲不振，吐き気などビオチン欠乏症の症状が出現しうる．生の卵白は，ビオチンと強固に結合して腸からの吸収を妨げる糖タンパク質である**アビジン avidin**を含んでいる．しかしながら，通常の食事では，欠乏症になるために1日20個の卵が必要だと見積もられている．したがって，食事として常識量の生卵を摂取してもビオチン欠乏症にはならない．［注：生卵の摂食はサルモネラ(*Salmonella enterica*)感染

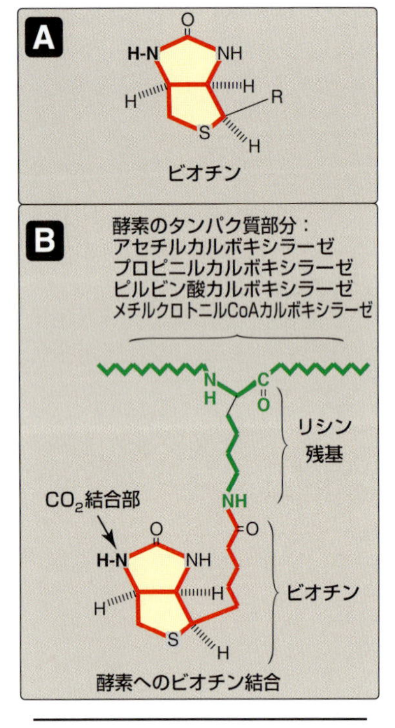

図 28.16
A.ビオチンの構造．B.ビオチンはビオチン依存性酵素のリシン残基と共有結合する．

症のリスクがあることからあまり薦められない(訳注：日本ではあまり問題ない).]

ビオチンとカルボキシラーゼ carboxylaseの合成過程での結合障害やその分解過程での切断障害により複合カルボキシラーゼ欠損症 multiple carboxylase deficiencyとなる．治療はビオチンの補充である．

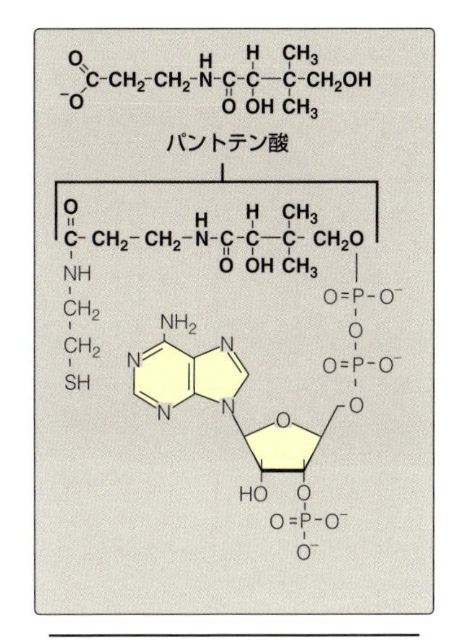

図 28.17
補酵素Aの構造.

X. パントテン酸(ビタミンB5)

パントテン酸 pantothenic acidは補酵素A(CoA)の構成成分であり，アシル基転移を行う(図28.17)．CoAは，活性型チオールエステルとしてアシル化合物を運搬するチオールを含んでいる．このような構造の例として，スクシニルCoAや，アシルCoA，アセチルCoAがある．パントテン酸は，**脂肪酸シンターゼ fatty acid synthase**のアシル基運搬タンパク質(ACP)ドメインの構成成分でもある．卵，肝臓，酵母はパントテン酸の最も重要な供給源であるが，パントテン酸はほとんどの食物に含まれている．パントテン酸欠乏症について詳細は不明であり，RDAは定められていない．

XI. ビタミンA

ビタミンA(レチノイド)は脂溶性ビタミンであり，動物性食物からレチノールとして摂取される．レチノールは体内で活性型に変換される(後述)．ビタミンAは，視力，生殖，成長，上皮組織の維持に重要である．また，免疫機能の役割をする．食物内のレチノールの酸化反応によって産生される**レチノイン酸 retinoic acid**は，視力以外のレチノイドのほとんどの作用を担う．視力については，レチノールのアルデヒド誘導体である**レチナール retinal**に依存する．

A. ビタミンAの構造

ビタミンAは，数種類の生物学的活性のある分子群の総称としてしばしば用いられる(図28.18)．レチノイドという用語は，ビタミンAの活性の有無にかかわらず，ビタミンAの天然型と合成型の両方を意味している．

1. レチノール：不飽和側鎖が結合したβ-イオノン環を持つ第一級アルコールであるレチノールは，長鎖脂肪酸とのレチニルエステル(ビタミンAの貯蔵型)として動物組織に存在する．

2. レチナール：レチノールの酸化反応由来のアルデヒドである．レチナールとレチノールは，容易に相互変換する．

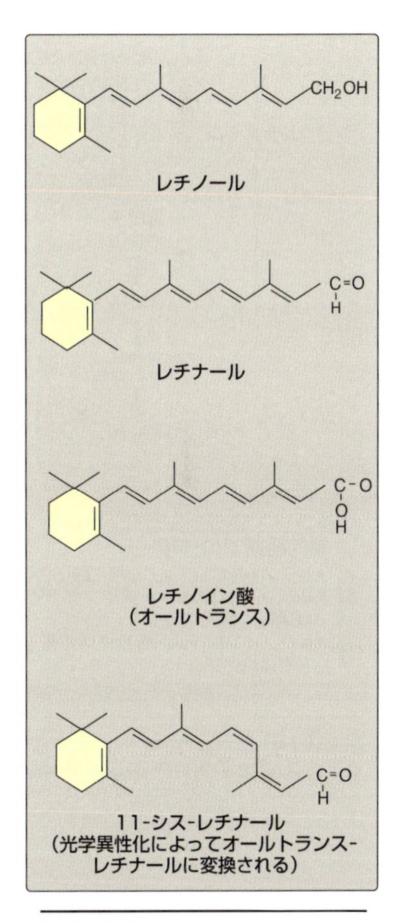

図 28.18
レチノイドの構造.

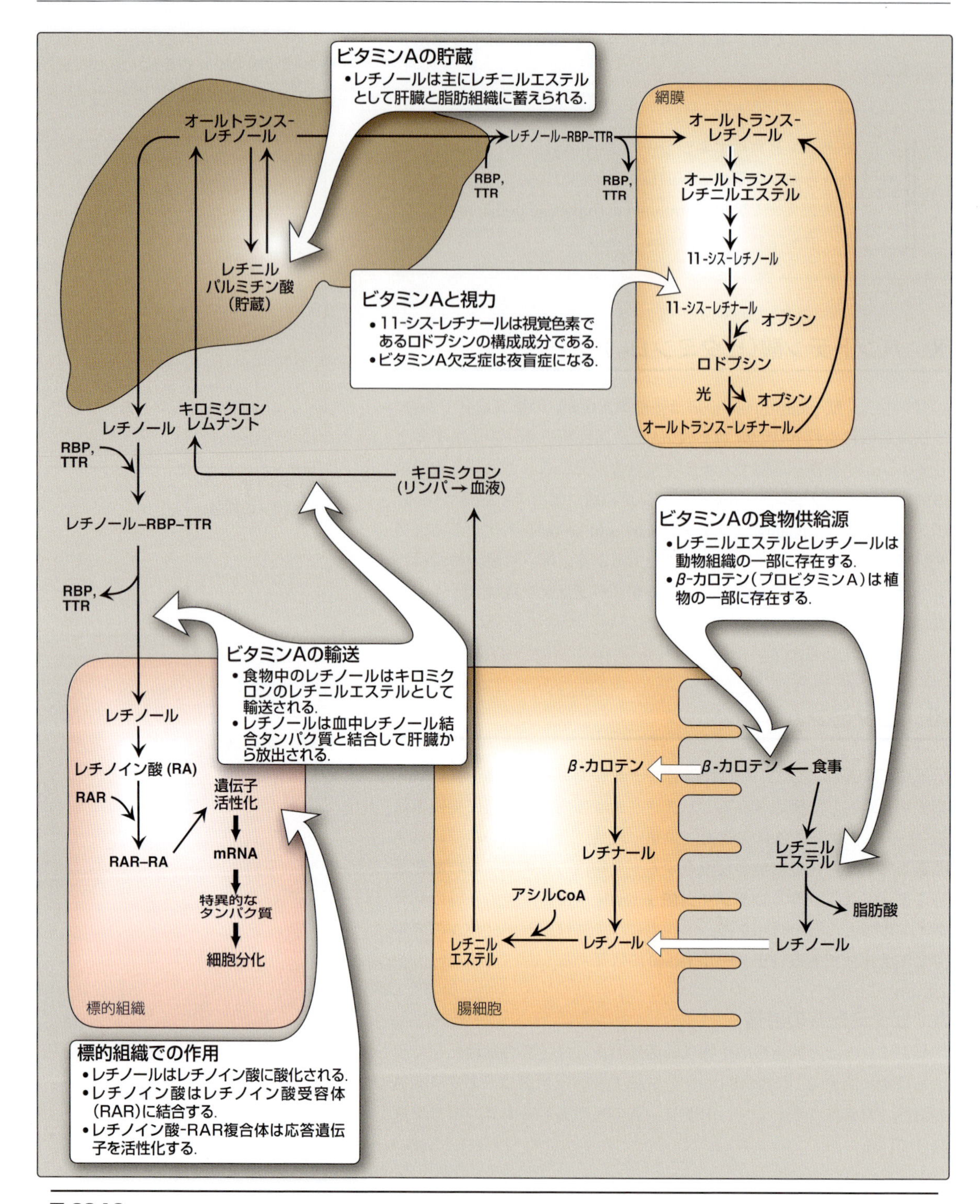

図 28.19
ビタミンAとその誘導体の吸収，輸送，貯蔵.［注：β-カロテンは抗酸化作用のある植物性色素のカロテノイドである.］RBP：レチノール結合タンパク質，TTR：トランスサイレチン，RAR：レチノイン酸受容体，CoA：補酵素A，mRNA：メッセンジャー RNA.

3．レチノイン酸：レチナールの酸化反応由来の酸である．レチノイン酸は体内で還元されないので，レチナールにもレチノールにもならない．

4．β-カロテン(カロチン)：植物性食物のβ-カロテン(プロビタミンA)は腸管で酸化的に二分されて2分子のレチナールを生じる．ヒトでは，この変換は非効率であり，β-カロテンのビタミンAとしての活性はレチノールの活性の約12分の1である．

B．ビタミンAの吸収と肝臓への輸送

食物中に存在するレチニルエステルは，腸内粘膜で加水分解を受けて，レチノールと遊離脂肪酸を放出する(図28.19)．エステルやカロテンの切断と還元で生じるレチノールは，腸内粘膜で長鎖脂肪酸と再エステル化され，キロミクロンの構成成分としてリンパ系へ分泌される．キロミクロンレムナントのレチニルエステルは肝臓で取り込まれ貯蔵される．[注：脂溶性ビタミンはすべてキロミクロンによって輸送される．]

C．肝臓からの放出

必要に応じてレチノールは肝臓から放出されて，レチノール-トランスサイレチン-レチノール結合タンパク質(RBP)複合体として血中を輸送されて末梢組織に到達する．この複合体は細胞表面に結合して，レチノールのみが細胞内に入っていく．

D．ビタミンAの作用機構

細胞内でレチノールは酸化されてレチノイン酸となる．レチノイン酸は，上皮組織のような特異的な標的組織の核にある受容体(レチノイン酸受容体 retinoic acid receptor，RAR)に高い親和性で結合する(図28.20)．活性化したレチノイン酸-RAR複合体はDNAの応答配列に結合し，転写活性化因子や抑制因子をリクルートし，レチノイド特異的RNA合成を制御し，さまざまな生理作用を調節する特異的なタンパク質の産生を調節する．例えば，体のほとんどの上皮組織において，レチノイドはケラチン遺伝子の発現を制御する．[注：RARは，転写制御因子の大きなファミリーの一部である．このファミリーには，同様に作用するステロイド，甲状腺ホルモン，ビタミンDなどの核内受容体が含まれる(p.310参照)．]

E．ビタミンAの機能

1．視覚サイクル：ビタミンAは，網膜杆体細胞と網膜錐体細胞の視覚色素の構成成分である．杆体細胞の視覚色素である**ロドプシン rhodopsin**は，**オプシン opsin**に結合した**11-シス-レチナール 11-cis-retinal**からなる(図28.19参照)．ロドプシン(GPCR)が光に照射されると，一連の光化学異性化反応が起こり，視覚色素の脱色反応が生じ，オールトランス-レチナールとオプシンを放出する．この過程が引き金となって，Gタンパク質シグナル伝達により，視神経によって脳へと伝

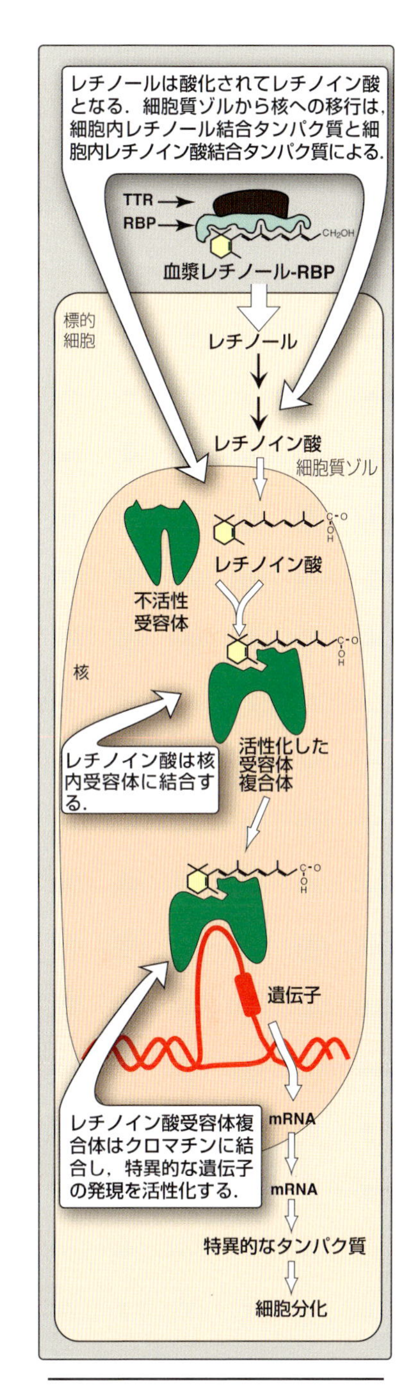

図28.20
レチノイドの作用．[注：レチノイン酸受容体は二量体であるが，図では省略している．] RBP：レチノール結合タンパク質，TTR：トランスサイレチン．

達されるインパルスが起こる．ロドプシンの再生には，オールトランス-レチナールの11-シス-レチナールへの異性化が必要である．ロドプシンから放出されたオールトランス-レチナールはオールトランス-レチノールに還元され，エステル化され，11-シス-レチノールに異性化される．その後，酸化されて11-シス-レチナールとなり，オプシンと結合して再びロドプシンとなる．こうして視覚サイクルが完結する．網膜錐体細胞の色視覚系でも類似の反応が行われる．

2．上皮細胞の維持：ビタミンAは，正常な上皮細胞の分化や粘液の分泌に重要である．したがって，病原体に対する侵入障壁の維持という生体防御を担う．

3．生殖：レチノールとレチナールは，男性では精子形成，女性では胎児吸収の阻止など，正常な生殖に重要である．レチノイン酸は生殖と視覚サイクルには直接関与していないが，上皮細胞の成長や分化を促進する．

F．ビタミンAの分布

肝臓，腎臓，乳脂，バター，卵黄がビタミンAそのものの優れた補給源である．緑黄色野菜や果物はビタミンAの前駆体であるカロテン（プロビタミンA）の良い補給源である．

G．ビタミンAの必要量

成人のRDAは，男性では900レチノール等価量（RAE），女性では700 RAEである．1 RAEはレチノール1 mg，β-カロテン12 mg，他のカロチノイド24 mgに相当する．

H．臨床適応

化学的には類似しているレチノイン酸とレチノールの臨床使用は全く異なっている．レチノールとそのカロテノイド前駆体は食事サプリメントとして使われ，多くのレチノイン酸は皮膚疾患に有効である（図28.21）．

1．食事性欠乏症：レチノール，または，レチニルエステルとして投与されるビタミンAは，ビタミンA欠乏症の患者の治療に使われる．**夜盲 night blindness（nyctalopia）**は，最も早く出現するビタミンA欠乏症の症状の1つである．視覚閾値が上昇し，薄暗い光のなかではみえなくなる．長期にわたる欠乏は，不可逆的な視覚細胞の喪失となる．重篤なビタミンA欠乏症は，ケラチン合成過剰を1つの要因として，角膜と結膜の病理的な乾燥である**眼球乾燥症 xerophthalmia**を起こす．もし，治療されない場合，眼球乾燥症は角膜潰瘍へと進行し，最終的には不透明な瘢痕組織の形成によって失明する．開発途上国の熱帯地方の小児においては，この状況は頻発する．食事性ビタミンAの不足によって，全世界で毎年50万人以上の小児が眼球乾燥症から盲目になっている．

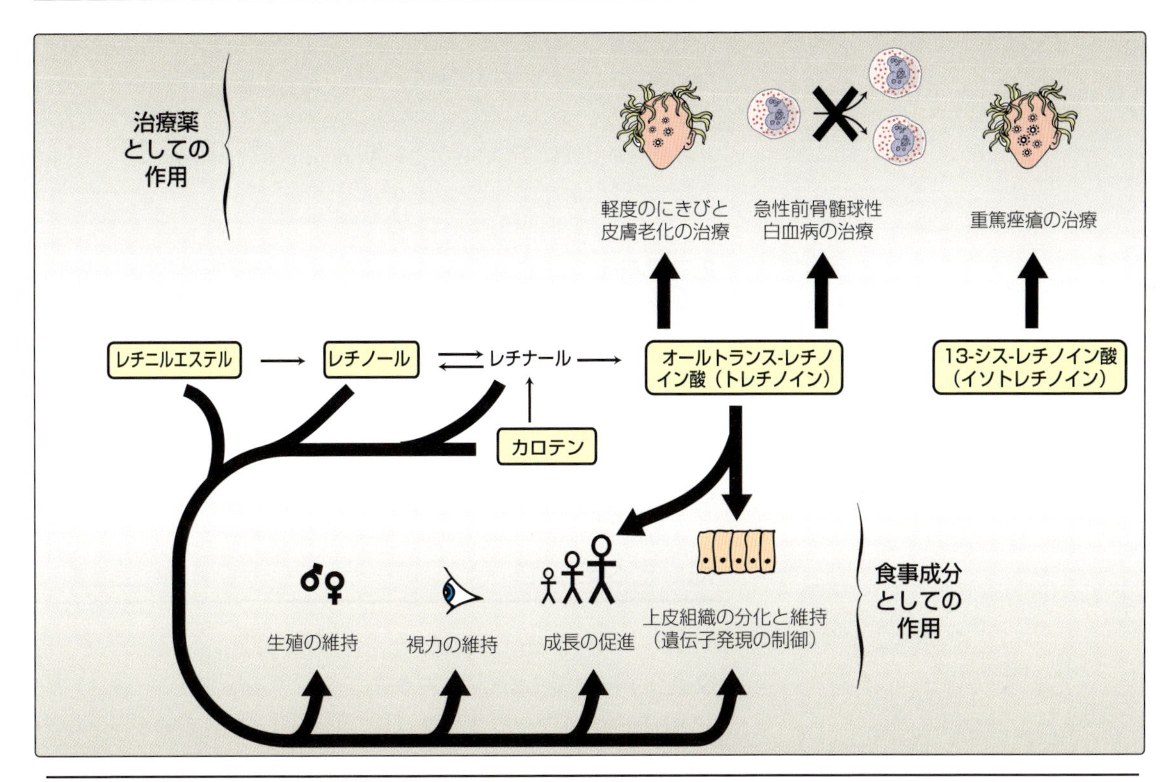

図 28.21
レチノイドの作用の概要．黄色四角で囲われている化合物は食事成分または薬剤として手に入る．

2．**皮膚**：痤瘡のような皮膚疾患は，レチノイン酸とその誘導体で効果的に治療される（図 28.21 参照）（訳注：尋常性痤瘡（ニキビ）の外用治療薬として日本でも承認されたアダパレンはレチノイド様の作用を有するが，構造はかなり異なる（ナフトイン酸誘導体））．中程度の痤瘡と皮膚の老化は，**トレチノイン tretinoin**（オールトランス-レチノイン酸）が有効である．トレチノインの皮膚疾患治療量は全身投与では毒性が生じるので，局所投与に限られている．［注：トレチノインは，急性前骨髄球性白血病 acute promyelocytic leukemia（APL）の治療にも経口投与される．］従来の治療法には反応しない重篤な嚢腫性痤瘡の患者に対して，**イソトレチノイン isotretinoin**（13-シス-レチノイン酸）が経口投与される．合成レチノイドは乾癬に経口投与される．

I. レチノイドの毒性

1．**ビタミンA**：ビタミンAの過剰摂取は**ビタミンA過剰症 hypervitaminosis A**と呼ばれる中毒症候群の原因となる（カロテン過剰症はまれ）．レチノール 7.5 mg/日以上の量は避けるべきである．慢性的ビタミンA過剰症の初期症状としては，皮膚の乾燥と掻痒（ケラチン合成の低下による），肝臓の肥大と肝硬変，脳腫瘍に類似した頭蓋内圧上昇の中枢神経症状が出現する．ビタミンAは発達段階の胎児に先天性奇形を引き起こす可能性があるため，特に妊娠している女性はビタミンAの過剰量を摂取するべきではない．許容上限摂取量（UL）は 3,000 μg/日である．［注：ビタミンAは骨成長を促進する．しかし，過剰になると，骨ミネラル密度の低下をもたらし，骨折のリスクが増加する.］（訳注：広義のビタミンAはレチノールと体内でレチノールに変換されるカロテン（プロビタミンA）やビタミンA関連物質も含まれる．この上限値は既成ビタミンA preformed vitamin A（レチノール）としての量である.）

2．**イソトレチノイン**：この薬物（レチノイン酸の異性体）には催奇形性があり，通常の治療には反応しない重篤な嚢腫性痤瘡の場合を除いて，妊娠の可能性のある女性には絶対禁忌である．治療の開始前には妊娠を除外する必要があり，避妊を行う必要がある．イソトレチノインによる長期治療は，TAGとコレステロールの増加による脂質異常症を引き起こし，心血管疾患の増大したリスクに関与する可能性がある．

XII. ビタミンD

ビタミンDは，ホルモン様作用を持つステロールの一群である．活性型分子である1,25-ジヒドロキシコレカルシフェロール（1,25-diOH-D_3，カルシトリオール）は，細胞内受容体に結合する．1,25-diOH-D_3-受容体複合体は，ビタミンA（図28.20参照）と同じように標的細胞の核内のDNAに結合し，選択的に遺伝子の発現を刺激したり抑制したりする．カルシトリオールの最も重要な作用は，血中のカルシウムとリン酸の調節である．

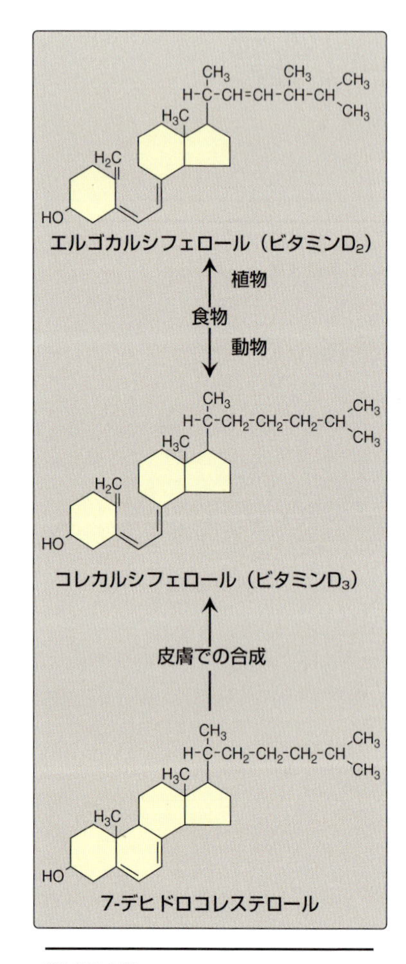

図 28.22
ビタミンDの供給源．ビタミンD_2とD_3は最初にカルシジオールに，それからカルシトリオール（活性型ビタミンD）に変換される．［注：7-デヒドロコレステロール（プロビタミンD_3）は高齢者の皮膚では低下している.］

A. ビタミンDの分布

1．**内在性ビタミンD前駆体**：コレステロール合成の中間代謝物である7-デヒドロコレステロールは，日光が照射されたヒトの真皮と表皮でコレカルシフェロールに変換され，ビタミンD結合タンパク質に結合して肝臓に輸送される．

2．**食物**：植物内に存在する**エルゴカルシフェロール ergocalciferol**（ビタミンD_2）と，動物の組織内に存在する**コレカルシフェロール cholecalciferol**（ビタミンD_3）は，活性型ビタミンD前駆体の供給源である（図28.22）．エルゴカルシフェロール（D_2）とコレカルシフェロール（D_3）の違いは，化学的には二重結合とメチル基を植物ステロールが1個余分に持つことのみである．食物からのビタミンDはキロミクロンで輸送される．［注：日照が極度に不足している場合には，経口活性型ビタミンD製剤が必要となる.］

B. ビタミンDの代謝

1．**1,25-diOH-D_3の形成**：ビタミンD_2とビタミンD_3は生物学的活性を持たないが，生体内で2回のヒドロキシ化（OH基付加，水酸化）反応によってカルシトリオール（活性型ビタミンD）に変換される（図28.23）．最初のヒドロキシ化は25位で起き，肝臓の特異的な**25-ヒドロキシラーゼ 25-hydroxylase**によって触媒される．この反応の産物である25-ヒドロキシコレカルシフェロール(25-OH-D_3，カルシジオール)は，血中ビタミンDの多数を占め，ビタミンDの主な貯蔵型である．さらに25-OH-D_3は主に腎臓に存在する特異的酵素 **25-ヒドロキシコレカルシフェロール-1-ヒドロキシラーゼ** 25-

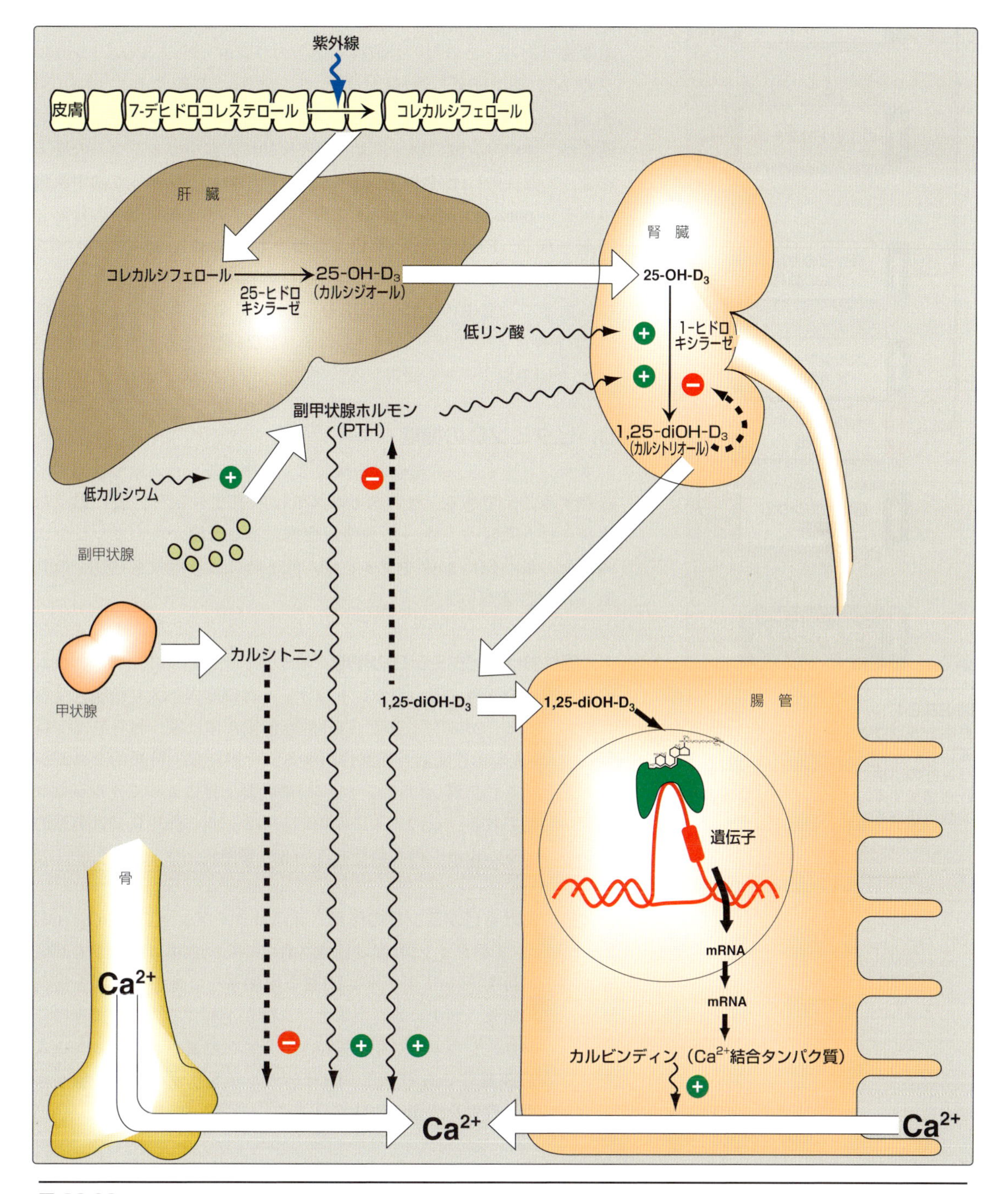

図 28.23
ビタミンDの代謝と作用．［注：甲状腺から分泌されるカルシトニンは骨からのカルシウム動員，小腸でのカルシウム吸収，腎臓のカルシウム再吸収を抑制して，血中カルシウムを低下させる.］mRNA：メッセンジャーRNA，25-OH-D_3：25-ヒドロキシコレカルシフェロール，1,25-diOH-D_3：1,25-ジヒドロキシコレカルシフェロール．

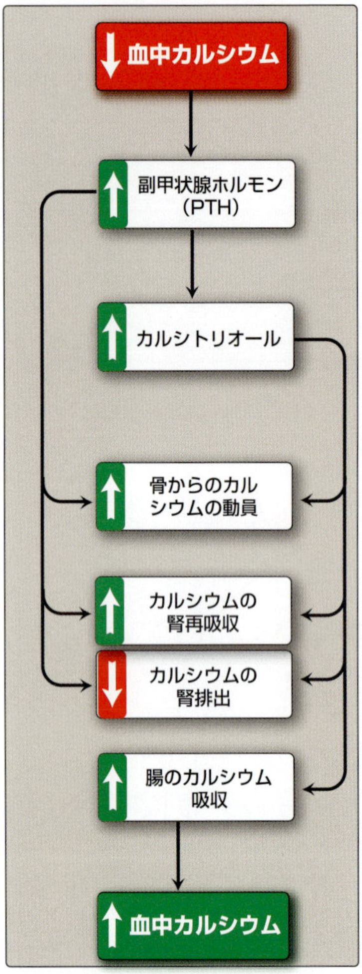

図 28.24
血中カルシウム濃度の低下に対する応答．［注：カルシトリオールによってリン酸の小腸での吸収も腎臓での再吸収も増加する．一方，PTHは腎臓のリン酸再吸収を抑制する.］

hydroxycholecalciferol 1-hydroxylaseによって1位がヒドロキシ化され，1,25-ジヒドロキシコレカルシフェロールとなる（1,25-diOH-D_3，カルシトリオール）．［注：このヒドロキシラーゼや肝臓の25-ヒドロキシラーゼはシトクロムP450（CYP）タンパク質である（13章参照）.］

2．水酸化反応：カルシトリオールは，最も活性のあるビタミンD代謝産物である．この型の合成は，血中のリン酸イオン（PO_4^{3-}）やカルシウムイオン（Ca^{2+}）の量によって，厳密に調節されている（図28.24）．25-ヒドロキシコレカルシフェロール-1-ヒドロキシラーゼ活性は，血中リン酸の低下によって直接的に，血中カルシウムの低下によって間接的に上昇する．血中カルシウムの低下に伴って副甲状腺ホルモン parathyroid hormone（PTH）の副甲状腺主細胞からの分泌も促進される．PTHは1-ヒドロキシラーゼ **1-hydroxylase**をアップレギュレートする．したがって，カルシウム摂取不足が原因の低カルシウム血症では血中の1,25-diOH-D_3量が上昇する．［注：1,25-diOH-D_3はネガティブフィードバックによりPTH発現を阻害する．また，1-ヒドロキシラーゼも阻害する.］

C．ビタミンDの機能

カルシトリオールの総合的な機能は，血中カルシウム濃度を適切に維持することである．そのメカニズムは以下である.（1）腸におけるカルシウム吸収の上昇,（2）再吸収促進による腎臓からのカルシウムの流失の最小化,（3）血中カルシウム低下時には骨再吸収（脱灰）の刺激（図28.23参照）.

1．腸におけるビタミンDの作用：カルシトリオールは，カルシウムの腸内吸収を刺激する．カルシトリオールは細胞内に入り細胞内受容体に結合する．カルシトリオール-受容体複合体は核へ移行して，特異的なDNAの応答配列と相互作用する．その結果，特異的なカルシウム結合タンパク質（カルビンディン）の発現上昇によってカルシウム吸収が促進される．このようにカルシトリオールの作用機構は典型的なステロイドホルモンのものである（p.310参照）.

2．骨におけるビタミンDの作用：骨はコラーゲンと$Ca_5(PO_4)_3OH$（ヒドロキシアパタイト）結晶で構成されている．血中カルシウムが低下すると，カルシトリオールはPTHを増加させて骨の再吸収を促進する．その結果，血中カルシウムとリン酸が上昇する．このように骨は，血中のカルシウムレベルを維持するために動員されるカルシウムの重要な貯蔵器官である．［注：PTHとカルシトリオールは腎臓からのカルシウム喪失を協調的に防ぐ.］

D．ビタミンDの分布と必要量

天然ビタミンDは，脂ののった魚，肝臓，卵黄に豊富に含まれる．栄養強化が施されていない牛乳はビタミンDに乏しい．1～70歳までにヒトのRDAは15 μg/日であり，70歳以上のヒトでは20 μg/日である．しかしながら，健康を維持するために必要なビタミンDの最適摂取量に関しては，専門家の意見は一致していない．[注：1 μg ビタミンD = 40 国際単位(IU)．] 母乳にはビタミンDが少ししか含まれていないので，母乳で育児されている乳児に対してはビタミンDを補充することが望ましい．

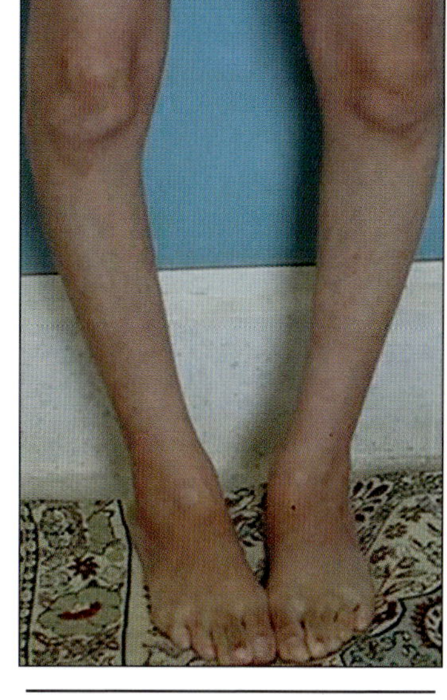

図 28.25
骨格の脱灰をもたらす栄養性ビタミンD欠乏症である骨軟化症を患っている中年男性の曲がった脚．

E. ビタミンDの臨床適応

1．栄養性くる病 nutritional rickets：ビタミンD欠乏は骨の脱ミネラル化(鉱物質除去)をもたらし，小児では**くる病 rickets**，成人では**骨軟化症 osteomalacia**となる(図 28.25)．くる病は，骨のコラーゲンマトリックスの継続的な形成と不十分なミネラル化が特徴であり，その結果，軟化した骨になる．骨軟化症では，既存の骨は脱ミネラル化反応により骨折しやすくなる．不十分な日光照射やビタミンDの摂取不足は主に乳児と老人にみられる．ビタミンD欠乏症は，高緯度の地域ではより一般的である．なぜなら，UV(紫外線)照射が低下するために皮膚におけるビタミンD合成が少ないからである．[注：遺伝性ビタミンD欠乏性くる病はビタミンD受容体の機能喪失変異が原因である．]

2．腎性骨軟化症 renal osteodystrophy：慢性腎疾患(CKD)では，ビタミンD活性化能の低下とリン酸の貯留増加により，高リン酸血症/低カルシウム血症となる．血中カルシウムの低下によるPTHの増加によって，骨脱灰が進行してカルシウムとリン酸が放出される．カルシトリオールは有効な治療薬である．しかし，骨の過度の脱灰とカルシウムリン酸結晶の沈着を防ぐためにリン酸降下療法を併用する必要がある．

3．副甲状腺機能不全症：PTHの不足は低カルシウム血症と高リン酸血症を引き起こす．[注：PTHはリン酸排出を促進する．] これらの患者はカルシトリオールとカルシウム補充で治療されよう．

F. ビタミンDの毒性

すべての脂溶性ビタミンと同じように，ビタミンDは体内に蓄えられ，ゆっくりとしか代謝されない．大量(継続的に週 100,000 IU 程度)のビタミンD摂取は，食欲を減退させ，吐き気，喉の渇き，脱力を引き起こす．カルシウム吸収が亢進し，骨からの再吸収によって，高カルシウム血症を起こし，軟部組織にカルシウムが沈着する(代謝性石灰化)．9歳以上の許容上限摂取量(UL)は 100 μg (4,000 IU)/日である．9歳未満では減量される．[注：サプリメント服用では過剰摂取の危険性がある．皮膚で活性化されたビタミンDは非活性型に変換される．]

XIII. ビタミンK

ビタミンKの主要な役割は，さまざまなタンパク質(そのほとんど

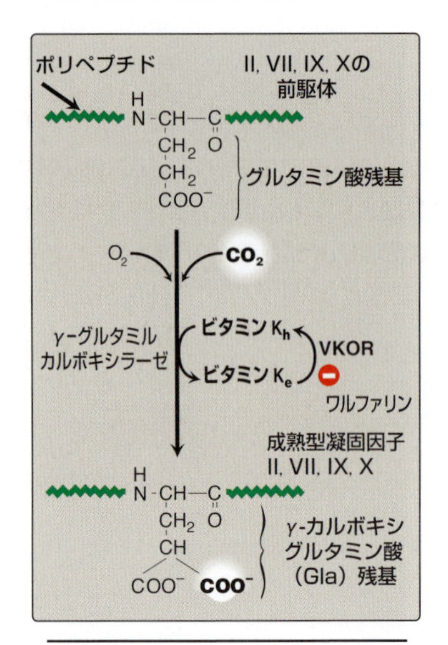

図 28.26
グルタミン酸残基のカルボキシ化によって生じるγ-カルボキシグルタミン酸（Gla）残基．h：ヒドロキノン，e：エポキシド，VKOR：ビタミンKエポキシド還元酵素．

は血液凝固因子）の翻訳後修飾であり，補酵素としてこれらの因子のグルタミン酸残基のカルボキシ化反応を行う．ビタミンKにはいくつかの活性型が存在する．例えば，植物では**フィロキノン phylloquinone**（または**ビタミンK_1 vitamin K_1**），腸内細菌では**メナキノン menaquinone**（**ビタミンK_2 vitamin K_2**）がある．治療には，ビタミンKの合成体である**メナジオン menadione**（ビタミンK_2に変換される）が利用されている．

A．ビタミンKの作用

1．γ-カルボキシグルタミン酸（Gla）の形成：ビタミンKは，肝臓で合成される血液凝固因子Ⅱ（プロトロンビン），Ⅶ，Ⅸ，Ⅹの翻訳後収縮に必須である（35章参照）．凝固因子の完成にはビタミンK依存性グルタミン酸残基のカルボキシ化（γ-カルボキシグルタミン酸（Gla）残基となる）が必要である（図28.26）．この反応には，**γ-グルタミルカルボキシラーゼ γ-glutamyl carboxylase**，O_2，CO_2，ビタミンKのヒドロキノン型（酸化されてエポキシドとなる）が必要である．Gla生成はビタミンKの合成アナログである**ワルファリン warfarin**によって阻害される．ワルファリンは，ビタミン系の活性型であるヒドロキノン型を再生するために必要な**ビタミンKエポキシド還元酵素 vitamin K epoxide reductase**（VKOR）を阻害する．

2．プロトロンビンと膜の相互反応：Gla残基は，マイナス電荷を持ったカルボキシ基が2つ隣接しているので，プラス電荷を持ったカルシウムイオンの良いキレート剤となる．例えば，プロトロンビンでは，プロトロンビン-カルシウム複合体は，損傷した内皮や血小板の表面にある陰性に荷電したリン脂質に結合できるようになる．膜への結合はプロトロンビンからトロンビンへのタンパク質分解的変換が起こる速度を上昇させる（図28.27）．

3．他のタンパク質におけるGlaの役割：Gla残基は凝血系以外のタ

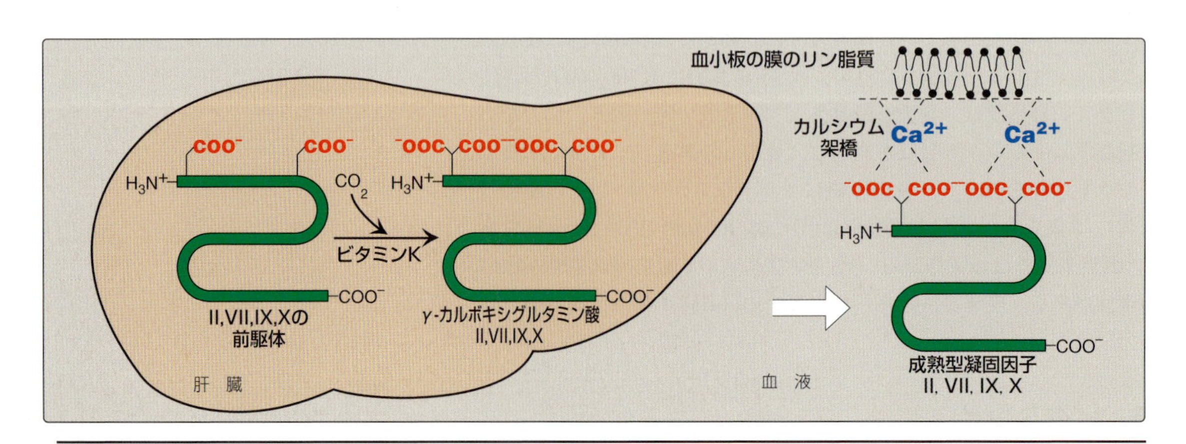

図 28.27
血液凝固におけるビタミンKの役割．

ンパク質にも存在する．例えば，オステオカルシン，骨マトリックスGlaタンパク質あるいは血液凝固を抑制するプロテインCやプロテインSもγ-カルボキシ化される．

B．ビタミンKの分布と必要量

ビタミンKは，キャベツ，ケール，ホウレンソウ，卵黄，肝臓に含まれる（訳注：納豆にも多く含まれる）．ビタミンKの適正摂取量 adequate intake（AI）は成人男性で 120 μg/日，成人女性で 90 μg/日である．また，腸内細菌によってもビタミンKの合成は盛んに行われている．

C．ビタミンKの臨床適応

1．ビタミンK 欠乏症：適量が食物から得られるか，あるいは腸内細菌によって作られるため，真のビタミンK欠乏症はまれである．例えば，抗生物質によって消化管の細菌数が減少した場合，内在的に合成されるビタミンKの量が少なくなり，栄養状態が下限の場合には（例えば，消耗性の高齢患者）**低プロトロンビン血症 hypoprothrombinemia**となる可能性がある．この状態では出血傾向に対応するためにビタミンKの補給投与が必要となろう．また，セファロスポリンの一部（例えば，セファマンドール）は，VKORを阻害するワルファリン様の機序と考えられるが，低プロトロンビン血症を引き起こす．そのため，これらの抗生物質の臨床使用の際には通常，ビタミンKを補充する必要がある．ビタミンK欠乏により骨障害も生じる．

2．新生児ビタミンK欠乏症：新生児の腸内はほとんど無菌なために，最初はビタミンKが合成されない．母乳はビタミンKの1日必要量の約5分の1しか供給できないので，全新生児は出血性疾患の予防として，ビタミンKの筋注を1回受けることが推奨される．

D．ビタミンKの毒性

合成ビタミンK（メナジオン）の多量の長期服用は小児において溶血性貧血や黄疸を引き起こす．これは赤血球の細胞膜への毒性による．そのため，メナジオンはビタミンK欠乏症の治療には用いられなくなった．天然型ビタミンKの許容上限摂取量（UL）は設定されていない（訳注：ビタミンKの構造類似体であるメナジオンは作用が強く毒性があるため，現在はヒトに対しては使用されない．ビタミンK_1（植物由来），K_2（微生物由来）は大量に摂取しても安全とされ，ULも定められていない）．

XIV．ビタミンE

ビタミンEは，天然に存在する4種類のトコフェロールと4種類のトコトリエノールからなり，**α-トコフェロール α-tocopherol**が最も活性が高い（図 28.28）．ビタミンEの主な機能は抗酸化物質として非酵素的酸化（酸素分子やフリーラジカルによるLDLの酸化や多価不飽

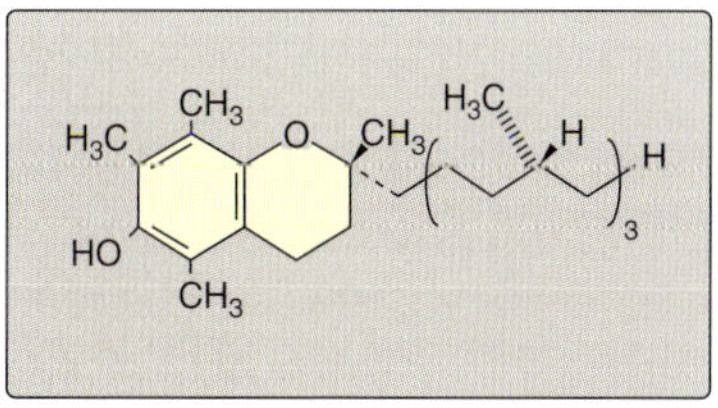

図 28.28
ビタミンE（α-トコフェロール）の構造．

和脂肪酸の過酸化など）を防ぐことである．［注：ビタミンCは酸化ビタミンEを還元して再活性化する．］

A. ビタミンEの分布と必要量

植物性油はビタミンEの良い供給源であり，肝臓や卵にも適度に含まれている．α-トコフェロールの成人栄養所要量（RDA）は 15 mg/日である．ビタミンE必要量は多価不飽和脂肪酸の摂取が増えると脂肪酸の過酸化を防ぐために上昇する．

B. ビタミンE欠乏症

新生児の貯蔵ビタミンEは少ないが，母乳（および人工乳）はビタミン類を含んでいる．極小未熟児にはビタミンE欠乏による溶血と網膜症を予防するためにサプリメントが投与される．成人ビタミンE欠乏症は脂質吸収不全か輸送不全に併発している．［注：キロミクロン（とVLDL）の欠損症である無βリポタンパク血症でもビタミンE欠乏症が生じる（p.299 参照）．］

C. ビタミンEの臨床適応

ビタミンEは心血管疾患やがんといった慢性病の予防には推奨されていない．ビタミンE補充の臨床試験は期待されたような結果を示していない．例えば，α-トコフェロール・β-カロテン・がん予防臨床研究では，高濃度のビタミンE投与を受けたヒトは，循環器系に有益な効果が得られなかったばかりでなく，梗塞の頻度が上昇してしまった．［注：ビタミンEとCは加齢黄斑変性症の進行抑制にも用いられる（訳注：より特異的な治療として血管内皮増殖因子（VEGF）阻害薬の硝子体内注射が有効である）．］

D. ビタミンEの毒性

ビタミンEは脂溶性ビタミンのなかで最も毒性が少なく，300 mg/日投与においても毒性が観察されていない（許容上限摂取量（UL）は 1,000 mg/日）．

> 果実や野菜を多く摂取している集団は一部の慢性疾患の発症頻度が低いことが報告されている．しかし，ビタミン（A，C，E），葉酸を含むマルチビタミンや複合抗酸化薬といったサプリメントについて，がんや心血管疾患への有益性を決定的に示した臨床試験はいまのところない．

XV. 要　約

ビタミンについて，図 28.29 にまとめた．

ビタミン	別 名	活性型	機 能
ビタミンB_9	葉 酸	テトラヒドロ葉酸	一炭素単位転移 メチオニン，セリン，プリンヌクレオチド， TMPの合成
ビタミンB_{12}	コバラミン	メチルコバラミン デオキシアデノシルコバラミン	酵素反応の補酵素　例： ホモシステイン→メチオニン メチルマロニルCoA→スクシニルCoA
ビタミンC	アスコルビン酸	アスコルビン酸	抗酸化物質 ヒドロキシ化反応の補酵素　例： プロコラーゲン中のプロリン→ヒドロキシプロリン リシン→ヒドロキシリシン
ビタミンB_6	ピリドキシン ピリドキサミン ピリドキサール	ピリドキサールリン酸	アミノ酸代謝を代表とする酵素の補酵素
ビタミンB_1	チアミン	チアミンピロリン酸	以下の酵素反応の補酵素 ピルビン酸→アセチルCoA α-ケトグルタル酸→スクシニルCoA リボース 5-P ＋キシルロース 5-P→ セドヘプツロース 7-P + グリセルアルデヒド 3-P 分枝鎖α-ケト酸酸化
ビタミンB_3	ナイアシン ニコチンアミド	NAD^+ $NADP^+$	電子伝達
ビタミンB_2	リボフラビン	FMN FAD	電子伝達
ビタミンB_7	ビオチン	酵素結合型ビオチン	カルボキシ化反応
ビタミンB_5	パントテン酸	補酵素A（CoA）	アシル基担体 **水溶性ビタミン**
ビタミンA	レチノール レチナール レチノイン酸 β-カロテン （カロチン）	レチノール レチナール レチノイン酸	**脂溶性ビタミン** 生殖維持 視　覚 成長促進 上皮組織の分化と維持 遺伝子発現制御
ビタミンD	コレカルシフェロール エルゴカルシフェロール	1, 25-ジヒドロキシコレカルシフェロール	カルシウム取り込み 遺伝子発現制御
ビタミンK	メナジオン メナキノン フィロキノン	メナジオン メナキノン フィロキノン	血液凝固因子やその他のタンパク質のグルタミン酸残基のγ-カルボキシ化反応
ビタミンE	α-トコフェロール	トコフェロール誘導体	抗酸化物質

図 28.29 （次ページに続く）
ビタミンのまとめ.［注：ヒトが合成できるコリンもビタミンDと同様に必須微量栄養素に分類されている.］P：リン酸，NAD（P）：ニコチンアミドアデニンジヌクレオチド（リン酸），FMN：フラビンモノヌクレオチド，FAD：フラビンアデニンジヌクレオチド，CoA：補酵素A.

欠乏症	徴候と症状	毒性	備考
巨赤芽球性貧血 神経管欠損症	貧血 先天性異常	無	葉酸の高用量の投与はビタミンB_{12}欠乏症をマスク（わかりにくく）する.
悪性貧血 認知症 脊髄変性	巨赤芽球性貧血 神経精神症状	無	悪性貧血はIM（筋注）または高用量の経口投与のビタミンB_{12}によって治療される.
壊血病	歯肉の出血・腫脹 動揺歯 創傷治癒遅延 出血	無	比較対照試験では補充療法の有効性は認められていない.
まれ	舌炎 神経障害	有	イソニアジドによって欠乏症が誘発されることがある. 高用量投与によって感覚神経障害が起こる.
脚気 ウェルニッケ・コルサコフ症候群（アルコール依存症患者で最も一般的）	末梢神経ニューロパチー（乾性脚気 dry beriberi），浮腫と心肥大（湿性脚気 wet beriberi） 混迷，失行，記憶障害，幻覚（訳注：脚気は浮腫の有無により，浮腫がない神経症状が主な乾性脚気と心不全により浮腫が出現する湿性脚気に分類される．）	無	—
ペラグラ	皮膚炎 下痢 認知症	無	高用量のナイアシンは脂質異常症の治療に使われている.
まれ	皮膚炎 口角炎	無	—
まれ	皮膚炎	無	多量の生の卵白（ビオチンに結合するタンパク質アビジンを含む）の摂取はビオチン欠乏症を誘発する.
まれ	—	無	—
			水溶性ビタミン
			脂溶性ビタミン
夜盲症 眼球乾燥 不妊 発育遅滞	視覚刺激の閾値の上昇 角膜乾燥	有	β-カロテンには急性中毒はないが，補充剤は推奨されない. 過度のビタミンAは骨折の頻度を上昇させる.
くる病（小児） 骨軟化症（成人）	軟化し脆弱な骨	有	皮膚で合成されるためビタミンDは本来の意味ではビタミンではない．日焼け止めの塗付や色素の濃い皮膚では合成が低下する.
新生児に発症 成人ではまれ	出血	まれ	ビタミンKは腸内細菌によって合成される. ビタミンK欠乏症は新生児によくみられる. 出生時のビタミンKの非経口投与（筋注）は推奨される.
まれ	脆弱赤血球による溶血性貧血	無	比較対照試験では補充療法の疾患予防の有効性は認められていない.

図 28.29（前ページからの続き）
ビタミンのまとめ.

学習問題

最適な答えを1つ選びなさい．

問題28.1～28.5について，欠乏症に該当するビタミンを下記から選べ．

A. 葉酸　E. ビタミンC
B. ナイアシン　F. ビタミンD
C. ビタミンA　G. ビタミンE
D. ビタミンB_{12}　H. ビタミンK

28.1 出血

28.2 下痢と皮膚炎

28.3 神経管欠損

28.4 夜盲症

28.5 歯肉の出血と腫膿，動揺歯

正解 28.1 H，28.2 B，28.3 A，28.4 C，28.5 E. ビタミンKはいくつかの血液凝固系タンパク質のγ-カルボキシグルタミン酸残基の産生に必要である．したがって，ビタミンK欠乏症では出血傾向が生じる．ナイアシン欠乏症の特徴は，diarrhea（下痢），dermatitis（皮膚炎），dementia（認知症）という3つの「D」である．葉酸欠乏症は胎児の神経管欠損をもたらす．夜盲症はビタミンA欠乏症の初発症状の1つである．網膜の杆体細胞は低照度下（夜など）で感度良く白黒画像として光を認識する．杆体細胞の光色素のロドプシンはタンパク質オプシンに11-シス-レチナールが結合している．ビタミンCはコラーゲン合成のプロリンとリシンのヒドロキシ化に必要である．重度のビタミンC欠乏症（壊血病）では，結合組織が障害され，歯肉の出血と腫膿，動揺歯，毛細血管からの易出血性，貧血，疲労感などが生じる．

28.6 数カ月前より疲労感を訴える52歳の女性．血液検査により大球性貧血，ヘモグロビン低下，ホモシステイン上昇が見出された．メチルマロン酸は正常であった．欠乏しているのはどれか．

A. 葉酸
B. 葉酸とビタミンB_{12}
C. 鉄
D. ビタミンC

正解 A. 大球性貧血は葉酸欠乏やビタミンB_{12}欠乏が原因となる．ビタミンB_{12}が関与する生体経路は2つだけである．(1)ホモシステインを再メチル化してメチオニンにする反応．これには葉酸（テトラヒドロ葉酸）も必要である．(2)メチルマロニルCoAをスクシニルCoAにする異性化反応．この反応はテトラヒドロ葉酸を必要としない．ホモシステインが上昇しメチルマロン酸が正常ということは，この患者の大球性貧血の原因は葉酸のみの欠乏と考えられる．鉄欠乏およびビタミンC欠乏（訳注：鉄の吸収低下や出血による）では小球性貧血となる．

28.7 バージニア州からメイン州に最近になって転居した生後10カ月のアフリカ系アメリカ人の女児．下肢の屈曲を主訴として受診した．両親の話によると，女児はいまだに母乳で育てられており，サプリメントは与えられていない．X線診断によりビタミンD欠乏性くる病であることが明らかになった．ビタミンDについて正しいのはどれか．

A. 欠乏するとカルビンディンの分泌が増加する．
B. 慢性腎疾患では1,25-ジヒドロキシコレカルシフェロール(カルシトリオール)が過剰生成される．
C. 25-ヒドロキシコレカルシフェロール(カルシジオール)は活性型ビタミンDである．
D. 日照が不十分な場合に必要となる．
E. Gタンパク質共役受容体を介して作用する．
F. 副甲状腺ホルモン(PTH)の作用に拮抗する．

正解 D．メイン州など高緯度地域に在住するなど日照不足になりやすい場合や皮膚色が濃いヒトではビタミンDのサプリメントが必要となる．母乳はビタミンDが少なく，サプリメントを併用しないと欠乏症の危険性が高まる．ビタミンD欠乏症ではカルビンディンの合成が低下する．慢性腎疾患では活性型ビタミンDである1,25-ジヒドロキシコレカルシフェロール(カルシトリオール)の生成が低下する．ビタミンDは核内受容体に結合し，遺伝子転写を制御する．その作用はPTHの作用と相乗的である．

28.8 ビタミンB_6欠乏症で空腹時低血糖が生じうるのはなぜか．多くのビタミン欠乏症で空腹時低血糖症となりうるのは何か．

正解 ビタミンB_6は，グリコーゲンホスホリラーゼによるグリコーゲン分解に必須である．それが欠乏すると空腹時低血糖をもたらす．糖新生のピルビン酸カルボキシラーゼに必要なビオチン欠乏症でも，空腹時低血糖症となる．

微量栄養素：ミネラル類 29

Ⅰ．概　要

ミネラルとは無機質(無機要素)の総称であり，微量を必須とする．骨や歯の形成，体液バランス，神経伝達，筋収縮，シグナル伝達，触媒作用など，数多くの生体機能に関与している．[注：一部のミネラルは酵素の必須補因子でもある．] 有機質のビタミン類と同様に(28章参照)，多くのミネラルは必要量がmgもしくはμgのオーダーの微量必須栄養素である．成人の1日の必要量が100 mg以上のミネラルは，マクロミネラル(多量ミネラル)，1～100 mgのはマイクロミネラル(微量ミネラル，トレースミネラル)，1 mg未満のはウルトラレースミネラル(超微量ミネラル)と分類される(図29.1)．[注：これらの分類は状況によって変動する．] 体内のミネラル量は吸収と排出のバランスで決定される．

ミネラル分類	成人の栄養所要量（RDA）もしくは適正摂取量（AI）
多量ミネラル	
カルシウム（Ca）	1,000～2,000 mg
塩素（Cl）	1,800～2,300 mg*
マグネシウム（Mg）	310～420 mg
リン（P）	700 mg
カリウム（K）	4,700 mg*
ナトリウム（Na）	1,500 mg*
微量ミネラル	
クロム（Cr）	30～35 mg
銅（Cu）	900 μg
フッ素（フッ素イオン，F^-）	3～4 mg
鉄（Fe）	8～18 mg
マンガン（Mn）	1.8～2.3 mg*
亜鉛（Zn）	8～11 mg
超微量ミネラル	
ヨウ素（I）	150 μg
モリブデン（Mo）	45 μg
セレニウム（Se）	55 μg

図 29.1
ミネラルの分類と成人の1日の推奨摂取量．［注：*の数値は，成人の1日の栄養所要量（RDA）の十分な科学指示的根拠が得られていないので，適正摂取量（AI）を示している．］

Ⅱ．多量ミネラル

多量ミネラルにはカルシウム(Ca^{2+})，リン(P)(無機リン酸，Pi，PO_4^{3-})，マグネシウム(Mg^{2+})，ナトリウム(Na^+)，塩素(Cl^-)，カリウム(K^+)がある．[注：遊離イオン型は電解質である．]

A．カルシウムとリン

これらの多量ミネラルは骨と歯の主要成分であるヒドロキシアパタイト($Ca_5[PO_4]_3OH$)を構成しているために対として考える．

1．カルシウム(Ca^{2+})：Ca^{2+}の体内含有量が最大のミネラルであり，その約98% は骨に存在する．残りはシグナル伝達，筋収縮，血液凝固といった数多くの生体過程に関与している．Ca^{2+}はカルモジュリン(11章参照)，**ホスホリパーゼA_2 phospholipase A_2**(p.275参照)，**プロテインキナーゼC protein kinase C**(p.267参照)などさまざまなタンパク質と結合して，それらの活性を制御している．[注：カルビンディンはビタミンD依存性細胞質タンパク質であり，小腸でのCa^{2+}吸収に関与している(p.508参照)．] 乳製品，多くの緑色野菜(例えばブロッコリ．ホウレンソウの含有量は少ない)，強化オレンジジュース(訳

注：ビタミンDやCa^{2+}を添加)などは優れた供給源である．カルシウム欠乏症はまれではあるが，米国での平均Ca^{2+}摂取量は骨の理想的な状態の維持には不十分とされる．過剰症はサプリ摂取時のみに生じる(成人の1日許容上限摂取量(UL)は2.5 gである)．高カルシウム血症(血中Ca^{2+}の異常上昇)は副甲状腺ホルモン(PTH)過剰症が原因となる．便秘や尿路結石を伴う．低カルシウム血症(血中Ca^{2+}の異常低下)はPTH低下やビタミンD欠乏で生じる．骨の脱灰(再吸収)が生じる．[注：血中Ca^{2+}のホルモン制御については28章のビタミンDの節と下記3.で説明されている．]

骨量は幼児期から生殖年齢前期までは増大し，その後は加齢とともに男性でも女性でも減少し，骨折の危険性が上昇していく．この骨量減少は閉経後の白人女性で特に著しい．臨床研究の一部はCa^{2+}とビタミンDの補充が骨折を予防することを支持している．

2．リン(P)：遊離リン酸(Pi)は最大の細胞内陰イオンである．しかし，体内のリンの約85% は無機ヒドロキシアパタイトとして，そして，残りのほとんどはリン脂質，核酸，ATP，クレアチンリン酸など細胞内有機化合物として存在する．**キナーゼ kinase**によってATPのリン酸は他分子に結合され，**ホスホリラーゼ phosphorylase**(例えば**グリコーゲンホスホリラーゼ glycogen phosphorylase**，11章参照)によって無機リン酸が結合される．[注：キナーゼによるリン酸付加とホスファターゼ phosphataseによるリン酸除去は酵素の重要な共有結合制御である(24章参照)．]リンは食事(例えばミルク)に豊富に含まれており，欠乏症はまれである．低リン酸血症は栄養不良患者に食事を再開させるとき(リフィーディング症候群)(p.479参照)，アルミニウム含有の制酸薬の過剰投与(アルミニウムはPiをキレートする)，PTH過剰に伴う尿中排出の増加(後述)などによって発症しうる．筋力低下が代表的な症状である．高リン酸血症の代表的な要因はPTH低下である．過剰なPiはCa^{2+}と結合して結晶が生成され，軟部組織に沈着する(異所性石灰化)．[注：骨形成ではCa^{2+}/Pi比が重要な指標となる．骨ではその比は約2：1である．Ca^{2+}が豊富なミルクの代わりに，Ca^{2+}が少なく，Piが多いソフトドリンクの摂取により骨が脆弱になるという危険性を訴える専門家の意見がある．]

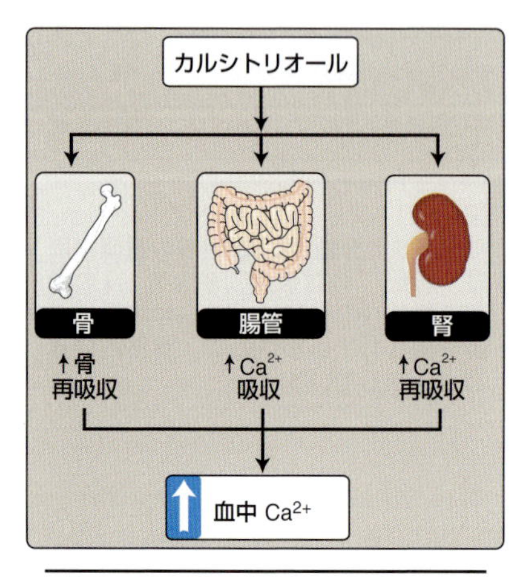

図 29.2
カルシトリオールの血中Ca^{2+}増加作用.

3．ホルモン制御：血中のCa^{2+}とPiの濃度は一次的にはカルシトリオール(1-25-ジヒドロキシコレカルシフェロール，活性ビタミンD)とPTHで制御されている．どちらも血中Ca^{2+}の低下に応答する．カルシトリオールは腎臓で生成され，骨の再吸収と小腸と腎でのCa^{2+}とPiの吸収を増加させて，血中Ca^{2+}とPiを上昇させる(図29.2)．副甲状腺から分泌されるPTHは，骨の再吸収，腎でのCa^{2+}の再吸収，カルシジオール(25-OH-D3)からカルシトリオールを生成する腎臓の1-ヒドロキシラーゼ **1-hydroxylase**を活性化して，血中のCa^{2+}を上昇させる(図29.3)．カルシトリオールとは異なり，PTHは腎臓でのPi再吸収を抑制し，血中Piを低下させる．[注：血中Piが上昇するとPTHは増加し，カルシトリオールは低下する．] 3番目のホルモンのカルシトニン(甲状腺のC細胞から分泌される)は，血中Ca^{2+}が上昇すると分泌され，骨の石灰化と腎でのCa^{2+}とPiの排出を促進する．

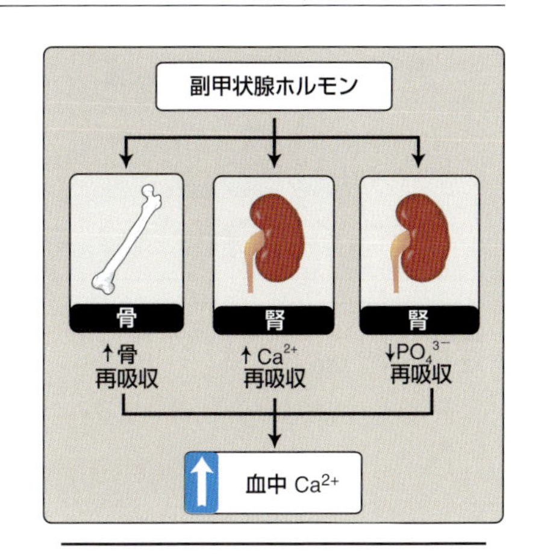

図29.3
PTHの血中Ca^{2+}増加作用．

B．マグネシウム(Mg^{2+})

体内のMg^{2+}の60%は骨に存在するが，骨量に占める割合は1%程度でしかない．このミネラルは，キナーゼのリン酸化反応(Mg^{2+}は副基質のATPに結合している)，DNAポリメラーゼ **DNA polymerases**やRNAポリメラーゼ **RNA polymerase**によるホスホジエステル結合生成といったさまざまな酵素反応に必須である．Mg^{2+}は多くの食物に含まれているが，米国における平均摂取量は推奨量に達していない．低吸収もしくは排出増加により低マグネシウム血症となりうる．筋や神経の過剰興奮性と不整脈が主な症状である．高マグネシウム血症では低血圧となる．[注：妊娠高血圧性障害の1つである子癇前症にはマグネシウムリン酸が投与される．]（訳注：緩下剤として汎用されている酸化マグネシウム(カマ)は吸収されないはずであるが，まれに高マグネシウム血症をもたらす．カマは日本以外ではあまり使われていない．）

C．ナトリウム，塩素，カリウム

これらの多量ミネラルは数多くの生理的過程で重要な役割を担っており，補完的に機能していることから，統合的に考察する必要がある．例えば，水バランス，浸透圧バランス，酸塩基(pH)平衡，細胞膜間の電位形成など(これらについて詳しくは『イラストレイテッド生理学 原書2版』(丸善出版)を参照)，神経や筋肉の機能に非常に重要な過程にこの3つのミネラルはすべて非独立的に関与している．

1．ナトリウム(Na^+)と塩素(Cl^-)：Na^+とCl^-は主要な細胞外電解質である．これらは食塩(NaCl)を含む食物(そのほとんどは加工食品)から十分に摂取できる．[注：Na^+はグルコース，ガラクトース(7章参照)，遊離アミノ酸(p.322参照)の小腸における吸収，および腎臓における再吸収に必須である．これらはNa^+と共役した輸送体によって行われる．消化に重要な胃酸(塩酸)は水素イオンと塩素イオンからなる(p.320参照)．] 米国では，1日の適性摂取量(AI)3.8 g (ULは5.8 g)であるが，平均摂取量(消費量)はその1.5～3倍に達している．食事性欠乏症はまれである．

a．高血圧症：Na^+摂取量は血圧(BP)と関連している．Na^+を摂取すると，脳の口渇中枢が刺激され，抗利尿ホルモンが下垂体から分泌される．そして，水分の貯留が促進される．その結果，血漿が増加し，BPが上昇する．慢性的な高血圧は心，腎，血管の負担になる．Na^+摂取制限によりBPは低下する．[注：アフリカ系アメリカ人などはNa^+増加(低下)による血圧上昇(低下)が著し

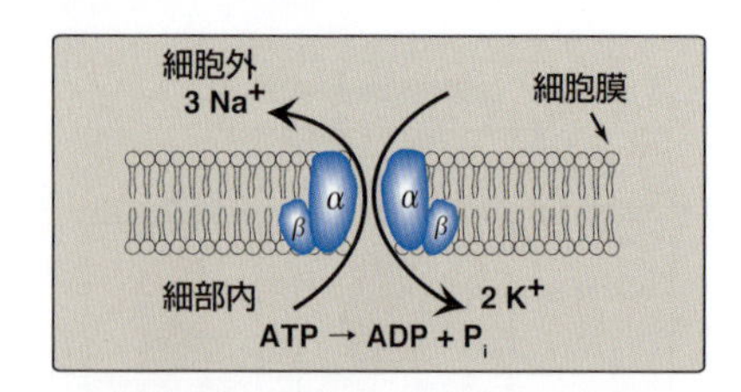

図 29.4
Na^+/K^+ATPase.

く，食塩感受性高血圧と称される.]

b. **高(低)ナトリウム血症**：脱水時に生じやすい高ナトリウム血症と水分貯留時に生じやすい低ナトリウム血症は重篤な脳障害の危険性を伴う.［注：慢性低ナトリウム血症ではCa^{2+}の排出が増加し，骨粗鬆症(骨量低下)を伴うことがある.]

2. **カリウム(K^+)**：Na^+とは対照的に，K^+は代表的な細胞内電解質である.［注：Na^+とK^+の細胞膜を挟んだ濃度勾配はNa^+/K^+ ATPaseによって維持されている(図29.4).］Na^+とCl^-とは対照的に，K^+(Mg^{2+}も同様)の摂取量は西欧食では不足気味である．というのは，それらを豊富に含む果実や野菜の摂取量が不足しているためである.［注：K^+の摂取量上昇はNa^+排出を促進し，BPは低下する.］血中K^+濃度は狭い範囲に維持されており，わずかな変動(高カリウム血症あるいは低カリウム血症)も不整脈や骨格筋脱力をもたらす.［注：体重減量のための下剤乱用は低カリウム血症の要因となる.］ULは不明である.

Ⅲ. 微量ミネラル(トレースミネラル)

銅(Cu)，鉄(Fe)，マンガン(Mn)，亜鉛(Zn)などが微量ミネラルである．これらの成人1日必要量は1～100 mgである.

A. 銅(Cu)

Cuは重要な機能を担っている多くの酵素の必須要素である(図29.5)．例えば，鉄の血中輸送や細胞内貯蔵に重要であり，二価鉄イオン(Fe^{2+})を酸化して三価鉄イオン(Fe^{3+})とする**セルロプラスミン ceruloplasmin**や**ヘフェスチン hephaestin**(**フェロキシダーゼ類 ferroxidases**)はCuが必須である(下記B.1.参照)．Cuは肉，貝，ナッツ，全粒穀物に豊富に含まれている．食事性欠乏症はまれである．欠乏症では鉄代謝異常により貧血が生じる．食事性過剰症もまれである(1日ULは10 mg)．メンケス症候群とウィルソン病はそれぞれ遺伝性の欠乏症と過剰症である.

Cuを必要とする酵素	機　能
シトクロム *c*オキシダーゼ	電子伝達系でシトクロム*c*の電子を酸素に渡す(シトクロム*c*を酸化する)
ドーパミン β-ヒドロキシラーゼ	ドーパミンを水酸化してノルアドレナリンにする
フェロキシダーゼ	鉄を酸化する
リシルオキダーゼ	コラーゲンやエラスチンの分子内架橋を生成する
チロシナーゼ	メラニンを生成する
スーパーオキシドジスムターゼ(ミトコンドリア外型，Znも必要とする)	スーパーオキシドを過酸化水素に変換する

図 29.5
Cuを必要とする酵素の例.

1. **メンケス症候群**：メンケス症候群(ちぢれ毛病)はまれなX連鎖疾患(14万男児に1人)であり，Cu輸送ATPase(ATP7A)の欠損により，小腸上皮細胞での食事由来Cuの循環系への輸送が障害されている．そのためCu欠乏症となる．尿中と血中の遊離Cuは低下し，血中のCuの90％を輸送している**セルロプラスミン ceruloplasmin**も低下する(図29.6)．進行性神経変性と毛髪の変化など結合組織異常が生じる．Cuの非経口投与が行われるが，有効性はさまざまである.［注：軽症型メンケス症候群は後頭骨突出症候群 occipital horn syndromeと称される.］

	メンケス症候群	ウィルソン病
体内のCu総量	低	高
血中遊離Cu	低	高
尿中Cu	低	高
遺伝様式	X連鎖	常染色体劣性
変異しているCu輸送ATPase	ATP7A	ATP7B

図 29.6
メンケス症候群とウィルソン病の比較.

2. **ウィルソン病**：常染色体劣性遺伝のウィルソン病(発生率は出生35,000人に1人)では，ATP7Bの異常により肝臓におけるCuの排出が阻害される．そのため肝臓にCuが蓄積し，あふれたCuは脳，眼球，腎，皮膚などに沈着する．メンケス症候群とは逆に，尿中や血中のCuは高値となる(図 29.6 参照)．肝障害，神経精神症状がみられる．角膜にCuが沈着したカイザー・フライシャー角膜輪 Kayser-Fleischer corneal ring が有名な所見である(図 29.7)．治療として，Cuキレート薬(ペニシラミンなど)が一生涯投与される．

図 29.7
カイザー・フライシャー角膜輪．

ミネラルのバイオアベイラビリティ(生物学的利用能，単純には吸収率)は他のミネラルの影響を受ける．例えば，Znが過剰になるとCuの吸収が抑制される．また，Feの吸収にはCuが必要である．

B．鉄(Fe)

成人体内には平均 3 ～ 4 g のFeが存在する．Feは多くのタンパク質(**プロリルヒドロキシラーゼ prolyl hydroxylase** といった**ヒドロキシラーゼ hydroxylase** などの酵素も非酵素タンパク質もある)の構成要素である．活性中心にFeとSが共存する電子伝達系の鉄硫黄(Fe-S)タンパク質やヘモグロビン(全Fe量の約 70% を占める)，ミオグロビン，シトクロムなどのヘム補欠分子族にも含まれる．[注：遊離鉄イオンは活性酸素(ROS)の一種である水酸化ラジカルを生成するために危険である．] 食事性Feは動物のヘムの Fe^{2+} や植物の非ヘムの Fe^{3+} に由来する．ヘム鉄のほうが量は少ないが吸収性は優れている．肉，鶏肉，貝，鉄強化シリアルや鉄添加穀物，豆，糖蜜，緑色野菜などは優れたFe源である．摂取されたFeの約 10% が吸収される．通常の吸収量は 1 ～ 2 mg/日であるが，体内から排出されたFe(主として表皮剥離によって喪失)を補うのに十分である．

1．吸収，貯蔵，輸送：小腸でヘムはヘム輸送タンパク質によって取り込まれる(図 29.8)．小腸上皮細胞の中で，**ヘムオキシゲナーゼ heme oxygenase** によってヘムから Fe^{2+} が遊離する(p.367 参照)．非ヘムFeは頂端部(apical)細胞膜タンパク質の二価金属イオントランスポーター(DMT-1)によって取り込まれる．[注：ビタミンCは非ヘムFeの吸収を促進する．ビタミンCは，Fe^{3+} を Fe^{2+} に還元する**三価鉄還元酵素 ferrireductase**(**十二指腸シトクロム *b* duodenal cytochrome *b*，Dcytb**)の補酵素である．] 吸収されたFeのその後の経路には 2 つある．(1) Fe^{3+} に酸化されて，フェリチン(1 分子あたり 4,500 の Fe^{3+} を結合できる)と結合して小腸上皮細胞内に貯蔵される．(2) 基底外側膜タンパク質**フェロポーナン ferroportin** によって小腸上皮細胞外に輸送され，Cu含有膜タンパク質**ヘフェスチン hephaestin** によって酸化され，血中のFe輸送タンパク質トランスフェリンと結合して輸送される(トランスフェリン 1 分子あたり 2 個の Fe^{3+} を結合，図 29.8 参照)．[注：小腸上皮細胞以外の細胞ではヘフェスチンの代わりにCuを結合した血中タンパク質のセルロプラスミンが用いられる．] 正常では，トランスフェリンのFe^{3+}の占拠率は30％程度である．ヒトで唯一知られているFeの細胞内から血中への輸送タンパク質であるフェロポーチンは**ヘプシジン hepcidin**で制御されている．肝由来ペプチドのヘプシジンはフェロポーチンのインターナリゼーション（受容体媒介型エンドサイトーシス，細胞内取り込み）とリソソームでの分解を促進する．ヘプシジンはFe恒常性維持の主要因子といえる．［注：ヘプシジンの転写はFeが欠乏すると抑制される．］

2．リサイクル：マクロファージは古いもしくは傷害した赤血球（RBC）を貪食してヘムFeを遊離させる．遊離したFeはフェロポーチンによって細胞外に放出され，セルロプラスミンによって酸化され，上述のようにトランスフェリンに結合して血中を輸送される．このリサイクルにより体内必要摂取量の約90％がまかなわれている．リサイクルされたFeは主として造血に用いられる．

3．細胞内取り込み：腸上皮細胞やマクロファージ由来のFe^{3+}とトランスフェリンの複合体は，赤芽球や他の鉄を必要とする細胞の表面のトランスフェリン受容体に結合し，受容体媒介型エンドサイトーシスによって細胞内に取り込まれる．細胞内でトランスフェリンから遊離したFe^{3+}は利用されたり，フェリチンと結合して貯蔵される．遊離トランスフェリンとトランスフェリン受容体は低密度リポタンパク質（LDL）受容体と同じような過程でリサイクルされる（p.301参照）．［注：トランスフェリンやトランスフェリン受容体の発現制御（鉄応答配列 iron-responsive element（IRE）など）については33章参照．］

4．欠乏症：Fe欠乏症により，米国で最も頻度の高い貧血である，小球性低色素性貧血（図29.9）が生じる．ヘモグロビン合成が低下し，その結果，RBCも小さくなるのである．治療法はFe補充である．原

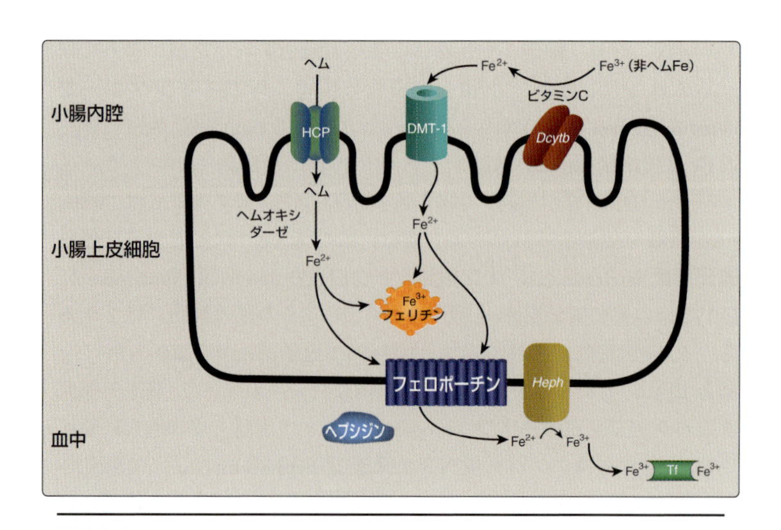

図 29.8
食事由来Feの吸収，貯蔵，輸送．HCP：ヘム輸送タンパク質，DMT：二価金属イオントランスポーター，Dcytb：十二指腸シトクロム *b*（三価鉄還元酵素），Heph：ヘフェスチン，Tf：トランスフェリン．

則として経口薬が用いられるが，重症あるいは吸収不全では静注されることもある.

5. 過剰症：Fe過剰症は過剰な摂取や非経口投与により生じる.［注：急性Fe中毒は6歳以下の中毒死の代表的な原因である(小児ULは40 mg/日，成人ULは45 mg/日である.］治療法はFeキレート剤の投与である. Fe過剰症には遺伝性のものがある. 例えば，遺伝性ヘモクロマトーシス(HH)は常染色体劣性遺伝(AR)であり，北欧系に多い. *HFE* (hemochromatosis, Fe)遺伝子の変異の頻度が高い(訳注：鉄飢餓状態ではこの変異がより生存に有利であったという説もある). 色素沈着を伴う高血糖(ブロンズ糖尿病)，Feの主要な貯蔵臓器である肝臓，あるいは膵臓や心筋の障害が生じる. HHでは血清Feとトランスフェリン飽和率が上昇する. 治療法は瀉血やFeキレート剤の投与である.［注：Fe代謝に関連するタンパク質の変異が原因のFe過剰症もある(ヘプシジンは異常低値となる). 細胞内の不溶性の鉄貯蔵タンパクフェリチン集合体(ヘモジデリン)が過剰に沈着したヘモジデリン沈着症(ヘモジデローシス)となる.］

C. マンガン(Mn)

Mnも数多くの酵素に必要な元素である(図29.10). 全粒穀物，豆果(とうか)legume(大豆，エンドウマメなど)，ナッツ，茶(特に緑茶)に豊富に含まれている. そのためヒトでは欠乏症はまれである. 通常の食事やサプリ服用による過剰症もまれである(成人ULは10 mg/日).

D. 亜鉛(Zn)

Znは細胞構造や酵素反応で重要な役割を担っている. 転写因子などのジンク(Zn)フィンガー(超二次構造，タンパク質の構造モチーフの1つ)はDNAに結合して遺伝子発現を制御する(図29.11). 数多くの酵素が活性にZnを必要とする. 例を以下に列挙する. エタノールをアセトアルデヒドに酸化する**アルコールデヒドロゲナーゼ alcohol dehydrogenase** (p.411参照). 炭酸バッファ系で重要な**炭酸脱水酵素 carbonic anhydrase** (3章参照). ヘム合成の**アミノレブリン酸(ALA)デヒドラターゼ aminolevulinic acid (ALA) dehydratase** (ポルホビリノーゲンシンターゼ porphobilinogen synthase)はZnが鉛に置換されると阻害される(p.363参照). 非ミトコンドリア型**スーパーオキシドジスムターゼ superoxide dismutase** (SOD)はZnとCuを必要とする(図29.5参照). Znを豊富に含む食物は，肉，魚，卵，乳製品である. フィチン酸塩(穀物，種子，豆，ナッツなどの植物性リン酸貯蔵分子)は小腸で不可逆的にZnと結合し，Zn吸収を阻害し，Zn欠乏症の原因となる.［注：フィチン酸塩はCa^{2+}や非ヘムFeとも結合する.］ペニシラミンのような金属を結合するキレート剤もZn欠乏症の原因となる.［注：小腸Znトランスポーター欠損症の常染色体劣性遺伝性の腸性肢端皮膚炎 acrodermatitis enteropathicaでは重度のZn欠乏症となる. 症状は皮疹，発達遅延，下痢，免疫不全などである. ZnはビタミンAの

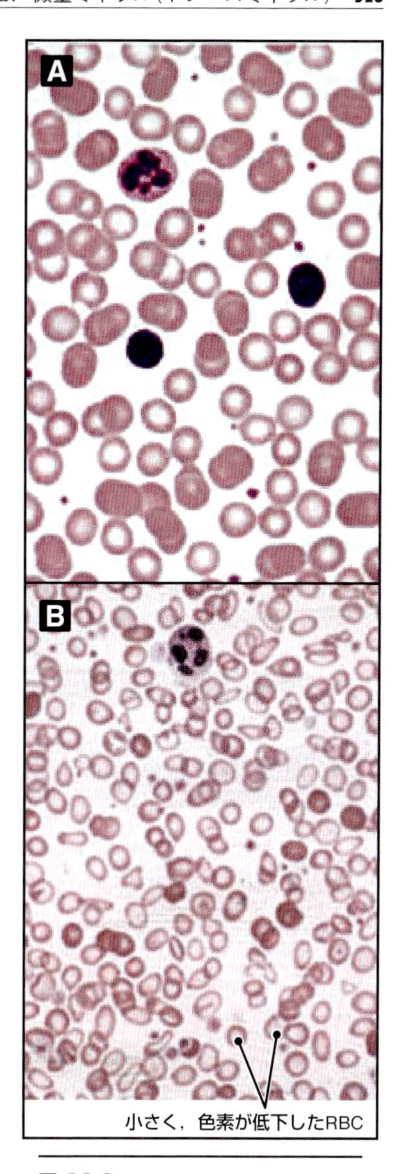

図29.9
A. 正常赤血球(RBC). B. 小球性低色素性赤血球(鉄欠乏性貧血).

Mn要求性酵素	酵素反応
アルギナーゼⅠ	尿素回路で，アルギニンを尿素とオルニチンに分解する
グリコシルトランスフェラーゼ類	プロテオグリカンの合成で，糖を転移する
ピルビン酸カルボキシラーゼ	糖新生経路でピルビン酸をカルボキシ化してOAA（オキサロ酢酸）とする
スーパーオキシドジスムターゼ（ミトコンドリア型）	スーパーオキシドを過酸化水素にする

図 29.10
Mnを必要とする酵素の例．

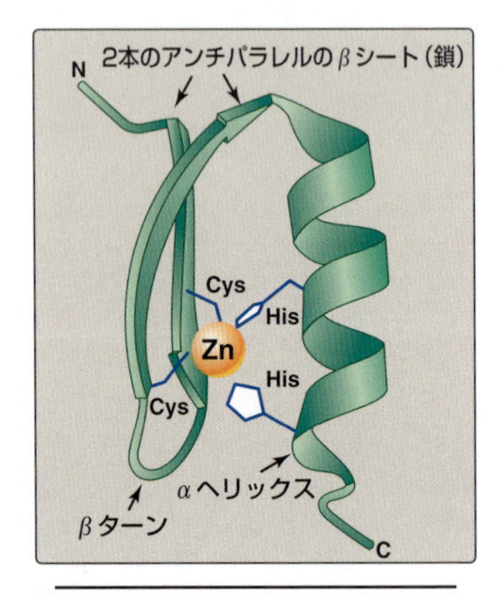

図 29.11
ジンクフィンガーはDNA結合タンパク質によくみられるモチーフである．Cys：システイン，His：ヒスチジン．

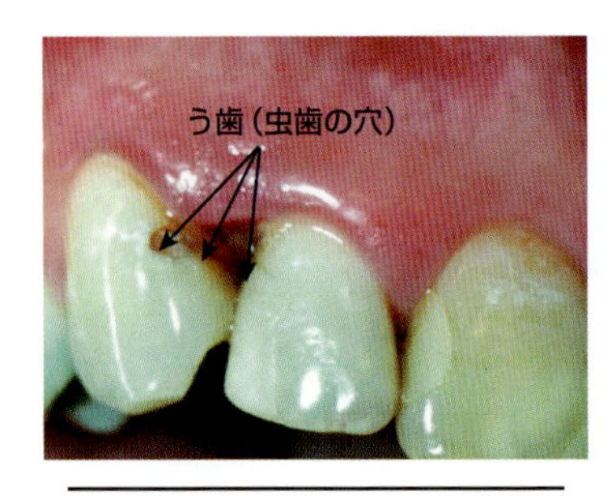

図 29.12
う歯（虫歯の穴）．

代謝にも必要なために，視覚障害も生じる．］

細菌に攻撃（感染）された真核細胞は，細胞内の病原体の活動を抑制するために，Fe，Mn，Znといった必須ミネラルの供給を抑制することがある．これを「栄養免疫」という．

E．その他の微量ミネラル

クロム（Cr）とフッ素（F）も必要である．Crはインスリン作用を増強する（作用機序不明）．果実，野菜，乳製品，肉に含まれる．F（あるいはフッ素イオンF^-）は虫歯予防に多くの地域で水道水に添加されている（図 29.12）．ヒドロキシアパタイトのヒドロキシ基がF^-と置換されると，フルオロアパタイトとなる．フルオロアパタイトはヒドロキシアパタイトよりも口腔内細菌が産生するエナメル質融解性酸への抵抗性が高い．

Ⅳ．超微量ミネラル

超微量ミネラルとしては，ヨウ素（I），セレニウム（Se），モリブデン（Mo）が知られている．これらの成人の1日必要量は1 mg以下である．

A．ヨウ素（I）

ヨウ素は，成長，発達，代謝に重要な甲状腺ホルモンT_3（トリヨードチロニン）とT_4（チロキシン）の合成に用いられる．血中のヨウ素イオンI^-は甲状腺の濾胞上皮細胞によって取り込まれ（トラップされ），蓄積される．そして，濾胞内腔コロイドに分泌され，**甲状腺ペルオキシダーゼ thyroperoxidase**（TPO）によってI_2に酸化される（図 29.13）．さらにTPOはI_2をサイログロブリンのチロシン残基を選択的にヨウ素化して，モノヨードチロシン（MIT）とジヨードチロシン（DIT）を産生する（図 29.14）．［注：Tgは濾胞細胞によって生成されて濾胞内腔コロイドに分泌される．］DIT2個のカップリングによりT_4が，MITとDITそれぞれ1個ずつのカップリングによりT_3が生成される．ヨウ素化されたTgはエンドサイトーシスされて濾胞細胞内に貯蔵される．必要時にはタンパク質分解によりT_3とT_4が遊離されて血中に分泌される（図 29.13 参照）．正常時では，分泌される甲状腺ホルモンの約90％はT_4であり，トランスチレチンに結合して輸送される．標的組織（例えば，肝臓や発達過程の脳）で，T_4はSe含有酵素の**脱ヨウ素酵素 deiodinase**によってT_3（活性型）に変換される．T_3が結合した核受容体はゲノムDNAの甲状腺ホルモン応答エレメントに結合して，転写因子として機能する．［注：甲状腺ホルモンの産生は，下垂体前葉から分泌されるサイロトロピン（甲状腺刺激ホルモン，TSH）によって促進される．そして，TSHの分泌は視床下部からのTRH（サイロトロ

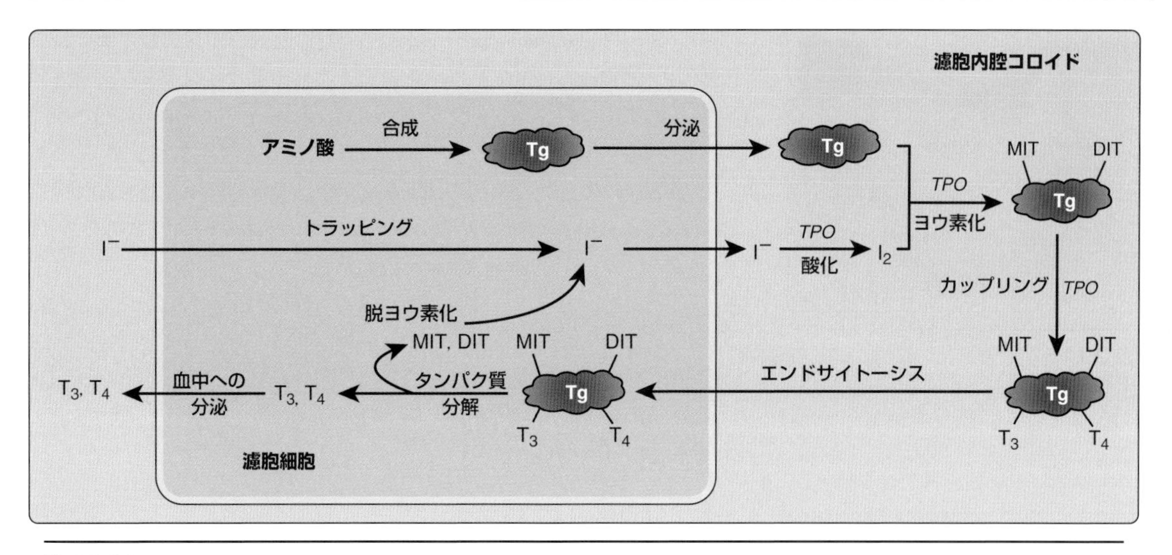

図 29.13
甲状腺ホルモン合成経路．Tg：サイログロブリン，I^-：ヨウ素イオン　I_2：ヨウ素，TPO：甲状腺ペルオキシダーゼ，MIT：モノ(1)ヨードチロシン，DIT：ジ(2)ヨードチロシン，T_3：トリ(3)ヨードチロニン，T_4：甲状腺ホルモン(チロキシン)．

ピン放出ホルモン)によって促進される．]

1．**甲状腺機能低下症**：ヨウ素不足により甲状腺腫 goiter(過剰なTSH刺激による甲状腺の腫大)が生じる(図 29.15)．甲状腺ホルモンが低下すると，易疲労性，体重増加，熱産生低下，代謝率低下(p.468参照)が生じる．胎児期や小児期に甲状腺ホルモンが不足すると，不可逆的な知能障害(いわゆるクレチン症)，聴覚障害，低身長などが生じる．米国では，乳製品，海産物，肉などが主な供給源である．ヨウ素添加塩はヨウ素欠乏症の予防に有効である．[注：橋本病(原発性甲状腺機能低下症)の原因は甲状腺ペルオキシダーゼに対する自己抗体である．]

2．**甲状腺機能亢進症**：甲状腺ホルモンが過剰に産生される状態である．I(成人ULは 1.1 g/日)を含むサプリメントを過剰に摂取することによっても生じうるが(訳注：過剰摂取により甲状腺ホルモンの産生が抑制されることもある)，多くはTSH様の作用を発揮する自己抗体が原因のグレーブスGraves病(1835 年報告)(バセドウBasedow病(1840 年報告))である．この自己抗体により甲状腺ホルモン産生が過剰に刺激される．精神高揚，体重減少，発汗や心拍数の上昇，眼球突出 exophthalmos(図 29.16)，甲状腺腫などが出現する．

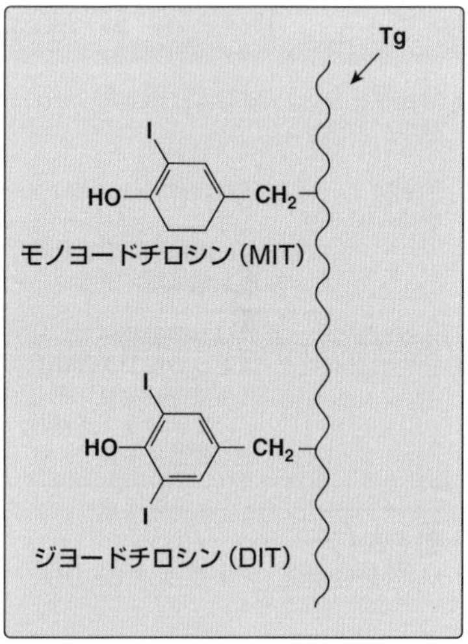

B．セレニウム(Se，セレン)

Seはセリンの SがSeに置き換わったセレノシステインとして，ヒトでは約 25 種のタンパク質(セレノプロテイン)に存在する(p.348 参照)．セレノプロテインには以下がある．ROSの一種である過酸化水素を水に還元する反応でグルタチオンを酸化する**グルタチオンペルオ**

Tg
I
HO
CH_2
モノヨードチロシン(MIT)
I
HO
CH_2
I
ジヨードチロシン(DIT)

図 29.14
サイログロブリン(Tg)のチロシン残基のヨード化によるモノヨードチロシン(MIT)とジヨードチロシン(DIT)の産生(訳注：サイログロブリン内でDITとDIT，もしくはMITとDITがカップリングされて，それぞれT_3とT_4が生成される．本文参照)．

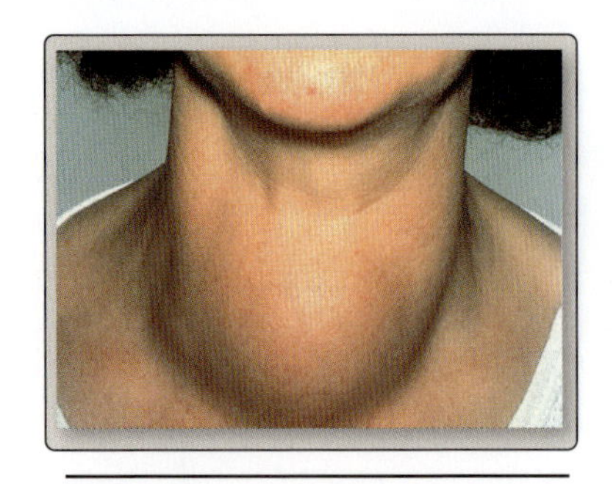

図 29.15
甲状腺腫.

キシダーゼ **glutathione peroxidase**（13 章参照），**リボヌクレオチドレダクターゼ ribonucleotide reductase** の補酵素であるチオレドキシンを還元する**チオレドキシンレダクターゼ thioredoxin reductase**（p.386 参照），甲状腺ホルモンからヨウ素を除去する脱ヨウ素酵素などである．肉，乳製品，穀物などに豊富に含まれる．中国で最初に発見された特徴的な心筋症を呈する克山（コクザン）Keshan病はセレン欠乏症であり，Seが少ない土壌で栽培された食物（訳注：トウモロコシ）を主食とすることが原因であった（訳注：その後，点滴栄養剤にSeが添加されるようになった）．サプリメントの過剰摂取によるセレン過剰症では，爪剝離や脱毛がみられる．皮膚症状や精神症状も出現しうる（成人ULは 2 mg/日）（訳注：2017 年規定量の 1,000 倍のセレニウム投与による急性中毒死亡事故が発生した）．

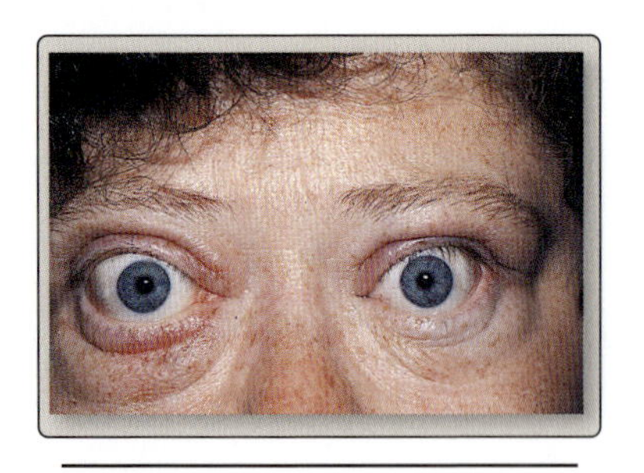

図 29.16
甲状腺機能亢進症の眼球突出.

C. モリブデン（Mo）

Moは少数の哺乳類**オキシダーゼ oxidase** の補因子である（図 29.17）．豆類が主要な供給源である．食事性欠乏症は知られていない．ヒトでの毒性は低い（成人ULは 2 mg/日）．

Mo要求性酵素	機 能
アルデヒドオキシダーゼ	薬物を代謝する
亜硫酸オキシダーゼ	硫黄含有アミノ酸（メチオニンとシステイン）の代謝で，亜硫酸塩を硫酸塩にする．
キサンチンオキシダーゼ	プリン分解経路で，ヒポキサンチンを酸化してキサンチンに，そして，キサンチンを酸化して尿酸にする．

図 29.17
Mo要求性酵素（オキシダーゼ）の例.

コバルト（Co）も超微量ミネラルであり，ビタミンB_{12}（コバラミン，p.493 参照）の構成要素である．コバラミンは，ホモシステインを再メチル化してメチオニンを合成する反応（p.342 参照）ではメチルコバラミンとして，メチルマロニルCoAの異性化反応（p.252 参照）ではアデノシルコバラミンとして必須である．Coの推奨量や食事摂取基準（p.467）は定まっていない．

V. 要 約

ミネラルについて，図 29.18 にまとめた.

分 類	機 能	説 明
多量ミネラル 1日成人必要量　100 mg以上		
カルシウム（Ca）	骨や歯の主要成分であるヒドロキシアパタイト（$Ca_5[PO_4]_3OH$）の構成要素．筋収縮や血液凝固の制御．シグナル伝達.	食事性欠乏症は知られていない．サプリメントによる過剰症．PTHやビタミンD欠乏症による低カルシウム血症では腎結石を伴う．PTH過剰症による高カルシウム血症では，骨の再吸収が促進される.
塩素（Cl）	電解質バランス（Na，Kとの対）．胃酸（HCl）.	食事性欠乏症はまれである．食塩（NaCl）として過剰摂取される.
マグネシウム（Mg）	骨の非主流構成要素．酵素活性の制御（基質あるいは酵素と結合）.	米国の平均摂取量は推奨量未満である．低マグネシウム血症では過興奮性と不整脈が生じる．高マグネシウム血症では低血圧がみられる.
リン（P）	骨や歯のヒドロキシアパタイトの構成要素．高エネルギー結合を構成（ATPなど）．膜の構成要素．リン酸化による機能制御.	食事性欠乏症はまれ．低リン酸血症（リフィーディング症候群，PTH過剰症，アルミニウム含有制酸剤の過剰）では筋力低下がみられる．PTH低下症での高リン酸血症では異所性石灰化がみられる.
カリウム（K）	膜電位維持，血圧制御.	米国の平均摂取量は推奨量未満である．わずかな血性Kの変動でも，重大な不整脈や筋力低下が生じる.
ナトリウム（Na）	膜電位維持．循環量や血圧の維持．ブドウ糖，ガラクトース，アミノ酸の吸収に必要.	食事性欠乏症はまれ．食塩（NaCl）としての過剰摂取．低ナトリウム血症は抗利尿ホルモンの過剰（syndrome of inappropriate secretion of ADH，SIADH）により体内水分が貯留した場合などに生じる．高ナトリウム血症は水分欠乏時に生じる.
微量ミネラル 1日成人必要量　1～100 mg		
クロム（Cr）	インスリン作用の増強.	作用機序不明.
銅（Cu）	酵素補因子.	食事性欠乏症はまれ．メンケス病（遺伝性全身性銅欠乏症）．ウィルソン病（遺伝性全身性銅過剰症）.
フッ素（フッ素イオン，F^-）	虫歯菌が産生するエナメル質融解性酸への抵抗性の増強.	欠乏すると虫歯になりやすくなる.
鉄（Fe）	酵素補因子．酸素結合基．Fe-Sタンパク質.	食事性欠乏症では小球性貧血となる．遺伝性ヘモクロマトーシスは遺伝性鉄過剰症であり，ブロンズ糖尿病（高血糖，色素沈着）となる.
マンガン（Mn）	酵素補因子.	食事性欠乏症はまれ.
亜鉛（Zn）	酵素補因子．タンパク質構造形成（ジンクフィンガー）.	フィチン酸塩や一部の薬物は吸収を阻害する．小腸Znトランスポーター欠損症では重度のZn欠乏症（腸性肢端皮膚炎）となる.
超微量ミネラル 1日成人必要量　1 mg以下		
ヨウ素（I）	甲状腺ホルモン（T_3，T_4）産生.	欠乏症では甲状腺腫が生じる．甲状腺機能低下症では，易疲労性，体重増加，代謝低下となる．先天性低下症では神経障害が生じる．グレーブス病はT_3，T_4が過剰生産される甲状腺機能亢進症である.
モリブデン（Mo）	酵素補因子.	食事性欠乏症は知られていない.
セレニウム（Se）	セレノプロテインにセレノシステインとして存在.	食事性欠乏症はまれだが，克山病は低Se土壌の作物の主食が原因.

図 29.18
ミネラルのまとめ．PTH：副甲状腺ホルモン，S：硫黄，T_3：トリヨードチロニン，T_4：チロキシン.

学習問題

問題 29.1 ～ 29.7 では，下記のA～Mのミネラルの中から，最も説明に合致するものを選べ．

A. カルシウム
B. 塩素
C. 銅
D. ヨウ素
E. 鉄
F. マグネシウム
G. マンガン
H. モリブデン
I. リン
J. カリウム
K. セレニウム
L. ナトリウム
M. 亜鉛

29.1 過剰摂取が高血圧の原因となるミネラル

29.2 最も豊富な細胞外イオン

29.3 リフィーディング症候群やアルミニウム含有制酸剤が低下の要因となるミネラル

29.4 抗酸化作用，甲状腺ホルモン代謝，還元反応に関与するタンパク質に含まれるミネラル

29.5 DNA結合タンパク質の超二次構造(モチーフ)形成に必要なミネラル(欠乏症では皮膚炎)

29.6 骨痛，テタニー(間欠的筋収縮)，感覚異常(ピリピリ感)，出血傾向が欠乏症で生じるミネラル

29.7 甲状腺腫や代謝率の低下が欠乏症で生じるミネラル

正解 29.1 L，29.2 B，29.3 I，29.4 K，29.5 M，29.6 A，29.7 D．高ナトリウム血症では水分が過量に貯留し高血圧になりうる．この食塩感受性高血圧はアフリカ系アメリカ人等に多い．塩素イオン(陰イオン)は最大の細胞外イオンである．[注：ナトリウムイオンは最大の細胞外の陽イオンである．カリウムイオンは最大の細胞内の陽イオンである．リン酸は最大の細胞内の陰イオンである．細胞膜を挟んだ細胞内外の濃度差は能動輸送によって維持されている．]糖質代謝にはリン酸化中間体が介在している．極度の飢餓状態の個体に栄養を与えると，リン酸が急速に消費されて，低リン酸血症となる．筋力低下が主な症状である．セリンにセレニウムが結合して産生されるセレノシステインは，グルタチオンペルオキシダーゼ，脱ヨウ素酵素，チオレドキシンレダクターゼといったセレノプロテインに含まれる．ジンク(Zn)フィンガーはDNA結合タンパク質(転写因子など)にみられるモチーフである．小腸トランスポーターの変異による重篤なZn欠乏症は，皮膚炎，下痢，脱毛症などを伴う腸性肢端皮膚炎が生じる．カルシウムは骨代謝，筋収縮，神経伝達，血液凝固などに必須である．欠乏症ではこれらすべてが異常となる．甲状腺ホルモンはサイログロブリンのチロシンがヨウ素化されて，タンパク質分解酵素により遊離されて生成される．ヨウ素が欠乏すると，ホルモン合成促進刺激により甲状腺が腫大する．[注：甲状腺腫はこのような機能低下症(橋本病)でも，機能亢進症(グレーブス病)でも生じる．どちらも自己免疫疾患である．]甲状腺ホルモンは基礎代謝を亢進する．

29.8 ディジョージDiGeorge症候群は胸腺と副甲状腺の先天的な形成不全である．臨床症状にはT細胞欠損による再発性感染症がある．副甲状腺ホルモン低下による症状はどれか．

A. 骨再吸収の上昇
B. 腎臓のカルシウム再吸収の上昇
C. 血清カルシトリオールの上昇
D. 血清リン酸の上昇

正解 D. 副甲状腺ホルモン(PTH)は骨再吸収(脱灰化)を亢進してカルシウムとリン酸の遊離を促進する．また，カルシジオールをカルシトリオールに変換する腎ヒドロキシラーゼを活性化して腎臓でのカルシウム再吸収も促進する．さらに腎臓からのリン酸の排出を促進する．ディジョージ症候群では副甲状腺機能低下症となり，PTHのこれらの作用が低下する．その結果，低カルシウム血症と高リン酸血症が生じる．

問題29.9と29.10では，下記の中の合致する疾患/症状を選べ．

A. グレーブス病
B. 遺伝性ヘモクロマトーシス
C. 高カルシウム血症
D. 高リン酸血症
E. 克山病
F. メンケス病
G. セレン中毒症
H. ウィルソン病

29.9 28歳男性．最近の重篤な右上腹部の痛みを訴えている．細かい運動機能に支障が生じている．診察では黄疸は見出されなかった．臨床検査は肝機能障害(血清ALT，ASTの上昇)，尿中のカルシウムとリン酸の上昇がみられた．眼科診察により，角膜のカイザー・フライシャー角膜輪が見出された．ペニシラミンとZnの投与が開始された．

正解 H. 患者はウィルソン病である．この疾患は常染色体劣性遺伝し，肝臓銅排出タンパク質ATP7Bの変異により，肝臓からの銅の排出が低下する．肝臓から血中に銅が漏出し，脳，眼球，腎臓，皮膚などに沈着する．その結果，肝障害，腎障害，神経障害，角膜への銅の沈着が生じる．治療として，金属キレート剤のペニシラミンが投与される．また，Znも食事中の銅をキレートし吸収を阻害するので，Znも併用される．

29.10 52歳女性．皮膚の色素沈着を訴えている．日焼けしたような色になっている(意図的な日焼けなどは行っていない)．診察で，色素沈着，肝腫大，軽度の強膜黄疸が見出された．臨床検査は血清トランスアミナーゼ(ALT，AST)が著しく上昇していた(肝障害の可能性)．空腹時血糖も上昇していた．その他の検査結果はまだ来ない．

正解 B. 患者は遺伝性ヘモクロマトーシスである．ヘプシジンの低下による鉄過剰症である．その主な原因は*HFE*遺伝子の変異である．ヘプシジンはヒトで唯一の鉄排出タンパク質であるフェロポーチンの分解を促進する．ヘプシジン低下による鉄の貯留により，色素沈着と高血糖(ブロンズ糖尿病)が生じる．治療として，瀉血や鉄キレート剤投与が行われる．[注：報告待ちの検査結果としては，血清鉄とトランスフェリン飽和度の上昇が考えられる．] グレーブス病は甲状腺機能亢進症である．克山病はセレン欠乏症である．メンケス病は小腸の銅トランスポーターATP7Aの変異による銅欠乏症である．セレン中毒症はセレン過剰症である．

第Ⅶ編：
遺伝情報の維持と発現

DNAの構造，複製，修復 30

Ⅰ．概　要

核酸は遺伝情報の維持と発現に必要である．核酸には化学的に異なる2つのタイプが存在する．すなわち，デオキシリボ核酸(DNA)とリボ核酸(RNA，31章参照)である．遺伝情報の貯蔵庫であるDNA(ゲノム)は真核生物の核内染色体だけではなくミトコンドリアや植物の葉緑体にも存在する．核を持たない原核生物には1つの染色体が存在するが，その他にもプラスミドplasmidと呼ばれる染色体とは異なるDNAが存在する場合もある．DNAの遺伝情報はDNA複製を通してコピーされ娘細胞に伝えられる．生命を維持するために，細胞はそれぞれの種類に特殊化し，それぞれの役割を果たすのに必要な遺伝子だけを発現するようになる．受精卵に含まれるDNAは生物の発生を制御する情報をコードし，この発生によって何十億個もの細胞が産出される．したがって，DNAは各細胞分裂の際に正確に複製される必要があるだけではなく，DNAが持つ遺伝情報を選択的に発現させ，細胞の機能に必要な一群の機能的なRNAとタンパク質の生産物を作り出していかなければならない．遺伝情報の発現の第1段階は転写(RNA合成)である(31章参照)．次にメッセンジャーRNA(mRNA)分子のヌクレオチド配列の暗号が翻訳され(タンパク質合成，32章参照)遺伝子発現が完了する．遺伝子発現の制御については33章で議論する．

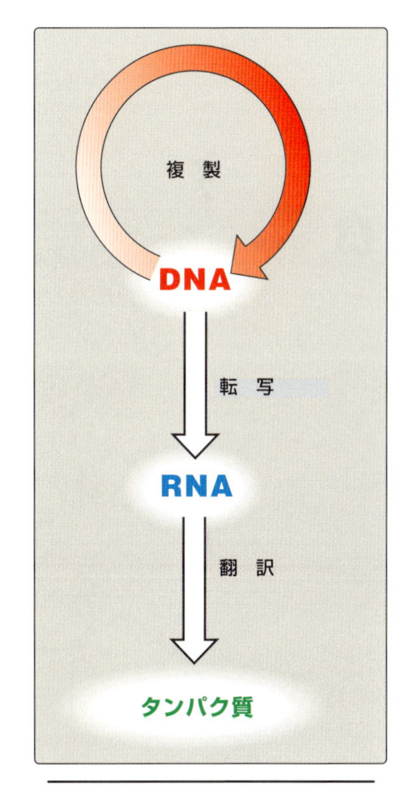

図 30.1
分子生物学における "セントラルドグマ".

このようなDNAからRNAを介してタンパク質という情報の流れは分子生物学の“セントラルドグマ central dogma”と呼ばれ(図 30.1)，RNAを遺伝情報の貯蔵庫とするある種のウイルスを除くすべての生物に当てはまる．

Ⅱ．DNAの構造

DNAはヌクレオチドとも呼ばれるデオキシリボヌクレオシド一リン酸(dNMP)が**3′-5′-ホスホジエステル結合 3′-5′-phosphodiester bond**により共有結合した多量体である．**一本鎖DNA single-stranded DNA** (ssDNA)を持つ数種類のウイルスを除き，DNAは**二本鎖DNA double-stranded DNA** (dsDNA)として存在し，それらは互いに巻きついた**二重らせん double helix**構造を形成している．[注：dNMPが結合した配列は一次構造であり，二重らせんは二次構造である．] 真核細胞においてDNAは核内のさまざまなタンパク質(**核タンパク質 nucleoprotein**として知られている)に結合しており，原核生物ではそのようなタンパク質-DNA複合体は膜で囲まれていない領域である**核様体 nucleoid**に存在する．

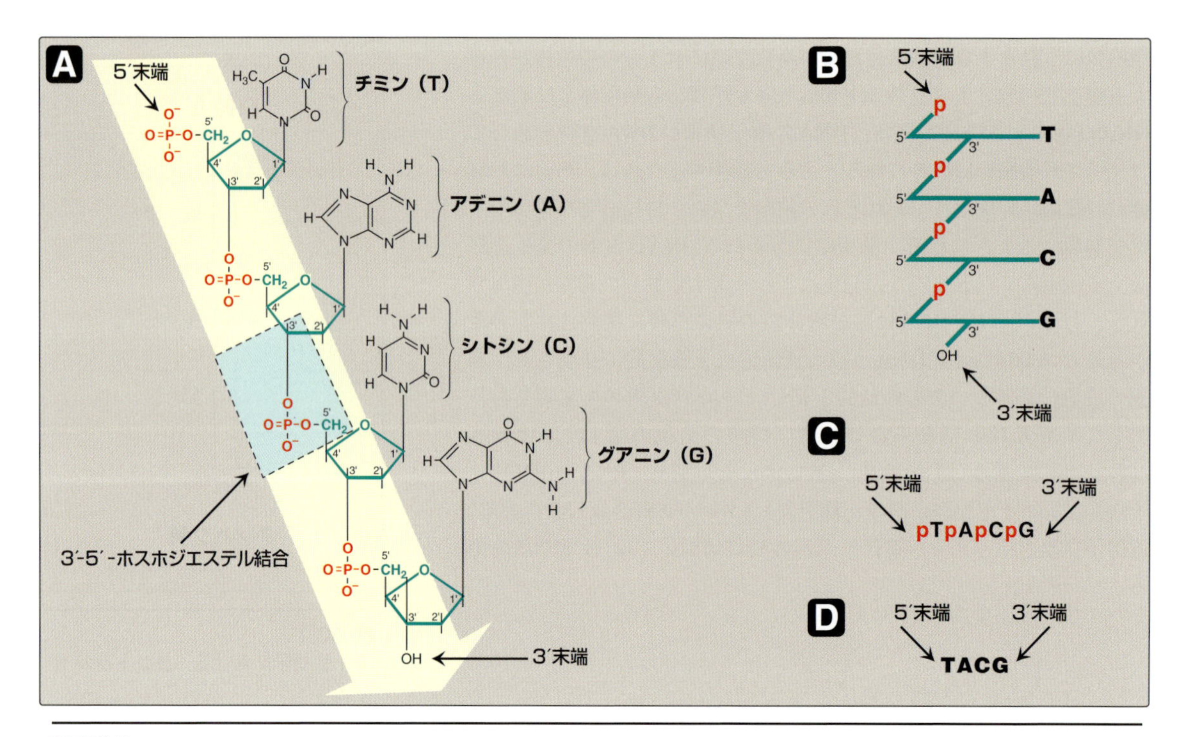

図 30.2
A. ヌクレオチド配列が5′→3′方向に記述されたDNA．3′-5′-ホスホジエステル結合を青い四角で，デオキシリボース-リン酸のバックボーンは黄色の背景で示した（黄色の矢印はDNA鎖合成の方向を表している）．B. デオキシリボース-リン酸(p)のバックボーンを強調して示したDNA．C. より簡単に記述したヌクレオチド配列．D. 最も簡単（かつ一般的）な記述．[注：特に指示がなければ，塩基配列は5′→3′方向に記述されているはずである]．

A．3′-5′-ホスホジエステル結合

ホスホジエステル結合は，隣接するヌクレオチドのデオキシリボースの3′-ヒドロキシ基（水酸基）と5′-ヒドロキシ基をリン酸基を介して連結させる（図30.2）．その結果できる長く枝分かれのない鎖には，ヌクレオチドが結合していない5′末端（遊離のリン酸基が存在する）と3′末端（遊離のヒドロキシ基が存在する）からなる**極性 polarity**が生じる．塩基はデオキシリボース-リン酸のバックボーンに沿って存在し，慣例的に必ず5′末端から3′末端へとその配列が書かれる．例えば，図30.2 Aに示されているDNAの配列は，TACGと表記し，“**チミン thymine**（T），**アデニン adenine**（A），**シトシン cytosine**（C），**グアニン guanine**（G）”と読む．ヌクレオチド間のホスホジエステル結合はヌクレアーゼ nucleaseファミリー（DNAの場合はデオキシリボヌクレアーゼ deoxyribonuclease，RNAの場合はリボヌクレアーゼ ribonuclease）によって酵素的に加水分解されるか，または化学物質による加水分解で切断される．[注：アルカリ溶液中ではDNAは安定であるが，RNAは非酵素的に加水分解される．]

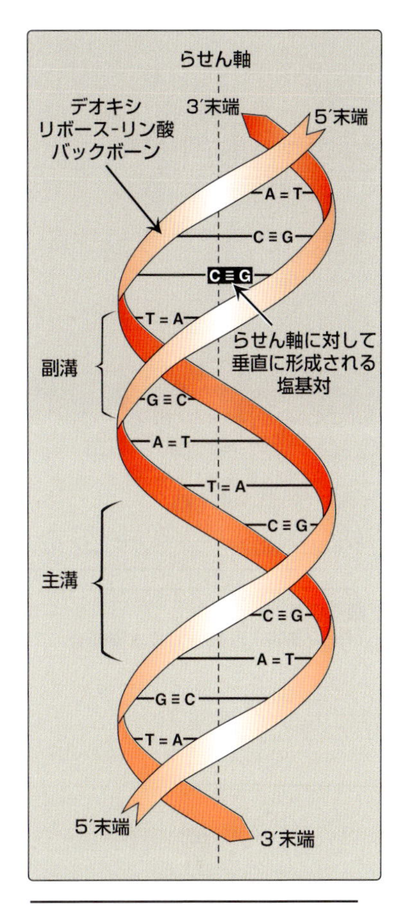

図30.3
主ないくつかの構造的特徴を記したDNA二重らせん．T：チミン，A：アデニン，C：シトシン，G：グアニン．

B．二重らせん

二重らせん中では2本の鎖が**らせん軸 helical axis**と呼ばれる共通の軸を中心に互いに巻きついている．図30.3に示されるように，2本の鎖は**逆平行 anti-parallel manner**に，すなわち一方の鎖の5′末端が他方の鎖の3′末端と対をなす．DNAらせん中では，親水性のデオキシリボース-リン酸のバックボーンが分子の外側にあり，疎水性の塩基が内側に連なっている．全体の構造はらせん階段に似ている．DNAらせん中には2本鎖の空間的関係により**主溝 major groove**（**広い溝 wide groove**）と**副溝 minor groove**（**狭い溝 narrow groove**）ができる．これらの溝によって制御タンパク質がDNA鎖の特異的認識配列に結合できるようになる．[注：ダクチノマイシン（アクチノマイシンD）などある種の抗がん薬（抗悪性腫瘍薬）は二本鎖DNAの副溝に入り込むことによってDNA（およびRNA）合成を阻害し，細胞毒性を発揮する．]

1．**塩基対形成**：DNAの2本鎖は互いに塩基間で結合するが，その際，アデニン（A）は必ずチミン（T）と，シトシン（C）は必ずグアニン（G）と対を作る．[注：塩基対 base pair（bp）はらせん軸に対して垂直となる（図30.3参照）．］したがって，DNA二重らせんのそれぞれのポリヌクレオチド鎖はもう一方の鎖に対して必ず**相補的 complementary**になる．すなわち，一方の鎖の塩基配列から相補鎖の塩基配列を知ることができる（図30.4）．[注：DNAの特異的な塩基対形成により**シャルガフの法則 Chargaff rule**が導き出される．すなわち，いかなるds DNAサンプル（試料）においてもAとTの含量，GとCの含量，ならびにプリン（A + G）とピリミジン（T + C）の含量がそれぞれ等しい．］塩基間は**水素結合 hydrogen bond**によってつながっており，AとTとの間は2つ，GとCとの間は3つの水素結合が形成される（図30.5）．塩基対は，その結合面が平行になるようにらせん軸にそって積み上げられている．塩基対の水素結合と連なった塩基間の疎水性相互作用により

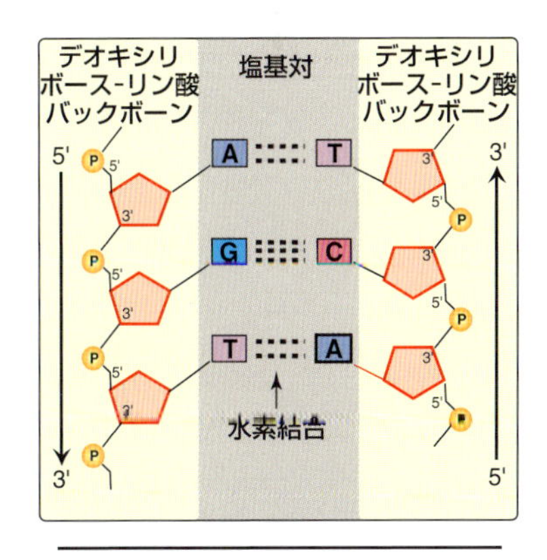

図30.4
2本の相補的DNA配列．T：チミン，A：アデニン，C：シトシン，G：グアニン．

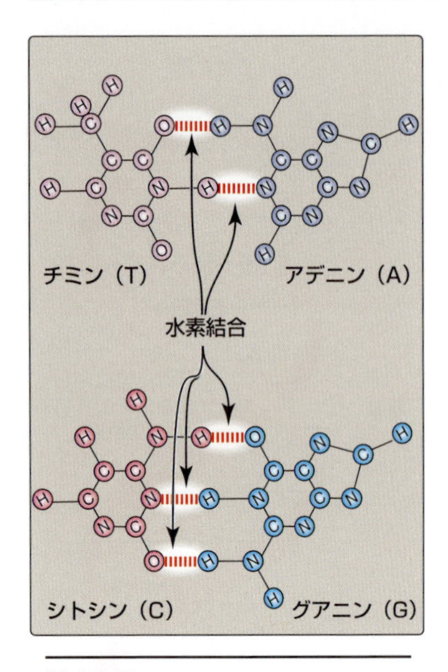

図 30.5
相補塩基間に形成される水素結合．

二重らせん構造が安定化される．

2．**DNA鎖の解離**：DNA二重らせんは，塩基対間の水素結合が切れることによってその二本鎖が解離する．研究室においてはDNA溶液のpHを変化させ核酸塩基をイオン化させたり，DNA溶液を加熱することによって二本鎖を解離させることができる．[注：共有結合であるホスホジエステル結合はそのような処理では壊れない．] DNAを加熱したときにらせん構造の半分が崩壊し，一本鎖領域が出現する温度を**融解温度 melting temperature**（T_m）と定義している．DNAのらせん構造の崩壊を**変性 denaturation**と呼ぶが，これは260 nmの吸光度を測定することによってモニターすることができる．[注：ssDNAはdsDNAに比べこの波長の吸光度が高い．] GとCの水素結合は3つであるのに対してAとTの水素結合は2つであるため，AとTに富むDNAはGとCに富むDNAに比べより低い温度で変性する（図 30.6）．DNA溶液を冷やしたり中性のpHまで滴定した場合は，2本の相補的な一本鎖DNAは**再生 renaturation**または**リアニーリング reannealing**と呼ばれる過程によって再び二重らせんを形成する．[注：二本鎖の解離はDNAまたはRNAの合成時に短い範囲で起こる．]

3．**二重らせんの構造**：DNAの取りうる構造は大きく3種類ある．すなわち，B型（1953年にワトソンWatsonとクリックClickによって提唱された），そしてA型およびZ型である．B型はらせん360度一回転（一巻き）あたりに10個の塩基対（bp）が含まれる右巻きのらせん構造で，塩基対はらせんの軸に対して垂直になる．染色体DNAは主に**B型DNA**からなると考えられている（図 30.7 にB型DNAの空間充填模型を示す）．A型DNAはB型DNAを乾燥した条件にすると形成される．A型もやはり右巻きのらせん構造であるが，らせん一巻きには11 bpが含まれ，また塩基対はらせんの軸に対する垂直面に対して20度傾いている．DNA-RNAハイブリッド（p.539 参照）やRNA-RNA二本鎖ではおそらくA型にきわめて近い構造をとる．**Z型DNA**は左巻きのらせん構造をとり，一巻きあたり12 bpが含まれる（図 30.7 参照）．[注：デオキシリボース-リン酸のバックボーンは，ジグザグの形をしていることからZ型DNAと名づけられた．] Z型DNAは，プリン-ピリミジン交互の配列（例えば，ポリGC）が存在するDNA領域で自然にみられる．DNAのB型とZ型のらせん構造の変化は遺伝子発現の制御に重要な役割を果たしているかもしれない．

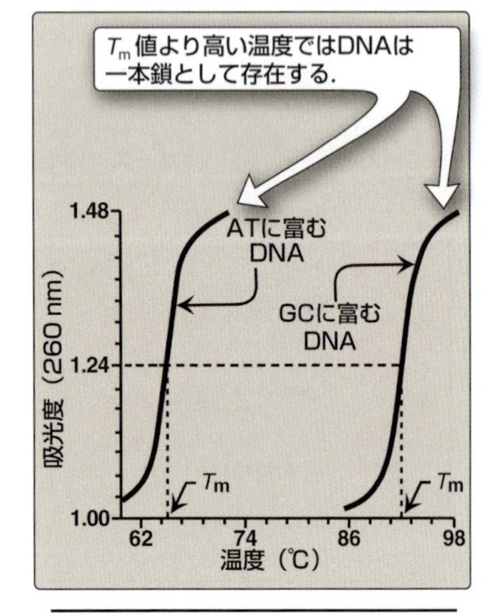

図 30.6
ヌクレオチド含量が異なるDNAの融解温度（T_m 値）

C. 直鎖状および環状DNA分子

真核細胞の核内の染色体には，それぞれに1本の長い直鎖状dsDNA分子が含まれている．そのDNAはさまざまなタンパク質の複合体（ヒストンおよび非ヒストン，p.547 参照）と結合することによって**クロマチン chromatin**を形成している．真核細胞はそのミトコンドリアや植物の葉緑体に環状dsDNAを持っている．原核生物には一般的に1つの環状dsDNAが存在する．原核細胞の染色体は非ヒストンタンパク質が結合しており，それがDNAを**核様体 nucleoid**へとコンパクト化するのを助けている．さらに，ほとんどの種の細菌には**プラスミド plasmid**と呼ばれる小さい環状の染色体外DNA分子が含まれている．プラスミドDNAには遺伝情報が存在し，その複製は染色体の複製と同調する場合としない場合がある．［注：組換えDNA技術におけるプラスミドのベクターとしての利用に関しては34章で述べる．］

> プラスミド上には宿主細菌に抗生物質耐性を与える遺伝子が存在する場合があり，細菌から細菌への遺伝情報の移行を容易にする．

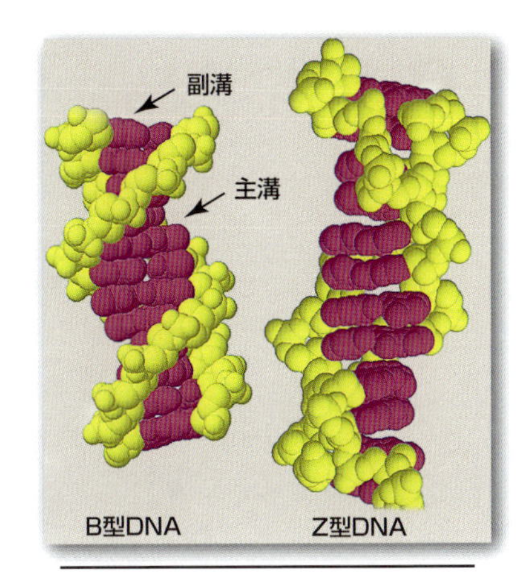

図 30.7
B型DNAとZ型DNAの構造．

Ⅲ．原核生物におけるDNA複製過程

dsDNAの二重らせんが開くと，それぞれの鎖は新しい相補鎖を複製（合成）するための**鋳型 template**となる．これにより2本の新たなDNA分子ができ，それぞれが逆方向に対になった二本鎖（1つは古く，1つは新しい）を形成する（図30.3参照）．このとき新たにできた二重らせん分子は，一方の鎖は親からのものが保存されて受け継がれ，もう一方の一本鎖だけが新しく合成されるので（それゆえ完全に保存的ではない），これを**半保存的複製 semiconservative replication**と呼ぶ（図30.8）．DNA複製において鋳型をもとに働く酵素がマグネシウム（Mg^{2+}）を必要とするポリメラーゼpolymeraseであり，それはそれぞれの鎖の相補鎖をきわめて正確に合成する．この節で説明している複製反応ははじめは*Escherichia coli*（*E. coli*，大腸菌）の研究から明らかになったものであり，以下ではそのような原核生物における複製機構について述べる．高等生物におけるDNA合成はより複雑ではあるが同じような機構が関与している．どちらの生物にしても，一度DNA複製がはじまるとそれは全ゲノムが複製されるまで続く．

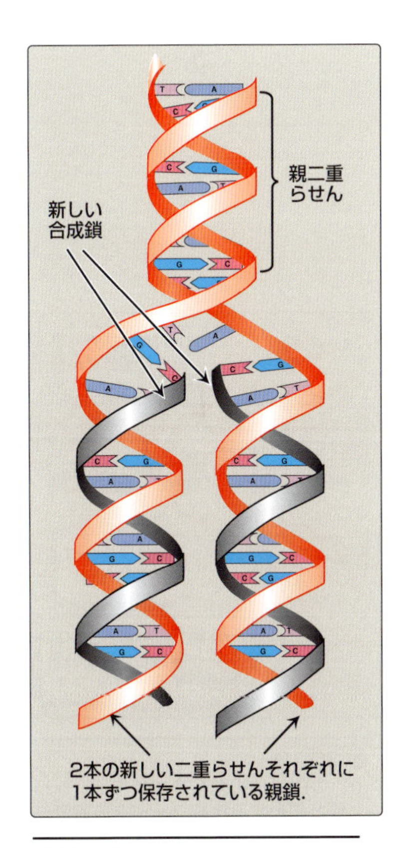

図 30.8
DNAの半保存的複製．

A．相補鎖の解離

ポリメラーゼは必ずssDNAを鋳型として用いるため，dsDNAが複製されるためにはまず部分的にでもその2本の相補鎖が分離（もしくは"融解"）しなければならない．図30.9 Aで示すとおり，原核生物のDNA複製は，**複製起点 origin of replication**（ori．大腸菌ではoriC）と呼ばれる1カ所の特定の塩基配列を含む部分からはじまる．［注：この配列は基本的にどの細菌でも同じであることから，**コンセンサス配列 consensus sequence**と呼ばれる．］複製起点は，融解しやすいように短いATに富む配列を含む．真核生物のDNA複製はそれぞれの染色体の複数の部位からはじまる（図30.9 B）．真核生物はその巨大なDNA分子に複製起点を多く持つことにより複製に要する時間を短縮している．

B．複製フォークの形成

DNAの二本鎖がほどけ引き離されると，複製起点から逆方向（**両方**

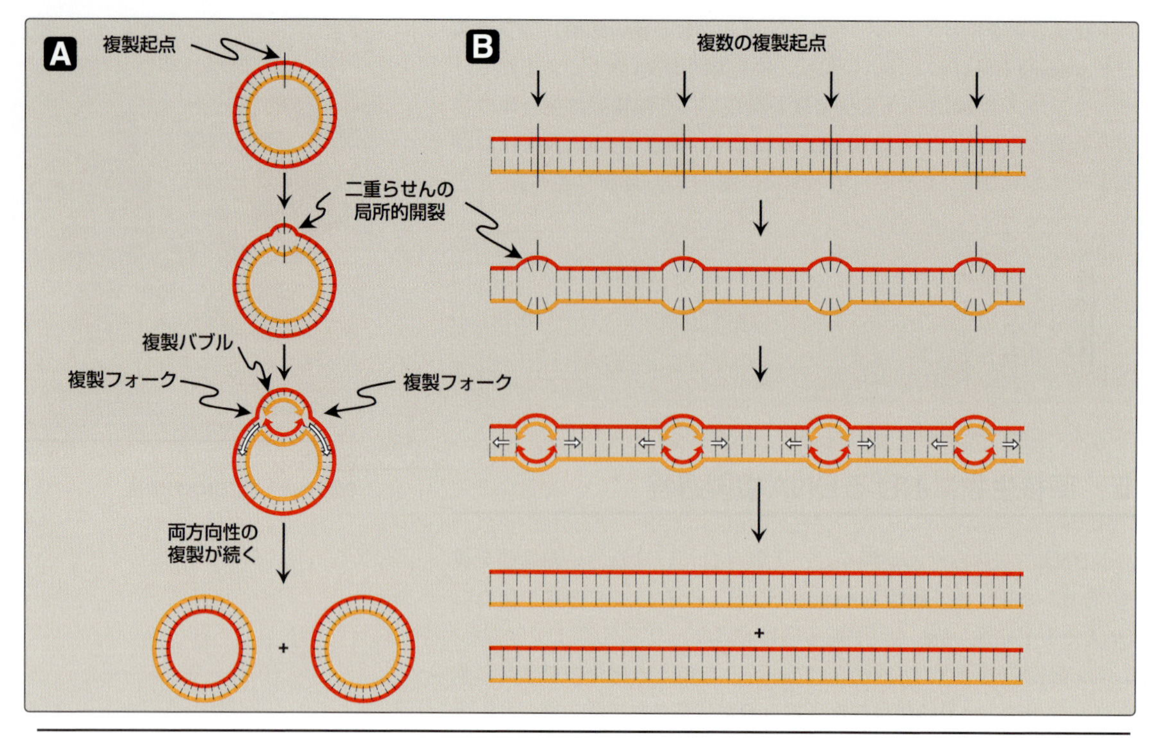

図 30.9
DNA複製：複製起点と複製フォーク．A．小さく環状の原核生物DNA．B．長く直鎖状の真核生物DNA．

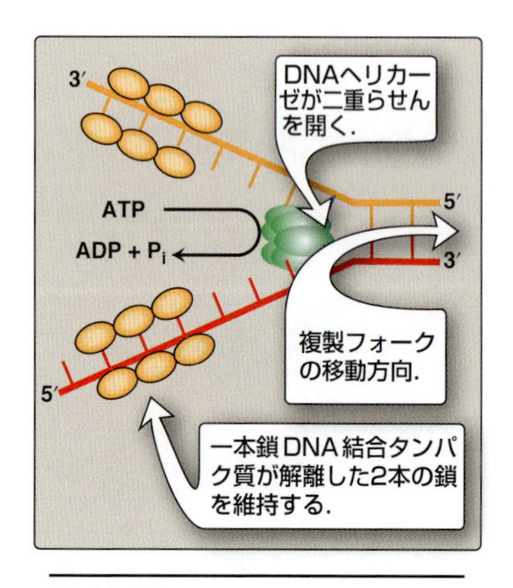

図 30.10
もとのDNA鎖の解離を維持するタンパク質と移動する複製フォークの前で二重らせんを巻き戻すタンパク質．
ADP：アデノシン二リン酸，P_i：無機リン酸．

向 **bidirectionally**）へと移動する 2 つの**複製フォーク replication fork** において合成が起こり，その結果複製バブルが形成される（図 30.9 参照）［注：「複製フォーク」という言葉はY字形の構造に由来しており，フォークの歯が引き離された鎖を表している（図 30.10 参照）．］

1．**必要なタンパク質**：DNA複製を開始させるためには，**プレプライミング複合体 prepriming complex** を構成するタンパク質群が複製起点（開始点）を認識することが必要である．これらのタンパク質は複製起点で融解したり，親鎖の解離を維持したり，複製フォークの進行に先だって二重らせんをほどいたりする役割を果たしている．大腸菌では，それには以下のようなタンパク質が含まれる．

a．**DnaAタンパク質**：DnaAタンパク質は複製起点（oriC）にある特異的ヌクレオチド配列（DnaA box）に結合することで複製を開始する．その結合により，複製起点のATに富む領域（DNA解離領域）が融解する．この融解（DNA鎖の解離）により短く局所的なssDNAの形成が起こる．

b．**DNAヘリカーゼ**：この酵素は複製起点周辺でssDNAに結合し，次に二本鎖領域に移動し鎖を引き離す（実際には，二重らせんを巻き戻している）．ヘリカーゼ **helicase** の働きにはATP加水分解のエネルギーが必要である（図 30.10）．複製フォークの巻き戻しによってDNA分子の別の領域にスーパーコイルが生じる．［注：DnaBは大腸菌の複製における主要なヘリカーゼである．この六量体タンパク質のDNAへの結合には，DnaCが必要である.］スーパーコイルは四次構造のようなものであり，染色体の二重らせんそれ自体が1回以上交差することでDNA分子のねじれのひずみを解消する.

c. **一本鎖DNA結合タンパク質 single-strand DNA-binding protein (SSB)**：このタンパク質はヘリカーゼによって作られたssDNAに結合する(図30.10参照). このタンパク質は協同的な結合をする(すなわち，1分子のSSBがDNA鎖に結合していると，他のSSBもそのDNA鎖に強く結合しやすくなる). SSBは酵素ではないが，DNAの二本鎖と一本鎖の平衡をより一本鎖の方向へと移す働きがある. このタンパク質は複製起点周辺で解離したDNAの一本鎖を維持し，ポリメラーゼが鋳型として利用するのを助けるとともに，ヌクレアーゼによってssDNAが切断されるのを防ぐ.

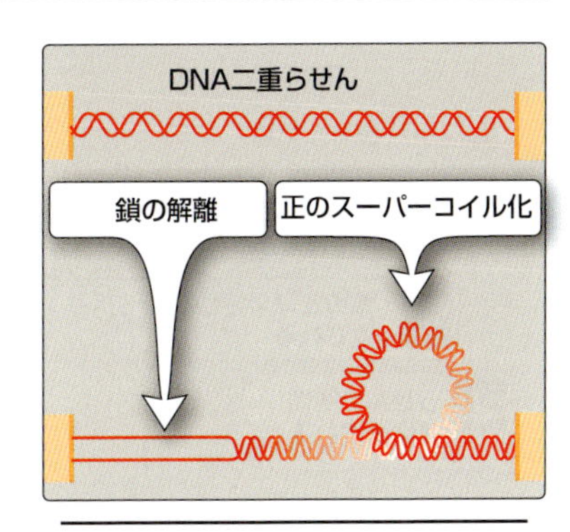

図 30.11
DNA鎖の解離によって生ずる正のスーパーコイル.

2. **スーパーコイル問題の解決**：スーパーコイルはDNAの過度の巻きつけ(正のスーパーコイル)またはDNAの巻き戻し(負のスーパーコイル)によって起こる. 二重らせんの解離によって問題が生じる. つまり，複製フォークの前方では**正のスーパーコイル positive supercoil**が発生し(図30.11)，複製フォークの後方では負のスーパーコイルが発生する. 正のスーパーコイルが蓄積するとそれ以上DNA鎖を解離させることができなくなる.［注：スーパーコイル化は，電話の受話器のらせんコードの一方を強く握り，もう一方をねじることによって起こすことができる. もし，コードを渦巻きを強くする方向にねじると，コードが巻かれて正のスーパーコイルが形成する. もし，コードを渦巻きをゆるめる方向にねじると逆向きに巻かれて**負のスーパーコイル negative supercoil**が形成される.］このような問題を解決するために，DNAトポイソメラーゼ DNA topoisomeraseと呼ばれる酵素が機能し，片方または両方のDNA鎖を一時的に切断することにより，二重らせんのスーパーコイルを取り除く.

a. **Ⅰ型DNAトポイソメラーゼ type Ⅰ DNA topoisomerase**：この酵素は，二重らせんの片方の鎖を可逆的に切断し，ニック nick(切れ目)の入った鎖の末端を共有結合させる. これは**鎖切断 strand-cutting**活性と**鎖再結合 strand-resealing**活性の両方を持つ. 反応にはATPを必要としないが，酵素が切断するホスホジエステル結合に蓄えられたエネルギーが切断の再結合に用いられる(図30.12). 酵素が一本鎖に一時的なニックを作るごとにニックがもう一方の鎖のまわりを回転し，その後ニックが再結合される. このことから蓄積していたスーパーコイルが解消(弛緩)される. Ⅰ型DNAトポイソメラーゼは大腸菌においては負のスーパーコイル(弛緩DNAよりも二重らせんの巻き数が少ないDNA)を，多くの原核細胞(大腸菌を除く)と真核細胞においては負および正(弛緩DNAよりも二重らせんの巻き数が少ないまたは多いDNA)両方のスーパーコイルを解消させる.

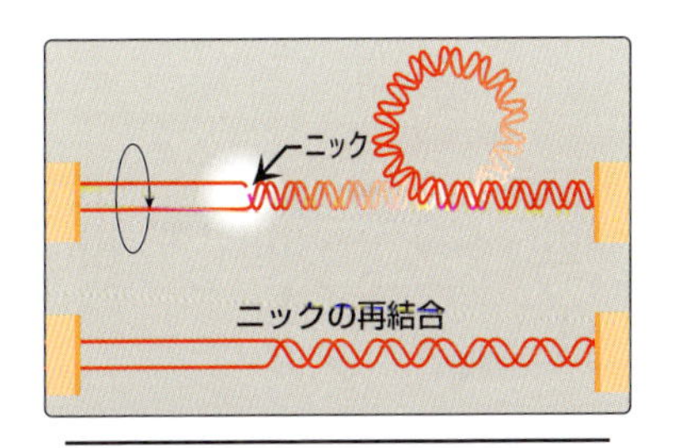

図 30.12
Ⅰ型DNAトポイソメラーゼの作用.

b. **Ⅱ型DNAトポイソメラーゼ type Ⅱ DNA topoisomerase**：この酵素は，DNA二重らせんに強く結合し，両方の鎖に一時的

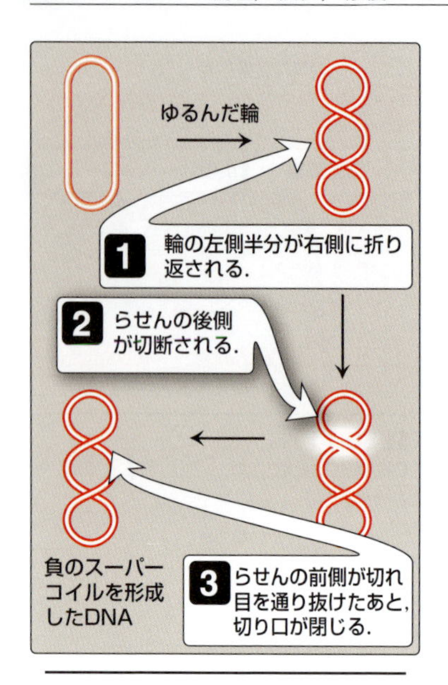

図 30.13
II 型DNAトポイソメラーゼの作用.

な切断を加える．そしてこの酵素は，その切れ目に次のDNA二重らせんを通過させ，そのあとで切れ目を閉じる(図 30.13)．その結果，正と負の両方のスーパーコイルがATP依存的に解消される．細菌と植物に存在するII型トポイソメラーゼである**DNAジャイレース DNA gyrase**は，ATPの加水分解によるエネルギーを利用し，環状DNAに負のスーパーコイルを導入する特異な活性を持つ．負のスーパーコイルの導入は，DNA複製での二重らせん解離による正のスーパーコイルを中和することになり，その結果複製が促進される．それはまた，転写反応に必要な一時的な鎖の解離も助ける(p.561 参照)．

カンプトテシン camptothecin はヒトI型トポイソメラーゼを標的とし，エトポシド etoposide はヒトII型トポイソメラーゼを標的とした抗がん薬 anticancer agent である．細菌のDNAジャイレースはシプロフロキサシン ciprofloxacin といったフルオロキノロンと呼ばれる抗菌薬 antimicrobial agent の特異的な標的である．

C. DNA複製の方向性

鋳型DNAのコピーを行うDNAポリメラーゼ DNA polymerase (DNA pol)は，親DNAを 3′ → 5′ の方向からのみ読み取ることができ，新しいDNA鎖を 5′ → 3′ の方向(逆方向)にのみ合成する．したがって，DNA 二重らせんの複製の際，2 本の新たに合成されたヌクレオチド鎖が逆方向に伸びていかなければならない．すなわち，一方は複製フォークに向かって 5′ → 3′ 方向に，もう一方は複製フォークから離れる向きに 5′ → 3′ 方向に合成されなければならない(図 30.14)．このような複製方法には 2 本の鎖で少し異なったメカニズムが関与している．

1．**リーディング鎖**：複製フォークに向かってコピーされる側のDNA鎖は連続的に合成され，**リーディング鎖 leading strand** と呼ばれる．

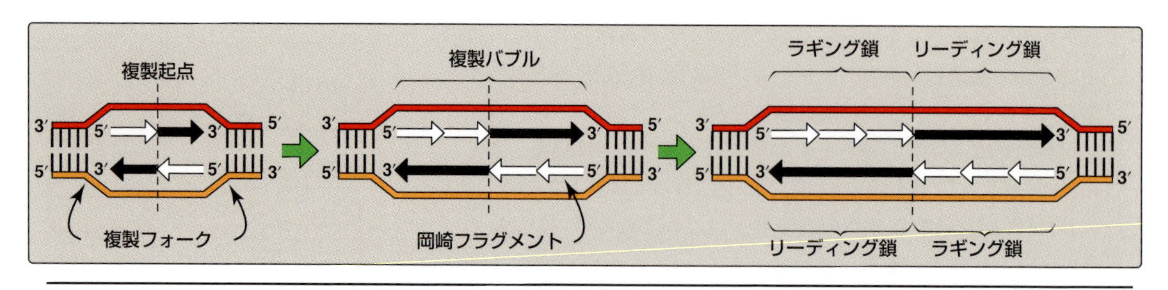

図 30.14
半非連続的なDNA合成．黒線：連続的合成，白線：非連続的合成.

2．ラギング鎖：複製フォークから離れる方向にコピーされる側のDNA鎖では，複製フォークの近くにおいて短いDNA断片が**不連続的に合成**される．**岡崎フラグメント Okazaki fragment**と呼ばれるこれらの不連続的DNA断片は，リガーゼによって結合（連結）されて結局1本の連続的なDNA鎖となる．このようなメカニズムによって合成された新たなDNA鎖を**ラギング鎖 lagging strand**と呼ぶ．

D．RNAプライマー

DNAポリメラーゼは一本鎖の鋳型があるだけではそこからDNAの相補鎖の合成をはじめることはできず，それには**RNAプライマー RNA primer**を必要とする．RNAプライマーは，鋳型DNAと塩基対（すなわち，二本鎖のDNA-RNAハイブリッド）を形成するRNAの短い断片である．RNAプライマーの3′末端に存在するヒドロキシ基は遊離しており，ここがDNAポリメラーゼによるデオキシリボヌクレオチドの最初の結合場所となる（図30.15）．［注：グリコーゲンシンターゼも短いグリコーゲン断片のプライマーが必要であることを思い出すこと（p.167参照）．］

1．プライマーゼ primase：プライマーゼ（DnaG）と呼ばれる特異なRNA ポリメラーゼ RNA polymeraseは，鋳型DNAに対し相補的でまた逆向きの短鎖RNA（およそ10ヌクレオチド程度）を合成する．その結果できる**ハイブリッド二重鎖 hybrid duplex**中ではDNAのAがRNAのウラシル（U）と対を形成している．図30.16に示すように，このRNA鎖はラギング鎖においては複製フォークのところで絶えず新たに合成される必要があるが，リーディング鎖においては複製起点で一度だけ合成されるだけでよい．この過程の基質は**5′-リボヌクレオシド三リン酸 5′-ribonucleoside triphosphate**であり，3′-5′-ホスホジエステル結合によってリボヌクレオシド一リン酸が付加されるごとにピロリン酸 pyrophosphate（PP_i）が放出される．［注：下で後述するようにRNAプライマーは後に取り除かれる．］

2．プライモソーム primosome：DNA鎖の解離（p.536参照）に必要なタンパク質のプレプライミング複合体にプライマーゼが追加されたものがプライモソームである．プライモソームはリーディング鎖の合成に必要なRNAプライマーを作るとともに，非連続的なラギング鎖の合成における岡崎フラグメント形成を開始させる．DNAの合成同様にプライマーの合成方向も5′→3′である．

E．鎖の伸長

原核生物と真核生物のDNAポリメラーゼはDNA鎖の3′末端に一度に1個のデオキシリボヌクレオチドを付加することにより新たなDNA鎖を伸長させる（図30.16参照）．付加されるヌクレオチド配列は，鋳型として働く親鎖の塩基配列からわかる．新しく合成される鎖に取り込まれたヌクレオチドは鋳型の塩基と対を形成する．

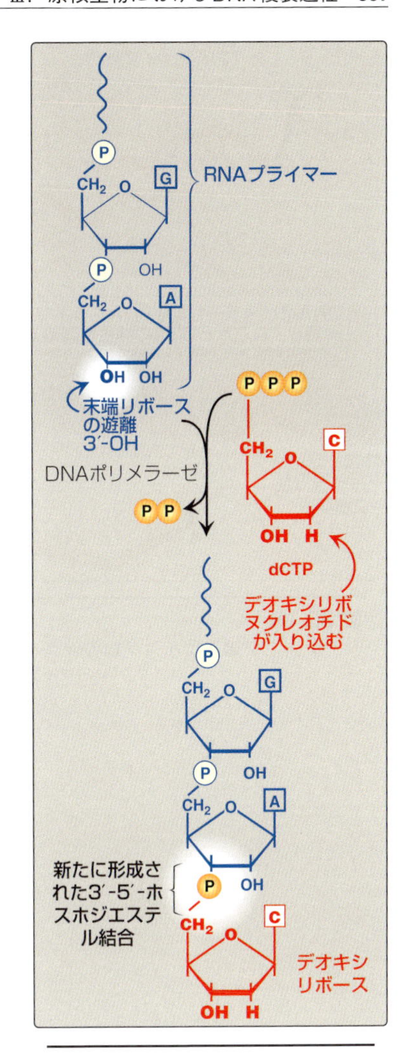

図30.15
DNA合成の開始にはRNAプライマーを用いる．P：リン酸，dCTP：デオキシシチジン三リン酸．

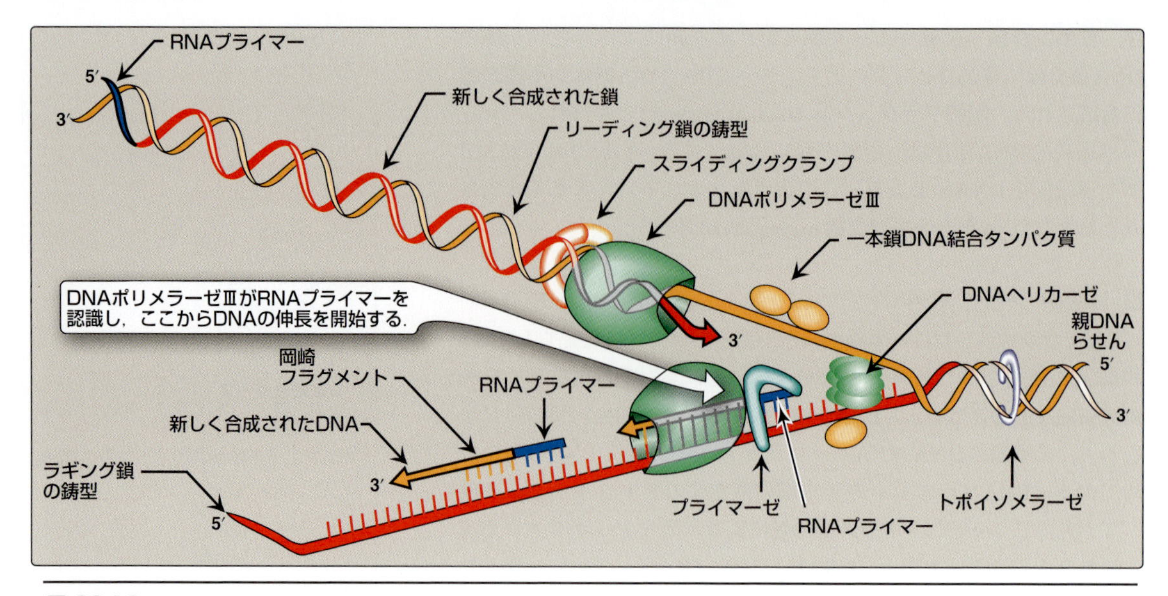

図 30.16
リーディング鎖とラギング鎖の伸長.［注：ラギング鎖ではDNAスライディングクランプは表示されていない.］

1．DNAポリメラーゼⅢ DNA polymerase Ⅲ（DNA pol Ⅲ）：DNA鎖の伸長は複数のサブユニットからなる酵素であるDNA pol Ⅲによって触媒される．DNA pol ⅢはRNAプライマーの3′-ヒドロキシ基に最初のデオキシリボヌクレオチドを付加したのち，新しい合成鎖の塩基配列を決める鋳型一本鎖に沿ってヌクレオチドを付加しはじめる．DNA pol Ⅲは鋳型鎖に沿って移動する際もその鎖に結合した状態を保っているため，新しいヌクレオチドを付加するたびに鋳型鎖から外れて再結合するといった必要がない．このことからDNA pol Ⅲはきわめて前進的（連続移動的）といえる．DNA pol Ⅲが前進的であるのは，この酵素のβサブユニットが囲むように環を形成し，DNAの鋳型鎖に沿って動く，すなわちDNAの滑って動く留め具（DNAスライディングクランプ）のように振る舞うからである．［注：クランプの形成はクランプローダーと呼ばれるタンパク質複合体とATPの加水分解によって促進される．］新たなDNA鎖娘鎖は5′→3′方向，すなわち鋳型DNA鎖と**逆平行 antiparallel**に伸びる（図 30.16 参照）．ヌクレオチドの基質は**5′-デオキシリボヌクレオシド三リン酸 5′-deoxyribonucleoside triphosphate**である．3′-5′-ホスホジエステル結合によって伸長鎖の遊離3′ヒドロキシ基にそれぞれ新しいヌクレオシド一リン酸が重合するごとにピロリン酸（PP_i）が放出される（図 30.15 参照）．PP_iはピロホスファターゼ pyrophosphataseによりさらに2個の無機リン酸（P_i）へ加水分解されることから，全体として2個の高エネルギー結合がヌクレオチド付加に利用されることになる．

> PP_iの産生とそれに続く$2P_i$への加水分解は生化学の共通テーマである．PP_iの加水分解は，PP_iを産生する反応を促進し，本質的に不可逆な反応にしている．

DNA鎖の伸長には4種類すべての基質(デオキシアデノシン三リン酸(dATP)，デオキシチミジン三リン酸(dTTP)，デオキシシチジン三リン酸(dCTP)，デオキシグアノシン三リン酸(dGTP))が必要である．ポリメラーゼがヌクレオチドと結合するK_m値よりヌクレオチドの濃度が低い場合は，DNA合成は停止する．

2．合成DNAの校正：DNA複製の誤りをできる限り少なくすることは，生命の維持にとって非常に重要である．鋳型配列の読み間違いにより，有害な，あるいは致死的な突然変異が引き起こされる可能性がある．複製を正確に行うためDNA pol Ⅲは5′→3′ポリメラーゼ5′→3′ polymerase活性に加え，**校正 proofreading**活性を有している(3′→5′エキソヌクレアーゼ3′→5′ exonuclease，図30.17)．伸長中のDNA鎖に新しいヌクレオチドを付加するときに，DNA pol Ⅲは付加したヌクレオチドの塩基が鋳型鎖の塩基と本当に正しく相補的になっているかを確認する．もし正しくなければ，その3′→5′エキソヌクレアーゼ活性によって間違って付加されたヌクレオチドを重合とは逆方向に取り除く．[注：DNA pol Ⅲのエキソヌクレアーゼexonuclease活性が働くためには塩基対が不適切な3′-ヒドロキシ基末端が必要なため，正確に対を形成した塩基配列には作用しない．] 例えば，鋳型鎖の塩基がCであるのに，酵素がGではなくAを伸長鎖に付加した場合，まず3′→5′エキソヌクレアーゼ活性によってその間違った

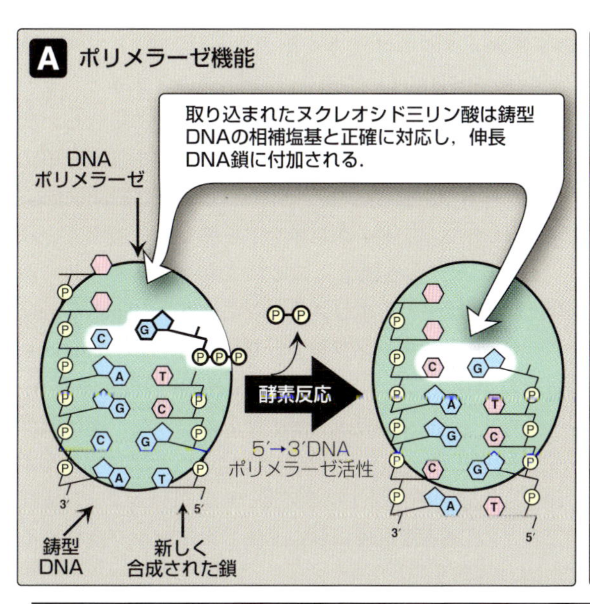

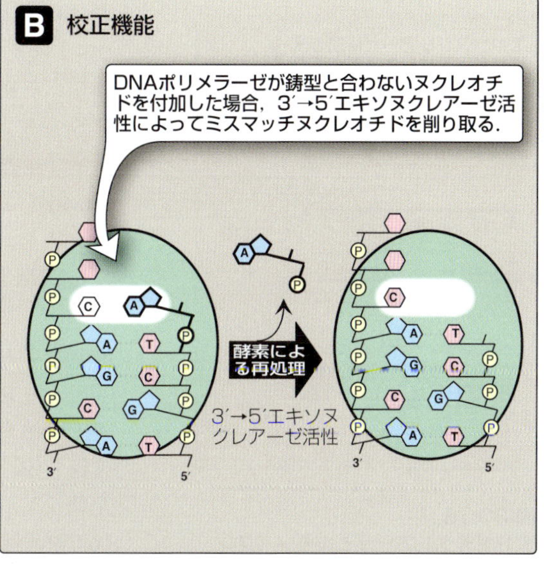

図30.17
DNAポリメラーゼⅢはその3′→5′エキソヌクレアーゼ活性によって新しく合成されたDNA鎖の校正を行う．

塩基を加水分解により除去し，そして，再び5′→3′ポリメラーゼ活性により，ヌクレオチド付加のステップが繰り返され正しいGを付加する(図30.17参照)．[注：5′→3′方向のポリメラーゼと3′→5′方向のエキソヌクレアーゼのドメインはDNA polⅢの異なるサブユニットに存在する.]

> 鎌状赤血球症は，1つのヌクレオチドの変化，すなわち，ヘモグロビンβ鎖遺伝子のあるAの場所にTが挿入されたエラーによって起こる．この変異によって，ヘモグロビンβ鎖タンパク質のアミノ酸が変化(グルタミン酸がバリンに置換)し，赤血球内でこのタンパク質の機能が変化してしまう．

F. RNAプライマーの除去とDNAによる置換

ラギング鎖ではDNA polⅢはRNAプライマーからDNA鎖を作りはじめ，前に合成された別のRNA プライマーの5′末端のところまでDNA鎖を伸長させる．その後DNA polⅠによってRNAプライマーが除去され，その結果できた岡崎フラグメント間のギャップが埋められる．

1．**5′→3′エキソヌクレアーゼ活性**：DNA polⅢは，DNA合成を行う5′→3′ポリメラーゼ活性と新しいDNAを校正する3′→5′エキソヌクレアーゼ活性を持つことを前に示した．モノマーのDNA polⅠはこれらの活性に加え，さらにRNAプライマーを加水分解する5′→3′エキソヌクレアーゼ活性を持つ．[注：DNA鎖の内側を切断するエンドヌクレアーゼ endonucleaseと異なり，エキソヌクレアーゼはDNA鎖の末端からヌクレオチドを除去する(図30.18).] DNA polⅠはまず，DNA polⅢによってできたDNA鎖の3′末端と，その隣にあるRNAプライマーの5′末端との間隙("ニック")に結合し，次に5′→3′方向に移動しながら次々とRNAヌクレオチドを加水分解によって除去する(**5′→3′エキソヌクレアーゼ活性 5′→3′exonuclease activity**)．この酵素はまた，リボヌクレオチドを除くだけでなくそれをデオキシヌクレオチドに置き換えることにより，5′→3′方向に新たにDNA鎖を合成する(**5′→3′ポリメラーゼ活性 5′→3′polymerase activity**)．さらに，**3′→5′エキソヌクレアーゼ活性 3′→5′exonuclease activity**がエラーを取り除くことによってそのDNA鎖の校正を行う．このようなDNA polⅠによる除去/合成/校正といった一連の過程は，RNAが完全に除去され，ギャップがDNAによって埋められるまで続く(図30.19)．[注：DNA polⅠはその5′→3′ポリメラーゼ活性を使って，ほとんどのDNA修復後において生じたギャップを埋める(p.550参照).]

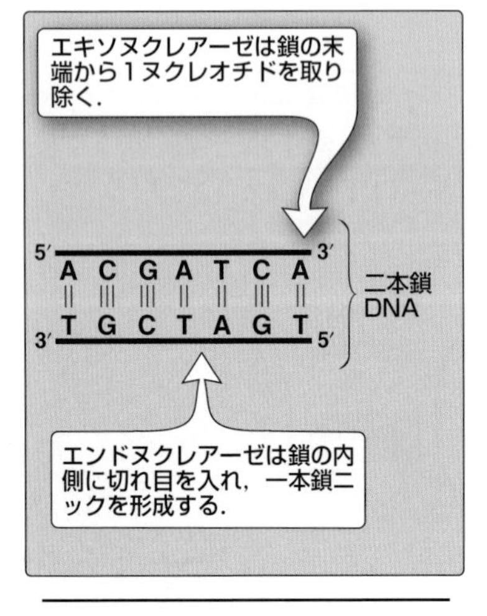

図30.18
エンドヌクレアーゼとエキソヌクレアーゼ．[注：制限エンドヌクレアーゼは両方の鎖を切断する(p.617参照).]

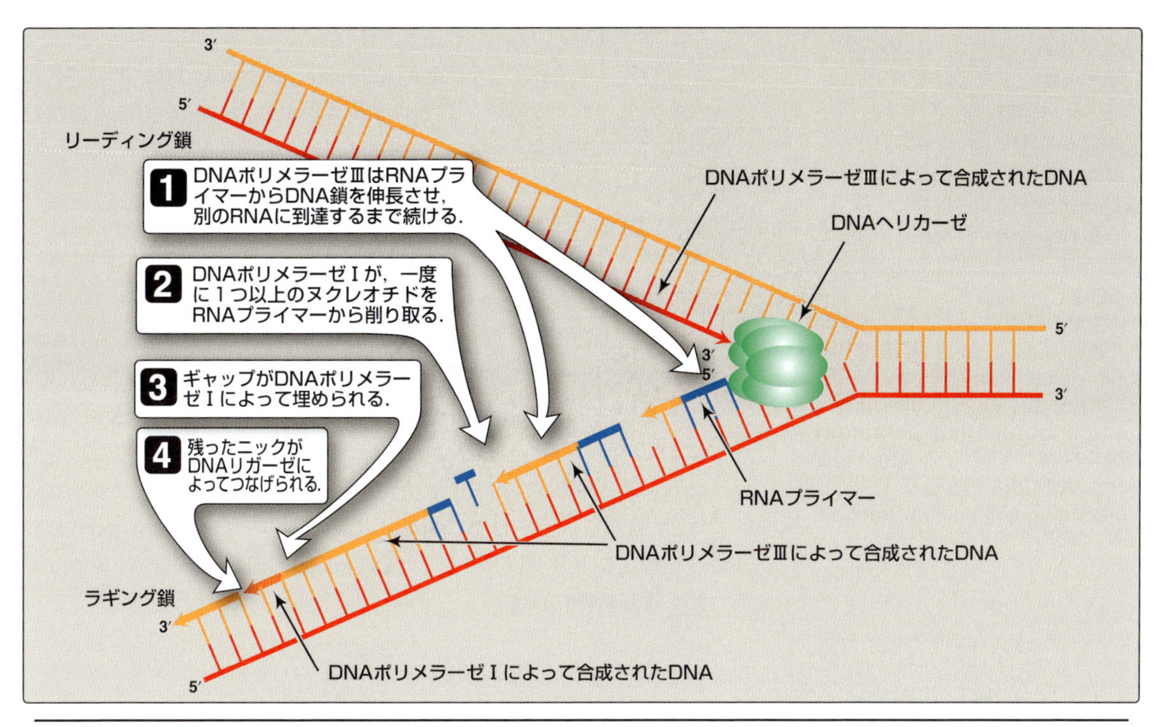

図 30.19
DNAポリメラーゼⅠによるRNAプライマーの除去とその結果できるギャップの埋込み．

2．5′→3′ エキソヌクレアーゼ活性と 3′→5′ エキソヌクレアーゼ活性の比較：DNA pol Ⅰの5′→3′エキソヌクレアーゼ活性ではポリメラーゼが5′→3′ に移動しながら，およそ10ヌクレオチドのRNAプライマーの5′末端から，一度に1つ以上のヌクレオチドを加水分解により取り除くことができる．対照的にDNA pol ⅠとDNA pol Ⅲの3′→5′エキソヌクレアーゼ活性では，ポリメラーゼが3′→5′ に移動しながら，一度に1つの間違ったヌクレオチドを伸長DNA鎖の3′末端から加水分解により取り除くことができる．その結果複製の正確性が上がり，新しく複製されたDNAは10^7ヌクレオチドに対してたった1つしかエラーが発生しない．

G．DNAリガーゼ

DNAポリメラーゼがホスホジエステル結合を触媒できるのはDNA鎖と1つのヌクレオチドの間だけであって，DNA鎖の2つの領域間は結合できない．最終的にDNA pol Ⅲによって合成されたDNAの5′-リン酸基とDNA pol Ⅰによって合成されたDNAの3′-ヒドロキシ基がDNAリガーゼ DNA ligaseの触媒作用によりホスホジエステル結合によってつながる（図30.20）．このDNA鎖間の連結反応（ライゲーション ligation）はエネルギー依存的に起こり，ほとんどの生物の場合ATPをアデノシン一リン酸とPP_iに加水分解することによるエネルギーが利用される．

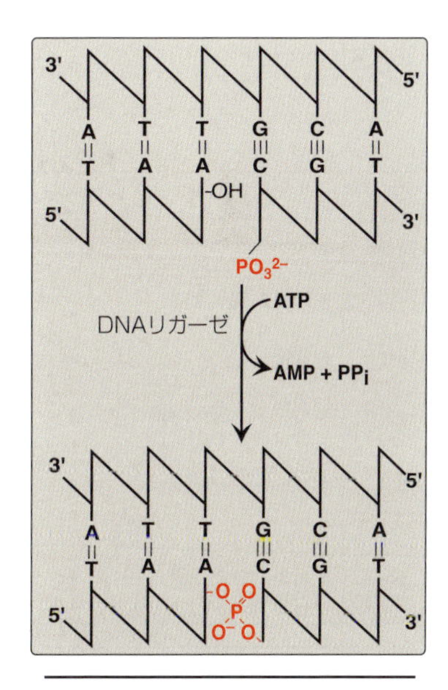

図 30.20
DNAリガーゼによるホスホジエステル結合の形成．

機能	タンパク質
起点の認識	ORC
ヘリカーゼ活性	*MCM*
ssDNAの保持	RPA
プライマー合成	*Pol α*/プライマーゼ
スライディングクランプ	PCNA
プライマー除去	*RNase H, FEN 1*

図 30.21
真核生物の複製におけるタンパク質とその機能．ORC：起点認識複合体 origin recognition complex, MCM：ミニ染色体維持（複合体）minichromosome maintenance (complex), RPA：複製プロテインA replication protein A, PCNA：増殖細胞核抗原 proliferating cell nuclear antigen, FEN：flapエンドヌクレアーゼ．

H. 終　結

大腸菌の複製終結はterminus utilization substance（Tus）タンパク質が配列依存的に結合することによって行われる．TusがDNAの複製終結（Ter）部位に結合して，複製フォークの移動を止める．

Ⅳ. 真核生物におけるDNA合成

真核生物のDNA合成過程は基本的に原核生物と同様である．しかし，前に示したように，原核生物では複製起点が1つであるのに対し，真核生物ではそれが複数あるといった違いがいくつかみられる．ssDNA結合タンパク質やATP依存性DNAヘリカーゼ **DNA helicase** は真核生物でも同定されており，それらの機能は原核生物におけるタンパク質と類似している．一方，真核生物においてはRNAプライマーはDNAポリメラーゼではなくリボヌクレアーゼH（RNase H）およびflapエンドヌクレアーゼ1 flap endonuclease 1（FEN 1）によって除去される（図 30.21）．

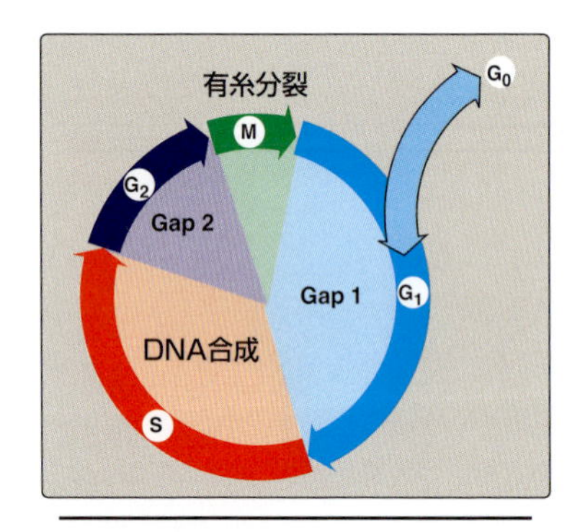

図 30.22
真核生物の細胞周期．［注：細胞は細胞周期から外れたG_0期と呼ばれる停止状態に出たり入ったりできる．］

A. 真核生物の細胞周期

真核細胞はDNA複製と細胞分裂（**有糸分裂 mitosis**）を中心とした細胞機能の調節によって細胞周期を構成している（図 30.22）．DNA複製前の時期をG_1期 **G_1 phase**（Gap1）と呼ぶ．DNA複製はS（合成）期 **S phase** に起こる．DNA合成のあと，M（分裂）期 **M phase** が始まるまでの期間がG_2期 **G_2 phase**（Gap2）である．成熟したTリンパ球など分裂が停止した細胞は，細胞周期を脱しG_0期 **G_0 phase** にあるという．刺激を受けて再びG_1期に入り細胞分裂を開始する停止細胞もある．［注：細胞周期は，進行中のフェーズが完了するまで次のフェーズに進ませない一連のチェックポイントによって制御されている．細胞周期の進行には，サイクリンとサイクリン依存性キナーゼcyclin-dependent kinase（Cdk）という2種類の重要なタンパク質によって制御されている．］

ポリメラーゼ	機能	校正*
pol α（アルファ）	• プライマーゼを含む • DNA合成を開始	−
pol β（ベータ）	• 修復	−
pol δ（デルタ）	• ラギング鎖の岡崎フラグメントの伸長	+
pol ε（イプシロン）	• リーディング鎖の伸長	+
pol γ（ガンマ）	• ミトコンドリアDNAの複製	+

図 30.23
真核生物のDNAポリメラーゼ（pol）の活性．［注：アスタリスク（*）は3′→5′エキソヌクレアーゼ活性を示す．］

B. 真核生物のDNAポリメラーゼ

真核生物では少なくとも5種類の正確性の高いDNAポリメラーゼが同定されており，それらの分子量，細胞内局在，阻害薬感受性やそれらが作用する鋳型や基質などが明らかになっている．それらはローマ数字ではなくギリシャ文字によって表記される（図 30.23）．

1．polα：polαは複数のサブユニットからなる酵素である．あるサブユニットはプライマーゼ活性があり，リーディング鎖に，またラギング鎖の各岡崎フラグメントのはじまりの部位にそれぞれ鎖の合成を開始させる．プライマーゼサブユニットによって短いRNAプライマー **RNA primer** が合成されると，polαの5′→3′ポリメラーゼ活性によってそれが伸長し短いDNA断片が作られる．その後，polεやpolδといったより速いDNAポリメラーゼによってこの短いDNA断片は伸長する．［注：polαはpolα/プライマーゼとも表記される．］

2．polε，polδ：polεはリーディング鎖にリクルートされDNA合成を完成させる．一方，polδはラギング鎖の岡崎フラグメントを伸長させる．両者とも，3′→5′エキソヌクレアーゼ活性によって新たに合成されたDNA鎖の校正 proofreadを行う．［注：polεは，増殖細胞核抗原 proliferating cell nuclear antigen（PCNA）と呼ばれるタンパク質と会合しており，PCNAは大腸菌のDNA polⅢのβサブユニットが行っているようにDNAのスライディングクランプの働きをするので，polεも高い前進性を持っている．］

3．polβ，polγ：polβはDNA修復におけるギャップの修復に関与しておりpolγはミトコンドリアDNAの複製にかかわっている．

C．テロメア

テロメア telomereは，直鎖状染色体の末端に存在するDNAとタンパク質（正しくはシェルタリン shelterinという）の複合体であり，染色体の恒常性を維持したり，ヌクレアーゼによる分解を防いだりしている．また，テロメアによってDNA修復系は二本鎖DNAの切断部位と染色体の末端とを区別している．ヒトの場合，テロメアDNAはAGGGTTという6塩基からなる配列が数千個繰り返されており，AACCT繰り返し配列と塩基対を形成している．AGGGTTの繰り返しを持つ鎖（Gに富む鎖）は，AACCCTの繰り返しを持つ相補鎖（Cに富む鎖）よりも長く，DNAの3′末端に数百ヌクレオチドの一本鎖部分が伸びる．その一本鎖部分は折り返された構造をとり，タンパク質の結合によって安定化される．

1．テロメアの短縮：真核細胞ではその線状のDNA分子の末端部分を複製する際に問題が生ずる．ラギング鎖の5′最末端に付加されたRNA プライマーが除去されたあと，そのギャップをDNAで埋めることができないのである．その結果ほとんどのヒト正常体細胞では，テロメアは細胞が分裂するたびに短くなる．一度テロメアがある決定的な長さを超えて短くなると，その細胞はもはや分裂できず，このことは細胞老化といわれる．生殖細胞や幹細胞，がん細胞では，テロメアは短くならず老化もしない．これはリボ核タンパク質であるテロメラーゼ telomeraseの活性によって，これらの細胞でテロメアの長さが維持されているからである．

2．テロメラーゼ：テロメラーゼは逆転写酵素として働くタンパク質（TERT）と，鋳型として働く短いRNA分子（TERC）からなる．そのRNAはCに富む鋳型であり，テロメアDNAのGに富む一本鎖3′末端と塩基対を形成する（図30.24）．逆転写酵素はそのRNA鎖を鋳型として通常の5′→3′の方向でDNA鎖を合成し，これまで長かった3′末端をさらに伸ばす．テロメラーゼは，新たに合成されたDNA末端に移動し，同じ反応を繰り返す．Gに富む鎖が伸長すると，DNA pol αのプライマーゼがRNAプライマーを合成するのにそれを鋳型として用いる．DNA polαによってプライマーが伸長すると，プライマー

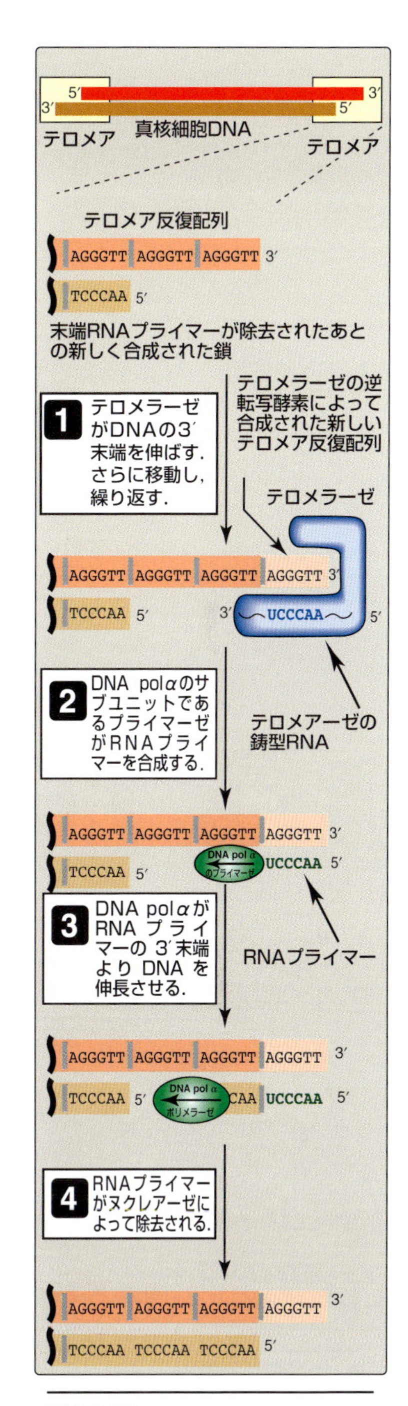

図 30.24
リボ核タンパク質テロメラーゼの作用機構．pol：ポリメラーゼ．

はヌクレアーゼによって取り除かれる．

> テロメアの長さは，ほとんどの細胞で，細胞の分裂回数と反比例するので，テロメアは分裂の回数カウンターと考えることができる．テロメアの研究から通常の老化，早期に老化が進む疾患（早老症）とがんに関する知見が得られている．

D．逆転写酵素

逆転写酵素 reverse transcriptaseは，テロメラーゼにみられるようなRNA依存性DNAポリメラーゼである．逆転写酵素は，**ヒト免疫不全ウイルス human immunodeficiency virus（HIV）**などの**レトロウイルス retrovirus**の複製に関与している．これらのレトロウイルスはそのゲノムを一本鎖RNA分子として保持している．宿主細胞に感染すると，ウイルスの酵素である逆転写酵素がウイルスのRNAを鋳型に5′→3′方向にDNAを合成し，そのDNAは宿主染色体に組み込まれる．逆転写酵素の活性は，ゲノムのなかを動きまわるDNA因子であるトランスポゾン transposonにもある（p.611参照）．真核生物では，ほとんどのトランスポゾンはRNAに転写されるとそのRNAがトランスポゾンにコードされる逆転写酵素によるDNA合成の鋳型として使われ，そのDNAはランダムにゲノムに挿入される．[注：RNAを中間体として使うトランスポゾンをレトロトランスポゾン retrotransposonまたはレトロポゾン retroposonという．]

E．ヌクレオシドアナログによるDNA複製阻害

DNA鎖の伸長は糖の位置に修飾を加えたある種のヌクレオシドアナログを取り込ませることによってブロックできる（図30.25）．例えば，デオキシリボース環の3′炭素からヒドロキシ基を除いた**2′,3′-ジデオキシイノシン 2′,3′-dideoxyinosine（ddI，ジダノシンともいう）**や，デオキシリボースをアラビノースのような他の糖に変換したものは鎖の伸長を阻害する．これらの化合物はDNA合成をブロックすることによってがん細胞の分裂やウイルスの増殖を抑える．**シトシンアラビノシド cytosine arabinoside（cytarabine，araC）**は抗がん薬として化学療法に用いられているが，**アデニンアラビノシド adenine arabinoside（vidarabine，araA）**は抗ウイルス薬である．アジドチミジン azidothymidine（AZT，ジドブジン zidovudine（ZDV）とも呼ばれる）のような糖の代用品もまた，DNA鎖の伸長を終結させる．[注：これらの薬物は通常はヌクレオシドとして供給されたのち，細胞内のキナーゼ kinaseによってヌクレオチドに変換される．]

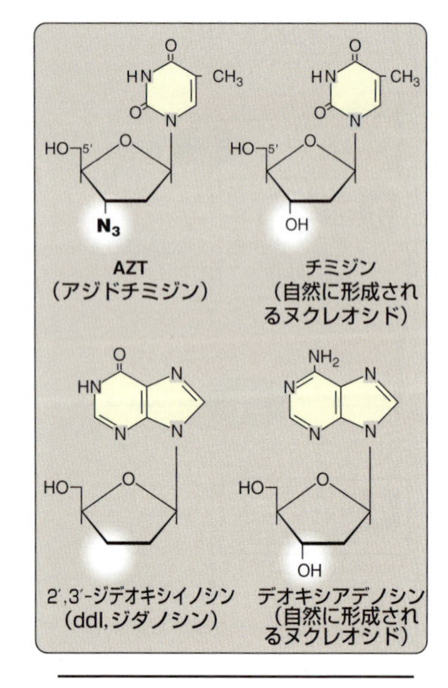

図 30.25
3′-ヒドロキシ基が欠損したヌクレオシドアナログの例．[注：ddIは活性化型（ジデオキシATP）に変換される．]

V．真核生物のDNA構造

典型的（二倍体）なヒトの体細胞には46本の染色体があり，その全

体の長さは約2mにも達する．どのようにしてそのような巨大な遺伝物質が効率的に細胞核のなかに収められ，そして複製と遺伝情報発現が効率的に起こるのかは想像しがたい．そのようなことを可能とするためにDNAはその長い分子を規則正しくたたんで詰め込む役割を担う多くのタンパク質と結合する必要がある．真核生物のDNAは**ヒストン histone**と呼ばれる塩基性タンパク質の複合体と結合している．ヒストンはDNAと結合し**ヌクレオソーム nucleosome**と呼ばれる糸に通したビーズのような基本構造単位を構成する．ヌクレオソームはさらにより複雑な構造に編成され，DNA分子が折りたたまれ凝縮した染色体になる．そして染色体は細胞分裂の間に分離する．[注：真核細胞の核内にあるDNAとタンパク質の複合体はクロマチンと呼ばれる．]

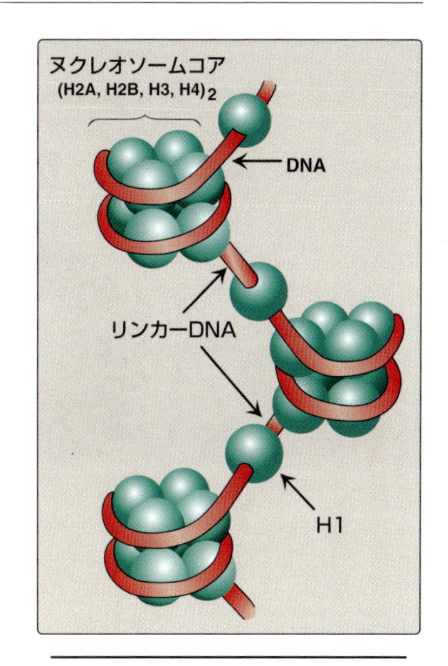

図 30.26
ヌクレオソーム構造を示すヒトDNAの構成．H：ヒストン．

A．ヒストンとヌクレオソーム形成

ヒストンには5つのタイプが存在し，それらはH1，H2A，H2B，H3，H4と表す．これらの進化的に保存されている低分子量タンパク質はリシンとアルギニンに富んでいる結果，生理的pHでは**正に荷電 positive charge**する．そのためヒストンは負に荷電するDNAとイオン結合を形成する．ヒストンはMg^{2+}のようなイオンと一緒に，負に荷電したDNAのリン酸基群の中和を助ける．

1．**ヌクレオソーム**：H2A，H2B，H3，H4のそれぞれ2分子ずつによる複合体が1つのヌクレオソーム“ビーズ”の八量体コアを形成する．このコアのまわりをdsDNAがほぼ2回巻きついている(図30.26)．巻きつきによりらせん構造が解消され，負のスーパーコイルが生じる．[注：ヒストンのN末端はアセチル化，メチル化，またはリン酸化を受ける．これらの可逆的な共有結合によってヒストンとDNAの結合の強さが変化し，それにより特異的な遺伝子発現が影響を受けるヒストン修飾は，エピジェネティクスすなわちヌクレオチド配列の変化を伴わない細胞分裂後も受け継がれる遺伝子発現の変化の一例である．]ヌクレオソームどうしはおよそ50塩基対の長さの**リンカー DNA linker DNA**によってつながれている．H1はヌクレオソームコアには存在せず，ヌクレオソームビーズ間のリンカーDNA鎖に結合している．H1は最も組織特異的および種特異的なヒストンである．これはヌクレオソームの折りたたみを促進し，より凝縮した構造にする．

2．**高次構造**：ヌクレオソームはよりコンパクトに折りたたまれ(凝集)**ヌクレオフィラメント nucleofilament**を形成する．それはコイル状の構造をしていると想定されており，しばしばそれは**30 nmファイバー 30-nm fiber**と呼ばれる．そのファイバーはループ状に編成され，いくつかのタンパク質からなる**核内スキャフォールド nuclear scaffold**によってつなぎとめられる．これがさらに組織化されて最終的な染色体構造が完成する(図30.27)．

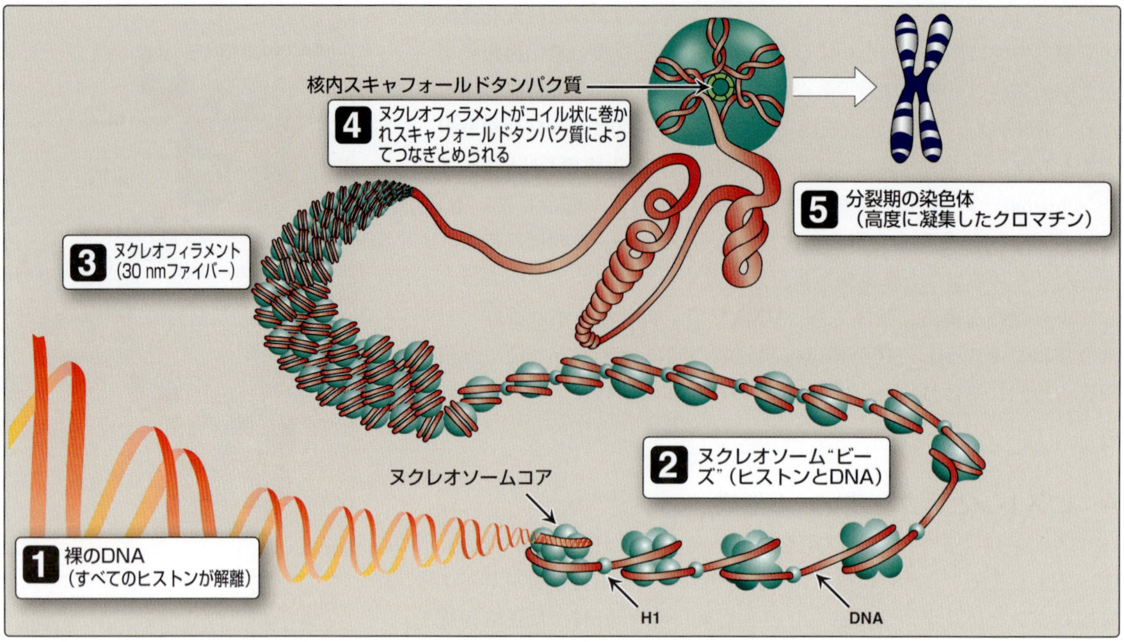

図 30.27
真核生物のDNAの構造と構成．［注：1から5によって10^4線状に濃縮される．］H：ヒストン．

B．DNA複製時のヌクレオソームの運命

複製中DNAに接近するために，もとからあったヌクレオソームは解離される．DNA合成後すぐにヌクレオソームは形成される．このとき，新しく(*de novo*)合成されたヒストンともとからあったヒストンの両方が使われる．

Ⅵ．DNA修復

DNA合成には精巧な校正機構が働くにもかかわらず，誤った塩基対形成や余分な１～数ヌクレオチドの挿入といったエラーが起こる．さらに，DNAは常にヌクレオチド塩基の変化や欠失を引き起こすような環境有害物質にさらされている．DNAに損傷を与える環境有害物質には，化学物質(例えば，塩基を脱アミノ化させる亜硝酸)や放射能(例えば，DNA中の隣り合うピリミジンを融合させる太陽光からの非電離紫外線(UV)や二本鎖切断を引き起こす高エネルギー電離放射線)がある．哺乳類のDNAはまた１日に細胞あたり何千もの塩基が自然に変化したり失われたりする．もし損傷が修復されなければ，永続的な変化(突然変異)が誘導されることになり，その結果がんにつながるような細胞増殖の制御異常など多くの悪影響がもたらされる．幸運にも細胞は，特にDNA二重鎖の片側の鎖のある場所で１ないし２塩基の損傷が生じた場合はDNA損傷をきわめて効率的に修復できる．ほとんどの修復系(除去修復系と呼ばれる)は，DNA損傷の識別と除去，損傷を受けていない相補鎖を鋳型としたDNA合成によるギャッ

プの埋込み，そして修復された鎖をつなげてもとに戻すライゲーションを伴っている．これらの除去修復系では，1～数十ヌクレオチドが取り除かれる．[注：修復のためのDNA合成はS期以外でも行われる．] 損傷はある場所でDNAの両方の鎖で生じることもある（例えば，二重鎖切断）．この場合は，片方の鎖の損傷を取り除くのとは別の修復系によって損傷が修復される．

A. ミスマッチ修復

DNA複製のエラーはときどき校正活性を免れることがあり，その結果1～数塩基の**ミスマッチ mismatch**が起こる．大腸菌ではミスマッチ修復 mismatch repair（MMR）はMutタンパク質として知られるタンパク質群によって行われる（図30.28）．相同タンパク質はヒトにも存在する．[注：MMRは複製の数分間のうちに行われ，複製エラーを10^7に1つから10^9に1つに減らす．]

1．ミスマッチ鎖の同定：ミスマッチが起こった場合，それを同定しそのヌクレオチドを除去するMutタンパク質は，正しい鎖とミスマッチが存在している鎖を区別できなければならない．原核生物では，その区別は，メチル化の程度に基づいて行われる．1,000ヌクレオチドに1回存在するGATCという塩基配列のA残基がDNAアデニンメチラーゼ DNA adenine methylase（DAM）によってメチル化されている．このメチル化はDNA合成のあとすぐには起こらないため，DNA二本鎖は一時的に半分がメチル化された状態となる（すなわち，二本鎖のうち親鎖はメチル化されており，娘鎖はメチル化されていない）．メチル化されている親鎖は正しいと予想され，娘鎖が修復を受ける．[注：真核生物において娘鎖が同定される機構は正確にはわかっていないが，新しく合成された鎖の中のニックが認識されることが関与しているようである．]

2．修復の順序：ミスマッチが存在するDNA鎖を同定したあと，エンドヌクレアーゼが鎖にニックを入れ，エキソヌクレアーゼがミスマッチしたヌクレオチドを除去する．ミスマッチの5′と3′の末端でさらにヌクレオチドが取り除かれる．ヌクレオチドの除去によりでき

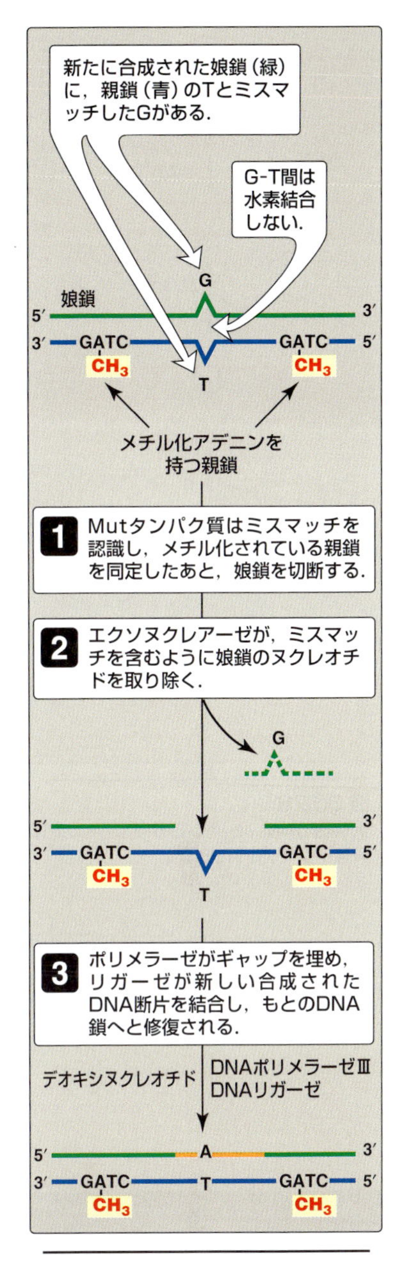

図 30.28
大腸菌のメチル化を介したミスマッチ修復．[注：Mut Sタンパク質がミスマッチを認識し，Mut Lをリクルートする．この複合体がMut Hを活性化し，Mut Hがメチル化されていない鎖（娘鎖）を切断する．]

ヒトでのMMRに関与するタンパク質の異常は，遺伝性非ポリポーシス大腸がん hereditary nonpolyposis colorectal cancer（HNPCC）としても知られているリンチ症候群 Lynch syndromeの原因となることが示されている．リンチ症候群患者の90%にMSH2とMLH1（細菌のMutタンパク質の2つのヒト相同分子）の変異が認められる．HNPCCでは大腸がん（および他のがん）の発生リスクが増加しているが，MMRの変異によるものは大腸がん全体の5%だけである．

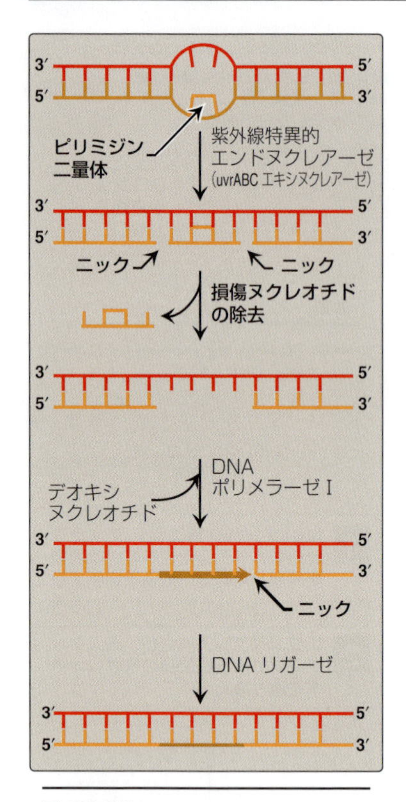

図 30.29
大腸菌DNAにおけるピリミジン二量体のヌクレオチド除去修復.

たギャップは，正常なもう一方の鎖を鋳型にしてDNAポリメラーゼ(通常はDNA polⅢ)により埋められる．新たに合成されたDNAの3′ヒドロキシ基は除去されずに残されているDNAの5′リン酸基とDNAリガーゼの働きによってつながれる．

B. ヌクレオチド除去修復

細胞に紫外線(UV)を照射すると隣り合う2つのピリミジン(Tが一般的)が共有結合し二量体化する．このような鎖内のクロスリンクが形成されると，DNA ポリメラーゼによるDNA複製がその部位で阻害される．細菌ではT二量体は図30.29に示してあるようにuvrABCタンパク質による**ヌクレオチド除去修復 nucleotide excision repair**(NER)によって除去され，ヒトにおいてもNER経路が存在する(下記2.参照)．NERには2つのDNA損傷認識メカニズムがあり，1つは染色体全体の損傷を見つける全体的なゲノム修復でありもう1つはRNAポリメラーゼが出合ったDNAの傷害を見つける転写共役修復である．

1．紫外線によって生じた二量体の認識と除去：まず，紫外線特異的エンドヌクレアーゼ UV-specific endonuclease(uvrABC エキシヌクレアーゼ uvrABC excinuclease と呼ばれる)が大きな二量体を識別し，その傷害の5′側と3′側の両方を切断する．二量体を含む短いオリゴヌクレオチドは除去され，そのDNA鎖にギャップが残る．ギャップはDNA polⅠとDNAライゲースにより埋められる．ヒトのNER経路では，皮膚に生じたピリミジン二量体を取り除くタンパク質やタバコの煙からのベンゾ[a]ピレンによって生じるグアニン付加物といった化学物質の曝露によるDNA損傷を修復するタンパク質も使われる．NERは細胞周期のどの時期でも起こる．

2．紫外線照射とがん：まれなヒトの遺伝性疾患である**色素性乾皮症 xeroderma pigmentosum**(XP)では，患者の皮膚細胞は太陽光が原因のピリミジン二量体を修復できないため，多数の突然変異が蓄積し，その結果若年にして皮膚がんが数多く生じる(図30.30)．紫外線による損傷のためのNERに必要なXPタンパク質群が存在し，それらをコードする7遺伝子に変異が起こるとXPを発症する．

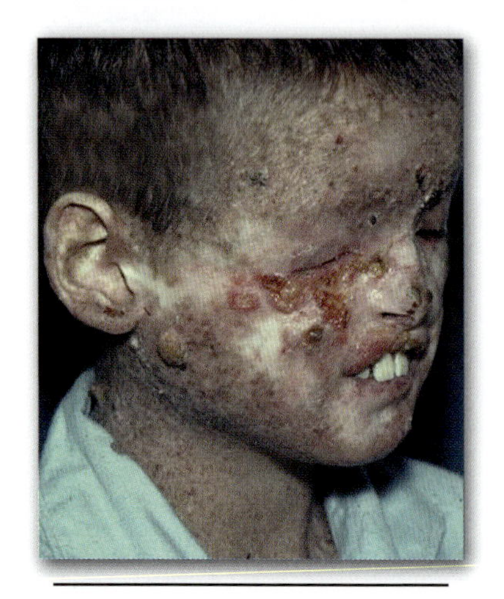

図 30.30
色素性乾皮症の患者.

C. 塩基除去修復

DNA塩基は，Cの場合のように自然にゆっくりと脱アミノ化(アミノ基の欠損)されることでUを形成したり，脱アミノ化剤やアルキル化剤の作用によって変化したりする．例えば，亜硝酸は硝酸塩などの前駆体から細胞によって産生されるが，それはC，A，Gを脱アミノ化する(脱アミノ化の結果，Aはヒポキサンチンに，Gはキサンチンにそれぞれ変換される)．硫酸ジメチルはAをアルキル化(メチル化)できる．塩基はデオキシリボースの糖基部から加水分解によって自然にも失われる．例えば，1日に1細胞あたりおよそ10,000個のプリンが失われる．塩基の変化や欠損による損傷は**塩基除去修復 base exci-**

sion repair（BER）によって修復される（図30.31）．

1．**異常な塩基の除去**：Cが脱アミノ化されたり，DNA合成においてdTTPではなくdUTPが使われたりすることによりUがDNAに存在するようになる．BERにおいてそのような異常な塩基は特異的なDNAグリコシラーゼ DNA glycosylaseによって識別され，DNAのデオキシリボースリン酸のバックボーンから加水分解によって切り離される．その結果**アピリミジン部位** apyrimidinic siteまたはプリンが除かれた場合は**アプリン部位** apurinic siteが残され，これらはともに**AP部位** AP siteと呼ばれる．

2．**AP部位の識別と修復**：特異的APエンドヌクレアーゼAP endonucleaseはAP部位における塩基の欠失を識別し，その5′側をエンドヌクレアーゼ活性によって切断することによって除去とギャップの埋込みを開始させる．デオキシリボースリン酸リアーゼdeoxyribose phosphate lyaseによって塩基のない1個の糖-リン酸基が除かれる．DNA pol ⅠとDNAリガーゼが修復過程を完了させる．

D．二重鎖切断の修復

電離放射線照射やドキソルビシンなどの化学療法やフリーラジカルによる酸化反応（p.196参照）はDNAの二重鎖切断を引き起こし，細胞に致死的影響を与える．［注：そのような切断はまた遺伝子の組換え過程においても自然に起こる．］これまでは，一本鎖上の損傷を切り除き損傷のない鎖を鋳型にして正常なヌクレオチドに置き換えるといった修復機構を説明したが，二重鎖切断はこのような方法では修復することはできず，その修復は2通りの方法のどちらかによって行われる．1つ目の方法である**非相同末端結合修復** nonhomologous end joining repair（NHEJ）では，2本のDNA断片の末端が一群のタンパク質の作用によって認識，処理，結合される．しかし，一部のDNAがこの過程において失われるため，NHEJはエラーや突然変異を起こしやすい修復機構である．NHEJの異常は**がん** cancerや**免疫不全症候群** immunodeficiency syndromeの発症傾向と関連している．2つ目の修復方法は**相同組換え修復** homologous recombination repair（HR）であり，これには通常は減数分裂時の相同染色体間遺伝子組換えを行う酵素が用いられている．この修復機構は，相同DNAを鋳型として失われたDNAを完全に複製するため，NHEJよりエラーがずっと少ない（エラーがない）．HRは細胞周期の後期のS期とG_2期に起きるが，NHEJはいつでも起きる．［注：HRに関与するBRCA1またはBRCA2（breast cancer 1, 2）の変異は乳がんと卵巣がん発生のリスクを増大させる．］

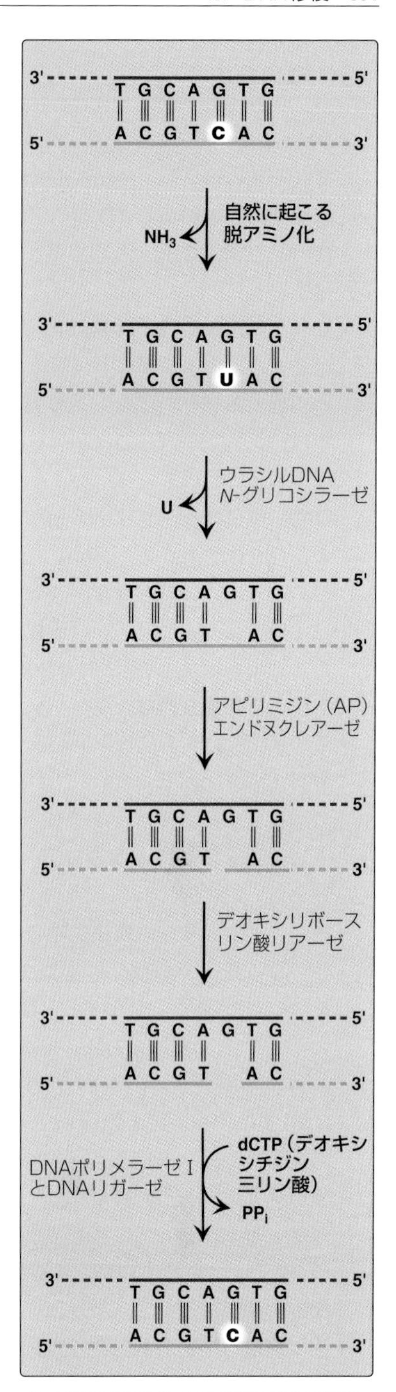

図30.31
塩基除去修復による塩基変化の修正．
C：シトシン，U：ウラシル，NH_3：アンモニア，PPi：ピロリン酸．

30章の要約

- DNAは2つのデオキシリボヌクレオシド一リン酸(dNMP，ヌクレオチド)のポリマー(鎖)から構成される．それぞれの鎖には，5′末端(遊離リン酸)と3′末端(遊離ヒドロキシ基)からなる**極性**が存在する．ヌクレオチド配列は5′末端から3末端へと読まれる(図30.32)．
- DNAは**二本鎖DNA**として存在し，2本の鎖は**逆方向**に対を形成し**二重らせん**になっている．アデニン(A)はチミン(T)と，シトシン(C)はグアニン(G)と水素結合により対を形成する．
- それぞれのDNA鎖は**相補的**な娘鎖を合成するための**鋳型**となる(**半保存的複製**)．DNA複製は**複製起点**からはじまる．二本鎖がほどけ解離すると，合成が2つの複製フォークで両方向に起こる．**複製フォーク**は起点から離れるほうへ進む．**ヘリカーゼによって二重らせんの二本鎖が分離する**際，複製フォークの先のDNA領域に正の**スーパーコイル**，そして後方には負のスーパーコイルが形成される．**I型**および**II型DNAトポイソメラーゼ**はスーパーコイルを解消する．
- **DNA ポリメラーゼ**(**DNA pol**)は**5′→3′方向**にのみ新たなDNA鎖を合成し，このとき，**プライマーゼ**によって合成された短い**RNAプライマー**を必要とする．したがって，新たに合成される2本のヌクレオチド鎖のうち一方は複製フォークに向かって5′→3′方向へ(**リーディング鎖**)，もう一方は複製フォークから離れる向きに5′→3′方向へ(**ラギング鎖**)伸びなければならない．RNAプライマーはリーディング鎖の合成では1つあればよい(連続的な合成)が，ラギング鎖ではたくさんのプライマーが必要である(**岡崎フラグメント**による**非連続的な**合成)．
- 大腸菌におけるDNA鎖の伸長は，**5′-デオキシリボヌクレオシド三リン酸**を基質に用いて**DNAポリメラーゼIII**(**DNA pol III**)によって触媒される．その酵素は新生DNA鎖を**校正**し，その**3′→5′エキソヌクレアーゼ**活性によってミスマッチヌクレオチドを除去する．RNAプライマーは**DNA ポリメラーゼI**(**DNA pol I**)の**5′→3′エキソヌクレアーゼ**活性によって除去される．この酵素は，校正しながらDNAのギャップを埋める．最終的にホスホジエステル結合が**DNAリガーゼ**によって作られる．
- 少なくとも5種類の**真核生物**の高正確性**DNAポリメラーゼ**が同定されている．polαは複数のサブユニットからなる酵素であり，その1つは**プライマーゼ**である．**polα5′→3′ポリメラーゼ**活性はRNAプライマーに短いDNA断片を付加する．**polε**はリーディング鎖のDNA合成を行い，**polδ**がラギング鎖の各DNA断片の伸長を行う**polβ**はDNA"修復"に関与しており，**polγ**はミトコンドリアDNAを複製する．polε，δ，γは3′→5′エキソヌクレアーゼ活性により校正を行う．
- DNA鎖の伸長は糖を修飾した**ヌクレオシドアナログ**によってブロックでき，それらは抗がん薬や抗ウイルス薬として化学療法に用いられる．
- **テロメア**はタンパク質が結合した**高頻度に繰り返し配列が並ぶDNA**領域であり，線状染色体の**末端**を保護している．ほとんどの細胞は分裂し年をとるにつれてこの配列が短くなり老化が誘導される．老化しない細胞(例えば，生殖系列細胞やがん細胞)ではリボ核タンパク質である**テロメラーゼ**の**逆転写酵素**が自己の**RNA**を**鋳型**として使って，失われたテロメアを伸長する．
- **正に荷電したヒストン**(**H**)**タンパク質**(H2A，H2B，H3，H4)それぞれ2分子ずつからなる複合体が**ヌクレオソーム**の八量体コアを形成し，そのコアのまわりをDNAが巻きついている．**リンカーDNA**と呼ばれるヌクレオソームどうしを結ぶDNA部分にはH1が結合している．ヌクレオソームはより凝縮した構造に折りたたまれ**ヌクレオフィラメント**を形成し，さらに編成されることによって**染色体**が形成される．
- 3種類のDNA修復(NER，BER，MMR)が，染色体のほとんどのDNA損傷を修復する．それぞれが異なるタイプのDNA損傷を除去する(図30.33)．NERはUV照射によって生じる**ピリミジン二量体**を除去し，BERは異常な塩基やAP部位を修復し，MMRはDNAポリメラーゼのエラーによって生じる間違った塩基対を修正する．NERに必要な**XPタンパク質**の異常は**色素性乾皮症**(**XP**)の原因となる．ヒトのMMRの異常はほとんどがMSH2とMLH1遺伝子の変異によるものであり，**遺伝性非ポリポーシス大腸がん**(**HNPCC**)と関係している．

- DNAの二本鎖切断は**非相同末端結合**(NHEJ，エラーは多い)および鋳型を必要とする**相同組換え**(HR，エラーがない)によって修復される.

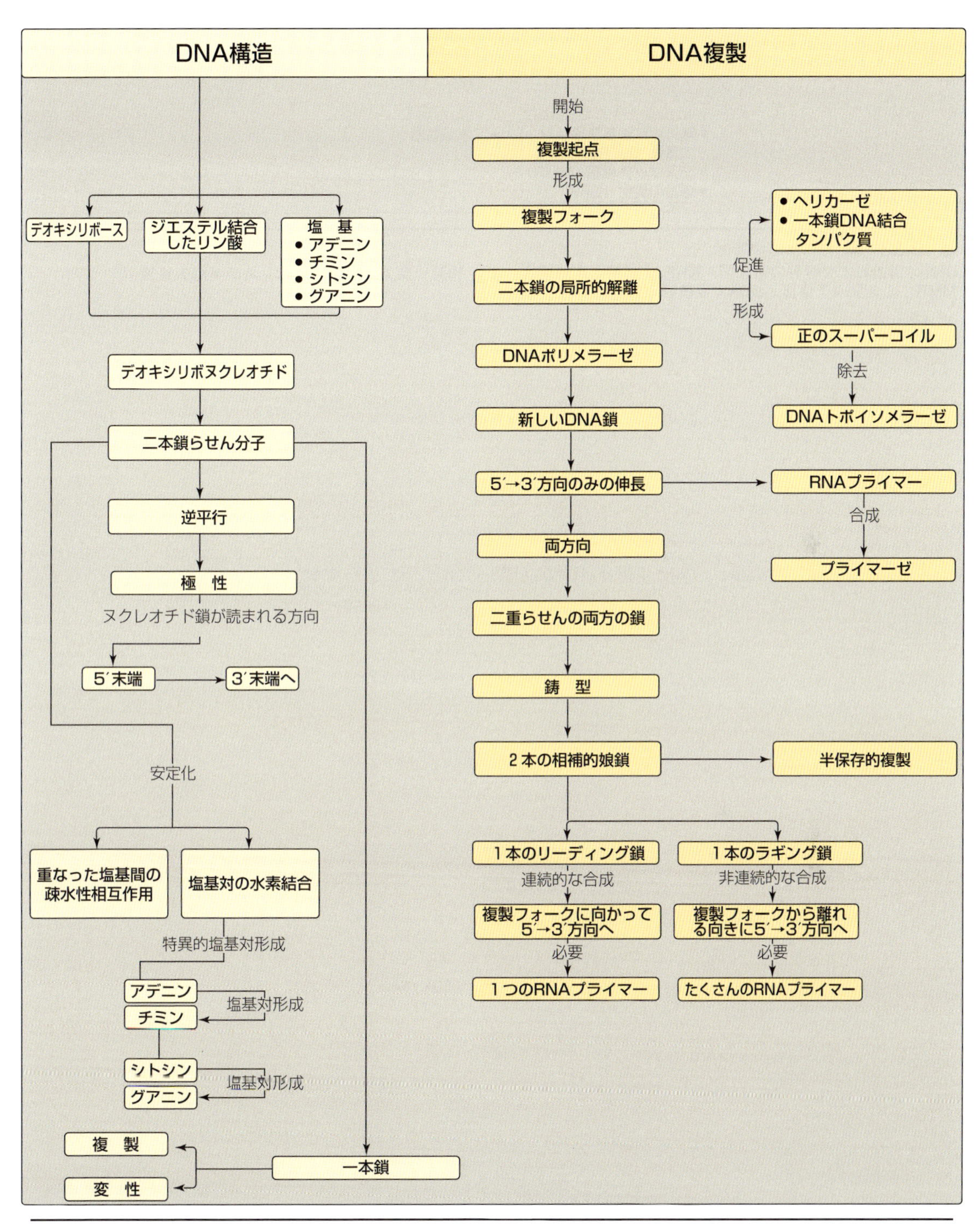

図 30.32 （次ページに続く）
DNAの構造および複製の概念図.

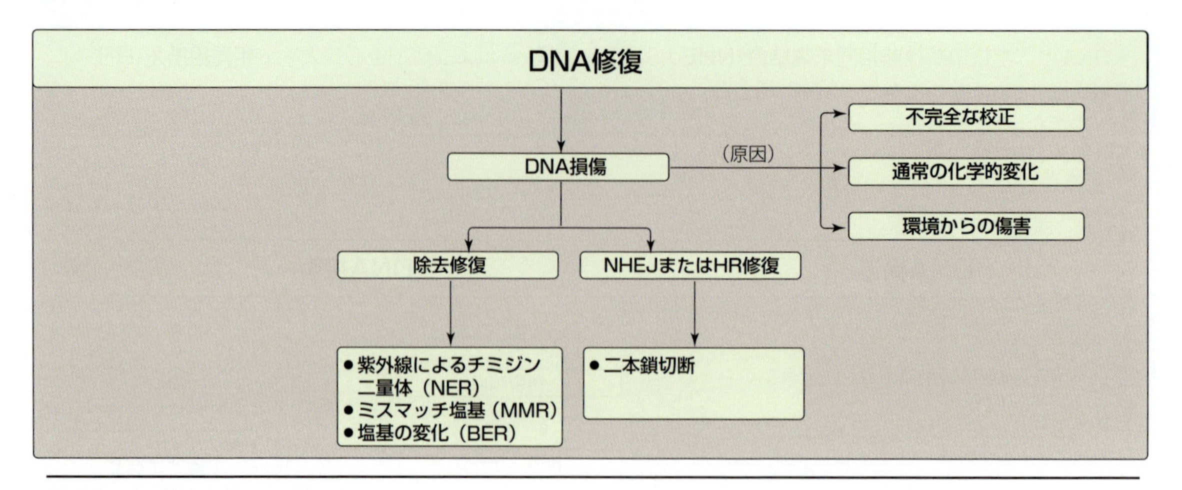

図 30.32 （前ページからの続き）
DNAの構造および複製の概念図．NHEJ：非相同末端結合，HR：相同組換え，NER：ヌクレオチド除去修復，MMR：ミスマッチ修復，BER：塩基除去修復．

学習問題

最適な答えを1つ選びなさい.

30.1 10歳の女児が両親と皮膚科を受診した. 彼女は顔や首, 両腕, 両手にたくさんのそばかすがあり, 両親は彼女が日光に弱いことを告げた. 彼女の顔の2カ所からは基底細胞の腫瘍が見つかった. この症状より, この患者における異常として最も当てはまるのはどれか.

A. 誤りを起こしやすい相同組換えによる二本鎖切断の修復
B. メチル化を介した岡崎フラグメントの3′末端からのミスマッチ塩基の除去
C. ヌクレオチド除去修復によるDNAからのピリミジン二量体の除去
D. 塩基除去修復によるDNAからのウラシルの除去
E. Polεの3′→5′エキソヌクレアーゼ活性による, 誤って対を形成したヌクレオチドの除去

正解 C. 日光に対して感受性であること, 太陽が当たる体の部分にたくさんのそばかすがみられること, 若年性の皮膚がんがあること等の症状から彼女は色素性乾皮症(XP)であることが最も考えられる. このような患者では, 紫外線によるDNA損傷のピリミジン二量体のヌクレオチド除去修復に必要ないくつかのXPタンパク質のいずれかが異常になっている. 二本鎖切断は非相同末端結合(誤りを起こしやすい)または相同組換え(誤りがない)によって修復される. メチル化は, 真核生物のミスマッチ修復において, 鎖の識別には使われない. ウラシルは, 塩基除去修復において, 特異的グリコシラーゼによってDNAから除去されるが, この過程の異常はXPの原因とはならない.

30.2 テロメアは, 線状の染色体の末端を保護しているDNAとタンパク質の複合体である. ほとんどの正常ヒト体細胞では, テロメアは分裂ごとに短くなる. しかし, 幹細胞とがん細胞ではテロメアの長さは維持される. テロメアの合成について正しいものはどれか.

A. リボ核タンパク質であるテロメラーゼが合成に必要なRNAとタンパク質を提供する.
B. テロメラーゼのRNAはプライマーとして利用される.
C. テロメラーゼのRNAはリボザイムである.
D. テロメラーゼのタンパク質はDNAを鋳型にしてDNAを合成する.
E. 伸長するのは短いCに富む鎖である.
F. 合成の方向は3′→5′である.

正解 A. テロメラーゼはリボ核タンパク質分子でありテロメアの維持に必要である. テロメラーゼに含まれるRNAは, テロメラーゼの逆転写酵素によるテロメアDNAの合成において, プライマーではなく鋳型として利用される. テロメラーゼのRNAには触媒活性はない. テロメラーゼは逆転写酵素であり, このRNAの鋳型を用いてDNAを合成するのでRNAによって制御されるDNAポリメラーゼといえる. 合成の方向は, すべてのDNA合成と同様に5′→3′方向であり, 伸長するのはすでに長くなっているGに富む鎖3′末端である.

30.3 ヒトゲノムプロジェクトで塩基配列が決定されたある小さな遺伝子について構造研究をしているある研究者は, そのDNA分子の一本鎖が20個のA, 25個のG, 30個のC, 22個のTからなることがわかった. 完全な二本鎖分子の場合, 塩基はそれぞれいくつあるか.

A. A＝40, G＝50, C＝60, T＝44
B. A＝42, G＝55, C＝55, T＝42
C. A＝44, G＝60, C＝50, T＝40
D. A＝45, G＝45, C＝52, T＝52
E. A＝50, G＝47, C＝50, T＝47

正解 B. 2本のDNA鎖は互いに相補的であり, AがTと, GがCと塩基対を形成する. したがって, 例えば20個のAが一方の鎖にある場合, それらはもう一方の鎖の20個のTと対を形成するし, また, 25個のGが一方の鎖にある場合, それらはもう一方の鎖の25個のCと対を形成する. CやTについても同様である. これらを全部足すと, それぞれの塩基の数はEのようになる. 正しい答えではA＝T, G＝Cになることに注意すること.

30.4 原核生物の複製において，リーディング鎖合成時にこれらの酵素が作用する順番に並び変えよ．

A. ライゲース
B. ポリメラーゼⅠ(3′→5′ エキソヌクレアーゼ活性)
C. ポリメラーゼⅠ(5′→3′ エキソヌクレアーゼ活性)
D. ポリメラーゼⅠ(5′→3′ ポリメラーゼ活性)
E. ポリメラーゼⅢ
F. プライマーゼ

正解 F，E，C，D，B，A． プライマーゼがRNAプライマーを作り，ポリメラーゼⅢ(polⅢ)がプライマーからDNAを(校正しながら)伸長し，ポリメラーゼⅠ(polⅠ)がその5′→3′ エキソヌクレアーゼ活性によりプライマーを除去し，次にその5′→3′ ポリメラーゼ活性によりギャップを埋め，さらにその3′→5′ エキソヌクレアーゼ活性によりエラーを除去し，ライゲースが5′-3′-ホスホジエステル結合によってpolⅠとpolⅢが合成したDNAを結合する．

30.5 ジデオキシヌクレオチドは3′のヒドロキシ基を欠失している．どのようにして，ジデオキシヌクレオチドのDNAの取り込みが複製の停止を引き起こすのか．

正解 3′-OHがないことで3′-ヒドロキシ基-5′-リン酸の結合が形成されず，DNAのヌクレオチドが次のヌクレオチドと結合できない．

RNAの構造と合成 31

I. 概　要

DNA中のデオキシリボヌクレオチドの配列にほとんど生物の遺伝的な全体計画は含まれている．しかしその全体計画が実行されるのは，DNAの“機能複製”であるリボ核酸(RNA)を通してなのである(図31.1)．DNAの1本の鎖がRNA合成の鋳型となるこのRNA合成の過程を**転写 transcription**と呼ぶ．転写によって生産される**メッセンジャーRNA messenger RNA**(mRNA)はアミノ酸配列(タンパク質)に翻訳され，**リボソームRNA ribosomal RNA**(rRNA)，**トランスファー RNA transfer RNA**(tRNA)およびその他のRNAは特異的な構造，触媒活性と制御機能を示すが翻訳はされない．すなわちそれらは**ノンコーディングRNA noncoding RNA**(ncRNA)である．したがって，遺伝子発現の最終産物は各遺伝子によってRNAまたはタンパク質になる．[注：ゲノムの2% ほどしかタンパク質をコードしていない．] 転写の主要な特徴は，非常に選択的であることである．例えば，多くの転写産物はDNAのなかのある限られた領域からできており，その他の領域では，ほとんどもしくは全く転写産物が作られない．このような選択性の少なくとも1つの理由として，DNAのヌクレオチド配列に埋め込まれたシグナルが考えられる．RNAポリメラーゼ RNA polymerase (RNA pol)がどこから転写をはじめ，またどのような頻度ではじめるか，そしてどこで終わるかはこのシグナルによって指示される．いくつかの制御タンパク質もまたこの選択の過程にかかわっている．生物組織の生化学的な違いは，結局転写の過程の選択性の結果である．[注：この転写の選択性は，ゲノムの複製が“全か無か all-or-none”であることと対照的である．] 転写の重要な特徴がもう1つある．それは，RNAは最初は二本鎖DNAのうちの一方に忠実に複製されるが，末端修飾，塩基修飾，トリミングと内部領域の除去によって，当初の不活性な転写産物が機能的分子に変換されることである．トランスクリプトーム transcriptomeとは，ゲノムによって発現されたRNA転写産物の全体のことである．

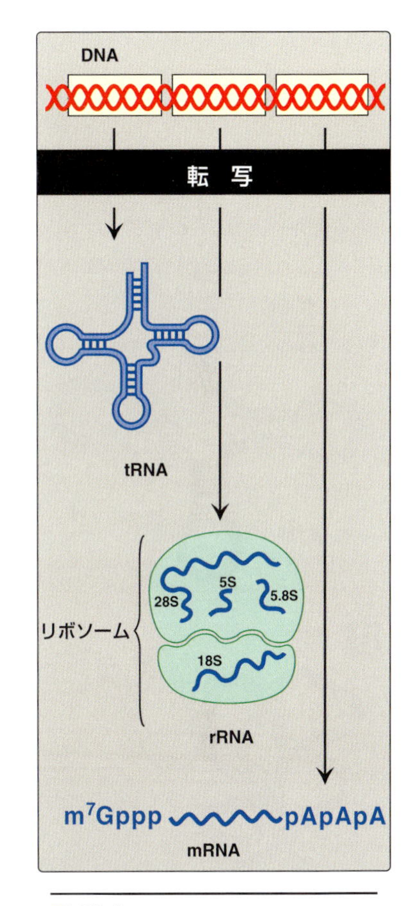

図 31.1
転写による遺伝情報の発現．[注：ここに示しているRNAは真核生物のものである．] tRNA：トランスファーRNA，rRNA：リボソームRNA，mRNA：メッセンジャーRNA，m⁷Gppp：7-メチルグアノシン三リン酸のキャップ，pApApA：ポリAテール，P：リン酸．

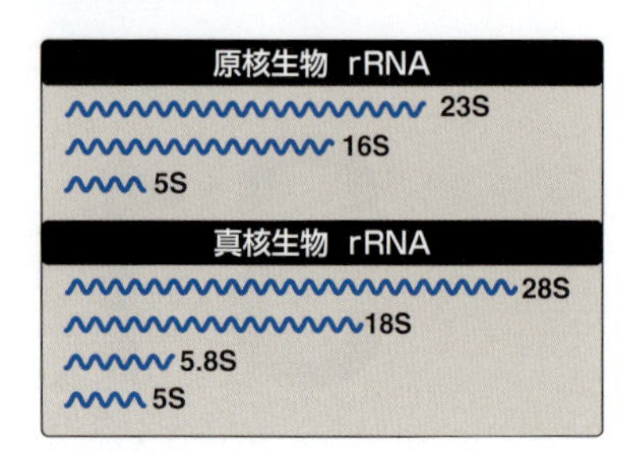

図 31.2
原核生物と真核生物におけるリボソームRNA(rRNA). S：スベドベリ単位.

Ⅱ. RNAの構造

タンパク質が合成される過程には，主に3種類のRNAがかかわっている．それは，rRNA，tRNA，mRNAである．DNAと同じように，これらのRNAは3′から5′へのホスホジエステル結合で結ばれたヌクレオシド一リン酸によって構成された枝分かれのない高分子である(p.533参照)．しかしながら，RNAはいくつかの点で，DNAとは異なっている．例えば，DNAに比べてかなり小さく，そしてデオキシリボースの代わりに**リボース ribose**，チミン(T)の代わりに**ウラシル uracil**(U)を含む．また，DNAとは違って多くのRNAは一本鎖で存在し，そのため複雑な構造に折りたたまれる．3種類の主要なRNAもまた，大きさ，機能，構造の点で互いに異なっている．[注：p.566，567，609に示すように，真核生物の場合，それらの他にも低分子ncRNAが核小体(核小体内低分子RNA small nucleolar RNA，snoRNA)，核(核内低分子RNA small nuclear RNA，snRNA)および細胞質(マイクロRNA microRNA，miRNA)に存在し，特別な機能を果たす.]

A. リボソームRNA(rRNA)

リボソーム ribosomeはタンパク質合成の場として機能する複雑な構造体であるが(p.580参照)，rRNAはその構成因子としていくつかのタンパク質と結合して存在する．図31.2に示すように原核細胞には，大きさの違う3種類(23S，16S，5S，Sは沈降係数の**スベドベリ単位 Svedberg unit**であり，粒子の大きさや形によって決まる)のrRNAがある．真核細胞の細胞質ゾルには，核DNAにコードされる4種類(28S，18S，5.8S，5S)のrRNAとミトコンドリアDNAにコードされる2種類(12S，16S)のrRNAがある．そしてともに，rRNAは細胞にある全RNAの約80%を占めている．[注：タンパク質合成でのrRNAのように，RNAによっては触媒として機能するものもある(p.585参照)．このような触媒活性を持ったRNAはリボザイム ribozymeと呼ばれる.]

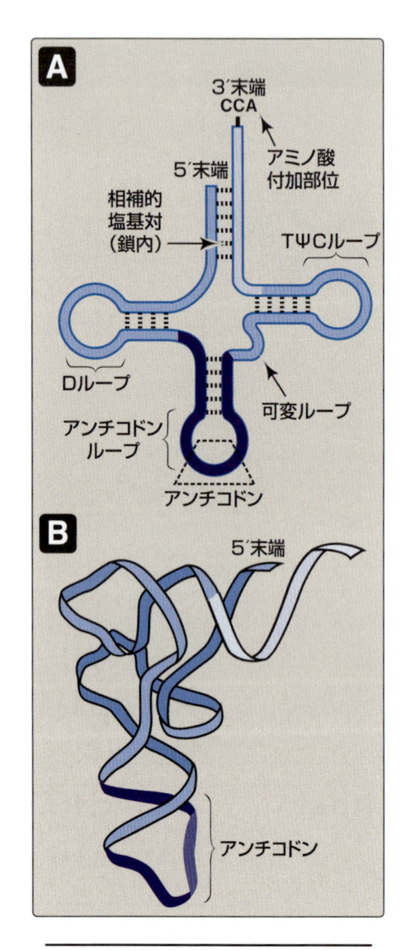

図 31.3
A. 典型的なトランスファーRNA(tRNA)の二次構造(クローバーの葉形)．B. 細胞内での折りたたまれたtRNAの三次構造．D：ジヒドロウラシル，ψ：シュードウラシル，T：チミン，C：シトシン，A：アデニン．

B. トランスファーRNA(tRNA)

tRNAは3つの主要なRNA分子のなかで最も小さい(4S)．タンパク質に共通して存在する20個のアミノ酸それぞれに，少なくとも1種類の特異的なtRNA分子がある．全体としてtRNAは細胞内の全RNAの約15%を占めている．tRNA分子には**修飾塩基 unusual(modified) base**(例えばジヒドロウラシル，p.380，図22.2参照)が高頻度に含まれ，そして分子内で高度に塩基対を形成しており，そのため特徴的なクローバー葉形の二次構造，三次構造を示す(図31.3)．tRNAはそれぞれに特異的なアミノ酸を3′末端に共有結合して，タンパク質合成を行う位置までアミノ酸を運ぶアダプター分子として働く．そこで，mRNA上の遺伝情報を識別し，伸長ペプチド鎖にアミノ酸をつないでいく(p.575参照)．真核細胞では，tRNAは核とミトコンドリアの両方のRNAにコードされている．

ヒトのミトコンドリア染色体には，22のtRNA遺伝子がある．これらの遺伝子の変異がヒトの病気の原因になることがある．ミトコンドリア遺伝子tRNA Lysの変異と関連している病気には，筋肉の構造と機能の障害（ミオパチー）により不随意に筋肉がけいれんする赤色ぼろ線維・ミオクローヌスてんかん症候群 myoclonic epilepsy with ragged red fiber（MERRF）や脳，神経系，筋肉が障害されるミトコンドリア脳筋症・乳酸アシドーシス・脳卒中様発作症候群（MELAS症候群）mitochondrial encephalomyopathy, lactic acidosis and stroke-like episodes（MELAS）がある．MELAS症候群は，ミトコンドリア遺伝子tRNA Leuの変異も原因となる．

C．メッセンジャー RNA（mRNA）

mRNAは細胞中の全RNAのたった5％しか構成していない．しかし，その大きさと塩基配列は他に比べはるかに不均一である．mRNAはDNAの遺伝情報を保持しているRNAでありタンパク質合成に使われる．真核細胞では，mRNAは核から細胞質へ運ばれる．mRNAが2つ以上の遺伝子の情報を含んでいる場合，ポリ（多）シストロン性mRNA polycistronic mRNAと呼ばれる（シストロンは遺伝子を意味する）．ポリシストロン性mRNAは原核生物，ミトコンドリア，ある種のウイルス，植物の葉緑体に特徴的なものである．mRNAが1つの遺伝子からの情報のみを持っている場合，それはモノ（単）シストロン性と呼ばれ，真核生物のmRNAに特徴的なものである．mRNAは翻訳されるタンパク質コード領域に加え，その5′および3′末端側に非翻訳領域を持っている（図31.4）．真核生物のmRNAには，（原核生物にはない）構造上の特徴がある．それはRNA鎖の3′末端にアデニン（A）の繰返し配列（**ポリA テール poly-A tail**）があり，さらに5′末端に**7-メチルグアノシン 7-methylguanosine**が特殊（5′-5′）な三リン酸結合により**キャップ cap**を形成していることである．修飾されたmRNAがこのような特別な構造をどのように作るかは，p.567～568で言及している．

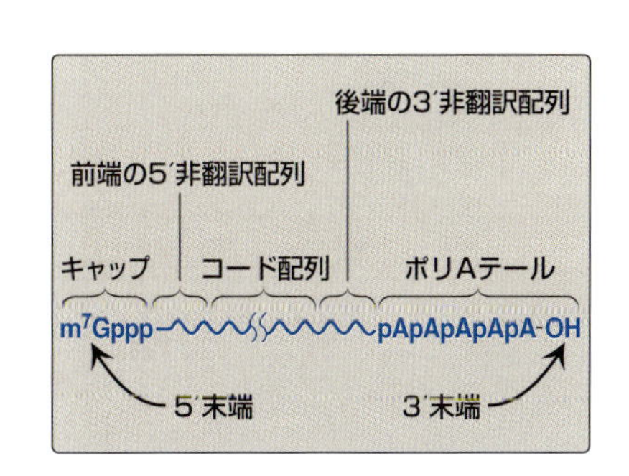

図 31.4
真核生物のメッセンジャー RNA の構造．G：グアニン，A：アデニン．

Ⅲ．原核生物の遺伝子の転写

マグネシウムを必要とするRNAポリメラーゼの構造，転写をコントロールするシグナル，RNA転写産物が受ける修飾の種類は，生物によって，とりわけ原核生物と真核生物とでは異なる．したがって，原核生物と真核生物の転写についてそれぞれ別々に示す．

A．原核生物のRNAポリメラーゼ

細菌は1種類のRNAポリメラーゼによって，DNA複製に必要な短いRNAプライマーを除くすべてのRNAが合成される［注：RNAプラ

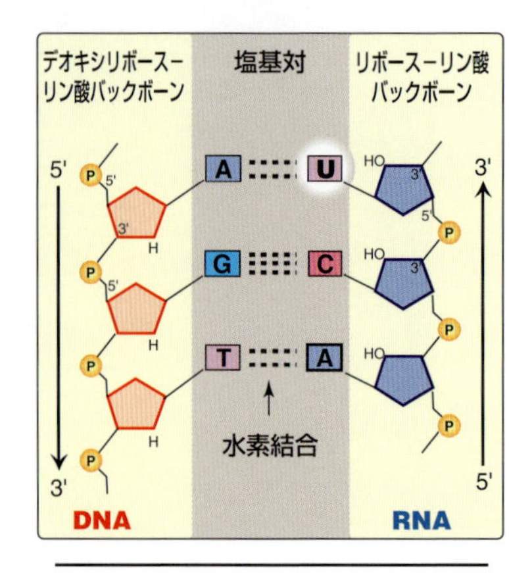

図 31.5
DNAとRNAの間で形成される逆平行な相補塩基対．T：チミン，A：アデニン，C：シトシン，G：グアニン，U：ウラシル．

イマーは，特別な単量体の酵素であるプライマーゼ primaseによって合成される．p.539参照］．RNAポリメラーゼは複数のサブユニットからなる酵素で，DNAの転写開始部位のヌクレオチド配列（**プロモーター領域 promoter region**）を認識する．次に，DNA鋳型鎖に相補的なRNAコピーを作り，転写終結部位のDNA配列（**ターミネーター領域 termination region**）を認識する．RNAは5′末端から3′末端に向かってDNAの鋳型鎖と逆平行に合成される（p.535参照）．鋳型DNA鎖のコピーはDNA合成と同様に行われる．すなわち，鋳型DNAがグアニン（G）の場合はRNAのシトシン（C）が，Cの場合はGが，チミン（T）の場合はアデニン（A）が，しかしAの場合はTではなくウラシル（U）が使われる（図31.5）．したがって，RNAではTの代わりにUが用いられるが，その配列はDNA鋳型（アンチセンス，マイナス）鎖に相補的で，コード（センス，プラス）鎖と同じになる．DNAではどちらの鎖も転写の鋳型になりえるが，ある遺伝子については2本の鎖のうち1つだけが，鋳型として用いられる．どちらの鎖が鋳型として用いられるかは，その遺伝子上のプロモーターの位置によって決まる．RNAポリメラーゼによる転写には，1つのコア酵素といくつかの補足タンパク質が関与している．

1．**コア酵素**：RNAポリメラーゼを構成する2個のαおよびβ，β'，Ωの5つのペプチドサブユニットは**コア酵素 core enzyme**と呼ばれ，αとΩは酵素の会合，β'は鋳型の結合，βは5′→3′ポリメラーゼ活性にそれぞれ必要である（図31.6）．しかしこの酵素は特異性を欠いている（つまり，鋳型DNAのプロモーター領域を認識することができない）．

2．**ホロ酵素**：**σサブユニット σ subunit**（**σ因子 sigma factor**）によって，RNAポリメラーゼはDNA上のプロモーター領域を認識することができる．コア酵素にσ因子が会合し，**ホロ酵素 holoenzyme**という形を作る．［注：σ因子にはさまざまな種類があり，それぞれ別々の遺伝子群を認識する．σ^{70}が主要なσ因子である．］

B．RNA合成のステップ

大腸菌の典型的な遺伝子の転写過程は，開始 initiation，伸長 elongation，終結 terminationの3つに分けられる．**転写単位 transcription unit**はプロモーター領域からターミネーター領域まで伸長し，RNAポリメラーゼによる転写で作られた初期生成物は**一次転写産物 primary transcript**と呼ばれる．

1．**開始**：転写の開始は，RNAポリメラーゼのホロ酵素がプロモーターと呼ばれる非転写DNA領域に結合することで起こる．原核生物のプロモーターは，特徴的な**コンセンサス配列 consensus sequence**を持っている（図31.7）．［注：コンセンサス配列は理想化された塩基配列を示しており，それぞれの位置での塩基は最も頻繁に（必ずしもいつもというわけではない）その位置で認められる塩基を示している．］

図 31.6
原核生物のRNAポリメラーゼ．

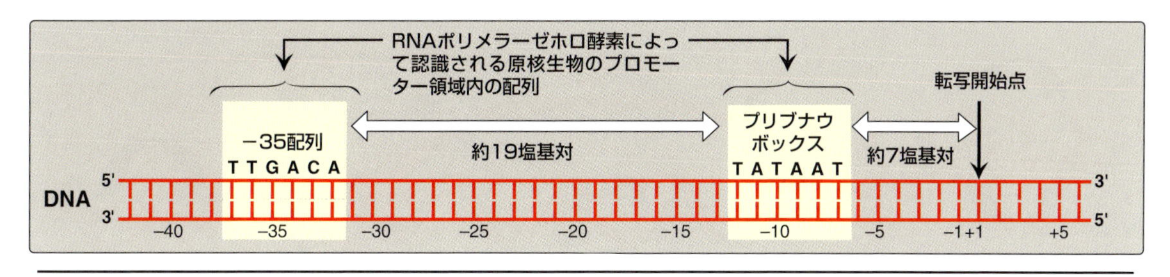

図 31.7
原核生物におけるプロモーター領域の構造．T：チミン，G：グアニン，A：アデニン，C：シトシン．

原核生物のRNAポリメラーゼσ因子によって認識される配列には以下のものが含まれる．

a. **−35 配列**：コンセンサス配列（5′-TTGACA-3′）がmRNAの最初の塩基をコードする転写開始部位より約35塩基上流に位置する（図31.7参照）．ホロ酵素はこの配列をはじめに認識し結合する．［注：転写を制御する配列は，慣例的にコードの5′→3′方向のヌクレオチド配列で表記される．プロモーター領域が転写開始領域の5′末端より左，あるいはその上流にある場合は，その塩基番号はマイナスで表される．それゆえTTGACA配列はおおよそ-35塩基に位置することになる．転写開始部位の最初の塩基を+1としており，“0”で表される塩基はない．］

b. **プリブナウボックス Pribnow box**：ホロ酵素が動くと，次におおよそ-10塩基に位置する2番目のコンセンサス配列（5′-TATAAT-3′）を認識する（図31.7参照）．この部位で最初のDNA融解（解離）が起こり，短い領域（14塩基程度）の融解によって，閉じた二本鎖DNAは転写バブルとして知られる開いた構造になる．［注：-10か-35配列のどちらかに変異がある場合，その変異プロモーターによって遺伝子の転写は影響を受ける．］

2．**伸長**：ホロ酵素によってプロモーターがいったん認識され結合されると，RNAポリメラーゼによってDNAらせんの解離が持続的に起こる（図31.8）．［注：この過程によりDNAにスーパーコイルが形成され，それはDNAトポイソメラーゼ DNA topoisomeraseによりほどかれる（p.537参照）．］RNAポリメラーゼによりDNA配列の転写産物が合成されはじめると，いくつかの短いRNA断片が合成され，そして除かれる．伸長反応は転写産物（たいていの場合プリンからはじまる）の長さが11ヌクレオチド以上の場合に開始する．そしてσ因子は解離し，コア酵素はプロモーターを離れ（通過し），それ自体がスライディングクランプ（滑って動く留め具）となって，鋳型鎖に沿って連続的に移動していく．転写においては短いDNA-RNAハイブリッドらせんが形成される（図31.8参照）．DNAポリメラーゼと同様に，RNAポリメラーゼは**ヌクレオシド三リン酸 nucleoside triphosphate**を基質として用い，伸長鎖に新たにヌクレオシド一リン酸が付加されるたびにピロリン酸を遊離する．また，複製と同様に転写は必ず5′→3

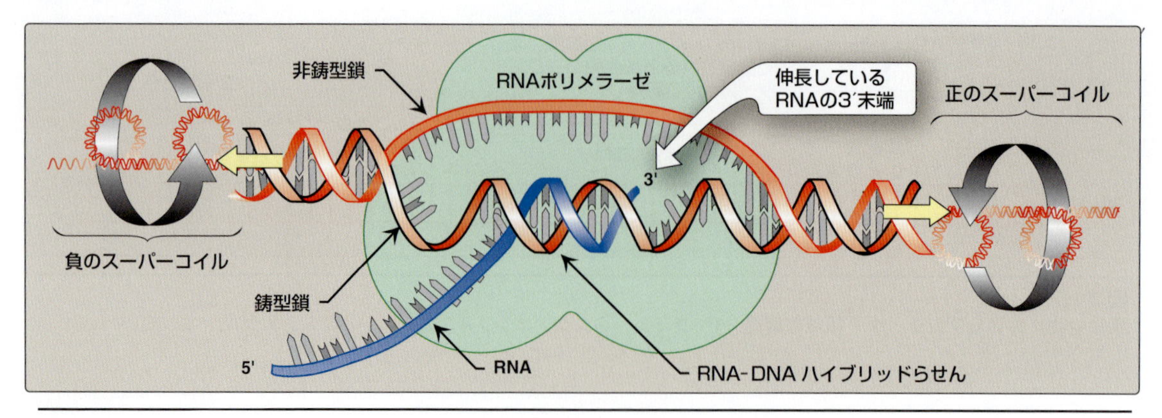

図 31.8
RNAポリメラーゼによる局所的なDNAの解離と開いた構造の開始複合体（転写バブル）の形成．

の方向に進行する．しかし，DNAポリメラーゼと異なり，RNAポリメラーゼは転写においてプライマーを必要とせず，校正に必要な 3′→5′ エキソヌクレアーゼ 3′→5′ exonuclease ドメインを持っていない．[注：リボヌクレオチドのまちがった取り込みが起きると，RNAポリメラーゼは止まって引き返し，その転写産物を壊してしまう．それにもかかわらず，転写は複製よりエラーの頻度が高い．]

3．**終結**：一本鎖RNA鎖の伸長過程は終結シグナルに到達するまで続く．終結は内因的（他のタンパク質を必要としない），あるいは**ロー（ρ）因子** ρ(rho) factor と呼ばれるタンパク質依存的に起こる．

a．**ρ因子非依存性終結**：原核生物のほとんどの遺伝子にとって，この終結が働くためには，鋳型DNAから合成された新生RNA鎖中に自己相補的な配列が存在する必要がある（図 31.9）．この配列によってRNAは折りたたまれ，GとCに富む（水素結合で安定化された）ステムとループの構造を形成する．この構造は“ヘアピン hairpin”として知られている（図 31.9 参照）．さらに，RNA転写産物の 3′ 末端にはヘアピンに続いて連続したU配列がある．このU配列とこれに対応する鋳型DNAのA配列の結合は弱い．これにより，RNAポリメラーゼの後ろで二重らせんがジッパーのように締まり，新しく合成されたRNAと鋳型DNAの解離が促進される．

b．**ρ因子依存性終結**：これには別のタンパク質ρ因子が必要である．ρ因子はヘリカーゼ helicase 活性を有する六量体のATPaseであり，新生RNAの 5′ 末端近くに存在するCに富んだρ認識部位に結合する．そして，終結部位で停止したRNAポリメラーゼに出合うまでATPase活性を利用しRNAに沿って移動する．ρ因子のATP依存的ヘリカーゼ ATP-dependent helicase 活性はRNA-DNAの鎖を離してRNAの解離を促進する．

4．**抗生物質**：一部の抗生物質（抗菌薬）はRNA合成を阻害することで細菌の増殖を抑制する．例えば，リファンピシン rifampicin（リファンピン rifampin)は，原核生物由来 RNAポリメラーゼのβサブユニットに結合し，3塩基目より先のヌクレオチド鎖の伸長を抑制することによって転写の開始を阻害する(図31.10)．リファンピシンは結核の治療に用いられる．ダクチノマイシン dactinomycin(アクチノマイシンD actinomycin D)は腫瘍の化学治療に利用された最初の抗生物質(抗がん薬)である．これはDNA塩基間に入り込み，がん細胞における転写の開始と伸長を阻害する(訳注：微生物が産生する他の微生物の増殖を抑制する物質を抗生物質という．多くの抗生物質は細菌の増殖を抑制する．臨床的には，完全に合成された薬物や天然の抗生物質を改変した薬物が細菌感染症に用いられているので，本来の抗生物質を含めて抗菌薬と総称する．また，抗生物質のなかには抗がん薬として臨床的に用いられているものもある)．

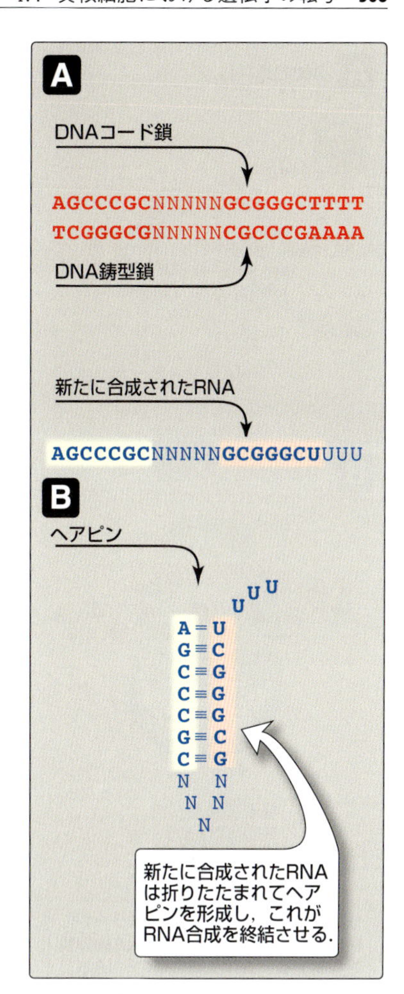

図31.9
原核生物におけるρ因子非依存的な転写終結．A. 鋳型DNAから自己相補的な配列を持つRNAが合成される．B. RNAによって形成されたヘアピン構造．Nは相補的でない塩基を表している．A：アデニン，T：チミン，G：グアニン，C：シトシン，U：ウラシル．

Ⅳ．真核細胞における遺伝子の転写

真核細胞における遺伝子の転写は原核細胞の転写よりはるかに複雑である．真核細胞では，rRNA，tRNA，mRNAの転写にそれぞれ別々のポリメラーゼがかかわっている．さらに，転写因子と呼ばれる多くのタンパク質がかかわっている．転写因子は，近くにあるプロモーター領域，または，離れたところにあるDNAの特定の部位に結合する．転写因子は，プロモーターでの転写開始複合体の形成と，転写されるべき遺伝子の決定の両方に必要である．[注：真核細胞の各RNAポリメラーゼに対しそれぞれ独自のプロモーターとそのコア配列に結合する転写因子がある.] 転写因子が特定のDNA配列を認識し結合するためには，転写因子がDNAに結合しやすくなるように，その部分のクロマチン構造が脱凝縮(弛緩)しなければならない．遺伝子発現制御における転写の役割については33章で述べる．

A．クロマチン構造と遺伝子発現

転写装置が転写されるDNAに接近できるかどうかは，ヌクレオソーム(p.547参照)を構成するDNAとヒストンの結合状態に影響を受ける．活発に転写される遺伝子のほとんどは**ユークロマチン euchromatin**と呼ばれる比較的ゆるい構造のクロマチンのなかにあり，一方DNAの最も不活性化された部分は強く凝縮された**ヘテロクロマチン heterochromatin**に存在する．クロマチンリモデリングの主要なメカニズムはヒストンタンパク質のアミノ末端にあるリシン残基のアセチル化といったヒストンの共有結合修飾である(図31.11)．ヒストンアセチル化酵素 histone acetyltransferase(HAT)によってアセチル化が起こると，リシンの正の電荷が中和されることにより，負の電荷を有するDNAとの相互作用が弱くなる．ヒストン脱アセチル化酵素 histone deacetylase(HDAC)によってアセチル基が除かれると再び正の電荷を持つようになり，ヒストンとDNAの相互作用が強い状態に戻る．[注：ATP依存的なヌクレオソームの再配置もDNAへの接近に必要である.]

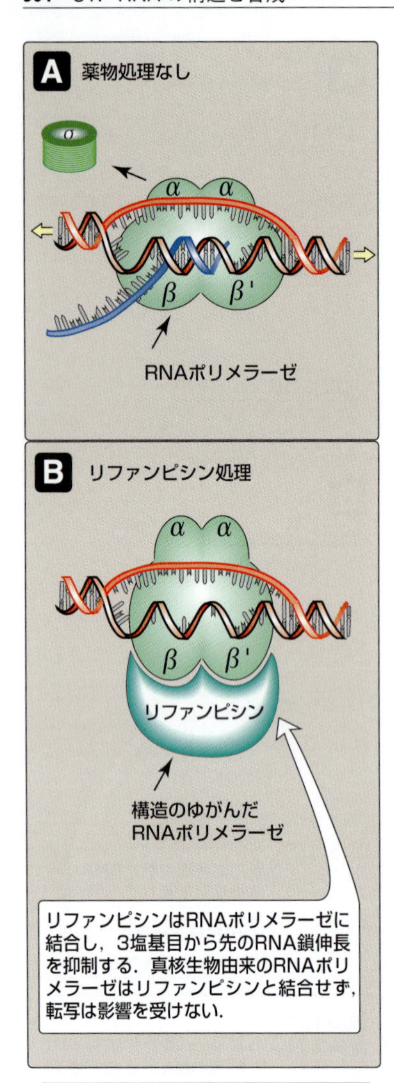

図 31.10
A：原核生物におけるRNAポリメラーゼによる転写伸長(薬剤処理なし)．B：リファンピシン(リファンピン)によるRNAポリメラーゼの不活性化．

B. 核内RNAポリメラーゼ

真核細胞の核内には3種類のRNAポリメラーゼが存在する．すべて複数のサブユニットから構成される大きな酵素である．それぞれのRNAポリメラーゼは特定の種類の遺伝子を認識する．[注：ミトコンドリアには1種類のRNAポリメラーゼが存在するが，それは細菌由来のRNAポリメラーゼと機能的に類似している．]

1．**RNAポリメラーゼⅠ**：この酵素は**核小体 nucleolus**において28S，18S，5.8S rRNAの前駆体を合成する．

2．**RNAポリメラーゼⅡ**：この酵素はプロセッシング後にタンパク質へと翻訳されるmRNAの核内前駆体を合成する．RNAポリメラーゼⅡ(RNA polⅡ)はsnoRNA，snRNA，miRNAといった小さなノンコーディングRNA(ncRNA)も合成する．

a. **RNAポリメラーゼⅡがかかわるプロモーター**：RNA polⅡによって転写されるいくつかの遺伝子には，プリブナウボックス(p.561参照)とほぼ同様のDNA配列(TATAAA)が，転写開始点から上流約25塩基を中心に存在する．このコアプロモーターのコンセンサス配列は，**TATAボックス**または**ホグネスボックス Hogness box**と呼ばれる．しかし，多くの遺伝子には，TATAボックスは存在せず，その代わりに**イニシエーター initiator**(Inr)または**下流プロモーターエレメント downstream promoter element**(DPE)といった，異なるコアプロモーターエレメントが存在する(図31.12)．[注：すべてのコアプロモーターに共通する配列は存在しない．]これらのDNA配列は転写される遺伝子と同じDNA分子にあるので，シス作用性エレメントと呼ばれる．これらの配列には基本転写因子 general transcription factor(GTF)として知られるタンパク質が結合し，続いて基本転写因子どうしや基本転写因子とRNA polⅡとの結合が起こる．

b. **基本転写因子**：基本転写因子(GTF)は，プロモーターの認識，RNA polⅡのプロモーターへの移動，転写開始前複合体の形成，基底レベルの転写開始に最低限必要である(図31.13 A)．これらはそれぞれ別々の遺伝子によってコードされ，細胞質ゾルで合成されたのち，それぞれ機能する領域に拡散(移動)する．すなわち，これらはトランスに作用する．[注：原核生物のホロ酵素とは異なり，真核細胞のRNA pol Ⅱは，それ自体がプロモーターを認識し結合することはない．その代わりに，TATA結合タンパク質とその付随因子からなるTFIIDがTATAボックス(およびその他のコアプロモーターエレメント)を認識，結合し，さらに，別の基本転写因子であるTFIIFがポリメラーゼをプロモーターにリクルートする．TFIIHのヘリカーゼ活性がDNAをほどき，そのキナーゼ kinase活性によってポリメラーゼがリン酸化されることで，ポリメラーゼがプロモーターを通過しやすくしている．]

c. **調節エレメントと転写活性化因子**：コアプロモーターの上流にはさらにいくつかのコンセンサス配列が存在する(図31.12参

照). コアプロモーターの近い上流(200ヌクレオチドまでの領域)に存在するのが, CAATボックスやGCボックスといった近位調節エレメントであり, さらに遠くに存在するエンハンサーが遠位調節エレメントである(下記d.参照). 転写活性化因子 transcriptional activatorもしくは特異的転写因子 specific transcription factor(STF)として知られているタンパク質は, これらの調節エレメントに結合する. 特異転写因子は近位調節エレメントに結合することで転写開始の頻度を調節したり, 遠位調節エレメントに結合することでホルモンなどのシグナルに対する反応にかかわったり(p.605参照), いつどの遺伝子が発現するかを制御したりする. タンパク質をコードする典型的な真核細胞の遺伝子には, たくさんの特異的転写因子の結合部位が存在する. 特異転写因子にはDNA結合領域と転写活性化領域が存在する. 転写活性化領域は基本転写因子をコアプロモーターへリクルートしたり, クロマチン修飾にかかわるヒストンアセチル化酵素(HAT)などのコアクチベーターをリクルートしたりする. [注:メディエーターは複数のサブユニットから構成されるコアクチベーターであり, RNA pol Ⅱ, 基本転写因子, 特異的転写因子と結合し, RNA pol Ⅱによる転写開始を制御している.]

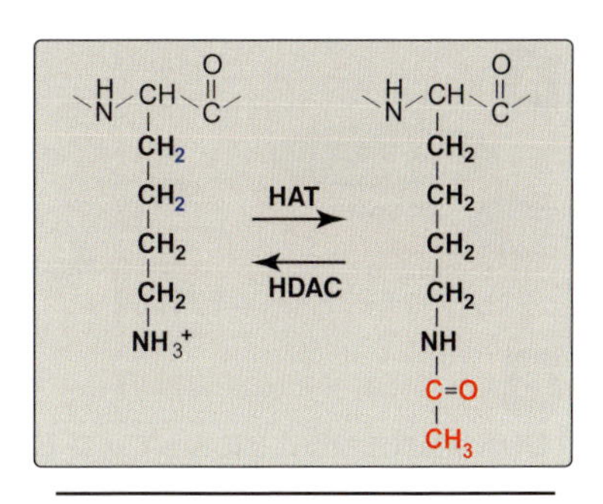

図 31.11
ヒストンにおけるリシン残基のアセチル化/脱アセチル化. アセチル基はアセチル補酸素Aによって供給される. HAT:ヒストンアセチル化酵素, HDAC:ヒストン脱アセチル化酵素.

> 転写活性化因子は, ヘリックス・ループ・ヘリックス helix-loop-helix, ジンクフィンガー zinc fingerやロイシンジッパー leucine zipperといったさまざまなモチーフを介してDNAと結合する(p.20参照).

d. エンハンサーの役割:エンハンサーは同一鎖上に存在する特定のDNA配列であり, RNA pol Ⅱによる転写開始の効率を増加させる. エンハンサーは典型的にはそれが転写促進する遺伝子と同じ染色体上に存在する(図31.13 B). しかし, エンハンサーは, (1)転写開始点の上流(5′方向)または下流(3′方向)のどちらに

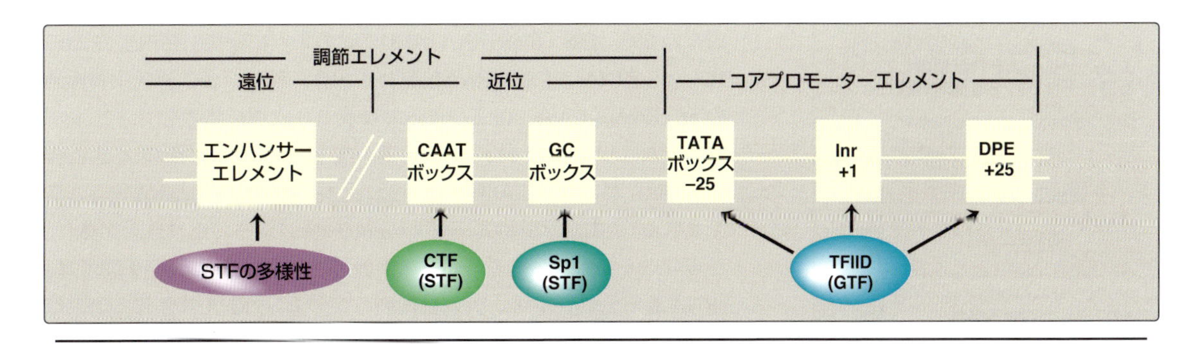

図 31.12
真核細胞遺伝子におけるシス作用性のプロモーターおよび調節エレメントとトランス作用性の基本転写因子(GTF)および特異転写因子(STF). Inr:イニシエーター, DPE:下流プロモーターエレメント.

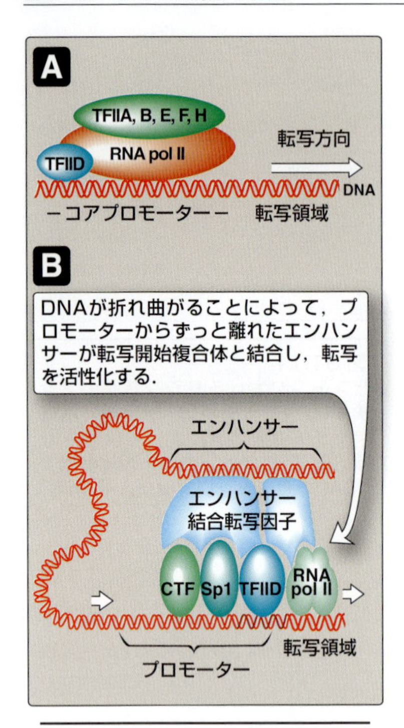

図 31.13
A. コアプロモーターにおける基本転写因子（TFⅡ）とRNAポリメラーゼⅡ（RNA pol Ⅱ）の結合．［注：TFⅡのローマ数字Ⅱは，RNAポリメラーゼⅡに作用する基本転写因子（TF）を意味する．］ B. エンハンサーによる転写の活性化．CTF：CAATボックス転写因子，Sp1：特異因子-1.

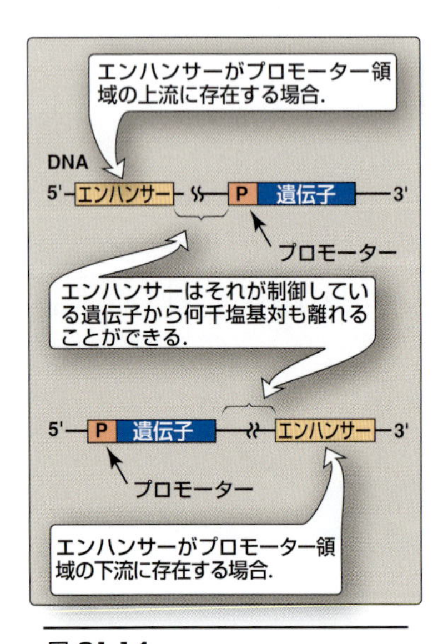

図 31.14
エンハンサーが存在する領域．

あってもよく，(2)プロモーターから近くてもまたは数千塩基対離れていてもよく(図 31.14)，(3) DNA二重鎖のどちら側にあってもよい．エンハンサーは“**応答エレメント response element**”と呼ばれるDNA配列を含んでおり，それには**特異的転写因子**(**転写活性化因子**)が結合する．DNAが折れ曲がったりループを形成することで，このエンハンサー結合タンパク質はRNA polⅡとともにプロモーターに結合している他の転写因子と相互作用し，転写を促進する(図 31.13 B参照)．メディエーターもまたエンハンサーに結合する．［注：**サイレンサー silencer**はエンハンサーとよく似て遠く離れたところからも作用できるが，遺伝子発現を抑制する機能を持つ．］

e．RNAポリメラーゼⅡの阻害物質：α-アマニチン **α-amanitin**は毒キノコである*Amanita phalloides*(タマゴテングタケ．しばしば“死のかさ death cap”と呼ばれる)が作る強力な毒素である．α-アマニチンはRNA polⅡと強固な複合体を形成し，その動きを遅くすることでmRNA合成を阻害する．

3．RNA ポリメラーゼⅢ：この酵素はtRNA，5SリボソームRNA **5S ribosomal RNA**，ある種のsnRNAやsnoRNAを合成する．

Ⅴ．RNA の転写後修飾

一次転写産物 primary transcriptは，特定の開始配列から終結配列までのDNA領域である転写単位の最初のRNAコピーである．真核細胞と原核細胞の両方においてtRNAとrRNAの一次転写産物は，転写後にリボヌクレアーゼ ribonucleaseによる切断修飾を受ける．tRNAはさらにそれぞれの配列ごとに決まった修飾を受ける．それに比べてmRNAは，原核細胞においては一般に一次転写産物と同じであるが，真核細胞においては広範囲にわたって転写中および転写後の修飾を受ける．

A．リボソームRNA

真核細胞と原核細胞のrRNAはともに**プレリボソームRNA preribosomal RNA**(プレrRNA)と呼ばれる長い前駆体から作られる．真核生物由来の 28S，18S，5.8S rRNA(図 31.15)のように原核生物由来の 23S，16S，5S rRNAは 1 つのRNA前駆体から作られる．［注：真核生物由来の 5S rRNAはRNA polⅢによって合成され，別に修飾を受ける．］プレrRNAはリボヌクレアーゼによって切断され，中間の大きさのrRNA断片ができ，この断片はさらに必要とされているRNA種へと加工される(エキソヌクレアーゼ exonucleaseによってトリミングされ，さらにいくつかの塩基やリボースが修飾される)．［注：真核生物では，rRNA遺伝子は長くタンデムに配列している．rRNAの合成と加工は核小体で行われ，核小体低分子RNA(snoRNA)によって塩基と糖の修飾が促進される．］

B. トランスファー RNA

真核細胞と原核細胞の両方のtRNAもまた長い前駆体が修飾されて作られる(図31.16). 分子の両端の配列が取り除かれ, さらに, 介在配列であるイントロンがあればヌクレアーゼ nucleaseによってアンチコドンのループから取り除かれる. 他の転写後修飾として, ヌクレオチドトランスフェラーゼ nucleotidyltransferaseによるtRNA 3′末端へのCCA配列付加やtRNAに特徴的な特定の部位に**修飾塩基 unusual base**を形成する塩基修飾がある(p.380参照).

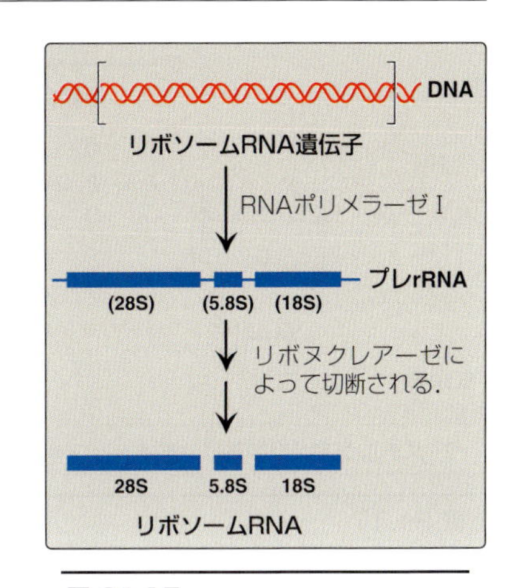

図 31.15
リボヌクレアーゼによる真核生物由来リボソームRNAの転写後修飾.
S：スベドベリ単位.

C. 真核生物由来のmRNA

核内でRNA pol IIによって合成されたRNA分子(一次転写産物)はヘテロ核RNA heterogeneous nuclear RNA(hnRNA)と呼ばれる. hnRNAのなかでもプレmRNAは, 核内において, 広く転写中および転写後の修飾を受け成熟mRNAとなる. これらの修飾には一般に以下のものが含まれる. [注：RNA pol II自体が修飾に必要なタンパク質をリクルートする.]

1. **5′キャップ構造の付加**：これは, プレmRNAの最初の修飾である(図31.17). キャップ構造は例外的な5′→5′方向への三リン酸結合によってmRNAの5′末端に付加された**7-メチルグアノシン 7-methylguanosine**であり, ほとんどのヌクレアーゼに対して抵抗性を示す. キャップ構造の付加には, プレmRNAの5′-三リン酸からのγリン酸基の除去が必要であり, さらに続いて, 核内酵素であるグアニリルトランスフェラーゼ guanylyltransferaseによりグアノシン一リン酸(グアノシン三リン酸由来)が付加される. この末端のグアニンのメチル化は細胞質ゾルでグアニン-7-メチルトランスフェラーゼ guanine-

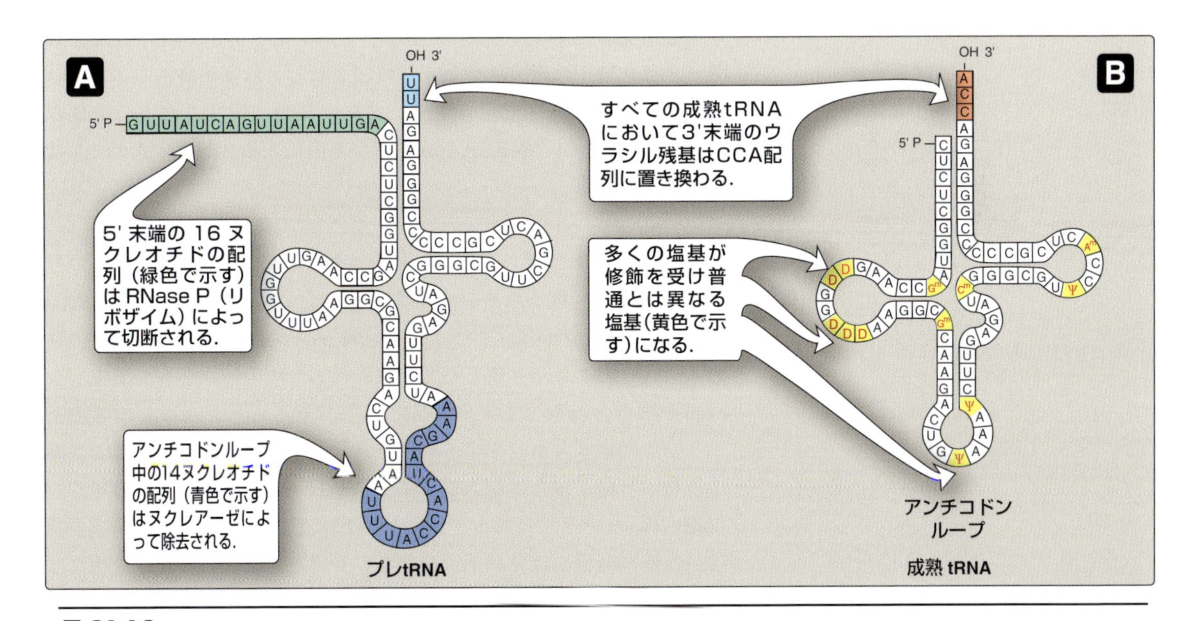

図 31.16
A. トランスファーRNA(tRNA)一次転写産物(プレtRNA). B. 転写後修飾された成熟(機能的)tRNA. 修飾塩基をD(ジヒドロウラシル), Ψ(プソイドウラシル), ^{m}(メチル化された塩基)で示している.

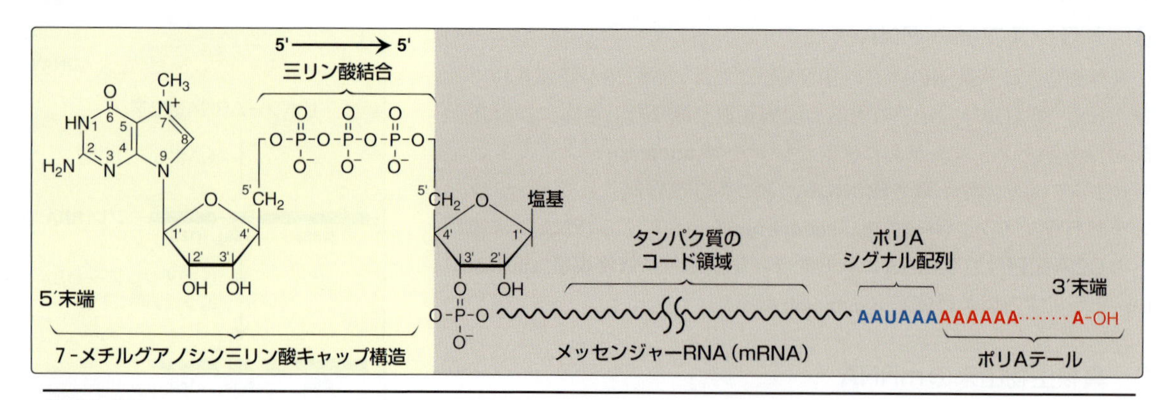

図 31.17
mRNAの転写後修飾には7-メチルグアノシンキャップ構造とポリAテールがある．

7-methyltransferaseによって触媒される．***S*-アデノシルメチオニン *S*-adenosylmethionine**（SAM）がメチル基の供給源となっている（p.342参照）．これに加えてさらにメチル化が起こる場合もある．この7-メチルグアノシンキャップ構造の付加によりmRNAの安定性が向上し，さらに翻訳の効率的な開始が可能となる（p.583参照）．

2．3′ポリAテール 3′-poly-A tail（ポリA鎖）付加：ほとんどの真核生物由来mRNA（ヒストンをコードするmRNA等いくつかの例外がある）は40～250のアデニル酸（アデノシン一リン酸）が3′末端に付加されている（図31.17参照）．このポリAテールはDNAから転写されたものではなく，核内酵素ポリAポリメラーゼ polyadenylate polymeraseによってATPを基質として用いて付加されたものである．**ポリAシグナル配列 polyadenylation signal sequence**（AAUAAA）と呼ばれる保存された配列がRNA分子の3′末端付近に存在し，プレmRNAはその下流で切断されたのち，ポリAテールが新たな3′末端に付加される．真核生物ではポリAテールが付加されると転写が終結する．ポリAテールはmRNAを安定化させ，それが核外に輸送されるのを促進し，翻訳を助ける．mRNAが細胞質ゾル内に入ると，ポリAテールは徐々に短くなる．

3．スプライシング：一般的に真核生物mRNAの修飾過程においては，一次転写産物からタンパク質を作るための情報をもたないRNA配列（**イントロン intron**または**介在配列 intervening sequence**）が除去される．残りのタンパク質として発現されるための情報をもつ**エキソン exon**が継ぎ合わさって完全なmRNAができる．イントロンの除去とエキソンの継ぎ合わせをする過程をスプライシングと呼ぶ．この仕事を遂行する分子複合体を**スプライソソーム spliceosome**（**スプライシング複合体**）という．ヒストン遺伝子の転写産物など，真核細胞の少数の一次転写産物にはイントロンがない．ほとんどの一次転写産物には少数のイントロンがあるが，コラーゲンα鎖の一次転写産物のように除かれなければならないイントロンが50以上あることもある．

a．核内低分子RNA（snRNA）の役割：Uに富むsnRNAは多数のタンパク質と結合してスプライシングにかかわる５種類の**核内低分子リボ核タンパク質 small nuclear ribonucleoprotein particle**（snRNPまたはsnurp）U1，U2，U4，U5，U6を形成する．これらはイントロンのそれぞれの終末に存在する保存配列と塩基対を形成することによりイントロンの除去を促進する（図31.18）（訳注：RNAには本書で説明されている以外にもさまざまな役割があることが明らかになってきた．外来性に導入した21～23塩基程度の低分子干渉RNA small interfering RNA（siRNA）は相補的な配列を含むmRNAを配列特異的に分解する（RNA干渉 RNA interference（RNAi）．また，細胞内で長鎖の二本鎖RNAが生成されると，それが切断されてsiRNAとなりRNAiが生じる．tRNAやrRNAなどタンパク質に翻訳されることのないRNAをncRNAと総称するが，それに含まれる小型のヘアピン（一部二本鎖）RNAであるマイクロRNA（miRNA）もRNAi様のメカニズムで遺伝子発現の制御を行っていることが明らかになってきた）．［注：自己免疫疾患である全身性エリテマトーデス systemic lupus erythematosus（SLE）の患者の体内では，snRNPなどの自己核内タンパク質に対する抗体が産生される．］

b. **メカニズム**：snRNPの結合によって隣どうしのエキソン配列が正しく配列すると，２カ所のエステル交換反応（U2，U5，U6のRNAが触媒する）が起こり，スプライシングが進む．イントロン中のアデノシンヌクレオチド（分枝部位A）の2′-OH基がイントロンの5′末端（スプライス供与部位）のリン酸基を攻撃することで，例外的な2′→5′-ホスホジエステル結合が形成され，イントロンはラリアット（投げ縄）構造になる（図31.18参照）．自由になったエキソン１の3′-OHは，スプライス受容部位の5′-リン酸基を攻撃することで，エキソン１とエキソン２をつなぐホスホジエステル結合が形成される．イントロンはラリアット構造を形成した後，切り離され，通常は分解されるが，snoRNAといったncRNAの前駆体になる場合もある．［注：イントロンは必ずGU配列ではじまりAG配列で終わる．しかし，スプライス部位の認識にはさらに他の配列が重要である．］イントロンが除去されエキソンが継ぎ合うと，完成したmRNA分子は核膜孔を通って核から細胞質ゾルへと移動する．［注：tRNA（図31.16参照）のイントロンはスプライシングとは異なるメカニズムで除去される．］

c. **スプライス部位の変異の影響**：スプライス部位の変異によって不適切なスプライシングと異常なタンパク質の合成が起こることがある．遺伝性疾患の少なくとも20％はRNAスプライシングに影響を及ぼす変異が原因であると見積もられている．例えば，βグロビンmRNAの異常なスプライシングを引き起こす変異は，ある種の**β サラセミア β-thalassemia**（β地中海貧血，βグロビンタンパク質に産生異常がみられる疾患）の原因になる（p.46参照）．スプライス部位の変異によって，エキソンがスキップ（除去）されたり，イントロンが残ったりすることがある．また，5′または3′コンセンサス配列を含むものの通常はスプライシング部位として

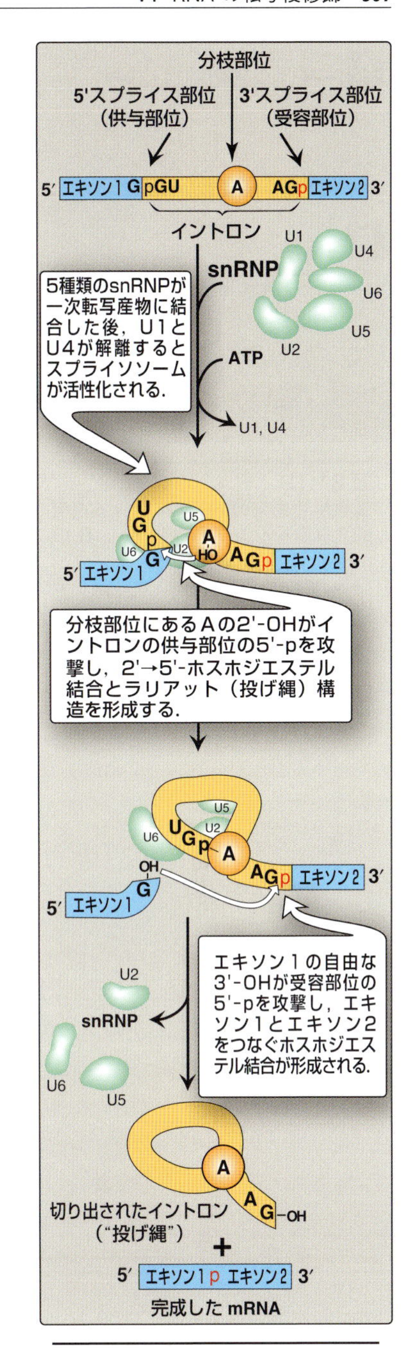

図 31.18
スプライシング．［注：U1は5′供与部位に，U2は分枝部位と3′受容部位にそれぞれ結合し，U4～U6がさらに加わることで複合体が完成する．］
snRNP：小分子リボ核タンパク質．

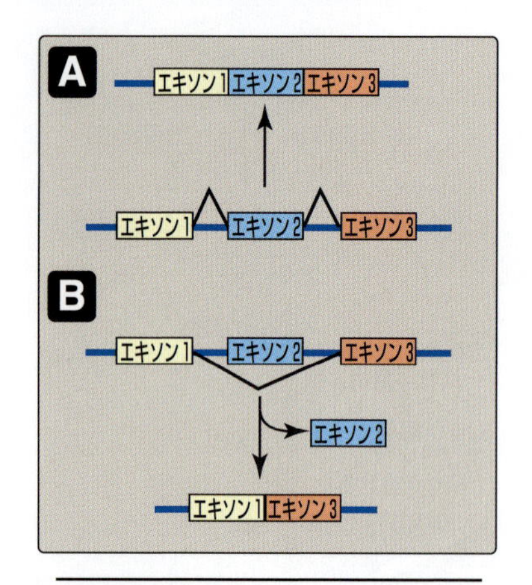

図 31.19
真核生物由来のmRNAにおける選択的スプライシングのパターン．B の mRNA は，エキソン 2 の除去(スキップ)によって A の mRNA とは異なるタンパク質産物になる．

使われない部位が変異によって活性化されることもある．

4．選択的(オルタナティブ)スプライシング alternative splicing： 90% を超えるヒト遺伝子のmRNA前駆体は，それぞれの組織で異なる 2 つまたはそれ以上の方法でスプライシングされる．このことによって多様なmRNA，つまり多様なタンパク質が作り出される(図 31.19)．これは，数の限られた遺伝子から多様なタンパク質を作り出す機構の 1 つである．例えば，細胞骨格(および筋細胞の収縮装置)のアクチンフィラメントに結合するトロポミオシンのmRNAは，広範囲にわたって組織特異的な選択的スプライシングを受け，トロポミオシンタンパク質の複数のアイソフォームを作る．

31章の要約

- タンパク質合成には，**リボソームRNA(rRNA)**，**トランスファーRNA(tRNA)**，**メッセンジャーRNA(mRNA)**の主に3種類のRNAが関与している．RNAはデオキシリボースのかわりに**リボース**を，またTのかわりにUを含んでいるという点でDNAとは異なっている．**rRNA**は**リボソーム**の構成分子である．**tRNA**は，特異的なアミノ酸をタンパク質合成部位に運搬する**アダプター**分子として働く．**mRNA**(コードRNA)はタンパク質合成に用いられるDNAからの遺伝情報を有している．
- RNAを合成する過程は転写と呼ばれる．**RNAポリメラーゼ**は，**リボヌクレオシド三リン酸**を基質に**5′→3′ポリメラーゼ活性**によってRNAを合成する酵素である．原核細胞・真核細胞ともにRNAポリメラーゼはプライマーを必要としない．
- **原核細胞**においては，**RNAポリメラーゼのコア酵素**は5つのサブユニット(2個のα，1個のβ，1個のβ'，1個のΩ)から構成されている．コア酵素がDNAのヌクレオチド配列(**プロモーター**領域)を認識するためには、補足的なサブユニット**シグマ(σ)因子**が必要である．プロモーター領域には，**-10プリブナウボックス**や**-35配列**といったよく保存されている**コンセンサス配列**が存在する．他にも**ロー(ρ)因子**が遺伝子の**転写終結**に必要な場合がある．
- **真核細胞**の核には3種類のRNAポリメラーゼ(RNA pol Ⅰ，Ⅱ，Ⅲ)が存在する．**RNA pol Ⅰ**は核小体においてrRNA前駆体を合成する．**RNA pol Ⅱ**はmRNAおよびある種のncRNAを合成し，**RNA pol Ⅲ**がtRNA前駆体と5S rRNAを合成する．**RNA pol Ⅱ**によって転写される遺伝子のコア**プロモーター**は，**TATAボックス(ホグネスボックス)**といった**シス作用性**のコンセンサス配列を含んでおり，この配列に**トランス作用性**の**基本転写因子**が結合する．その上流には，CAATボックスやGCボックスといった**近位**の調節エレメントと，**エンハンサー**といった**遠位**の調節エレメントが存在する．**特異的転写因子**(転写活性化因子)や**メディエーター複合体**はこれらの配列に結合することで遺伝子発現を制御する．真核細胞の転写には**クロマチンリモデリング**によって**クロマチン**が弛緩(脱凝縮)する必要がある．
- **一次転写産物**は，開始と終結の特別な配列にはさまれたDNA領域である**転写単位**の一次元コピーである．原核生物由来のmRNAは一般的にその一次転写産物と同一であるが，真核生物由来の**プレmRNA**は広範囲にわたって転写中および転写後修飾を受ける．例えば，**7-メチルグアノシンキャップ**は5′→5′結合によりmRNA 5′末端に付加される．**長いポリAテール**はほとんどのmRNAの3′末端に**ポリAポリメラーゼ**によって付加される．真核生物由来のほとんどのmRNAは**介在配列(イントロン)**も含んでおり，それが除去されることで機械的なmRNAになる．この除去とタンパク質を作るための情報をもつエキソンの継ぎ合わせには，**スプライシング**反応にかかわる**小分子リボ核タンパク質(snRNP，snurp)**からなる**スプライソソーム**が必要である．真核細胞のmRNAは**モノ(単)シストロン性**であり，1つの遺伝子から情報を得る．一方，原核細胞のmRNAは**ポリ(多)シストロン性**である(図31.20)．

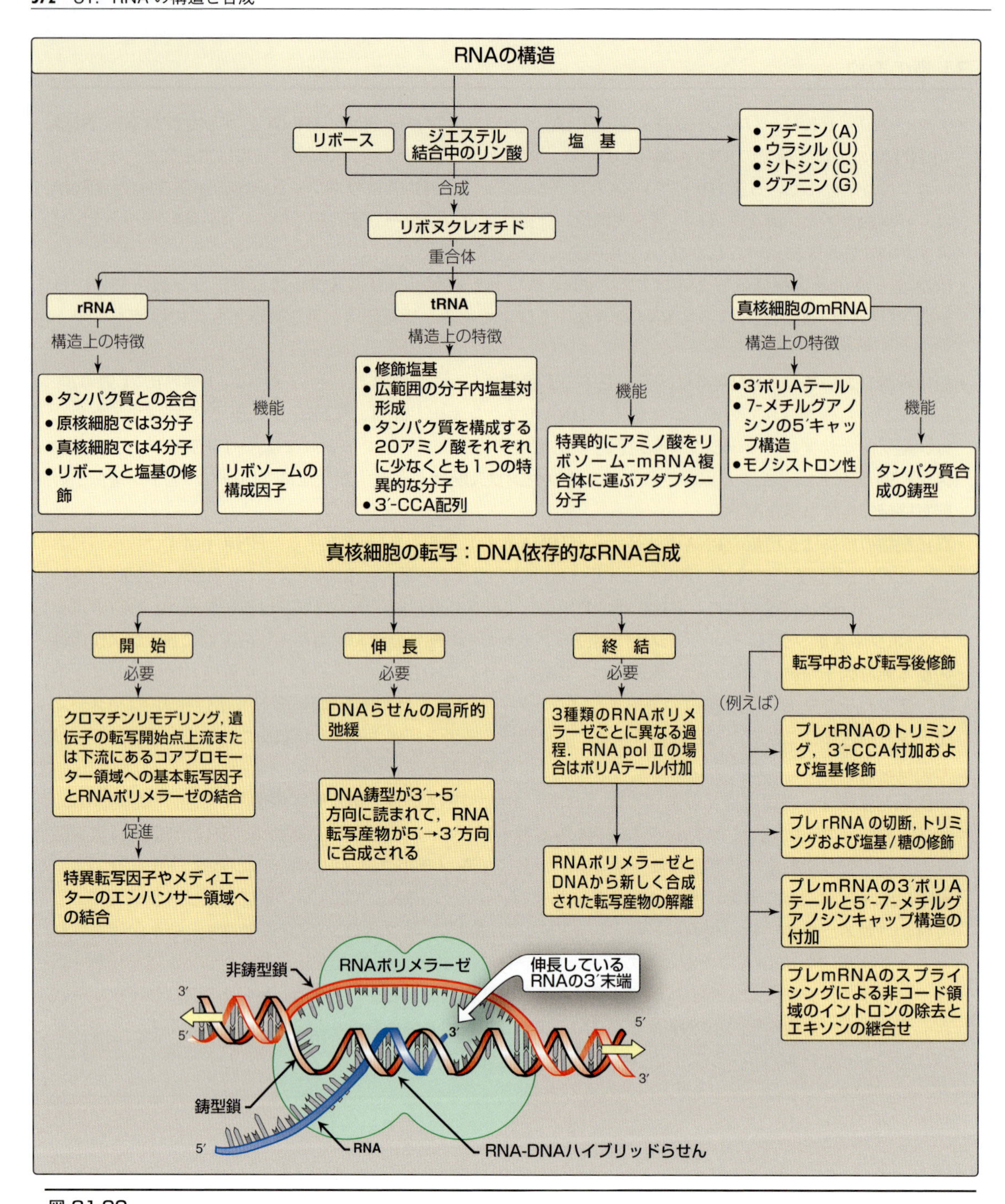

図 31.20
RNAの構造と機能の概念図．rRNA：リボソームRNA，tRNA：トランスファーRNA，mRNA：メッセンジャーRNA．

学習問題

最適な答えを1つ選びなさい.

31.1　重度の貧血の8カ月の男児がβサラセミアであることがわかった. 遺伝子解析により, 彼の1つのβグロビン遺伝子に変異があり, 最初のイントロンの正しいスプライス受容部位から19ヌクレオチド上流に新しくスプライス受容部位が作られることがわかった. この変異遺伝子から作られる新しいメッセンジャーRNA(mRNA)の記述として正しいものはどれか.

A. エキソン1が短くなる
B. エキソン1が長くなる
C. エキソン2が短くなる
D. エキソン2が長くなる
E. エキソン2がなくなる

正解　D. イントロン1ラリアット(投げ縄)構造の3′末端に存在する19ヌクレオチドは通常はイントロン1とともに除去されるが, 変異によって通常のスプライス受容部位の上流にさらなるイントロン1のスプライス受容部位(3′末端)ができるため, この19ヌクレオチドはエキソン2の一部として残る. 変異メッセンジャーRNA(mRNA)のコード領域によけいなヌクレオチドが存在することは, リボソームがmRNAから正常なβグロビンタンパク質を翻訳するのを妨げる. 最初のイントロンを除去するのに正常なスプライシング部位が使われれば, そのmRNAは正常で, それから翻訳されるβグロビンタンパク質も正常である.

31.2　疲れやすく歩行に問題がある4歳児が, 伴性劣性遺伝のデュシェンヌDuchenne型筋ジストロフィーと診断された. 遺伝解析により, 親の筋タンパク質ジストロフィン遺伝子のプロモーター領域に変異があることがわかった. この変異によって起こる異常として最も考えられるのはどれか.

A. ジストロフィンの転写開始
B. ジストロフィンの転写終結
C. ジストロフィンメッセンジャーRNAへのキャップ構造付加
D. ジストロフィンメッセンジャーRNAのスプライシング
E. ジストロフィンメッセンジャーRNAへのポリAテール付加

正解　A. プロモーターの変異は通常, RNA pol Ⅱ転写開始複合体の形成を阻害し, その結果, メッセンジャーRNA(mRNA)合成の開始が減少する. ジストロフィンmRNAの不足によりジストロフィンタンパク質の合成が不十分になる. キャップ構造の付加, スプライシングおよびポリAテール付加の異常は, プロモーターの変異では起こらない. キャップ構造付加およびポリAテール付加の異常によってmRNAが不安定化し, スプライシングの異常によってエキソンがスキップ(消失)したりイントロンが残ったりする.

31.3　以下の真核生物のメッセンジャーRNA(mRNA)の配列のうち, 変異があるとmRNAの3′末端へのポリAテール付加が異常になるものはどれか.

A. AAUAAA
B. CAAT
C. CCA
D. GU. . . A. . . AG
E. TATAAA

正解　A. エンドヌクレアーゼがポリAシグナル配列の直下でmRNAを切断し, ポリAポリメラーゼが鋳型非依存的にATPを基質として使い, ポリAテールを付加することで新しい3′末端ができる. CAAT, TATAAAはRNA pol Ⅱのプロモーターにみられる配列である. CCAは, ヌクレオチドトランスフェラーゼによってトランスファーRNAの3′末端に付加される. GU. . . A. . . AGは真核生物のプレmRNAにあるイントロンを示している.

31.4 以下のタンパク質因子のうち，真核細胞のタンパク質をコードする遺伝子のプロモーターを認識するものはどれか．

A. プリブナウボックス
B. ロー(ρ)
C. シグマ(σ)
D. TFIID
E. U1

正解 D. 基本転写因子TFIIDは真核細胞のタンパク質コード遺伝子におけるTATAボックスといったコアプロモーター配列を認識，結合し，RNA pol IIがその遺伝子を転写する．プリブナウボックスは原核細胞のプロモーターにおけるシス作用性エレメントである．ρは原核細胞における転写終結にかかわっている．σは原核細胞のプロモーターを認識，結合するRNAポリメラーゼのサブユニットである．U1は真核細胞におけるプレmRNAのスプライシングにかかわるリボ核タンパク質である．

31.5 標準的な書き方で示した鋳型DNA配列GATCTACのRNA産物の配列を同様に標準的な書き方で示せ．

正解 5′-GUAGAUC-3′ 核酸配列は慣例的に5′から3′へと記載する．RNA産物は鋳型鎖に対して相補的な(コード鎖と同じ)配列で，また，TがUに代わる．

タンパク質合成 32

I. 概　要

染色体のDNAに保存され，DNA複製を通して娘細胞へと受け継がれる**遺伝情報 genetic information**は，**転写 transcription**されてRNAとして発現するが，メッセンジャーRNA(mRNA)の場合，さらに**翻訳 translation**されてタンパク質(ポリペプチド)として発現する(図32.1)．[注：細胞内で発現している全タンパク質のことをプロテオームと呼ぶ.] mRNAのヌクレオチド配列という“言語”が，アミノ酸配列という“別の言語”へと翻訳されるので，タンパク質合成の過程は“翻訳”と呼ばれる．翻訳には**遺伝暗号(遺伝コード**，**genetic code)**が必要であり，これを介してヌクレオチド配列に含まれる情報が特定のアミノ酸配列へと解読される．ヌクレオチド配列の変化(変異)により本来とは異なったアミノ酸がタンパク質に挿入され，疾患または個体の死の誘因となる可能性がある．新たに合成された未熟(新生)タンパク質は，さまざまな**修飾 modification**を経て成熟し，生理機能を発揮する形を獲得する．タンパク質は正しく折りたたまれる(フォールディングされる)必要があり，誤った折りたたみ(ミスフォールディング)はタンパク質の凝集や分解をもたらす．多くのタンパク質は共有結合による修飾を受けることで活性を変化させる．最終的に，タンパク質は，タンパク質自体に存在するシグナルによって，細胞内外の目的地へと輸送される．

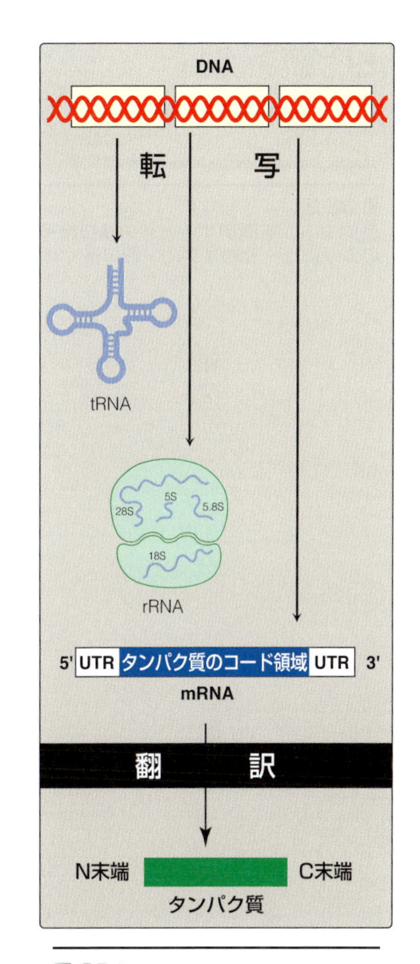

図 32.1
タンパク質合成は “翻訳” と呼ばれる．tRNA：トランスファーRNA, rRNA：リボソームRNA，mRNA：メッセンジャーRNA, UTR：非翻訳領域．

II. 遺伝暗号

遺伝暗号はヌクレオチド塩基の配列とアミノ酸の配列を対応させる“辞書”である．暗号中のそれぞれの“言葉”は3つのヌクレオチド塩基で構成されている．この遺伝の言葉はコドンと呼ばれる．

A. コ ド ン

コドン codonはmRNA中のアデニン(A)，グアニン(G)，シトシン(C)，ウラシル(U)で表され，そのヌクレオチド配列は常に5′末端から3′末端へと書かれている．4つのヌクレオチドの塩基が使われて3塩基のコドンができる．すなわち図32.2の表のように3つ一組(**トリ**

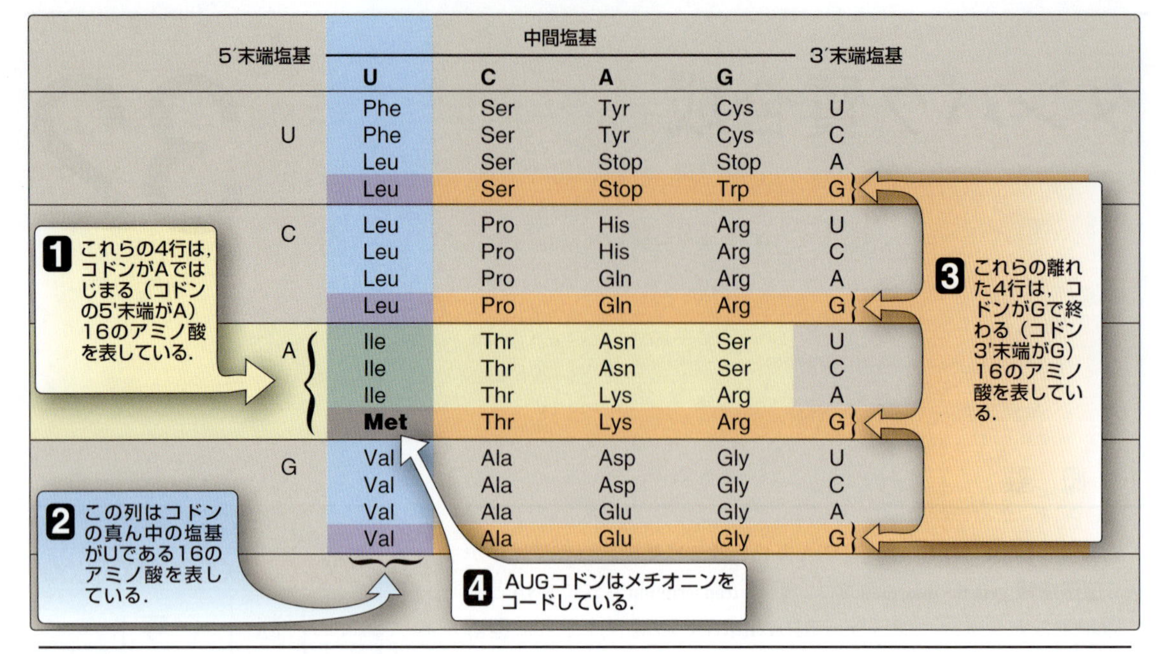

図 32.2
AUGコドンを翻訳するときの遺伝暗号表の使いかた．A：アデニン，G：グアニン，C：シトシン，U：ウラシル．表の例のように，一般的なアミノ酸の多くは3文字の省略形で示される．

プレット triplet）で 64 種類の塩基の組合せができる．

1．**コドンの翻訳方法**：この表は，コドンの翻訳，すなわちmRNA配列にコードされるアミノ酸を決定するために利用される．例えば，AUGというコドンはメチオニンをコードしている（Met，図 32.2 参照）．［注：AUGは翻訳の開始コドン initiation（start）codonである．］64コドンのうち 61 が 20 種類のアミノ酸をコードしている（p.1 参照）．

2．**終止コドン**：3つのコドンUAA，UAG，UGAは，アミノ酸をコードしない終止（ストップ，ナンセンス）コドン termination（stop, nonsense）codonである．mRNA配列にこれらのコドンの1つが現れると，mRNAにコードされたポリペプチドの合成が停止する．

B．特　徴

遺伝暗号の使用はすべての生物を通して，明らかに保存されている．このことから，標準的な遺伝暗号が原始的な生物で作られ，この規則を変えるどのような変異（DNA配列の恒久的な変化）も，すべてではないにしろほとんどのタンパク質配列を変化させ，その結果死に至らしめたのではないかと考えられる．遺伝暗号の特徴について以下に列挙する．

1．**特異性 specificity**：個々のコドンは常に同じアミノ酸をコードするので，遺伝暗号は特異的である（曖昧でない）．

2. 普遍性 universality：遺伝暗号はほぼ普遍的で，その特異性は進化のごく初期から保存されており，暗号が翻訳される様式にはごくわずかな違いしかない．［注：ミトコンドリアは例外で，いくつかのコドンは図 32.2 に示したものと違った意味を持つ．例えば，UGA はトリプトファン（Trp）をコードする．］

3. 縮重（縮退）degeneracy：遺伝暗号には**縮重**（**縮退**，**冗長性 redundancy** ともいう）がある．それぞれのコドンは 1 つのアミノ酸に対応しているが，1 つのアミノ酸にはそれをコードするトリプレットが 2 つ以上ある場合が多い．例えば，アルギニン（Arg）は 6 つの異なるコドンによって特定される（図 32.2 参照）．メチオニン（Met）とトリプトファン（Trp）だけは，コドンが 1 つしかない．同じアミノ酸をコードする異なるコドンのほとんどは，トリプレットの最後の塩基のみが互いに異なっている．

4. 重複部分と読点は存在しない：遺伝暗号は重なり合わずまた読点がないので，暗号は決まった開始点から塩基 3 つずつ順番に区切らずに解読される．例えば，AGCUGGAUACAU は AGC/UGG/AUA/CAU のように読まれる．タンパク質のアミノ酸配列として翻訳されるコドンの並びをリーディングフレーム reading frame と呼ぶ．

C. ヌクレオチド配列の変化の種類

mRNA コード領域の 1 つのヌクレオチド塩基が変化すると（**点変異 point mutation**），次の 3 つの結果のうち 1 つが起こる（図 32.3）．

1. サイレント変異 silent mutation：塩基が変化したコドンが同じアミノ酸をコードする場合がある．例えば，セリンのコドン UCA の 3 番目の塩基が変化して UCU となった場合でも，このコドンはセリンをコードしている．これはサイレント変異と呼ばれる．

2. ミスセンス変異 missense mutation：塩基が変化したコドンが，異なるアミノ酸をコードする場合がある．例えば，セリンのコドン UCA の最初の塩基が変化して CCA となる場合，これは異なるアミノ酸（この場合はプロリン）をコードする．これはミスセンス変異と呼ばれる．

3. ナンセンス変異 nonsense mutation：塩基が変化したコドンが**終止コドン termination codon** になる場合がある．例えば，セリンのコドン UCA の 2 番目の塩基が変化して UAA となる場合，このコドンの場所で翻訳は早期に終了し，その結果短くなった（欠失した）タンパク質産物ができる．これはナンセンス変異と呼ばれる．［注：早期に終了した mRNA は，ナンセンス変異依存分解機構によって分解されることがある．］

4. 他の変異：これらは翻訳によって合成されるタンパク質の量や構

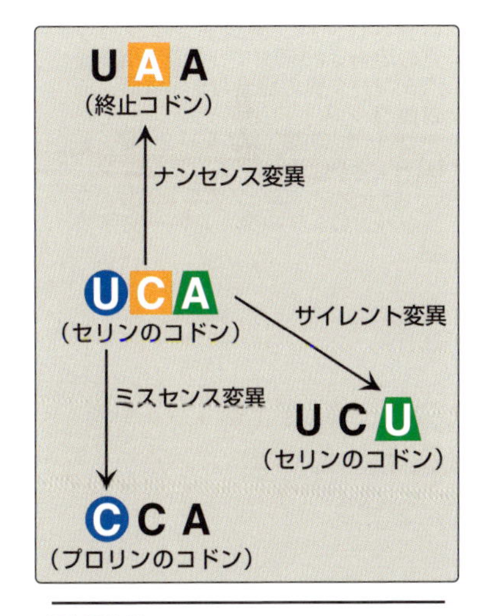

図 32.3
メッセンジャーRNAコード領域の一塩基変異の影響．A：アデニン，C：シトシン，U：ウラシル．

図 32.4
タンデムトリプレットリピートがハンチントン病などのトリプレットリピート病を引き起こす．[注：疾患を発症しないトリプレットリピートの長さは，ハンチンチンタンパク質の場合は26個まで，脆弱X精神遅滞タンパク質の場合は5〜44個，筋強直性ジストロフィープロテインキナーゼの場合は5〜34個．]
UTR：非翻訳領域，A：アデニン，C：シトシン，G：グアニン，U：ウラシル，Q：グルタミンの一文字表記．

造を変化させる．

a. **トリプレットリピートの伸長**：並んで(直列に)繰り返された3塩基の配列の数がしばしば増加し，その結果トリプレットのコピーがたくさんできることがある．これが遺伝子のコード領域で起きると，タンパク質は1つのアミノ酸のたくさんの余計なコピーができる．例えば，CAGコドンの増幅が**ハンチンチンタンパク質 huntingtin protein**の遺伝子第一エキソンに起きると，そのタンパク質にたくさんの余計なグルタミン残基が挿入され，神経変性疾患である**ハンチントン病 Huntington disease**の原因となる(図32.4)．グルタミンの追加によって異常に長くなったタンパク質は分解され，その結果毒性のある断片となって神経細胞内に蓄積する．トリプレットリピートの増幅が遺伝子の非翻訳領域で起こると，**脆弱X症候群 flagile X syndrome**や**筋強直性ジストロフィー myotonic dystrophy**にみられるようなタンパク質量の減少を引き起こす．20以上のトリプレットリピート病が知られている．[注：脆弱X症候群は，男性の最も頻度の高い知的障害であり，トリプレットリピートの増幅によりDNAが過剰にメチル化され，遺伝子が不活性化(サイレンシング)される(p.610参照).]

b. **スプライス部位の変異**：スプライス部位(p.568参照)変異によってmRNA前駆体のイントロンの取り除かれ方が変化し，異常なタンパク質ができる．[注：筋疾患である筋強直性ジストロフィーでは，トリプレットリピートの増幅を原因とするスプライシングの変化によって遺伝子が不活性化される．]

c. **フレームシフト変異**：mRNAのコード領域内で1つまたは2つのヌクレオチドが欠失したり付加されたりすると，フレームシフト変異が起こりリーディングフレームがずれる．その結果作られる産物は極端に異なるアミノ酸配列になったり，新たな終始コドンの出現によって欠失したものになる(図32.5)．3つのヌクレオチドの付加または欠失の場合は，それがどこで起きたかによって産物に対する影響が異なる．もし3つのヌクレオチドがあるコドン配列の途中に付加されたり，隣り合う2つのコドン配列から欠失したりすると，フレームシフトが起きる．もし3つのヌクレオチドが2つのコドンの間に付加されると，タンパク質に1つ新しいアミノ酸が付加されるか，新たな終始コドンによって欠失した産物になる．1つのコドンが欠失すると1つのアミノ酸が失われる．3つのヌクレオチドの欠失は，リーディングフレームを維持する場合もあるが，その結果重篤な病態を引き起こすことがある．例えば，肺や消化器系を中心に支障をきたす慢性進行性の遺伝性疾患である囊胞性線維症 cystic fibrosis(CF)の主要な原因は，ある遺伝子のコード領域における3つのヌクレオチド欠失である．その遺伝子は囊胞性線維症膜貫通コンダクタンス制御タンパク質 cystic fibrosis transmembrane conductance regulator (CFTR)をコードし，3つのヌクレオチド欠失によって508番目のフェニルアラニン(Phe, F, p.5参照)が欠損したタンパク質(ΔF508)が産生される．このΔF508変異体は正常にフォールディングされずにプロテアソームで分解される(p.319 参照)．CFTRは通常は上皮細胞において塩素イオンチャネルとして機能している．その欠損により，肺や膵臓において濃くて粘性の高い分泌物が産生され，その結果肺の傷害や膵機能不全による消化不良が起こる(p.228 参照)．嚢胞性線維症の発症率は北欧系の人種が最も高い(3,300 人に 1 人)．また，患者の 70% 以上は，ΔF508 変異が発症原因となっている．

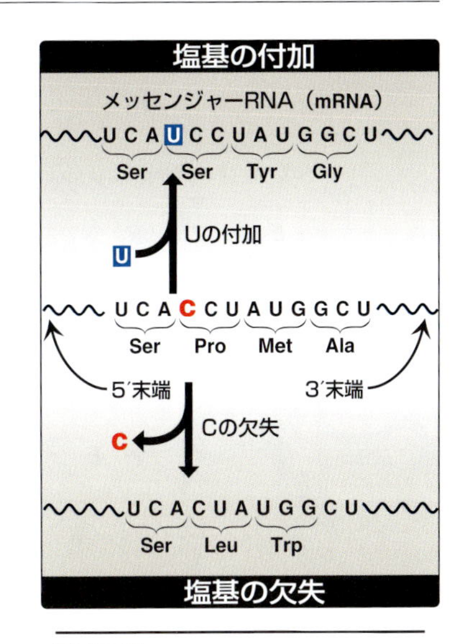

図 32.5
一塩基の付加または欠失によりフレームシフト変異が起きるとmRNAの読み枠がずれる．A：アデニン，C：シトシン，G：グアニン，U：ウラシル．

Ⅲ．翻訳に必要な構成因子

タンパク質の合成には多くの構成因子が必要である．これらには最終産物に存在するすべてのアミノ酸，翻訳されるmRNA，それぞれのアミノ酸に対応するトランスファーRNA(tRNA)，機能的なリボソーム，エネルギー源，酵素，さらにポリペプチド鎖合成の開始，伸長，終結に必要な非触媒性タンパク質因子が含まれる．

A．アミノ酸

最終産物に存在するすべてのアミノ酸は，タンパク質合成の際に存在していなければならない．もし 1 つのアミノ酸でも欠乏していると，そのアミノ酸に対応するコドンで翻訳が止まる．[注：このことはタンパク質合成を続けるために食物で十分な量の必須アミノ酸(p.340 参照)を摂ることの重要性を表している．]

B．トランスファー RNA

アミノ酸ごとに少なくとも 1 つの特異的なtRNAが存在する．ヒトでは少なくとも 50 種類のtRNAが存在し，細菌では少なくとも 30 種類のtRNAが存在する．通常tRNAによって運ばれるアミノ酸はわずか 20 種類しかないので，アミノ酸のなかには 2 種類以上の特異的なtRNA分子を持つものがある．これは特に複数のコドンによってコードされるアミノ酸が該当する．

1．アミノ酸結合部位：それぞれのtRNA分子には，対応する(同種の)アミノ酸の結合部位が 3′ 末端に存在する(図 32.6)．アミノ酸のカルボキシ基は，tRNAの 3′ 末端に存在する-CCA配列中のアデノシンヌクレオチド(A)のリボースの 3′-OH基とエステル結合する．[注：アミノ酸が共有結合した(活性化された)tRNAはチャージされた状態で，アミノ酸が結合していないtRNAはチャージされていない状態である．]

2．アンチコドン anticodon：それぞれのtRNA分子は 3 塩基のヌクレオチド配列であるアンチコドンも持っており，これがmRNAの対応するコドンと対になる(図 32.6 参照)．このコドンによって，tRNAがどのアミノ酸を運び，(伸長している)ポリペプチド鎖に付加するのかが決まる．

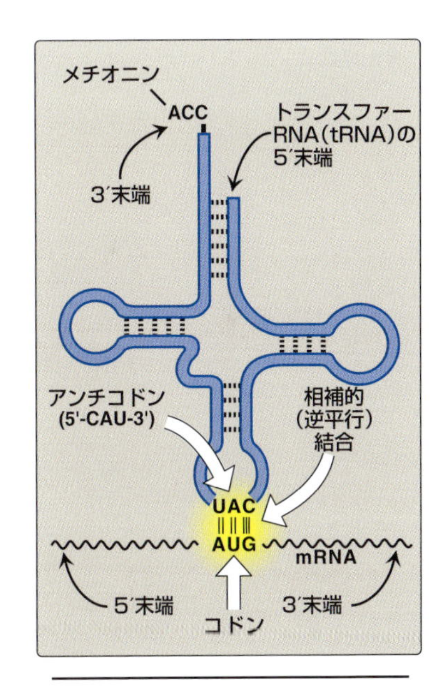

図 32.6
メチオニルtRNAのアンチコドン(CAU)とメチオニンをコードするmRNAコドン(AUG)の相補的で逆平行の結合．AUGは翻訳の開始コドンである．

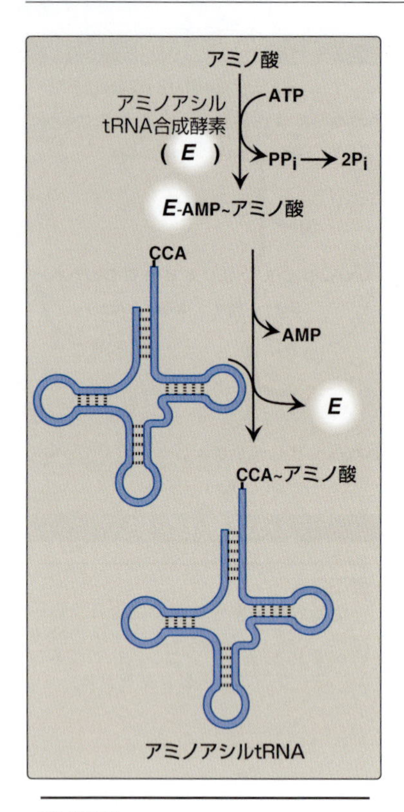

図 32.7
アミノアシルtRNA合成酵素による特異的なアミノ酸の対応するトランスファーRNA（tRNA）への結合．PP_i：ピロリン酸，P_i：無機リン酸，A：アデニン，C：シトシン，AMP：アデノシン一リン酸，~：高エネルギー結合．

C．アミノアシルtRNA合成酵素

この20種類の酵素からなるファミリーはアミノ酸を対応するtRNAに結合させるのに必要である．このファミリーのそれぞれの酵素は，特定のアミノ酸とそのアミノ酸と対応するtRNA（アイソアクセプターtRNA，1アミノ酸あたり多くて5種類存在する）を認識する．アミノアシルtRNA合成酵素は2つの反応段階を触媒し，その結果アミノ酸のα-カルボキシ基を対応するtRNAの3′末端CCA配列のAに共有結合させる．反応全体でATPが必要であり，ATPはアデノシン一リン酸（AMP）とピロリン酸（PP_i）に分解される（図32.7）．この合成酵素はアミノ酸と対応するtRNAを認識するのに非常に高い特異性があり，その結果，遺伝メッセージの翻訳を高い確度で行うことができる．アミノアシルtRNA合成酵素にはその合成活性に加えて間違ったアミノ酸を酵素やtRNA分子から取り除く校正または編集の活性がある．

D．メッセンジャーRNA

ポリペプチドの合成の鋳型として必要な特異的なmRNAが存在しなければならない．

E．機能的なリボソーム

リボソーム ribosomeはタンパク質とリボソームRNA（rRNA）の巨大複合体である（図32.8）．これらは大小2つのサブユニットから構成され，それらの相対的な大きさは沈降係数すなわちS（スベドベリSvedberg）値を用いて表される．[注：S値は形と大きさの両方によって決定されるので，これらの実際の値は単純な足し合わせにはならない．例えば，原核生物由来の50Sと30Sリボソームサブユニットは一緒になると70Sリボソームを形成する．真核生物由来の60Sと40Sのリボソームサブユニットは80Sリボソームを形成する．] 原核生物と真核生物のリボソームは互いに構造がよく似ており同様の機能を持ち，タンパク質合成の“巨大分子複合体 macromolecular complex”と名づけられている．

リボソームのスモールサブユニットはmRNAに結合してmRNAのコドンとtRNAのアンチコドンを正しく塩基対形成させることで，正確な翻訳を担っている．ラージサブユニットは，タンパク質のアミノ酸残基をつなぐペプチド結合の反応を触媒する．

1．**リボソームRNA**：p.558で議論したように原核生物由来のリボソームは3つのrRNA，真核生物由来のリボソームは4つのrRNAを持っている（図32.8参照）．rRNAはリボヌクレアーゼ ribonucleaseにより1つのプレrRNAから作られ，いくつかの塩基とリボース糖が修飾を受けている．

2．**リボソームタンパク質**：原核生物由来のリボソームより真核生物由来のリボソームのほうがリボソームタンパク質の数が多い．これらのタンパク質はリボソームの構造と機能および翻訳機構のリボソーム以外の構成因子との相互作用において，さまざまな役割を果たしている．

3．**A，P，E部位**：リボソームはtRNA分子に対する3つの結合部位すなわちA，P，E部位を持っており，それぞれの部位は両方のサブユニットにまたがっている．それらは一緒になって3つの隣り合うコドンに対応している．翻訳中はA部位に現在この部位を占めているコドンに対応した**アミノアシルtRNA aminoacyl-tRNA**が結合する．このコドンによって伸長しているペプチド鎖に付加される次のアミノ酸が決まる．P部位は**ペプチジルtRNA peptidyl-tRNA**によって占められる．このtRNAはこれまでに合成されたアミノ酸の鎖を持っている．E部位はリボソームの出口に対応しているのでtRNAは存在しない（翻訳におけるA，P，E部位の役割については図32.13参照）．

4．**細胞内局在**：真核細胞ではリボソームは細胞質ゾル中を自由にまたは小胞体に近接して存在する（このような小胞体は粗面小胞体rough endoplasmic reticulum（RER）と呼ばれる）．リボソームの結合したRERは細胞から分泌されるタンパク質（糖タンパク質を含む．p.217参照）の合成に関与するとともに，細胞膜，小胞体，ゴルジ体，リソソームに輸送されるタンパク質の合成にも関与する（後者のプロセスの概観はp.219参照）．細胞質ゾル中に存在するリボソームは，細胞質ゾル自体で必要となるタンパク質や，核，ミトコンドリア，ペルオキシソームに輸送されるタンパク質の合成に関与する．［注：ミトコンドリアはそれ自体のリボソーム（55S）とそれ自体の固有な環状DNAを持っている．しかし，ほとんどのミトコンドリアタンパク質は核のDNAにコードされており，細胞質ゾルで合成され，翻訳後にミトコンドリアへ輸送される．］

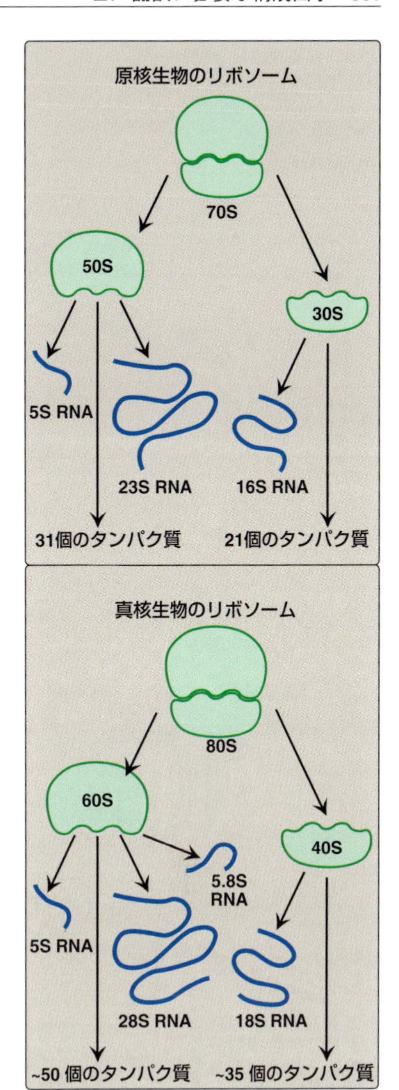

図 32.8
リボソームの構成．［注：真核生物由来リボソームのタンパク質の数は種によって多少の違いがある．］S：スベドベリ単位．

F．タンパク質因子

開始，伸長，終結（解離）因子がポリペプチド合成に必要である．これらのタンパク質因子 protein factorのあるものは触媒機能を持ち，また他のものは合成機構を安定化させる働きを持つ．［注：これらの因子の多くが細胞質に局在する低分子量Gタンパク質であり，グアノシン三リン酸（GTP）が結合しているときは活性化されており，グアノシン二リン酸（GDP）が結合しているときは不活性化されている（膜結合型Gタンパク質についてはp.121参照）．］

G．エネルギー源

4つの高エネルギー結合の切断が伸長しているポリペプチド鎖に1つのアミノ酸を付加するのに必要である．そのうち2つはATP由来であり，アミノアシルtRNA合成酵素の反応（1つがピロリン酸（PP_i）の除去，もう1つが続いて起こるピロホスファターゼ pyrophosphataseによるPP_iからP_iへの加水分解)に使われ，残りの2つはGTP由来である(アミノアシルtRNAのA部位への結合に1つ，トランスロケーションtranslocation(転位)に1つ使われる)(図32.13参照).［注：さらなるATP，GTP分子が真核細胞におけるポリペプチド鎖合成の開始に必要である．また，さらなるGTP分子が真核細胞と原核細胞の両方におけるポリペプチド鎖合成の終結に必要である.］このように，翻訳は多くのエネルギーを消費する．

Ⅳ. トランスファーRNAによるコドン認識

mRNAのコドンとtRNAのアンチコドンを間違いなく塩基対形成させることは，正確な翻訳に必須である(図32.6参照)．ほとんどのtRNA(アイソアクセプターtRNA)は，特定のアミノ酸に対応する2つ以上のコドンを認識する．

A. コドンとアンチコドンの対合

tRNAアンチコドンとmRNAコドンの結合は，相補的complementaryかつ逆平行antiparallel(アンチパラレル)に結合するという法則に従うので，mRNAコドンは，反対(3′→5′)方向で対合するtRNAアンチコドンによって5′→3′に読まれる(図32.9)．［注：注意書きがない場合は，ヌクレオチド配列を常に5′→3′方向に列挙しなければならない．二本鎖のヌクレオチド配列は逆平行になっている.］

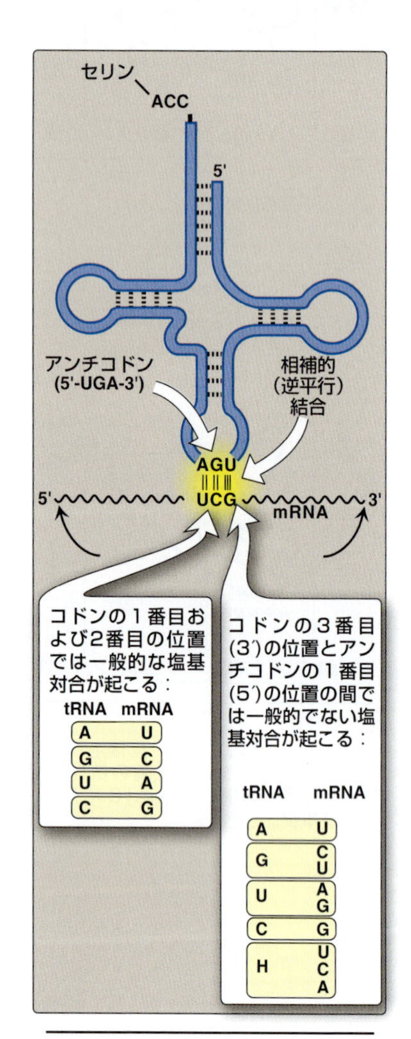

図32.9
ゆらぎ：アンチコドンの5′末端のヌクレオチド(最初のヌクレオチド)とコドンの3′末端のヌクレオチド(最後のヌクレオチド)の間の一般的でない塩基対合．ヒポキサンチン(H)はアデニンが脱アミノ化したものであり，ヌクレオチドの一種イノシン一リン酸のもととなる．A：アデニン，G：グアニン，C：シトシン，U：ウラシル，tRNA：トランスファーRNA，mRNA：メッセンジャーRNA．

B. ゆらぎ仮説

1種類のtRNAが特定のアミノ酸に対応する2つ以上のコドンを認識する機構はゆらぎ仮説wobble hypothesisと呼ばれる．これは，コドンとアンチコドンの対合において，コドンの最初の2塩基はワトソン・クリックの法則Watson-Crick rule(GとC，AとUがそれぞれ対となる)に従うが，3番目の塩基はよりゆるい特異性で対を形成するというものである．アンチコドンの5′末端の塩基(アンチコドンの1番目の塩基)は他の2つの塩基のように空間的に固定されておらず，この1番目の塩基の動きによってコドンの3′の塩基(コドンの最後の塩基)との一般的でない対合が可能となる．この動きはゆらぎと呼ばれ，1種類のtRNAが複数のコドンを認識するのを可能にしている．この柔軟な対合の例を図32.9に示した．ゆらぎがあるおかげで，アミノ酸を暗号化している61のコドンを解読するのに61種類のtRNAは必要ない．

Ⅴ. 翻訳過程

タンパク質の合成過程では，mRNAヌクレオチド配列の3文字の言葉が，タンパク質を構成するアミノ酸の20種の言葉に翻訳される．mRNAは5′末端から3′末端へと翻訳され，アミノ末端からカルボキシ末端へとタンパク質が合成される．原核生物由来のmRNAはしばしば複数のコード領域を持っており，**ポリ(多)シストロン性 polycis-**

tronicである．それぞれのコード領域はそれ自身の開始および終止コドンを持っており別々のポリペプチド断片を合成する．対照的に，真核生物由来のmRNAはただ1つのコード領域しか持たず，**モノ(単)シストロン性 monocistronic**である．翻訳の過程は3つの段階(開始，伸長，終結)に分けられる．真核細胞の翻訳は原核細胞のそれと非常によく似ている．個別の差異については本文中に記載してある．

> 原核細胞では翻訳と転写が連動していること，すなわち，転写が終了する前に翻訳が開始することが真核細胞との重要な違いである．この連動が起こるのは，原核生物には核膜がないからである．

A. 開 始

タンパク質合成の開始 initiationでは，ペプチド結合の形成がはじまる前に翻訳システムの構成因子の会合が起こる．この構成因子には，2つのリボソームサブユニット，翻訳されるmRNA，メッセージ(訳注：mRNA，メッセンジャー，メッセージは転写や発現を論じる際にはほぼ同意義で使用される)の最初のコドンに対応したアミノアシルtRNA，GTP，この開始複合体の形成を促進する開始因子 initiation factor (IF)が含まれる(図32.13参照)．[注：原核生物では3つのIF(IF-1，IF-2，IF-3)が知られており，真核生物では多数のIF(真核生物由来であることを示すためにeIFと表記される)が知られている．真核生物では開始にはGTPの他にATPも必要とする．] 翻訳が開始されるヌクレオチド配列(AUG)をリボソームが認識するメカニズムについては以下に示す．

1．シャイン・ダルガーノ配列：*E. coli* (大腸菌)では，**シャイン・ダルガーノ(SD)配列 Shine-Dalgarno sequence**と呼ばれるヌクレオチド塩基のプリンに富む配列が，mRNA分子のAUG開始コドンの6から10塩基上流，つまりmRNAの5′末端近くに存在する．スモール(30S)リボソームサブユニットを構成する16S rRNAは，その3′末端近くにSD配列にすべてまたは一部相補的なヌクレオチド配列を持っている．よって，mRNA 5′末端と16S rRNA 3′末端は相補的塩基対を形成することができ，したがって，30SリボソームサブユニットがmRNAのAUG開始コドンの近くに適切に配置することが可能となる(図32.10)．

2．5′キャップ 5′-cap：真核生物由来のメッセージ(mRNA)はSD配列を持っていない．真核生物ではスモール(40S)リボソームサブユニットが(eIF-4ファミリータンパク質の手助けによって)mRNA 5′末端のキャップ構造の近くに結合し，AUG開始コドンに出合うまでmRNA上を3′方向に移動する．この走査反応にはATPが必要である．40Sサブユニットが開始コドン近くの内部リボソーム挿入部位 inter-

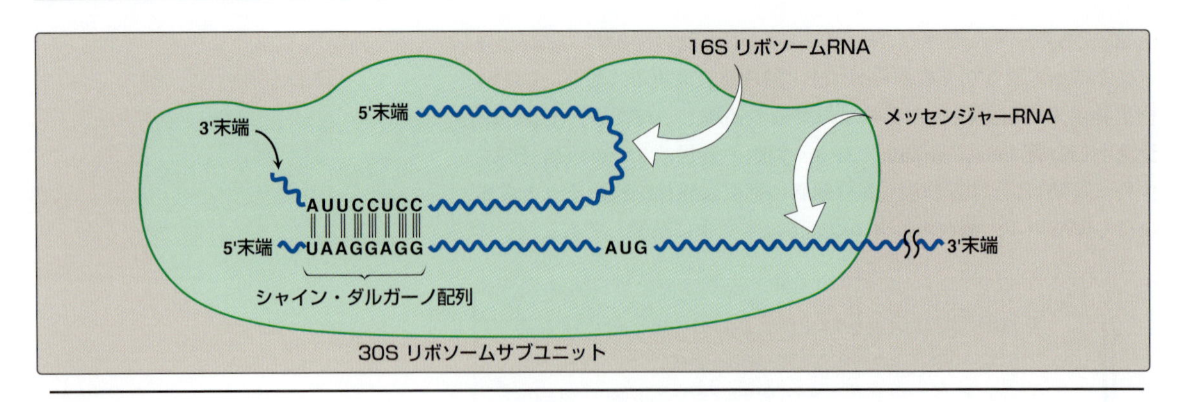

図 32.10
原核生物由来mRNAのシャイン・ダルガーノ配列と16S rRNAの相補的結合．S：スベドベリ単位．

nal ribosome entry site（IRES）に結合した場合，キャップ非依存的に開始が起こる．［注：真核生物において，キャップに結合するeIF-4とポリAテール結合タンパク質がmRNA上で相互作用することにより，mRNAが環状化し，不完全なmRNAが翻訳に使われるのを防いでいる．］

3．開始コドン initiation codon：AUG開始コドンは特別な開始tRNA（$tRNA_i$）によって認識される．この認識は原核生物ではIF-2-GTP，真核生物ではeIF-2-GTP（およびその他のIF）によって促進される．チャージされた$tRNA_i$だけが(e)IF-2によって認識され，また，スモールリボソームサブユニットのP部位に直接入り込むことができる．［注：$tRNA_i$と内部AUGコドンに対するtRNAは塩基の修飾状態が違う．］細菌とミトコンドリアでは，$tRNA_i$は*N*-ホルミルメチオニン（fMet）を運搬する（図32.11）．メチオニンが$tRNA_i$に結合したあとに，酵素であるトランスホルミラーゼ transformylase（ホルミルトランスフェラーゼ formyltransferase）が，炭素供与体としてN^{10}-ホルミルテトラヒドロ葉酸（N^{10}-ホルミル-THF）を使い，ホルミル基をメチオニンに付加する（p.347参照）．真核細胞では，細胞質ゾルの$tRNA_i$はホルミル化されていないメチオニンを運搬する．原核細胞，真核細胞ともに，N末端メチオニンは翻訳が完了する前に通常は取り除かれる．ラージリボソームサブユニットがこの複合体に結合すると，P部位にはチャージされた$tRNA_i$が配置し，A部位は空状態の機能的リボソームが完成する．［注：ある種の(e)IFは，ラージサブユニットが不完全な状態で結合するのを防ぐ働きを担っている．］(e)IF-2のGTPはGDPへと加水分解される．真核生物ではグアニンヌクレオチド交換因子eIF-2BがGDPをGTPに交換することでeIF-2-GDPを再活性化する（訳注：真核生物では，開始コドンの配列がコザック共通配列 Kozak's consensus sequence (A/G) NN ATG Gとなっていると，翻訳効率が上昇することが知られている）．

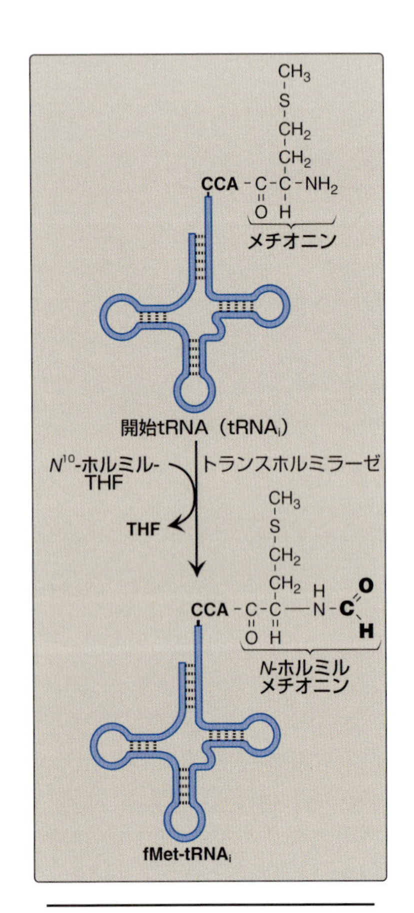

図 32.11
開始*N*-ホルミルメチオニントランスファーRNA（fMet-$tRNA_i$）の形成．THF：テトラヒドロ葉酸，C：シトシン，A：アデニン．

B．伸　長

ポリペプチドの伸長 elongationは，アミノ酸が伸長鎖のカルボキシ末端に付加されることによって起こる．mRNA鋳型のコドンに対応するアミノアシルtRNAのリボソームA部位への結合（この過程をデコーディング（解読）decodingと呼ぶ）は，GTPの加水分解を必要とし，大腸菌では伸長因子EF-Tu-GTPおよびEF-Tsによって促進される．［注：真核生物では，これに対応する伸長因子はEF-1α-GTPとEF-1βγである．EF-TsとEF-1βγはともにグアニンヌクレオチド交換因子として機能する．］P部位のアミノ酸のα-カルボキシ基とA部位のアミノ酸のα-アミノ基の間でのペプチド結合の形成は，ラージサブユニットのrRNAが持つペプチジルトランスフェラーゼ peptidyl transferase活性によって触媒される（図32.12）．［注：このrRNAは反応を触媒するので，**リボザイム ribozyme**である．］ペプチド結合が形成されるとP部位のtRNAに結合していたペプチドはA部位にあるtRNAのアミノ酸に結合する．この過程はペプチド転移と呼ばれる．そして，リボソームは3ヌクレオチド分mRNAの3′末端方向に前進する．この過程は**トランスロケーション translocation**（転位）と呼ばれ，原核生物ではEF-G-GTP（真核生物ではEF-2-GTP）とGTPの加水分解が必要である．トランスロケーションによって，アミノ酸のはずれたtRNAが放出される前にP部位からE部位に移動し，ペプチジルtRNAがA部位からP部位に移動する．終止コドンが現れるまでこの過程は繰り返される．［注：ほとんどのmRNAはある程度の長さがあるので，一度に複数のリボソームが1つのmRNAを翻訳する．このようなmRNAと複数のリボソームの複合体はポリソーム polysomeまたはポリリボソーム polyribosomeと呼ばれる．］

C. 終 結

終結 terminationは，3つの終止コドンのうちの1つがA部位に来たときに起こる．大腸菌ではこれらのコドンは**終結因子 release factor**によって認識される．終結因子RF-1はUAAとUAGを，RF-2はUGAとUAAをそれぞれ認識する．これらの終結因子が結合すると，P部位のペプチドとtRNAの間の結合を加水分解するため，合成されたタンパク質はリボソームから解離する．第三の終結因子であるRF-3-GTPは，GTPの加水分解に伴い，RF-1とRF-2を解離させる（図32.13）．［注：真核細胞には1つの終結因子eRFがあり，これは3種類すべての終止コドンを認識する．第二の因子，eRF-3は原核生物のRF-3のような作用を示す．翻訳にかかわる因子のまとめを図32.14に示す．］原核細胞におけるタンパク質合成の各段階といくつかの抗生物質によるその阻害作用について図32.13にまとめた．新しく合成されたポリペプチドは以降に示すようにさらなる修飾を受けることがあり，リボソームサブユニット，mRNA，tRNA，その他タンパク質因子は再利用され他のポリペプチドの合成に使われる．［注：原核細胞では，リボソームリサイクリング因子がサブユニットを解離させる．真核細胞ではeRFとATPの加水分解が必要である．］

D. 翻訳の制御

遺伝子発現は一般的には転写レベルで制御されているが，タンパク

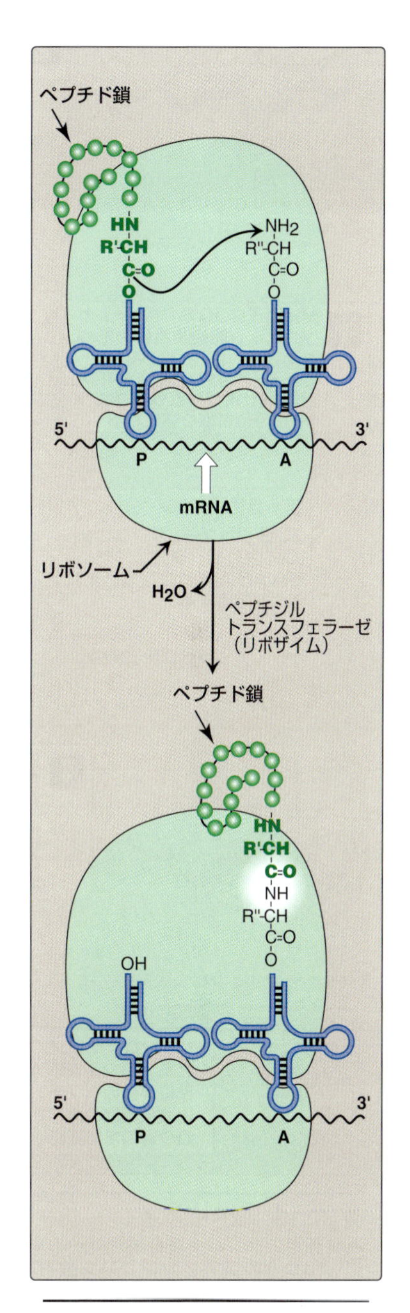

図 32.12
ペプチド結合の形成．P部位のトランスファーRNA（tRNA）が持つペプチドがA部位にあるtRNAのアミノ酸に移る（ペプチド転移 transpeptidation）ことでペプチド結合が形成される．mRNA：メッセンジャーRNA，R′，R″：異なるアミノ酸側鎖．

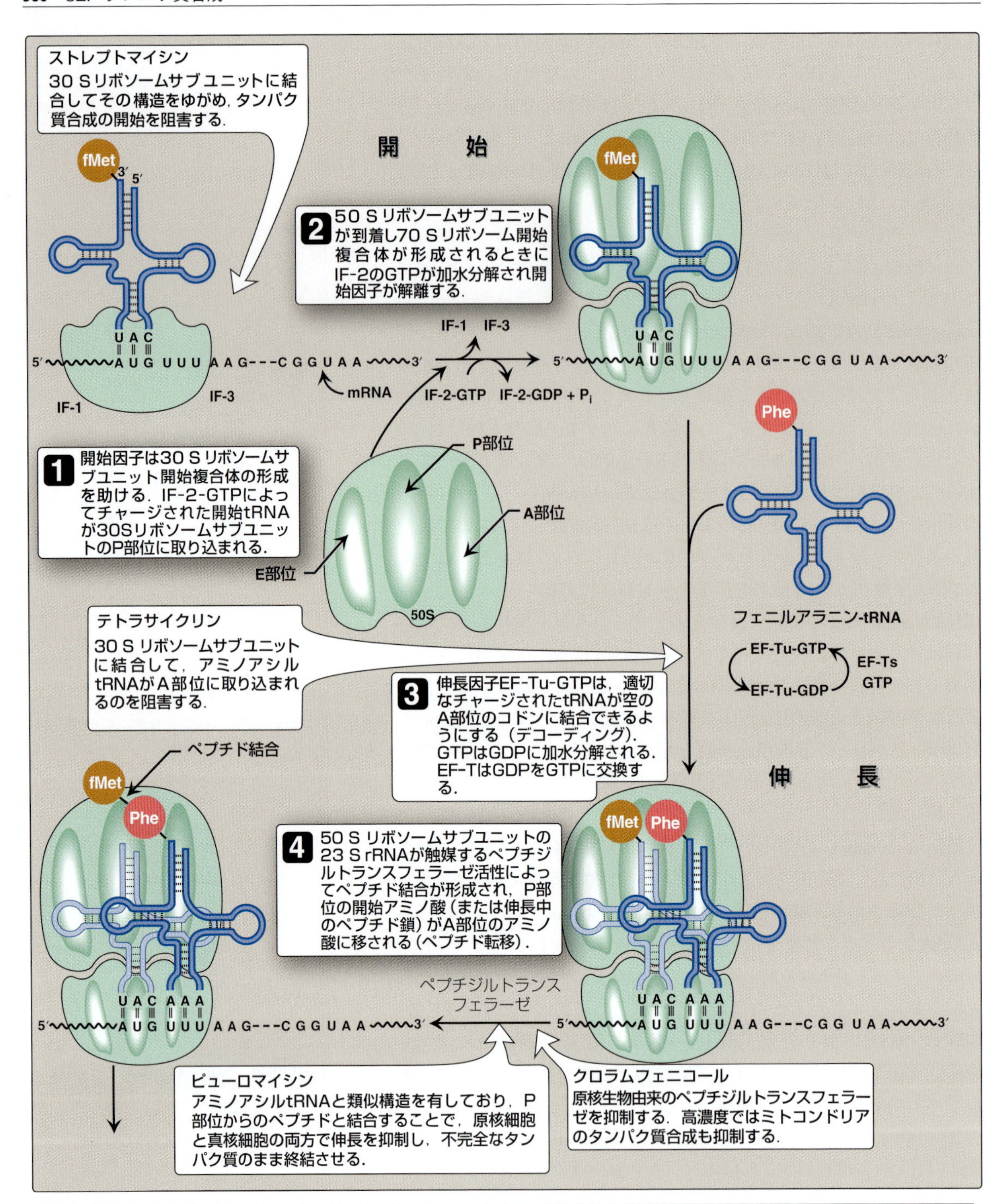

図 32.13 （次ページに続く）
原核細胞のタンパク質合成（翻訳）の過程と抗生物質による阻害作用．［注：EF-Tはグアニンヌクレオチド交換因子であり，EF-Tuからのグアノシン二リン酸（GDP）の解離とグアノシン三リン酸（GTP）の結合を促進する．真核細胞ではEF-1 $\beta\gamma$が同様の機能を持つ．］fMet：ホルミルメチオニン，S：スベドベリ単位，Phe：フェニルアラニン，Lys：リシン，Arg：アルギニン，tRNA：トランスファーRNA，mRNA：メッセンジャーRNA．

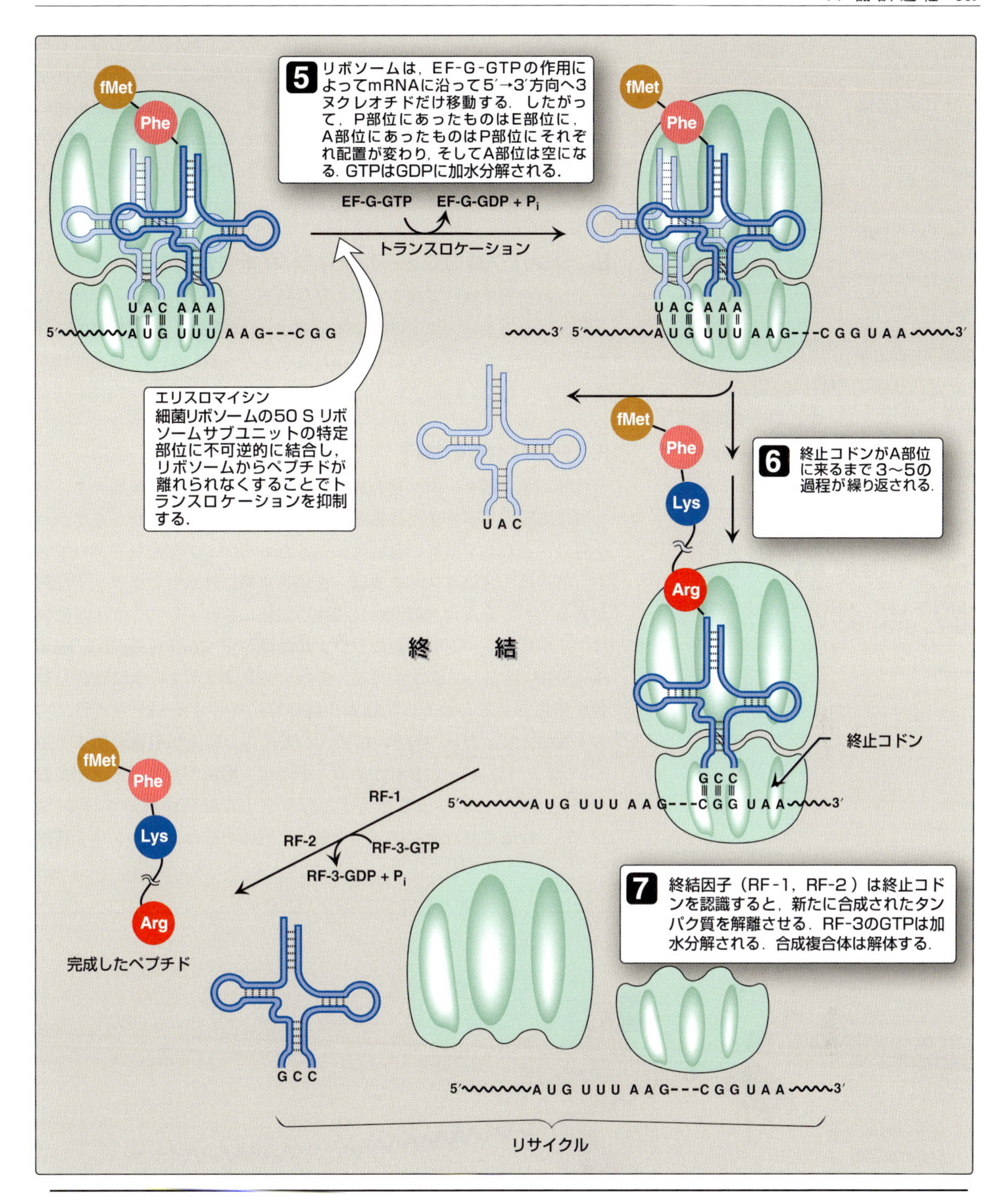

図 32.13 （前ページからの続き）
原核細胞のタンパク質合成（翻訳）の過程と抗生物質による阻害作用．［注：真核細胞では，ジフテリア毒素がEF-2（原核細胞のEF-Gに相当する）を不活性化することで伸長を阻害する．ヒマ種子由来のリシンは，真核細胞のリボソームラージサブユニットにおいて，28S rRNAの特定のアデニンを除去することでその機能を阻害する．］

細胞	因子	機能
	開始	
Prok Euk	IF-2-GTP eIF-2-GTP	チャージされた開始tRNAのP部位への取り込み
Prok Euk	IF-3 eIF-3	サブユニットの結合抑制
	伸長	
Prok Euk	EF-Tu-GTP EF1α-GTP	その他すべてのチャージされたtRNAのA部位への取り込み
Prok Euk	EF-Ts EF-1βγ	グアニンヌクレオチド交換因子
Prok Euk	EF-G-GTP EF-2-GTP	トランスロケーション
	終結	
Prok Euk	RF-1, 2 eRF	終止コドンの認識
Prok Euk	RF-3-GTP eRF-3-GTP	その他の終結因子の解離

図 32.14
翻訳の3段階におけるタンパク質因子．Prok：原核細胞，Euk：真核細胞，tRNA：トランスファーRNA，IF：開始因子，EF：伸長因子，RF：終結因子，GTP：グアノシン三リン酸．

質合成（翻訳）の効率も，ときには制御を受ける．真核生物における重要な制御機構の1つとしてeIF-2のリン酸化がある（リン酸化されたeIF-2は活性を持たない，p.609参照）．また，真核生物と原核生物の両方において，mRNA結合タンパク質による制御機構もある．mRNA結合タンパク質は，翻訳を阻害することでmRNAの利用効率を低下させる．

E. タンパク質のフォールディング（折りたたみ）

タンパク質は機能可能な本来の立体構造へとフォールディングされなければならない．フォールディングは（一次構造により）自動的に行われる場合と，シャペロンと呼ばれるタンパク質によって促進される場合がある（p.23参照）．

F. タンパク質の移行

真核細胞ではタンパク質合成は細胞質で開始するが，多くのタンパク質は細胞内小器官または細胞外で機能する．通常そのようなタンパク質は，それらを最終の目的地に送るためのアミノ酸配列を持っている．例えば，分泌タンパク質は，そのN末端に疎水性のシグナル配列があるため，合成中（翻訳中）に粗面小胞体に移行する．シグナル配列は，リボ核タンパク質である**シグナル認識粒子 signal recognition particle**（SRP）によって認識される．また，SRPはリボソームに結合し伸長を停止させるとともに，粗面小胞体膜に局在するSRP受容体に結合することで，リボソーム-ペプチド複合体を粗面小胞体の膜チャネル（トランスロコン）に移行させる．その後，翻訳が再開しタンパク質が粗面小胞体内腔へ入ると，そこでシグナル配列が切断される（図32.15）．合成された分泌タンパク質は，粗面小胞体とゴルジ体を移動

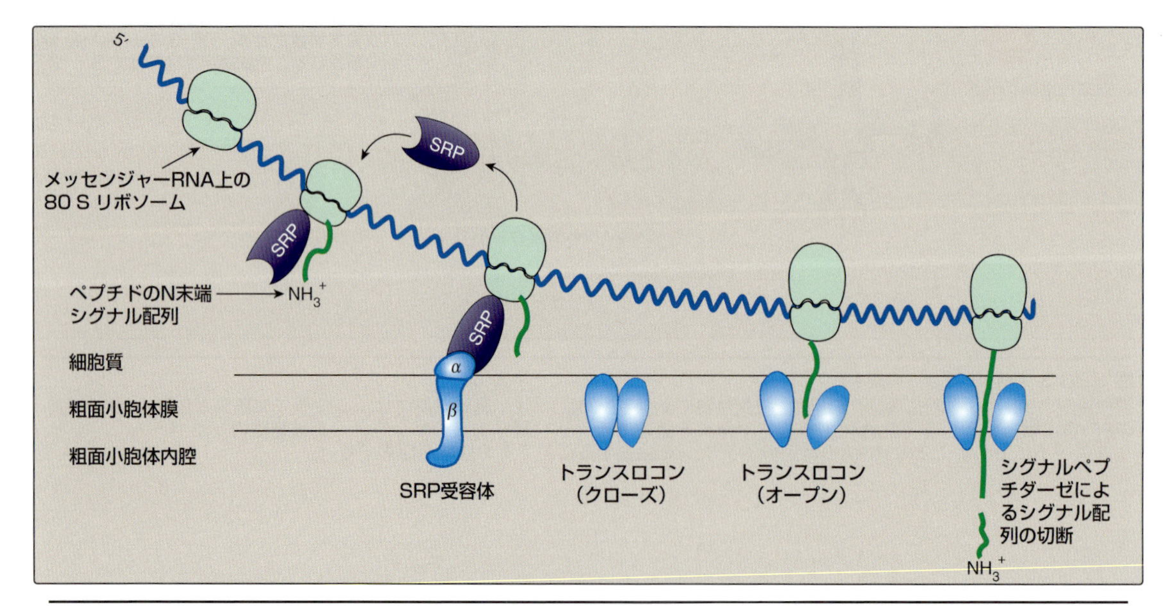

図 32.15
粗面小胞体への翻訳中のタンパク質移行．SRP：シグナル認識粒子．

しながら修飾を受け，最終的に小胞に取り込まれて分泌される．核タンパク質の内側の配列には短い塩基性の核移行シグナルが，ミトコンドリアマトリックスタンパク質のN末端には両親媒性でαヘリックスを持つミトコンドリア移行配列が，ペルオキシソームタンパク質のC末端にはトリペプチドシグナルがあり，これらのタンパク質は合成後(翻訳後)にそれぞれの目的地に移行する．

VI. 翻訳中および翻訳後修飾

多くのポリペプチドは，それらがまだリボソームに結合している間または合成が完全に終わったあとで共有結合の修飾を受けるので翻訳中修飾 cotranslational modification または翻訳後修飾 posttranslational modification と呼ばれる．これらの修飾には，翻訳された配列の一部の除去，タンパク質の活性に必要な1つまたはそれ以上の化学基の付加がある．

A. トリミング trimming

分泌される運命の多くのタンパク質は，最初は機能的に活性のない大きな前駆体分子として作られる．タンパク質の一部が特別なタンパク質分解酵素(エンドプロテアーゼ endoprotease)によって除去され，その結果活性のある分子が放出される．切断反応の起きる細胞内部位は修飾を受けるタンパク質によって違う．ある前駆タンパク質は小胞体またはゴルジ体で，またある分子は形成過程の分泌小胞内で切断され(例えば，インスリン．p.401，図23.4参照)，さらにはコラーゲン(p.58参照)のように分泌されたあとで切断される分子もある．

B. 共有結合による修飾

タンパク質の機能は，さまざまな化学基が共有結合で付加されることで影響を受ける(図32.16)．この例を以下に列挙する．

1．リン酸化 phosphorylation：リン酸化は，タンパク質のセリン，トレオニン，またまれにチロシン残基のヒドロキシ基(水酸基)で起こる．それはプロテインキナーゼ protein kinase ファミリーによって触媒され，そのあとプロテインホスファターゼ protein phosphatase の活性によってもとに戻されることもある．リン酸化はタンパク質の機能的な活性を上昇させたり低下させたりする．いくつかのリン酸化反応の例についてはすでに議論した(例えば，グリコーゲンの合成および分解の制御については11章，p.172参照)．

2．糖鎖付加(グルコシル化) glycosylation：細胞膜に運ばれるか，または細胞から分泌される運命を持つ多くのタンパク質は，糖鎖がアスパラギンのアミド窒素にひとまとめで付加される(*N*結合型)か，または，セリン，トレオニン，ヒドロキシリシンのヒドロキシ基に順々に付加される(*O*結合型)．*N*-グリコシル化は小胞体で，*O*-グリコシル化はゴルジ体で起こる．このような糖タンパク質の産生過程につい

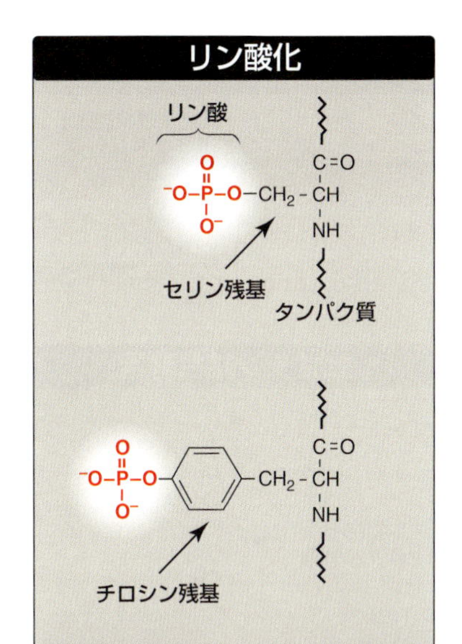

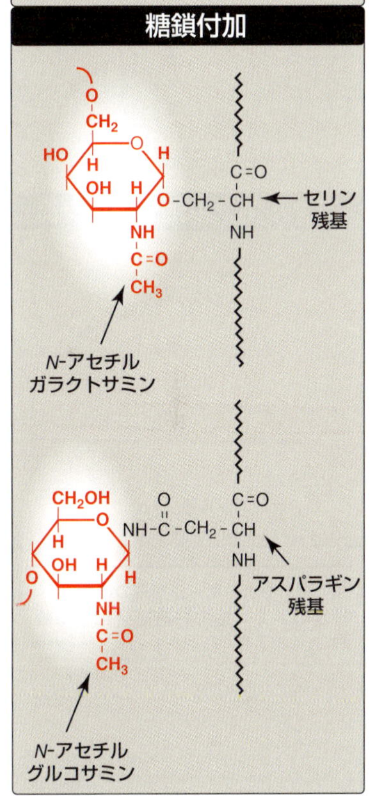

図 32.16 (次ページに続く)
特定のアミノ酸の共有結合による修飾．

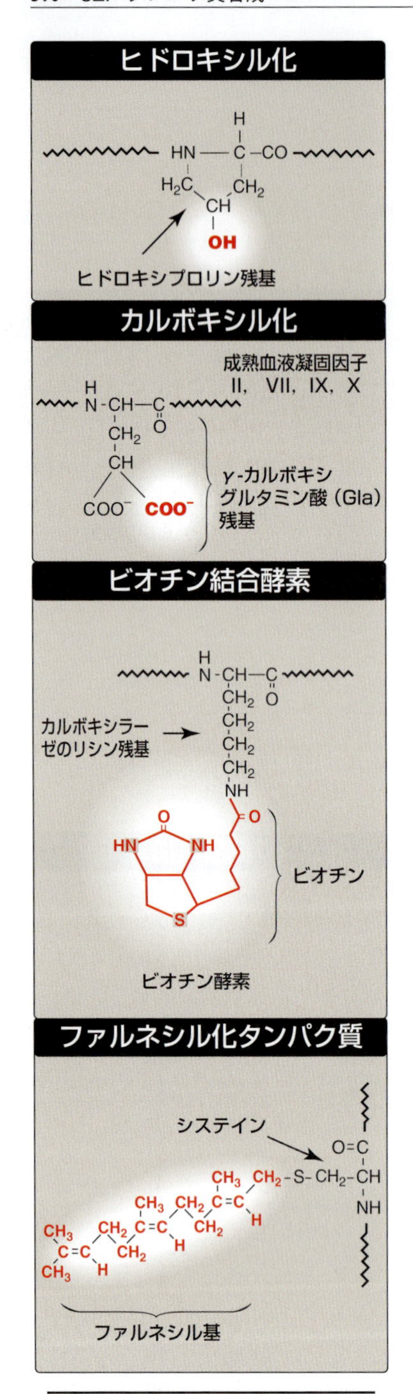

図 32.16（前ページからの続き）特定のアミノ酸の共有結合による修飾.

てはp.216で議論した．*N*-グリコシル化された酸性加水分解酵素は，マンノース残基の炭素6(C6)がリン酸化されることで，リソソームのマトリックスに移行する(p.219参照)．

3．ヒドロキシ化(水酸化) hydroxylation：コラーゲンα鎖のプロリンとリシン残基はビタミンC依存的なヒドロキシラーゼ(水酸化酵素) hydroxylaseにより粗面小胞体で顕著にヒドロキシ化される(p.57参照)．

4．他の共有結合による修飾：これらはタンパク質の機能的な活性に必要である．例えば，ビタミンK依存的なカルボキシ化によって，さらなる**カルボキシ基 carboxyl group**がグルタミン酸残基に付加される(p.510参照)．この結果としてできるγ-カルボキシグルタミン酸(Gla)残基はいくつかの血液凝固タンパク質の活性に必要不可欠である．ピルビン酸カルボキシラーゼ pyruvate carboxylaseなどのカルボキシ化酵素は，そのリシン残基のε-アミノ基にビオチンが共有結合するビオチン依存性酵素である(p.155，図10.3参照)．**ファルネシル基 farnesyl group**のような脂質の付加はタンパク質を細胞膜に固定するのを助ける(p.287参照)．真核細胞の多くのタンパク質は翻訳中にN末端がアセチル化される．[注：ヒストンタンパク質の可逆的アセチル化は遺伝子発現に影響を与える(p.610参照)．]

C．タンパク質分解

異常な，例えば，ミスフォールディングしたタンパク質や，ターンオーバー(代謝回転 turnover)の速いタンパク質は**ユビキチン化 ubiquitination**によってしばしば壊されるための印がつけられる．ユビキチン化は**ユビキチン ubiquitin**と呼ばれる小さくて(種を越えて)高度に保存されたタンパク質が鎖のように共有結合することである(p.319の図19.3参照)．この方法で印がついたタンパク質は**プロテアソーム proteasome**と呼ばれる細胞内の巨大複合体からなるATP依存的なタンパク質分解システムによって速やかに壊される．例えば，ミスフォールディングを起こしたCFTRタンパク質（p.578参照)はプロテアソームによって分解される．[注：フォールディングが妨げられると，正しい立体構造をとれなかった不良タンパク質が粗面小胞体に蓄積し，その結果，小胞体ストレス応答が引き起こされる．この応答はシャペロンの発現を亢進させたり，eIF-2のリン酸化によって翻訳活性を全体的に低下させたりする．また，小胞体関連分解 ER-associated degradation (ERAD)と呼ばれる機構によって，不良タンパク質は細胞質に輸送され，ユビキチン化されたのちプロテアソームによって分解される．]

32 章の要約

- **コドン**はmRNAを構成している**アデニン(A)**，**グアニン(G)**，**シトシン(C)**，**ウラシル(U)**のうちの3つのヌクレオチド塩基(トリプレット triplet)の組合せである．これらは常に**5′→3′**方向に表記される．
- 可能な64通りの3塩基の組合せのうち61個は20種類の通常のアミノ酸をコードし，3個はタンパク質合成(**翻訳**)の終止シグナルである．生物の遺伝暗号は特異的であり(1つのコドンが1つのアミノ酸に対応している)，そして縮重している(1つのアミノ酸に対して複数のコドンが対応している場合がある)．
- コドンのヌクレオチド配列の変化によって，**サイレント変異**(変化したコドンはもとと同じアミノ酸をコードする)，**ミスセンス変異**(変化したコドンが異なるアミノ酸をコードする)，**ナンセンス変異**(変化したコドンが終止コドンになる)が生じる．ヌクレオチド塩基の付加や欠失によりフレームシフト変異が起こりmRNAのリーディングフレームがずれることがある．
- **翻訳**に必要なものは，タンパク質を構成するすべての**アミノ酸**，それぞれのアミノ酸に対応する**トランスファーRNA**(**tRNA**と**アミノアシルtRNA合成酵素**，タンパク質をコードしている**mRNA**，完全に機能的な**リボソーム**(原核生物では70S，真核生物では80S)，タンパク質合成の開始，伸長，終結に必要な**タンパク質因子**，エネルギー源としての**ATP**と**GTP**である．
- リボソームは**タンパク質**と**リボソームRNA**(**rRNA**)からなる巨大複合体である．これは**2つのサブユニット**(原核生物では30Sと50S，真核生物では40Sと60S)から構成されている．それぞれのリボソームには3つのtRNA結合部位，すなわち3つの隣り合うコドンに対応したA，P，E部位がある．**A部位**には**アミノアシルtRNA**が結合し，**P部位**は**ペプチジルtRNA**に占められ，そして**E部位**には**空のtRNA**が結合する．
- mRNAコドンはtRNA**アンチコドン**によって認識される．アンチコドンは**相補性**および**逆平行**(アンチパラレル)の結合の法則に従ってコドンと結合する．**ゆらぎ仮説**はアンチコドン1番目(5′)の塩基は他の2つの塩基ほど空間的に固定されていないというものである．このアンチコドン1番目(5′)の塩基がコドンの最後(3′)の塩基と一般的でない塩基対を形成することによって，1種類のtRNAが特定のアミノ酸に対応する複数のコドンを認識することが可能になる．
- **翻訳**を開始するためには，mRNAがスモール(30S)リボソームサブユニットと結合する必要がある．この過程には**開始因子**(**IF**)が必要である．**原核生物**ではmRNAのプリンに富む領域(**シャイン・ダルガーノ(SD)配列**)が16S rRNAの相補的な配列と塩基対を形成することで，mRNAにスモールリボソームサブユニットを配置させる．真核生物ではeIF-4ファミリータンパク質が結合したmRNAの**5′-キャップ**がスモールリボソームサブユニットを配置させる．**開始コドン**は**AUG**である．原核生物では***N*-ホルミルメチオニン**が，真核生物では**メチオニン**が開始アミノ酸である．チャージされた開始tRNA($tRNA_i$)は，**(e)IF-2**の作用によってP部位に結合する．
- ポリペプチド鎖はそのカルボキシ末端にアミノ酸が付加されることで**伸長**する．**伸長因子**はアミノアシルtRNAのA部位への結合とmRNA上でのリボソームの移動を促進する．ペプチド結合の形成は**ペプチジルトランスフェラーゼ**によって触媒されるが，これはラージリボソームサブユニットのrRNAに内在する活性，すなわち**リボザイム**による反応である．ペプチド結合の形成に引き続いて，リボソームは次のコドンへと**5′→3′方向**にmRNA上を前進する(**トランスロケーション**)．ほとんどのmRNAはある程度長さがあるので一度に複数のリボソームが1つのメッセージ(mRNA)を翻訳している状態，すなわち**ポリソーム**を形成する．
- **終結**は終止コドンがA部位に移動してきて**終結因子**によって認識されるとはじまる．新たに合成されたタンパク質はリボソーム複合体から解離し，リボソームはmRNAから解離する．
- 多くの**抗生物質**は原核生物におけるタンパク質合成の過程を阻害する．
- ポリペプチド鎖は翻訳中または翻訳後に共有結合による修飾を受けることがある．このような修飾にはアミノ酸の**除去**，タンパク質を活性化させたり不活性化させたりする**リン酸化**，**タンパク質のターゲッティング**に関与する**糖鎖付加**(**グリコシル化**)，コラーゲンでみられるような**ヒドロキシ化**などがある．

- タンパク質の移行は，分泌タンパク質のように**翻訳中**に起きる場合とミトコンドリアマトリックスタンパク質のように**翻訳後**に起きる場合がある．
- タンパク質は機能可能な立体構造へと**フォールディング**されなければならない．フォールディングは自動的またはシ**ャペロン**の助けにより行われる．ミスフォールディング等により異常になったりターンオーバー（代謝回転）の速いタンパク質は，**ユビキチン**と呼ばれる小さく種を越えて高度に保存されたタンパク質が鎖のように結合することによって，分解のための目印がつけられる．ユビキチン化タンパク質は**プロテアソーム**という細胞質ゾル中の複合体によって速やかに分解される（図 32.17）．

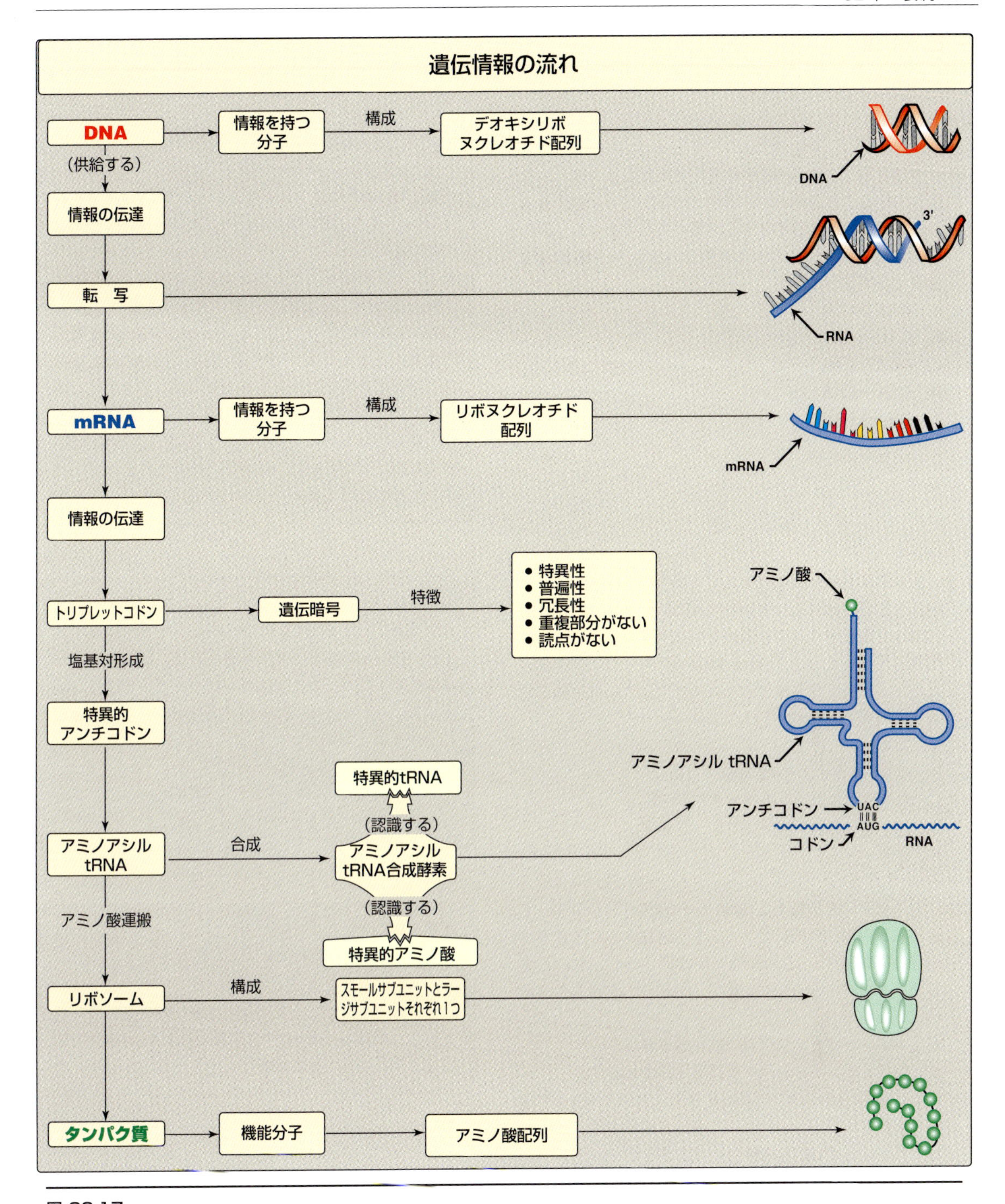

図 32.17
タンパク質合成の概念図．mRNA：メッセンジャーRNA，tRNA：トランスファーRNA，A：アデニン，G：グアニン，C：シトシン，U：ウラシル．

学習問題

最適な答えを1つ選びなさい.

32.1 小球性貧血のある20歳の男性が異常なβグロビンを持っていることがわかり，正常では141アミノ酸であるのに対して，それは172アミノ酸の長さであった．次のうち，この異常に該当する点変異はどれか．図32.2を参考にして答えよ.

A. CGA→UGA
B. GAU→GAC
C. GCA→GAA
D. UAA→CAA
E. UAA→UAG

正解 D. βグロビンメッセンジャーRNAの正常な終止(ストップ)コドンのUAAがCAAへ変異し，リボソームがこの位置にグルタミンを挿入する．メッセージのずっと下流にある次の終止コドンがくるまでタンパク質の鎖は伸び続け，異常に長いタンパク質ができる．CGA(アルギニン)からUGA(終止コドン)へ置き換わると短いタンパク質ができる．GAUとGACはともにアスパラギン酸をコードしており，タンパク質には変化はない．GCA(アラニン)からGAA(グルタミン酸)への変化ではタンパク質の大きさに変化はない．UAAからUAGへの変異は終止コドンが別の終止コドンに置き換わるだけであり，タンパク質に影響はない.

32.2 ある製薬会社が細菌のタンパク質合成を阻害する新しい抗生物質の研究をしている．mRNA配列AUGUUUUUUUAGを翻訳する試験管内のタンパク質合成系にこの抗生物質を加えたとき，fMet-Pheペプチドだけが合成された．タンパク質合成のどのステップがこの抗生物質によって阻害されたのか.

A. 開始
B. tRNAのリボソームA部位への結合
C. ペプチジルトランスフェラーゼ活性
D. リボソームのトランスロケーション
E. 終結

正解 D. fMet-Phe(*N*-ホルミルメチオニン-フェニルアラニン)が作られるので，リボソームは開始を完了し，Phe-tRNAをA部位へ結合させ，最初のペプチド結合の形成ペプチジルトランスフェラーゼ活性を利用することができる．リボソームはそこから先に進むことができないので，リボソームの転位(トランスロケーション)が阻害されているステップと考えられる．というわけで，リボソームはmRNAの終止コドンにたどりつく前に止まってしまっている.

32.3 システインを運搬するtRNA分子($tRNA^{cys}$)が間違ってチャージされ，実際にはアラニンを運搬することになった(Ala-$tRNA^{cys}$)．この間違いが修復されないものとすると，タンパク質合成においてこのアラニン残基の運命はどうなるか.

A. アラニンはタンパク質に取り込まれる.
B. システインがタンパク質に取り込まれる.
C. アラニンはリボソームのE部位において$tRNA^{Ala}$に転移される.
D. アラニンがtRNAに結合したままなので，タンパク質合成は起きない.
E. 細胞の酵素によって化学的にシステインに変換される.

正解 B. 一度アミノ酸がtRNAに結合すると，tRNAのアンチコドンだけが取り込みの特異性を決めている．というわけで間違って結合したアラニンは，システインのコドンが指定する場所でタンパク質に取り込まれる．間違ってチャージされたtRNAはDNAの変異なしにタンパク質に変化をもたらす.

32.4 嚢胞性線維症膜貫通コンダクタンス制御タンパク質 cystic fibrosis transmembrane conductance regulator (CFTR)のΔF508変異を原因とする嚢胞性線維症患者では,その変異タンパク質が正しく折りたたまれていない.この患者の細胞は,この異常なタンパク質にユビキチン分子を付加することで修飾する.この修飾CFTRの運命はどうなるか.

A. プロテアソームで分解される.
B. 貯蔵小胞に取り込まれる.
C. 細胞の酵素によって修復される.
D. リソソームに輸送される
E. 細胞から分泌される.

正解 A. 古い,壊れたまたは間違って折りたたまれた(ミスフォールド)タンパク質は通常はユビキチン化され,細胞質のプロテアソームによって分解される.損傷を受けたタンパク質の修復機構は知られていない.リソソームのマトリックスに移行するタンパク質はマンノース6-リン酸残基が目印になる.

32.5 多くの抗菌薬は翻訳を阻害する.抗菌薬とその作用機序について正しく示されているのは以下のどれか.

A. クロラムフェニコールはトランスホルミラーゼを阻害する.
B. エリスロマイシンは60Sリボソームサブユニットに結合する.
C. ピューロマイシンは伸長因子EF-2を不活性化する.
D. ストレプトマイシンは30Sリボソームサブユニットに結合する.
E. テトラサイクリンはペプチジルトランスフェラーゼを阻害する.

正解 D. ストレプトマイシンは30Sリボソームサブユニットに結合して翻訳開始を阻害する.クロラムフェニコールは50Sリボソームサブユニットの23S rRNAがもつペプチジルトランスフェラーゼ活性(リボザイム)を阻害する.エリスロマイシンは50S(真核細胞では60S)リボソームサブユニットに結合してリボソームからペプチドが離れる過程を阻害する.ピューロマイシンはアミノアシルtRNAと類似した構造をもつため,原核細胞と真核細胞の両方において,伸長しているペプチド鎖に取り込まれ,ペプチド鎖のさらなる伸長を阻害する.テトラサイクリンは30Sリボソームサブユニットに結合し,A部位へ移行できなくすることで伸長を阻害する.

32.6 CAAの繰返し配列を含む合成ポリリボヌクレオチドをセルフリー(無細胞)タンパク質合成系によって翻訳すると,ポリグルタミン,ポリアスパラギン,ポリトレオニンの3種類のホモポリペプチドが合成される.もしCAAのコドンがグルタミンで,AACのコドンがアスパラギンなら,トレオニンのコドンは次のどれか.

A. AAC
B. ACA
C. CAA
D. CAC
E. CCA

正解 B. CAACAACAACAA...の合成ポリヌクレオチド配列が*in vitro*タンパク質合成システムによって読まれる場合,CAAのそれぞれのヌクレオチドから読みはじまる(すなわち3通りのリーディングフレームで読まれる).Cからはじまる場合は最初のコドンがCAAになり,それはグルタミンをコードする.次のAではじまる場合は最初のコドンがAACになり,それはアスパラギンをコードする.その次のAではじまる場合は最初のコドンがACAになり,それはトレオニンをコードする.

32.7 原核生物と真核生物の両方に必要なものは次のどれか.

A. スモールリボソームサブユニットのシャイン・ダルガーノ配列への結合
B. *N*-ホルミルメチオニンtRNA
C. メッセンジャーRNAの核から細胞質への移動
D. 開始因子による5′-キャップの認識
E. ペプチジルtRNAのA部位からP部位への移動

正解 E. 原核生物と真核生物の両方において継続的な翻訳(伸長)を行うためには,ペプチジルtRNAがA部位からP部位に移動して,次のアミノアシルtRNAがA部位に入り込めるようにしなければならない.原核生物だけがシャイン・ダルガーノ配列を持ち,また*N*-ホルミルメチオニンを使用する.一方,真核生物にだけ核があり,転写中および転写後にmRNAが加工される.

32.8 α_1 アンチトリプシン(AAT)欠損症はセリンプロテアーゼであるエラスターゼを正常に阻害することができないため，肺の疾患である肺気腫を発症することが知られている．AATの肺での欠乏は，それが生産されている肝臓から分泌されずに停留してしまうことによる．次の記述のうち，AATのような分泌タンパク質の特徴として最も正しいものはどれか．

A. 合成は滑面小胞体の上ではじまる．
B. マンノース 6-リン酸の移行シグナルを持つ．
C. N末端のアミノ酸は常にメチオニンである．
D. N末端に疎水性のシグナル配列を持つ翻訳産物より作られる．
E. 合成にゴルジ体は関与しないので，*O*結合型の糖鎖は持たない．

正解 D．分泌タンパク質の合成はフリー(細胞質ゾル)のリボソームではじまる．リボソームからこのペプチドのN末端にあるシグナル配列が合成されると，シグナル認識粒子 signal recognition particle (SRP)が結合し，粗面小胞体(RER)へ移行させ，その内腔にペプチドを挿入させる．その後，翻訳が継続され，シグナル配列は切断される．タンパク質はRERとゴルジ体を通過するときに，*N*-グリコシル化(RER)や*O*-グリコシル化(ゴルジ体)のような修飾を受け，さらに分泌顆粒に移行したあとに細胞外へと分泌される．滑面小胞体は，タンパク質ではなく脂質の合成に関与しており，リボソームは付着していない．糖タンパク質で末端のマンノース残基の6位炭素がリン酸化されると，このタンパク質(酸性加水分解酵素)はリソソームに運ばれる．N末端のメチオニンは修飾を受けている間にほとんどのタンパク質で取り除かれる．

32.9 遺伝暗号の縮重(degenerate code)と非多義性(unambiguous code)を説明せよ．

正解 1つのアミノ酸は2つ以上のコドンにコードされている場合があるが(degenerate code)，1つのコドンは1つの特定のアミノ酸をコードしている(unambiguous code)．

遺伝子発現の制御

33

Ⅰ. 概　要

遺伝子発現 gene expression は，最終的に機能的な遺伝子産物であるリボ核酸(RNA)またはタンパク質の産生に至る多段階の過程のことである．遺伝子発現における最初の段階は，デオキシリボ核酸(DNA)からRNAを合成する**転写 transcription** と呼ばれる工程で，**原核生物 prokaryote** および**真核生物 eukaryote** における主要な発現制御段階である．しかし，真核生物における遺伝子発現では，DNAの特定の領域への接近に影響を与える作用に加えて，さまざまな転写後や翻訳後の工程が含まれている．これらの工程の各段階で遺伝子発現が制御されることにより，多様な種類と異なる量の機能的遺伝子産物が産生される．

すべての遺伝子 geneが厳密に発現制御を受けるわけではない．例えば，基本的な細胞機能に必要で，本来一定のレベルで発現しているようなタンパク質をコードしている‘構成的な’遺伝子の場合がそうであり，これらはハウスキーピング遺伝子として知られている．しかしながら，発現制御を受ける遺伝子の場合には，ある特定の条件下でのみ発現が認められる．このような遺伝子は，生体のすべての細胞で発現が認められる場合もあるし，肝細胞のような特定の細胞種でのみ発現が認められるフィブリノーゲンα鎖遺伝子のような場合もある．遺伝子発現を制御すること，すなわち特定の遺伝子産物を発現させるかどうか，どのくらいの量をいつ発現させるか，を決定することによって，細胞の構造と機能を調節することができる．したがって，遺伝子発現制御は，すべての生物における細胞分化，形態形成や適応の基本となる機構といえる．遺伝子発現の制御機構は原核生物で最もよく知られているが，多くの制御機構は真核生物においても検証されている．図33.1では，遺伝子発現において制御を受ける段階を示している．

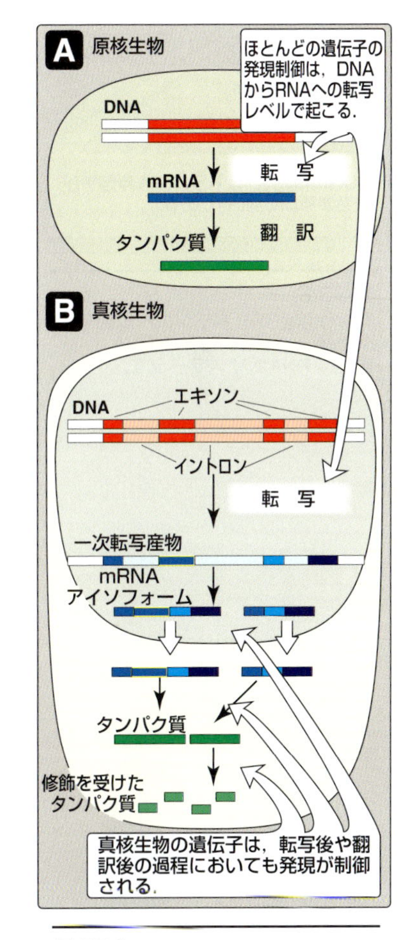

図 33.1
遺伝子発現の制御．mRNA：メッセンジャーRNA．

Ⅱ. 発現制御に関わる配列と分子

すべての遺伝子発現において最初の段階である転写制御は，通常ゲノムの非翻訳(ノンコーディング)領域に存在するDNAの調節配列に

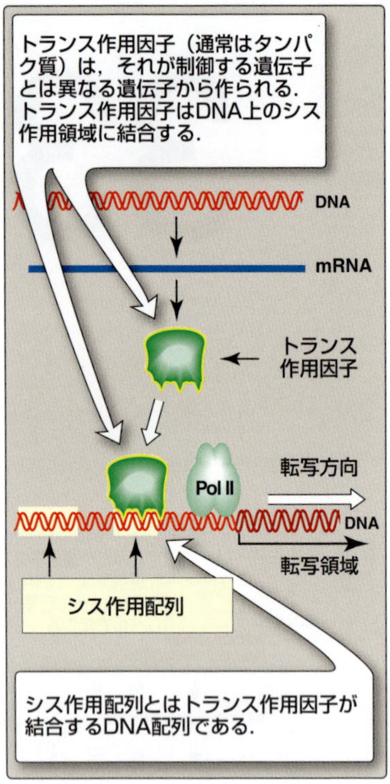

より制御されている．これらのDNA調節配列と転写因子のような調節分子が相互作用することにより，転写機構が誘導または抑制され，転写産物の種類と量が調節される．この調節性のDNA配列は，同一の染色体上に存在する遺伝子の発現にのみ影響を及ぼすので，**シス作用配列 cis-acting sequence**と呼ばれる（p.564参照）．一方，調節分子は，細胞内で合成されたあと，移動（拡散）によってそれが結合するDNA上の部位まで到達するので，トランス作用因子 trans-acting factorと呼ばれる（図33.2）．例えば，第6染色体上にある遺伝子の発現を制御する転写因子タンパク質（トランス作用分子）自体は，第11染色体上にある遺伝子にコードされるというような場合がある．トランス作用分子のようなタンパク質は，タンパク質内に存在する**ジンクフィンガー zinc finger**（図33.3），**ロイシンジッパー leucine zipper**や**ヘリックス・ターン・ヘリックス helix-turn-helix**のような構造上のモチーフを介してDNAに結合する．

図 33.2
シス作用配列とトランス作用因子．
mRNA：メッセンジャーRNA，
PolⅡ：RNAポリメラーゼⅡ．

Ⅲ．原核生物における遺伝子発現制御

細菌である大腸菌 *Escherichia coli*（*E. coli*）のような原核生物においては，遺伝子発現は主に転写レベルで制御されており，一般的に単一のDNA分子（染色体）上のシス作用調節配列にトランス作用タンパク質が結合することにより制御される．［注：遺伝子発現の最初の段階で制御することは，不必要な遺伝子産物の合成に無駄なエネルギーを使わないという点において，効率的な方法といえる．］原核生物における転写は，転写の開始または転写の早期終結によって制御される．

A．細菌のオペロンからのメッセンジャーRNAの転写

細菌では，ある特定の代謝経路に関与する一連のタンパク質をコードする構造遺伝子は，しばしばこれらの遺伝子の転写を制御するシス作用配列とともに染色体上で連続した一団として存在している．これらの構造遺伝子の転写産物は，1つのポリ（多）シストロン性メッセンジャーRNA（mRNA）である（p.559参照）．したがって，これらの遺伝子の発現は，調和して制御される．すなわち，1つのユニットとして，遺伝子の発現がオンまたはオフされる．この全体のひとまとまりを**オペロン operon**と呼ぶ．

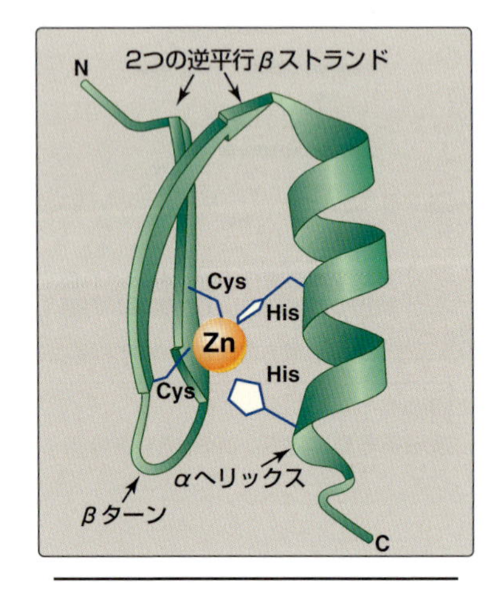

図 33.3
ジンク（Zn）フィンガーはDNA結合タンパク質の共通モチーフの1つである．Cys：システイン，His：ヒスチジン．

B．細菌のオペロンにおけるオペレーター

細菌のオペロンは，オペレーターというDNA断片を持っており，そこにリプレッサーと呼ばれるタンパク質が可逆的に結合することにより，オペロンの一群の構造遺伝子の発現を制御する．オペレーターに**リプレッサー分子 repressor molecule**が結合していなければ，RNAポリメラーゼ RNA polymerase（RNA pol）はプロモーター配列に結合し，オペレーターを通過してタンパク質をコードする遺伝子に到達し，その遺伝子をmRNAに転写する．もしリプレッサー分子が結合していれば，RNAポリメラーゼの働きは阻害され，mRNAは合成されない．したがって，リプレッサーがオペレーターに結合している限

りは，構造遺伝子からタンパク質は合成されない．しかし，**インデューサー分子 inducer molecule**（誘導物質）が存在していれば，インデューサー分子はリプレッサーに結合し，リプレッサーがもはやオペレーターに結合することができないように形状を変化させる．このような場合には，RNAポリメラーゼはうまく機能して構造遺伝子の転写を行うことができる．最もよく知られた例は，大腸菌の誘導性ラクトース（*lac*）オペロンの場合であり，そこでは正と負の制御機構の存在が明らかになっている（図 33.4）．

C．ラクトース（*lac*）オペロン

***lac* オペロン**は，二糖であるラクトースの異化（分解）作用にかかわる3つのタンパク質をコードする遺伝子を含んでいる．すなわち，*lacZ* 遺伝子は，ラクトースをガラクトースとグルコースに加水分解する**β-ガラクトシダーゼ** β-galactosidase をコードしており，*lacY* 遺伝子は，ラクトースの細胞内への輸送を促進する**パーミアーゼ**（透過酵素）permease をコードしており，また *lacA* 遺伝子は，ラクトースをアセチル化する**チオガラクトシドアセチルトランスフェラーゼ** thiogalactoside acetyltransferase をコードしている．［注：このアセチル化の生理的機能は不明である．］これら3つのタンパク質は，（大腸菌）細胞のエネルギー源としてグルコースが存在せず，ラクトースを利用できる場合に最大限に産生される．［注：細菌はグルコースがある場合はエネルギー源として他の糖質よりもグルコースを好んで利用する．］オペロンの調節性部位は，これらの3つの構造遺伝子の上流に位置しており，RNAポリメラーゼが結合するプロモーター領域，オペレーター（O）部位，および調節タンパク質が結合するカタボライト活性化タンパク質（CAP）部位を含んでいる．*lacZ*，*lacY*，*lacA* 遺伝子は，O部位に何も結合しておらず，CAP部位に**サイクリックアデノシン一リン酸**（**サイクリックAMP**，**cAMP**，p.121 参照）と**カタボライト活性化タンパク質 catabolite activator protein**（**CAP**）（または**cAMP 調節タンパク質 cAMP regulatory protein**（**CRP**）と呼ばれる）の複合体が結合した場合に，最大限に発現が誘導される（図 33.4 参照）．調節遺伝子（制御遺伝子）である *lacI* 遺伝子はリプレッサータンパク質（トランス作用因子）をコードしており，リプレッサーはオペレーター（O）部位に高い親和性で結合する．［注：*lacI* 遺伝子はそれ自体を制御するプロモーターを持っているが，*lac* オペロンには含まれていない．］

1．グルコースのみがエネルギー源として利用できるとき：この場合には，*lac* オペロンは抑制されている（オフ状態）．この抑制効果は，リプレッサータンパク質がその分子内のヘリックス・ターン・ヘリックスモチーフ（図 33.5）を介して，プロモーター領域の下流にあるオペレーター（O）部位に結合することによる（図 33.4 A参照）．リプレッサーのO部位への結合は，RNAポリメラーゼのプロモーター領域への結合を妨害し，その結果，構造遺伝子の転写を阻害する．これは *lac* オペロンの負の制御の例である．

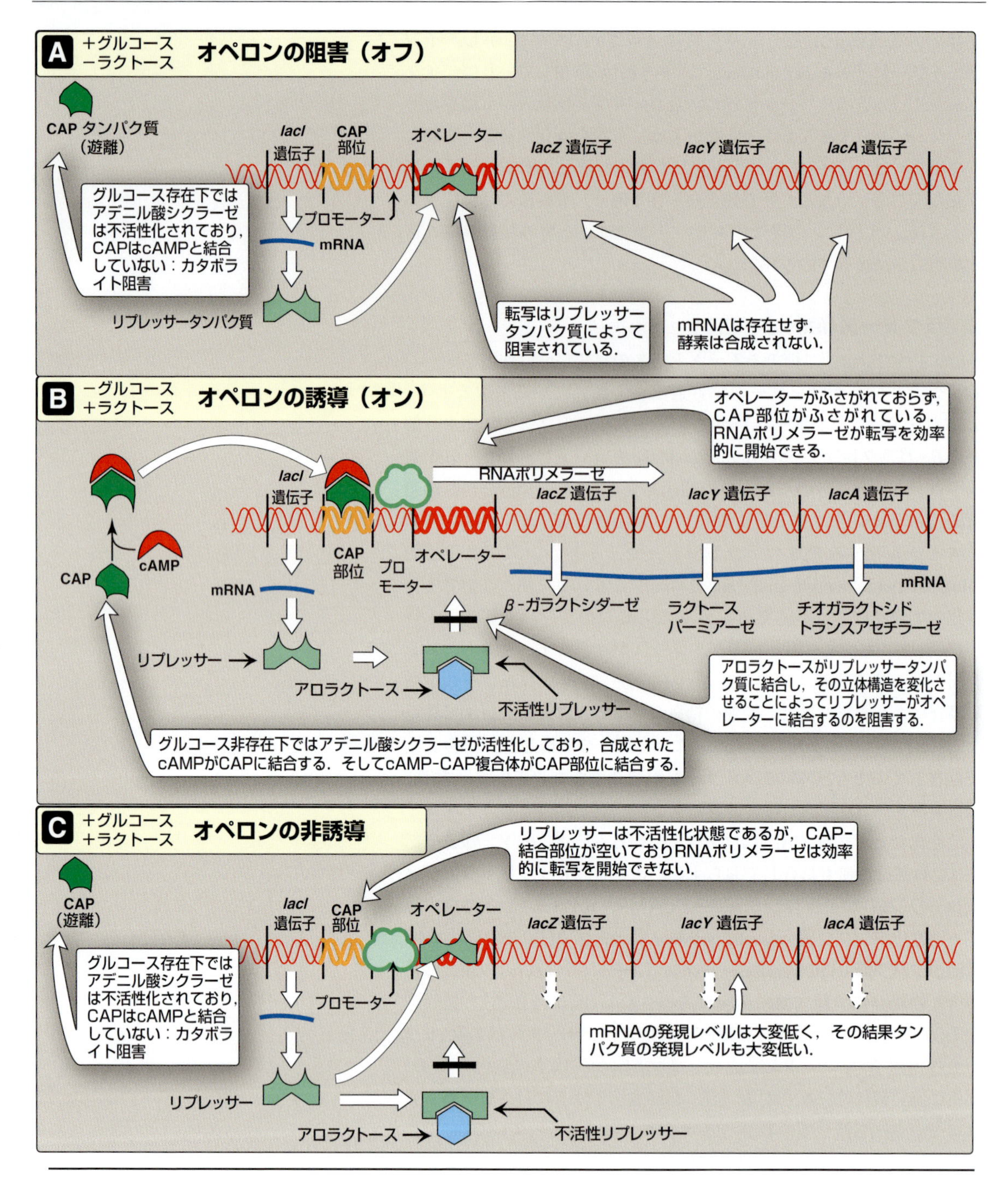

図 33.4
大腸菌のラクトース（*lac*）オペロン（A.グルコースのみ存在する場合，B.ラクトースのみ存在する場合，C.両者が存在する場合）．*［注：オペロンがオフであったとしても，リプレッサーはオペレーターから一過的にゆっくり解離し，ほんのわずかであるが遺伝子が発現する．パーミアーゼ（およびβ-ガラクトシダーゼ）のほんの少しの合成によって，大腸菌はグルコースが利用できない状態に対応できるようになる.］CAP：カタボライト活性化タンパク質，cAMP：サイクリックAMP，mRNA：メッセンジャーRNA.

2．ラクトースのみがエネルギー源として利用できるとき：この場合には，*lac* オペロンは誘導されている（最大限に発現またはオン状態）．少量のラクトースは，その異性体である**アロラクトース allolactose** に変換される．アロラクトースはインデューサー（誘導物質）であり，リプレッサータンパク質に結合しその構造を変化させることにより，O部位へ結合できないようにする．グルコースがない状態ではアデニル酸シクラーゼ adenylyl cyclase は活性化されており，cAMP が合成され，CAP タンパク質に結合している．その cAMP-CAP トランス作用複合体が CAP 部位に結合することにより，プロモーター部位での RNA ポリメラーゼによる転写を高効率に開始させる（図 33.4B）．これは *lac* オペロンの正の制御の例である．RNA ポリメラーゼによる転写産物は単一のポリシストロン性 mRNA polycistronic mRNA であり，そこには 3 つの構造遺伝子に対応する 3 セットの開始コドンと終止コドンが含まれる．その mRNA が翻訳されることにより，3 つのタンパク質が合成され，（大腸菌）細胞はラクトースを用いてエネルギーを産生することができるようになる．[注：発現制御により誘導される *lacZ*，*lacY*，*lacA* 遺伝子に対して，*lacI* 遺伝子の発現は構成的（恒常的）である．*lacI* 遺伝子産物であるリプレッサータンパク質は，インデューサーが存在していなければ常に合成され，リプレッサー活性を持った状態にある．]

3．グルコースとラクトースの両者がエネルギー源として利用できるとき：この場合には，*lac* オペロンは誘導されずラクトースが高濃度で存在していても転写はごくわずかしか起こらない．グルコース存在下ではアデニル酸シクラーゼは不活性化状態にあり（**カタボライト抑制 catabolite repression** と呼ばれる），その結果 cAMP-CAP 複合体は形成されず，CAP 部位には何も結合していない状態である．そのため，リプレッサーが O 部位に結合していない場合でも，RNA ポリメラーゼは効率良く転写を開始することができない．その結果，オペロンの 3 つの構造遺伝子はきわめて低いレベル（基底レベル）で発現することになる（図 33.4C 参照）．[注：誘導により，基底レベルの 50 倍ほど発現が増強する．]

D．トリプトファン（*trp*）オペロン

***trp* オペロン**はアミノ酸であるトリプトファン（Trp）の合成に必要な酵素をコードする 5 つの構造遺伝子を含んでいる．*lac* オペロンと同様に，*trp* オペロンも負の制御を受ける．しかし，抑制的 *trp* オペロンの場合は，負の制御は，Trp 自体がリプレッサータンパク質に結合し，リプレッサーのオペレーターへの結合を促進させるので，Trp はコリプレッサー corepressor であるといえる．*lac* オペロンと異なり，Trp による抑制は必ずしも完全なものではないので，*trp* オペロンの場合には**アテニュエーション attenuation** と呼ばれる過程により制御されている．アテニュエーションにより，転写は開始するが，完了する前に終結する（図 33.6）．Trp が十分に存在する場合は，Trp による抑制を回避した転写開始は，ρ（rho）因子非依存性終結（p.562 参照）にお

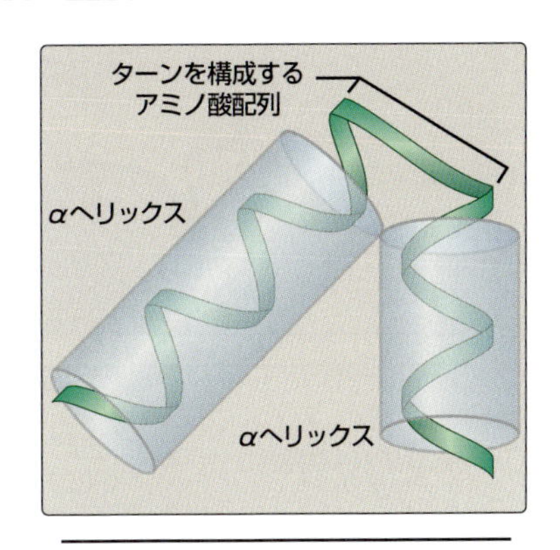

図 33.5
lac リプレッサータンパク質のヘリックス・ターン・ヘリックスモチーフ．

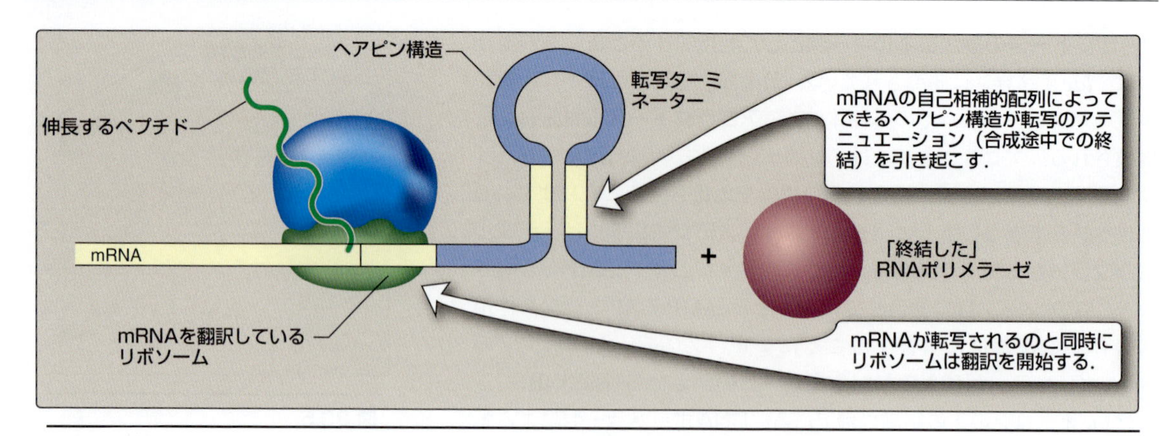

図 33.6
トリプトファンが豊富な場合に起こる*trp*オペロンの転写のアテニュエーション．mRNA：メッセンジャーRNA.

いてみられるようなアテニュエーター attenuatorと呼ばれるmRNAにおけるヘアピン（**ステムループ stem-loop**）構造の形成により減衰（停止）される.［注：原核生物では転写と翻訳は時間的に共役しているので（p.583 参照），アテニュエーションにより途中で切断された機能を持たないペプチド産物が産生され，そのような不完全なペプチド産物は速やかに分解される.］Trpがほとんど存在しないときは，そのオペロンは発現誘導される．そのmRNAの5′末端には近接した2つのTrpのコドンがあり，Trpがほとんどない場合には，アテニュエーションヘアピンループの形成に必要なmRNAの領域を覆うこれらのコドンのところでリボソームによる翻訳は減速する．その結果，アテニュエーションは回避され，転写は継続して進行することとなる.

原核生物では，mRNAの翻訳はmRNAの合成が完了する前に開始されるので，原核生物においては転写のアテニュエーションという現象が観察される．しかし，真核生物は膜に囲まれた核を持っており，転写と翻訳が空間的・時間的に分けられているため，真核生物では転写のアテニュエーションという現象は認められない.

E. 転写と翻訳の協調作用

細菌では，mRNA合成の転写レベルでの制御が中心的であるが，リボソームRNA（rRNA）やタンパク質の合成の制御も環境ストレスへの適応において重要な役割を担っている.

1．**緊縮応答**：大腸菌（*E. coli*）はリボソームの構築に必要なrRNAを合成する7つのオペロンを持っており，各オペロンは環境条件の変化に応答して制御されている．アミノ酸枯渇（除去）amino acid starvation時の制御は，**緊縮応答（ストリンジェント応答）stringent response**

と呼ばれる．チャージされていない（アミノ酸が共有結合していない）トランスファーRNA（tRNA）がリボソームのA部位（p.581参照）に結合すると，警告物質であるグアノシン5′-二リン酸，3′-二リン酸（ppGpp）の産生に至る一連の反応が惹起される．このグアノシン二リン酸（GDP）の非典型的な誘導体の合成は，リボソームに結合した緊縮調節因子（ストリンジェント因子）stringent factor（RelA）と呼ばれる酵素によって触媒される．ppGppの細胞内濃度が増加するとrRNAの合成が阻害される（図33.7）．ppGppはRNAポリメラーゼに結合し，異なるσ（sigma）因子を利用することによって，プロモーターの選択を変えている（p.560参照）．緊縮応答では，rRNA合成に加えてtRNA合成や一部のmRNA合成（例えば，リボソームタンパク質 ribosomal proteins（r-タンパク質）をコードするmRNAの合成）も阻害される．しかし，アミノ酸生合成に必要な酵素をコードするmRNAの合成は阻害されない．このようにして，緊縮応答は無駄なリボソームの産生を回避して，アミノ酸が枯渇した際に必要なアミノ酸の産生を促進する．

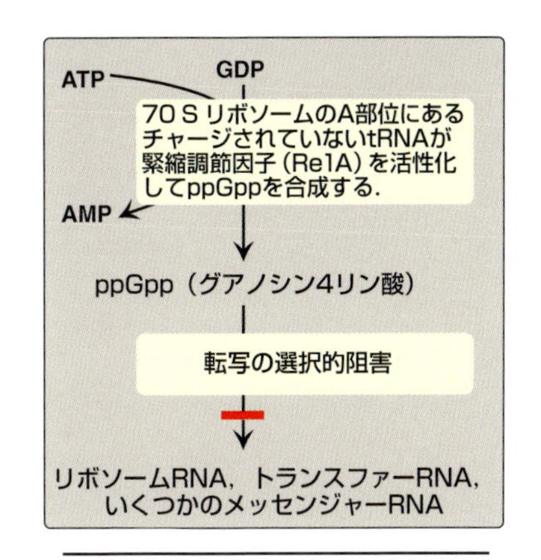

図 33.7
アミノ酸枯渇に対する緊縮応答による転写の制御．S：スベドベリ単位．

2．**調節性リボソームタンパク質**：r-タンパク質をコードする遺伝子のオペロンは，過剰に産生されたそれらのタンパク質自身によって抑制される．それぞれのオペロンについて，1つの特定のr-タンパク質がそのオペロンからのポリシストロン性mRNAの翻訳を抑制する（図33.8）．r-タンパク質は，mRNA上で最初の翻訳開始AUGコドン（p.576参照）のすぐ上流に位置するシャイン・ダルガーノ（SD）配列に結合し，スモールリボソームサブユニットがSD配列に結合するのを物理的に妨害することにより，そのmRNAの翻訳を抑制する．かくして，1つのr-タンパク質がそのオペロンのすべてのr-タンパク質の合成を阻害するのである．この1つのr-タンパク質はmRNAよりもrRNAにより高い親和性で結合する．rRNAの濃度が減少すれば，そのr-タンパク質はそれ自身のmRNAに結合するようになり，その翻訳を阻害する．このような協調的制御機構によりr-タンパク質の合成とrRNAの転写はバランスがとれており，リボソームの形成のために適切な量のr-タンパク質とrRNAが存在していることになる．

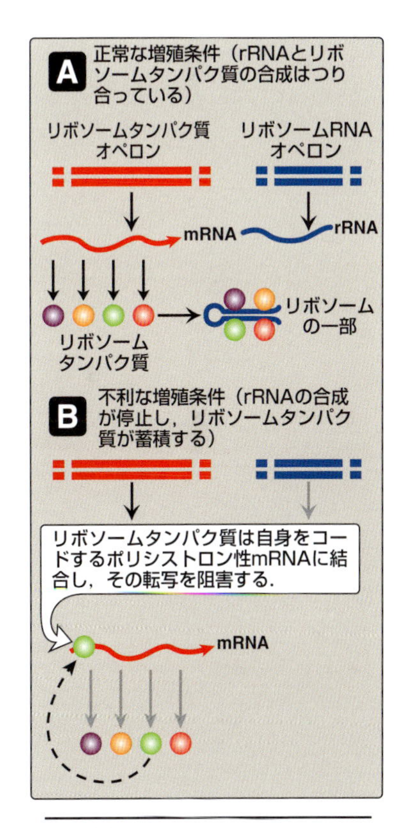

図 33.8
過剰なリボソームタンパク質による翻訳の制御．mRNA：メッセンジャーRNA，rRNA：リボソームRNA．

Ⅳ．真核生物における遺伝子発現制御

ゲノムの高度な複雑さと核膜の存在のために，真核生物においてはより幅広い制御機構が必要となる．原核生物の場合と同様に，遺伝子発現は主に転写の過程で制御される．また，原核生物でみたようなトランス作用因子のシス作用配列への結合は，真核生物においても重要なプロセスである．しかし，真核生物ではオペロンは認められず，ある特定の細胞応答に必要なすべての遺伝子をうまく調和させて発現するためには，別の戦略が必要となる．実際，真核生物での遺伝子発現は，転写以外に多くの過程で制御されている．例えば，mRNAレベルでの主な転写後の制御としては，**選択的mRNAスプライシング alternative mRNA splicing**，ポリアデニル化，mRNAの安定性の制御や

mRNAの翻訳効率の制御などが挙げられる．さらに，タンパク質レベルでの制御も重要であり，タンパク質の安定性やプロセシングの制御，およびタンパク質の細胞内の標的部位(細胞内小器官など)への移行の制御なども考慮に入れなければならない．

A．協調的制御

特定の応答を引き起こす一群の遺伝子を協調的に制御することは，2つ以上の染色体を持つ生物にとってきわめて重要なことである．繰り返し論じられているように，あるトランス作用因子は同じグループのそれぞれの遺伝子のシス作用調節コンセンサス配列に結合することにより特異的転写因子 specific transcription factor (STF)として機能し，たとえ一群の遺伝子が異なる染色体上に位置していても協調的に発現制御する．[注：STFはDNA結合ドメイン DNA-binding domain (DBD)と転写活性化ドメイン transcription activation domain (TAD)を持っている．TADはプロモーターにおける転写開始複合体の形成に必要なヒストンアセチル化酵素 histone acetyltransferases (HAT，p.563参照)のようなコアクチベーター coactivatorsや基本転写因子群(p.564参照)をRNAポリメラーゼとともに動員する．TADはさまざまなタンパク質を動員するが，その特異的作用は複合体のタンパク質構成(組成)に依存しており，これは組合せによる制御 combinatorial control と呼ばれる．] 真核生物における協調的制御の例としては，ガラクトースサーキットとホルモン応答システムが知られている．

1．ガラクトースサーキット galactose circuit：これはグルコースが利用できない場合に，ガラクトースを利用できるようにする調節機構である．単細胞生物である酵母では，ガラクトース代謝に必要な遺伝子は異なる染色体上に存在している．これら遺伝子の協調的発現は，ガラクトース代謝に関与する各遺伝子の上流にある短い調節DNA配列に結合するSTFであるGal4タンパク質(Galはガラクトースを意味する)によって担われる．Gal4が結合するDNA配列は上流活性化配列 upstream activating sequence Gal (UAS_{Gal})と呼ばれる．ガラクトースの非存在・存在にかかわらず，Gal4はそのDBDの**ジンクフィンガーモチーフ zinc finger motif**を介してUAS_{Gal}に結合する．ガラクトースが存在しない場合は，制御タンパク質Gal80はGal4のTADに結合することによって転写を抑制する(図33.9 A)．一方，ガラクトースが存在する場合は，ガラクトースはGal3タンパク質を活性化する．そして，活性化されたGal3はGal80に結合し，その結果Gal4は転写を活性化するようになる(図33.9 B)．[注：グルコースはGal4タンパク質の発現を抑制することによって，ガラクトースの利用を妨げている．]

2．ホルモン応答システム：ホルモン応答配列 hormone response element (HRE)はトランス作用因子が結合するDNA配列であり，多細胞生物におけるホルモンによるシグナルに応答する遺伝子発現を制御する．ホルモンは細胞内(核内)受容体(例えば，ステロイドホルモンの

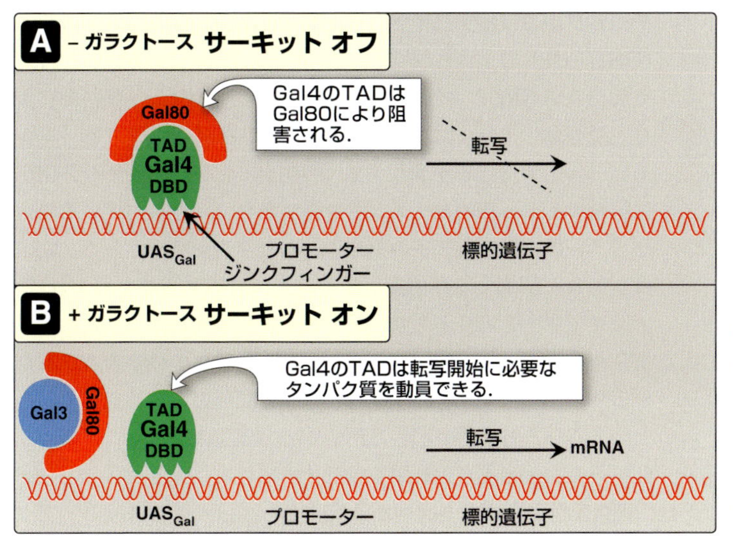

図33.9
酵母におけるガラクトースサーキットの制御. A. ガラクトースがない場合, B. ガラクトースがある場合. [注：標的遺伝子は, 同じ染色体上に存在しようが, 異なる染色体上に存在しようが, それぞれ上流活性化配列 Gal (UAS$_{Gal}$) を持っている.] TAD：転写活性化ドメイン, DBD：DNA結合ドメイン, mRNA：メッセンジャーRNA.

場合, 図18.28)または細胞表面受容体(例えば, ペプチドホルモンであるグルカゴンの場合, 図23.12)に結合する.

a. **細胞内受容体**：核内受容体スーパーファミリーに属するステロイドホルモン(グルココルチコイド, ミネラルコルチコイド, アンドロゲン, エストロゲン), ビタミンD, レチノイン酸および甲状腺ホルモンの受容体は, いずれもSTFとして機能する. これらの核内受容体はDNA結合ドメインと転写活性化ドメインに加えて, リガンド結合領域を有する. 例えば, コルチゾール(グルココルチコイド)のようなステロイドホルモンは細胞内受容体のリガンド結合ドメインに結合する(図33.10). リガンドの結合は受容体の構造変化をもたらし, 受容体は活性化される. そして受容体-ホルモン複合体は核内に入り, 二量体を形成し, 受容体分子内のジンクフィンガーモチーフを介してDNA上の調節配列

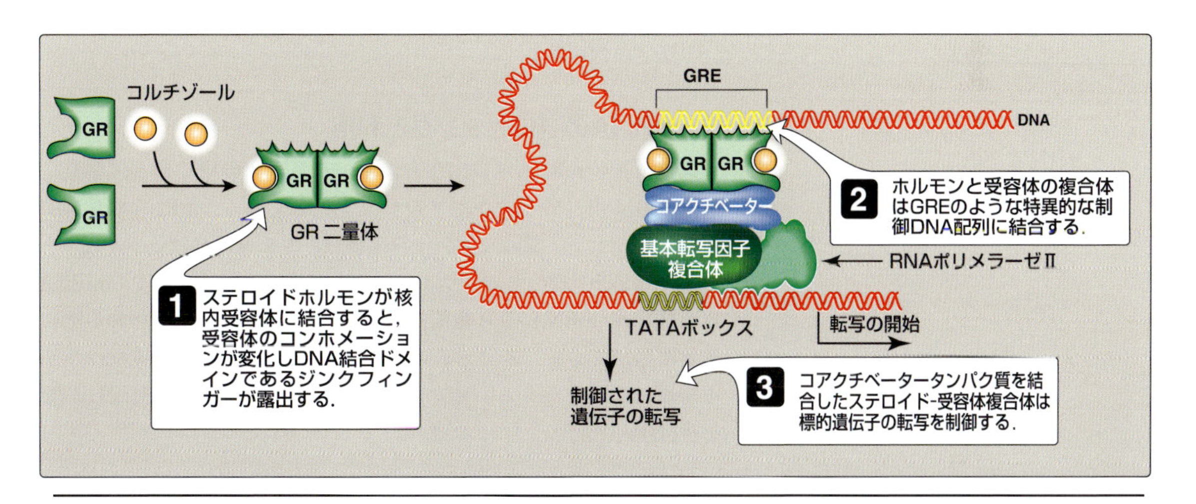

図 33.10
細胞内ステロイドホルモン受容体による転写制御. GRE：グルココルチコイド応答配列, GR：グルココルチコイド受容体.

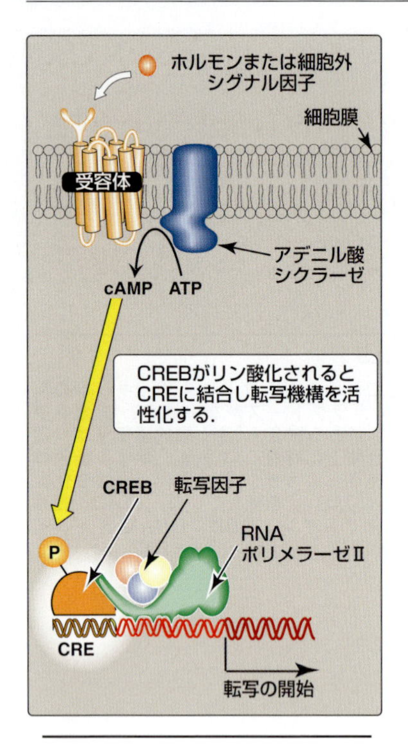

図 33.11
細胞膜受容体シグナルによる転写制御．［注：サイクリックアデノシン一リン酸（cAMP）はcAMP応答配列結合タンパク質（CREB）をリン酸化するプロテインキナーゼAを活性化する．］CRE：cAMP応答配列．

である**グルココルチコイド応答配列 glucocorticoid response element**（GRE，HREの1つ）に結合する．各コルチゾール応答遺伝子は，それ自身のGREによって制御されており，このような結合により，受容体のTADにコアクチベーターが誘引（動員）され，コルチゾール応答遺伝子が発現する．受容体-ホルモン複合体がGREに結合すると，標的遺伝子が異なる染色体上に位置している場合でも，一群の標的遺伝子の調和のとれた発現が誘導される．GREは，それが制御する標的遺伝子の上流に位置する場合もあれば，下流に位置する場合もあり，また標的遺伝子からかなり離れて位置している場合でも，その発現を制御することができる．したがって，GREは真のエンハンサー enhancerとして機能しているといえる（p.565 参照）．［注：ホルモン-受容体複合体は，リプレッサーと会合する場合は転写を抑制する．］

b. **細胞表面受容体**：細胞表面受容体としては，インスリン，アドレナリン（エピネフリン）やグルカゴンの受容体が知られている．例えば，グルカゴンはペプチドホルモンであり，グルカゴン応答性細胞の細胞膜表面にあるGタンパク質共役受容体に結合する．この細胞外からのシグナルは，セカンドメッセンジャーである細胞内cAMP（図 33.11，図 8.7 も参照）の産生につながり，cAMPはプロテインキナーゼAを介するリン酸化によりタンパク質の発現や活性に影響を及ぼす．細胞内cAMP濃度の上昇に伴って，トランス作用因子（**cAMP応答配列結合タンパク質 cAMP-response element binding protein**，CREB）がリン酸化され，活性化される．活性化されたCREBはその分子内の**ロイシンジッパーモチーフ leucine zipper motif**を介してシス作用調節配列である**cAMP応答配列 cAMP-response element**（CRE）に結合し，プロモーター内にCREを持った標的遺伝子の転写を亢進させる．［注：糖新生における重要な酵素であるホスホエノールピルビン酸カルボキシキナーゼ phosphoenolpyruvate carboxykinaseやグルコース-6-ホスファターゼ glucose 6-phosphatase（p.159 参照）をコードする遺伝子は，cAMP/CRE/CREBシステムによって発現誘導される遺伝子の例である．］

B. mRNAのプロセシングと利用

真核生物のmRNAは核内からタンパク質合成の場である細胞質に輸送される前にいくつかのプロセシングを受ける．mRNAの5′末端におけるキャップ構造の付加（p.567 参照），3′末端におけるポリAテール付加（p.568 参照）やスプライシング（p.568 参照）は，多くのmRNA前駆体（pre-mRNA）から機能的な真核生物mRNAが産生される際に重要な過程である．スプライシングやポリA付加における変化は遺伝子発現に影響を与える．また，mRNAの安定性も遺伝子発現に影響を及ぼす．

1. **選択的スプライシング**：組織特異的なタンパク質アイソフォームは，同じpre-mRNAがエキソンスキップ（エキソンの消失），イント

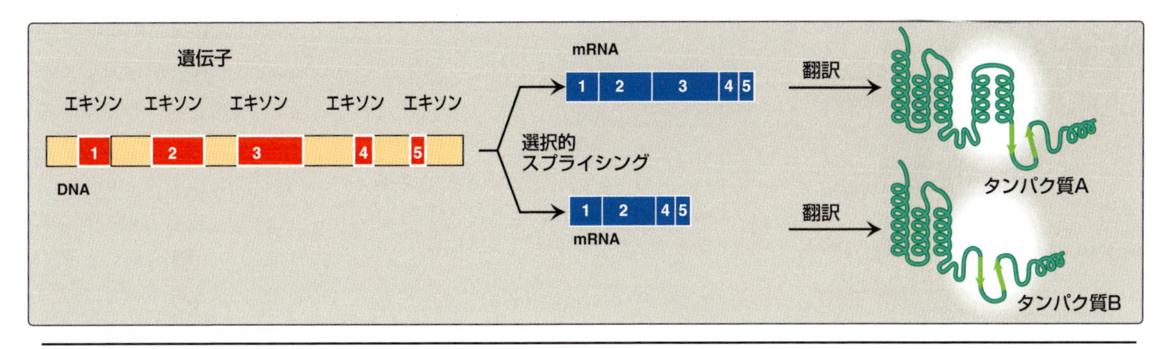

図 33.12
組織特異的選択的スプライシングにより1つの遺伝子から異なるタンパク質あるいはアイソフォームが産生される．mRNA：メッセンジャーRNA．

ロンの停留，または選択的なスプライスドナー部位またはアクセプター部位を利用した選択的スプライシングを行うことにより作られる（図 33.12）．例えば，**トロポミオシン tropomyosin**（TM）の pre-mRNA が組織特異的スプライシングを受けることにより，さまざまな TM アイソフォームが産生される（p.568 参照）［注：すべてのヒト遺伝子の 90％以上が選択的スプライシングを受ける．］

2．**選択的ポリA付加**：pre-mRNA 転写産物によっては，複数の切断部位とポリA付加部位を持っている．選択的ポリA付加 alternative polyadenylation（APA）によって異なる 3′末端を持つ mRNA が作られ，それによって非翻訳領域 untranslated region（UTR）やコーディング（翻訳）領域の配列が変化する．［注：APA は膜結合型と分泌型の免疫グロブリン M（IgM）の産生にかかわっている．］

> 選択的転写開始部位に加えて，選択的スプライシング部位やポリA付加部位を利用することによって，ヒトゲノムに存在する約 2 万～2 万 5 千の遺伝子から 10 万以上のタンパク質が作られる仕組みが説明される．

3．**mRNA 編集 mRNA editing**：mRNA が完全にプロセシングされたあとも，その mRNA の塩基が変換されるといった転写後修飾がみられる．この過程は RNA 編集と呼ばれる．ヒトにおける重要な RNA 編集の例として，キロミクロン（p.297 参照）や超低密度リポタンパク質（VLDL，p.299 参照）の重要な成分であるアポリポタンパク質 B（apoB）の mRNA の場合が知られている．apoB mRNA は肝臓と小腸で合成（転写）されるが，小腸における apoB mRNA の場合にはグルタミンの CAA コドンの C が酵素的脱アミノ化により U に変わり，センスコドンがナンセンスコドン（終止コドン，UAA）に変換されることになる（図 33.13）．このため，小腸で合成されキロミクロンに取り込まれる apoB は，肝臓で作られる apoB（apoB-100，全長のままで VLDL

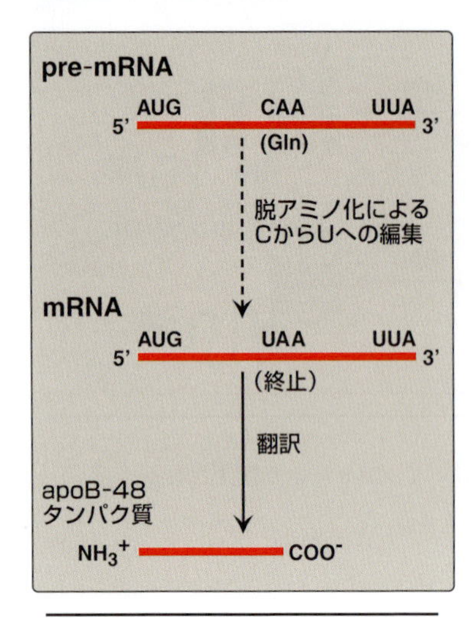

図 33.13
小腸でのアポリポタンパク質(apo)B pre-mRNAのRNA編集とキロミクロン生成に必要なapoB-48タンパク質の合成．Gln：グルタミン，mRNA：メッセンジャーRNA，A：アデニン，C：シトシン，G：グアニン，U：ウラシル．

に取り込まれる)に比べて分子量の小さいタンパク質(apoB-48，RNA編集のためタンパク質をコードするmRNA部分の長さが全長の48%である)となる．

4．**mRNA安定性 mRNA stability**：細胞質ゾルにおいてmRNAが分解されるのに要する時間は，そのmRNAからどのくらいのタンパク質が合成されるかに影響を与える．鉄代謝でのmRNA制御とRNA干渉(RNAi)での遺伝子サイレンシング過程は，遺伝子発現制御において，いかにmRNA安定性が重要であるかを示している．

a．**鉄代謝**：**トランスフェリン transferrin**(Tf)は鉄を輸送する血清タンパク質である．Tfは細胞表面の受容体(**トランスフェリン受容体 transferrin receptor**，TfR)に結合し，細胞内に取り込まれることにより，赤芽球などの細胞内に鉄を供給する．TfRのmRNAには，その3′末端側非翻訳領域にいくつかのシス作用**鉄応答配列 iron-responsive element**(IRE)が存在する．IREsは短いステムループ構造をとっており，そのステムループにトランス作用**鉄調節タンパク質 iron regulatory protein**(IRP，図33.14)が結合する．細胞内の鉄濃度が低い場合には，IRPはTfR mRNAの3′末端側のIREに結合し，そのmRNAを安定化させ，TfRが合成される．逆に，細胞内鉄濃度が高い場合には，IRPはIREから解離する．TfR mRNAに結合するIRPが消失することにより，そのmRNAの分解が促進し，TfRの合成は減少することになる．[注：細胞内の鉄貯蔵タンパク質である**フェリチン ferritin**のmRNAは1つのIREをその5′末端側非翻訳領域に持っている．細胞内鉄濃度が低い場合には，IRPはその5′末端側のIREに結合し，そのmRNAからのフェリチンの合成を阻害する．一方，細胞内に鉄が蓄積すると，IRPはIREから解離し，フェリチンの合成は亢進し，細胞内の過剰の鉄は貯蔵されるようになる．赤芽球においてヘム合成を制御する酵素であるアミノレブリン酸シンターゼ2 aminolevu-

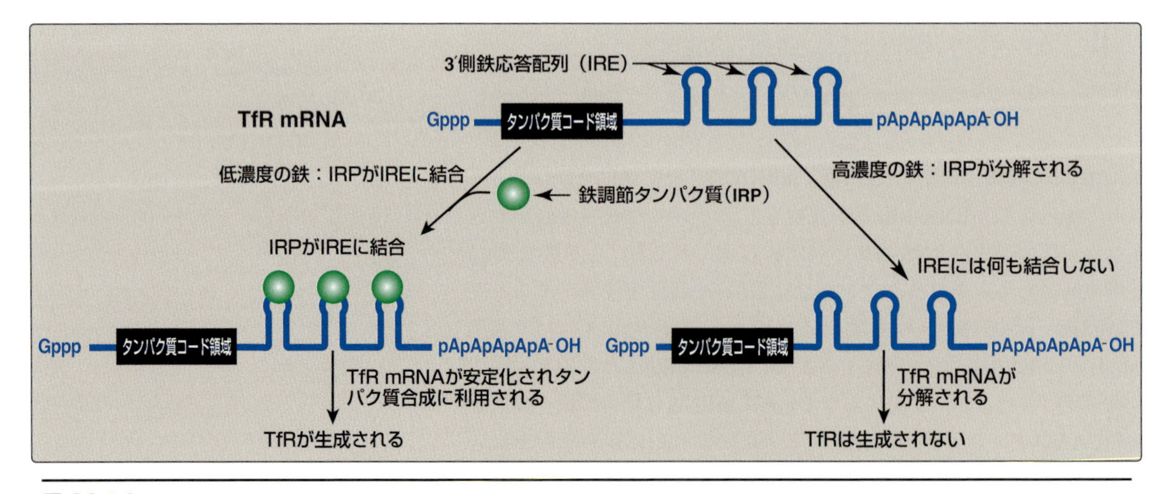

図 33.14
トランスフェリン受容体(TfR)の生成制御．[注：IREはTfRmRNAの3′UTR(非翻訳領域)に位置している．]
Gppp：7-メチルグアノシンキャップ，$p(Ap)_nA$-OH：ポリAテール．

linic acid synthase 2（ALAS2）（p.363 参照）のmRNAもその5′末端側に1つのIREを含んでいる．］（29章のヘム合成の項を参照．）

b．RNA干渉 RNA interference（RNAi）：RNAiはmRNAからの翻訳を阻害したり，mRNAの分解を亢進させることにより，mRNAの発現を減少させ，遺伝子発現をサイレンシングする仕組みである．RNAiは細胞増殖，分化やアポトーシスといった基本的な過程において重要な役割を担っている．RNAiはmicroRNA（miRNA）と呼ばれる約22ヌクレオチドからなる短いノンコーディングRNAによって担われる．miRNAは，ゲノムによってコードされるかなり長い核内転写産物であるprimary miRNA（pri-miRNA）が核内でDrosha（ドローシャ）というエンドヌクレアーゼ endonucleaseにより部分的にプロセシングを受けてpre-miRNAとなり，細胞質へ輸送される．そこでは，Dicer（ダイサー）と呼ばれるもう1つのエンドヌクレアーゼが最終的なプロセシングを行い，短い二本鎖 miRNAを産生する．miRNAの一本鎖（ガイド鎖 guide strandまたはアンチセンス鎖 antisense strand）は細胞質ゾルのRNA誘導性サイレンシング複合体 RNA-induced silencing complex（RISC）と呼ばれるタンパク質複合体と会合する．ガイド鎖は全長の標的mRNA上の3′末端側非翻訳領域における相補的配列とハイブリッド形成し，RISCをそのmRNAに動員する．それにより，標的mRNAの翻訳を阻害したり，RISC中に存在するArgonaute（アルゴノート），Ago（アゴ）またはSlicer（スライサー）と呼ばれるエンドヌクレアーゼにより標的mRNAを分解する．ガイド鎖と標的mRNA上の配列の相補性の程度が，RNAiの過程において重要と考えられる（図33.15）．RNAiは外来性の二本鎖からなる低分子干渉RNA short interfering RNA（siRNA）を細胞に導入することによっても惹起されるので，治療的応用性がきわめて高い．

1）**RNAiによる治療**：2018年にトランスサイレチン transthyretin（TTR）をコードする遺伝子の変異による遺伝性トランスサイレチン型（介在性）アミロイドーシス（hATTR）患者の末梢神経疾患（ポリニューロパチー polyneuropathy）の治療として，はじめてRNAiによる治療が承認された．siRNAを用いた薬剤パティシラン patisiranは，異常なTTRタンパク質の産生を阻害し，末梢神経や心臓に形成されるTTRを含むアミロイド沈着物の蓄積を抑えることができる．他にもいくつかのRNAi治療薬の臨床試験が進行している．

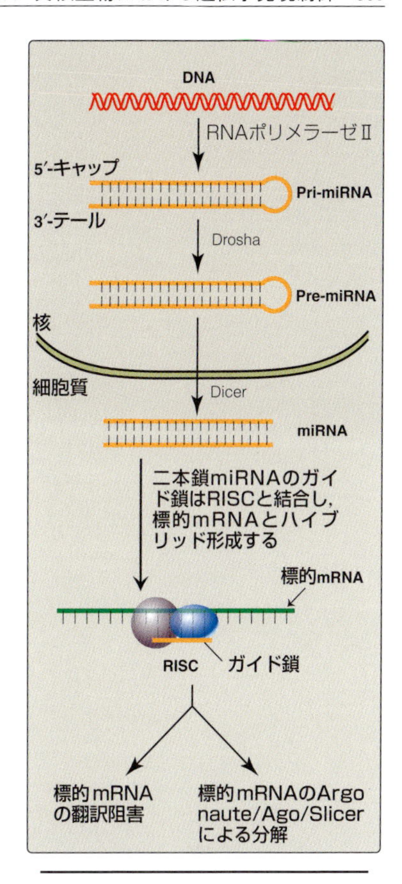

図 33.15
microRNA（miRNA）の生成と作用．［注：標的mRNAとmiRNAの相補性の程度が最終的な効果を決定し，完全に相補的な場合にmRNAは分解される．］Pri：最初の，RISC：RNA誘導性サイレンシング複合体．

5．**メッセンジャーRNA（mRNA）の翻訳**：遺伝子発現の制御は，mRNAの翻訳レベルにおいても認められる．翻訳が制御されるメカニズムの1つとして，**真核生物の翻訳開始因子 eukaryotic translation initiation factor-2（eIF-2）のリン酸化**を介した機構が知られている（図33.16）．eIF-2のリン酸化は，翻訳開始因子としてのeIF-2の機能を抑制し，翻訳は開始段階で阻害される（p.588参照）．［注：eIF-2のリン酸化は，GDP-GTP変換を抑制することによってその再活性化を阻

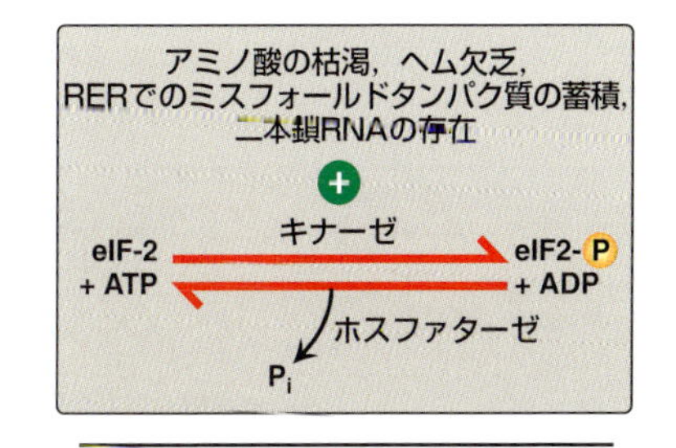

図 33.16
真核生物の翻訳開始因子eIF-2のリン酸化による翻訳開始制御．RER：粗面小胞体，ADP：アデノシン二リン酸，P_i：無機リン酸，Ⓟ：リン酸．

害する.] eIF-2のリン酸化はアミノ酸の枯渇，赤芽球におけるヘムの欠乏，二本鎖RNA（ウイルス感染シグナル）の存在や粗面小胞体内でのミスフォールド（誤って折りたたまれた）タンパク質の蓄積といった環境条件によって活性化される**プロテインキナーゼ protein kinase**によって触媒される（p.589参照）.

C. DNAにおける変化を介した制御

真核生物における遺伝子発現は，DNAの転写装置への近づきやすさ，遺伝子のコピー数やDNAの配列（編成）によっても影響を受ける．[注：局所的なDNAのB型とZ型の間の転移（p.534参照）も遺伝子発現に影響を及ぼす.]

1．DNAへのアクセス：真核生物においては，DNAはヒストンおよび非ヒストンタンパク質と複合体を作り，クロマチンを形成している（p.547参照）．活発に転写が行われ，濃縮していないクロマチン（**ユークロマチン euchromatin**）は，より濃縮した，あまり転写が行われていないクロマチン（**ヘテロクロマチン heterochromatin**）と多くの点で異なっている．活発に転写が行われているユークロマチンは，アミノ末端側に可逆的なメチル化，アセチル化，またはリン酸化などの共有結合による修飾を受けたヒストンタンパク質を含んでいる（**ヒストンアセチル化酵素 histone acetyltransferase**・**脱アセチル化酵素 histone deacetylase**によるヒストンアセチル化/脱アセチル化についての議論はp.563参照）．ヒストンのアセチル化やリン酸化は，これら塩基性タンパク質の正の荷電を減少させ，それにより負に荷電したDNAとヒストンの結合強度を減弱させる．このような変化はヌクレオソームを緩和させ（p.547参照），DNA上の特定の領域への転写因子の接近を容易にする．ヌクレオソームはまたクロマチンリモデリングと呼ばれるATP依存的な反応過程により再配置される．転写が活発に行われているクロマチンとそうでないクロマチンのもう1つの違いは，多くの遺伝子のプロモーター領域にみられる**CG-リッチ領域 CG-rich region**（**CpGアイランド CpG island**）におけるシトシン塩基のメチル化の程度である．DNAのメチル化は，メチル基供与体である*S*-アデノシルメチオニン（SAM）を用いて**メチルトランスフェラーゼ methyltransferase**によって触媒される（図33.17）．転写が活発に行われている遺伝子では，そうでない状態の同じ遺伝子に比べて，あまりメチル化を受けていないこと（hypomethylated）が知られており，DNAの**過剰メチル化 hypermethylation**は遺伝子発現を抑制することが示唆される．ヒストンの修飾やDNAのメチル化はエピジェネティック epigeneticと呼ばれ，塩基配列を変化させることなく遺伝子発現を制御する遺伝性の変化である．

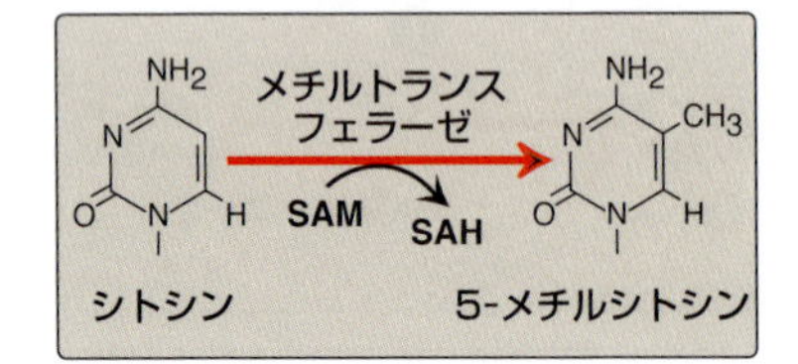

図33.17
真核生物DNAのシトシンのメチル化．
SAM：*S*-アデノシルメチオニン，
SAH：*S*-アデノシルホモシステイン．

2．遺伝子コピー数：遺伝子のコピー数の増減の変化も，その遺伝子産物の量に影響を与える．"**遺伝子増幅 gene amplification**"と呼ばれる遺伝子コピー数の増加は，ゲノムの複雑さを増大させ，哺乳類以外のある種の生物種においては正常な発生過程にみられる現象である．しかし，哺乳動物では，遺伝子増幅はいくつかの疾患に関連したり，特定の化学療法薬に対する細胞の耐性獲得機構に関与している．一つの例として，ピリミジン生合成経路におけるチミジン三リン酸 thymidine triphosphate（TTP）の合成に必要な酵素であるジヒドロ葉酸レダクターゼ dihydrofolate reductase（DHFR）の阻害薬であるメトトレキセート methotrexateを挙げることができる（p.393および図28.2参照）．TTPはDNA合成に必須であり，DHFR遺伝子を増幅した細胞では，より多くのDHFRを発現することとなる．その結果DHFR阻害薬であるメトトレキセートが存在していてもTTPの産生を持続することができるため，その細胞はメトトレキセートに曝露されても生存できる．

3．**DNAの再構成**：Bリンパ球により**免疫グロブリン immunoglobulin**（**抗体 antibody**）が産生される過程には，これらの細胞におけるDNAの恒久的な再構成が関与している．免疫グロブリン，例えばIgGは，2つの**軽鎖 light chain**と**重鎖 heavy chain**から構成されるが，軽鎖，重鎖はそれぞれ可変アミノ酸配列と定常アミノ酸配列を有している．可変領域は，軽鎖と重鎖遺伝子内のDNA断片の体細胞組換えによって形成される．すなわち，Bリンパ球の発生において，1つのvariable（V）DNA断片，1つのdiversity（D）DNA断片および1つのjoining（J）DNA断片が，遺伝子再構成により，無作為に選別され持ち寄られることにより1つのユニークな可変領域が形成される（図33.18）．この過程により1つの遺伝子から$10^9 \sim 10^{11}$種類の異なる免疫グロブリンが生成され，膨大な数（種類）の**抗原 antigen**の認識に必要な多様性が獲得される．［注：病的なDNA再編成は，2つの異なる染色体間でのDNA断片の交換をもたらす転座 translocationにおいてみられる．］

4．**可動性DNA配列**：**トランスポゾン transposon**（Tn）は可動性のあるDNA断片で，同一または異なる染色体上の1つの部位から別の部位へ，主にランダムな様式で移動する．その移動は，Tn自身がコードしている酵素であるトランスポザーゼ transposaseによって担われる．Tnの移動は，直接的にトランスポザーゼによりTnを切り出し，その後新しい部位へTnを挿入する，または複製によりTnをコピーし，

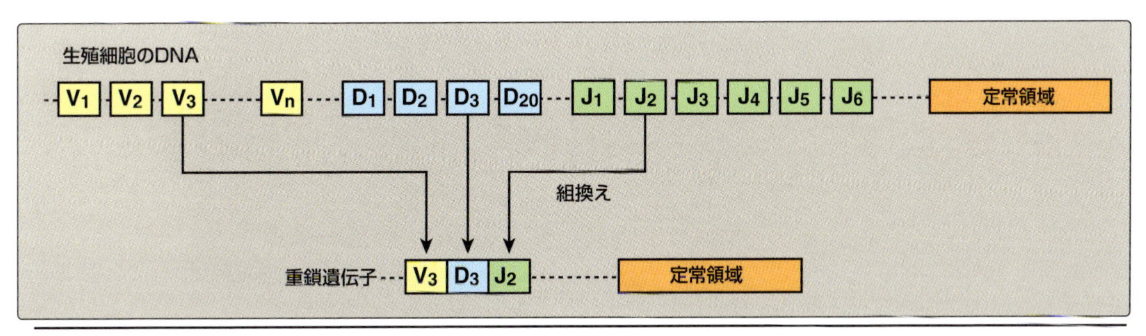

図33.18
免疫グロブリン生成におけるDNA再構成．V：variable，D：diversity，J：joining．

もともとのTnは移動せず，新しくコピーしたTnをどこか別の場所に挿入するという方法により行われる．ヒトをはじめとする真核生物においては，複製を伴う**転位 transposition**では，しばしば逆転写酵素 reverse transcriptase（p.546 参照）により作られる**RNA中間体 RNA intermediate**が関与し，この場合**レトロトランスポゾン retrotransposon**と呼ばれる（訳注：トランスポゾンはDNA（ゲノム）のカット＆ペーストである．レトロトランスポゾン（レトロポゾン）はコピー＆ペーストである．なお，可動性の有無を問わずに，ゲノム内に逆転写を経て再挿入されたと考えられる配列を特にレトロポゾンということもある）．Tnの転位はゲノム全般にわたり構造的変異をもたらすばかりでなく，遺伝子発現に影響を与えたり，場合によっては疾患の原因となることがある．Tnはヒトゲノムの約50% を占めており，レトロトランスポゾンはTnの約90% を占めている．これらのレトロトランスポゾンの大部分では移動する能力を失っているが，依然移動能を持っているものも存在する．そのようなレトロトランスポゾンの転位は，**血友病A hemophilia A**や**デュシェンヌ型筋ジストロフィー Duchenne muscular dystrophy**の一部のまれな症例の原因になっていると考えられている．［注：近年ますます問題となっている抗生剤耐性細菌は，少なくとも部分的には細菌細胞の間でのプラスミドの交換が原因である．もしプラスミドが抗生剤耐性遺伝子を持ったTnを含んでいれば，その遺伝子はプラスミドから細菌の染色体に移動し，それを受け取った細菌はたとえプラスミドを失った後も，1つあるいはそれ以上の抗生物質に対して耐性を獲得するようになる．］

33 章の要約

- **遺伝子発現**は，機能的な遺伝子産物（RNAやタンパク質）を産生する．
- **遺伝子**には，**構成的**なもの（常に発現しているもの）と**調節的**なもの（ある条件下でのみ発現しているもの）がある．
- 遺伝子発現の制御は，**原核生物**，**真核生物**ともに主に**転写**のレベルで行われるが，これは**トランス作用タンパク質**が**シス作用調節配列**に**結合**することによって担われている（図 33.19）．
- **真核生物**では，**DNAの修飾**や**転写後**および**翻訳後**の過程によっても発現制御が行われる．
- **原核生物**では，ある過程に必要なタンパク質群の協調的遺伝子発現は**オペロン**（その転写を決定する制御因子とともにDNA上で連続して並んだ機能的に関連する遺伝子のグループ）を介して協調的に制御される．大腸菌の場合は**ラクトース（*lac*）オペロン**は，*Z*，*Y*，*A*といった構造遺伝子で構成されており，産生されるタンパク質はラクトースの異化に必要であり，**トリプトファン（*trp*）オペロン**は，トリプトファンの合成に必要な遺伝子を含んでいる．*trp*オペロンは，トリプトファン（Trp）による抑制を回避したmRNA合成が途中で終結するアテニュエーションという過程によっても制御される．
- 原核生物では**リボソームRNA**（rRNA）と**トランスファーRNA**（tRNA）の**転写**はアミノ酸枯渇に対する**緊縮（ストリンジェント）応答**によって選択的に阻害される．**原核生物の遺伝子発現**は**翻訳**においても**制御**されており，リボソームタンパク質（r-タンパク質）の場合は，これらが過剰にあれば自己のポリシストロン性mRNA上にある**シャイン・ダルガーノ（SD）配列**にこれらが結合し，リボソームが結合するのを阻害する．
- 真核生物では，ホルモンは（ステロイドホルモンのように）トランス作用タンパク質として作用する細胞内受容体に結合したり，（ペプチドホルモンのように）**セカンドメッセンジャー**・シグナル伝達を惹起し，トランス作用タンパク質を活性化するような細胞表面受容体に結合して一群の遺伝子の発現を協調させる．いずれの場合もトランス作用タンパク質は，**ジンクフィンガー**や**ロイシンジッパー**のような構造的モチーフを用いて，特異的な応答配列を認識したり，DNA配列に結合する．
- **転写時**や**転写後の制御**は**真核生物**においても存在し，**選択的mRNAスプライシング・ポリA付加**，**mRNA編集**や**mRNA安定性**の変化などの現象が知られている．**トランスフェリン受容体**の合成は，細胞内の鉄濃度が低いときにはmRNAが安定化されることにより亢進する．また**RNA干渉**はmRNAの安定性や翻訳を制御するために用いられ，新しいタイプの治療薬の基盤となっている．
- **翻訳レベルの制御**は**eIF-2**（**eukaryotic initiation factor-2**）の**リン酸化**を介した阻害がある．真核生物における遺伝子発現は，（ヒストンタンパク質への**エピジェネティック**変化の場合にみられるように）DNAの転写装置への**接近しやすさ**，遺伝子コピー数やDNAの**再編成**によっても影響を受ける．

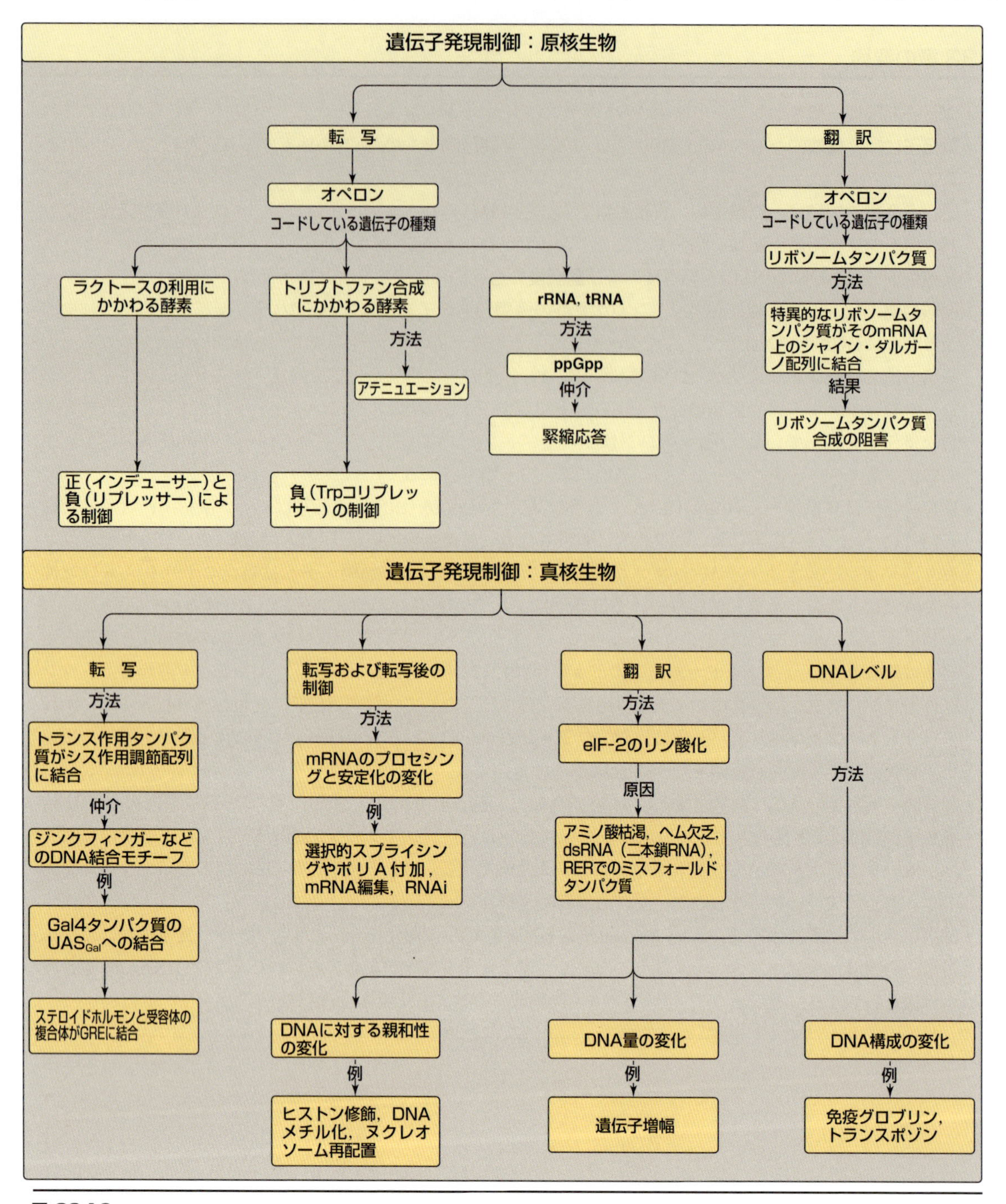

図 33.19
遺伝子発現制御の概念図．Trp：トリプトファン，rRNA，tRNA，mRNA：リボソーム，トランスファー，メッセンジャーRNA，ppGpp：グアノシン四リン酸，Gal：ガラクトース，UAS：上流活性化配列，GRE：グルココルチコイド応答配列，RNAi：RNA干渉，eIF：真核生物翻訳開始因子，ds：二本鎖，RER：粗面小胞体．

学習問題

最適な答えを1つ選びなさい.

33.1　ラクトース(*lac*)オペロンの発現が減少すると考えられるのは次の変異のうちどれか.

A. *cya*$^-$(アデニル酸シクラーゼが合成されない)
B. *i*$^-$(リプレッサータンパク質が合成されない)
C. *o*^{c}(オペレーターがリプレッサータンパク質と結合できない)
D. グルコースの取り込みに異常をきたしている.
E. *relA*$^-$(緊縮応答が起こらない)

正解　A. グルコース非存在下においては, アデニル酸シクラーゼがサイクリックアデノシン一リン酸(cAMP)を合成し, さらにこのcAMPがカタボライト活性化タンパク質(CAP)と複合体を形成する. cAMP-CAP複合体は, DNAのCAP結合部位に結合し, RNAポリメラーゼが*lac*オペロンのプロモーターへ結合するのを促進させることでこのオペロンの発現を増加させる. *cya*$^-$変異が存在するとアデニル酸シクラーゼが合成されないので, グルコース非存在かつラクトース存在下においてもオペロンは最大限にオンにならない. リプレッサータンパク質がない, またはリプレッサーがオペレーターに結合する能力が減弱している場合は, *lac*オペロンは構成的(おおむね定常的)に発現する.

33.2　シスに作用するものは次のうちどれか.

A. サイクリックアデノシン一リン酸(cAMP)応答配列結合タンパク質
B. オペレーター
C. リプレッサータンパク質
D. 甲状腺ホルモン核内受容体
E. ヒストンタンパク質の修飾

正解　B. オペレーターはDNAそれ自身の一部分であり, それゆえにシスに作用する. 一方, cAMP応答配列結合タンパク質, リプレッサータンパク質および甲状腺ホルモン核内受容体は拡散してDNAに結合し, そのDNAからの遺伝子発現に影響を与えるので, トランスに作用する.

33.3　小腸特異的なアポリポタンパク質(apo)B-48の発現と関連するものはどれか.

A. DNAの再構成および欠失
B. DNAの転移
C. RNAの選択的スプライシング
D. RNA編集
E. RNA干渉

正解　D. 肝臓ではapoB-100が, 小腸ではapoB-48が産生されるのは, 小腸においてRNA編集が行われるためである. このRNA編集では, シトシンからウラシルへの転写後脱アミノ反応により, センスコドンがナンセンスコドンへ変化する. RNA干渉や選択的スプライシングによっても遺伝子の発現は変化するが, apoB-48の組織特異的な発現の原因ではない.

33.4 ヘモクロマトーシスの患者でみられる鉄の蓄積増加の結果として考えられるものを選べ.

A. その3′末端側の鉄応答配列への鉄調節タンパク質の結合によってトランスフェリン受容体(TfR)メッセンジャーRNA(mRNA)が安定化している.
B. TfR mRNAに鉄調節タンパク質が結合せず, TfR mRNAが分解されている.
C. フェリチンmRNAの5′末端側の鉄応答配列に鉄調節タンパク質が結合せず, 翻訳されている.
D. フェリチンmRNAに鉄調節タンパク質が結合しており, 翻訳されない.
E. BとCの両方.

正解 E. ヘモクロマトーシスで認められるように体内で鉄が高濃度で存在するとき, 鉄の貯蔵タンパク質であるフェリチンはその合成が促進され, また, 細胞の鉄の取り込みに関与するTfRはその合成が抑制される. これは, トランス作用する鉄調節タンパク質が, シス作用鉄応答配列に結合することができず, TfR mRNAの分解およびフェリチンmRNAの翻訳が促進されるためである.

33.5 エストロゲン受容体陽性(ホルモン応答性)の乳がんに罹った患者は, エストロゲン受容体に結合するが, 活性化することのできない薬剤であるタモキシフェンによる治療を受けることがある. タモキシフェンによる治療において最も考えられる結果は次のうちどれか.

A. エストロゲン応答遺伝子のアセチル化の亢進
B. エストロゲン受容体陽性乳がん細胞の増殖の亢進
C. サイクリックアデノシン一リン酸(cAMP)の産生の亢進
D. エストロゲンオペロンの阻害
E. エストロゲン応答遺伝子の転写の阻害

正解 E. タモキシフェンは, エストロゲンのエストロゲン核内受容体への結合と競合する. タモキシフェンは受容体を活性化することができず, 受容体はエストロゲン応答遺伝子の発現を増強するDNA配列には結合できない. タモキシフェンはエストロゲン応答遺伝子による細胞増殖促進作用を阻害し, エストロゲン依存的な乳がん細胞の増殖を阻害する. アセチル化はヌクレオソーム構造を緩めることにより転写を増強する. cAMPは核内受容体よりもむしろ細胞表面受容体によって仲介される調節性のシグナルである. また, 哺乳動物細胞にはオペロンは存在しない.

33.6 ラクトースオペロン(*lac*オペロン)の*ZYA*領域が最大限に発現されるのは次のうちどの場合か.

A. サイクリックアデノシン一リン酸(cAMP)濃度が低い場合
B. グルコースとラクトースが利用できる場合
C. アテニュエーションステムループが形成される場合
D. CAP部位にcAMP-カタボライト活性化タンパク質(CAP)複合体が結合している場合
E. シャイン・ダルガーノ(SD)配列に接近できない場合

正解 D. グルコースが枯渇した場合にはcAMP濃度が上昇し, cAMP-CAP複合体はCAP部位に結合する. そしてラクトースが利用できる場合には*lac*オペロンは最大限に発現する(誘導される). グルコースが存在する場合は, カタボライト阻害により*lac*オペロンはオフ状態になる. *lac*オペロンは, *trp*オペロンなどでみられるような転写停止のメカニズムであるアテニュエーションによっては制御されない.

33.7 X染色体不活化は, 哺乳動物の雌における2つのX染色体の1つを濃縮し, 不活化することによってX連鎖性遺伝子の過剰発現を阻害する過程である. 不活化されたX染色体におけるDNAメチル化やヒストンアセチル化の程度に最も影響を与えることは何か.

正解 CG-リッチ領域(CpGアイランド)におけるシトシンは過剰にメチル化され, ヒストンタンパク質は脱アセチル化される. いずれも遺伝子発現の抑制に関連しており, X染色体不活化の維持に重要な役割を担っている.

バイオテクノロジーとヒト疾患への応用

34

Ⅰ．概　要

これまでヒトの遺伝子とそれら遺伝子の発現について理解しようとする試みは，ヒトデオキシリボ核酸（DNA）の莫大なサイズと複雑さのために混乱していた．ヒトゲノムは約 3×10^9 塩基対 base pairs（bps）から構成され，それらはハプロイドゲノムあたり 23 本の染色体上に 2 万から 2 万 5 千のタンパク質をコードする遺伝子を含んでいる．いまや広範囲のDNAのヌクレオチド配列を決定することが可能であり，全ヒトゲノムのヌクレオチド配列が明らかとなっている．2003 年に完了した"ヒトゲノムプロジェクト Human Genome Project"と呼ばれるこの試みは，多くのヒト遺伝性疾患の解明へ寄与したいくつかの道具により可能となった（図 34.1）．そのようなツールとして，（1）大きなDNA分子をさまざまな大きさの決まった断片に切断することができる制限エンドヌクレアーゼ，（2）特定のヌクレオチド配列を増幅させることを可能にしたDNAクローニング技術，（3）特異的なプローブの合成が可能になったこと（このプローブを用いることによって目的とするヌクレオチド配列を同定したり操作したりすることができる）を挙げることができる．ここに述べた実験手法や他の実験手法を用いることによって，DNAにおける正常な，または変異を持ったヌクレオチド配列を同定することができるようになった．また，このような成果を踏まえて，さまざまな遺伝性疾患の診断法が開発され，また遺伝子治療によるいくつかの成功がもたらされた．［注：いくつかのウイルス，原核生物やヒト以外の真核生物のゲノムのヌクレオチド配列も決定された．］

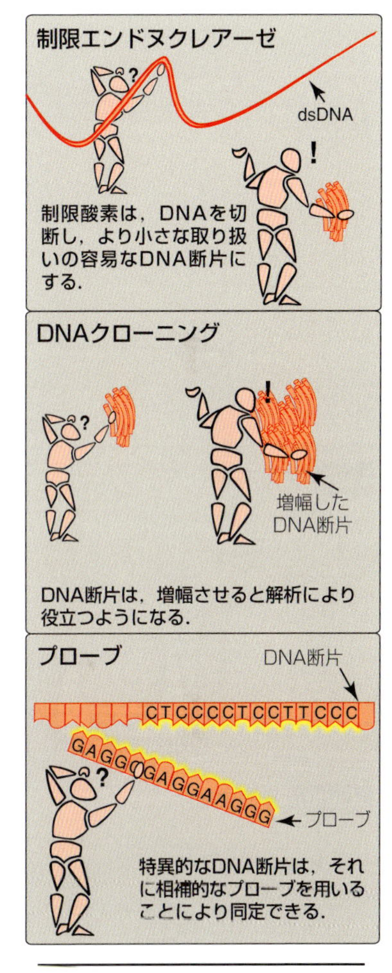

図 34.1
ヒトDNAの解析を促進する3つのツール．dsDNA：二本鎖DNA．

Ⅱ．制限エンドヌクレアーゼ

ゲノムDNAを分子レベルで解析する際には，その巨大なサイズが大きな障壁の 1 つである．二本鎖DNA（dsDNA）を切断し，より小さくより取り扱いやすいDNA断片にする制限エンドヌクレアーゼ restriction endonuclease（以下，制限酵素 restriction enzyme）と呼ばれるある種の細菌由来の酵素の発見により，DNAのさまざまな分子レベルでの解析が可能になった．それぞれの制限酵素は特異的なヌクレ

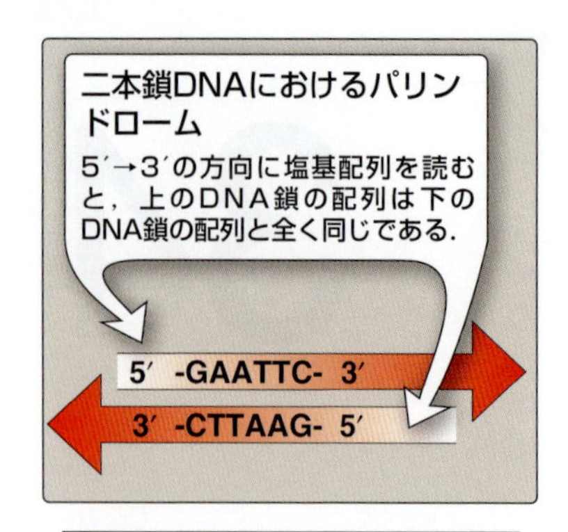

図 34.2
制限エンドヌクレアーゼEcoRIの認識配列は，配列の真ん中を中心に点対称になっている．A：アデニン，C：シトシン，G：グアニン，T：チミン．

オチド配列の箇所（制限部位）でDNAを切断するため，制限酵素は**制限断片 restriction fragment**と呼ばれる特定のDNA断片を正確に得るために実験に用いられる．

A. 特 異 性

制限酵素は，特異的ヌクレオチド配列からなる4～8塩基対の短い二本鎖DNA（dsDNA）からなる制限部位 restriction siteを認識する．これらの配列は制限酵素ごとに違っているが，**パリンドローム palindrome**（**回文配列**，すなわちヌクレオチド配列が真ん中を中心に点対称になっている）になっているという特徴がある（図34.2）．このことは，制限部位内において2つのDNA鎖のヌクレオチド配列をそれぞれ5′側から3′側に向けて読んだ場合，その2つの鎖のヌクレオチド配列は全く同じであることを意味している．したがって，このページを上下ひっくり返してみても（つまり対称軸の回りに180°回転させても），図34.2にある**ヌクレオチド配列**は同じままである．

細菌において，制限酵素は細菌以外の（外来の）DNAを切断することにより，その発現を限定（制限）している．細菌のDNAはアデニン塩基がメチル化されており，制限部位の配列においてDNAが制限酵素により認識され，切断されることから守られている．

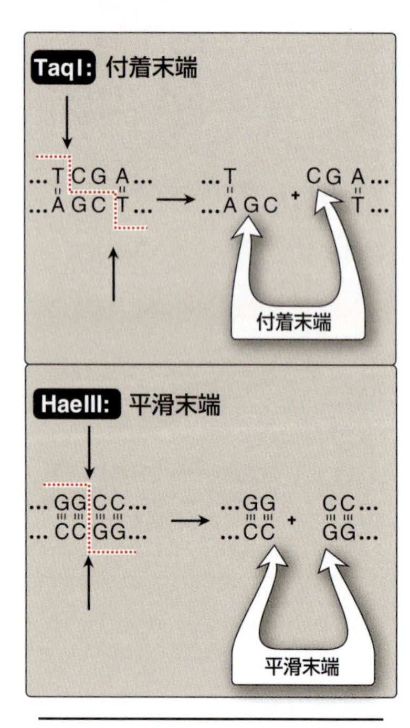

図 34.3
TaqⅠおよびHaeⅢ制限エンドヌクレアーゼの特異性．A：アデニン，C：シトシン，G：グアニン，T：チミン．

B. 命 名 法

制限酵素の名称は，それが単離された細菌によって名づけられている．制限酵素の名称の最初の1文字目はその細菌の属に由来しており，それに続く2つの文字はその細菌の種に由来している．また，さらに加わる文字は（必要に応じて）その細菌の型あるいは株に由来するものであり，数字（ローマ数字）はその制限酵素がその特定の細菌から何番目に発見されたかということを示している．例えば，HaeⅢは*Haemophilus aegyptius*という細菌から3番目に単離された制限酵素であることを表している．

C. 付着末端と平滑末端

制限酵素がdsDNAを切断することによって，片方の切断端には3′-ヒドロキシ基（水酸基）が，もう一方の切断端には5′-リン酸基が生じる．図34.3に示すようにTaqⅠのような制限酵素はDNAの二本鎖を互い違いに切断し，付着末端 sticky（cohesive）endを生じる（すなわちTaqⅠのような制限酵素で切断して生じたDNA断片は互いに相補的な一本鎖領域を持っている）．それに対してHaeⅢのような制限酵素は互いに（相補的な）水素結合を形成することができない平滑末端 blunt endを持った，全体が二本鎖であるDNA断片を作る（図34.3参照）．DNAリガーゼ DNA ligase（p.539参照）という酵素を用いれば，ある制限酵素で切断することによって付着末端を持った“目的とする

DNA断片"を，同じ制限酵素で切断し付着末端を持った他のDNA断片と共有結合的につなげることができる(図34.4).［注：バクテリオファージT4由来のDNAリガーゼを用いることによって，平滑末端を持ったDNA断片どうしを共有結合的につなげることができる.］

D. 制限断片

制限酵素はdsDNAをそれぞれの酵素の制限部位で切断し，制限部位配列のサイズ(長さ)に応じて，サイズの異なるDNA断片(制限断片)に切断する．例えば，4塩基対のヌクレオチド(塩基)配列を認識する制限酵素は，そのような認識配列はDNA分子内に高頻度で存在すると考えられるので(約256塩基対(4^4)に1回現れると予測される)，DNA分子を数多くのDNA断片に切断する．それに対して，6塩基対の塩基配列を認識するような制限酵素は，そのような認識配列がDNA分子内により低い頻度で存在すると考えられるので(約4,096塩基対(4^6)に1回現れると予測される)，DNA分子はより少ない数のより大きなDNA断片に切断される．それぞれDNA配列の切断特異性の異なる(認識部位のヌクレオチド配列も長さも異なる)何百という制限酵素が市販されている.

Ⅲ. DNAクローニング

外来のDNA分子を，増殖する細胞に導入することにより，そのDNAをクローニングまたは増幅する(そのDNAの数多くの同一のコピーを産生させる)ことができる．単一のDNA断片をクローニングする前に，容易に単離・精製できる場合もあるが，通常は細胞由来の全DNAを特定の制限酵素で切断し，何百何千というDNA断片が生じてしまうことが多い．このような場合には，まず何百何千というDNA断片それぞれをDNAベクター(**クローニングベクター cloning vector**と呼ばれる)につなげてハイブリッドまたは組換えDNA分子 recombinant DNA moleculeを作製する．各組換えDNA分子は，単一の宿主細胞(例えば細菌)に導入され，宿主内で複製される.［注：外来DNAを細菌や酵母に導入することを形質転換 transformationと呼び，より高等な真核細胞に導入することをトランスフェクション transfectionと呼ぶ.］宿主細胞は増殖するにつれて細胞のコロニーを形成し，そこではすべての細菌は同一の挿入されたDNA断片のコピーを持っており，組換えDNA分子を導入したもとの細菌細胞のクローン cloneといえる．組換えDNA分子は細胞膜を破壊することにより，宿主細胞から放出される．クローン化されたDNA断片は，適切な制限酵素によりベクターから切り出し，精製技術を用いて単離することができる．このような手法により，目的とするDNAの同一な数多くのコピーを得ることができるのである．この生物学的クローニングによるDNA断片の増幅以外の方法である"**ポリメラーゼ連鎖反応 polymerase chain reaction (PCR)**"については，第Ⅶ節で述べる．PCRは，医学において出生前の異常の検出や遺伝性疾患の診断のために遺伝学的解析が必要な際に好んで用いられる遺伝子増幅の手法である．ヒトDNA

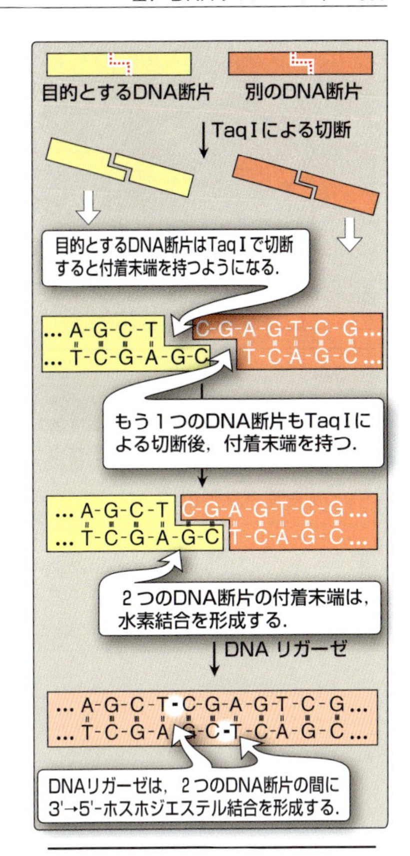

図 34.4
付着末端を持った制限断片からの組換えDNA分子の形成．A：アデニン，C：シトシン，G：グアニン，T：チミン.

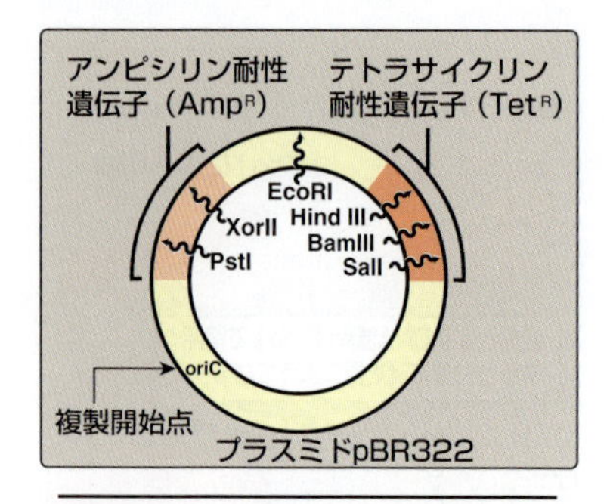

図 34.5
このプラスミドpBR322の部分的地図では，抗生物質耐性遺伝子の位置と特定の制限酵素により認識される40以上のヌクレオチド配列部位のうち6つの部位が示されている.

のクローニングやPCRによる増幅では，血液，唾液や固形組織から得られたヒトDNAが用いられる.

A. ベクター

ベクター vectorというのは，クローン化の対象であるDNA断片を挿入したDNA分子のことである．ベクターには次の3つの特性が必要不可欠である．すなわち，(1)宿主細胞内で自律的に複製 autonomous replicationできること，(2)制限酵素によって認識される特異的なヌクレオチド配列を少なくとも1つは持っていること，(3)宿主にベクターが入っていることを選別できるようにするために，抗生物質耐性遺伝子のような遺伝子を少なくとも1つは持っていること，がベクターの要件といえる．一般に使用されるベクターとしては，**プラスミド plasmid**および**ウイルス virus**が挙げられる．ウイルスベクターを用いてヒト細胞にDNAを導入する過程はトランスダクション transductionと呼ばれる.

1．原核生物由来のプラスミド：原核生物は通常1つの大きな環状の染色体を持っている．また，大部分の細菌種では，**プラスミド**と呼ばれる染色体とは別の小さな環状のDNA分子を持っている(図34.5)．プラスミドDNAは染色体の分裂に同調的または非同調的に自身のDNAを複製する．プラスミドは宿主細菌に抗生物質耐性のような性質を付与する遺伝子を持っており，プラスミドを介して1つの細菌から別の細菌へと遺伝情報が伝播される．また，プラスミドは宿主細菌から容易に分離することができ，その環状DNAは制限酵素により特異的部位(制限部位)で切断することができ，そして同一の制限酵素で切断した15 kb(キロベース)くらいのサイズまでの目的とする外来DNA断片を切断部位に挿入することができる．このようにして作られた組換えDNA分子(ハイブリッドプラスミド)を細菌に導入することにより，細菌は活発に増殖し，そのプラスミドの数多くのコピーを生産させることができる．そのプラスミドベクターが細菌に抗生物質に対する抵抗性(耐性)を付与するならば，細菌は抗生物質の存在下で増殖するため，そのハイブリッドプラスミド hybrid plasmidを持っている細菌のみを選別することができる(図34.6)．このような人為的なプラスミドは，研究室等において日常的に作成されている．例えば以前からよく使われるpBR322(図34.5参照)は，1つの複製開始点，2つの抗生物質耐性遺伝子および40を超える制限部位を持っている．プラスミドを利用できるかどうかは，挿入されるDNA断片のサイズによって規定されている.

2．他のベクター：より大きなDNA断片をより効率良く運べる改良型ベクター，または挿入されたDNA配列を異なる細胞種で発現させることができる発現ベクターの開発は，分子遺伝学研究や疾患の治療を推進してきた．上述した原核生物由来プラスミドに加えて，天然に存在するウイルス(例えば，細菌に感染するλバクテリオファージや哺乳動物細胞に感染するレトロウイルス retrovirusなど)，あるいは

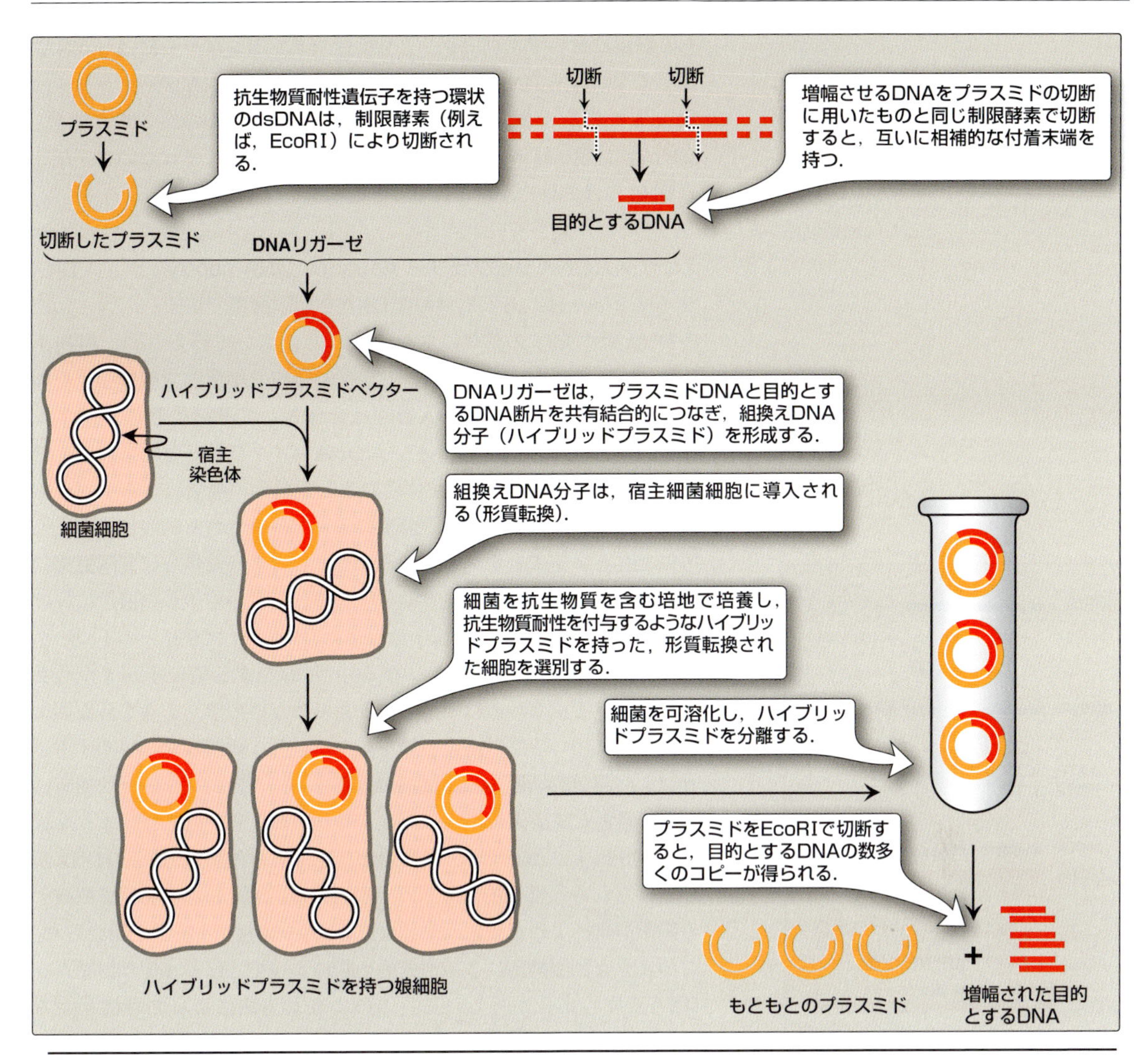

図 34.6
生物学的遺伝子クローニングの概略．［注：形質転換は効率が良くない工程であり，ごくわずかな細胞が組換えプラスミドを持っている．］dsDNA：二本鎖DNA．

細菌や酵母の人工染色体（それぞれBAC，YACと呼ばれる）やコスミドといった人工ベクターが広くクローニングベクターとして実験に用いられている．［注：BACとYACは，それぞれ100～300 kb（10万～30万塩基対）および250～1000 kb（25万～100万塩基対）といったより大きなDNA断片を挿入することができる．］

B．DNAライブラリー

DNAライブラリー **DNA library** とは，ある生物由来のDNAを制限酵素で切断後，それらをクローン化したものを集めたものを意味する．2種類のライブラリー，すなわちゲノムDNAライブラリーと相補的DNA（cDNA）ライブラリーがよく用いられる．ゲノムDNAライブラリーは，理想的にはゲノムに含まれるすべてのDNAヌクレオチド配列のコピーを含んでいる．それに対して，cDNAライブラリーはある細胞においてプロセシングを受けたメッセンジャーRNA（mRNA）として発現するDNA配列を含んでいるため，cDNAライブラリーは細胞種や細胞が置かれる環境条件によって異なる．このことは，cDNAには遺伝子のイントロンや発現制御領域は含まれないが，ゲノムDNAにはこれらが含まれることを意味している．

1．ゲノムDNAライブラリー genomic DNA library：ゲノムDNAライブラリーは，ある生物の全DNAを制限酵素で切断し，得られた各DNA断片をベクターにつなげることによって得られる．組換えDNA分子（各DNA断片を含むベクター）は宿主細菌内で複製し，そのようにして増幅されたDNA断片は全体としてその生物の全ゲノムDNAを反映しているので，ゲノムDNAライブラリーと呼ばれるのである．全ゲノムDNAの切断に用いる制限酵素の種類によらず，目的とする遺伝子内にはその制限酵素によって認識される制限部位が1カ所以上存在することが予想される．もしこのような場合に制限酵素による切断を完全に行えば，目的とする遺伝子はいくつかの断片に分けられる（その目的とする遺伝子はゲノムDNAライブラリーの1つのクローンには収まらないことになる）．目的とする遺伝子が1つのクローンに収まらないのは望ましいことではないので，そうならないように切断に用いる制限酵素の量を減らしたり，切断時間を短くすることにより**部分的切断 partial digestion**を行う．このような部分的切断によって目的とする遺伝子内に存在する制限部位を切断しないような状況を作り出すことができ，平均約20 kb（2万塩基対）の長さのDNA断片が得られる．部分的切断を行う場合には，4塩基対の配列を認識する制限酵素のような比較的高頻度でDNAを切断する酵素が用いられ，このような制限酵素による部分的切断によって，ほとんどランダムなDNA断片の集合が得られる．このような方法によって目的とするDNA全体がそのまま含まれるようなDNA断片を持つクローンが得られることが期待される．

2．相補的DNA（cDNA）ライブラリー complementary DNA (cDNA) library：目的とするタンパク質をコードする遺伝子がある特定の組織において高いレベルで発現しているならば，その組織の細胞内においてその遺伝子から転写されるmRNAも高濃度で存在していることが予想される．例えば，網状赤血球に含まれるmRNAは，ほとんどがヘモグロビンA（HbA）のαグロビンとβグロビンをコードしているmRNAである．mRNAを鋳型として逆転写酵素 reverse transcriptase（RT）と呼ばれる酵素を用いることにより（そのmRNAから）cDNA分子を合成することができる（図34.7）．それゆえ，得られるcDNAはmRNAと相補的であり二本鎖を形成する．［注：鋳型となるmRNAはポリAテールを目印にトランスファーRNA（tRNA）とリボソームRNA（rRNA）から分離される．］cDNAは生物学的クローニングまたはポリメラーゼ連鎖反応（PCR）によって増幅させることができる．また，そのcDNAは数多くの無関係なDNA断片を含む混合物のなかから，そのcDNAを合成する際のもととなったmRNAをコード

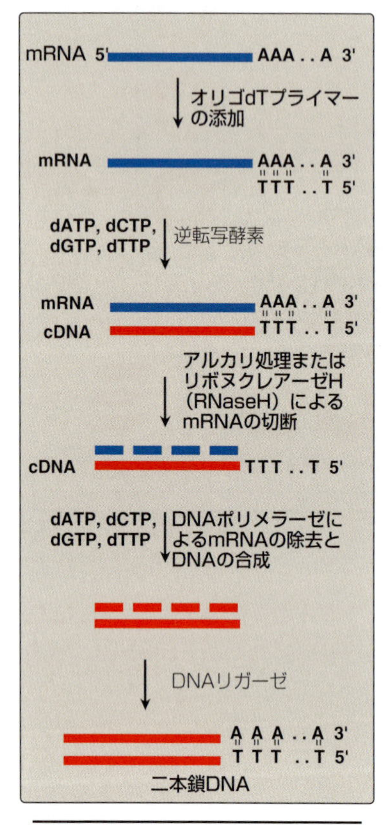

図 34.7
逆転写酵素を用いたメッセンジャーRNA（mRNA）からの相補的DNA（cDNA）の合成．制限酵素部位を各末端を持った二本鎖DNAを連結させることにより，cDNAを生物学的にクローニングすることができる．［注：DNAはアルカリ処理による加水分解に対して耐性である.］dATP，dCTP，dGTP，dTTP：それぞれデオキシアデノシン，デオキシシチジン，デオキシグアノシン，デオキシチミジン三リン酸．

する遺伝子（あるいはその遺伝子断片）を探し出す際のプローブ（探索針）として利用することができる．したがって，鋳型として用いたmRNAがいくつかの異なる分子種の混ざりものならば，そこから得られたcDNAも異種分子の混ざりものheterogeneousであることになり，このような混ざりものcDNAをクローン化することによりcDNAライブラリーを作成することができる．また，cDNAはイントロンを含んでいないので，cDNAを**発現ベクター expression vector**にクローニングし，細菌内で真核生物由来のタンパク質を合成させることができる（図34.8）．このような発現ベクターはcDNAの転写に必要な細菌（由来）の"プロモーター"と，その転写産物であるmRNAから細菌のリボソームによって翻訳が開始されるのに必要な**シャイン・ダルガーノ（SD）配列 Shine-Dalgarno（SD）sequence**（p.583参照）を持っている．cDNAはプロモーターの下流で，細菌において発現するタンパク質をコードする遺伝子（例えば，*lac Z*，p.599参照）内に挿入されるので，合成されるmRNAはSD配列，細菌のタンパク質をコードするいくつかのコドンと真核生物由来のタンパク質をコードするすべてのコドンを含んでいる．これにより，より効率的な発現が可能となり，融合タンパク質が産生される．［注：治療用のヒトインスリンは，この技術を利用して細菌において産生させたものであるが，多くの他のヒトタンパク質（例えば血液凝固因子）の場合は翻訳および翻訳後の修飾が不可欠であり，真核細胞，とりわけ哺乳動物細胞を宿主として用いる必要がある．］

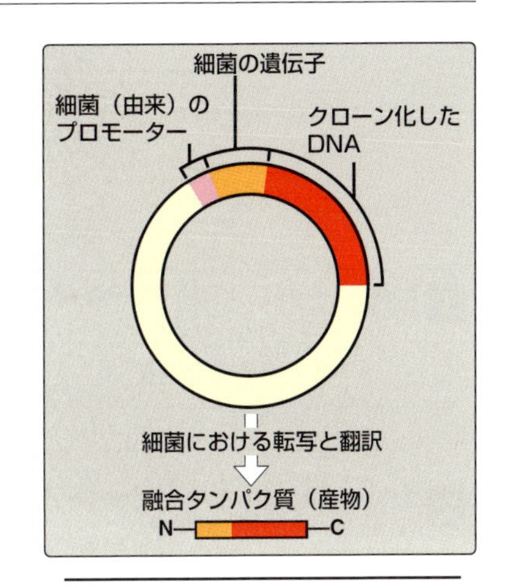

図34.8
発現ベクター．その産物は融合タンパク質であり，細菌タンパク質■のいくつかのアミノ酸とcDNAにコードされるタンパク質■のすべてのアミノ酸を含んでいる．［注：タンパク質はアミノ末端（N末端）からカルボキシ末端（C末端）が記載されている．］

C．クローン化したDNAの塩基配列の決定

クローン化したDNA断片の塩基配列は，決定することができる．DNA塩基配列決定法の原法は**サンガーのジデオキシヌクレオチド鎖停止法 Sanger dideoxy chain termination method**（**サンガー法 Sanger method**）と呼ばれるもので，図34.9にその概要を示してある．この方法では配列を決めようとする一本鎖DNA（ssDNA）を鋳型としてDNAポリメラーゼ DNA polymerase（DNA pol）によりDNA合成反応を行う．まず4種類のデオキシリボヌクレオシド三リン酸（dNTPs；dATP，dGTP，dCTP，dTTP）とともに，配列を決めようとする一本鎖DNAの3′末端側の塩基配列に相補的な放射性標識（放射性同位元素で標識）したプライマーを加える．その混合物を4つの反応チューブに分け，各チューブに4種類のジデオキシリボヌクレオシド三リン酸（ddNTPs；ddATP，ddGTP，ddCTP，ddTTP）のうち1種類を少量ずつ加えて合成反応を行う．いずれのddNTPも3′末端のヒドロキシ基を持っていないため，ジデオキシリボヌクレオシド一リン酸（ddNMPs；ddAMP，ddGMP，ddCMP，ddTMP）が取り込まれると，その時点でDNA鎖の伸長は停止する．したがって，これら4つの反応生成物中には，塩基ごとに異なった位置で合成が停止することによって生じる異なった長さのDNA鎖の混合物が含まれることになる．各反応生成物中に含まれるさまざまな長さのDNAはポリアクリルアミドゲル電気泳動法 polyacrylamide gel electrophoresisによって電場におけるサイズごとに分離することができるので，オートラジオグラ

フィーによるバンドパターンの解析からDNA塩基配列を決定することができる．短い断片ほどゲル中を速く移動し，最も短い断片は最初にできたもの，すなわち5′末端を表している．サンガー法での最近の手法では，放射性標識したプライマーの代わりに，異なる蛍光色素でそれぞれ標識した4つのddNTPsをssDNAが入った1つの反応チューブに加える方法が一般的に用いられている．そのサンプル(検体)はキャピラリー電気泳動法 capillary electrophoresisにより分離し，蛍光標識を検出して塩基配列はカラーで読み出される(図34.10)．ほぼ13年の年月を要し，2003年に終了した**ヒトゲノムプロジェクト Human Genome Project**では，この技術を改変した手法を用いてヒトゲノム塩基配列を決定した．シークエンス技術の進歩，いわゆる次世代シークエンス法 next generation sequencingまたはハイスループットシークエンス法 high-throughput sequencingを用いて，いまや全ゲノムをより短時間に高い忠実性(精度)をもって塩基配列を決定することができ，しかも同時に(並行して)多くのDNA鎖の塩基配

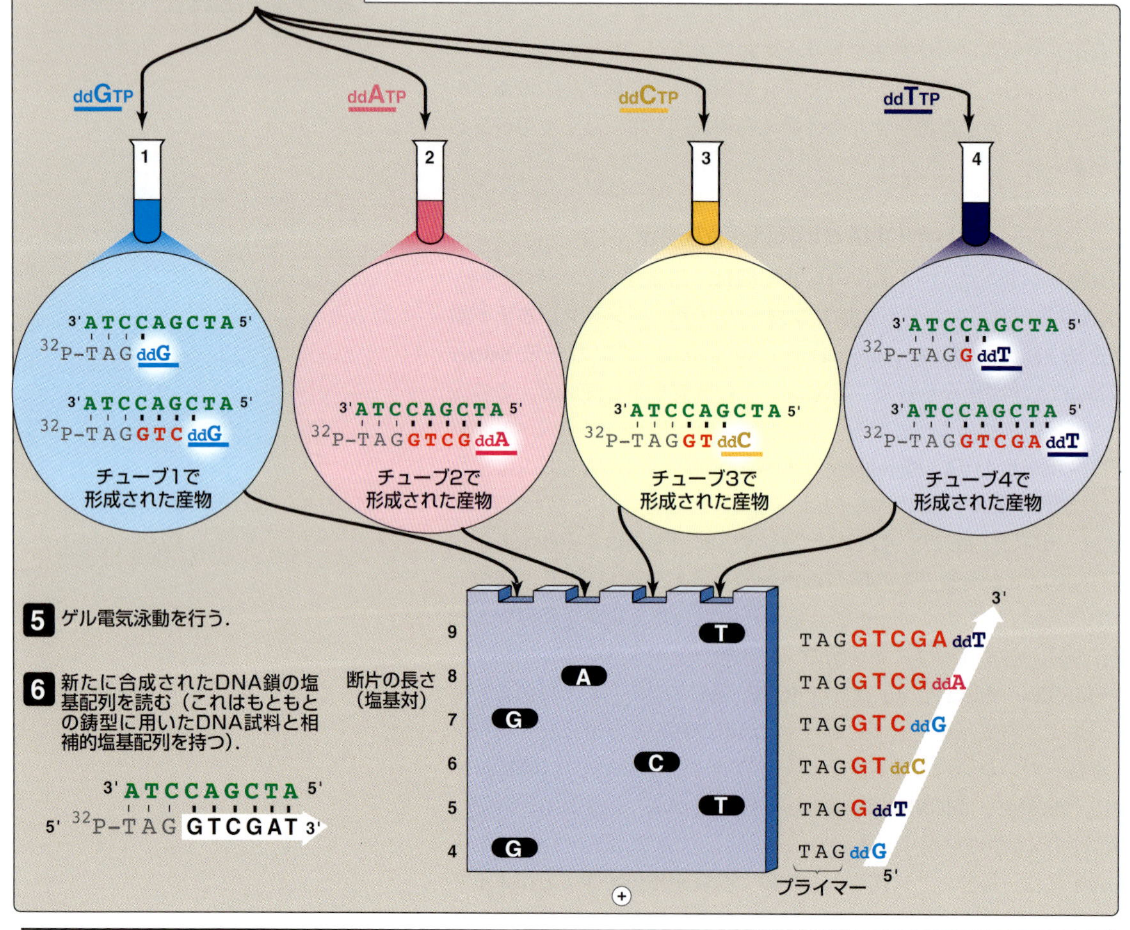

図 34.9
サンガーのジデオキシヌクレオチド鎖停止法によるDNA塩基配列の決定．［注：原法では放射性標識したプライマーが用いられていたが，今では蛍光色素で標識されたジデオキシリボヌクレオシド三リン酸（ddNTP）が一般的に使用されている．］G：グアニン，T：チミン，d：デオキシ，dd：ジデオキシ．

列を決定することができるため，低価格で行えるようになった．タンパク質をコードするゲノムの一部分，すなわちエキソーム exome の選択的な配列決定もいまや可能となっている．

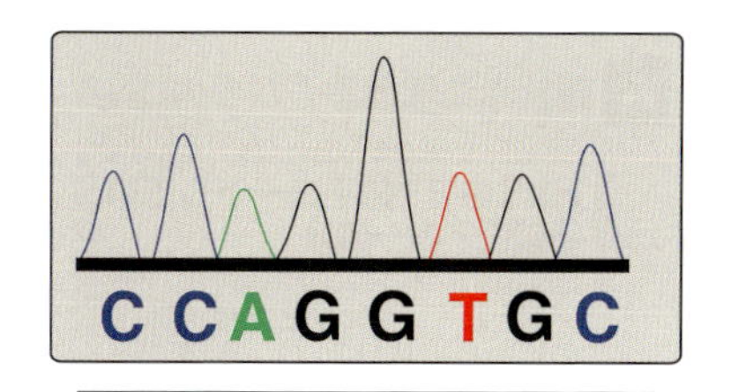

図 34.10
DNA配列のカラーでの読み出し．

Ⅳ. プローブ

大きなDNA分子を制限酵素によって切断すると数多くのDNA断片が生じる．このような数多くのDNA断片の混合物から，どのようにして目的とするDNA配列を選別できるのだろうか．このような問題は，**プローブ probe**と呼ばれる短いssDNAまたはRNAを，例えば ^{32}P により放射性標識したプローブ，あるいはビオチンや蛍光色素のような非放射性分子で標識したプローブを使用することによって解決できる．プローブの配列は"**標的DNA target DNA**"と呼ばれる目的とするDNAの配列に相補的であり，プローブを用いることによってゲル中のどのバンドが標的DNAを含んでいるのか，あるいはライブラリーのなかのどのクローンが標的DNAを含んでいるのかを同定すること，すなわちスクリーニングという工程を行うことができる．

A. DNA断片へのハイブリダイゼーション

プローブの有用性は，相補的配列をもつプローブが標的DNAの一本鎖に結合するという"ハイブリダイゼーション hybridization（もしくはアニーリング annealing）の過程"によっている．dsDNAをアルカリ変性させることにより得られたssDNAをまずニトロセルロース膜のような固相の支持体へ結合させる．膜上に固定されたDNA鎖は自己アニーリング（再結合）を起こさないため，外来の放射性標識した一本鎖プローブとハイブリダイゼーションできる状態にある．ハイブリダイゼーションの程度は，膜上に残った放射活性を測定することにより調べることができ，また標的DNAとハイブリッド形成しなかった過剰なプローブ分子は膜（フィルター）を洗浄することにより容易に除去できる．

B. 合成オリゴヌクレオチドプローブ

もし標的DNAの全塩基配列あるいは部分塩基配列がわかっていれば，標的DNAのわずかな領域に相補的な短い一本鎖オリゴヌクレオチドプローブを合成し，それを用いてハイブリッド形成反応を行えばよい．目的とする遺伝子の塩基配列が知られていないときには，その最終遺伝子産物であるタンパク質のアミノ酸配列についての情報を利用して，遺伝暗号表をもとにして核酸プローブを作製すればよい．遺伝暗号には縮重 degeneracy があるので（p.577 参照），何通りかのオリゴヌクレオチドの合成が必要となる．それに対してcDNAプローブは何千という塩基を含んでいるので，1塩基の変化（変異）はプローブの標的DNAとの結合になんら影響を与えない．

1．**β^{S}グロビン変異の検出**：オリゴヌクレオチドは，それに相補的な塩基配列における一塩基置換を検出するために用いることができ

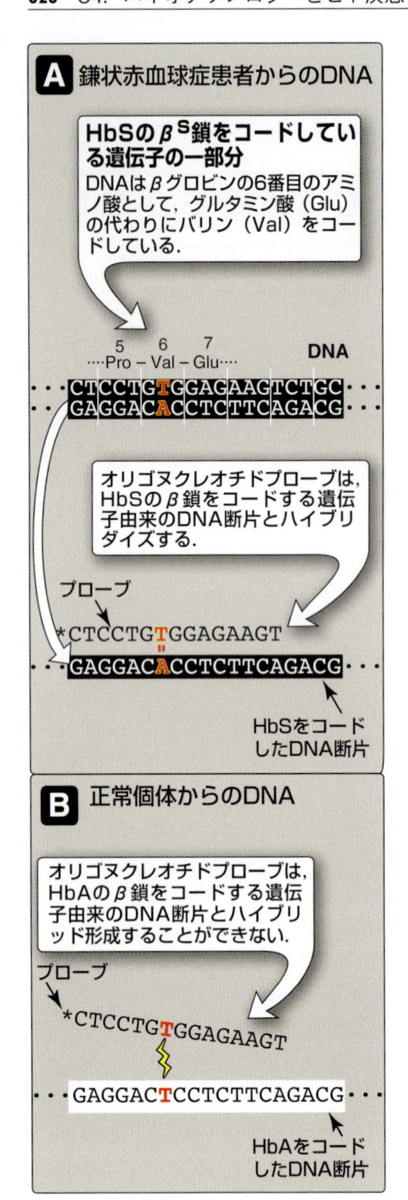

図 34.11
アレル特異的オリゴヌクレオチドプローブによりHbS遺伝子座を検出する．［注：*は^{32}Pによる放射性標識を示している．］

る．例えば，合成した**アレル（対立遺伝子）特異的オリゴヌクレオチド（ASO）プローブ allele-specific oligonucleotide probe**はβグロビン遺伝子における鎌状赤血球症の変異を検出するために用いられる（図34.11）．まず白血球から分離し増幅したDNAを変性させ，膜（フィルター）に結合させる．次に患者におけるβ^s遺伝子のコドン6における点変異（GAG→GTG）に相補的な放射性標識したオリゴヌクレオチドプローブを膜に添加する．ヘテロ接合体の個体（鎌状赤血球傾向を持つ）またはホモ接合体の患者（鎌状赤血球貧血）から分離したDNAは，上述のプローブと相補的な塩基配列を持っており，これらのDNAの場合にはプローブとの二本鎖のハイブリッド形成が検出される．それに対して，健常者から分離したDNAは，この部位において相補的でないため，プローブとハイブリッドを形成することができない（図34.11参照）．この原理に基づき，1対のASOプローブ（1つのASOは正常アレルに特異的で，もう1つのASOは変異アレルに特異的）を用いることによって，3つのすべての考えられる遺伝子型 genotype（すなわち正常遺伝子のホモ接合体，正常・変異遺伝子のヘテロ接合体，変異遺伝子のホモ接合体）を区別することができる（図34.12）．［注：ASOプローブは，変異とその部位（位置）が明らかになっている場合にのみ有用である．］

C．ビオチン化プローブ

放射性廃棄物の処理にますます費用がかかるようになってきているため，非放射性標識プローブの用途が増してきている．最もよく使われる非放射性標識プローブの1つはビタミン類に属するビオチン biotin（p.500参照）を利用する方法（ビオチン化）であり，ビオチンを化学的にヌクレオチドに結合させることによりプローブとして利用できる．ビオチンをプローブの非放射性標識に用いるのは，ビオチンがニワトリの卵白に含まれ容易に入手できるタンパク質であるアビジン avidinにきわめて強固に結合するからである．アビジンに蛍光色素をつけることにより光学的検出感度を著しく増加させることができる．したがって，ビオチン化したプローブとハイブリダイズするDNA断片（例えば，ゲル電気泳動法により分離したもの）は，そのゲルを蛍光色素を結合させたアビジンを含む溶液に浸すことにより可視化することができるのである．実際，溶液に浸したゲルから過剰のアビジンを洗い流すと，プローブと結合（ハイブリッド形成）するDNA断片は蛍光を発するようになる．［注：蛍光プローブは，細胞あるいは組織標品におけるDNAまたはRNA配列の検出やその局在を明らかにするために有用であり，この工程は*in situ*ハイブリダイゼーション（ISH）と呼ばれている．蛍光 fluorescent（F）標識したプローブを用いる場合，この方法はFISHと呼ばれる．］

D．抗体 antibody（Ab）

目的とするDNAを直接検出するためのプローブ合成に必要な当該遺伝子産物のアミノ酸配列についての情報もない場合は，クローン化したcDNAを転写し宿主細胞内で翻訳することができるような発現ベクターにそのcDNAをクローニングすることにより間接的に目的とする遺伝子を同定することができる．目的とするcDNAを含むベクターを導入された細菌では，その遺伝子産物（タンパク質）が産生されるので，そのタンパク質に対する標識抗体Abを用いることによって，そのcDNAを含むベクターを持つ細菌コロニーを同定できる．

V. サザンブロット法

サザンブロット法 Southern blottingは，これまでに述べた制限酵素と電気泳動およびDNAプローブをうまく組み合わせることにより，DNA断片を生成，分離または検出することができる技術である．

A. 手　法

サザンブロット法という名称は，この手法の発明者であるEdward Southernにちなんでつけられたものであり，以下に記すステップからなっている（図34.13）．まず最初に，細胞（例えば患者由来の白血球）からゲノムDNAを抽出する．次に，そのDNAを制限酵素で処理し，多くの断片に切断する．そして，得られたDNA断片（それらはすべて負に荷電している）を電気泳動により断片のサイズによって分離する．［注：電気泳動において，大きなDNA断片はより小さなDNA断片に比べてよりゆっくりと泳動される．それゆえに，通常塩基対の数で表されるDNA断片の長さは，サイズがわかっている一連の標準化DNA断片の位置と比較することによって見積もることができるのである．］ゲル中のDNA断片は変性後ニトロセルロース膜 nitrocellulose membrane に移され（ブロットされ），解析に用いられる．もし最初のDNAがある特定個人の全ゲノムDNAに相当するならば，そのDNAを制限酵素で切断すると100万以上の数のDNA断片を生じることになる．目的とする遺伝子は，それら数多くのDNA断片のうちわずか1つの断片（目的とする遺伝子がいくつかの断片に分割されている場合には，数個の断片）に含まれていることになる．したがって，もし非特異的な方法ですべてのDNA断片を可視化すれば，（各DNA断片が分離されることなく）重なりあったバンドがぼうっとぼやけるようにみえるだろう．このようにならないように，サザンブロット法の最終ステップでは，目的とするDNA断片を同定するためにプローブを使用する．サザンブロット解析法でどのようなバンドパターンが観察されるかは，ゲノムDNAの切断に用いる制限酵素の種類と制限酵素により切断されたDNA断片を可視化するのに用いるプローブに依存している．［注：サザン（南）ブロット法の変形としてノーザン（北）ブロット法（RNAを解析する方法，p.639参照）とウェスタン（西）ブロット法（タンパク質を解析する方法，p.640参照）と冗談半分に名づけられたものが知られているが，これらの名称はいずれも特定の人物の名前あるいは羅針盤の方位と関連するものではない．］

B. DNAの変異の検出

サザンブロット法によりヌクレオチドの大きな挿入や欠失，三塩基

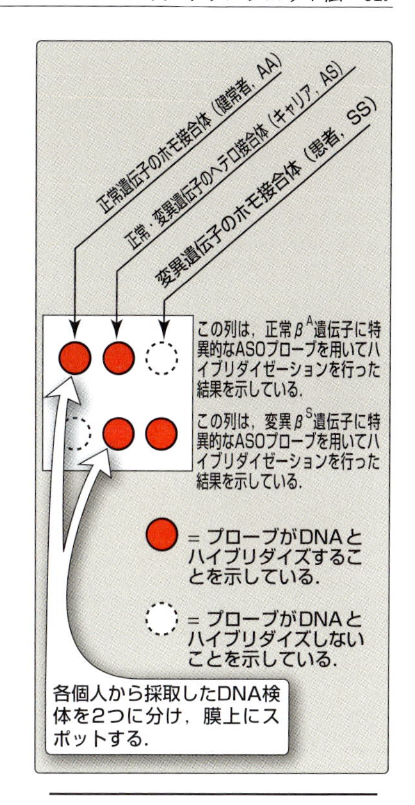

図 34.12
アレル特異的オリゴヌクレオチド（ASO）プローブを用いることにより，鎌状赤血球症における変異を検出することができ，また鎌状赤血球傾向と鎌状赤血球症を区別することができる．

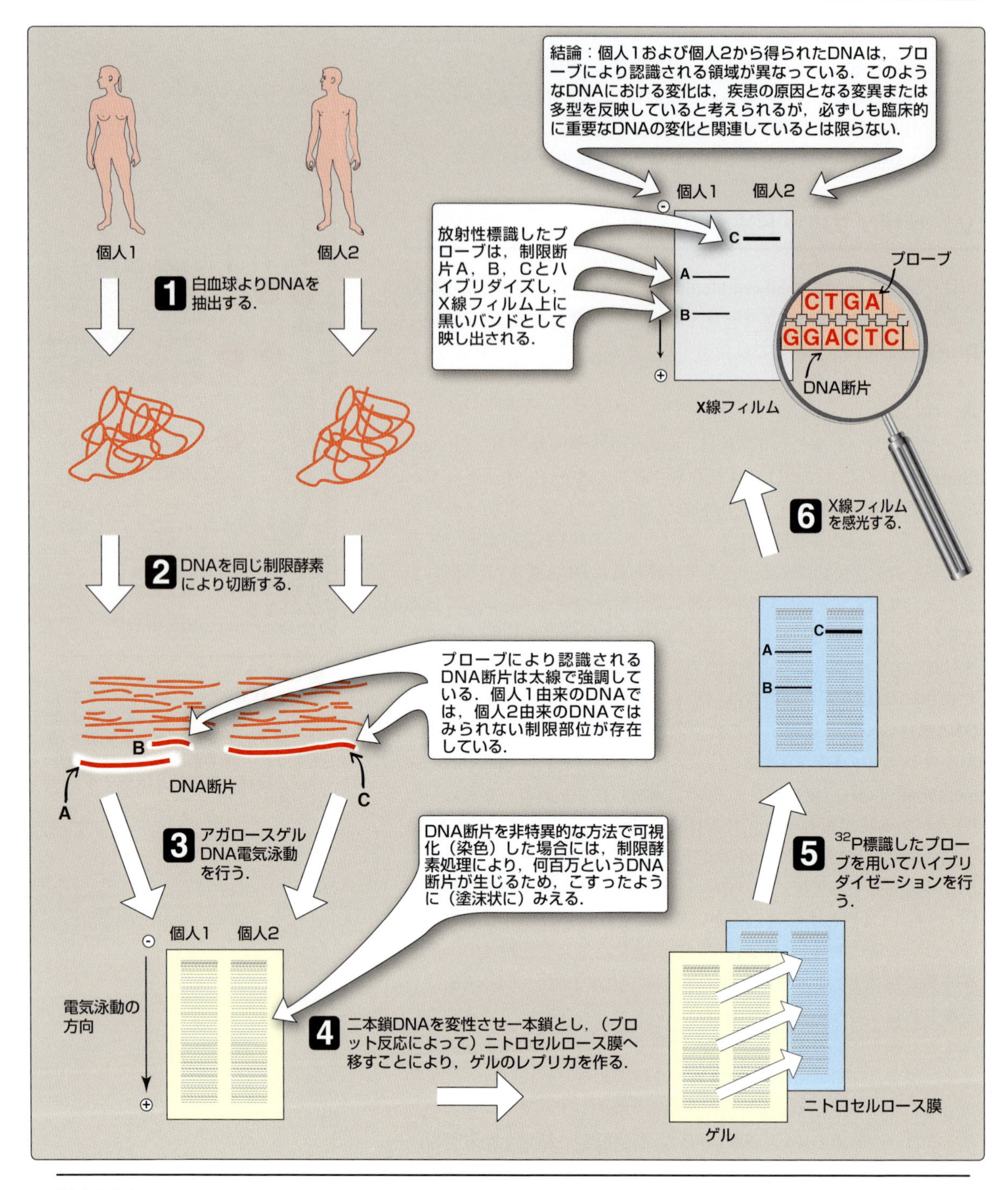

図 34.13
サザンブロット法の手順．［注：今では非放射性標識プローブが一般的に用いられている．］

反復配列伸長 trinucleotide repeat expansions，あるいは再編成 rearrangementのようなDNAの変異を検出することができる．この方法により，制限部位の消失や出現となるような点変異（1つのヌクレオチドが別のヌクレオチドに置換される変異，p.577 参照）も検出される．そのような変異は，正常遺伝子でみられるような制限酵素処理によるバンドパターンと異なるパターンを呈することがある．ある制限部位が消失すると，より長いDNA断片が検出される．例えば，図34.13では個人2では個人1で認められる制限部位が消失している．あるいは，点変異によって新たな制限部位が生じ，その結果，制限酵素処理に伴いより短いDNA断片が検出されるようになることもある．［注：制限部位におけるヌクレオチド変化はゲノムDNA内でしばしばみられる害のない変異である．］

VI．制限断片長多型

血縁関係のない任意の2人のゲノムにおいては，99.5%が同一であると見積もられている．二倍体ヒトゲノムにおける60億塩基対(bps)には，約3千万塩基対(bps)の多様性 variationが認められる．多様性は多型 polymorphismにつながる変異の結果である．多型は，通常ある集団の1%以上においてみられるある遺伝子座(アレル)でのヌクレオチド配列の変化として定義される．遺伝子型 genotypeにおける変化は，表現型 phenotypeにおける変化をきたさない，あるいは無害な表現型における変化をきたすものであり，ある疾患への感受性を増加させたり，あるいはまれに疾患をきたすことがある．多型は主にタンパク質をコードすることのないゲノムの98%程度の領域(すなわちイントロンや遺伝子間領域)に見出される．**制限断片長多型 restriction fragment length polymorphism**(RFLP)はDNAをある制限酵素で断片(制限断片)に切断した際にみられる遺伝的変化(異型)のことである．もし遺伝的異型がDNA配列を変化させ，制限部位が新たに生じたり消失したりすれば，制限断片の長さに違いがみられるようになる．このRFLPを利用することによって，例えばこれから親になろうとする人達あるいは胎児組織におけるヒトの遺伝的変化(異型)を検出することができる．

A．RFLPを生じるDNA変化

主に2種類のDNA変化，すなわち，DNA配列内での1塩基変化およびDNA配列の**縦列反復配列(タンデムリピート) tandem repeat**によってRFLPが生じる．

1．**一塩基置換**：ヒトゲノム多様性の約90%は**一塩基多型 single nucleotide polymorphism**(SNP；スニップと発音する)，すなわちわずか1つの塩基の変化に起因している(図34.14)．ある制限部位における1つのヌクレオチドの変化によって，その部位はもはや制限酵素によって認識されなくなる．同様なヌクレオチドの変化によって，新たに制限部位が生じる場合もある．いずれの場合も，ゲノムDNAを制限酵素で切断すると正常とは異なる長さのDNA断片(制限断片)が生じることがDNAハイブリダイゼーションによって確かめることができる(図34.13参照)．変化した制限部位はまれに疾患をもたらす変異部位である場合もあるし，そのような変異部位からいくぶん離れた部

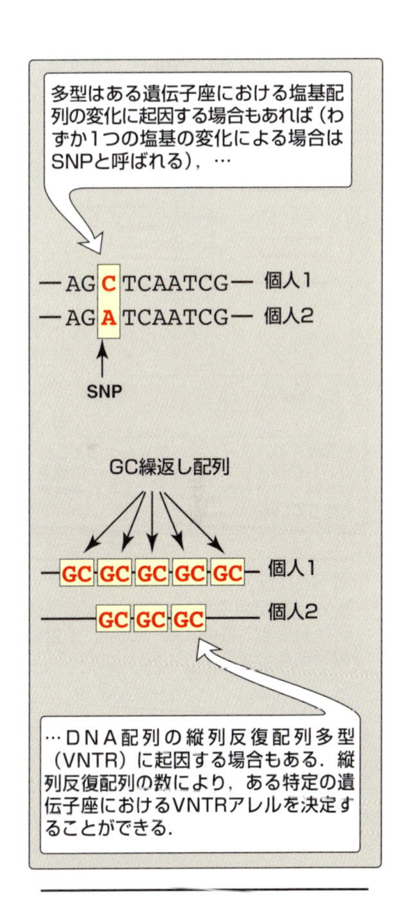

図34.14
よくみられる遺伝的多型．SNP：一塩基多型，A：アデニン，C：シトシン，G：グアニン，T：チミン．

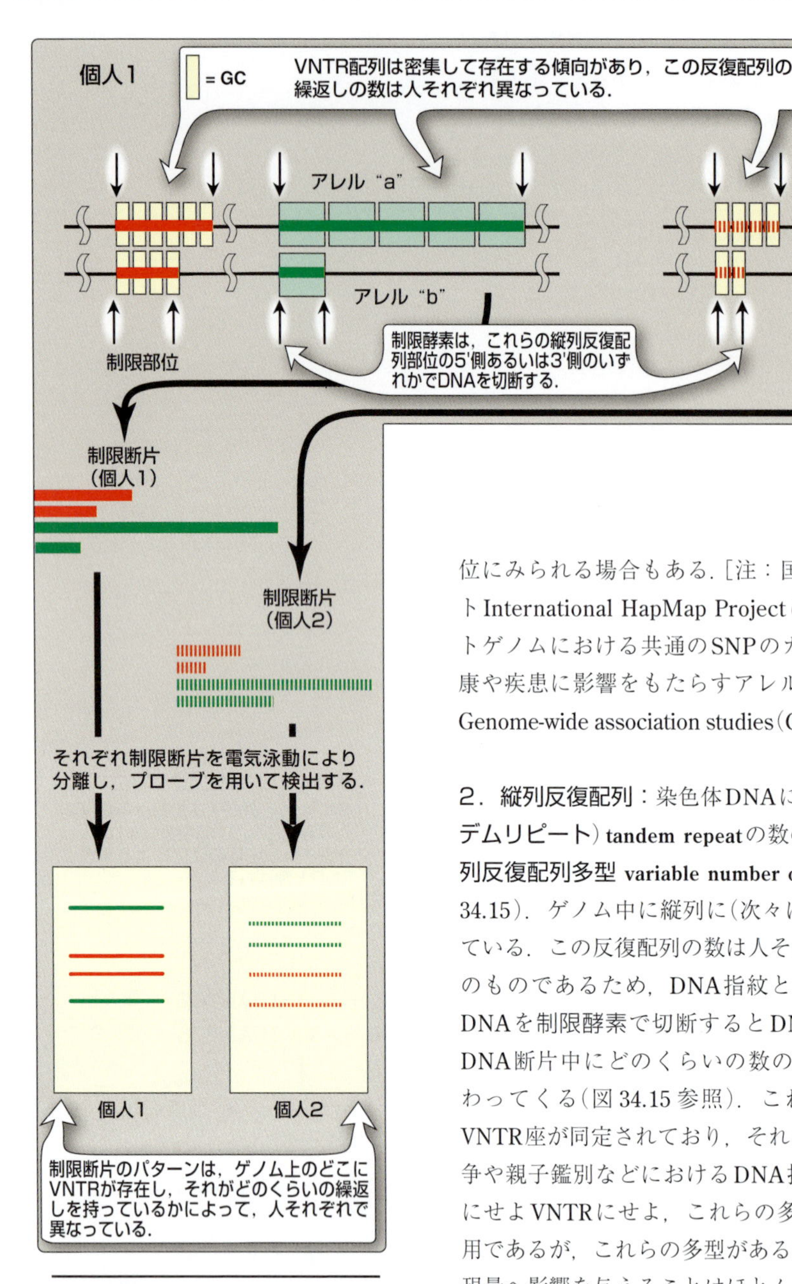

図 34.15
縦列反復配列多型（VNTR）による制限断片長多型．各個人について，1対の相同染色体を示している．

位にみられる場合もある．［注：国際ハプロタイプマッププロジェクト International HapMap Projectによって作製されたHapMapは，ヒトゲノムにおける共通のSNPのカタログといえる．そのデータは健康や疾患に影響をもたらすアレルを同定するゲノムワイド関連解析 Genome-wide association studies（GWASs）において使用されている．］

2．**縦列反復配列**：染色体DNAにおける多型は，**縦列反復配列（タンデムリピート）tandem repeat**の数の違いによる場合もあり，これを**縦列反復配列多型 variable number of tandem repeat**（VNTR）と呼ぶ（図34.15）．ゲノム中に縦列に（次々に）反復する短いDNA配列が散在している．この反復配列の数は人それぞれ異なっているが，各人に固有のものであるため，DNA指紋として用いることができる．ゲノムDNAを制限酵素で切断するとDNA断片が得られるが，その長さはDNA断片中にどのくらいの数の反復配列が含まれるかによって変わってくる（図34.15参照）．これまでにゲノム中に多くの異なるVNTR座が同定されており，それらのVNTR座での多型は法廷での係争や親子鑑別などにおけるDNA指紋分析に大変役立っている．SNPにせよVNTRにせよ，これらの多型はマーカー（DNA指紋）として有用であるが，これらの多型がある特定のタンパク質の構造，機能や発現量へ影響を与えることはほとんど知られていない．

B．親から子への染色体の追跡

ある個体のゲノムDNAにおいて塩基置換により新しい制限部位が1つ生じたとすると，その制限部位を切断する制限酵素で処理した場合，少なくとも1つDNA断片（制限断片）が増えることになる．逆に，もしある変異によりゲノムDNA内の制限部位が1つ減った場合には，その制限酵素による切断で得られるDNA断片の数は減ることになる．あるDNA多型に関してヘテロ接合性を示す個体では，1対の染色体のうち1つの染色体DNAにおいては塩基配列の変化が検出されるが，もう一方の染色体DNAでは変化は認められない（すなわち，母由来の染色体DNAに配列変位があるが，父由来の染色体DNAには配列変位がない場合，あるいはその逆の場合もある）．このような個体の場合には，そのDNA多型が存在するか否かを解析することにより各々の染色体について親から子へと追跡することができる．

C. 出生前診断

重症の遺伝性疾患（遺伝病）に侵された子供や近親者がいるといった家族歴がある人達は，これから生まれてくる子供にそのような異常があるかどうかを知りたがることがある．胎児における特異的染色体異常の可能性は母親の年齢が高くなるにつれ増加するため，胎児の遺伝学的検査は母親の年齢が35歳を超える場合には一般的である．遺伝カウンセリングに関連して出生前診断は，もし胎児がその疾患に罹患している場合に，妊娠中絶の可能性について考える材料を提供する．

1．診断方法：現在利用可能な出生前診断法は，それぞれ診断の感度や特異性が異なっている．例えば，超音波や内視鏡装置（胎児鏡検査）により胎児を目にみえるようにすること（可視化）は，遺伝的変異によって大きな解剖学的異常（例えば，神経管欠損 neural tube defect, NTD）が生じている場合の診断には有用である．羊水の化学組成を調べることにより診断の手掛かりが得られる場合もある．例えば，羊水中にα-フェトプロテイン α-fetoprotein（AFP）が高濃度で検出される場合にはNTDとの関連が示唆される．母親の血液中の胎児DNAを単離し，トリソミー21（ダウン症候群）のような特異的な胎児の染色体異常の検出のために用いられる．羊水から採取した胎児の細胞，または絨毛の生検により採取した胎児の細胞は，有糸分裂中期の染色体の形態を調べる，いわゆる**核型分析 karyotyping**に用いることができる．染色法やセル・ソーティング法を用いることにより，余分な染色体や染色体の長さの異常をもたらす三染色体性（トリソミー）や染色体転座の迅速診断が可能になる．しかしながら，胎児DNAの分子解析を行うことによってはじめて，より詳細な遺伝学的全体像が明らかになるのである．

2．解析に用いるDNA：妊娠中の胎児DNAは母親の血液（無細胞胎児由来DNA），胎児の血液細胞，羊水中の胎児細胞あるいは胎盤の絨毛膜から分離できる（図34.16）．羊水を用いる場合，解析に必要な十分量のDNAを得るためには，2～3週間に及ぶ細胞培養を行わなければならなかった．しかし，PCR法によるDNA増幅により，DNA解析に要する時間が著しく短縮された．

3．RFLPを用いた鎌状赤血球貧血の直接的診断法：ヘモグロビン（Hb）の遺伝学的異常は最もよく知られるヒト遺伝病である．鎌状赤血球貧血（図34.17）の場合は，この疾患の原因となる点変異（p.42参照）は1つで，しかも遺伝子多型をもたらす遺伝子変異（変化）と同一であることが知られている．しかしながら，点変異に起因する疾患のRFLPによる直接的診断は，まだわずかな遺伝病の場合に限られている．

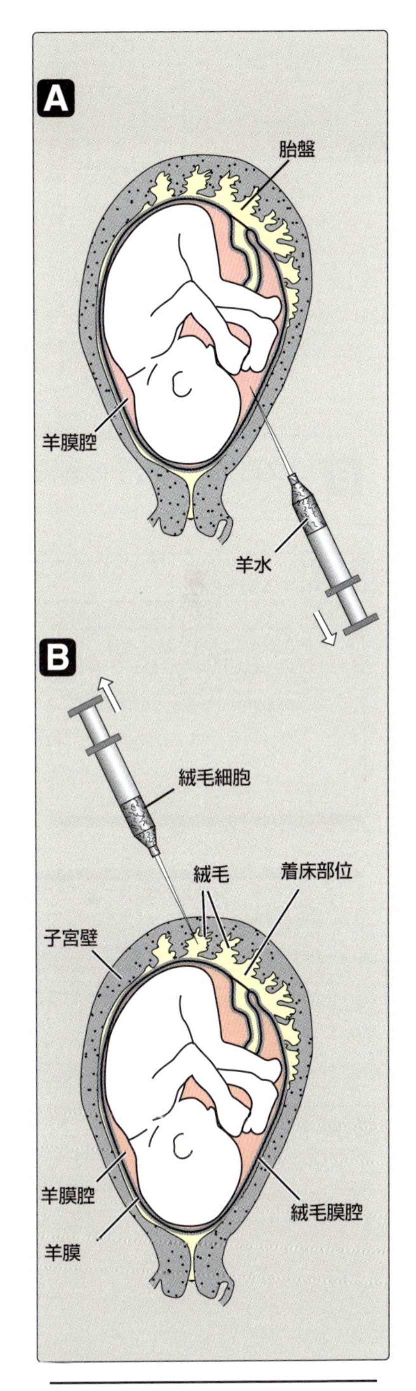

図 34.16
胎児細胞の採取．A. 羊水．B. 絨毛．

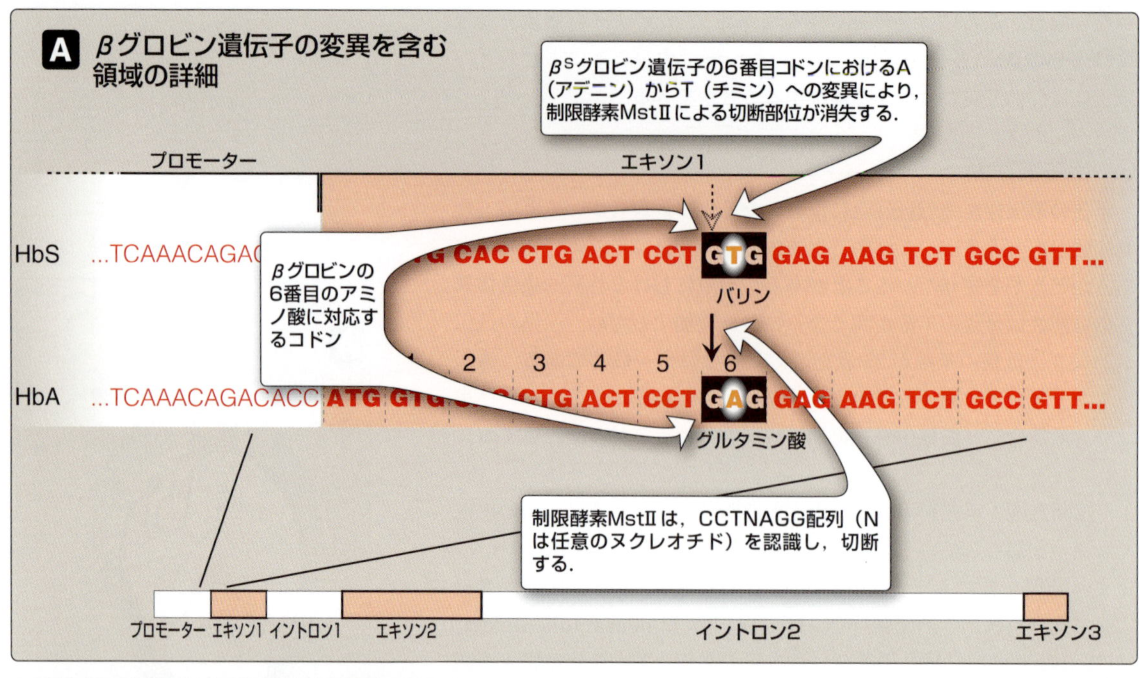

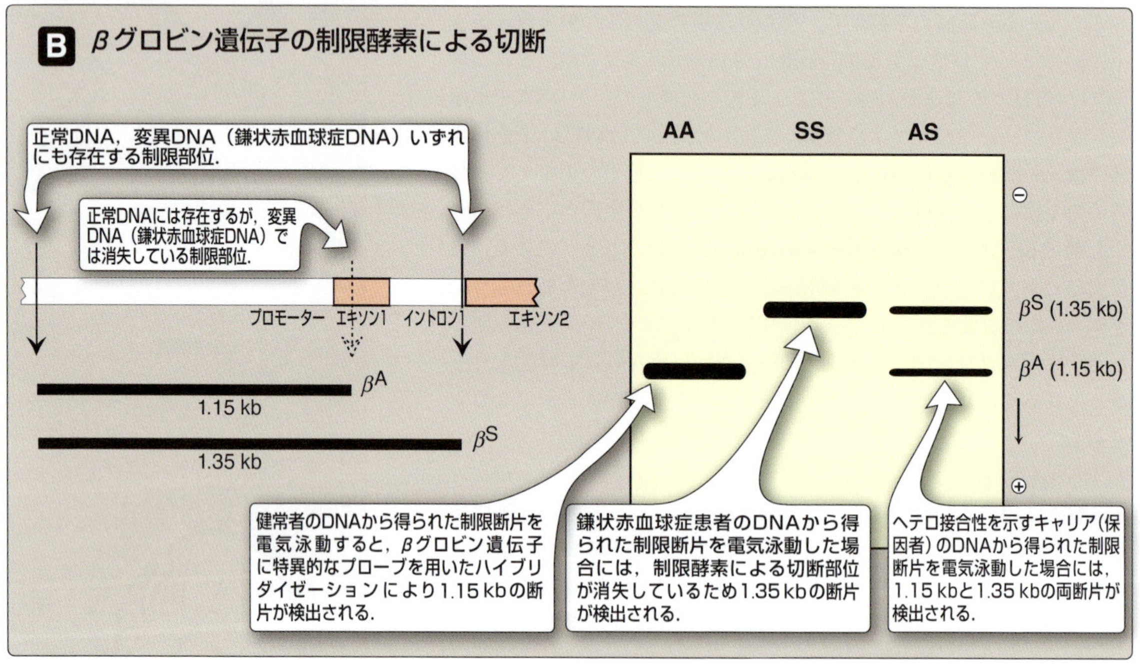

図 34.17
β^{S}グロビン遺伝子変異の検出．kb：キロベース（二本鎖DNAにおいて1 kb＝1,000 塩基対），Hb：ヘモグロビン．

a. **従前の診断法**：過去には鎌状赤血球貧血の出生前診断は，胎児血液中の有核赤血球において合成されるHbの量と種類を解析することによって行っていた．しかしながら，胎児から採血するという侵襲的処置による死亡率は高く（約5%），しかも胎児においてHbA（およびそのHbS変異体）の合成が始まる妊娠期の第2トリメスター(妊娠4～6カ月)の後半になるまで解析を行うことはできなかった.

b. **RFLP解析**：鎌状赤血球貧血では，点変異による塩基配列の変化のため，CCTNAGG(Nは任意の塩基を表している，図34.17参照)という制限酵素(MstⅡ)が認識する部位(制限部位)が1カ所消失している．β^Sグロビン遺伝子の6番目コドンにおいてアデニン(A)からチミン(T)に変異しており，その制限酵素による切断部位が消失しているのである．健常者のDNAをMstⅡで切断すると1.15 kbの大きさのDNA断片が得られるが，罹患者β^S遺伝子では1カ所MstⅡによる切断部位が欠失しているため，MstⅡによる切断後に1.35 kbの大きさのDNA断片が得られる．羊水中の細胞または絨毛から分離した胎児DNAを解析し出生前診断を行う方法は，胎児血液を解析し出生前診断を行う従来の方法に比べて，鎌状赤血球貧血や他の遺伝病をより安全かつ早期に診断することができるため，その有用性は大きい．[注：2つの制限部位の間でのヌクレオチドの挿入または欠失による遺伝病も，制限部位の出現や消失をもたらす点変異による遺伝病の場合のようにRFLPを示す.]

4．**RFLPによるフェニルケトン尿症の間接的診断法**：フェニルケトン尿症 phenylketonuria(PKU，p.349参照)で欠損がみられる酵素フェニルアラニン4-ヒドロキシラーゼ phenylalanine 4-hydroxylase(PAH，phenylalanine 4-monooxygenase)をコードする遺伝子は第12染色体に位置している．その遺伝子は約90 kbにわたってゲノムDNA上に存在しており，イントロンで分断された13個のエキソンからなっている(図34.18，エキソン，イントロンについてはp.568を参照)．*PAH*遺伝子における変異は通常どの制限酵素の認識部位にも直接的な影響を与えない．したがって，PKUの診断プロトコールを確立するためには，この遺伝病の罹患者のいる家族からのDNAを解析しなければならない．その目標は，この遺伝病の遺伝傾向と密接に関連(連鎖)した遺伝的マーカー(RFLP)を同定することである．ひとたびこのようなマーカーが同定されれば，RFLP解析によりこの遺伝病の出生前診断を行うことができる．

a. **変異遺伝子の同定**：もし以下の2つの条件を満たすことができれば，多型マーカーを同定することによって遺伝病の原因となる変異遺伝子 mutant geneの存在を確かめることができる．まず第一は，もしその多型が遺伝病の原因となる変異と密接に連鎖しているならば，RFLPを検出することによって原因遺伝子を探し出すことができる．例えば，制限酵素切断およびサザンブロット法により遺伝病の原因遺伝子を保有する家族のDNAを調べれば，その原因遺伝子と絶えず密接に関連した(すなわち**密に連鎖 close linkage**し，遺伝的に受け継ぐ)RFLPを見つけられることがある．そのようなRFLPを同定できれば，遺伝子異常，またはゲノムの正確な位置の情報がなくても，家族内の遺伝子の継承を追跡することができるのである．[注：このような多型はその遺伝病の罹

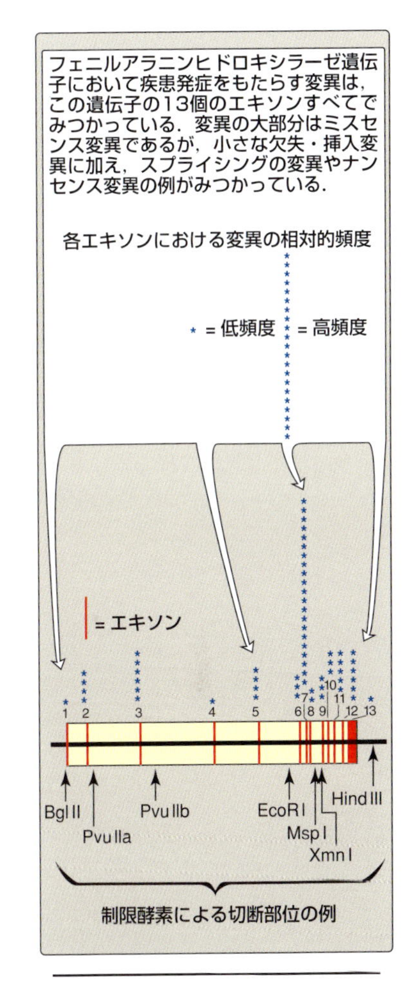

図34.18
フェニルアラニンヒドロキシラーゼ遺伝子の構造．図にはフェニルアラニンヒドロキシラーゼ遺伝子の13個のエキソン，制限部位，およびフェニルケトン尿症の原因となる500を超える変異の例を示している．

患者を持った他の家族においても見出されることもあれば，調べているその家族に限られたものであることもある.] 第二に，PKUのような常染色体性劣性疾患の場合には，家族内にその遺伝病の罹患者がいることが診断において望ましい．その罹患者は(父親由来，母親由来の)両方の染色体上に変異を持っているので，この遺伝病の原因遺伝子と関連したRFLPを同定する際に重要な情報を提供してくれる．

b. **RFLP解析**：異常な*PAH*遺伝子を持っているかどうかは，正常*PAH*遺伝子と変異*PAH*遺伝子を区別するためのマーカーとしてのDNA多型を調べることによって明らかにすることができる．例えば，図34.19には，(罹患者がいる)家族の白血球から採取したDNAを適切な制限酵素で切断し，電気泳動法によりDNA断片を分離した際の典型的なバンドパターンが示されている．図において，*PAH*遺伝子上に示した下向きの矢印は使用した制限酵素による切断部位を示している．多型部位が存在する場合には，図のオートラジオグラム(放射性標識した*PAH* cDNAプローブでハイブリダイゼーションを行っているため，実験結果はオートラジオグラムで示される)で"b"と表記された断片が認められるが，そのような多型部位がない場合には，"a"と表記された断片のみが観察される．図において個人Ⅱ-2(ホモ接合性の変異遺伝子をもった罹患者)の解析結果をみると，"b"断片によって示される多型が変異遺伝子と密接に関連していることに注意してほしい．したがって，この特定の家族においては，"b"断片が検出されることは，異常な*PAH*遺伝子と挙動をともにする多型部位が存在することを示している．また，"b"断片が認められないことは，その個人が正常な遺伝子のみを持っていることを示している．図34.19において，胎児DNAの解析結果は，その胎児(被験者Ⅱ-4)が両親に由来する2つの異常遺伝子を受け継いでいることを示しており，したがってこの胎児はPKUに罹患していることがわかる．

c. **DNA鑑定の評価**：DNAに基づく検査は，出生前の胎児がPKUに罹患しているかどうかを明らかにする上で有効であるのみならず，PKUの原因遺伝子を一方の染色体に持つ(無症候の)キャリアを発見し，家族計画を支援する上でも有用である．[注：PKUはフェニルアラニンの食事制限により治療することができる．したがって，早期の診断と治療は，罹患児における重度の神経障害を回避するために重要である.]

Ⅶ. ポリメラーゼ連鎖反応

ポリメラーゼ連鎖反応 polymerase chain reaction(PCR)は試験管内(*in vitro*)において目的とするDNA配列を増幅する方法で，p.619で述べた生物学的(*in vivo*)DNAクローニング法に依存しない手法である．PCRにより，目的とする特異的なDNA配列を数時間以内に何百万コピーと合成することができる．PCRはもともとの検体中にわず

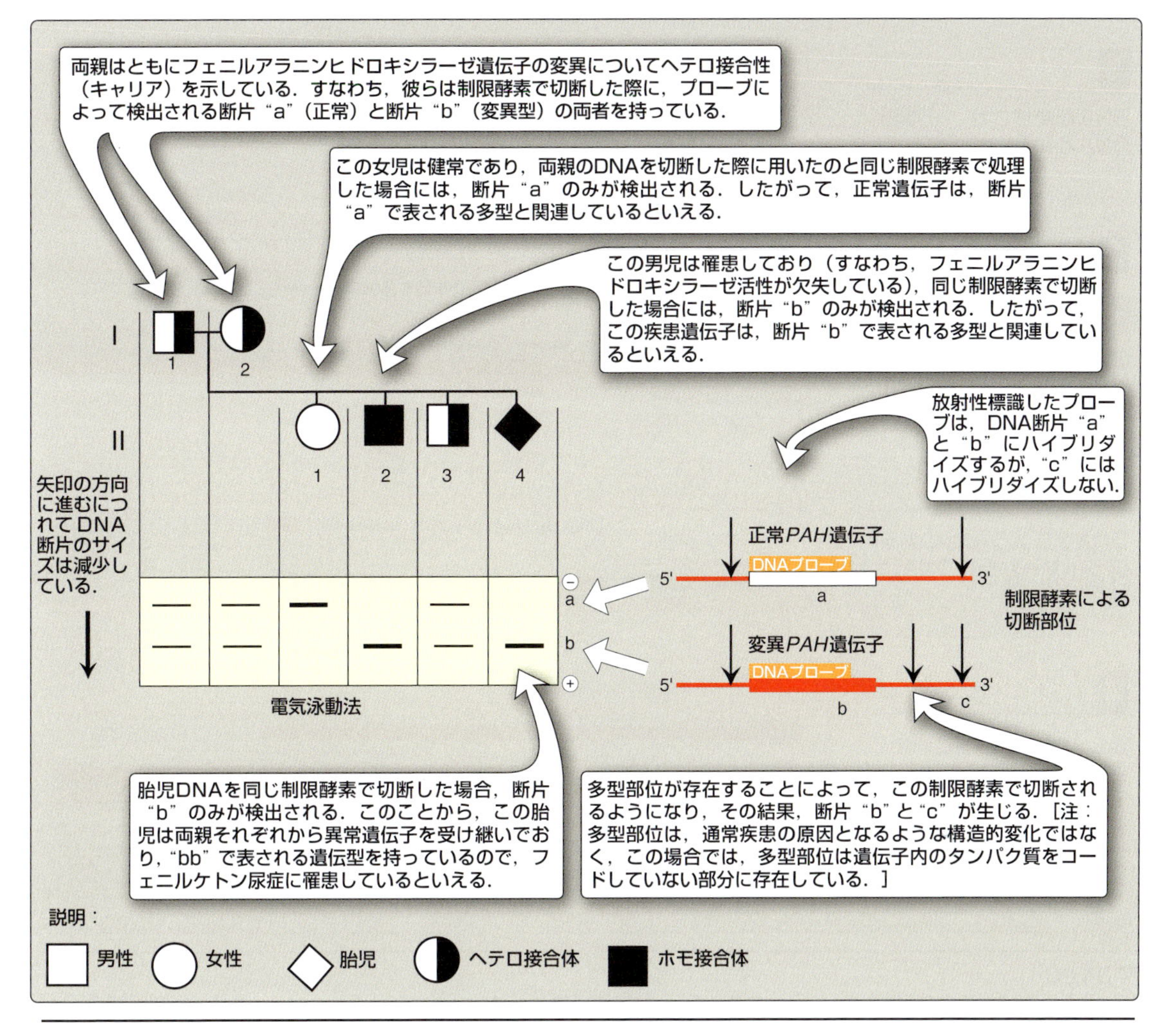

図 34.19
フェニルケトン尿症（PKU，常染色体性劣性遺伝病）罹患児を持つ家族における制限断片長多型の解析．この家族におけるフェニルアラニンヒドロキシラーゼ（*PAH*）遺伝子の分子異常については不明である．この家族は，これから生まれてくる子供がPKUに罹患しているかどうかを知りたがっている．

か100万分の1に満たない含量の標的DNA配列でも増幅することができる．また，この方法を用いれば，ウイルス，細菌，植物あるいは動物など，どのような生物種に由来するDNA配列でも容易に増幅することができる．PCRにおける各ステップについては，図34.20と図34.21に要約している．

A. 操作手順

PCRではDNAポリメラーゼ（DNA pol）を用いてゲノムDNAまたはcDNAの標的部分を繰り返し増幅する．増幅の各サイクルごとに，試料中の標的DNAの量は2倍になるため，増幅のサイクルを繰り返すごとに標的DNAの量は指数的（2^n，n = サイクル数）に増加する．増幅されたDNA産物は，続いてゲル電気泳動法により分離し，サザンブロット法やハイブリダイゼーションにより検出したり，直接に塩

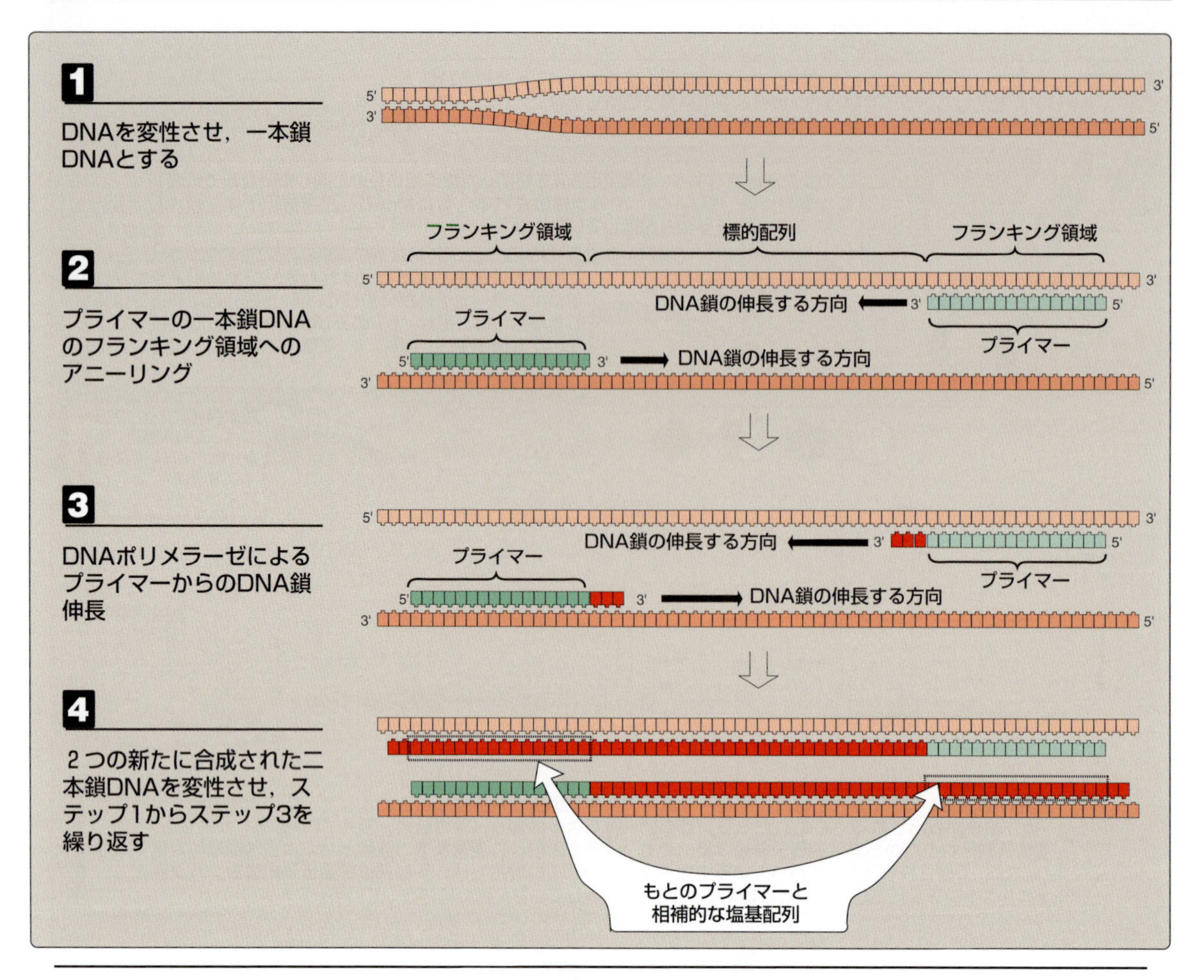

図 34.20
ポリメラーゼ連鎖反応の1サイクルにおける各ステップ（変性，アニーリングおよび伸長）．

基配列の決定を行う．

1．**プライマーの作成**：PCR 法を行う際，必ずしも標的DNAの全配列がわかっている必要はない．しかし，標的DNAの両側に位置する短いDNA断片の塩基配列についてはわかっていなければならない．これらの短いDNA断片は**フランキング配列 flanking sequences** と呼ばれ，目的とする標的遺伝子をはさみこんでいる．これらのフランキング領域のヌクレオチド配列情報をもとに，各フランキング配列に相補的な通常 20 ～ 35 ヌクレオチド（塩基）長の 2 つの一本鎖オリゴヌクレオチド（プライマー，以下参照）を合成する．それぞれのオリゴヌクレオチドの 3′-ヒドロキシ基末端から標的DNAに向かってDNA鎖が伸長する（図 34.20 参照）．つまり，これらの合成オリゴヌクレオチドは PCRにおいてプライマー（反応開始因子）として働く．

2．**サンプルの調整**：解析のための検体（サンプル）は適切な緩衝溶液にDNA（ゲノムDNAまたはcDNA），プライマー，過剰量のdNTPsおよび熱耐性DNAポリメラーゼを添加し調整する.

3. **DNAの変性**：サンプルを約95℃に加熱し，dsDNAをssDNAに分離する.

4. **プライマーのアニーリング**：サンプルを約50℃まで冷却し，上述の2つのプライマーがそれぞれssDNA上の相補的配列にアニーリングできるようにする(各プライマーは2つに分離されたssDNAのそれぞれに対応).

5. **プライマーの伸長**：サンプルを約72℃に加熱し，もとのDNA鎖に相補的な2つの新生鎖の合成を開始させる. DNAポリメラーゼは各プライマーの3′-ヒドロキシ基末端に次から次へとヌクレオチドを付加し，新生DNA鎖は標的DNA全体にわたって相補的なコピーを5′→3′の方向に伸長する. この伸長反応により，PCR産物は数千塩基対(bps)の長さに達する. 1つのサイクルの複製反応が終わったところで，反応混合物を再度加熱処理しDNAの二本鎖を解離させる(この時点で4つのDNA鎖となっている). それぞれのDNA鎖に相補的なプライマーが結合し，次のサイクルのプライマーの伸長が繰り返される. 耐熱性DNAポリメラーゼ(例えば，高温下で生存している細菌 *Thermus aquaticus* 由来のTaq)を用いれば，ポリメラーゼ polymerase は加熱処理によっても変性することがないため，PCRの各サイクルごとに新たに添加する必要はなくなる. しかしながら，Taqは校正機能がいくぶん欠けている. 通常20～30サイクルのPCRを行えば，標的DNAは100万倍(2^{20})～10億倍(2^{30})に増幅される. [注：プライマーによる各伸長反応産物は，その5′末端側にプライマーに相補的な塩基配列を含んでいる(図34.20参照). したがって，新たに合成されたDNA鎖はそれぞれ次のサイクルにおけるDNA鎖伸長の鋳型となる(図34.21参照). このため各サイクルごとに標的DNAの量は指数的に増加するので，この方法は"ポリメラーゼ連鎖反応 polymerase chain reaction"と呼ばれている.] PCRの最後の数サイクルの間に標識したヌクレオチドをサンプルに添加することによって，プローブを調整することができる.

B. 利 点

特定のDNA配列を増幅する方法として，PCRが生物学的クローニング法より明らかに優れている点は，その感度の良さと迅速性である. 試料中にごくわずかしか含まれていないDNA配列も，PCRによりその試料中に含まれる主たるDNA配列となるように増幅することができる. また，PCRはきわめて高感度であるため，たった1個の細胞中に含まれるDNA配列でも増幅させ，解析に用いることができる. さらなる利点として，PCRが従来の組換えDNA技術を用いたDNAクローニング法に比べて，より迅速かつ簡便に特定のDNA配列を分離し増幅できることも挙げられる.

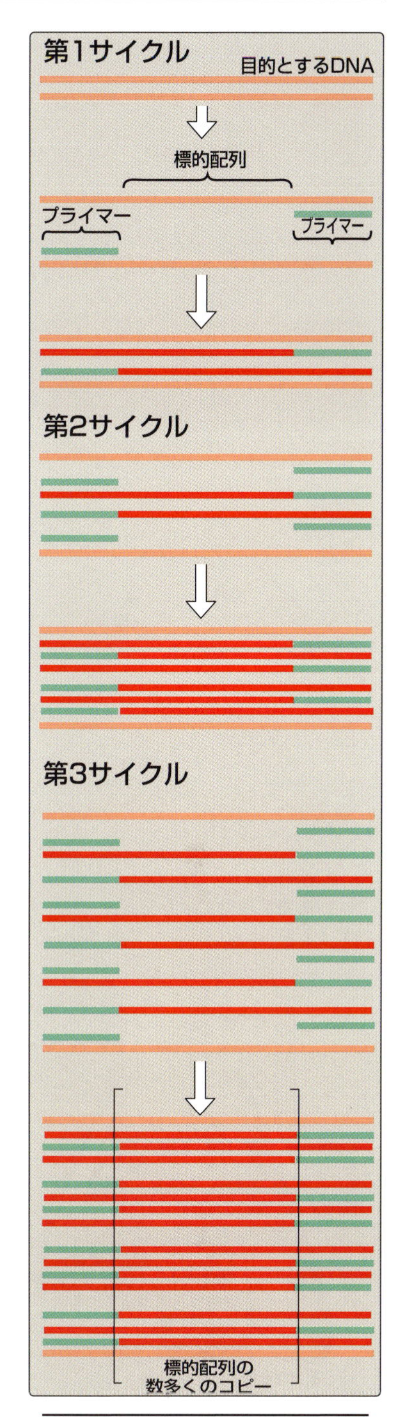

図 34.21
ポリメラーゼ連鎖反応におけるサイクルごとの標的配列の増幅の様子.

C. 応 用

PCRはいまや基礎研究，法医学，さらには臨床診断において一般的な方法となっている．

1．正常遺伝子とその変異型の比較：PCRは，従来の労力のかかる生物学的DNAクローニングを行うことなしに，塩基配列の決定に十分な量の変異DNAの合成を可能にする．

2．DNA検体の法医学的解析：PCRによるDNA鑑定法 DNA fingerprintingは，犯罪現場における証拠の分析に革命をもたらした．すなわち，いまや1本の毛髪，小さな血痕あるいは精液が犯罪の場に残っていれば，それらから分離したDNAでその毛髪，血液あるいは精液が誰に由来するものかを十分に特定できるのである．そのようなDNA鑑定のための解析に用いられる最も一般的なDNAマーカーは**短縦列反復 short tandem repeats**（STR）として知られる多型である．STRは前述のVNTR（p.630参照）に類似しているが，反復配列の長さがより短い．［注：親子（父親）鑑定には同じ手法が用いられる．］

3．低含量の核酸配列の検出：ヒト免疫不全ウイルスhuman immunodeficiency virus（HIV）のように長い潜伏期間を持つウイルスの場合，通常の解析方法では感染の初期にウイルスを検出することは難しい．しかし，PCRを用いれば，ごくわずかな細胞がウイルスに感染している時点でも，迅速かつ高感度にウイルスDNAを検出することができる．［注：定量的PCR（qPCR，リアルタイムPCRとして知られている）は，反応の最終段階よりもむしろPCRの各サイクルごとに（すなわちリアルタイムで）標的核酸の量（コピー数）定量を可能とするため，検体に当初含まれるウイルスの量を決定するのに有用である．］

4．嚢胞性線維症の出生前診断とそのキャリア（保因者）の検出：嚢胞性線維症 cystic fibrosis（CF）は，**嚢胞性線維症膜貫通コンダクタンス制御タンパク質 cystic fibrosis transmembrane conductance regulator**（CFTR）をコードする遺伝子の変異による常染色体性劣性遺伝病である．最も頻度の高い変異は，CFTRのフェニルアラニン残基1つの欠損となる3塩基欠失である（p.578参照）．変異遺伝子では正常のアレルに比べ3塩基ほど短いため，*CFTR*遺伝子のこの変異箇所を含む部分を増幅し，そのPCR産物の大きさを調べることにより，これらのアレルを識別することができる．図34.22は，このようなPCR検査の結果によって，正常のホモ接合体（健常者），ヘテロ接合体（キャリア）およびホモ接合変異体（患者）を区別できることを示している．

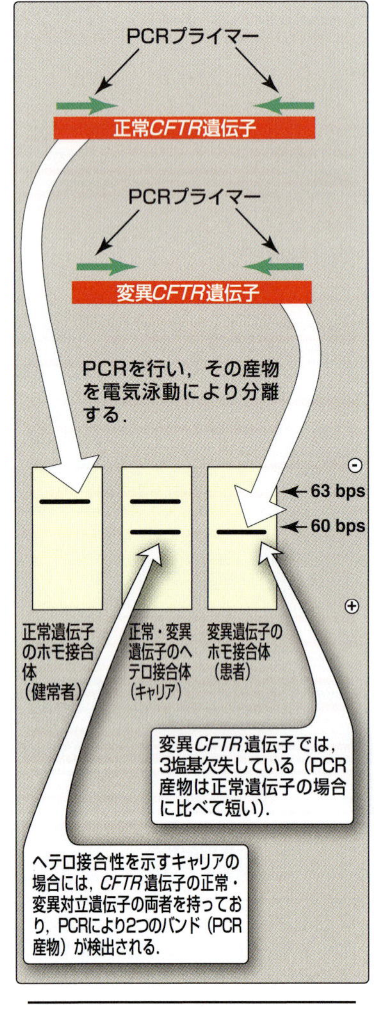

図 34.22
ポリメラーゼ連鎖反応（PCR）による嚢胞性線維症（CF）の遺伝学的検査．［注：CFはアレル特異的オリゴヌクレオチドを用いた解析によっても診断される（p.626参照）．］CFTR：嚢胞性線維症膜貫通コンダクタンス制御タンパク質，bps：塩基対．

標的DNAの複数の領域を，複数のプライマー対（ペア）を用いて同時に増幅する方法は，複合（または多重）PCR multiplex PCRとして知られている．この方法により，27のエキソンを持つ*CFTR*遺伝子のように多くのエキソンを持つ遺伝子における1つまたはそれ以上のエキソンの欠損を検出することができる．

Ⅷ. 遺伝子発現解析

バイオテクノロジーのさまざまな方法によって，遺伝子の構造解析が行えるようになったばかりでなく，遺伝子発現によってもたらされるmRNAやタンパク質産物についても解析が行えるようになってきた．

A. mRNA発現レベルの測定

mRNAの発現レベルは，通常（標的遺伝子に対応する）標識プローブのmRNA自体またはmRNAから合成したcDNAへのハイブリダイゼーションにより測定する．[注：レトロウイルス由来の逆転写酵素（RT）により，mRNAから合成したcDNAをPCRにより増幅させる方法をRT-PCRと呼ぶ．]

1．ノーザンブロット法 Northern blotting：ノーザンブロット法はサザンブロット法（図34.13参照）に類似した方法であるが，ノーザンブロット法ではさまざまな**mRNA分子 mRNA molecules**を含む試料を電気泳動法によりmRNA分子の大きさによって分離し，それらを膜へ移したあとに放射性標識したプローブでハイブリダイゼーションを行う．オートラジオグラフィーにより得られたバンドの濃さと位置は，それぞれ試料中におけるその特定のmRNAの量と大きさ（サイズ）を示している．

2．マイクロアレイ microarray：DNAマイクロアレイは，顕微鏡のスライドガラスと同じくらいの大きさの範囲に非動化（固定化）した何千というssDNA配列が秩序だって並んでいる．これらのマイクロアレイは，試料における遺伝子多様性や変異の有無を解析したり（**遺伝子型タイピング genotyping**），一度に何千という遺伝子を解析することによって，試料におけるmRNAの発現パターンを明らかにする（**遺伝子発現解析 gene expression analysis**）．遺伝子型タイピング解析では，試料はゲノムDNAである．遺伝子発現解析の場合には，まずある特定の細胞から調製した全mRNAを逆転写によりcDNAに変換し，これらを蛍光色素により標識する（図34.23）．次に，この標識cDNAの混合物を，それぞれ異なる遺伝子に対応する何千というDNAの小さなスポットを並べたジーンチップgene chip（DNAチップ DNA chip）と呼ばれるガラススライドまたはメンブレンへ加えてハイブリダイ

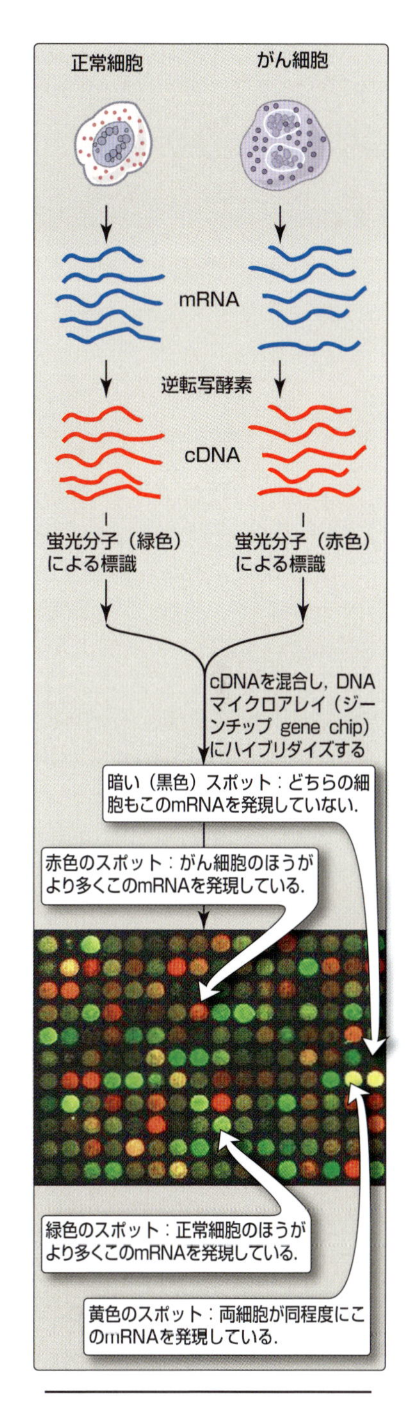

図 34.23
DNAチップを用いたマイクロアレイによる遺伝子発現の解析．[注：タンパク質チップも使われる．] mRNA：メッセンジャーRNA，cDNA：相補的DNA．

ゼーションを行う．各スポットに結合した蛍光色素の量(蛍光強度)は，その試料におけるある特定のmRNAの発現量を反映している．DNAマイクロアレイは，2つの異なるタイプの細胞(例えば，正常細胞とがん細胞，図34.23参照)における遺伝子発現のパターンの違いを調べるために利用される方法である．DNAマイクロアレイは，がんの治療法を至適化するために，乳がんのようながんを細かく分類する際にも用いられる．[注：タンパク質，抗体あるいは認識特性を持った他のタンパク質を並べたマイクロアレイは，診断，予後判定や疾患の治療を支援するための，患者におけるタンパク質発現プロファイルを踏まえたバイオマーカーの同定に用いられている．タンパク質(およびDNA)マイクロアレイは，個人個人の遺伝的・環境的要因や生活習慣の違いを考慮した治療や予防戦略となる個別化(高精度)医療の発展において重要な手段となっている．]

B. タンパク質解析

細胞に発現しているタンパク質の種類と量は，その細胞に存在しているmRNAの種類と量に必ずしも直接に相関していない．あるmRNA分子(群)は他のmRNA分子(群)より効率的に翻訳されるし，タンパク質によっては翻訳後修飾を受ける．数多くのタンパク質の量やそれらの相互作用を解析する場合には，質量分析法や二次元電気泳動法などのさまざまな技術を自動化した解析手法が用いられる．1つあるいは限られた数のタンパク質を解析する場合には，特異的なタンパク質を検出・定量したり，その翻訳後修飾を決定するために，そのタンパク質に対する標識抗体が用いられる．

1．エンザイムイムノアッセイ(ELISA，酵素免疫測定法)：ELISA(enzyme-linked immunosorbent assay，エライザ)はマイクロタイタープレートのウェルを用いて行う．まず抗原(タンパク質)をプラスチックディッシュのウェルに付着させる．ELISAでは，特定のタンパク質(例えばトロポニン，p.82参照)に対する特異的な抗体をプローブとして用いる．抗体には酵素が共有結合で結合しており，(無色の)基質を加えるとその酵素の触媒作用によって有色の反応産物が生じる．したがって，ウェル中の有色反応産物の量は，試料中(ウェル中)に存在する抗体の量に比例し，間接的に目的とするタンパク質の量を反映している．

2．ウェスタンブロット法 Western blotting：ウェスタンブロット法(**免疫ブロット法 immunoblotting**とも呼ばれる)はサザンブロット法に類似した解析方法であるが，ウェスタンブロット法の場合には電気泳動法により分離した核酸分子ではなく，タンパク質分子を膜に転写する(ブロットする)．ウェスタンブロット法では，プローブとして標識した抗体を用いて，抗体が認識する抗原タンパク質の膜上でのバンドの位置や濃さを解析する．

3．HIV感染の検知：ELISAやウェスタンブロット法を用いて患者血液中の抗HIV抗体の量を測定することにより，HIVに感染したかどうかを調べることができる．ELISAは大変感度が高いので，HIV感染検査の一次スクリーニングに用いられる．しかしながら，ELISAでは偽陽性の結果が得られることがあるので，より特異的な解析法であるウェスタンブロット法による確定的な検査により，HIV感染の有無を判定する(図34.24)．[注：ELISAもウェスタンブロット法も患者血液中に免疫系により産生された抗HIV抗体が出現するようになってはじめてHIV感染を検出することができる．したがって，HIV感染後(またはHIV曝露後)数カ月間は，HIVの核酸を直接検出することができるPCRによるHIV検査がより有効である．]

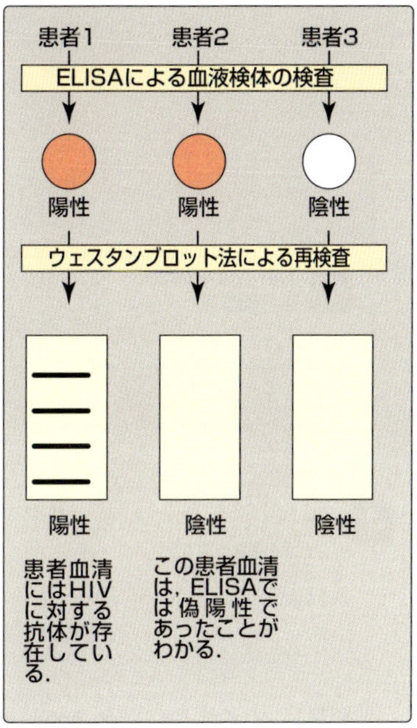

患者1 患者2 患者3
ELISAによる血液検体の検査
陽性 陽性 陰性
ウェスタンブロット法による再検査
陽性 陰性 陰性
患者血清にはHIVに対する抗体が存在している．
この患者血清は，ELISAでは偽陽性であったことがわかる．

図 34.24
エンザイムイムノアッセイ(ELISA)とウェスタンブロット法によるヒト免疫不全ウイルス(HIV)感染の検査．

C. プロテオミクス

プロテオーム proteomeまたはゲノムによってコードされ発現するタンパク質全体の研究，具体的にはそれら各タンパク質の相対的発現量，細胞内分布，翻訳後修飾，機能および他の高分子との相互作用を研究することをプロテオミクス proteomicsという．ヒトゲノムにおいて2万～2万5千のタンパク質をコードする遺伝子は，転写後修飾や翻訳後修飾を考慮すると，10万を明らかに超えるタンパク質に翻訳されることになる．(同一個体では)細胞の種類によらずゲノムは基本的に不変であるが，ある特定の細胞において発現するタンパク質の量と種類は遺伝子がスイッチ・オンとなるかスイッチ・オフとなるかによって著しく変化する．[注：プロテオミクス(およびゲノミクス)は，コンピュータに基づく生物学的データの組織化・保存および解析を行うバイオインフォマティクスbioinformaticsの並行した発展を必要としてきた．] 図34.25では，本章で紹介した解析方法のいくつかを比較している．

Ⅸ. 遺伝子治療

遺伝子治療 gene therapyのゴール(目標)は，疾患をもたらすような変異によりある遺伝子が欠損した患者の体細胞に，機能的な遺伝子(通常はクローン化した正常な遺伝子)を運び，発現させることによりその疾患を治療することである．体細胞への遺伝子治療は標的となる体細胞のみを変化(改善)させるので，その効果は次世代の細胞へは伝播されない．[注：生殖細胞系列の遺伝子治療は，生殖細胞に修飾(修正)をもたらすので，その変化は継続的に伝播される．生殖細胞系列への遺伝子治療が長い間中断となっていることは，実のところ世界的状況である．] 遺伝子導入には，次の2種類の方法がある．(1)生体外(*ex vivo*)での導入法では，患者から問題となる細胞を取り出し，それに遺伝子導入を行った後，患者(生体)へそれを戻すというものであり，もう1つは(2)生体内(*in vivo*)で，問題となる細胞へ直接遺伝子を導入する方法である．いずれの方法でも，ウイルスベクターを用いてDNAを標的細胞に運ぶ必要がある．遺伝子治療の課題としては，より適切なベクターの開発，導入した遺伝子の長期間にわたる発現維持の達成や免疫応答などの副作用の回避が挙げられる．最初に成功し

方法	解析対象
サザンブロット法	DNA
ノーザンブロット法	RNA
ウェスタンブロット法	タンパク質
ASOプローブを用いる方法	DNA
マイクロアレイ	cDNAまたはゲノムDNA タンパク質
ELISA	タンパク質

図 34.25
DNA，RNA，タンパク質を解析する方法．[注：図中の3つのブロット法では，ゲルを用いた工程が含まれている．] ASO：アレル特異的オリゴヌクレオチド，ELISA：エンザイムイムノアッセイ(酵素免疫測定法)，cDNA：相補的DNA．

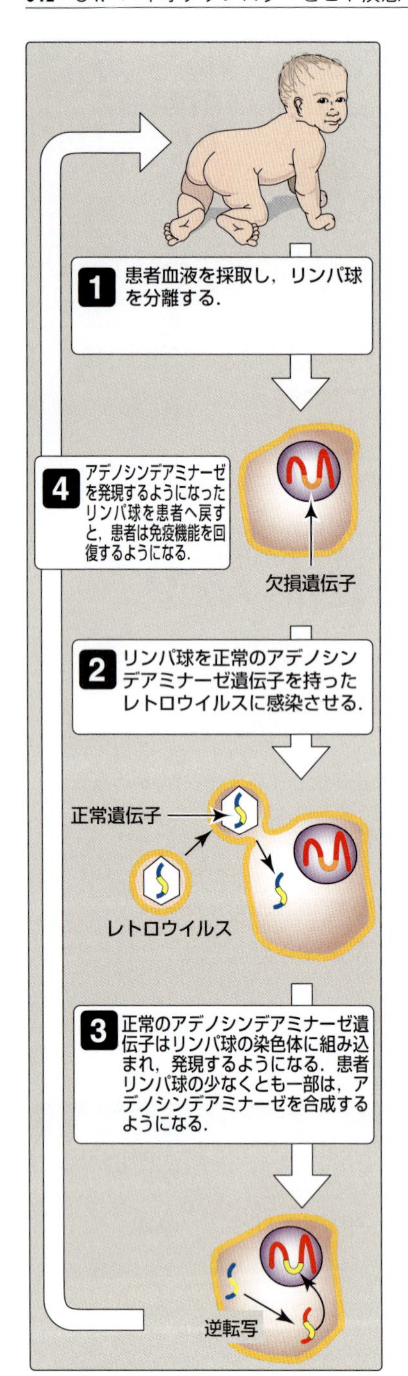

図 34.26
アデノシンデアミナーゼ遺伝子の欠損による重症複合免疫不全症患者への遺伝子治療．［注：現在では，骨髄幹細胞および改良されたレトロウイルスベクターが用いられる．］

た遺伝子治療では，アデノシンデアミナーゼ adenosine deaminase（ADA）（p.390 参照）をコードする遺伝子における変異により，重症複合免疫不全症 severe combined immunodeficiency（SCID）を発症した2名の患者が対象となった．そこでは，生体外（*ex vivo*）での患者由来の成熟T細胞へのウイルスベクターを用いた遺伝子導入が行われた（図 34.26）．［注：今ではヒトADA cDNAが用いられている．］1990 年以降，（血友病，がん，ある種の失明をもたらす疾患など）少数の患者に対して遺伝子治療が行われたが，その成果はまちまちであった．

遺伝子導入とは対照的に，遺伝子編集 gene editing により変異遺伝子を修復することができる．DNA結合分子（タンパク質あるいはRNA）とエンドヌクレアーゼ endonucleases を組み合わせて用いることにより，変異配列を検出し切断する．それにより dsDNA切断 dsDNA break による相同組換え修復 homologous recombination repair の過程が作動し（p.551 参照），正しい配列を持った遺伝子をその変異遺伝子と入れ換える．カスタム設計された（慣例に則して設計された）RNAによって，特定のDNA配列に導かれたエンドヌクレアーゼが，ヒト細胞における遺伝子編集に用いられている．この技術は，細菌細胞において外来のDNAを検出し切断することができる，原核生物の CRISPR-Cas9 システム clustered regularly interspaced short palindromic repeats（CRISPR）-associated protein system に基づいている．現在，ヒト細胞における CRISPR-Cas9 技術を用いた遺伝子編集（図 34.27）を利用し，患者造血幹細胞でのグロビン遺伝子の発現を是正することにより，鎌状赤血球貧血を治療しようとする臨床試験が行われている．

X．トランスジェニック動物

トランスジェニック動物 transgenic animal は受精卵にクローン化した外来の遺伝子 transgene を導入することにより作製する．その外来性DNAが無作為かつ安定に受精卵の染色体に組み込まれると，その動物の生殖細胞系列にその遺伝子が存在するようになり，その遺伝子は継代される．“スーパーマウス”と呼ばれる巨大マウスは，この原理を利用してラットの成長ホルモン遺伝子をマウスの受精卵へ注入することにより作製された．トランスジェニック動物は，それらのミルクの中に治療に有用なヒトタンパク質を産生するように工夫されている．抗凝固タンパク質であるアンチトロンビン antithrombin はトランスジェニックヤギから産生され，2009 年に臨床での使用が承認されている．機能的な外来遺伝子が（無作為ではなく）狙い定めた部位に挿入されれば，その遺伝子を発現するノックイン動物 knockin（KI）animal が作製される．一方，機能を消失した外来遺伝子が狙い定めた部位に挿入されれば，機能的な遺伝子を発現しないノックアウト動物 knockout（KO）animal が作出される．そのように遺伝学的に操作した動物は，対応するヒト疾患を研究するためのモデルとして用いられる．

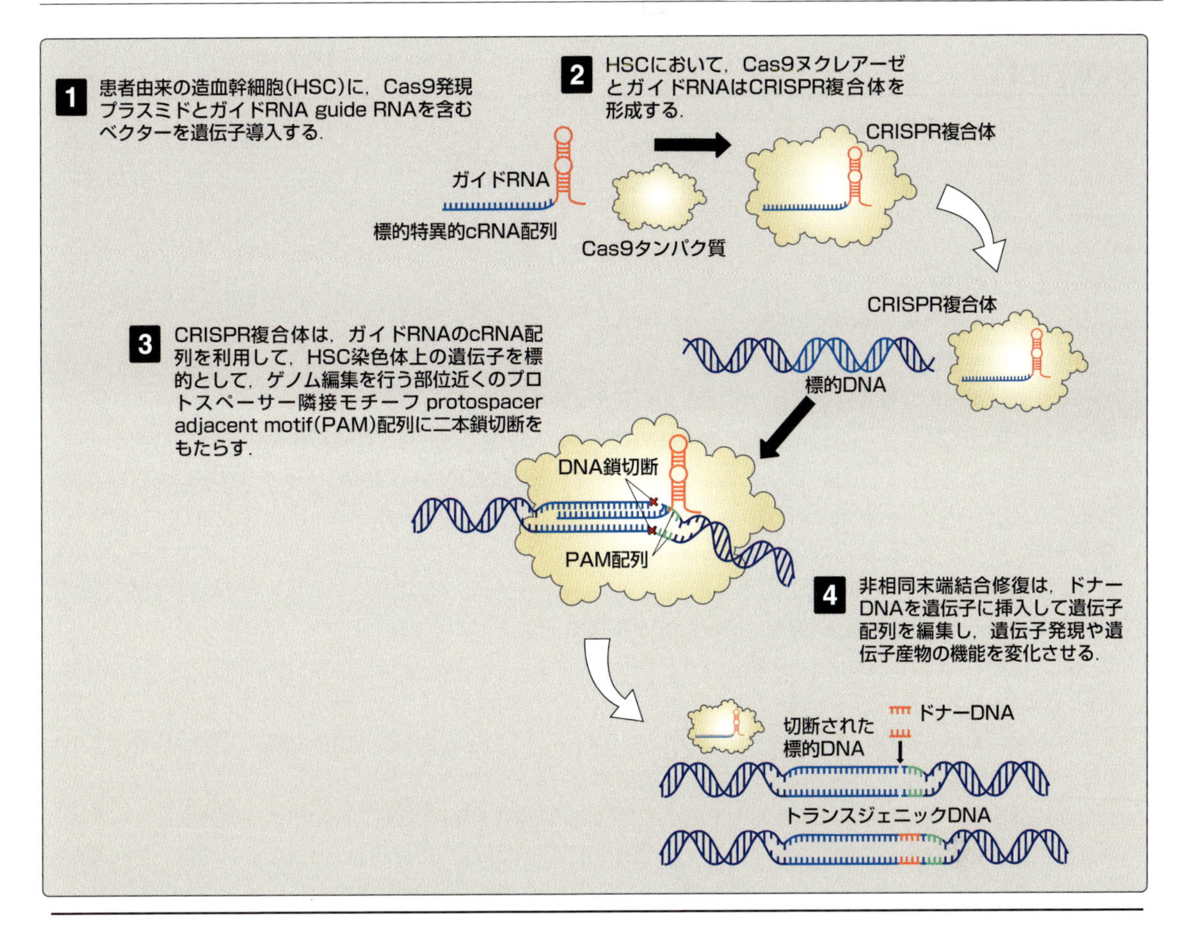

図 34.27
遺伝子導入されたヒト細胞におけるCRISPR-Cas9による遺伝子編集機構(訳注：PAM配列：Cas9によるDNA切断に必要な標的部位の3′末端に位置する特定の塩基配列で，S.pyogenes Cas9の場合はNGG(NはA，C，G，Tのうち任意の塩基)という塩基配列)．

34章の要約

- **制限エンドヌクレアーゼ**(**制限酵素**)は，二本鎖DNAを特異的なパリンドローム(**回文配列**，**制限部位**)において切断する．同じ**制限部位**での切断によって生じたDNA断片はつなげることができ，それにより**組換えDNA分子**が得られる．
- DNAの**増幅**(多くのコピーを作り出すこと)であるDNAクローニングでは，**ベクター**由来の**組換えDNA分子**と対象とするDNA断片が必要である．
- ベクターは宿主細胞内で**自律的に複製**することができ，少なくとも1つの特異的制限部位と少なくとも1つの**抗生物質耐性遺伝子**のような遺伝子を持っており，それによりベクターを含む宿主細胞を選別することができる．原核生物の**プラスミド**はベクターとして利用される．
- **ゲノムDNAライブラリー**は，ある生物の全DNAを含んでおり，理想的にはその生物のゲノムの全ヌクレオチド配列の1つのコピーを有している．それに対して，**相補的DNA(cDNA)ライブラリー**はある細胞に存在するメッセンジャーRNA(mRNA)から作られるDNA配列を含んでいる．ヒト遺伝子のcDNAは**発現ベクター**にクローン化し，細菌細胞または真核細胞においてヒトタンパク質を合成させることができる．
- **サザンブロット法**は，DNA中に存在する特定の塩基配列を検出するのに用いられる．DNAを制限酵素(エンドヌクレアーゼ)で切断し，切断DNA断片を**ゲル電気泳動法**により分離後，DNA断片をゲル中で変性させ，解析のために**ニトロセルロース膜**に移す(ブロットする)．その後，目的とするDNA断片を特異的ssDNAまたはRNAプローブを用いて検出する．
- ヒトゲノムにおける**多型**(DNA配列の変化)は，1塩基の変化(挿入，欠失，置換)や縦列反復配列により生じる．多型は家系を通して調べることができる遺伝的マーカーとしての役割を担っている．
- **制限断片長多型**(**RFLP**)は遺伝的変異であり，染色体上のDNAを制限酵素により切断し，DNA断片をゲル電気泳動により分離することで検出できる．ある制限酵素の制限部位における1つあるいはそれ以上の塩基置換により，その制限酵素によって認識されなくなったり，新しく制限部位が生じたりして，想定されるDNA断片とは長さの異なるDNA断片を生じることになる．**RFLP解析**は，遺伝性疾患の診断に利用される．
- **ポリメラーゼ連鎖反応**(**PCR**)は，フランキング配列と対になる特定のDNAプライマーを用いて，選択されたDNA配列を迅速に**増幅する**方法である．PCR法の応用としては，(1)正常な遺伝子とその変異型遺伝子の比較，(2)DNA検体の法医学的解析，(3)試料中の含量の少ない核酸配列の検出，(4)遺伝性疾患の出生前診断やキャリア(保因者)の検出，などが挙げられる．
- 遺伝子発現によってもたらされる産物であるmRNAは，**ノーザンブロット法 Northern blotting**や**マイクロアレイ microarray**により測定できる．ノーザンブロット法ではさまざまなmRNA分子が混在している試料を電気泳動法により分離し，メンブレンに移した後放射性に標識したプローブとハイブリダイゼーションを行い，検出する．また，**マイクロアレイ**では2つの異なるタイプの細胞(例えば，正常細胞とがん細胞)における遺伝子発現の異なるパターンが解析できる．
- **エンザイムイムノアッセイ ELISA**と**ウェスタンブロット法 Western blotting**(**免疫ブロット法 immunoblotting**)は，抗体を用いて特定のタンパク質を検出する目的で使用される．
- **プロテオミクス**は，細胞でゲノムDNAから発現されたすべてのタンパク質を網羅的に解析することをいう．
- **遺伝子治療**の目標は，患者の**体細胞**において変異した遺伝子を，正常な遺伝子を挿入することにより補完することであるが，**遺伝子編集**の目標は変異遺伝子を修復したり，遺伝子発現を是正することである．CRISPR-Cas9技術を用いた遺伝子編集では，現在造血幹細胞においてグロビン遺伝子の発現を修正することにより，鎌状赤血球貧血の患者を治療しようとする臨床研究が行われている．
- ある外来の遺伝子(トランスジーン)を動物の生殖細胞系列に挿入し**トランスジェニック動物**を作製することにより，治療に有用なタンパク質を産生したり，ヒト疾患の**ノックイン**(KI)または**ノックアウト**(KO)モデルとすることができる．

学習問題

最適な答えを1つ選びなさい.

34.1 Hind Ⅲは制限エンドヌクレアーゼ(制限酵素)である. 次のうちどれがこの制限酵素の認識配列と考えられるか.

A. AAGAAG
B. AAGAGA
C. AAGCTT
D. AAGGAA
E. AAGTTC

正解 C. 制限酵素の大部分のものは二本鎖DNAにおけるパリンドローム(回文配列)を認識し, 選択肢の中ではAAGCTTのみがパリンドロームである. 1つのDNA鎖の塩基配列のみが示されているので, その情報をもとに相補的DNA鎖の塩基配列を決めなければならない. パリンドロームであるためには, どちらのDNA鎖の塩基配列も5′から3′へ向けて同じ配列でなければならない. 例えば, 5′AAGCTT 3′の相補的配列も同じく5′AAGCTT 3′である.

34.2 あるアシュケナージ系ユダヤ人夫婦は, 6カ月になる息子の元気のなさ, 首がすわらないことおよび固定化した注視という主訴について, 診断を求めてきた. その息子は常染色体劣性遺伝を示す脂質分解異常症であるテイ・サックス病 Tay-Sachs diseaseという診断を受けた. また, その夫婦にはもう1人娘がいる. この家族の家系図を, (テイ・サックス病で異常が認められている)ヘキソサミニダーゼA遺伝子と密に連鎖している制限断片長多型についてのサザンブロット解析の結果とともに示している. この娘についての次の記述の中でどれが最も的確か.

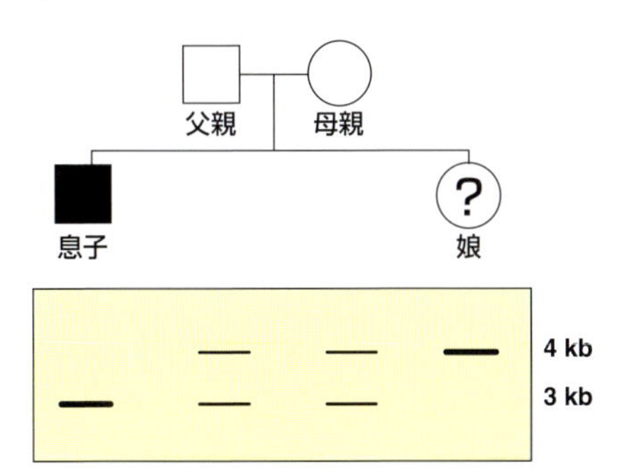

A. この娘は25%の確率でテイ・サックス病である.
B. この娘は50%の確率でテイ・サックス病である.
C. この娘はテイ・サックス病である.
D. この娘はテイ・サックス病の保因者(キャリア)である.
E. この娘は正常遺伝子をホモ接合性に持つ健常者である.

正解 E. この夫婦は, テイ・サックス病に罹患した息子がいるので, 父親(実父), 母親(実母)いずれもこの患者の保因者(キャリア)である. 彼らの息子は, 両親それぞれからテイ・サックス病の原因遺伝子(変異アレル)を受け継いでいる. 息子のDNAのサザンブロット解析では3 kbのバンドのみが認められるので, この遺伝病の変異アレルはこの3 kbのバンドと連鎖していると考えられる. したがって, 正常アレルは4 kbのバンドと連鎖していることになる. この娘は(両親から)4 kbのバンドを受け継いでいるので, 彼女はヘキソサミニダーゼA遺伝子について正常のホモ接合体を持っていることになる.

34.3 医師が，患者に対してより適切な化学療法を施すことを目的として，2つの異なるタイプの腫瘍細胞における包括的な遺伝子発現パターンを解析しようとしている．この目的のためには，以下のいずれの方法が最も適切か．

A. ELISA（エンザイムイムノアッセイ）
B. マイクロアレイ
C. ノーザンブロット法
D. サザンブロット法
E. ウェスタンブロット法

正解 B. マイクロアレイは，一度に何千という遺伝子からのメッセンジャーRNA（mRNA）の産生（すなわち，遺伝子発現）を解析することができる．それに対して，ノーザンブロット法は，一度に1つの遺伝子からのmRNAの産生を測定する方法である．また，ウェスタンブロット法やELISAは，タンパク質の産生（これも遺伝子発現といえる）を測定する方法であるが，一度にただ1つの遺伝子からの発現しか解析することができない．サザンブロット法はDNAの解析に用いられるが，DNAからの遺伝子発現産物を解析する方法ではない．

34.4 生後2週の乳児，尿素回路欠損症と診断された．酵素的解析から回路の酵素であるオルニチントランスカルバミラーゼ（OTC）の活性がないことが示された．分子生物学的解析からは，患児のOTCメッセンジャーRNA（mRNA）は正常児のそれと同一の長さ（鎖長）であることが判明した．mRNAを解析するために用いられた方法はどれか．

A. ジデオキシ法
B. ノーザンブロット法
C. ポリメラーゼ連鎖反応（PCR）
D. サザンブロット法
E. ウェスタンブロット法

正解 B. ノーザンブロット法により，ある特定の細胞または組織に存在（発現）するmRNAを解析することができる．サザンブロット法はDNAの解析に，またウェスタンブロット法はタンパク質の解析に用いられる．一方，ジデオキシ法はDNAの塩基配列の決定に，またPCRは試験管の中で，あるDNA配列の同一コピーを多数産生する際に使用される．

34.5 上述の患児について，セントラルドグマのどの段階が最も影響を受けていると考えられるか．

正解 翻訳．その遺伝子が存在し発現していることは，メッセンジャーRNAの正常な産生から明らかである．酵素活性が欠失していることは，タンパク質合成のいずれかの過程が影響を受けていることを意味している．

血液凝固(血栓形成)　35

I．概　要

血液凝固 **blood clotting** (**coagulation**) は，体内の血液量を一定に維持するために，損傷血管からの出血を速やかに停止すること（**止血 hemostasis**）を目的としている．止血は血小板血栓（一時止血）と血小板血栓を安定化させるフィブリン網（タンパク質の網目構造，フィブリン血栓）（二次止血）の形成から構成されている．**血栓 clot** は，血小板や損傷した血管内皮の表面に形成される（図 35.1）．［注：正常な血管内で血液が凝固し，血管内腔が閉塞して血流が阻害されると，血栓症と呼ばれる状態になり，深刻な組織障害を引き起こし，死に至ることもある．例えば，心筋梗塞などはまさにこの状態である．］血栓の形成を損傷を受けた領域のみに限定し，血管の修復が開始されたら血栓を除去することも止血においては必須のプロセスである．［注：血小板血栓とフィブリン網の形成の多段階・多成分のプロセスをここでは別々に論じるが，この両者は互いに協調して止血する．］

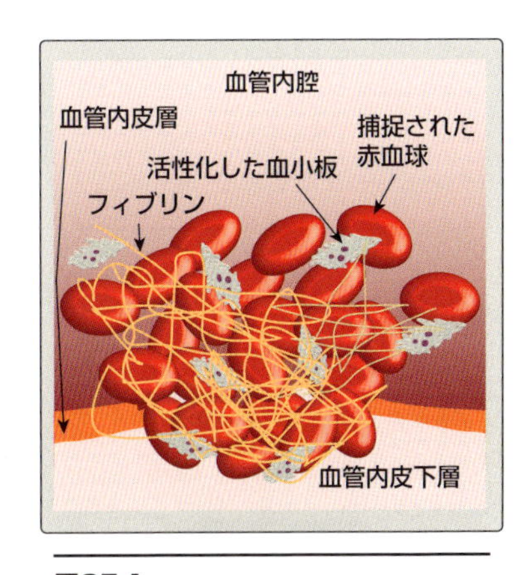

図35.1
活性化した血小板血栓とフィブリン網によって血管損傷部位に形成される血栓.

II．二次止血─フィブリン網形成

血小板の凝集と，**外因系 extrinsic**・**内因系 intrinsic** の 2 つの血液凝固経路が連携し合ってフィブリン網を形成する（図 35.2）．外因系・内因系のどちらの経路においても，主要な凝固因子はアルファベット F とローマ数字で表記されるタンパク質である．第 I 因子（FI）はフィブリノーゲン，第 II 因子（FII）はプロトロンビン，と呼ばれるように，いくつかの凝固因子には別名がある．これらの凝固因子は，主に肝臓で合成，分泌される糖タンパク質である．

A. タンパク質分解による血液凝固連鎖反応（凝固カスケード）

血管損傷に応答して，タンパク質分解酵素の不活性型前駆体（チモーゲン）である凝固因子は，タンパク質分解（切断）によって順次活性型に変換される．活性化した酵素によって切断された酵素前駆体が，活性化型酵素として**凝固カスケード clotting cascade** の次のタンパク質を切断する．凝固因子の活性型は数字の後に小文字の“a”をつけ

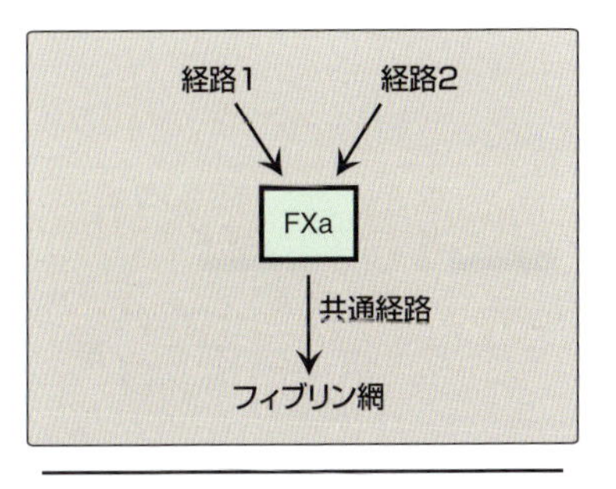

図35.2
フィブリン網の形成に関与する3つの経路．F：因子，a：活性型.

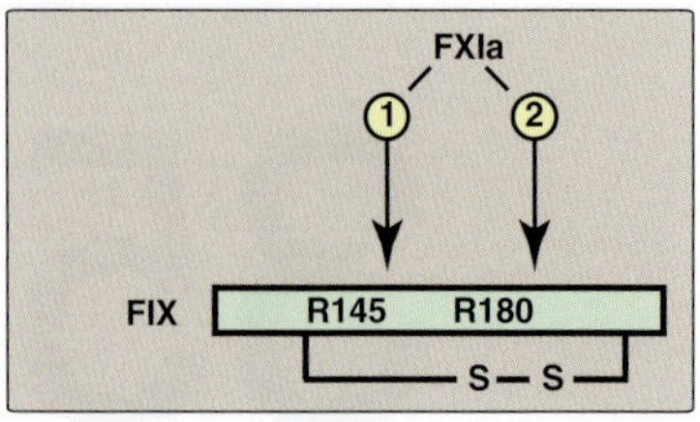

図35.3
セリンプロテアーゼFⅪaによるタンパク質分解（切断）を介したFⅨの活性化．［注：凝固因子によってはコンホメーション変化によって活性化するものもある．］F：因子，a：活性型，R：アルギニン残基，S–S：2つのシステイン残基間のジスルフィド結合．

て表記される．活性型タンパク質である第Ⅱa因子（FⅡa，トロンビンとも呼ばれる），第Ⅶa因子（FⅦa），第Ⅸa因子（FⅨa），第Ⅹa因子（FⅩa）および第Ⅺa因子（FⅪa）は，**セリンプロテアーゼ serine protease** 系の酵素で，ポリペプチド中のアルギニンまたはリシン残基のカルボキシ基側でペプチド結合を開裂させる．例えば，第Ⅸ因子（FⅨ）はFⅪaによってアルギニン145とアルギニン180のカルボキシ基側で切断されて活性化される（図35.3）．タンパク質分解カスケードでは，1分子の活性型タンパク質分解酵素が多くの活性型タンパク質分解酵素分子を産生する．それぞれがカスケードの次の反応のタンパク質分解酵素の多数の分子を活性化することができるため，非常に速い速度で活性化される．酵素によっては，タンパク質分解を受けずとも，酵素の構造変化により活性化されることもある．このように，タンパク質分解を受けない第Ⅲ因子（FⅢ，組織因子（TF）とも呼ばれる），第Ⅴ因子（FⅤ），第Ⅷ因子（FⅧ）などの酵素もまた，血液凝固経路の補因子としての役割を担っている．

B. ホスファチジルセリンとカルシウムの役割

負に帯電したリン脂質である**ホスファチジルセリン phosphatidylserine**（PS）と，正に帯電したカルシウムイオン（Ca^{2+}）は，凝固カスケードのいくつかのステップの速度を加速させる．

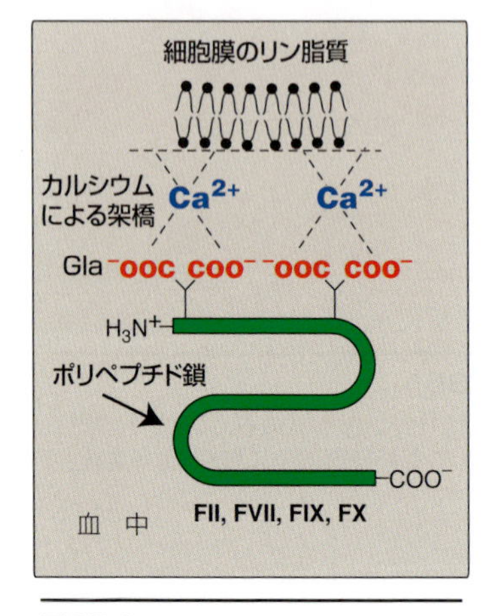

図35.4
Ca^{2+}は，γ-カルボキシグルタミン酸（Gla）含有タンパク質の細胞膜リン脂質への結合を促進する．F：因子．

1．ホスファチジルセリン：PSは，主に細胞膜の内側表面（細胞質側）に局在する．PSの細胞外への露出は，血管を覆う内皮細胞への血管損傷のシグナルとなる．PSはまた，活性化された血小板の細胞表面にも露出する．

2．カルシウムイオン：Ca^{2+}は，血液凝固の4つのセリンプロテアーゼ（FⅡ，FⅦ，FⅨ，FⅩ）に存在する負に帯電した**γ-カルボキシグルタミン酸**（Gla）残基と結合して，これらのセリンプロテアーゼが，細胞表面に露出したリン脂質と結合しやすくなる（図35.4）．Gla残基は，隣接する2つのカルボキシ基が負電荷を持つことにより，Ca^{2+}の優れたキレート剤となる（図35.5）．［注：採血管や輸血バッグの中でクエン酸ナトリウムのようなキレート剤でCa^{2+}を結合して除去すると，血液の凝固を防ぐことができる．］

C. γ-カルボキシグルタミン酸残基の生成

γ-カルボキシ化とは，標的タンパク質のアミノ末端にある9～12個のグルタミン酸残基のγ位の炭素がカルボキシ化されてGla残基となる翻訳後修飾のことである．この修飾は，肝細胞の粗面小胞体内で行われる．

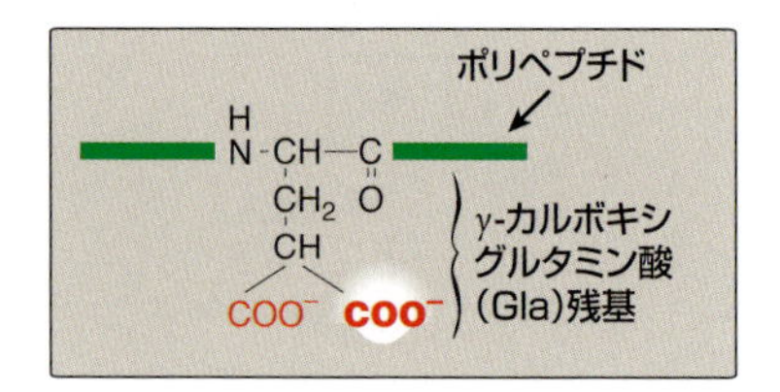

図35.5
タンパク質（ポリペプチド）中のγ-カルボキシグルタミン酸（Gla）残基．

1．γ-カルボキシ化反応：このカルボキシ化反応には，基質となるタンパク質，酸素（O_2），二酸化炭素（CO_2），**γ-グルタミルカルボキシラーゼ γ-glutamyl carboxylase**，および補酵素としてヒドロキノン型**ビタミンK vitamin K**が必要である（図35.6）．この反応では，O_2が水

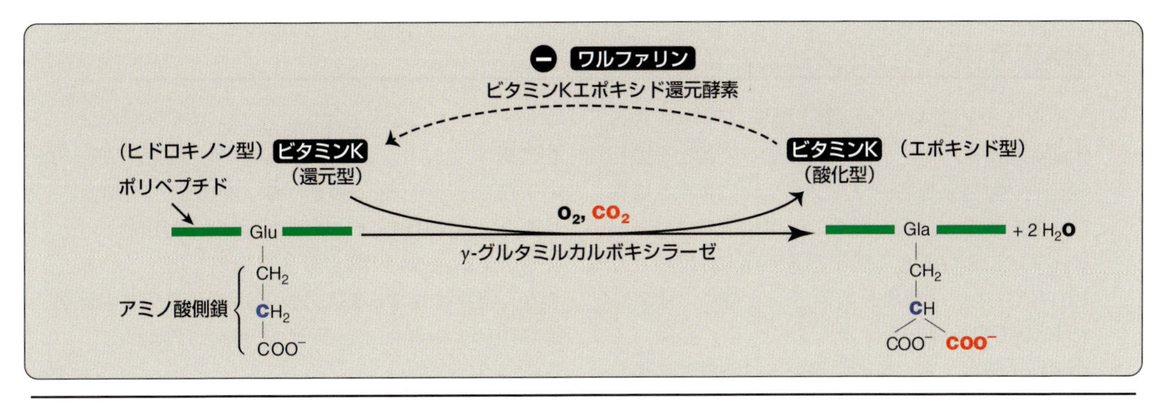

図35.6
ビタミンKを必要とするγ-グルタミルカルボキシラーゼによる，グルタミン酸（Glu）残基をγ-カルボキシグルタミン酸（Gla）残基へ変換するγ-カルボキシ化反応．γ位の炭素を青色で示す．O_2：酸素，CO_2：二酸化炭素．

に還元される際に，ビタミンKのヒドロキノン型はエポキシド型に酸化される．［注：脂溶性の食事性ビタミンK（p.491 参照）は，ビタミンK還元酵素によってキノン型からヒドロキノン補酵素型に還元される（図 35.7）．］

2．**ワルファリン（ワーファリン）warfarinによる阻害**：ビタミンKの合成アナログであるワルファリンは**ビタミンKエポキシド還元酵素 vitamin K epoxide reductase**（VKOR）を阻害して，Gla残基の形成は抑制される．この還元酵素は粗面小胞体膜に存在するタンパク質で，ビタミンKのγ-カルボキシ化反応で生成されたエポキシド型ビタミンKから機能的なヒドロキノン型ビタミンKを再生するために必要である．このように，ワルファリンおよびその関連薬は，ビタミンK拮抗薬として機能することにより，血液凝固を抑制する抗凝固薬として作用する．ワルファリン塩類は，血栓形成を抑制する治療で使用される．［注：ワルファリンは，殺鼠剤としても市販されている．ウィスコンシン州同窓会研究財団（Wisconsin Alumni Research Foundation）によって開発されたため，この名前がある．］

D．凝固経路

フィブリン網の形成経路には，外因系経路と内因系経路の 2 つがあるが，これらはFXaの産生という共通の経路に収束してフィブリン塊を形成する（図 35.2 参照）．

1．**外因系経路 extrinsic pathway**：この凝固経路には，血管が傷害されない限り通常は血液とは直接接しない**組織因子 tissue factor**（TF，FⅢとも呼ばれる）というタンパク質が関与している．組織因子は血管内皮下の細胞に多く発現している膜貫通型糖タンパク質である．組織因子は血管外に局在するタンパク質で，プロテアーゼ protease活性を持たない．血管が損傷し組織因子が血液と直接接触すると，速やかに（数秒以内に）外因系凝固経路（組織因子）経路が活性化し

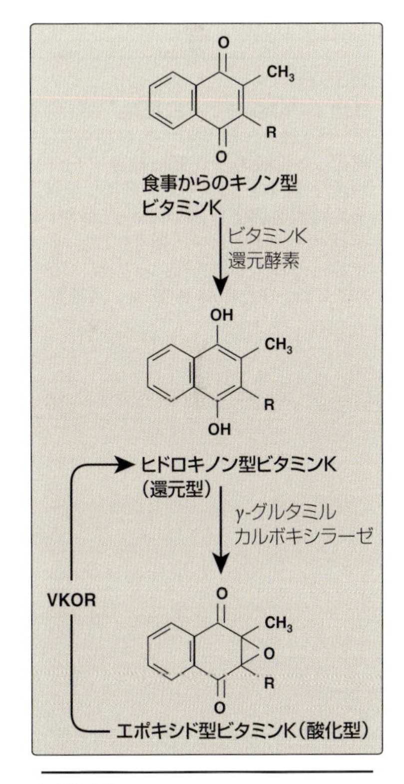

図35.7
ビタミンK回路．VKOR：酸化型（エポキシド型）ビタミンK還元酵素．

臨床応用 35.1：ワルファリンへの応答性

ビタミンKエポキシド還元酵素（VKOR）複合体の触媒サブユニット1（*VKORC1*）の遺伝子多型（遺伝子型）は，患者のワルファリンに対する応答に影響を与える．例えば，この遺伝子のプロモーター領域におけるある遺伝子多型（p.629参照）は，*VKORC1*遺伝子発現を低下させる結果，産生されるVKOR複合体が少なくなる．その結果，この遺伝子多型を持つ患者においては治療に必要なワルファリンは少量となる．また，ワルファリンを代謝するシトクロムP450酵素（*CYP2C9*）の遺伝子多型も知られている．2010年，米国食品医薬品局（FDA）は，ワルファリンの添付文書に遺伝子型に基づく投与量表を追加した．このような，薬物に対する個人の反応に遺伝が及ぼす影響についての学問は，薬理遺伝学と呼ばれている．

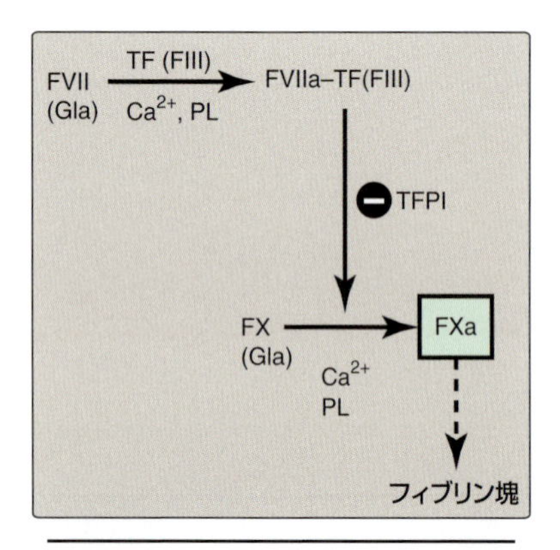

図35.8
外因系（組織因子，TF）経路．Gla含有タンパク質であるFⅦが，血管損傷により露出した組織因子（FⅢ）と結合するとFⅦが活性化される．［注：この経路は組織因子経路阻害因子（TFPI）によって速やかに不活性化される．］F：因子，Gla：γ-カルボキシグルタミン酸含有タンパク質，Ca^{2+}：カルシウム，PL：リン脂質，a：活性型．

はじめる．ひとたび血液と接触すると，組織因子は循環しているGla含有タンパク質である第Ⅶ因子（FⅦ）と結合し，高次構造を変化させてFⅦを活性化する．［注：FⅦはトロンビン（下記3.参照）や他のいくつかのセリンプロテアーゼによるタンパク質分解によって活性化されることもある．］FⅦ-組織因子複合体の活性化には，Ca^{2+}とリン脂質が必要である．**組織因子-FⅦa複合体 TF-FⅦa complex**は次に第Ⅹ因子（FX）と結合し，タンパク質分解によってFXを活性化する（図35.8）．したがって，外因系経路によるFXの活性化は，細胞膜に結合した状態で起こる．FXaはさらにFⅡ（プロトロンビン）の**共通経路 common pathway**での活性化を促進し，FⅡa（**トロンビン thrombin**）を生成する．外因系経路は**組織因子経路阻害因子 TF pathway inhibitor**（TFPI）によって速やかに不活性化されるが，このTFPIは，FXa依存的に組織因子-FⅦa複合体に結合して，FXaのさらなる産生を阻止することができる．

2．内因系経路 intrinsic pathway：内因系経路に関与するすべてのタンパク質は血液中に，すなわち血管内に存在する．内因系経路によるFXからFXaへの活性化に至る一連の反応はⅫaによって開始される．ⅫaはFⅪを第Ⅺa因子（FⅪa）に変換し，これがGlaを含むセリンプロテアーゼであるFⅨを活性化する．FⅨaは第Ⅷa因子（FⅧa，血液中のアクセサリータンパク質）と結合し，この複合体がFX（これもGla含有セリンプロテアーゼ Gla-containing serine protease）を活性化する（図35.9）．［注：FⅨa，FⅧa，FXは，細胞膜上に露出した負に帯電した領域にて複合体を形成し，ここでFXはFXaへと活性化される．この複合体はXaseと呼ばれることもある．この複合体が膜上のリン脂質に結合するためにはCa^{2+}が必要である．］

TFPIによって外因系経路が不活性化されると，FXaの産生を内因系経路に依存することになる．このことは，血友病患者が正常な外因系経路を持つにもかかわらず出血する理由を説明している．

臨床応用 35.2：血友病

血友病 hemophilia は凝固異常症(血液凝固能の障害)の1つである．血友病全体の80% を占める**血友病A hemophilia A** はFⅧの欠損から生じ，**血友病B hemophilia B** はFⅨの欠損が原因である．これらの凝固因子の欠損は，凝固能力の低下と遅延や異常に壊れやすい血栓の形成が特徴であり，これらは関節腔内への出血などといった形で現れる(図35.10)．血友病の重症度は欠損した凝固因子数によって異なる．現在の治療法は，ヒト保存血液や組換えDNA技術から得られたFⅧやFⅨを用いた凝固因子補充療法であるが，補充した凝固因子に対する抗体が産生されてしまうことがあるため，遺伝子治療が最終根本的治療法とされている．これら両凝固因子の遺伝子はX染色体上にあるため，血友病はX連鎖疾患である．[注：第Ⅺ因子(FⅪ)の欠損も出血傾向を呈し，血友病Cと呼ばれることもある．]

3．**共通経路 common pathway**：内因系経路と外因系経路の両方から産生されたFXaは，図35.11に示すように，**フィブリン fibrin**(第Ⅰa因子，FⅠa)の生成に至る一連の共通経路の反応を開始する．FXaは，Ca^{2+}およびリン脂質の存在下で**第Ⅴa因子**(FⅤa，血液中のアクセサリータンパク質)と**プロトロンビナーゼ prothrombinase** と呼ばれる膜結合型複合体を形成する．この複合体は，**プロトロンビン prothrombin**(FⅡ)を切断し，トロンビン(FⅡa)を生成する．[注：FⅤaはFXaのタンパク質切断活性を増強する．] FⅡのGla残基とCa^{2+}の結合により，FⅡは膜およびプロトロンビナーゼ複合体に結合し，切断されてFⅡaとなる．開裂によりGlaを含む領域が切除され，FⅡaは膜から遊離して血中の**フィブリノーゲン fibrinogen**(FⅠ)を活性化する．[注：Glaタンパク質が切断され，Glaを含むペプチドが放出されるのはこの例だけである．このペプチドは肝臓に運ばれ，凝固系タンパク質の産生を増加させるシグナルとして働くと考えられている．]FXaを直接阻害する経口薬は，抗凝固薬として臨床での使用が承認されている．ワルファリンとは対照的に，これらの薬物はより速やかな作用発現と短い半減期を有するため，血液凝固機能の定期的なモニタリングは困難である(訳注：実は必要と考えられるようになってきたができない)．

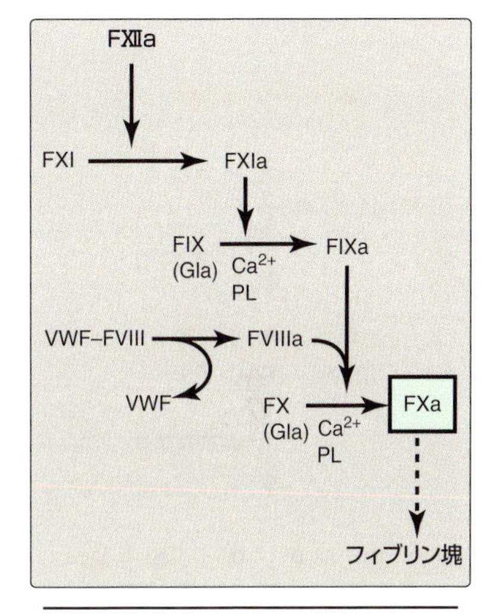

図35.9
内因系経路におけるFX活性化フェーズ．[注：フォン・ウィルブランド因子(VWF)は循環血液中のFⅧを安定化する．] Gla：γ-カルボキシグルタミン酸含有タンパク質，PL：リン脂質，a：活性型，F：因子，Ca^{2+}：カルシウム．

FⅡ遺伝子の3′非翻訳領域の20,210番目のヌクレオチドのアデニン(A)がグアニン(G)に置き換わるというよくみられる点変異(G20210A)は，FⅡの血中濃度を上昇させる．その結果，血液が凝固しやすくなり血栓症が生じる．

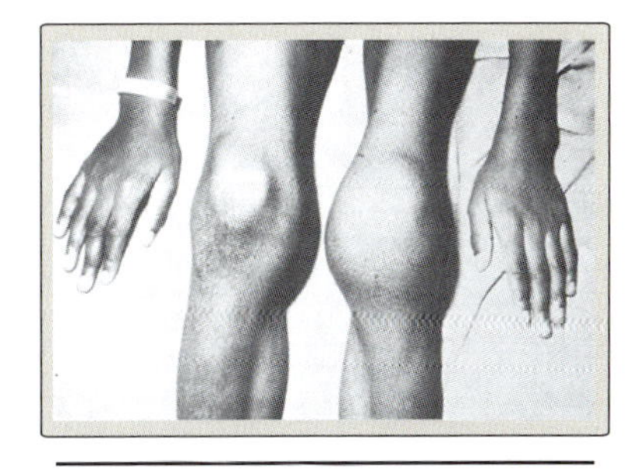

図35.10
血友病患者でみられる関節腔内への急性出血(関節血症/血友病性関節症)．

a．**フィブリノーゲンのフィブリンへの切断**：フィブリノーゲン(FⅠと呼ばれることもある)は，肝臓で作られる可溶性の糖タンパク質である．フィブリノーゲンは3種類のポリペプチド鎖の二量体($[\alpha\beta\gamma]_2$)で，N末端がジスルフィド結合で結合している．α鎖とβ鎖のN末端は，3つの球状ドメインの中心で「房」のよう

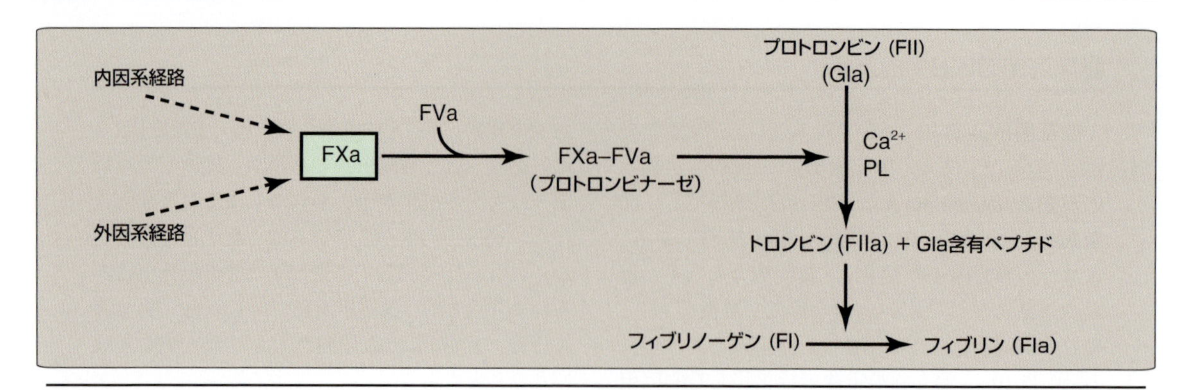

図35.11
FXaによるフィブリンの生成と共通経路．Gla：γ–カルボキシグルタミン酸，PL：リン脂質，a：活性型，F：因子，Ca^{2+}：カルシウム．

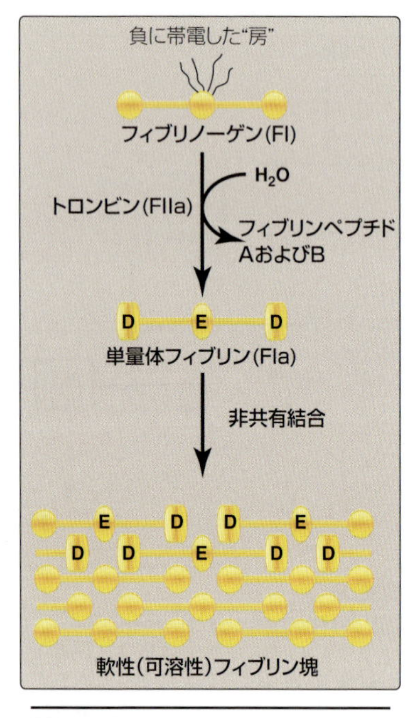

図35.12
フィブリノゲンからフィブリンへの変換と，軟性(可溶性)フィブリン塊の形成．[注：D分画とE分画はフィブリン中のドメインを示す．]

な形になっている(図35.12)．この「房」は負に帯電しており，フィブリノーゲン分子間の反発をもたらす．トロンビン(FⅡa)は帯電した束を切断し(フィブリンペプチドAおよびBを放出)，FⅠはFⅠa(フィブリン)となる．電荷が失われた結果，フィブリンモノマーは非共有結合によって互い違いに配列し，**軟性(可溶性)フィブリン塊 soft (soluble) fibrin clot** が形成される．

b. **フィブリンの架橋**：フィブリン分子が共有結合で**架橋 cross-linking** され，軟らかいフィブリン塊が**硬性(不溶性)フィブリン塊 hard (insoluble) fibrin clot** に変化する．トランスグルタミナーゼ transglutaminase である**第ⅩⅢa因子**(FⅩⅢa)は，イソペプチド結合とアンモニアの放出によって，フィブリン分子中のグルタミン残基のγ位のカルボキシ基を別のリシン残基のε-アミノ基と共有結合させる(図35.13)．[注：第ⅩⅢ因子(FⅩⅢ)はトロンビンによっても活性化される．]

c. **トロンビンの重要性**：外因系経路はFXを閃光的(急峻)に活性化し，トロンビンの活性化を主導的に開始する「着火剤」となる．トロンビン(FⅡa)はさらに共通経路(FV，FⅠ，FⅩⅢ)，内因系経路(FⅪ，FⅧ)，外因系経路(FⅦ)の凝固因子を活性化する(図35.14)．そして，外因系経路FⅦaはFXaの生成により凝固を開始し，内因系経路は外因系経路がTFPIにより阻害された後も凝固反応を増幅して持続させる．[注：薬用ヒルの唾液腺から分泌されるペプチドであるヒルジンは，トロンビンを直接強力に阻害する薬物(直接的トロンビン阻害薬 direct thrombin inhibitor, DTI)である．注射用遺伝子組換えヒルジンは，臨床での使用が承認されている．ダビガトランは経口のDTIである(訳注：臨床的には direct oral anticoagulant (DOAC) と総称される)．] さらに，FⅦa-組織因子を介した内因系経路の活性化と第Ⅻa因子(FⅫa)を介した外因系経路の活性化によって，各血液凝固経路間のクロストークが完成される．硬性フィブリン塊の形成を介した生理的な血液凝固の全体像を図35.15に示す．図35.16に凝固カスケードの因子を機能ごとに整理して示した．

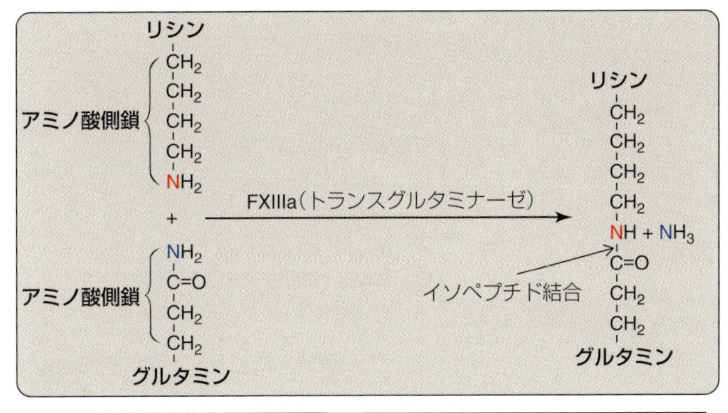

図35.13
フィブリンの架橋．FⅩⅢaはリシン残基とグルタミン残基の間でイソペプチド結合（共有結合）を形成する．F：因子，NH_3：アンモニア．

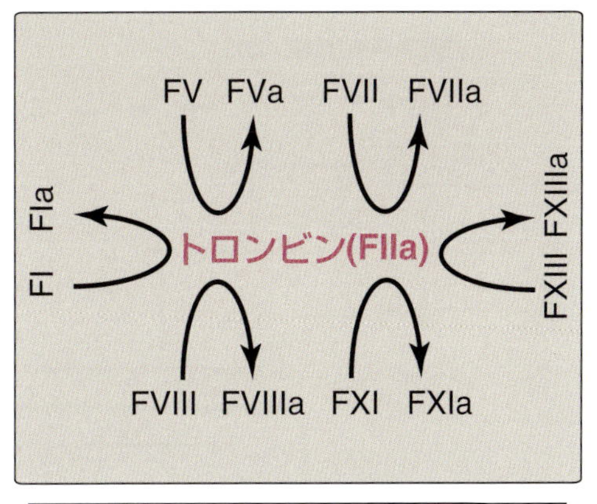

図35.14
フィブリン塊が形成される過程におけるトロンビンの重要性．

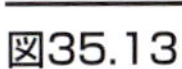

臨床検査では，外因系経路（トロンボプラスチンを用いたプロトロンビン時間（PT），国際標準化比率（INR）で表される）から共通経路，および内因系経路（活性化部分トロンボプラスチン時間，APTT）から共通経路を介した凝固機能を，それぞれ評価することが可能である．トロンボプラスチンは，リン脂質とFⅢ（組織因子）からなる複合体である．内因系経路の活性化にはFⅢが必要ないため，APTT測定時に用いられる部分トロンボプラスチンは，リン脂質部分のみを含んでいる．

Ⅲ．凝固の抑制

凝固を損傷部位に限局させ（抗凝固），損傷の修復が進んだら血栓を除去する（**線溶 fibrinolysis**）ことは，止血においてきわめて重要なことである．これらの反応は，凝固因子に結合して血中から除去したり，凝固因子を分解したりすることによって凝固因子を不活性化するタンパク質や，フィブリン網を分解するタンパク質によって行われる．

A．凝固因子不活性化タンパク質

血管の損傷部位での血栓形成と，損傷部位以外での血栓形成の抑制は，肝臓と血管自体で合成されるタンパク質がそのバランスを保っている．

1．アンチトロンビン：アンチトロンビンⅢ **antithrombin** Ⅲ（ATⅢ，ATとも呼ばれる）は，血中を循環している肝臓で合成されるタンパク質である．遊離トロンビンに結合して肝臓に運ぶことで不活性化し（図35.17），その結果トロンビンを凝固反応に関与させないようにする．［注：ATⅢは“**セルピン serpin**”とも呼ばれるセリンプロテアーゼ阻

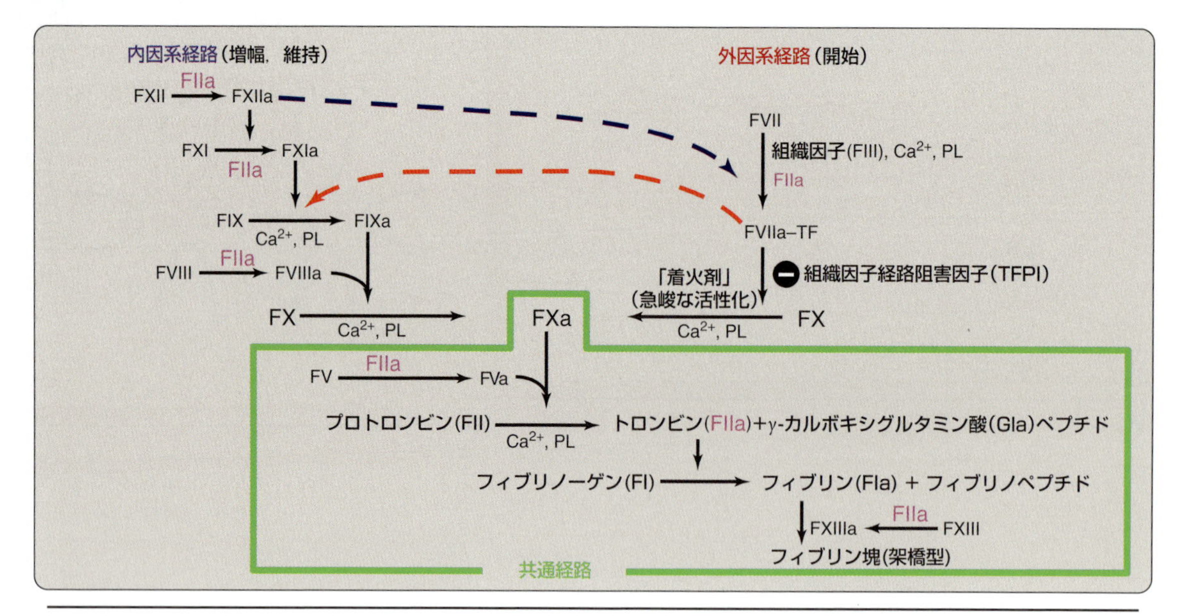

図35.15

架橋された（硬い）フィブリン塊の形成による生理的血液凝固の全体像．PL：リン脂質，Ca^{2+}：カルシウム．

セリンプロテアーゼ
II, VII, IX, X, XI, XII

γ-カルボキシグルタミン酸含有プロテアーゼ
II, VII, IX, X

アクセサリータンパク質*
III, V, VIII

図35.16

機能別に整理した凝固カスケードのタンパク質．活性化型は数字の後に“a”をつけて表す．［注：カルシウムは第Ⅳ因子（FⅣ）である．第Ⅵ因子（FⅥ）はない．FⅠ（フィブリン）はプロテアーゼでもアクセサリータンパク質でもない．FⅢはトランスグルタミナーゼである．］（*訳注：付属タンパク質．一次機能を持つ別のタンパク質（主タンパク質）に付随して，そのタンパク質が正しく折り畳まれるのを助けたり，正しい場所に配置されたり，安定化させたり，など，なんらかの形で主タンパク質の機能を補助するタンパク質のこと．）

害剤である．セルピンは反応性ループを持ち，そこに特定のプロテアーゼが結合する．反応性ループに結合したプロテアーゼはセルピンのペプチド結合を切断し，他の酵素を共有結合で捕捉できるような構造変化を引き起こす（α_1 アンチトリプシンもセルピンである，p.62 参照）．ATⅢのトロンビンに対する親和性は，ATⅢが，血管近傍の肥満細胞が傷害に反応して放出する細胞内グリコサミノグリカン（p.207参照）であるヘパラン硫酸と結合すると大幅に増大する．ヘパリンは血栓形成を抑制する治療に用いられる抗凝固剤である．［注：同じく抗凝固剤であるワルファリンが遅効性で半減期が長く経口投与であるのに対し，ヘパリンは即効性で半減期が短く，皮下・静脈内投与が必要である．この２つの薬物は，血栓症の治療と予防の目的で適宜使用される．］ATⅢは，FXaをはじめ，血液凝固のセリンプロテアーゼであるFⅨa，FⅪa，FⅫaと，FⅦa-TF複合体も不活性化する．［注：ATⅢはオリゴ糖であるヘパリンの特定の五糖に結合する．FⅡaの阻害にはやや長めのオリゴ糖配列が必要であるが，FXaの阻害には五糖のみが必要である．人工合成型五糖であるフォンダパリヌクスは，FXaを阻害する目的で臨床で用いられている．］

FIIa（血中） —ATIII，ヘパリン→ FII–ATIII–ヘパリン ——→ FII–ATIII + ヘパリン（肝臓へ）

図35.17

アンチトロンビンⅢ（ATⅢ）との結合および肝臓への輸送によるFⅡa（トロンビン）の不活性化．［注：ヘパリンはATⅢのFⅡaに対する親和性を高める．］

2．**プロテインC-プロテインS複合体**：**プロテインC protein C**は，肝臓で作られる循環型のGla含有タンパク質で，トロンビンとトロンボモジュリンとの複合体によって活性化される．トロンボモジュリンは血管内皮細胞の膜に局在する糖タンパク質で，トロンビンと結合することにより，トロンビンのフィブリノーゲン fibrinogenに対する親和性を減弱させ，プロテインCに対する親和性を増加させる．プロテインCは，同じくGla含有タンパク質である**プロテインS protein S**と複合体となって**活性化プロテインC（APC）複合体 activated protein C（APC）complex**を形成し，FXaの最大活性に必要なアクセサリータンパク質であるFVaとFⅧaを切断する（図35.18）．プロテインSはAPCを血栓に固定するのに役立つ．トロンボモジュリンはトロンビンの活性を調節し，トロンビンを凝固タンパク質から抗凝固タンパク質へと変換し，それによって過剰な凝固を制限している．**FVライデン factor V Leiden**は，506位のアルギニンがグルタミンに置換されたFVの変異型で，APC複合体に対する抵抗性を有している．米国では最も一般的な**血栓症 thrombophilia**の遺伝的原因であり，白人に最も頻度が高い．ヘテロ変異では静脈血栓症のリスクが7倍，ホモ変異では最大50倍高いと推定されている．［注：FVライデンを持つ女性は，妊娠中やエストロゲン服用時に血栓症のリスクがさらに高くなる．］

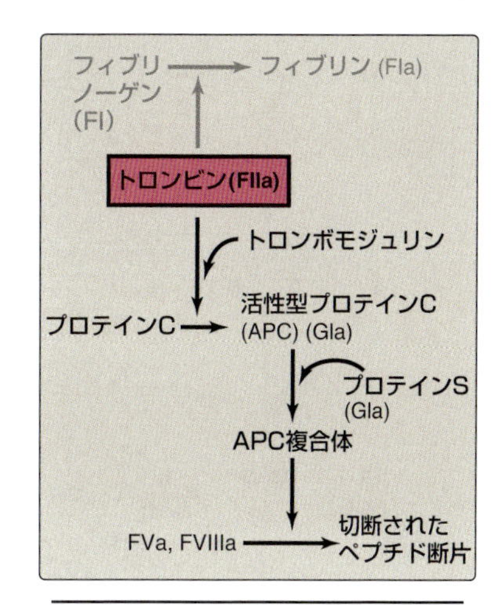

図35.18
APC複合体の形成とその作用．Gla：γ-カルボキシグルタミン酸，a：活性型，F：因子．

B．線　溶　系

血栓は一時的なパッチであり，創傷修復が始まると除去されなければならない．フィブリン塊は，プロテアーゼであるプラスミンによって分解され，フィブリン分解産物になる（図35.19）．［注：2つの架橋Dドメインを含むフィブリン分解産物dダイマーは，プラスミンの作用により放出されるが，このdダイマーを定量することで凝固の程度を評価することができる．］**プラスミン plasmin**は，**プラスミノーゲン plasminogen**から**プラスミノーゲン活性化因子 plasminogen activator**によって活性化されるセリンプロテアーゼである．プラスミノーゲンは肝臓から循環血中に分泌され，フィブリンと結合し，形成された血栓の中に取り込まれる．**組織プラスミノーゲン活性化因子 tissue plasminogen activator（t-PA）**は，血管内皮細胞で作られ，トロンビンに反応して不活性型として分泌されるが，フィブリン-プラスミノーゲンに結合すると活性化される．結合したプラスミンと活性化型t-PAは，それぞれα_2アンチプラスミン，プラスミノーゲン活性化阻害因子

臨床応用 35.3：血栓症

血栓症 thrombophilia（凝固能亢進症）は，プロテインC，プロテインS，ATⅢの欠乏，FVライデン変異の存在，トロンビンの過剰産生（G20210A変異）によって生じることがある．また，ループスなどの自己免疫疾患を持つ人にみられる抗リン脂質抗体によっても引き起こされる．［注：深部静脈血栓症のように下肢の深部静脈にできた血栓 deep venous thrombosis（DVT）やその破片が血流に乗って肺へと移動し，肺動脈の血流を遮断すると肺塞栓症 pulmonary embolism（PE）を引き起こすことがある．］

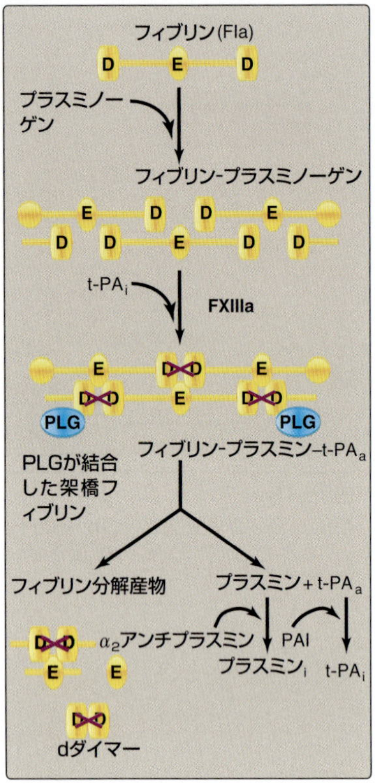

フィブリン(FIa)
プラスミノーゲン
フィブリン-プラスミノーゲン
$t\text{-}PA_i$
FXIIIa
PLG
フィブリン-プラスミン-$t\text{-}PA_a$
PLGが結合した架橋フィブリン
フィブリン分解産物
プラスミン+$t\text{-}PA_a$
α_2アンチプラスミン
PAI
プラスミン$_i$
$t\text{-}PA_i$
dダイマー

図35.19
線溶系(フィブリン分解). プラスミンは架橋されたフィブリンを切断し, フィブリン分解産物にする. プラスミンと組織プラスミノーゲンアクチベーター(t-PA)は血栓から遊離される. i:不活性化型, a:活性型, PAI:プラスミノーゲン活性化阻害因子, PLG:プラスミノーゲン.

(PAI)という阻害因子から保護される. その阻害因子は, フィブリン塊が溶解すると, それら阻害因子はプラスミンや活性化型t-PAを阻害できるようになる. 組換えDNA技術によって作られたt-PA製剤が発売されており, 線溶系を活性化する治療で用いられている. 現在, t-PAは主に脳の虚血性疾患(脳卒中)に使用されている. 心筋梗塞の治療には機械的な血栓除去術(トロンベクトミー)がより一般的に使用されている. [注:ウロキナーゼ urokinaseはさまざまな組織で作られるプラスミノーゲン活性化因子(u-PA)であり, もともとは尿から単離されたものである. ストレプトキナーゼ streptokinase(細菌由来)は遊離型およびフィブリン結合型の両方のプラスミノーゲンを活性化する(訳注:ウロキナーゼとストレプトキナーゼは出血の有害作用が強く, 現在ではほとんど使用されない).]

プラスミノーゲンには, タンパク質間の相互作用を媒介する「クリングルドメイン」と呼ばれる構造モチーフがある. リポタンパク質(a)(Lp(a))にもクリングルドメインがあるため, Lp(a)はプラスミノーゲンと競合してFIa(フィブリン)に結合する. このようなLp(a)の線溶系阻害能が, 血中Lp(a)高値と心血管疾患リスク増大との関連性の根拠となっているのかもしれない(p.296参照).

Ⅳ. 一次止血—血小板血栓の形成

血小板(血栓細胞)は, 巨核球の小さな断片で, 核を持たず, 損傷した内皮の露出したコラーゲンに付着して活性化し, 凝集して**血小板血栓 platelet plug**を形成する(図35.20. 図35.1も参照). 血小板血栓の形成は, 出血に対する最初の反応であるため「一次止血」と呼ばれている. 健康な成人の場合, 血液1 μL中に15万〜45万個の血小板が存在する. 寿命は10日程度で, その後, 肝臓や脾臓で取り込まれて破壊される. 臨床では, 血小板の数や活性を測定する検査が行われている.

A. 血小板の粘着

血管損傷部位に露出したコラーゲンへの血小板の粘着は, フォン・ウィルブランド因子 von Willebrand factor(VWF)というタンパク質によって媒介される. VWFはコラーゲンに結合し, 血小板は血小板表面の膜受容体複合体(GPIb-GPV-GPIX複合体)の構成要素である血小板糖タンパク質Ib(GPIb)を介してVWFに結合する(図35.21). VWFと結合すると, 血小板をその場にとどめることができる. [注:VWFの受容体の欠損は, 血小板の粘着力が低下する疾患であるベルナール・スーリエ Bernard-Soulier症候群を引き起こす.] VWFは, 血小板から放出される糖タンパク質であるが, 血管内皮細胞からも作られ

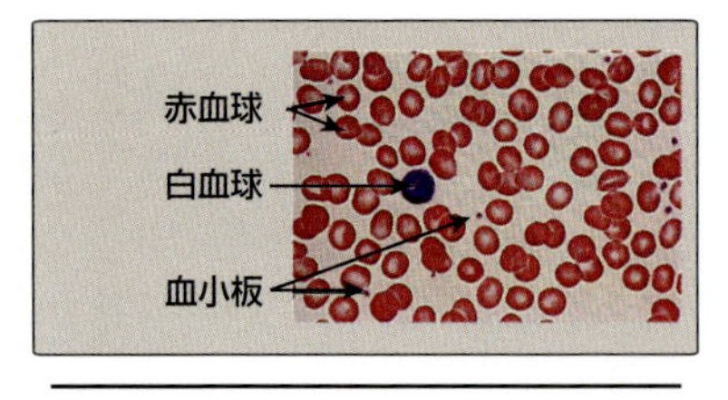

図35.20
血小板, 赤血球, 白血球の大きさの比較.

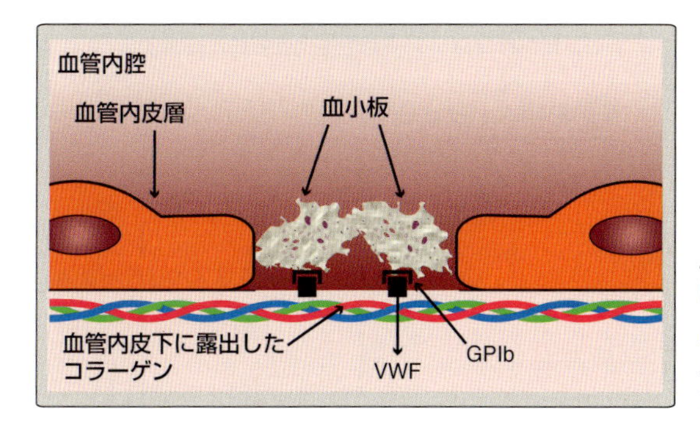

図35.21
血小板糖タンパク質Ib受容体(GPIb)を介した血小板のフォン・ウィルブランド因子(VWF)への結合．VWFは血管損傷部位で露出したコラーゲンに結合している．

て分泌される．VWFは血小板とコラーゲンの結合に介在するだけでなく，血中のFⅧに結合して安定化させる．VWFが欠損すると，最も一般的な遺伝性凝固異常症であるフォン・ウィルブランド病 von Willebrand desease (VWD)が引き起こされる．VWDは，血小板とコラーゲンとの結合の低下とFⅧの欠乏(分解が亢進するため)に起因する．また，血小板は細胞膜に局在する受容体糖タンパク質Ⅵ(GPⅥ)を介してコラーゲンに直接結合することもできる．血小板がコラーゲンに接触すると，血小板は活性化される．[注：内皮の損傷は組織因子をも露出させ，外因系凝固経路とFXの活性化を開始させる(図35.8参照)．]

B．血小板の活性化

傷害部位に粘着した血小板は，形態学的変化(形状の変化)と脱顆粒(血小板のα顆粒およびδ顆粒(または濃染顆粒)などの貯蔵顆粒の内容物を分泌する過程)を経て活性化される．また，活性化された血小板は，その表面にホスファチジルセリン(PS)を露出させる．PSは，フリッパーゼ flippaseによって作られた膜の非対称性を，Ca^{2+}活性化酵素スクランブラーゼ scramblaseが破壊することによって細胞表面へと外在化する(p.266参照)．トロンビンは最も強力な血小板活性化因子である．トロンビンは血小板の表面にあるGタンパク質共役型受容体(GPCR)の一種であるプロテアーゼ活性化型受容体に結合し，活性化する(図35.22)．トロンビンは主にG_qタンパク質と結合し(p.267参照)，ホスホリパーゼC phospholipase Cを活性化し，ジアシルグリセロール(DAG)とイノシトール三リン酸(IP_3)の細胞内濃度を上昇させる．[注：トロンボモジュリンは，トロンビンと結合することによってトロンビンの血小板活性化への利用を制限する(図35.18参照)．]

1．**脱顆粒**：DAGはプロテインキナーゼCを活性化し，これが脱顆粒のキーイベントとなる．IP_3により(濃染顆粒から)Ca^{2+}が放出される．このCa^{2+}はホスホリパーゼA_2 phospholipase A_2を活性化し，細胞膜のリン脂質を切断してアラキドン酸を放出する．アラキドン酸は，シクロオキシゲナーゼ-1 cyclooxgenase-1(COX-1)によって活性化した血小板においてトロンボキサンA_2(TXA_2)を合成するための基質になる(p.275参照)．TXA_2は血管収縮を引き起こし，脱顆粒を増大させ，血小板膜上のGPCRに結合して，さらに他の血小板を活性

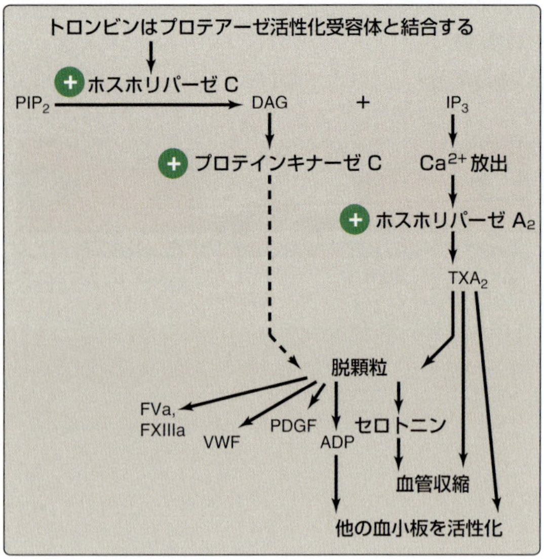

トロンビンはプロテアーゼ活性化受容体と結合する
(+) ホスホリパーゼ C
PIP_2 → DAG + IP_3
(+) プロテインキナーゼ C
Ca^{2+} 放出
(+) ホスホリパーゼ A_2
TXA_2
脱顆粒
FVa, FXIIIa
VWF
PDGF
ADP
セロトニン
血管収縮
他の血小板を活性化

図35.22
トロンビンによる血小板の活性化.［注：プロテアーゼ活性化受容体はGタンパク質共役型受容体(GPCR)の一種.］PIP_2：ホスファチジルイノシトール4,5-ビスリン酸，DAG：ジアシルグリセロール，IP_3：イノシトール三リン酸，TXA_2：トロンボキサンA_2，ADP：アデノシン二リン酸，PDGF：血小板由来成長因子，VWF：フォン・ウィルブランド因子.

化させる．アスピリンはCOXを不可逆的に阻害し，その結果，TXA_2の合成を阻害するために抗血小板薬と呼ばれることを思い出してほしい．また，脱顆粒により濃染顆粒からセロトニンとADPが放出される．セロトニンは血管収縮を引き起こす．ADPは血小板表面のGPCRに結合し，さらに他の血小板を活性化させる．［注：クロピドグレルなど一部の抗血小板薬はADP受容体拮抗薬である．］α顆粒からは，血小板由来成長因子platelet-derived growth factor(PDGF．創傷治癒に関与)，VWF，FV，FXIII，フィブリノーゲンなどのタンパク質が放出される．［注：血小板活性化因子platelet-activating factor(PAF)は，内皮細胞や血小板を含むさまざまな種類の細胞によって生成されるエーテルリン脂質(p.263参照)で，血小板表面上のGPCRでもあるPAF受容体と結合してそれらを活性化する．］

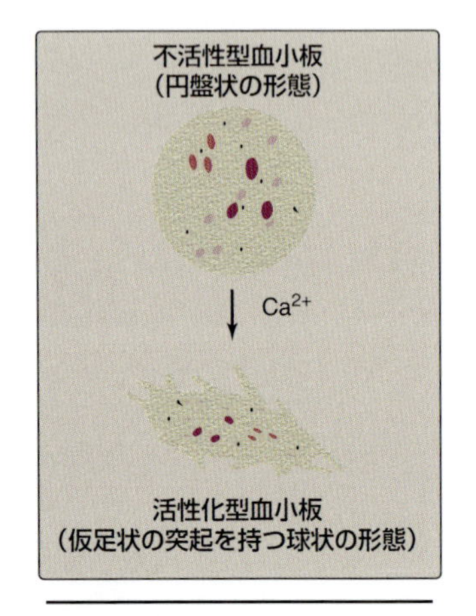

図35.23
血小板は活性化の際にカルシウム(Ca^{2+})によって形状変化を起こす.

2．形態学的変化：濃染顆粒からのCa^{2+}の放出によって，不活性型血小板の円盤状の形態が，活性化型血小板の仮足状の突起を持つ球状の形態へと変化し，それによって血小板-血小板および血小板-血栓表面の相互作用が促進される(図35.23)．Ca^{2+}がカルモジュリン(p.173参照)に結合するとミオシン軽鎖キナーゼmyosin light chain kinaseを活性化させ，その結果ミオシン軽鎖がリン酸化されて血小板細胞骨格が大きく再編成される．

C．血小板凝集

活性化により血小板は劇的に変化し，凝集する．表面受容体(GPIIb/IIIa)の構造変化により，フィブリノーゲンの結合部位が露出する．結合したフィブリノーゲン分子は活性化した血小板どうしをつなぐ．フィブリノーゲン1分子が2つの血小板を結合させることができる(図35.24)．フィブリノーゲンはトロンビンによってフィブリンに変換され，さらに血中および血小板由来のFXIIIaによって共有結合で架橋される．［注：活性化血小板表面のPSの露出により，Xase複合

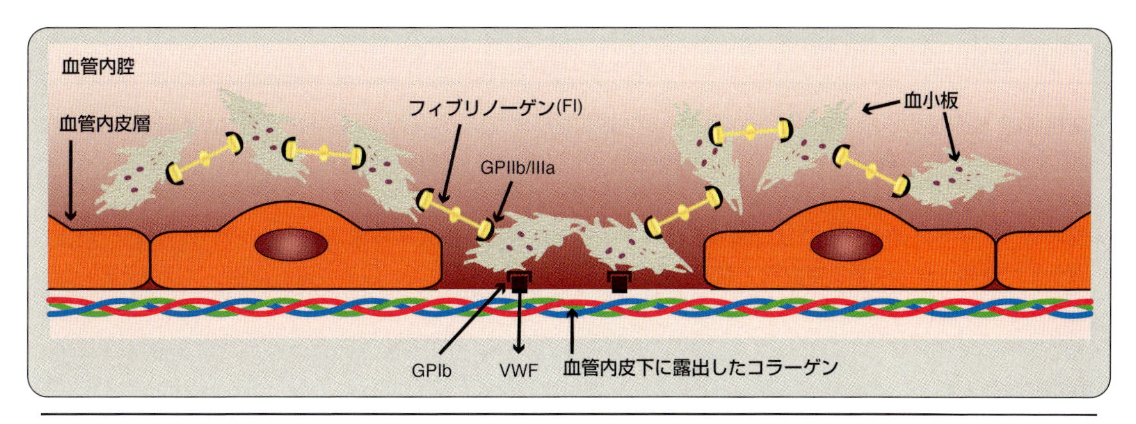

図35.24
血小板糖タンパク質Ⅱb/Ⅲa（GPⅡb/Ⅲa）の受容体を介したフィブリノーゲンによる血小板の結合．［注：フィブリノーゲン分子内の図形は両側2つのDドメインと中央1つのEドメインを表す．］GPIb：血小板糖タンパク質Ib受容体，VWF：フォン・ウィルブランド因子．

体（Ⅷa，Ⅸa，Ⅹ，Ca^{2+}）の形成とそれに続くFXaの形成やFⅡaの合成が可能となる．］フィブリン形成（二次止血）により，血小板血栓は強固なものとなる．［注：まれに血小板のフィブリノーゲン受容体に欠損があるとグランツマン血小板無力症 Glanzmann desease（血小板機能の低下）を引き起こし，またこの受容体に対する自己抗体が産生されると免疫性血小板減少症（血小板数の減少）が引き起こされる．］

血小板が不必要に活性化されないのは，（1）正常な血管壁は単層の内皮細胞によって血液から隔てられており，血小板とコラーゲンの接触が防がれていること，（2）内皮細胞が血管拡張作用を持つプロスタグランジンI_2（PGI_2，別名：プロスタサイクリン）と一酸化窒素（NO）を合成すること，（3）内皮細胞は細胞表面にADPをアデノシン一リン酸（AMP）へと転換するADPaseを持っていること，などがその理由としてあげられる．

35 章の要約

- **血栓形成**（**血液凝固**）は，傷ついた血管からの出血を速やかに止め，血液量を一定に保つために行われる（**止血**）．止血は，**血小板**のプラグと**フィブリン網**からなる凝血塊・**血餅**（**血栓**）を形成することで完了する（図35.25）．
- **凝固カスケード**による**フィブリン網**の形成には，**外因系経路**と**内因系経路**があり，これらの経路がFXaに収束して開始される一連の凝固因子群が**共通経路**を形成している．凝固因子の多くは**セリンプロテアーゼ**である．
- 血栓溶解酵素**FⅡ**，**FⅦ**，**FⅨ**，**FⅩ**中のγ-カルボキシグルタミン酸（Gla）残基の生成には，**γ-グルタミルカルボキシラーゼ**とその補酵素であるヒドロキノン型**ビタミンK**が必要である．Ca^{2+}とGla残基は，血管の損傷部位や血小板の表面で負に帯電した**ホスファチジルセリン**（**PS**）とこれらの凝固因子との結合を促進する．
- カルボキシラーゼ反応により，ビタミンKは酸化され，不活性型なエポキシド型となる．血液凝固を抑えるために臨床的に使用されている**ワルファリン**はビタミンKの合成アナログで，活性型（還元型）ビタミンKを再生する**ビタミンKエポキシド還元酵素**（**VKOR**）という酵素を阻害する．
- 外因系経路は，血管内皮下の**アクセサリータンパク質**である**FⅢ**（**組織因子**，**TF**）の露出によって開始される．循環血液中のFⅦは組織因子に結合して活性化され，**組織因子-FⅦa複合体**を形成し，これがタンパク質切断によりFXを活性化する．FXaは共通経路での**トロンビン**（**FⅡa**）の産生を可能にし，トロンビンは内因系経路の凝固因子も活性化する．外因系経路は**組織因子経路阻害因子**（**TFPI**）によって速やかに阻害される．
- 内因系経路は**FⅡa**によって開始され，FⅪがFⅪaへと活性化される．FⅪaはFⅨをFⅨaへと活性化する．FⅨaはFⅧaと結合し，その複合体がFXを活性化する．FⅧが欠損すると**血友病A**となり，FⅨが欠損すると**血友病B**となることが知られている．
- 共通経路では，FXaは**FⅤa**（アクセサリータンパク質）と結合して**プロトロンビナーゼ**を形成し，**プロトロンビン**（**FⅡ**）を切断して**トロンビン**（**FⅡa**）を生成する．そして，トロンビンは**フィブリノーゲン**（**FⅠ**）を切断して**フィブリン**（**FⅠa**）を生成する．
- フィブリンモノマーは会合して**可溶性**（**軟性**）**のフィブリン塊**を形成し，**FⅩⅢa**によって**架橋**され，**不溶性**（**硬性**）**のフィブリン塊**を形成する．フィブリン塊は，**組織プラスミノーゲン活性化因子**（**t-PA**）などの**プラスミノーゲン活性化因子**によって**プラスミノーゲン**から生成されるセリンプロテアーゼである**プラスミン**というタンパク質によって切断される（**線溶**）．遺伝子組換えt-PAは，脳の虚血性疾患（脳卒中）の治療薬として使用されている．
- 肝臓や血管では，血液凝固を制限する**抗凝固性**タンパク質が産生されている．セリンプロテアーゼ阻害剤（または**セルピン**）である**アンチトロンビンⅢ**は，ヘパラン硫酸（または抗凝固剤ヘパリン）により活性化され，トロンビンおよびFXaに結合して血液から除去する．**プロテインC**は**トロンビン-トロンボモジュリン複合体**によって活性化され，**プロテインS**と複合体を形成し，**活性化プロテインC**（**APC**）**複合体**を生成する．APC複合体はアクセサリータンパク質であるFⅤaとFⅧaを切断する．**FⅤライデン**変異はAPCに抵抗性であり，米国で最も一般的な遺伝性**血栓症**の原因となっている．
- **血小板血栓**の形成は，組織の損傷によって血管が傷つき，血管内皮下のコラーゲンが血管内腔に露出することで開始される．血小板は，その表面にあるGPIbと内皮下のコラーゲンに結合しているフォン・ウィルブランド因子との相互作用によって，露出したコラーゲンに付着する．フォン・ウィルブランド因子の欠損は，最も一般的な遺伝性凝固異常症であるフォン・ウィルブランド病を引き起こす．
- 付着した血小板は活性化され，血管の損傷部位に凝集する．血小板の活性化には，形状の変化と脱顆粒（血小板が貯蔵顆粒の内容物を放出する過程）の2つの過程がある．トロンビンは血小板の最も強力な活性化剤である．

- 活性化された血小板は，血管収縮を引き起こす物質を放出し，他の血小板を誘導して活性化し，フィブリン塊の形成をサポートする．血小板表面受容体GPⅡb/Ⅲaの構造変化により，フィブリノーゲンとの結合部位が露出し，それにより活性化した血小板どうしがつなぎ合わされて，最初の緩い血小板血栓が形成される（一次止血）．
- フィブリノーゲンはトロンビンによってフィブリンに変換される．フィブリンは，血液中と血小板の両方由来のFⅩⅢaによって架橋される．これによりフィブリン網が強化され，血小板血栓が安定化する（二次止血）．
- 血小板や凝固因子タンパク質の異常によって，血液凝固能が損なわれることがある．プロトロンビン時間（PT）と活性化部分トロンボプラスチン時間（APTT）は，凝固カスケードを評価するために用いられる臨床検査項目である．

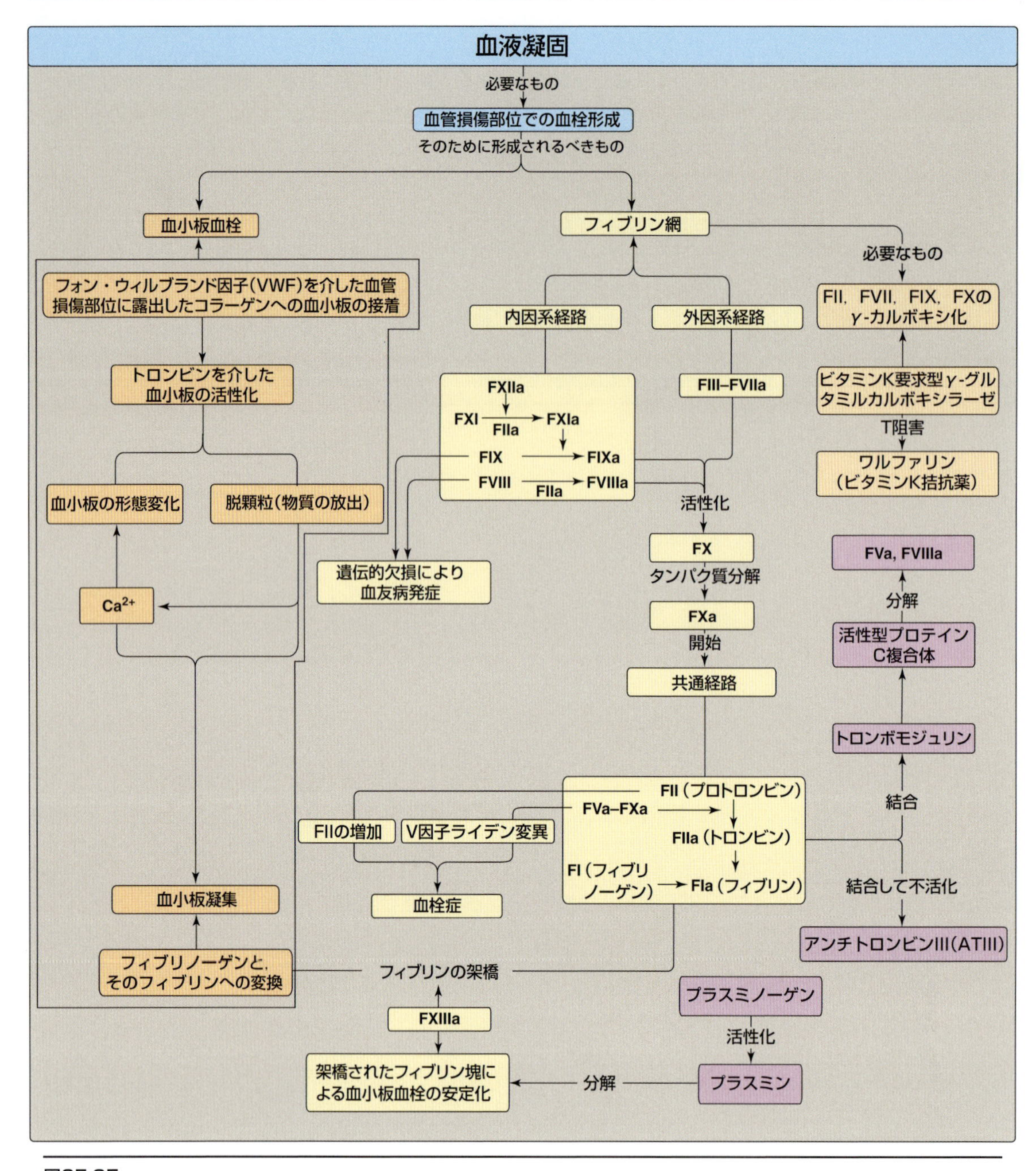

図35.25
血液凝固の概念図．a：活性型，F：因子，Ca2+：カルシウム．（訳注：四角で囲んだ部分により血小板血栓が作られる．）

学習問題

最適な答えを1つ選びなさい.

問35.1～35.5について，最も適切な凝固のタンパク質因子をA～Jのなかから1つ選べ.

A. FI
B. FII
C. FIII
D. FV
E. FVII
F. FVIII
G. FIX
H. FX
I. FXI
J. FXIII

35.1 この因子は，内因系経路，外因系経路，共通経路の凝固因子を活性化する.
35.2 この因子は可溶性血栓を不溶性血栓に変換する.
35.3 この因子は共通経路を開始する.
35.4 この因子は，FXaの活性を増強するアクセサリータンパク質である.
35.5 この因子は，外因系経路のγ-カルボキシグルタミン酸(Gla)含有セリンプロテアーゼである.

正解 問35.1：B，問35.2：J，問35.3：H，問35.4：D，問35.5：E. トロンビン(FII)は共通経路で生成され，凝固カスケードの3経路の各構成要素を活性化する．FXIIIはトランスグルタミナーゼであり，結合したフィブリンモノマーを共有結合で架橋し，可溶性の血栓を不溶性の血栓に変化させる．内因系および外因系経路によって生成されたFXaは，共通経路を開始させる．プロテアーゼではない3つのアクセサリータンパク質のうちの1つであるFVは，FXaの活性を増強させる．他の2つはFIII(組織因子)とFVIII(FIXと複合体化してFXを活性化する)である．FVIIはGla含有セリンプロテアーゼで，外因系経路でFIIIと複合体を形成する.

35.6 プロトロンビン時間(PT)は影響を受けず，活性化部分トロンボプラスチン時間(APTT)が延長するのはどの患者か.

A. アスピリン内服中の患者
B. 末期肝不全患者
C. 血友病患者
D. 血小板減少症の患者

正解 C. PTは共通経路を介した外因系経路の活性を測定し，APTTは共通経路を介した内因系経路の活性を測定する．血友病患者は共通経路の構成要素であるFVIII(血友病A)またはFIX(血友病B)を欠損している．彼らの外因系経路には問題はない．したがって，PTは影響を受けず，APTTが延長する．アスピリン治療を受けている患者や血小板減少症の患者は，それぞれ血小板の機能と数には変化があるが，凝固カスケードのタンパク質に異常はない．したがって，PTとAPTTはともに影響を受けない．末期肝不全の患者では凝固因子の合成能力が低下しており，PTとAPTT両方が延長している.

35.7 血栓症患者において除外できるのは次のうちどれか.

A. アンチトロンビンの欠乏
B. FIXの欠乏
C. プロテインCの欠乏
D. プロトロンビンの過剰
E. FVライデンの発現

正解 B. 凝固因子の欠乏は，血液を凝固する能力の低下(凝固障害)という症状を呈する．しかし，血栓症は凝固能の亢進を特徴とする．選択肢A，C，D，Eは，血栓症を引き起こす.

35.8 急性期虚血性脳卒中(脳に血液を送る血管に血栓ができることで起こる脳卒中)の患者に対する現在の治療ガイドラインには，発症後すぐに組織プラスミノーゲン活性化因子(t-PA)を使用することが推奨されている．t-PAの推奨の根拠は，t-PAが下記のどれを活性化するからか．

A. アンチトロンビン
B. 活性化プロテインC複合体
C. フォン・ウィルブランド因子の受容体
D. フィブリンを分解するセリンプロテアーゼ
E. トロンボモジュリン

正解 D. t-PAは，プラスミノーゲンをプラスミンに変換する．セリンプロテアーゼであるプラスミンはフィブリン網を分解し，血流障害を取り除く．アンチトロンビンⅢはヘパリンと結合してトロンビンを肝臓に運び，トロンビンの血中濃度を低下させる．活性化プロテインC複合体は，アクセサリータンパク質であるFⅤとFⅧを分解する．フォン・ウィルブランド因子の血小板上の受容体はt-PAの影響を受けない．トロンボモジュリンはトロンビンと結合し，フィブリノーゲンの活性化を減弱させ，プロテインCの活性化を増強させることにより，トロンビンを凝固タンパク質から抗凝固タンパク質へと変換する．

35.9 血管損傷部位での血小板の粘着・活性化・凝集によって，最初の血小板血栓が形成される．この血小板血栓の形成に関する次の記述のうち，正しいものはどれか．

A. 活性化された血小板は形状が変化し，表面積が減少する．
B. 正常な血管では，内皮細胞によるトロンボキサンA_2の産生により，血小板血栓の形成が阻止される．
C. 活性化期にはcAMPの産生が必要である．
D. 接着期には，血小板は血小板糖タンパク質Ⅰb(GPⅠb)を介してフォン・ウィルブランド因子と結合する．
E. トロンビンはGタンパク質共役型受容体(GPCR)の一種であるプロテアーゼ活性化型受容体に結合し，プロテインキナーゼAを活性化させることにより，血小板を活性化する．

正解 D. 血小板血栓形成のうち血小板粘着のステップは，フォン・ウィルブランド因子が血小板表面の受容体(GPⅠb)に結合することによって開始される．血小板の形態が，円盤状から仮足状の突起を持つ球状の形態へと変化し，血小板の表面積が増加する．トロンボキサンA_2は，血小板で作られ，血小板の活性化と血管収縮を引き起こす．アデノシン二リン酸は活性化した血小板から放出され，それ自体が血小板を活性化する．トロンビンは主にG_qタンパク質と結合した受容体を介して機能し，ホスホリパーゼCを活性化させる．

35.10 ネフローゼ症候群は，タンパク尿(3 g/日以上)と浮腫を特徴とする腎臓病である．タンパク質の損失により，凝固能亢進状態になる．次のどのタンパク質の尿中への排泄による喪失が，本症候群でみられる血栓症を説明できるか．

A. アンチトロンビン
B. FⅤ
C. FⅧ
D. プロトロンビン

正解 A. アンチトロンビンⅢ(ATⅢ)は，外因系，内因系，共通経路すべての凝固経路を活性化するGla含有タンパク質であるトロンビン(FⅡa)の作用を阻害する．ネフローゼ症候群ではATⅢの尿中への排泄により，FⅡaの作用が持続し，凝固亢進状態となる．A以外の選択肢はいずれも凝固に必要なタンパク質であり，それらが尿中に排泄されることで，逆に凝固能が低下することになる．

35.11 次のどのタンパク質の作用を阻害すれば，理論上，血友病Bの治療となりうるか．

A. FⅨ
B. FⅩⅢ
C. プロテインC
D. 組織因子経路阻害因子(TFPI)

正解 D. 血友病Bは，内因系経路のFⅨの欠損の結果，共通経路によるトロンビン産生が減少することによって起こる凝固異常症である．外因系経路もトロンビンを産生するため，この外因系経路の阻害因子(TFPI)を阻害すれば，原理的にトロンビン産生は増加するはずである．

35.12　新生児のビタミンK欠乏症による出血を防ぐため，生後間もなくビタミンKの注射を受けさせることが推奨されている．新生児において，ビタミンKの注射を受けなかった場合，凝固に関与する次のタンパク質性因子のうち，どの活性が低下するか．

A.　FV
B.　FⅦ
C.　FⅪ
D.　FⅩⅢ

正解　B．FⅦはγ-カルボキシグルタミン酸(Gla)含有血液凝固タンパク質である．γ-グルタミルカルボキシラーゼによるGla残基の生成には，補酵素としてビタミンKが必要である．FⅡ，FⅨ，FXや，凝固を制限するプロテインC，プロテインSもGla残基を持つ．B以外の選択肢にはGla残基は含まれていない．

35.13　血液凝固の共通経路で産生されるトロンビンは，凝固活性と抗凝固活性の両方を併せ持つ．トロンビンの抗凝固活性は次のうちどれか．

A.　FⅩⅢを活性化
B.　トロンボモジュリンへの結合
C.　一酸化窒素(NO)産生の増加
D.　FVとFⅧの阻害
E.　血小板活性化の抑制

正解　B．トロンボモジュリンと結合したトロンビンはプロテインCを活性化し，アクセサリータンパク質であるFVとFⅧを分解して凝固を阻害する．トロンビンによるFⅩⅢの活性化は，フィブリン凝血塊を強化する．一酸化窒素は内皮細胞で作られる血管拡張物質で，血栓形成を減少させるが，トロンビンには影響されない．トロンビンは血小板を強力に活性化する．

35.14　FⅩⅢが欠損している患者において予想される結果はどれか．

A.　プロトロンビン時間(PT)，活性化部分トロンボプラスチン時間(APTT)ともに短縮する．
B.　PT，APTTの両方が延長する．
C.　PT，APTTともに変化なし．
D.　PTのみ影響を受ける．
E.　APTTのみ影響を受ける．

正解　C．FⅩⅢはトランスグルタミナーゼの一種で，軟らかい血栓中のフィブリン分子を架橋し，硬い血栓を形成する．欠乏してもPT，APTT検査の結果には影響しない．[注：FⅩⅢの活性はフィブリン塊溶解試験で評価できる．]

35.15　血小板中のスクランブラーゼの変異によるまれな疾患であるスコット症候群の人は，なぜ出血傾向を呈するのか．

正解　スクランブラーゼは，血小板の細胞膜において，ホスファチジルセリン(PS)を細胞質から細胞外に移動させる．これは，ATP依存性のフリッパーゼ(PSを細胞外から細胞内に移動させる)とフロッパーゼ(ホスファチジルコリン(PC)を逆方向に移動させる)によって作られた膜リン脂質の非対称な局在を破壊する．血小板膜の外面にPSがあることで，凝固因子タンパク質がトロンビンと相互作用して活性化する部位が作られる．スクランブラーゼが不活性であれば，凝固因子がPSを利用できなくなり，出血が生じる．

35.16　3歳の女児の両親は，数日前にネズミの駆除に用いた殺鼠剤の錠剤を娘が飲み込んだのではないかと心配になった．毒物中毒情報センターに電話した後，両親は彼女を救急診療部に連れて行った．血液検査の結果，プロトロンビン時間(PT)，活性化部分トロンボプラスチン時間(APTT)が延長し，トロンビン，FⅦ，FⅨ，FXの濃度が低下していることが判明した．この患児の治療において，なぜビタミンKの投与が合理的な介入となりうるのか．

正解　多くの殺鼠剤は体内での半減期が長いスーパーワルファリンという薬物である．ワルファリンはγ-カルボキシ化(γ-カルボキシグルタミン酸(Gla)残基の生成)を阻害し，凝固カスケードのGla含有プロテアーゼが減少することが報告されている．[注：抗凝固因子であるプロテインCとプロテインSもGla含有タンパク質である．]ワルファリンはビタミンK拮抗薬として機能するため，ビタミンKの投与は治療上合理的な方法である．

付　録
臨床症例

I．複数の代謝系が関連する症例

本文では個々に提示してきた代謝経路は，実際には関連し合っていて，相互にネットワークを形成している．次に挙げる複数の代謝系に関連した4つのケーススタディは，1つの過程の変化が，どのようにしてネットワークの他の過程に変化を及ぼしうるかを示す．

症例1：胸痛

患者の臨床像：35歳の男性．午前5時に，約2時間続いている激しい胸骨下胸痛のため，近くの病院に救急車で搬送されてきた．胸痛とともに，呼吸困難(息切れ)，多汗(冷汗)，悪心がある．

既往歴・現病歴：患者の訴えによると，最近の2～3カ月間に労作時胸痛が起こっていたが今回ほどはひどくなく，持続時間も短かった．彼は，喫煙(1日に2～3箱)するが，アルコールはほとんど飲まず，標準的な食事をしており，ほとんどの週末は妻とウォーキングをしている．血圧は正常であった．家族歴は，父親が45歳，父方の叔母が39歳で，心疾患で死亡している．母親と31歳の弟は健康であるという．

身体診察(異常所見)：患者は青ざめて冷汗をかいており，胸痛のため苦しそうである．血圧と呼吸数は増加している．脂肪沈着 lipid deposit が角膜の周囲(角膜環 corneal arcus，下左図)と眼瞼とその周囲の皮下(眼瞼黄色腫 xanthelasmas，下右図)に認められる．腱の脂肪沈着(黄色腫)はみられない．

角膜環

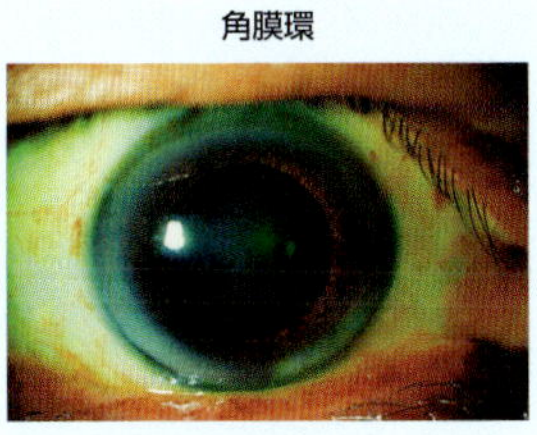

眼瞼黄色腫

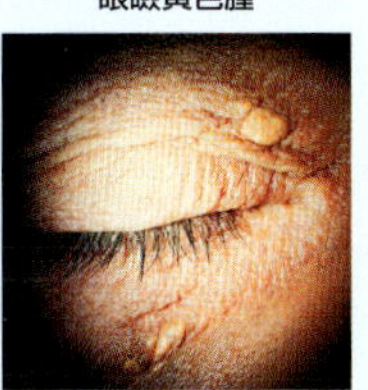

臨床検査(異常所見)：患者の心電図は急性の心筋梗塞 myocardial infarction (MI)に一致している．血管造影により，いくつかの冠動脈に重度の狭窄が認められた．臨床検査室からの最初の結果は以下の通りである．

	患　者	基準値
トロポニン	0.5 ng/mL(高値)	≦ 0.04
総コレステロール	365 mg/mL(高値)	＜ 200
低密度リポタンパク質(LDL)コレステロール	304 mg/dL(高値)	＜ 130
高密度リポタンパク質(HDL)コレステロール	38 mg/dL(低値)	＞　45
トリアシルグリセロール	115 mg/dL	＜ 150

[注：患者は採血前の約8時間，何も食べていなかった.]

診断：急性のMI，虚血(血液供給の減少)による二次的な心筋の不可逆性の壊死(死)は，ほとんどの場合，凝固血(血栓)による血管の閉塞(遮断)によって生じる．その後，患者は高脂血症Ⅱa型としても知られている家族性高コレステロール血症 familial hypercholesterolemia(FH)のヘテロ接合体であると判定された．

緊急治療：患者には，酸素吸入と，血管拡張薬，鎮痛薬が投与され，灌流を再開させる(心臓への血流を回復させる)ためにステントを留置する処置が施行される．

長期治療：スタチン系薬物のような脂質を低下させる薬物，アスピリンの毎日服用，そして栄養指導，運動，禁煙に関するカウンセリングがおそらく長期の治療計画に含まれる．

予後：ヘテロ接合体のFHの患者は，機能を有するLDL受容体の数が正常の約50%で，高コレステロール血症(正常の2～3倍)であり，早発性の冠動脈性心疾患 coronary heart disease(CHD)に対する高度なリスク(50%より高い危険率)を有する．しかし，高コレステロール血症患者の5%未満しかFHではない．

栄養学的補足：ヘテロ接合体のFHの人には，以下のような食事が推奨される．すなわち，飽和脂肪酸を全カロリー摂取の7%未満，コレステロールを200 mg/日未満に制限すること，飽和脂肪酸を不飽和脂肪酸に代えること，コレステロール低下効果のために水溶性食物線維(10～20 g/日)と植物ステロール(2 g/日)を摂取することである．食物線維は胆汁酸(BA)の排出を増加させる．この結果として，肝臓でのコレステロールに富んだLDLの取り込みが，BA合成の基質を供給するために増加する．植物ステロールは，腸管でのコレステロールの吸収を減少させる．	遺伝学的補足：FHは，(第19番染色体上の)LDL受容体の遺伝子の数百カ所の異なる変異により起こり，受容体の量や機能に影響を及ぼす．FHは常染色体優性疾患であり，ホモ接合体がヘテロ接合体よりも激しく影響される．ヘテロ接合体のFHの発現率は，一般人口の約500人に1人である．FHは，心血管疾患のリスクの増加を伴う．この患者の第一度近親者の遺伝学的スクリーニングにより，治療が必要な変異保持者を同定できるだろう．

復習問題：最適な答えを1つ選びなさい

RQ1．TAGは，グリセロールの基本骨格を持つ脂質である．同様にグリセロールの基本骨格を持つ脂質は次のうちどれか．

A. ガングリオシドGM_2
B. ホスファチジルコリン
C. プロスタグランジンPGI_2
D. スフィンゴミエリン
E. ビタミンD

RQ2．スタチン系薬物は，高コレステロール血症患者に有効である．その理由はどれか．

A. コレステロール生合成の律速となる制御された段階を下げる．
B. LDL受容体の遺伝子の発現を低下させる．
C. コレステロールのCO_2とH_2Oへの酸化を増加させる．
D. 腸肝循環での胆汁酸塩の腸管での吸収を妨害する．
E. ステロイドホルモンとビタミンDの産生を増加させることにより，コレステロールを減少させる．

RQ3．スタチン系薬物はHMG CoAレダクターゼの競合的阻害薬である．それゆえスタチン系薬物の作用機構についての次の記載のうち正しいのはどれか．

A. スタチン系薬物は，不可逆的阻害薬として働く．
B. スタチン系薬物は，見かけのK_mとV_{max}の両方を増加させる．
C. スタチン系薬物は，見かけのK_mを増加させるが，V_{max}には影響がない．

D. スタチン系薬物は，見かけの K_m と見かけの V_{max} の両方を減少させる．
E. スタチン系薬物は，K_m には影響しないが，見かけの V_{max} を減少させる．

RQ4．組織への血液還流の減少の結果，低酸素 hypoxia（入手可能な酸素の減少）になる．酸素正常状態 normoxia に比べて，低酸素状態では，次のどれが正しいか．
A. ATP 合成のためのプロトンを供給するために，電子伝達鎖がアップレギュレートされる．
B. ニコチンアミドアデニンジヌクレオチド（NAD）の酸化型（NAD^+）/ 還元型（NADH）の比が増加する．
C. ピルビン酸デヒドロゲナーゼ複合体（p.142 参照）が活性化される．
D. 細胞質ゾルでの基質レベルのリン酸化（p.130 参照）の過程が増加する．
E. トリカルボン酸（TCA）回路（p.141 参照）がアップレギュレートされる．

考察問題

TQ1．家族性に LDL 受容体に欠損がある人に比べて，家族性にアポリポタンパク質 B-100（apo B-100，p.301 参照）に欠損がある人の表現型はどのようなものと予想されるか．apo E4 とともにでも，このアイソフォームは，LDL 受容体に弱くしか結合しないか．

TQ2．なぜアスピリンが処方されたか．**ヒント**：アラキドン酸代謝でその産生がアスピリンによって抑制されるのは何か．

TQ3．心筋は，正常では必要なエネルギーをまかなうために好気的代謝を使っている．しかし，低酸素状態では，嫌気的解糖が増加する．この効果の責任となるアロステリックな解糖の活性化因子は何か．低酸素状態では，解糖系の最終産物は何か．

TQ4．患者に禁煙と運動を奨励する理由の 1 つは，これら（生活習慣）の変化が高密度リポタンパク質（HDL）レベルを上げて，増加した HDL が CHD のリスクを減少させるからである．どのようにして，HDL の増加は CHD のリスクを下げるか．

症例 2：重篤な空腹時低血糖

患者の臨床像：4 カ月の男児．母親が，授乳の直前に起こる痙攣（単収縮 twitching）様の動きを心配している．母親は小児科医に，その動きは約 1 週間前に始まり，朝が最も顕著で，授乳後すぐになくなると告げた．

既往歴・現病歴：患児は正常妊娠と正常分娩の満期産で生まれた．出生時は正常にみえた．生まれたときから体重も身長も正常の 30 パーセンタイルであった．するべき予防接種は行っている．彼は 2，3 時間前に授乳されている．

身体診察（異常所見）：患児は眠っているようで，触ると皮膚が湿っている感じである．呼吸数は増加している．体温は正常である．腹部は膨隆しており，硬く，圧痛はなさそうである．肝臓を右の肋骨下 4 cm で触知でき，表面は平滑である．腎臓は両方とも腫大して対称である．

臨床検査(異常所見)：

	患　者	小児科基準範囲
グルコース	50 mg/mL(低値)	60 ～ 105
乳酸	3.4 mmol/L(高値)	0.6 ～ 3.2
尿酸	5.6 mg/dL(高値)	2.4 ～ 5.4
総コレステロール	220 mg/dL(高値)	＜ 170
TAG	280 mg/dL(高値)	＜ 90
pH	7.3(低値)	7.35 ～ 7.45
HCO_3^-	12 mEq/L(低値)	19 ～ 25

患児は，精密検査のために，地域の小児病院に送られた．超音波検査によって，肝腫大と形は対称的な腎腫大が確認されたが，腫瘍があることを示す証拠はなかった．肝生検が行われた．肝細胞は膨張していた．組織染色では，脂質(主にTAG)と糖質が多量であることが明らかになった．肝臓グリコーゲンの量は増加していたが，その構造は正常であった．界面活性剤で処理した肝臓のホモジネートを使っての酵素測定では，肝臓と腎臓の小胞体(ER)膜の酵素である，グルコース-6-ホスファターゼの活性が正常の10％未満しかないことが明らかになった．

診断：患児は，グルコース-6-ホスファターゼ欠損症(糖原病(GSD) I a型，フォン・ギールケ病 von Gierke disease)である．

緊急治療：患児には，静注でグルコースが投与され，血糖値は正常範囲に増加した．しかし，その日のうちに血糖値は正常よりもかなり下がった．グルカゴンの投与は，血糖値に効果はなかったが，血中乳酸を増加させた．血糖値は，持続的なグルコースの注入によってのみ正常値を維持できた．

予後：グルコース-6-ホスファターゼ欠損症患者では，10代で肝臓の腺腫が発生して，肝がんのリスクが増加する．腎臓の尿細管の機能が障害されてアシドーシスを起こし，糸球体機能も障害されて，その結果慢性腎臓病が起こる可能性がある．患者は痛風を起こすリスクが増加するが，思春期前にはほとんど起こらない．

栄養学的補足：患児の長期の医療栄養療法は血糖値を正常範囲に維持することを目的としている．昼間は短い間隔(2～3時間ごと)で，(ゆっくりと加水分解される未調理のコーンスターチを与えて)糖質に富んだ栄養補給とし，夜間はグルコースの経鼻胃注入が奨められる．フルクトースやガラクトースは避けることが推奨される．なぜなら，それらは代謝されて解糖系の中間体や乳酸になって代謝上の問題を悪化させる可能性があるからである．カルシウムとビタミンDの補助剤を処方する．

遺伝学的補足：GSD I a型は，第17番染色体に位置しているグルコース-6-ホスファターゼ遺伝子の，100以上の既知の変異によって起こる常染色体劣性疾患である．米国では，10万人に1人の割合で発症し，すべてのGSD症例の約25％の原因となる．GSD I a型は，新生児の低血糖の数少ない遺伝的要因の1つである．GSD I a型は，新生児で日常的にはスクリーニングされてはいない．[注：グルコース6-リン酸をERに輸送する転移酵素の欠損は，GSD I b型の原因である．低血糖と好中球減少症がみられる．]

復習問題：最適な答えを1つ選びなさい

RQ1．患児は低血糖である．その理由はどれか．

A. グリコーゲン分解からも糖新生からも，非リン酸化型のグルコースを産生できない．

B. グリコーゲンホスホリラーゼが脱リン酸化されて不活性のために，グリコーゲンが分解できない．

C. ホルモン感受性リパーゼが不活性のために，糖新生のための基質が産生できない．

D. 患者でのインスリン/グルカゴン比の減少は，肝臓と腎臓のグルコーストランスポーターをアップレギュレートする．

RQ2．患児にはカルシウム補助剤が処方された．なぜなら，慢性アシドーシスが骨の脱ミネラル化(鉱物質除去)を起こす結果，骨減少(オステオペニア osteopenia)になるからである．ビタミン D ($1,25$-diOH-D_3)もまた処方された．その理由はどれか．

A. ビタミン D は，G_q タンパク質(図 17.8 参照)共役膜受容体と結合して，イノシトール 1,4,5-トリスリン酸(p.267 参照)を上昇させる．

B. ビタミン D はヒトでは合成できないために，食事で供給されなければならない．

C. ビタミン D は，腸管でのカルシウムの吸収を増加させる脂溶性のビタミンである．

D. ビタミン D は，腸管でのカルシウム輸送体であるカルビンディンの補酵素-補欠分子族として働く．

RQ3．患児にみられる肝腫大と腎腫大は，主にこれらの臓器でのグリコーゲン貯蔵量が増加した結果である．これらの臓器でのグリコーゲン蓄積の根拠は何か．

A. 解糖系がダウンレギュレートされて，グルコースからのグリコーゲン合成が促進される．

B. 脂肪酸の酸化の増加が，グリコーゲン合成のためにグルコースを節約させる．

C. グルコース6-リン酸は，グリコーゲンシンターゼ *b*(p.175 参照)のアロステリックな活性化因子である．

D. インスリン/グルカゴン比の上昇が，グリコーゲン合成に向かわせる．

RQ4．グルコース-6-ホスファターゼは ER 膜に組み込まれているタンパク質である．そのようなタンパク質についての記述で正しいのは次のうちどれか．

A. グリコシル化されている場合は，タンパク質の糖質部位は細胞質内へと突き出している．

B. それらは，細胞質ゾルに遊離しているリボソーム上で産生される．

C. 膜貫通ドメインは，親水性アミノ酸からなる．

D. はじめのターゲッティング・シグナル initial targeting signal は，アミノ末端(N 末端)疎水性シグナル配列である．

考察問題

TQ1．患児の痙攣様の動きについて，可能性のある理由は何か．

TQ2．なぜ肝臓のホモジネートは界面活性剤で処理されたか．**ヒント**：酵素がどこに局在するかを考えてみること．

TQ3．なぜ患児の血糖値は，グルカゴンで影響を受けないか．**ヒント**：健常者で血糖が下がった場合のグルカゴンの役割は何か．

TQ4．なぜグリコーゲン代謝の障害で尿酸と乳酸が増加するか．**ヒント**：これらの増加は，無機リン酸(P_i)の減少の結果であるが，なぜ P_i が減少するか．

TQ5．なぜ，TAG とコレステロールが増加するか．**ヒント**：グルコースはこれらの産生のための主な炭素の供給源である．なぜ，ケトン体は増加しないのか．

症例３：高血糖と高ケトン血症

患者の臨床像：40 歳の女性が，混乱・錯乱した状態で，夫により救急部に連れて来られた．

既往歴・現病歴：夫が，彼女は過去 24 年間 1 型糖尿病であったことと，今回は 2 年ぶりの救急医療を要する状態であることを伝えた．

身体診察(異常所見)：患者は粘膜や皮膚の乾燥，皮膚の弾力のなさ，低血圧などの脱水所見を示した．加えて，深く速い呼吸(クスマウル呼吸)などのアシドーシスの所見を示した．吐く息には，わずかに果物のような香りがした．体温は正常であった．

臨床検査(異常所見)：臨床検査室でなされた血液検査の結果は以下である：

	患　者	基準範囲
グルコース	414 mg/dL（高値）	70 ～ 99
	（23 mmol/L）（高値）	（3.9 ～ 5.5）
血液中尿素窒素	8 mmol/L（高値）	2.5 ～ 6.4
3-ヒドロキシ酪酸	350 mg/dL（高値）	0 ～ 3.0
重炭酸（HCO_3^-）	12 mmol/L（低値）	22 ～ 28
ナトリウム（Na^+）	136 mmol/L	138 ～ 150
カリウム（K^+）	5.3 mmol/L	3.5 ～ 5.0
塩素（Cl^-）	102 mmol/L	95 ～ 105
pH	7.1（低値）	7.35 ～ 7.45

患者の尿の顕微鏡検査により白血球が認められ，尿路感染症（UTI）が疑われた．UTI は後に尿培養で確認された．

診断：この患者は，UTI によって急に起こった糖尿病性のケトアシドーシス（DKA）である．［注：糖尿病は，UTI のような感染症のリスクを増加させる．］

緊急治療：患者にはインスリンが投与された．静注による生理食塩水の投与により，脱水状態が改善された．血糖，ケトン体と電解質が一定時間ごとに測定された．UTI に対して抗生物質の治療が始められた．

長期治療：糖尿病は冠状動脈疾患や脳卒中などの大血管の合併症と，網膜症，腎症，神経障害（ニューロパシー）などの細小血管の合併症のリスクを増加させる．これらの合併症に対する持続的な観察が続けられることになる．

予後：糖尿病は米国における疾患による死亡の 7 番目の原因である．糖尿病患者は，そうでない人に比べて平均余命が短い．

栄養学的補足：糖質の総摂取量を管理することが主な血糖コントロールである．糖質は全粒穀物，野菜，豆類，果物から摂取される．低脂肪の乳製品，ナッツ類，ω-3 系脂肪酸（p.472 参照）が豊富な魚が推奨される．飽和脂肪酸やトランス型脂肪酸（p.472 参照）の摂取は最小限にすべきである．	遺伝学的補足：膵β細胞の自己免疫による破壊が 1 型糖尿病の特徴である．1 型糖尿病のリスクをもたらす遺伝子座は，第 6 番染色体上のヒト白血球抗原（HLA）領域と強い相関性がある．HLA 領域の大多数の遺伝子が，免疫反応に関与している．

復習問題：最適な答えを 1 つ選びなさい

RQ1．1 型糖尿病に関する記述の中で正しいのは次のうちどれか．

A. 診断は，血中のグルコースか糖化ヘモグロビン（HbA_{1c}）の濃度を測定することによって可能である．
B. ストレスを受けたときに，患者の尿は，還元糖が陰性になる可能性がある．
C. 1 型糖尿病は，肥満と座りがちな生活習慣と関連している．
D. 1 型糖尿病にみられる特徴的な代謝異常は，インスリンに対する非感受性の結果である．
E. 外来性のインスリンによる治療は，血糖を正常にする．

RQ2．ケトン体は，

A. 主にグルコース酸化により生じたアセチル CoA から産生される．
B. アセチル CoA に変換された後，多くの組織，特に肝臓で利用される．
C. 吐く息に果物のような香りを付けるアセト酢酸を含む．
D. 血液中の輸送にはアルブミンが必要である．
E. エネルギー代謝に利用され，体のプロトン負荷 proton load を増加させる有機酸である．

RQ3．脂肪組織での脂質分解に続く脂肪酸のβ酸化は，ケトン体の産生に必要である．脂肪酸の産生と消費に関する記述で正しいのは次のうちどれか．

A. ミトコンドリアでの脂肪酸のβ酸化はマロニル CoA によって抑制される．

B. 脂肪組織での脂質分解から脂肪酸の産生は，インスリンによってアップレギュレートされる．

C. 脂肪酸のβ酸化の産物であるアセチル CoA は，ピルビン酸の糖新生への利用を抑制する．

D. 脂肪酸のβ酸化は，糖新生により生成される還元当量(p.100 参照)を利用する．

E. 脂質分解によって産生された脂肪酸は，脳に取り込まれて，エネルギー産生のために酸化される．

考察問題

TQ1．受診時に，患者は低インスリン血症であり，インスリンが投与された．なぜ，彼女は低インスリン血症の結果として高血糖症になったのか．**ヒント**：糖代謝におけるインスリンの役割は何か．

TQ2．なぜ患者の尿には糖(尿糖)が存在するか．尿糖は，彼女の脱水状態にどのように関与するか．

TQ3．なぜ脂肪酸のβ酸化からのアセチル CoA の大部分は，TCA 回路で酸化されるよりもむしろケトン体生成に使用されることになるか．

TQ4．患者が病院に連れて来られたとき，患者は，窒素出納(窒素平衡，窒素バランス)が正の状態であったか，負の状態であったか．

TQ5．DKA への反応としてこの患者に何が認められるか．腎臓ではどのような反応が起こりうるか．**ヒント**：尿素への変換に加えて，毒性を持つアンモニアは，どのようにして体から除去されるか．

TQ6．脂肪酸の酸化が障害された人では，生理的ストレスを受けたとき，ケトン体とグルコースの濃度についてはどうなるのが正しいか．

症例 4：低血糖，高ケトン血症，肝機能障害

患者の臨床像：59 歳の男性．ろれつが回らなくなり，運動失調(骨格筋の協調運動の減少)および腹痛で救急部にやって来た．

既往歴・現病歴：患者は以前にも何度か救急部に来ており，救急部のスタッフに知られている．彼には慢性的な，過度のアルコール摂取の 6 年間の既往歴がある．彼が違法薬物を服用しているかはわからない．救急部に来たときに，彼はここ 1 日の間，大量に飲酒していたと伝えている．その間，何を食べたかは思い出せない．少し前に吐いたことは認めているが，最近出血した証拠はない．

身体診察(異常所見)：身体診察では，患者のやせ衰えた外観が明らかであった(彼の BMI は 17.5 であることが後でわかった．これは，彼がやせ(低体重)の部類に入ることを示している)．彼の頰部は，皮膚の血管拡張(毛細血管拡張 telangiectasia)により，紅斑性 erythematous (赤ら顔)であった．眼球運動は正常であった．黄疸も浮腫(体液の貯留による腫脹)もみられなかった．肝臓はわずかに腫大していた．ベッドサイドの検査では，低血糖と(アセト酢酸による)高ケトン血症(p.253 参照)が明らかになった．採血されて，血液が臨床検査室に送られた．

臨床検査(異常所見)：

	患　者	基準範囲
エタノール	180 mg/dL(高値)	80より多いと飲酒運転(DUI)とみなされる.
グルコース	58 mg/dL(低値)	70 ～ 99
乳酸	23 mg/dL(高値)	5 ～ 15
尿酸	7.0 mg/dL	2.5 ～ 8.0
3-ヒドロキシ酪酸	50 mg/dL(高値)	0 ～ 3.0
総ビリルビン	1.5 mg/dL(高値)	0.3 ～ 1.0
直接(抱合型)ビリルビン	0.5 mg/dL(高値)	0.1 ～ 0.3
アルブミン	3.0 g/dL(低値)	3.5 ～ 5.8
アスパラギン酸アミノトランスフェラーゼ(AST)	130 U/L(高値)	0 ～ 35
アラニンアミノトランスフェラーゼ(ALT)	75 U/L(高値)	0 ～ 35
プロトロンビン時間	15.5 秒(高値)	11.0 ～ 13.2

追加検査：全血算(CBC)と血液塗抹により，大球性貧血であることが明らかになった(右図参照)．血中の葉酸と B_{12} 濃度検査がオーダーされた．

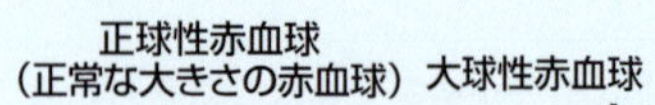

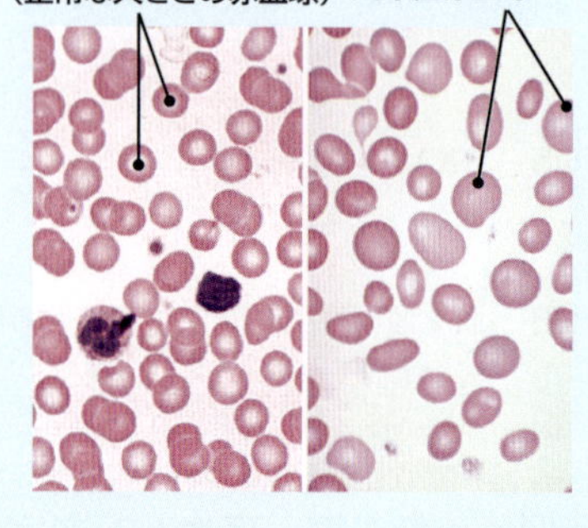

診断：患者はアルコール摂取障害とアルコール性ケトアシドーシスである．

緊急治療：チアミンとグルコースが静注で投与された．

予後：アルコール依存症は，米国で3番目によくみられる防止できる死亡の原因である．アルコール摂取障害の人々は，ビタミン欠乏症，肝硬変，膵炎，消化管出血，ある種のがんのリスクが高い．

栄養学的補足：アルコール摂取障害の人々はビタミンの摂取や吸収が減る結果，ビタミン欠乏症のリスクがある．チアミン(ビタミン B_1)欠乏症は良く起こり，神経学的な症状を示す．ウェルニッケ・コルサコフ症候群(p.143参照)のような重大な結果を引き起こす可能性がある．チアミンの補酵素型であるチアミンピロリン酸(TPP)は，(ピルビン酸のような)α-ケト酸のデヒドロゲナーゼによる酸化反応とともに，ペントースリン酸経路での可逆的な糖の相互変換でのトランスケトラーゼによる2炭素のケト基の転移にも必要である．

遺伝学的補足：肝臓の細胞質ゾルの NAD^+ 要求性の酵素であるアルコールデヒドロゲナーゼ(ADH)によりエタノールが酸化されてできたアセトアルデヒドは，ミトコンドリア内の NAD^+ 要求性のアセトアルデヒドデヒドロゲナーゼ(ALDH2)によって酢酸に酸化される．東アジア系遺伝形質の人々にはしばしばALDH2を基本的に不活性にする一塩基多型(SNP，p.541)がある．この結果，少量のエタノール(アルコール)の摂取でも，アセトアルデヒドにより顔の紅潮や軽～中等度の酩酊を起こす．

復習問題：最適な答えを1つ選びなさい

RQ1．この患者にみられる慢性的な過度のアルコール摂取による代謝的影響の多くは，細胞質とミトコンドリアの両方での $NADH/NAD^+$ 比の増加の結果である．ミトコンドリアでのNADHの上昇の影響についての記述で正しいのは次のうちどれか．

A. 脂肪酸酸化が増加する．

B. 糖新生が増加する．

C. 脂質分解が阻害される．

D. TCA 回路が阻害される.
E. リンゴ酸-アスパラギン酸シャトルでのリンゴ酸からオキサロ酢酸への還元反応が増加する.

RQ2. エタノールは，シトクロム P450(CYP)酵素によって酸化することができ，CYP2E1 は重要な例である. CYP2E1 はエタノールで(遺伝子発現が)誘導され，エタノールの代謝過程で活性酸素種(ROS)を産生する. CYP タンパク質についての記述で正しいのは次のうちどれか.
A. CYP タンパク質は，ヘムを含むジオキシゲナーゼである.
B. ミトコンドリア内膜に存在する CYP タンパク質は，解毒反応に関与する.
C. 滑面小胞体膜の CYP タンパク質は，ステロイドホルモン，胆汁酸，カルシトリオールの合成に関与する.
D. CYP2E1 によって産生される過酸化水素のような ROS は，グルタチオンペルオキシダーゼによって酸化されうる.
E. ペントースリン酸経路は，CYP タンパク質の活性と機能的なグルタチオンの再生に必要な還元当量を供給するニコチンアミドアデニンジヌクレオチドリン酸(NADPH)の重要な供給源である.

RQ3. アルコールは，中枢神経系でのセロトニンの濃度を調節することが知られている. 中枢神経系でモノアミンは神経伝達物質として機能している. セロトニンについての記述で正しいのは次のうちどれか.
A. 不安や抑うつに関与している.
B. モノアミンオキシダーゼによるメチル化を介して分解される.
C. 活性化された血小板から放出される.
D. チロシンから合成される.

RQ4. 慢性的な過度のアルコール摂取は，急性膵炎の主な原因となる. 急性膵炎は，膵臓の酵素の早発な活性化により腺組織の自己消化の結果として起こる，痛みを伴う炎症状態である. 膵臓についての記述で正しいのは次のうちどれか.
A. 膵臓の自己消化の結果，血中の膵タンパク質の減少が起こることが予想される.
B. 急性膵炎から慢性膵炎に進行する患者では，糖尿病と脂肪便が予想される所見である.
C. セクレチンに反応して，膵臓の外分泌腺はプロトンを分泌し，小腸内の pH を下げる.
D. 膵炎は，高コレステロール血症の人でもみられることがある.

考察問題

TQ1. A. エタノールの代謝でみられる細胞質ゾルの NADH の増加は，解糖系に対してどのような影響を持つか.
ヒント：解糖系にはどのような補酵素が必要か.
B. このこと(細胞質ゾルの NADH の増加)は，アルコール依存症の人で通常にみられる脂肪肝(肝臓の脂肪変性)に，どのように関係するか.

TQ2. なぜ痛風発作の既往歴を持つ人には，エタノールの摂取を減らすように助言されるのか.

TQ3. なぜアルコール依存症の人では，プロトロンビン時間が影響を受ける可能性があるのか.

TQ4. 葉酸とビタミン B_{12} の欠乏症では，アルコール依存症の人でもみられる大球性貧血が起こる. なぜ大球性貧血の人には，葉酸を補充する前にビタミン B_{12} 濃度を測定することが望ましいか.

II．複数の代謝系が関連する症例の解答

症例 1：復習問題の解答

RQ1．答え＝B．ホスファチジルコリンは，ジアシルグリセロールリン酸（ホスファチジン酸）とシチジン二リン酸コリン由来の，グルセロールの基本骨格を持つリン脂質である．ガングリオシドは，スフィンゴシンの基本骨格を持つ脂質であるセラミド由来である．プロスタグランジン（PG）I_2 のような 2 系列（訳注：二重結合を 2 個持つタイプ）の PG は 20 炭素の多価不飽和脂肪酸であるアラキドン酸由来である．スフィンゴミエリンは，セラミド由来のスフィンゴリン脂質である．ビタミン D は，ステロールに分類されるコレステロール生合成経路の中間体由来である．

RQ2．答え＝A．スタチンは，HMG CoA レダクターゼ（p.287 参照）を阻害して，それにより HMG CoA のメバロン酸への NADPH 依存性の還元反応を抑制してコレステロールの生合成を減少させる（下図参照）．スタチンによって引き起こされたコレステロール含有量 cholesterol content の減少の結果，SREBP cleavage-activating protein（SCAP）と複合体を形成しているステロール調節配列結合タンパク質-2（SREBP-2）の小胞体膜からゴルジ体膜への移動が起こり，そこで SREBP-2 が切断されて転写因子ができ，核内に移動して HMG CoA レダクターゼと LDL 受容体の遺伝子の上流にあるステロール調節配列に結合し，それらの発現が増加する．ヒトは，ステロイド核を $CO_2 + H_2O$ に分解できない．コレスチラミンのような胆汁酸隔離剤は，腸管での胆汁酸塩の吸収を妨げることで排泄を増加させる．そして肝臓で LDL 受容体を介してコレステロールを取り込み，胆汁酸を作るのに使用し，それによって血中のコレステロール濃度を下げる．ステロイドホルモンはコレステロールから合成され，ビタミン D は皮膚でコレステロール合成経路の中間代謝物（7-デヒドロコレステロール）から合成される．それゆえ，コレステロール合成の阻害はそれらの産生もまた減少させると思われる．

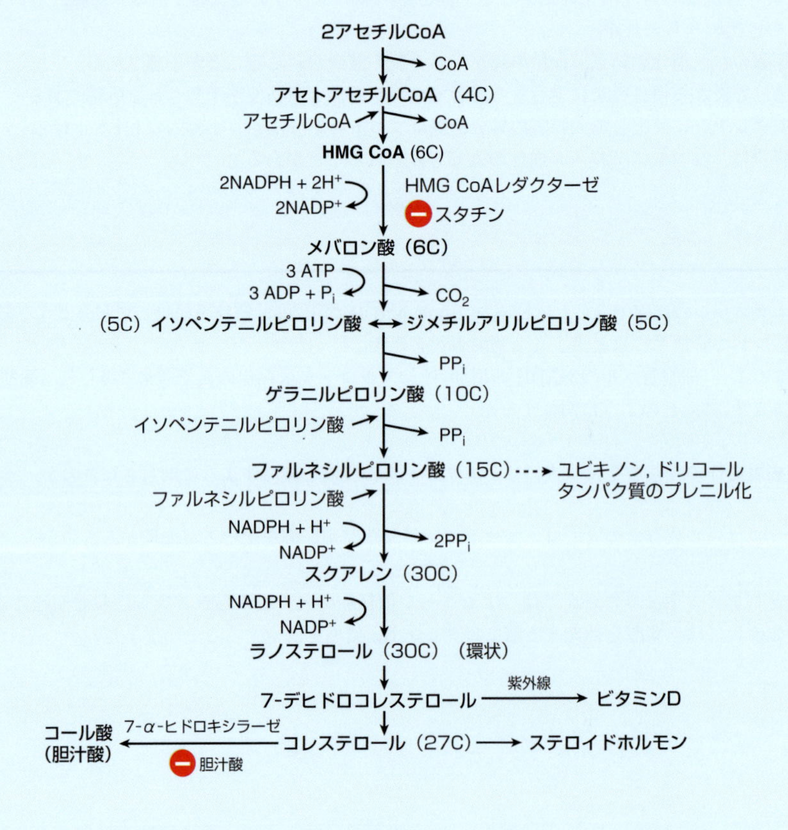

RQ3．答え＝C．競合阻害剤は，基質と同じ部位に結合して，基質が結合するのを妨げる．この結果，見かけの K_m（ミカエリス定数，あるいは最大速度（V_{max}）の半分の速度になる基質濃度）が増加する．しかし，さらに追加して基質を加えることで阻害は逆（基質が阻害剤の結合を妨げる）になりうるので，V_{max} は変化しない（右図参照）．見かけの V_{max} を減少させて K_m に対して影響がないのは，非競合阻害剤である（p.77 参照）．

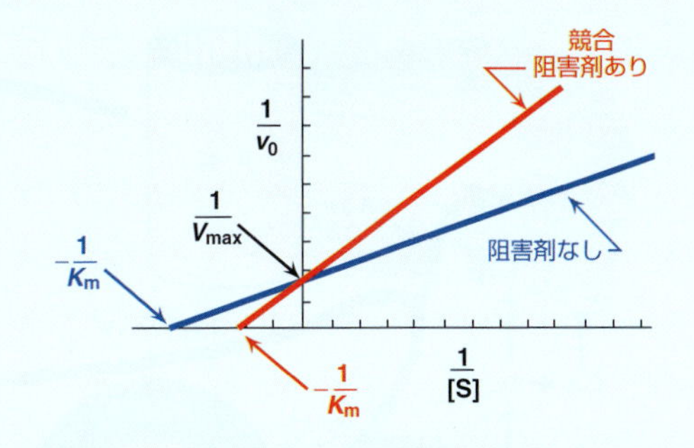

RQ4．答え＝D．低酸素状態では，解糖系での基質レベルのリン酸化が ATP を供給する．酸化的リン酸化は O_2 の欠乏により阻害される．酸化的リン酸化による ATP 合成の速度は細胞の呼吸速度を制御して，電子伝達系が阻害される．その結果としての NADH/NAD$^+$ 比の上昇が TCA 回路とピルビン酸デヒドロゲナーゼ複合体を阻害する．

症例 1：考察問題の解答

TQ1．表現型は同じであろう．家族性の apo B-100 の欠損では，LDL 受容体の数と機能は正常であるが，受容体のリガンドが変化して，受容体との結合が減少している．リガンドと受容体の結合の減少の結果，高コレステロール血症を伴う血中の LDL 濃度の上昇が起こる．[注：LDL 受容体のリサイクリング（再利用）を減少させ，それによって分解を増加させるプロテアーゼの PCSK9 の機能獲得変異 gain-of-function がある人でも表現型は同じであろう．] apo E4 アイソフォームを持つ人では，コレステロールが豊富なキロミクロンレムナント（残渣）と中間密度リポタンパク質（IDL）が血中に蓄積することになる．

TQ2．アスピリンは，不可逆的にシクロオキシゲナーゼ（COX）を阻害して，それによって血管の内皮細胞ではプロスタサイクリン（PGI_2）のような PG の産生を，また活性化された血小板ではトロンボキサン A_2（TXA_2）のような TX の産生を阻害する．TXA_2 は，血管収縮と血小板血栓の形成を促進させ，一方 PGI_2 はこれらの現象を阻害する．血小板は核を持たないため，より多くの COX を合成してこの阻害に打ち勝つことができない．しかし，内皮細胞には核があるので可能である．それゆえ，アスピリンは血小板の寿命の間，TXA_2 の産生を妨げることで血栓の形成を阻害する．

TQ3．ATP の減少（酸素の減少，すなわち，酸化的リン酸化の減少の結果としての）は，AMP の増加をもたらす．AMP は解糖系の調節の鍵となる酵素であるホスホフルクトキナーゼ-1 をアロステリックに活性化する．解糖系の上昇は，基質レベルのリン酸化による ATP 産生を増加させる．また，NADH/NAD$^+$ 比も増加させる．嫌気的な条件下では，解糖系で産生されたピルビン酸は，乳酸デヒドロゲナーゼによって NADH が NAD$^+$ に酸化されるとともに，乳酸へと還元される．NAD$^+$ は解糖系の持続に必要である．酸化的リン酸化に比べて基質レベルのリン酸化では，基質 1 分子あたりに産生される ATP 分子が少ないために，嫌気的な条件下では，解糖系の速度が代償的に増加する．

TQ4．HDL はコレステロールの逆向き輸送に働く．HDL は肝臓以外の（末梢の）組織（例えば，動脈の内皮層）からコレステロールを受け取り肝臓に運ぶ（次頁上図参照）．ABCA1 輸送体（p.305 参照）はコレステロールの HDL への流出を仲介する．コレステロールは，補酵素として apo A-1 を必要とする細胞外のレシチン-コレステロールアシルトランスフェラーゼ（LCAT）によってエステル化される．コレステロールエステルのあるものは，コレステロールエステル転移タンパク質（CETP, p.300 参照）によって，TAG と交換で，超低密度リポタンパク質（VLDL）に転移される．残ったコレステロールエステルは，肝細胞の表面にあるスカベンジャー受容体（SR-B1）によって取り込まれる．肝臓は，HDL からのコレステロールを胆汁酸の合成に使用することができる．血管内皮細胞からコレステロールを取り除くことで（コレステロールあるいはコレステロールエステルとしての）蓄積を防いで心疾患の危険を減らす．［注：対照的に LDL はコレステロールを末梢組織に運ぶか，あるいは肝臓に戻す．］

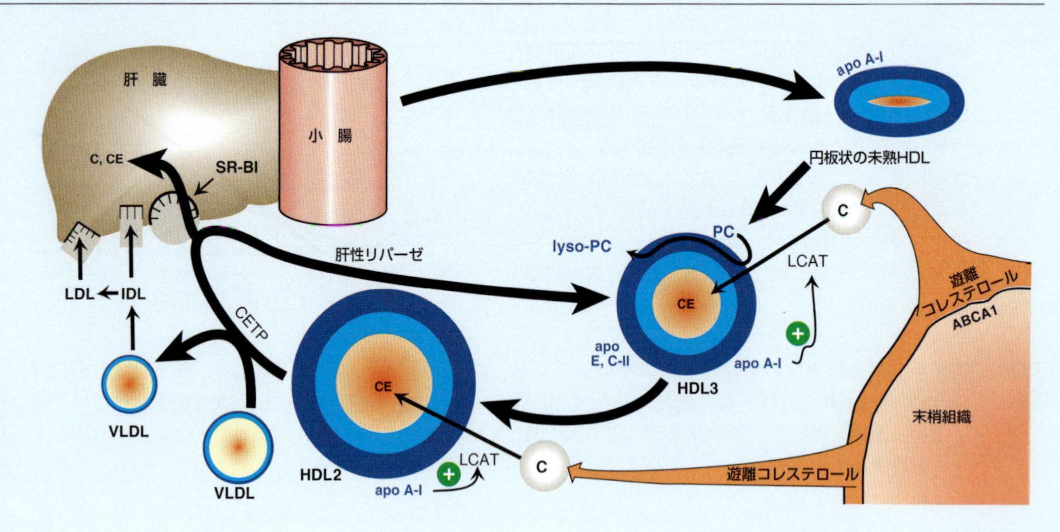

症例 2：復習問題の解答

RQ1．答え＝A．グルコース-6-ホスファターゼの欠損は，グリコーゲン分解と糖新生によって産生されたグルコース 6-リン酸が脱リン酸化されて血液中に放出されるのを妨げる(下図参照)．結果として，血糖値の低下と激しい空腹時の低血糖が起こる．［注：患児の症状はごく最近になって起こっている．なぜなら，生後 4 カ月で，摂食(授乳)回数が少なくなっていくからである．］低血糖は，グルカゴンの放出を促進させて，グリコーゲンホスホリラーゼキナーゼのリン酸化と活性化を引き起こし，グリコーゲンホスホリラーゼキナーゼはグリコーゲンホスホリラーゼをリン酸化して活性化する．アドレナリンもまた放出されてホルモン感受性リパーゼのリン酸化と活性化に至る．しかし，典型的な脂肪酸は糖新生の基質として働くことはできない．肝臓と腎臓のグルコース輸送体はインスリンに感受性ではない．

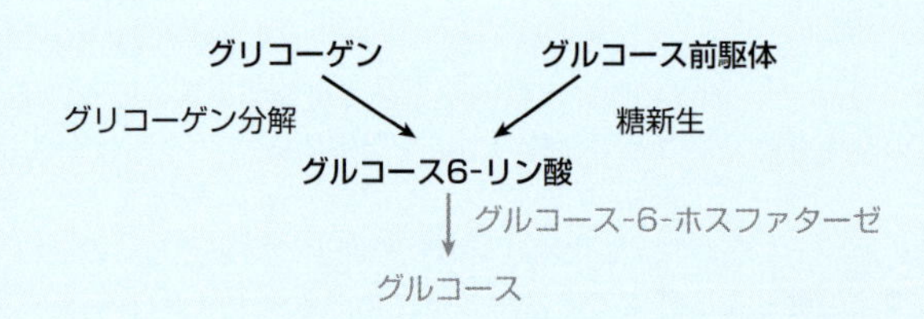

RQ2．答え＝C．ビタミン D は脂溶性ビタミンであり，ステロイドホルモンとして働く．細胞内の核内受容体と複合体を作り，小腸におけるカルシウム(Ca^{2+})輸送体タンパク質であるカルビンディンの遺伝子の転写を増加させる(右図参照)．ビタミン D は細胞膜の受容体とは結合せず，セカンドメッセンジャーを産生しない．ビタミン D は，皮膚において，コレステロール合成の中間代謝物である 7-デヒドロコレステロールに対する紫外線の働きによって産生される．脂溶性ビタミン(A, D, E, K)の中で，ビタミン K のみが補酵素として働く．

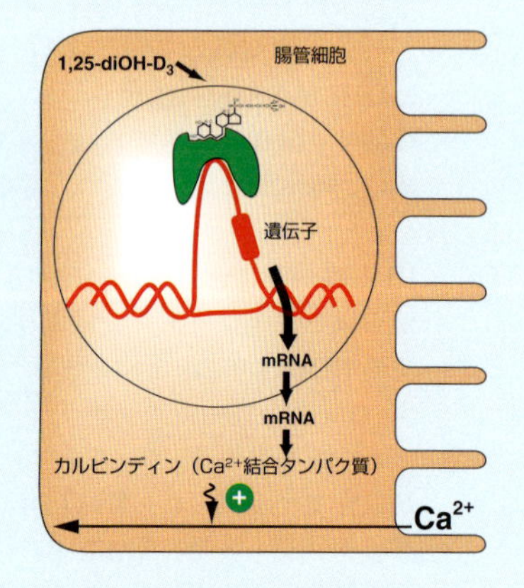

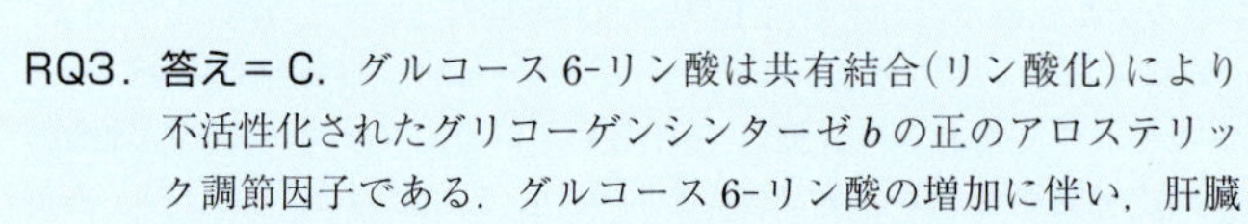

RQ3．答え＝C．グルコース 6-リン酸は共有結合(リン酸化)により不活性化されたグリコーゲンシンターゼ b の正のアロステリック調節因子である．グルコース 6-リン酸の増加に伴い，肝臓と腎臓の両方でグリコーゲン合成は活性化されてグリコーゲンの貯蔵は増加する．グルコース 6-リン酸の入手可能性の増加は，解糖も駆り立てる．解糖の増加は脂質合成のための基質を供給し，それによって脂肪酸と TAG の合成を増加させる．低血糖では，インスリン/グルカゴン比は低く，高くはない．

RQ4．答え＝D．膜タンパク質は，最初に，N 末端にある疎水性のシグナル配列により ER を目標とする．グリコシル化は，タンパク質に最もよくみられる翻訳後修飾である．糖タンパク質の糖付加部位は細胞膜の外側面にみられる．膜貫通ドメインは，約 22 個の疎水性アミノ酸からなる．分泌されたり，細胞膜，ER の内腔，ゴルジ体，リソソームに向かうべきタンパク質は，ER に結合したリボソーム上で合成される．

症例 2：考察問題の解答

TQ1． 痙攣は，低血糖に対するアドレナリン応答の結果であり，アドレナリンの増加によって起こる．アドレナリン応答には振戦と発汗も含まれる．神経糖欠乏症 neuroglycopenia（脳への糖の輸送の障害）（p.410 参照）の結果，脳の機能が障害されて痙攣，昏睡，そして死に至る．神経糖欠乏症は，低血糖が続けば現れる．

TQ2． 界面活性剤は両親媒性の分子である（すなわち，親水性（極性）と疎水性（非極性）の両方の領域を持つ）．界面活性剤は，膜を可溶化させて，それにより膜構造を破壊する．もし，問題がホスファターゼよりもむしろ基質のグルコース 6-リン酸の ER 内への移動に必要なトランスロカーゼであれば，ER 膜の破壊により基質がホスファターゼに接触できるようになるであろう．

TQ3． グルカゴンは，低血糖で膵臓の α 細胞から放出されるペプチドホルモンであり，肝細胞で細胞膜の G タンパク質共役受容体に結合する．三量体 G タンパク質結合の α_s サブユニットが活性化されて（GDP が GTP に交換されて），β と γ サブユニットから離れて ATP から cAMP を産生するアデニル酸シクラーゼを活性化する．cAMP はプロテインキナーゼ A（PKA，p.122 参照）を活性化して，PKA はグリコーゲンホスホリラーゼキナーゼをリン酸化して活性化し，グリコーゲンホスホリラーゼキナーゼはグリコーゲンホスホリラーゼをリン酸化して活性化する．ホスホリラーゼはグリコーゲンを分解して，グルコース 1-リン酸を産生し，グルコース 1-リン酸はグルコース 6-リン酸に変換される．グルコース-6-ホスファターゼ欠損症では，分解過程はこの段階で停止する（下図参照）．結果として，グルカゴンの投与は血糖の上昇を起こすことができない．［注：アドレナリンも同様に効果がないことが予想される．］

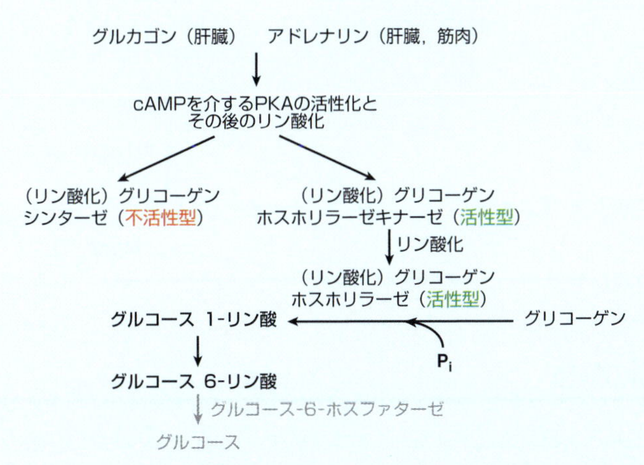

TQ4． 無機リン酸（P_i）の入手可能性は低下する．なぜなら，グルコース 6-リン酸の増加により，解糖系のアップレギュレーションの結果として，解糖系でのリン酸化された中間体の形で P_i がトラップされるからである．尿酸は増加する．なぜなら，P_i がトラップされるために ADP から ATP へのリン酸化能が減少し，ATP の減少は AMP の上昇を起こすからである．AMP は分解されて尿酸になる．加えて，グルコース 6-リン酸の入手可能性（の増加）はペントースリン酸経路を駆動させて，結果として（リブロース 5-リン酸からの）リボース 5-リン酸の上昇を起こし，その結果として，プリン合成が増加する．NADPH も増加する．必要以上に作られたプリンは尿酸に分解される（次頁上図を参照）．［注：P_i の減少はグリコーゲンホスホリラーゼの活性を減少させて，正常な構造のグリコーゲンの貯蔵を増加させる結果となる．］ADP から ATP へのリン酸化が減少すると，細胞呼吸（呼吸調節）とリン酸化が共役しているために細胞呼吸も減少するため，乳酸が上昇する．結果として，電子伝達鎖の複合体 I による，解糖系からの NADH の酸化はできなくなる．代わりに NADH は，細胞質ゾルの NADH を補酵素とする乳酸デヒドロゲナーゼによってピルビン酸が乳酸に還元されるときに，酸化される．［注：ピルビン酸は解糖系の上昇の結果とし

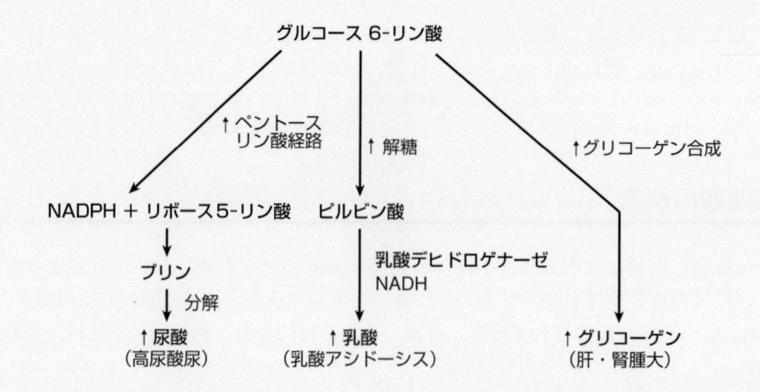

て増加する.］乳酸はイオン化されてプロトン(H^+)を放出して代謝性アシドーシスが起こる(酸の産生の増加によって，ここでの pH の低下が起こる)．呼吸性代償として呼吸数の増加が起こる．

TQ5．解糖系の増加の結果として，肝臓での TAG 合成のためのグリセロール 3-リン酸の入手可能性が増加する．加えて，解糖系によってできたピルビン酸のいくらかは，アセチル CoA へと酸化的に脱炭酸される．しかし，TCA 回路は NADH の増加により阻害されて，アセチル CoA はクエン酸として細胞質ゾルに運ばれる．細胞質ゾルでのアセチル CoA の増加の結果として，脂肪酸合成が増加する．クエン酸はアセチル CoA カルボキシラーゼ(ACC)のアロステリックな活性化因子であることを思い出してほしい(p.240 参照)．ACC によりできたマロニル CoA は，カルニチンパルミトイルトランスフェラーゼ I(CPT-I)の段階で脂肪酸の酸化を阻害する．ミトコンドリアでの脂肪酸酸化が肝臓でのケトン体合成のための基質であるアセチル CoA を産生するので，(患者の)ケトン体の濃度は増加しない．脂肪酸はグリセロール骨格にエステル化され，結果として増加した TAG は VLDL の成分として肝臓から送り出される．［注：低血糖の結果，アドレナリンの放出と血中への遊離脂肪酸の放出を伴う TAG 分解の活性化が起こる．過剰の脂肪酸は酸化されて肝臓での TAG 合成に使われる.］アセチル CoA はまた，コレステロール合成のための基質でもある．このように，解糖系の増加の結果として，高脂血症が起こる(下図参照)．

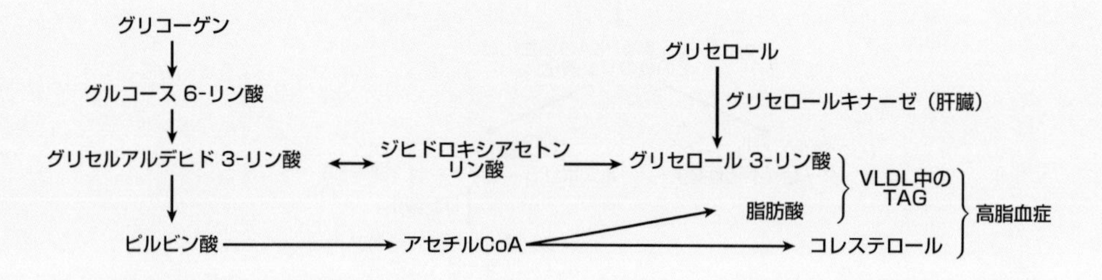

症例 3：復習問題の解答

RQ1．**答え＝A.** 糖尿病の特徴は高血糖である．慢性高血糖の結果，ヘモグロビン(Hb)の非酵素的な糖鎖付加(糖化，グリケーション)が起こり HbA_{1C} が産生される．それゆえ，血中のグルコースか HbA_{1C} の測定は糖尿病の診断に用いられる．生理的ストレス(例えば尿路感染症)に応答して，(カテコールアミンのような)インスリン拮抗ホルモンが分泌される結果，血糖の上昇が起こる．グルコースは還元糖である．肥満と座りがちな生活習慣と関連しており，インスリンに対する非感受性(インスリン抵抗性)によって起こるのは 2 型糖尿病である．1 型糖尿病は，膵β細胞の自己免疫による破壊の結果としてのインスリンの欠損によって起こる．厳格な血糖管理プログラム下の人でも正常血糖にはならない．

RQ2．**答え＝E.** ケトン体である 3-ヒドロキシ酪酸とアセト酢酸は有機酸であり，それらのイオン化は体のプロトン負荷に寄与する．ケトン体は，主に脂肪酸のβ酸化で生じたアセチル CoA を用いて肝細胞のミトコンドリアでできる(次頁上図参照)．それらは水溶性なので輸送体を必要としない．肝臓には，スクシニル CoA からアセト酢酸に CoA を転移して 2 分子のアセチル CoA に変換する酵素であるチオホラーゼ thiophorase(p.254 参照)がないために，それらのケトン体を使用できない．果物のような香りをもたらすのは，呼気中に放出されたアセトンである．

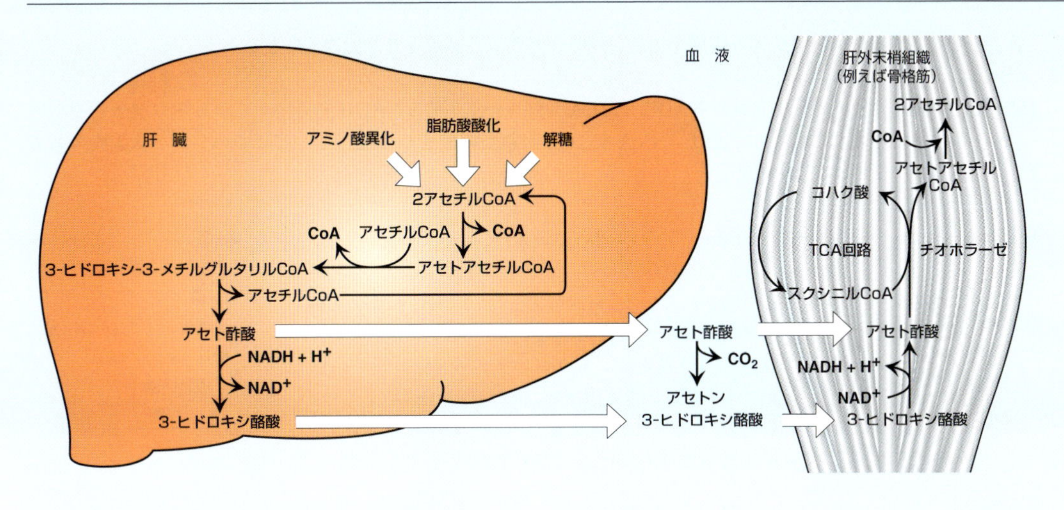

RQ3．答え＝A．マロニル CoA は，脂肪酸合成の中間代謝物であり，CPT-I の阻害を介して脂肪酸のβ酸化を阻害する．脂質分解は，インスリン/インスリン拮抗ホルモン比が減少すると起こる．脂肪酸のβ酸化の産物であるアセチル CoA は，ピルビン酸デヒドロゲナーゼ(PDH)キナーゼの活性化を介して PDH 複合体を阻害し，ピルビン酸カルボキシラーゼを活性化する．それゆえ，アセチル CoA はピルビン酸を糖新生へと押し進める．β酸化は，糖新生に必要な還元当量である NADH を産生する．脂肪酸は，脳では容易に異化されてエネルギーにはならない．

症例 3：考察問題の解答

TQ1．低インスリン血症は結果として，高血糖を起こす．なぜなら，インスリンは骨格筋や脂肪組織での血糖の取り込みに必要だからである．これらの組織のグルコース輸送体(GLUT-4)は，細胞内の貯蔵部位から細胞表面に移動するのにインスリンが必要であるという点でインスリン依存性である．インスリンはまた，肝臓での糖新生を抑制するためにも必要である．インスリンは膵α細胞からのグルカゴンの放出を抑制する．その結果として起こるインスリン/グルカゴン比の増加は，二機能性のホスホフルクトキナーゼ-2(PFK-2)のキナーゼドメインを脱リン酸して活性化する(p.128 参照)．PFK-2 により産生されたフルクトース 2,6-ビスリン酸は，解糖系の PFK-1 を活性化する(下図参照)．また，フルクトース 2,6-ビスリン酸はフルクトース 1,6-ビスホスファターゼ(FBP-2)を阻害して，それによって糖新生を阻害する．低インスリン血症では，血液からグルコースを取り込めない一方で，同時にグルコースを(肝臓から)血液中に送り出すために高血糖になる．

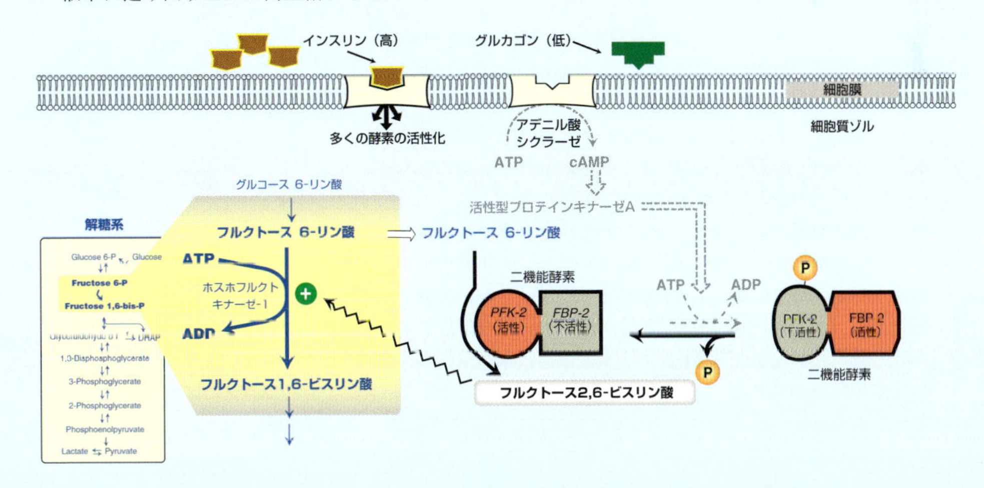

TQ2．血糖レベルの増加は，腎臓での(ナトリウム依存性グルコース共輸送体(SGLT)を介しての)グルコースの再吸収の容量を超えている．尿中の高濃度のグルコースは，浸透圧により体内から水分を引き込む．こ

れにより水分の損失を伴う排尿の増加(多尿)が起こり，結果として脱水症になる．

TQ3．脂肪酸のβ酸化で産生されるNADHはTCA回路を，3カ所のNADHを産生するデヒドロゲナーゼの段階で阻害する．これは，アセチルCoAをTCA回路での酸化から離して，肝臓でのケトン体生成の基質としての使用に向かわせる．

TQ4．患者は負の窒素出納状態にあった．すなわち，体内に入ってくるよりも，より多くの窒素が出ていった．このことは，患者でみられる血中尿素窒素(BUN)濃度の増加に反映されている(右図参照)．［注：BUN値は脱水も反映している.］骨格筋でのタンパク質分解とアミノ酸の異化はインスリン減少の結果として起こる(骨格筋はグルカゴン受容体を発現していないことを思い出してほしい)．アミノ酸異化はアンモニア(NH_3)を産生し，アンモニアは肝臓の尿素回路によって尿素に変換されて血中に送られる．［注：尿中の尿素は尿中尿素窒素(UUN)として記載される.］

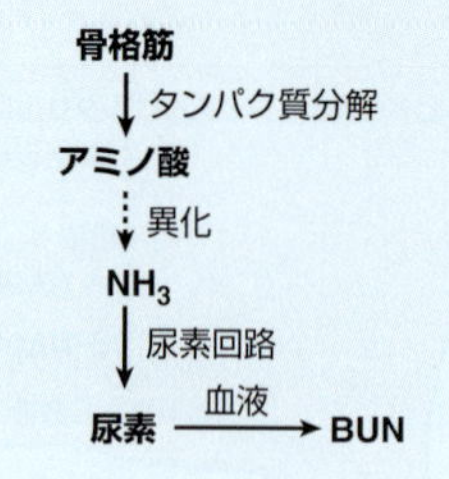

TQ5．患者にみられるクスマウル呼吸は代謝性アシドーシスに対する呼吸性の応答である．過換気は二酸化炭素(CO_2)と水分を排泄させて，以下の平衡状態の式に反映されるようにして，プロトン(H^+)と重炭酸イオン(HCO_3^-)の濃度を減少させる．

$$H^+ + HCO_3^- \Leftrightarrow H_2CO_3(\text{炭酸}) \Leftrightarrow CO_2 + H_2O$$

腎性の応答には，一部に，NH_4^+としてのH^+の排出が含まれる．骨格筋での分枝アミノ酸の分解の結果，多量のグルタミン(Gln)の血中への放出が起こる．腎臓はGlnを取り込み異化する過程でNH_3を産生する．NH_3は分泌されたH^+によりNH_4^+に変換されて排出される(右図参照)．［注：ケトン体が豊富なときは，腸管細胞はGlnの代わりにケトン体を燃料として使用するように変わる．これは，腎臓へのGlnの量を増加させる.］

分枝鎖アミノ酸
↓
グルタミン
↓ グルタミナーゼ
グルタミン酸＋NH_3 $\xrightarrow{H^+}$ NH_4^+
↓ グルタミン酸デヒドロゲナーゼ
α-ケトグルタル酸＋NH_3 $\xrightarrow{H^+}$ NH_4^+

TQ6．脂肪酸のβ酸化はケトン体合成の基質であるアセチルCoAを供給するので，β酸化の障害はケトン体産生能を減少させる．ケトン体はグルコース使用の代替物であり，それゆえ，グルコース依存性は増加する．脂肪酸のβ酸化は糖新生に必要なNADHとATPとGTPを供給するので，グルコースの産生は減少する．結果として，低ケトン性低血糖になる．これは，中鎖アシルCoAデヒドロゲナーゼ(MCAD)欠損症でもみられたことを思い出してほしい(p.250参照)．

症例４：復習問題の解答

RQ1．答え＝D．ミトコンドリアでのNADHの上昇は，TCA回路，脂肪酸の酸化，糖新生を減少させる．NADHはTCA回路の調節の鍵となるステップであるイソクエン酸デヒドロゲナーゼ反応と，α-ケトグルタル酸デヒドロゲナーゼ反応を阻害する(右図参照)．NADHはまた，オキサロ酢酸からリンゴ酸(リンゴ酸からオキサロ酢酸ではない)への反応を進めて，TCA回路でのアセチルCoAとの縮合反応や糖新生へのオキサロ酢酸の入手可能性を減少させる．脂肪酸の酸化には，3-ヒドロキシアシルCoAデヒドロゲナーゼの段階で酸化型ニコチンアミドアデニンジヌクレオチド(NAD^+)を必要とし，そのためにNADHの上昇によって阻害される．脂肪酸の酸化の減少は，糖新生に必要なATPと(ピルビン酸カルボキシラーゼのアロステリックな活性化因子である)アセチルCoAの産生を減少させる．脂質の分解は，空腹時に，ホルモン感受性リパーゼの活性化に至るインスリンの減少とカテコールアミンの増加の結果として活性化される．

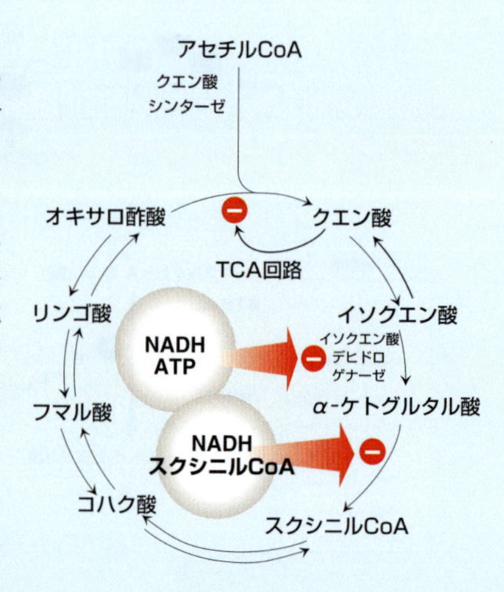

RQ2．答え＝E．ペントースリン酸経路の不可逆的酸化的段階はNADPHを供給し，NADPHは，CYPタンパク質の活性と還元型グルタチオンの再生に必要な還元当量を供給する．そのNADPHは，脂肪酸やコレステロール合成のような細胞質ゾルでの還元的な生合成過程でのNADPHの重要な供給源ともなる．[注：リンゴ酸酵素はもう1つの供給源である.] CYPタンパク質はモノオキシゲナーゼ(混合機能オキシダーゼ)である．それらは酸素分子からの1個の酸素原子を基質に取り込ませて，もう1つの酸素原子は水に還元する．解毒反応に関与するのが，滑面小胞体膜のCYPタンパク質である．ミトコンドリア内膜に存在するCYPタンパク質がステロイドホルモン，胆汁酸，ビタミンDの合成に関与する．活性酸素種はグルタチオンペルオキシダーゼによってグルタチオンが酸化されるときに還元される．

RQ3．答え＝C．セロトニンは活性化された血小板から放出されて，血管収縮と血小板凝集を起こす．[注：血小板はセロトニンを合成するのではなく，小腸で作られて血中に放出されたセロトニンを取り込む.] セロトニンは幸福感と関係している．酸化的脱アミノ反応を触媒するモノアミンオキシダーゼ(MAO)によって5-ヒドロキシインドール酢酸に分解される．カテコールアミンの分解のメチル化の段階を触媒するのは，カテコール-*O*-メチルトランスフェラーゼ(COMT)である．セロトニンはトリプトファンから，テトラヒドロビオプテリン要求性のトリプトファンヒドロキシラーゼとピリドキサールリン酸(PLP)要求性のデカルボキシラーゼを利用する2段階過程で合成される(右図参照)．

RQ4．答え＝B．膵外分泌腺は，食事中の糖質，タンパク質，脂肪の消化のために必要な酵素を分泌する．膵内分泌腺は，ペプチドホルモンであるインスリンとグルカゴンを分泌する．膵臓の機能に影響する障害は，糖尿病(インスリンの減少による)と脂肪便(食事中の脂肪の消化不良の結果)を引き起こす．心筋梗塞ではトロポニンの上昇，肝障害ではトランスアミナーゼの上昇にみられるように，(膵臓の自己消化でみられるような)細胞の基本的な状態の消失の結果として，正常では細胞内のタンパク質が血中に正常よりも高値でみられるようになる．セクレチンは膵臓から重炭酸イオンを放出させて胃から小腸に入ってくるキームスchyme(びじゅく(糜粥))のpHを上げる．膵酵素は，中性かわずかにアルカリ性のpHで最もよく働く．膵炎は，リポタンパク質リパーゼかその補酵素であるアポリポタンパク質C-II(apo C-II)の欠損の結果として高トリアシルグリセロール血症を有する人にみられる．

症例4：考察問題の解答

TQ1．A．エタノール代謝でみられる細胞質ゾルのNADHの上昇は，解糖系を抑制する．グリセルアルデヒド-3-リン酸デヒドロゲナーゼの段階にはNAD^+を要求し，NAD^+はグリセルアルデヒド3-リン酸が酸化されるときに還元される．NADHの上昇とともにグリセルアルデヒド3-リン酸が蓄積する．

B．解糖系からのグリセルアルデヒド3-リン酸は，グリセロール3-リン酸に変換され，グリセロール3-リン酸はTAG合成での脂肪酸の最初の受容体になる(右図参照)．脂肪酸は，(アセトアルデヒド酸化の産物である酢酸の産生増加とTCA回路での使用低下の両方の結果として増加しているアセチルCoAからの)合成の増加と，脂肪組織での脂質分解からの入手可能性の増加，分解の低下のために，利用されやすい．肝臓で産生されたTAGは蓄積して(一部はVLDLの産生の減少による)，脂肪肝(脂肪変性)を起こす．肝細胞の脂肪変性はアルコール性肝疾患の初期の(そ

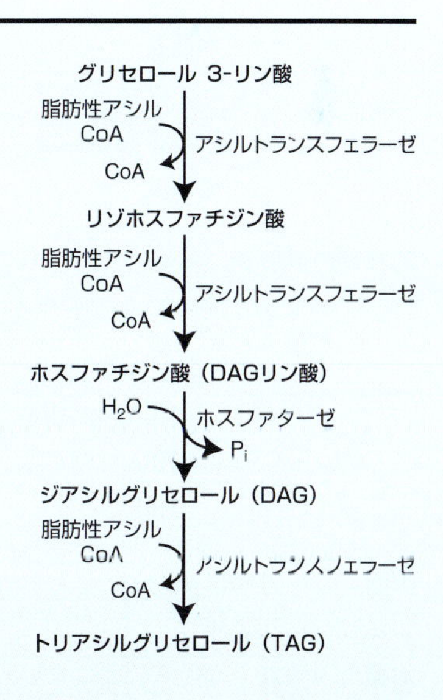

して可逆的)段階である．続く段階は，アルコール性肝炎(ときに可逆的)と，肝硬変(不可逆的)である．

TQ2． NADHの上昇は，乳酸デヒドロゲナーゼによるピルビン酸の乳酸への還元反応を進める．乳酸は尿酸の腎臓での排出を減少させて，それによって，急性の痛風発作の必要条件である高尿酸血症を起こす．[注：ピルビン酸から乳酸への変換は，糖新生の基質としてのピルビン酸の入手可能性を減少させる．これが，患者にみられる低血糖の一因となる．]

TQ3． プロトロンビン時間(PT)は，血漿が組織因子を加えて後に凝固するまでにかかる時間を測定する．それゆえ，凝固の外因系(および共通な)経路の評価ができる．外因系経路では，組織因子がFⅦと複合体を形成し，複合体がカルシウムイオン(Ca^{2+})とリン脂質(PL)依存性の過程により活性化される(右図参照)．FⅦは凝固系のほとんどのタンパク質と同様に，肝臓で作られる．アルコール性肝障害では，その合成が減少する可能性がある．加えて，FⅦは半減期が短くγ-カルボキシグルタミン酸(Gla)を含むタンパク質なので，その合成にはビタミンKが必要である．低栄養状態では，結果としてビタミンKの入手可能性が減少し，そのために凝固能が低下する可能性がある．[注：重症の肝疾患患者では，結果としてPTと活性化部分トロンボプラスチン時間(aPPt)が延長する．]

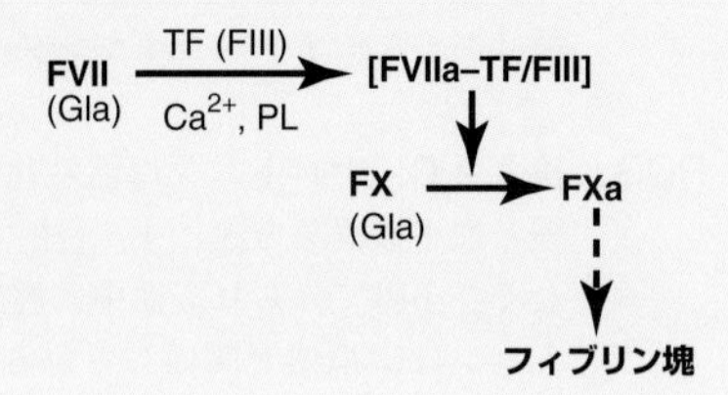

TQ4． 葉酸の投与はビタミンB_{12}欠乏の血液学的検査所見(大球性貧血)を改善させることで，B_{12}欠乏症を隠す可能性がある．しかし，葉酸はB_{12}欠乏により起こる神経系障害に対する効果はない．それゆえ，時間とともに神経学的影響が重症になり，不可逆性になる可能性がある．このように，葉酸の投与はB_{12}欠乏症を隠して神経障害が明らかになるまで治療を妨げる可能性がある．

Ⅲ．単一の代謝系が関連する症例

症例1：小球性貧血

患者の臨床像：24歳の男性．就職前の健康診断のフォローアップとして診察を受けている．

既往歴・現病歴：彼には明らかな医学的な問題はない．彼の家族歴にも取り立てていうほどのことはない．

異常所見：身体診察は正常であった．血液の通常検査の分析では以下の結果が含まれていた．

	患者	基準範囲
赤血球	$4.8 \times 10^6/mm^3$	4.3～5.9
ヘモグロビン	9.6 g/dL(低値)	13.5～17.5(男性)
平均赤血球容積	70 μm^3(低値)	80～100
血清鉄	150 μg/dL	50～170

これらのデータに基づいて，ヘモグロビン(Hb)の電気泳動がなされた．その結果は，以下の通りであった．

	患者	基準範囲
HbA(含 HbA_{1c})	90%(低値)	96～98
HbA_2	6%(高値)	＜3
HbF	4%(高値)	＜2

診断：この患者はβサラセミア形質(βサラセミアマイナー)であり(p.46参照)，小球性貧血を起こしている(次頁上図参照)．

治療：現時点では何も必要はない．患者は，鉄のサプリメントが彼の貧血の予防にはならないと忠告された.

予後：βサラセミア形質は，死亡あるいは重大な病的状態を起こすことはない．患者には家族計画を考える上で常染色体劣性の遺伝形質であることを伝えるべきである．なぜなら，ホモ接合体βサラセミア（クーリー貧血 Cooley anemia）は深刻な疾患だからである．

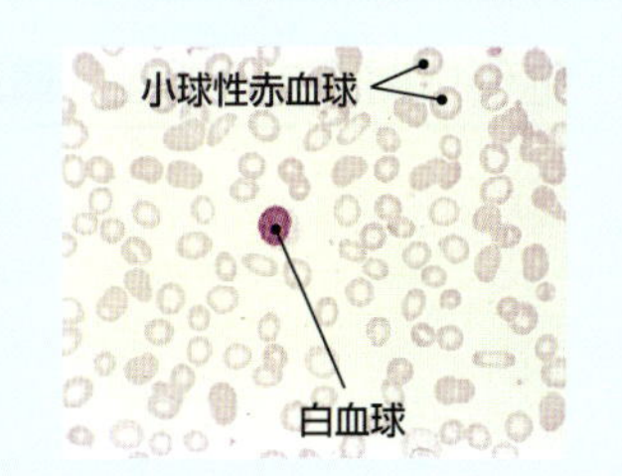

症例に関連する問題：最適な答えを 1 つ選びなさい.

Q1．結果としてβグロビンのタンパク質の産生減少が起こる遺伝子変異が，βサラセミアの原因である．変異は主に，遺伝子の転写あるいは転写後のメッセンジャー RNA（mRNA）産物のプロセシング過程に影響する．mRNA に関する記述で次のうちどれが正しいか．

A. 真核生物の mRNA はポリシストロン性である．
B. mRNA の合成にはシス作用配列へのトランス作用因子の結合が関与する．
C. mRNA の合成は TAG の DNA の塩基配列で終了する．
D. 真核生物の mRNA の 5′末端のポリアデニル化には，メチル基の供与体が必要である．
E. 真核生物の mRNA のスプライシングには，エキソンの除去とイントロンどうしの結合が関与する．

Q2．HbA は 2 個のαと 2 個のβグロビン鎖の四量体であり，肺から組織へ O_2 を運び，組織から肺へプロトンと CO_2 を運ぶ．濃度の増加が結果として HbA による O_2 の運搬を低下させるのは次のうちどれか．

A. 2,3-ビスホスホグリセリン酸
B. 二酸化炭素
C. 一酸化炭素
D. プロトン

Q3．βサラセミアで HbA_2 と HbF（胎児 Hb）が増加する分子基盤は何か．

Q4．なぜ，アレル（対立遺伝子）特異的オリゴヌクレオチド（ASO）ハイブリッド形成技術は，鎌状赤血球貧血のすべての症例に有用であるのに対して，βサラセミアのすべての症例には有用ではないか．

症例 2：皮疹

患者の臨床像：34 歳の女性．左の大腿部に赤くかゆみのない発疹とインフルエンザ様の症状を呈している．

既往歴・現病歴：患者は，発疹が 2 週間ほど前に現れ，最初は小さかったが，大きくなっていったと述べた．また，筋肉痛と関節痛があり，この 2，3 日間頭痛があったことからインフルエンザにかかったと思っている．彼女は，夫と 2 人で先月キャンプ旅行したと告げた．

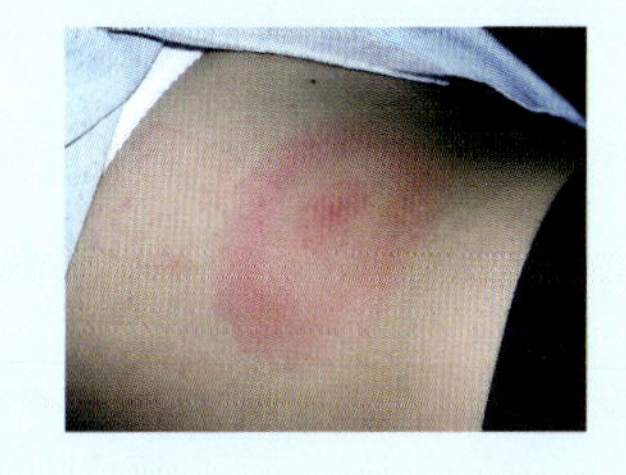

異常所見：身体診察では射撃の的に似た大きさが 11 cm くらいの赤く，円形で，平らな病変（遊走性紅斑）が顕著であった（右図参照）．患者は，また微熱がある．

診断：患者はボレリア・ブルグドルフェリ *Borrelia burgdorferi* という細菌（訳注：スピロヘータの一種）によって起こったライム病 Lyme disease で，マダニの咬創によって伝播する．感染源（宿主）のマダニは，米国のいくつかの地域に蔓延している．

治療：患者にはテトラサイクリン系抗生物質であるドキシサイクリンが処方された．患者の観察は，すべての症状が完全に解消するまで続けられる．臨床検査のために採血される．

予後：ライム病の早期の段階で適切な抗生物質で治療された患者は，一般的には急速かつ完全に回復する．

症例に関連する問題：最適な答えを 1 つ選びなさい.

Q1．　テトラサイクリン系の抗生物質は，原核生物 mRNA からのタンパク質合成（翻訳）を開始段階で阻害する．翻訳についての記述で正しいのは次のうちどれか．

A. 真核生物の翻訳では，開始アミノ酸はホルミルメチオニンである．
B. アミノ酸を結合した開始 tRNA だけが，リボソームの A 部位に直接結合する．
C. ペプチジルトランスフェラーゼは，2 つのアミノ酸の間にペプチド結合を形成するリボザイムである．
D. 原核生物の翻訳は，開始因子 2（IF-2）のリン酸化によって阻害されうる．
E. 翻訳の終結は，GTP の加水分解には依存しない．
F. シャイン・ダルガーノ配列 Shine-Dalgarno sequence は，リボソーム大サブユニットの mRNA への結合を促進する．

Q2．　米国疾病予防管理センター（CDC）は，ライム病に対して 2 段階の検査手法を推奨している．それには，スクリーニングとしてのエンザイムイムノアッセイ enzyme-linked immunosorbent assay（ELISA）と，それに続いて，ELISA の結果が陽性あるいは不明確である試料に対しての確定のためのウェスタンブロット解析が含まれる．これらの検査手法についての記載で正しいのは次のうちどれか．

A. 両方の技術は特異的な mRNA を検出するために使用される．
B. 両方の技術にタンパク質を検出する抗体の使用が含まれる．
C. ELISA には電気泳動の使用が要求される．
D. ウェスタンブロット法には PCR の使用が要求される．

Q3．　なぜ真核生物の細胞はテトラサイクリン系の抗生物質の影響を受けないか．

症例 3：歯ブラシの血（歯ぐきからの出血）

患者の臨床像：84 歳の男性．歯ぐきのあざと出血の診察のために来院している．

既往歴・現病歴：患者は 11 カ月前に妻を亡くしてからは 1 人で生活している．彼は孤立しており，家から外に出るのは億劫に思っている．食欲も変化して，シリアルやコーヒー，袋に入ったスナックで満足している．咀嚼は困難である．

異常所見：身体診察では，腫れて暗い色の歯ぐきの存在が顕著であった（右図参照）．患者の歯のいくつかは，歯のブリッジを固定するものも含めて，ゆるんでぐらついていた．数カ所の青黒いあざ（出血斑 ecchymosis）が足に認められ，右手首には未治療の痛みのある傷があった．頭皮を診ると，いくつかの毛包の周辺に小さな赤斑（点状出血 petechia）が明らかであった．検査のために採血された．

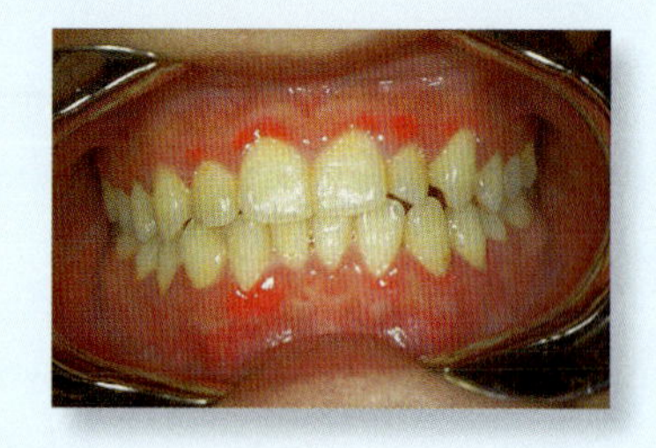

血液検査の結果は，以下の通りであった．

	患　者	基準範囲
赤血球	4.0×10^6/mm^3（低値）	4.3 〜 5.9
ヘモグロビン	10 g/dL（低値）	13.5 〜 17.5（男性）
平均赤血球容積	78 μm^3（低値）	80 〜 100
血清鉄	40 μg/dL（低値）	50 〜 170
血清フェリチン	23 μg/L（低値）	40 〜 160
総鉄結合能	375 μg/dL（高値）	300 〜 360
血小板	250×10^9/L	150 〜 350×10^9

患者の便中の血液の検査（潜血検査）は陰性であった．

追跡検査の結果（予約して数日後に得られた）には，以下が含まれていた．

	患　者	基準範囲
ビタミンC（血漿中）	0.16 mg/dL（低値）	0.2 ～ 2

診断：患者は，鉄欠乏による二次的な小球性低色素性貧血を伴うビタミンC欠乏症である．

治療：患者にはビタミンC（経口アスコルビン酸）と鉄剤（経口硫酸第一鉄）の補充剤が処方された．彼はまた社会福祉サービスに紹介された．

予後：回復についての予後は，良好である．

症例に関連する問題：最適な解答を１つ選びなさい．

Q1．　ビタミンCについての記述で正しいのは次のうちどれか．
　A.　腸管での鉄吸収の競合阻害剤である．
　B.　脂溶性のビタミンであり，脂肪組織に通常3カ月分の蓄えが貯蔵されている．
　C.　コラーゲンのプロリン残基とリシン残基のヒドロキシ化に必要な補酵素である．
　D.　コラーゲンの架橋形成に必要である．

Q2．　鉄欠乏症（高齢者でよくみられる）に特徴的な小球性貧血とは対照的に，大球性貧血は，ビタミンB_{12}や葉酸の欠乏症でみられる．これらのビタミン欠乏症もまた，高齢者でよくみられる．これらのビタミンについての記述で正しいのは次のうちどれか．
　A.　ビタミンB_{12}の吸収不全の結果として，悪性貧血 pernicious anemia になる．
　B.　両方のビタミンは，遺伝子発現の変化を起こす．
　C.　葉酸は，ほとんどの細胞でエネルギー代謝において重要な役割を持つ．
　D.　メトトレキセートでの治療の結果として，葉酸の補酵素型が毒性レベルになる．
　E.　ビタミンB_{12}はアミノ酸の脱アミノ，脱炭酸，アミノ転移反応の補酵素である．

Q3．　溶血性貧血は，栄養性貧血とどう違うか．

症例４：頻拍，頭痛，多汗

患者の臨床像：45歳の女性．突然（発作性）の激しく，短い頭痛の発現，多汗（発汗），心悸亢進（動悸）に対する不安を呈している．

既往歴・現病歴：発作は3週間ほど前に始まったという．発作は2～10分続き，その間非常に不安を感じている．発作中は心臓の脈が飛ぶように感じている（不整脈）．最初患者は，その発作が仕事上の最近のストレスに関するものか更年期かもしれないと思っていた．発作が最後に起こったとき，彼女は薬局にいて血圧を測っていた．血圧は最高165 mmHgで最低110 mmHg（165/110 mmHg）と伝えられた．患者は，食欲はあるにもかかわらず，（発作が起こるようになった）この期間で体重が約8ポンド（訳注：約3.6 kg）減ったと述べている．

異常所見：身体診察では，患者はやせて，顔色の悪さが顕著であった．血圧は，心拍数（110～120拍/分）と同様に上がっていた（150/100 mmHg）．患者の病歴に基づいて，血液中のノルメタネフリンとメタネフリンのレベルの測定が指示された．それらの値は上昇していた．

診断：患者は，副腎髄質のカテコールアミンを分泌するまれな腫瘍である褐色細胞腫である．

治療：腹部の画像検査がなされ，右の副腎で腫瘍の位置が特定された．腹腔鏡での腫瘍の外科的切除が施行された．腫瘍は悪性ではないことが明らかになった．術後，血圧は正常に戻った．血漿中のメタネフリンの追跡検査が2週間後になされ，正常範囲であった．

予後：悪性ではない褐色細胞腫の5年生存率は95%以上である．

症例に関連する問題：最適な答えを 1 つ選びなさい.

Q1. 褐色細胞腫は，ノルアドレナリンとアドレナリンを分泌する．これら 2 つの生体アミンの合成と分解についての記述で正しいのは次のうちどれか.

A. 合成のための基質はトリプトファンであり，トリプトファンがテトラヒドロビオプテリン要求性のトリプトファンヒドロキシラーゼにより，3,4-ジヒドロキシフェニルアラニン(ドーパ)へとヒドロキシ化される.

B. ドーパからドーパミンへの変換には，ピリドキサールリン酸(PLP)要求性のカルボキシラーゼが関与する.

C. ノルアドレナリンからアドレナリンへの変換には，ビタミン C を必要とする.

D. 分解にはカテコール-*O*-メチルトランスフェラーゼ(COMT)によるメチル化が関与し，ノルアドレナリンからノルメタネフリンをアドレナリンからメタネフリンを産生する.

E. ノルメタネフリンとメタネフリンは，モノアミンオキシダーゼ(MAO)によりホモバニリン酸へと酸化的に脱アミノされる.

Q2. アドレナリンとノルアドレナリンのどちらか，あるいは両方の作用についての記述で正しいのは次のうちどれか.

A. ノルアドレナリンは，神経伝達物質とホルモンとして機能する.

B. 受容体の選択的なチロシン残基の自己リン酸化によって始まる.

C. アドレナリン受容体と結合することによって媒介される．アドレナリン受容体は核内受容体の 1 つである.

D. 作用の結果として，グリコーゲンと TAG の合成の活性化が起こる.

Q3. 特定の受容体に結合したノルアドレナリンは血管収縮と血圧上昇を起こす．なぜ，ノルアドレナリンは，敗血症性ショックの治療に臨床的に使われる可能性があるのか.

症例 5：日光過敏

患者の臨床像：6 歳の男児．顔，頸部，前腕，下腿に高色素沈着のそばかすのような部位が認められている.

既往歴・現病歴：父親は，患児がいつも日光に非常に敏感であったと話した．少しの時間でも日光に曝露されると，皮膚は赤くなって(紅斑)，目が痛む(羞明).

異常所見：身体診察では，日光からの紫外線(UV)に曝露される皮膚で，厚く鱗状の部位(日光角化症 actinic keratosis)と色素過剰部位が明らかであった．小さな血管の拡張(毛細血管拡張 telangiectasia)もまたみられた．腕と下腿の数カ所の部位の組織が生検されて，2 カ所は扁平上皮がん squamous cell carcinoma であることが後に判定された.

診断：患児は，DNA のヌクレオチドの除去修復のまれな欠損症の色素性乾皮症 xeroderma pigmentosum である.

治療：紫外線を反射する防護服や，紫外線を吸収する化学物質などの日焼け止めを使用し，日光から防御することが必要である．頻回に皮膚と眼を検査することが勧められる.

予後：ほとんどの色素性乾皮症の患者は，若年齢で皮膚がんにより死亡する．しかし，中年を超えての生存も可能である.

症例に関連する問題：最適な答えを 1 つ選びなさい.

Q1. DNA 修復機構について，

A. 真核生物のみで起こる.

B. 二重鎖の切断の DNA 修復には誤りはない.

C. ミスマッチ塩基の DNA 修復には親鎖の修復が含まれる.
D. UV 照射により引き起こされたピリミジン二量体の DNA 修復には，その二量体を含む短いオリゴヌクレオチドの除去が含まれる.
E. シトシンの脱アミノによりできたウラシルの DNA 修復には，そのウラシル塩基を除去するためにエンドヌクレアーゼとエキソヌクレアーゼの作用が必要である.

Q2. DNA 合成(複製)について,
A. 真核生物と原核生物の両方で RNA プライマーが必要である.
B. 真核生物では，クロマチンの凝縮が必要である.
C. 原核生物では，単一の DNA ポリメラーゼによってなされる.
D. ゲノムのランダム部位から始まる.
E. 5′→3′-ホスホジエステル結合によりつながったデオキシリボヌクレオシド一リン酸の重合体(ポリマー)を作る.

Q3. DNA の校正と修復の違いは何か.

症例 6：褐色尿と強膜の黄染

患者の臨床像：63 歳の男性．疲労感と強膜の黄疸がみられる.

既往歴・現病歴：患者は，尿路感染症のために，約 4 日前からスルホンアミド系の抗生物質と尿路鎮痛薬での治療を始めた．彼は鎮痛薬で尿が変色していく(赤みがかった色になる)かもしれないといわれたが，この 2 日間で暗い色になって(より茶色がかって)きたと訴えている．昨夜，彼の妻は彼の眼が黄ばんだ色合いであることに気がついた．彼はまるでエネルギーがないようにさえ感じているといっている.

異常所見：身体診察では，青白い顔，軽度の強膜黄疸，軽度の脾腫，心拍数の増加(頻脈)が顕著であった．尿検査ではヘモグロビンが陽性(ヘモグロビン尿)であった．末梢血液の塗抹標本では，正常よりも少ない数の赤血球(RBC)，いくつかの沈殿したヘモグロビン(ハインツ小体，右図参照)を含む RBC，正常よりも多くの数の網状赤血球(未成熟 RBC)が明らかになった．全血算(CBC)と血液の生化学的検査の結果を待っている状態である.

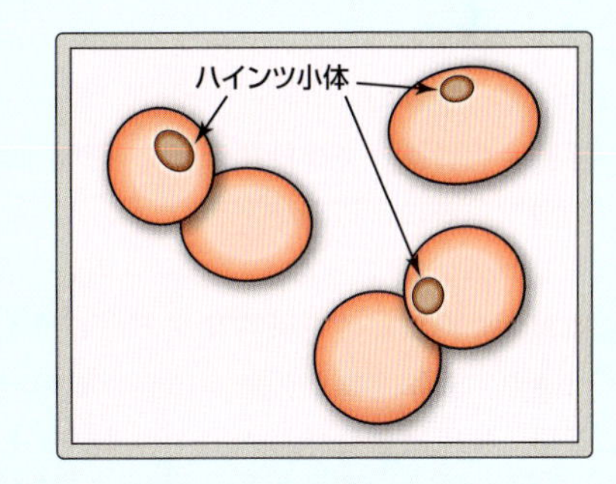

診断：この患者は，グルコース-6-リン酸デヒドロゲナーゼ(G6PD)欠損症である(p.200 参照)．これは溶血(RBC 破壊)が生じる X 連鎖疾患である.

治療：G6PD 欠損では，感染症，ある種の薬物やソラマメなどの酸化作用のある物質に曝露されて影響を受けた人では，溶血性貧血を起こすことがある．患者は別の抗生物質に切り替えられ，ある種の物質を避けて，いつも医療提供者に体調を伝えるように助言を受けるであろう．彼は，以前には強い酸化ストレスを有する物質に曝露されたことがなく，有する遺伝的欠損に気づいていなかったようである.

予後：酸化物質への曝露がなければ，G6PD 欠損症は死亡や重大な病的状態を起こさない.

症例に関連する問題：最適な答えを 1 つ選びなさい.

Q1. G6PD とペントースリン酸経路についての記述で正しいのは次のうちどれか.
A. G6PD の欠損は RBC のみで起こる.
B. G6PD の欠損では結果として，グルタチオンを還元型に保てなくなる.
C. ペントースリン酸経路は，1 つの可逆的な還元反応で始まり，一連のリン酸化糖の相互変換が続く.
D. ペントースリン酸経路で産生された NADPH は，脂肪酸酸化のような過程に利用される.

Q2． 患者のCBCの結果は溶血性貧血と一致していた．血液の生化学的検査ではビリルビン濃度の上昇がみられた．ビリルビンについての記述で正しいのは次のうちどれか．

A. 高ビリルビン血症は皮膚と強膜へのビリルビンの沈着を起こし，結果として黄疸を起こす．
B. ビリルビンの溶解度は，肝臓での2分子のアスコルビン酸付加により増加する．
C. ビリルビンの抱合型が溶血性貧血の血中で増加する．
D. 光線療法は，ポルフィリン症でできた過剰のビリルビンの溶解度を増加させうる．

Q3． なぜ尿中のウロビリノーゲンは溶血性黄疸では正常に比べて増加して，閉塞性黄疸ではなくなるか．

症例7：関節痛

患者の臨床像：22歳の男性．親指(拇指)の付け根の激しい炎症で救急部(ED)で治療を受けた10日後のフォローアップに来た．

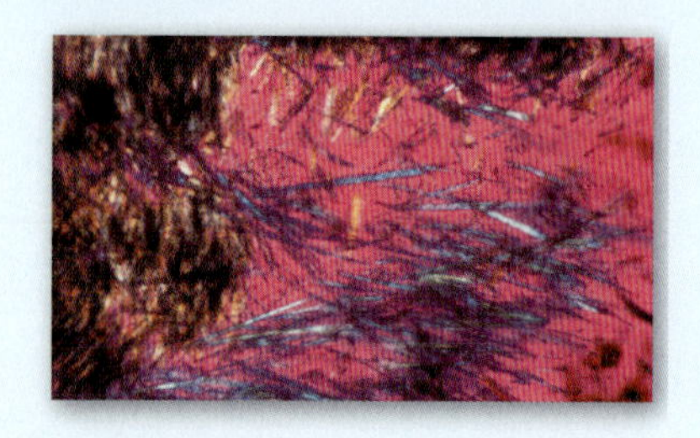

既往歴・現病歴：今回が患者にとって初めての激しい関節痛の発現であった．EDでは，抗炎症薬の投与を受けた．拇指の手根中手関節から吸引された滑膜液には，微生物は陰性であったが，針状の尿酸一ナトリウム塩(MSU)結晶が陽性だった(右図参照)．その後，炎症症状は軽快した．患者は，それ以外は過去に重大な既往歴はなく非常に健康だといっている．患者のBMIは31である．身体診察では，痛風結節(皮下のMSU結晶の沈着)はみられなかった．

異常所見：今回の通院に先立って要求されていた24時間尿の試料と血液検査の結果から，腎機能と尿酸排出は正常であることが明らかになった．患者の血液中の尿酸は，8.5 mg/dL(基準値2.5～8.0)であった．通常ではない若年での尿酸の存在は，プリン代謝の酵素病を示唆しており，追加の血液検査がオーダーされた．

診断：患者は，炎症性関節炎の一種の痛風(MSU結晶沈着症，p.388参照)である．

治療：患者には鎮痛薬とアロプリノールとコルヒチンの処方がなされた．治療の目標は，血中の尿酸値を6.0 mg/dLよりも下げて，さらなる発作を防ぐことである．過体重あるいは肥満は痛風の危険因子であるために体重を減らすようにと助言された．BMI 31は，肥満のカテゴリーに入るものである．彼はまた，食事と痛風の関連についてのパンフレットを渡された．

予後：痛風は，腎結石の発生のリスクを増加させる．痛風はまた，高血圧，糖尿病，心疾患とも関連している．

症例に関連する問題：最適な答えを1つ選びなさい．

Q1． アロプリノールは体内でオキシプリノールに変換され，オキシプリノールはプリン代謝の酵素の非競合阻害薬として働く．プリン代謝とその調節についての記述で正しいのは次のうちどれか．

A. 非競合阻害薬として，オキシプリノールは標的酵素の見かけのK_mを増加させる．
B. コルヒチンはプリン分解の酵素であるキサンチンオキシダーゼを阻害する．
C. グルタミン酸はプリン環の2つの窒素原子を供給する．
D. プリンヌクレオチド合成では，プリン環系が最初に形成されて，その後，リボース5-リン酸に付加される．
E. オキシプリノールはプリン環系の分解を開始するアミドトランスフェラーゼを阻害する．
F. プリン塩基のサルベージの部分的あるいは完全な酵素欠損は，高尿酸血症を呈する．

Q2． 次の記述のうち，ピリミジンについて正しいのはどれか．

A. カルバモイルリン酸シンテターゼⅠはピリミジン環合成における調節を受ける酵素である．
B. メトトレキセートは，ピリミジンヌクレオチドのチミジン一リン酸(TMP)の合成を減少させる．

C. オロト酸尿症 orotic aciduria は，ピリミジン分解の病態である．
D. ピリミジンヌクレオチド合成は，5-ホスホリボシル-1-ピロリン酸(PRPP)には依存しない．

Q3． 患者はその後，PRPP シンテターゼについて，増加した酵素活性を示す型を有することが示された．なぜ，この結果として高尿酸血症になるか．

症例 8：排便運動(腸運動)の欠如

患者の臨床像：生後 2 日目の女児．いまだ排便がない．

既往歴・現病歴：患児は正常妊娠と正常分娩の満期産で生まれている．出生時は正常にみえた．彼女は，2 人とも健康で家族歴に特記すべき点はない両親の最初の子供である．

異常所見：患児は腹部が膨隆していた．最近，少量の(緑色の)胆汁性の物を嘔吐した．

診断：腹部の X 線検査によって，胎便性腸閉塞(胎便性イレウス．新生児で最初に作られる便である胎便による腸管の閉塞)が確認された．胎便性腸閉塞の満期産新生児の約 98%は，嚢胞性線維症 cystic fibrosis (CF)がある．続いて，CF の診断が，塩素汗試験(汗の中の塩素イオンの濃度測定)と遺伝子解析により確定した．

治療：腸閉塞は非外科的にうまく治療された．CF の管理のために，家族は地方の小児病院の CF センターに紹介された．

予後：CF は白人(コーカサス人)で最もよくみられる致死的な常染色体劣性遺伝病であり，米国では約 3,300 の生児出産に 1 回みられる．

症例に関連する問題：最適な答えを 1 つ選びなさい．

Q1． CF についての記述で正しいのは次のうちどれか．
A. CF の臨床症状は，上皮細胞表面の粘液の過度の厚さと粘稠さをもたらす，水の再吸収の増加を伴う塩素イオンの貯留の結果として起こる．
B. CF では，膵臓のインスリンの過度の分泌の結果，通常，低血糖が起こる．
C. ある変異では，その結果としてユビキノン付加とそれに引き続いて起きるプロテアソームを介したタンパク質分解による CF 膜貫通コンダクタンス制御(CFTR)タンパク質の早期分解を引き起こす．
D. 最も良くみられる変異，ΔF508 は，結果としてフェニルアラニン(F)のコドンの欠如が起こり，フレームシフト変異に分類される．

Q2． CFTR タンパク質は，内在性の細胞膜糖タンパク質である．細胞膜の構成成分として機能することが決められているタンパク質の移動には，
A. ゴルジ体を経由しての輸送が関与する．
B. 機能するときのタンパク質にも残されている N 末端のシグナル配列が関与する．
C. タンパク質が完全に合成された後(すなわち翻訳後)に起こる．
D. タンパク質にマンノース 6-リン酸残基の存在が必要である．

Q3． なぜ CF では脂肪便がみられる可能性があるか．

症例 9：高アンモニア血症

患者の臨床像：生後 40 時間の男児．脳浮腫の徴候を示している．

既往歴・現病歴：患児は正常妊娠と正常分娩の満期産で生まれている．出生時は正常にみえた．生後 36 時間で不穏になり，元気がなく，低体温になった．彼は何も食べずに嘔吐した．頻呼吸(急速呼吸)と神経学的障害の姿勢を示した．38 時間後には痙攣があった．

異常所見：呼吸性のアルカローシス(pH の増加と CO_2 の減少(低炭酸ガス血症))，アンモニアの増加，血中の尿素窒素の減少がみられた．アミノ酸スクリーニングでは，アルギニノコハク酸が基準値よりも 60 倍以上に増加しており，シトルリンは 4 倍に増加していた．グルタミンは増加して，アルギニンは正常値に比べて減少していた．

診断：患児は，新生児発症型の尿素回路酵素欠損である．

治療：血液透析がアンモニア除去のためになされた．アルギニンに加えて，フェニル酢酸ナトリウムと安息香酸ナトリウムが窒素廃棄物の排出を助けるために投与された．長期治療には，生涯にわたる食事性タンパク質の制限，必須アミノ酸の補充，アルギニン，フェニル酢酸ナトリウム，フェニル酪酸ナトリウムの投与が含まれる．

予後：成人期までの生存は可能である．神経学的障害の程度は，高アンモニア血症の程度と期間に関係する．

症例に関連する問題：最適な答えを 1 つ選びなさい．

Q1．　所見に基づくと，この患児では尿素回路のどの酵素が最も欠損している可能性があるか．

A. アルギナーゼ
B. アルギニノコハク酸リアーゼ
C. アルギニノコハク酸シンテターゼ
D. カルバモイルリン酸シンテターゼ I
E. オルニチントランスカルバミラーゼ

Q2．　なぜこの症例では，アルギニンの補充が有効か．

Q3．　尿素回路の酵素の部分的な(軽い)欠損がある人では，生理的なストレスの期間，次のどの 1 つの濃度が減少することが予想されるか．

A. アラニン
B. アンモニア
C. グルタミン
D. インスリン
E. pH

症例 10：腓腹部(ふくらはぎ)の痛み

患者の臨床像：19 歳の女性．右ふくらはぎの痛みと腫脹についての診断がなされているところである．

既往歴・現病歴：患者は，10 日前に自転車事故で脾臓を摘出されたが，事故の際，脛骨隆起部 tibial eminence を骨折して右膝の固定を余儀なくされた．彼女は外科手術から順調に回復した．痛み止めはもう服用していないが，経口避妊薬(OCP)を続けている．

異常所見：右ふくらはぎは色が赤く(紅斑性)，触ると温かい．眼でみて腫れている．左ふくらはぎは外見上正常で痛みはない．超音波検査がオーダーされる．

診断：患者は深部静脈血栓症(DVT)である．OCP は，外科手術や固定と同様に DVT の危険因子である．

治療(緊急治療)：ヘパリンが抗凝固のために投与された．

予後：DVT 後に続く 10 年以内に，約 3 分の 1 の人が再発する．

症例に関連する問題：最適な答えを 1 つ選びなさい．

Q1．　次のうちどれが血栓のリスクを増加させるか．

A. アンチトロンビンの過剰産生
B. プロテイン S の過剰産生
C. FV ライデン変異体の発現
D. 低プロトロンビン血症
E. フォン・ウィルブランド病 von Willebrand disease

Q2.　ヘパリンとワルファリンの作用を比較対照しなさい.

Ⅳ. 単一の代謝系が関連する症例の解答

症例１：βサラセミアマイナーによる貧血

Q1.　**答え＝B.** 転写（二本鎖 DNA の鋳型鎖からの一本鎖 RNA の合成）には，（シス作用配列である）DNA 上の配列へのタンパク質（トランス作用因子）の結合が必要になる．真核生物の mRNA は，1 つだけの遺伝子（シストロン）からの情報を含んでいるのでモノシストロン性である．DNA のコードする側の鎖の TAG（チミン，アデニン，グアニン）の塩基配列は，mRNA では，U（ウラシル）AG である．UAG は転写ではなく，翻訳（タンパク質合成）を終結するシグナルである．（*S*-アデノシルメチオニンを使っての）メチル化を必要とするのは，真核生物の mRNA の 5′-キャップの形成であり，3′末端のポリアデニル化ではない．スプライシングはスプライソソームを介する過程であり，それによってイントロンが真核生物の mRNA から除去されて，エクソンどうしが結ばれる．

Q2.　**答え＝C.** 一酸化炭素（CO）は，ヘモグロビン（Hb）A の O_2 に対する親和性を増加させて，それによって HbA の，組織で O_2（積み荷）を降ろす能力を減少させる．CO は R（弛緩）型あるいはオキシ型を安定化して，O_2 の解離曲線を左にシフトさせて，O_2 運搬を減少させる（右図参照）．その他の選択肢は，O_2 に対する親和性を減少させて，T（緊張）型あるいはデオキシ型を安定化して，曲線の右方シフトを起こす．

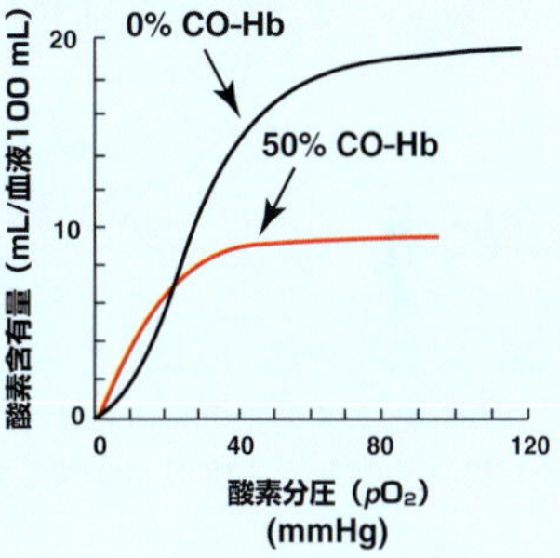

Q3.　HbA_2 と胎児 Hb（HbF）は β グロビンを含まない．β グロビン産生が減少するので，HbA_2（$\alpha_2\delta_2$）と HbF（$\alpha_2\gamma_2$）の合成は増加する．

Q4.　鎌状赤血球貧血は，β グロビンの遺伝子の単一の点変異（A → T）によって起こり，その結果として，タンパク質の 6 番目のアミノ酸部位でのグルタミン酸からバリンへの置換が起こる．その変異（β^s）と正常配列（β^A）に対する ASO プローブを使っての変異解析が診断に用いられる（右図参照）．対照的に，β サラセミアは，数百の異なる変異によって起こる．ASO プローブを使った変異解析では，危険性のある集団（例えば，地中海系を祖先とする集団）での，点変異を含むよくある変異を判断することはできる．β サラセミアは，地中海貧血としても知られている．しかし，より普通ではない変異は一連のプローブには含まれず，DNA 塩基配列決定によってのみ検出される．

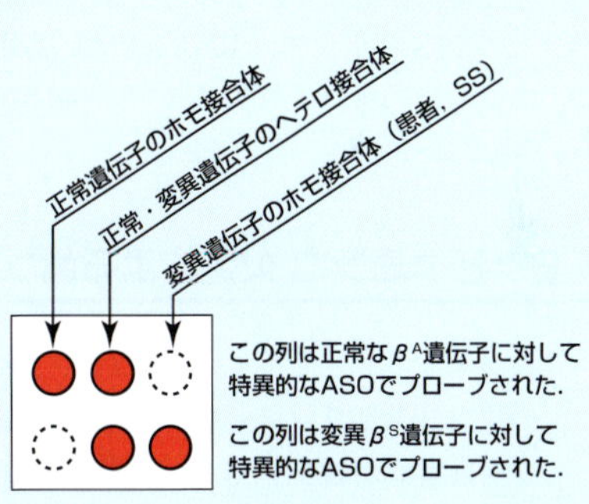

症例 2：ライム病による皮疹

Q1. **答え＝C.** リボソームのA部位のアミノ酸と，P部位の成長しているペプチドに最後に付加されたアミノ酸との間のペプチド結合の形成は，ラージリボソームサブユニットのRNAによって触媒される．触媒活性を持つRNAはどれもリボザイムと呼ばれる（下図参照）．ホルミルメチオニンは原核生物の翻訳を開始するのに使われる．アミノ酸と結合した開始トランスファーRNA（tRNA）は，P部位に直接結合する唯一のtRNAであり，作られる予定のタンパク質の次のアミノ酸を運ぶtRNAにA部位を利用可能にしておく．真核生物の翻訳は，開始因子2（eIF2）のリン酸化によって阻害される．シャイン・ダルガーノ配列 Shine-Dalgarno sequence は，原核生物のmRNAにみられ，mRNAとスモールリボソームサブユニットとの相互作用を促進する．真核生物では，キャップ結合タンパク質がその仕事を遂行する．

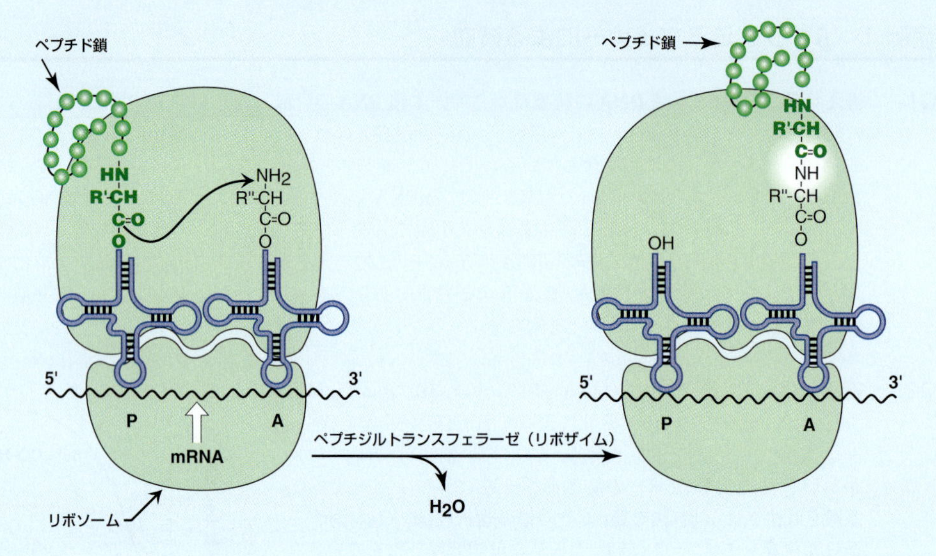

Q2. **答え＝B.** ELISAとウェスタンブロットはタンパク質を解析するために用いられる．それぞれが興味のあるタンパク質の検出と定量をするために抗体を使用する．電気泳動を使用するのはウェスタンブロットである．PCRはDNAを増幅させるために使用される．

Q3. テトラサイクリン系の抗生物質は，原核生物のスモール（30 S）リボソームサブユニットのA部位に結合して遮断することによってタンパク質合成を阻害する．テトラサイクリンは，特異的に30 Sサブユニットの16 SリボソームRNA（rRNA）成分と相互作用し，翻訳の開始を阻害する．真核生物は16 S rRNAを含まない．真核生物のスモール（40 S）サブユニットは18 S rRNAを含み，テトラサイクリンとは結合しない．

症例 3：ビタミンC欠乏による歯ブラシの血（歯ぐきからの出血）

Q1. **答え＝C.** ビタミンC（アスコルビン酸）は，細胞外基質の線維状タンパク質である，コラーゲン合成でのプロリンとリシンのヒドロキシ化反応の補酵素として働く．ビタミンCは，食物中の鉄を三価型（Fe^{3+}）から，二価型（Fe^{2+}）に還元する十二指腸シトクロム *b*（Dcytb）の補酵素でもある．（Fe^{3+}からFe^{2+}への還元は，）腸管上皮細胞の二価金属輸送体（DMT）からの（鉄の）吸収に必要である（次頁上図参照）．ビタミンC欠乏では，食事中の鉄の取り込みが障害されて，その結果として，小球性低色素性貧血が起こる．ビタミンCは，水溶性のビタミンなので，（脂肪組織に）貯蔵されない．コラーゲンのリシルオキシダーゼによる架橋形成は，ビタミンCではなく，銅を必要とする．

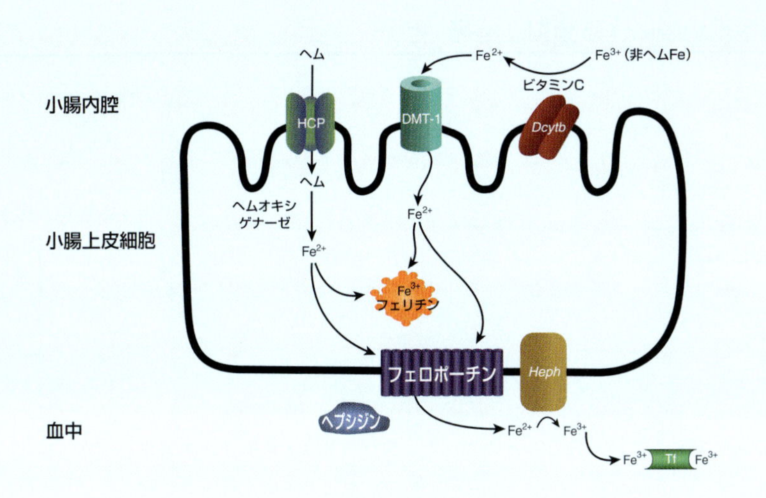

Q2．　答え＝A．ビタミンB_{12}の吸収不全は悪性貧血を起こすが，ほとんどの場合，胃の壁細胞による内因子(IF)産生の減少により起こる(右図参照)．ビタミンDとAは，それらの受容体との複合体を形成し，DNAに結合して遺伝子発現を変化させる．チアミン(ビタミンB_1)は，ピルビン酸とα-ケトグルタル酸の酸化的脱炭酸反応の補酵素であり，そのためにほとんどの細胞でエネルギー代謝に重要である．メトトレキセートは，ジヒドロ葉酸レダクターゼを阻害するが，この酵素はジヒドロ葉酸を，葉酸の機能を有する補酵素型であるテトラヒドロ葉酸(THF)へと還元する．この阻害の結果として，THFの入手可能性が減少する．ピリドキサールリン酸がアミノ酸に関するほとんどの反応の補酵素なので，(問題の文章は)ピリドキシン(ビタミンB_6)である．[注：テトラヒドロビオプテリンは，芳香族アミノ酸ヒドロキシラーゼとNOシンターゼに必要である．]

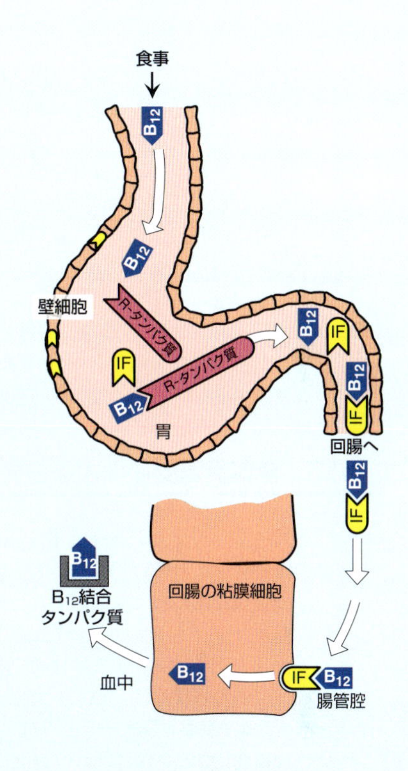

Q3．　栄養性貧血では，赤血球(RBC)の大きさの増加(葉酸とB_{12}の欠乏)かRBCの大きさの減少(鉄とビタミンCの欠乏)のどちらかが特徴である．グルコース-6-リン酸デヒドロゲナーゼ欠損症，ピルビン酸キナーゼ欠損症，鎌状赤血球貧血症にみられる溶血性貧血では，典型的には，RBCの大きさは正常であるが，RBCの数が減少する．

症例 4：褐色細胞腫による頻拍，頭痛，多汗

Q1. 答え＝D. アドレナリンとノルアドレナリンの両方の分解には，カテコール-*O*-メチルトランスフェラーゼ(COMT)によるメチル化が関与し，ノルアドレナリンからはノルメタネフリンを，アドレナリンからはメタネフリンを産生する(右図参照). これらの産生物は両方ともモノアミンオキシダーゼ(MAO)によって，バニリルマンデル酸へと脱アミノされる. カテコールアミン合成のための基質はチロシンであり，チロシンは，テトラヒドロビオプテリン要求性のチロシンヒドロキシラーゼによって，3,4-ジヒドロキシフェニルアラニン(ドーパ)へとヒドロキシ化される. ドーパは，ピリドキサールリン酸要求性の脱炭酸酵素によってドーパミンに変換される. [注：ほとんどのカルボキシラーゼはビオチンを要求する.] ノルアドレナリンは，メチル化反応によりアドレナリンに変化するが，*S*-アデノシルメチオニンがメチル基を供給する(p.372 参照).

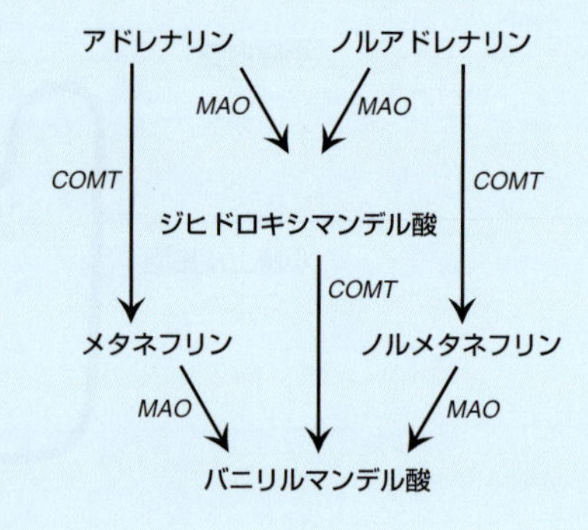

Q2. 答え＝A. 交感神経系から放出されるノルアドレナリンは神経伝達物質として働いて，シナプス後ニューロンに作用して，例えば，心拍数を増加させる. ノルアドレナリンはアドレナリンとともに副腎髄質からも放出されて，インスリン拮抗ホルモンとして機能して，その結果として貯蔵されている燃料(例えば，グルコースやTAG)の動員を起こす. これらの作用は，ノルアドレナリンがアドレナリン受容体に結合することによってなされるが，この受容体は，ステロイドホルモンの受容体のような核内の受容体やインスリンの受容体のような細胞膜のチロシンキナーゼ受容体ではなく，細胞膜のGタンパク質共役受容体である.

Q3. 敗血症性ショックは，感染に応答して誘導性のNOシンターゼが大量の一酸化窒素を産生することによって生じる血管拡張性低血圧(血管拡張により起こる低血圧)である. 平滑筋細胞上にある受容体に結合したノルアドレナリンは血管収縮を起こし，それゆえ血圧を上げる.

症例 5：色素性乾皮症による日光過敏

Q1. 答え＝D. ピリミジン二量体は，紫外線(UV)照射により起こる特徴的なDNA障害である. この修復は，ヌクレオチド除去修復(NER)として知られている過程であり，二量体を含むオリゴヌクレオチドの除去とそのオリゴヌクレオチドの交換が関与する(原核生物の過程の代表例として右図参照). DNA修復系は，原核生物と真核生物でみられる. 何者も「誤りがない」ことはないが，二重鎖切断の修復である相同組換え修復(HR)は，失われたDNAを複製するために，非相同末端結合修復法(NHEJ)よりもずっと間違いを起こしにくい. ミスマッチ塩基の修復(MMR)には，新たに合成された(娘)鎖の同定と修復が含まれる. 原核生物では，鎖のメチル化の程度が，2本の鎖を区別するのに用いられる. 塩基除去修復(BER)は，ウラシルがDNAから除去される機構であるが，塩基を除いて，アピリミジンあるいはアプリン部位(AP部位と呼ばれる)を作るグリコシラーゼが利用される. その後，その糖-リン酸は，エンドヌクレアーゼあるいはエキソヌクレアーゼの作用によって除かれる.

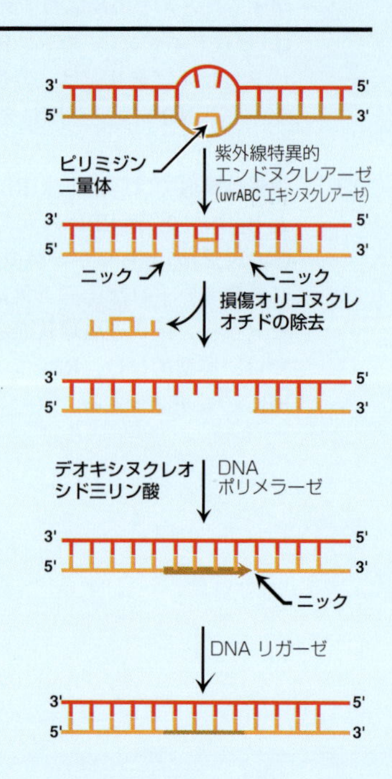

Q2. 答え＝A. DNAポリメラーゼはDNA合成を開始できないので，すべての複製にはRNAプライマーが必要である．真核生物のクロマチンは，複製のためには脱凝縮(弛緩)する．弛緩は，例えば，ヒストンアセチル化酵素を介するアセチル化によってなされる．原核生物は，1つ以上のDNAポリメラーゼを有する．例えばpol ⅢはDNAを用いてRNAプライマーを伸長し，pol Ⅰはプライマーを除去してそれをDNAと置き換える．複製は特異的な部位(原核生物では1カ所，真核生物では多数カ所)で始まり，その部位はタンパク質(例えば，原核生物ではDnaA)によって認識される．デオキシヌクレオシド一リン酸(dNMP)は，最後に付加されたdNMPの3′-ヒドロキシル基と，入ってくるヌクレオチドの5′-リン酸基とをつなぐホスホジエステル結合によりつながり，それによってピロリン酸が放出されて3′→5′-ホスホジエステル結合が形成される．

Q3. 校正は，細胞周期のS(DNA合成)期での複製の間に起こり，あるDNAポリメラーゼが持つ3′→5′エキソヌクレアーゼ活性が関与する(下図参照)．修復は，複製には非依存的に起こるので，S期外でも起こりうる．

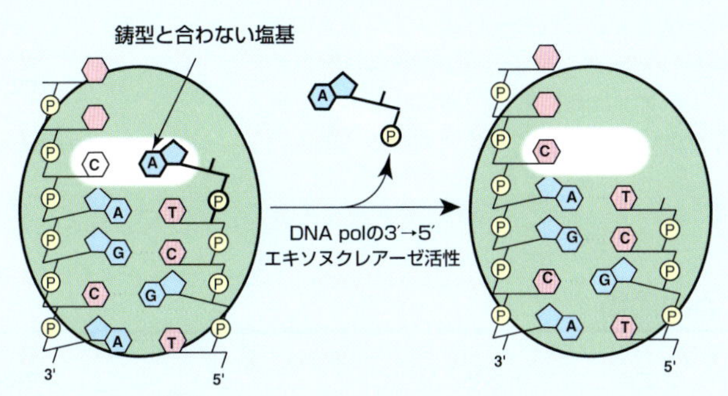

症例6：グルコース-6-リン酸デヒドロゲナーゼ欠損症による褐色尿と強膜の黄染

Q1. 答え＝B. 還元型のグルタチオン(G-SH)は，重要な抗酸化因子である．セレンを含む酵素であるグルタチオンペルオキシダーゼがグルタチオンを酸化(G-S-S-G)するときに，過酸化水素(H_2O_2，活性酸素種の1つ)を水へと還元する．NADPH要求性のグルタチオンレダクターゼは，G-S-S-GからG-SHを再生する(下図A参照)．NADPHは，ペントースリン酸経路の酸化反応によって供給されるが(下図B参照)，最初の段階であるグルコース-6-リン酸デヒドロゲナーゼ(G6PD)による触媒段階で，NADPHの入手可能性によって調節されている．G6PD欠損はすべての細胞で起こるが，その影響は，ペントースリン酸経路が唯一のNADPHの供給源である赤血球でみられる．その経路には，2つの不可逆的な酸化反応が含まれ，その各々がNADPHを産生する．NADPHは，ステロイドホルモンやコレステロール合成に加えて脂肪酸合成(酸化ではない)のような還元過程で使用される．

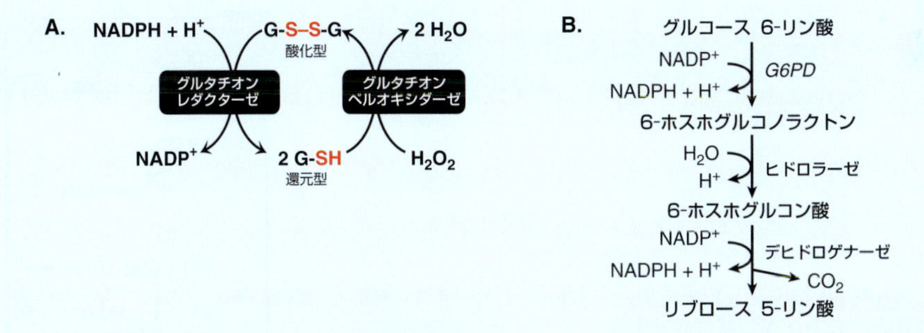

Q2. 答え＝A. 黄疸は血液中のビリルビン濃度が上がったとき(高ビリルビン血症)のビリルビン沈着の結果として起こる，皮膚，爪床，強膜の黄色の着色を意味する(右図C参照)．ビリルビンは水溶液での可溶性が低いが，肝臓でのUDP-グルクロン酸との抱合によって(ビリルビンジグルクロニドあるいは抱合ビリルビン(CB)を形成し)，可

C.

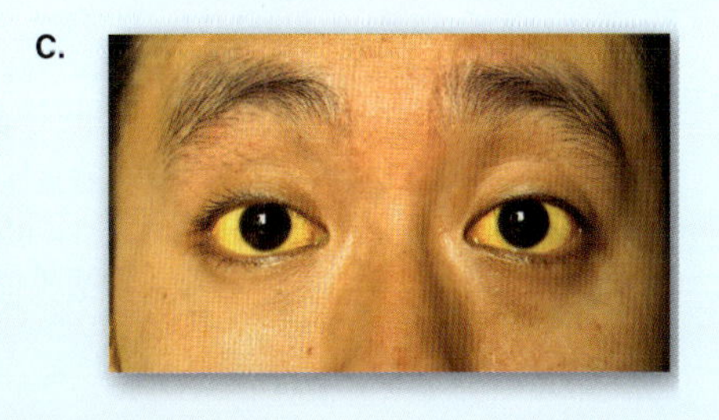

溶性が増加する．G6PD 欠損症のような溶血状態では，CB と非抱合ビリルビン(UCB)の両方が増加するが，血液中にみられるのは UCB である．CB は腸管内に送られる．光線療法はビリルビンをより水溶性の異性体型に変化させるので，非抱合型の高ビリルビン血症の治療に用いられる．ビリルビンは，特に肝臓と脾臓に存在する単核食細胞系内でのヘム分解の産物である．ポルフィリン症 porphyria は，ヘム合成の病態であり，それゆえ，高ビリルビン血症を呈さない．

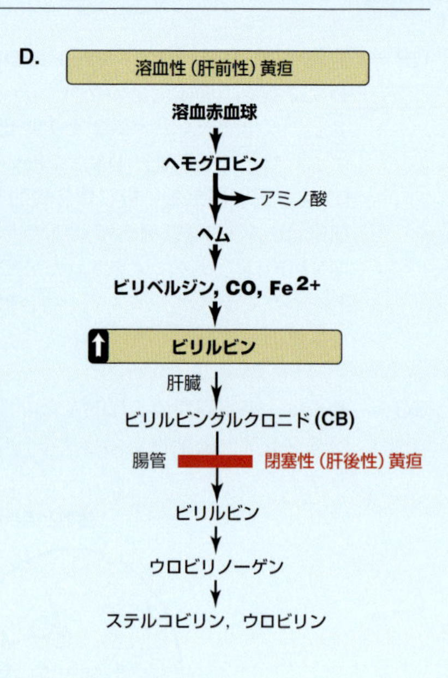

Q3．　溶血とともに，より多くのビリルビンが産生されて抱合される．CB は腸管に送られて，そこでウロビリノーゲンに変換されて，そのいくらかは再吸収されて，門脈血に入り，腎臓へと移動する．尿のウロビリノーゲンの起源は腸管のウロビリノーゲンであり，閉塞性黄疸では，腸管のウロビリノーゲンは総胆管の閉塞の結果として低くなるので，尿のウロビリノーゲンは低くなるであろう(右図 D 参照)．

症例 7：痛風による関節痛

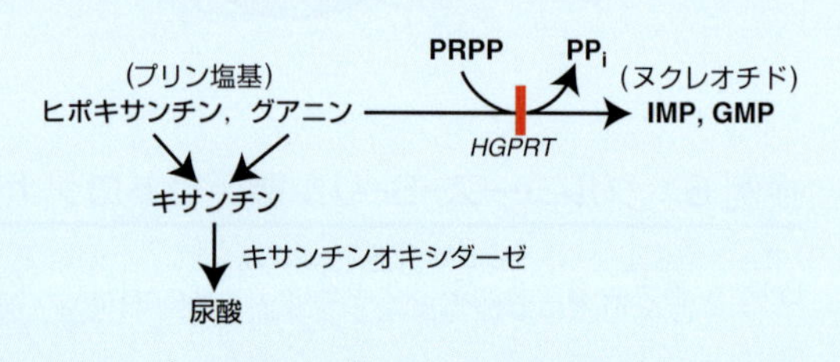

Q1．　答え＝F．プリン塩基のヒポキサンチンとグアニンのヒポキサンチン-グアニンホスホリボシルトランスフェラーゼ(HGPRT)によるプリンヌクレオチドであるイノシン一リン酸(IMP)とグアノシン一リン酸(GMP)への再回収(サルベージ)には，リボース一リン酸の供給源として 5-ホスホリボシル-1-ピロリン酸(PRPP)が必要である．サルベージ経路は尿酸への分解のために利用されうる基質の量を減らす．それゆえ，サルベージ経路の欠損は結果として，高尿酸血症を起こす(上図参照)．オキシプリノールのような非競合阻害薬は，ミカエリス定数(K_m)には影響はないが，見かけの最大速度(V_{max})を減少させる．コルヒチンは抗炎症薬である．コルヒチンはプリン合成や分解の酵素には影響しない．グルタミン(グルタミン酸ではない)は，プリン環合成の窒素供給源である．プリンヌクレオチド合成では，プリン環系は PRPP によって供給されるリボース 5-リン酸上で形成される．アロプリノールとその代謝物であるオキシプリノールは，プリン分解のキサンチンオキシダーゼを阻害する．アミドトランスフェラーゼは，プリン合成の調節されている酵素である．すなわち，その活性はプリンヌクレオチドによって減少し，PRPP によって増加する．

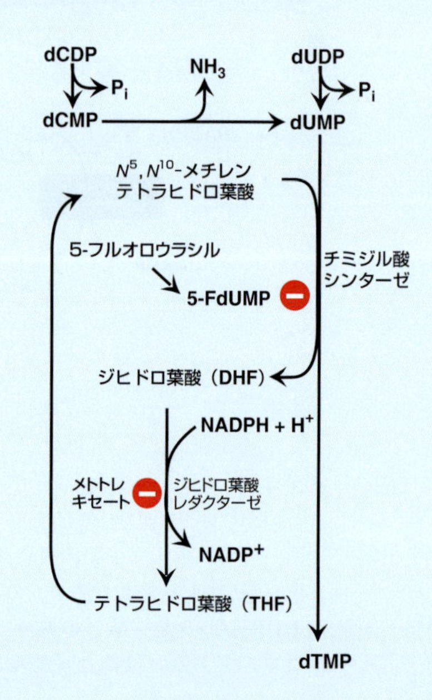

Q2．　答え＝B．メトトレキセートはジヒドロ葉酸レダクターゼを阻害し，チミジン酸シンターゼによるデオキシウリジン一リン酸(dUMP)からのデオキシチミジン一リン酸(dTMP)の合成に必要な N^5, N^{10}-メチレンテトラヒドロ葉酸(THF)の入手可能性を減少させる(右図参照)．カルバモイルリン酸シンテターゼ(CPS) II は，ヒトでのピリミジン生合成の活性が調節されている酵素である．CPS I は尿素回路の酵素である．オロト酸尿症は，二機能性酵素ウリジン一リン酸シンターゼの1つないしは2つの酵素活性欠損によって起こるピリミジン合成のまれな病態である．プリンの合成

や再回収(サルベージ)のように，ピリミジンヌクレオチドの合成にはPRPPを必要とする．

Q3．　PRPPシンテターゼの活性の増加は，結果としてPRPPの合成の増加を起こす．このことは，結果として，必要以上のプリンヌクレオチド合成増加を起こす．過剰のプリンヌクレオチドは尿酸に分解されるので，それゆえ高尿酸血症を起こす．

症例８：嚢胞性線維症による排便運動(腸運動)の欠如

Q1．　答え＝A．CFの臨床所見は，上皮細胞表面の粘液に過度の厚さと粘稠さを起こす，水の再吸収の増加を伴う塩素イオンの貯留の結果である．その結果は，呼吸器感染と膵臓の外分泌と内分泌機能の障害(膵機能不全)のような肺と胃腸管の障害である．膵臓の内分泌機能の障害の結果，高血糖を伴う糖尿病になりうる．ある変異は確かに結果としてCFTRタンパク質の分解を増加させるが，その分解はタンパク質へのユビキチン付加により開始される．フレームシフト変異では，3で割れない数のヌクレオチドの追加あるいは消失により読み枠が変わる．ΔF508変異は，CFTRタンパク質の508番目の位置のフェニルアラニン(F)をコードする3つのヌクレオチドの消失により起こるので，フレームシフト変異ではない．

Q2．　答え＝A．細胞膜の構成成分として機能することが決められているタンパク質の細胞膜を目標とした移動は，翻訳とともに起こる移動機構の一例である．その機構には，細胞質ゾルのリボソームでの翻訳の開始，タンパク質のN(アミノ)末端のシグナル配列のシグナル認識粒子による認識，タンパク質を合成する複合体のER膜の外表面への移動，タンパク質がERの内腔lumenへ強制的に移入されるようなタンパク質の合成の継続，そして小胞に包まれてゴルジ体を経由しての移動，そして最終的に細胞膜に融合することが含まれる．N末端のシグナル配列は，ERの内腔にあるペプチダーゼにより除かれる．マンノース6-リン酸は，翻訳後にタンパク質をリソソームのマトリックスを目標として移動させるシグナルであり，それらのタンパク質はリソソームで酸性ヒドロラーゼとして働く．

Q3．　CF患者の一部に膵機能不全がみられ，その結果として食物を消化する能力が低下するが，消化は食物の吸収に必要である．食事由来脂肪は腸管を通って移動し糞便の中に排泄される．この糞便には悪臭があり，かさばっていて浮くこともある(右図参照)．患者には脂溶性ビタミンの栄養不良と欠損症の危険がある．膵臓の酵素の経口補充が治療である．

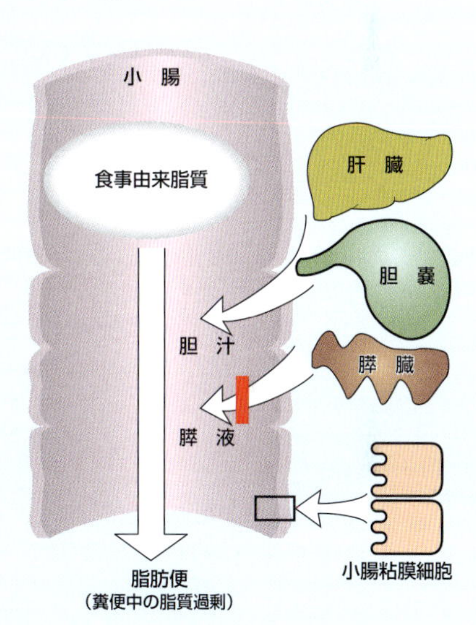

症例９：尿素回路の酵素欠損による高アンモニア血症

Q1．　答え＝B．アルギニノコハク酸リアーゼ(ASL)は，アルギニノコハク酸をアルギニン(Arg)とフマル酸に切断する．アルギニノコハク酸とシトルリンの増加とArgの減少はASLの欠損を示している(次頁上図参照)．アルギナーゼ欠損では，Argは減少するのではなく，増加すると思われる．加えて，アルギナーゼ欠損では，2つの窒素は排泄されるので，高アンモニア血症は軽症であろう．アルギニノコハク酸シンテターゼ(ASS)の欠損でも，シトルリンの増加は起こるであろう．しかし，アルギニノコハク酸は低値か存在しないであろう．カルバモイルリン酸シンテターゼ(CPS) Ｉの欠損は，Argとシトルリンの低

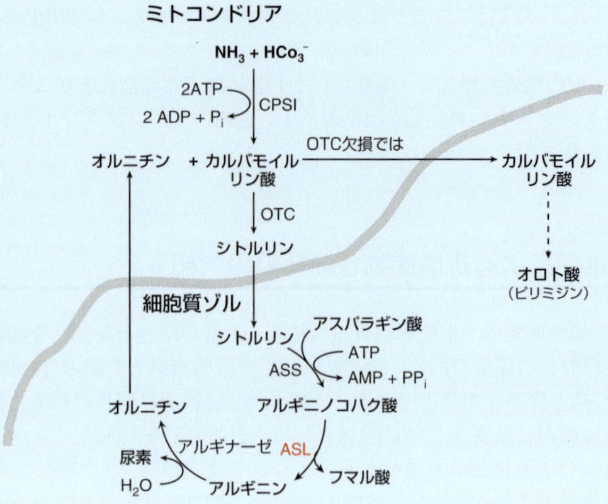

ミトコンドリア
$NH_3 + HCO_3^-$
2ATP
2 ADP + P_i
CPSI
オルニチン + カルバモイルリン酸
OTC欠損では
カルバモイルリン酸
OTC
シトルリン
オロト酸
(ピリミジン)
細胞質ゾル
シトルリン
アスパラギン酸
ATP
ASS
AMP + PP_i
オルニチン
アルギニノコハク酸
アルギナーゼ
ASL
尿素
H_2O
アルギニン
フマル酸

値によって特徴づけられる．尿素回路の唯一のX連鎖の酵素であるオルニチントランスカルバミラーゼ(OTC)の欠損では結果としてArgとシトルリンの低値と尿中のオロト酸の値の上昇が起こるであろう．［注：OTCの基質であるカルバモイルリン酸は，細胞質ゾルでピリミジン合成の基質として使われるので，オロト酸が増加する．］

Q2．　Argはアルギナーゼによって加水分解されて尿素とオルニチンになるので，Argの補充は助けになる．オルニチンはカルバモイルリン酸と結合してシトルリンを形成する(上図参照)．ASL(およびASS)欠損では，シトルリンが蓄積して排泄されるので不要な窒素を体外に運び出す．

Q3．　**答え＝D.** 尿素回路の酵素のより軽度な(部分的な)欠損の人では，高アンモニア血症は，インスリン/インスリン拮抗ホルモン比を低下させる(例えば，病気あるいは長期間絶食のような)生理的なストレスが引き金となって起こる可能性がある．［注：高アンモニア血症の程度は，通常新生児発症型にみられるよりも軽度である．］インスリン/インスリン拮抗ホルモン比の変化は，結果として1つには，骨格筋でのタンパク質分解が起こり，生じたアミノ酸は分解される．分解には，アミノ酸由来のα-ケト酸誘導体とグルタミン酸を生じるピリドキサールリン酸要求性のアミノトランスフェラーゼによるアミノ転移反応が関与する．グルタミン酸は，グルタミン酸デヒドロゲナーゼ(GDH，右図参照)により，α-ケトグルタル酸とアンモニア(NH_3)へと酸化的脱アミノ反応を受ける．［注：GDHは，補酵素としてNADとNADPの両方を使う点で通常とは異なっている．］

NH_3は有毒であり，グルタミン(Gln)とアラニン(Ala)として肝臓に運ばれる．Glnは，ATP要求性のグルタミンシンテターゼによるグルタミン酸の

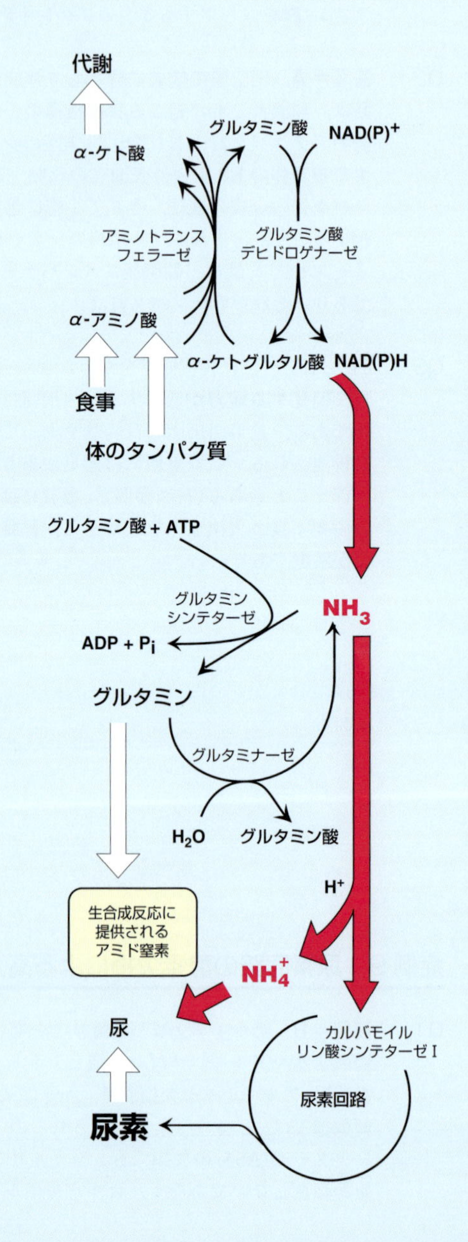

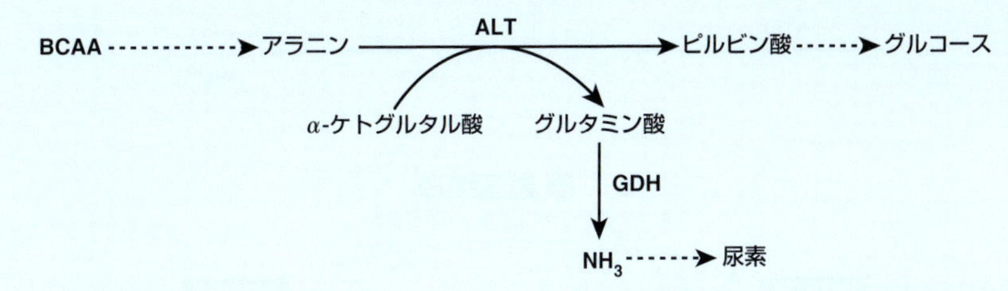

アミノ化によって作られる．肝臓では，グルタミナーゼが NH_3 を外し，NH_3 は尿素回路によって尿素に変えられるか，アンモニウム(NH_4^+)として排泄される(右図参照)．Gln はそれゆえ，血液中の NH_3 輸送の無毒な運搬体である．Ala は分枝鎖アミノ酸(BCAA)の異化によって骨格筋で作られる(上図参照)．肝臓では，Ala は，アラニンアミノトランスフェラーゼ(ALT)により(糖新生に使われる)ピルビン酸とグルタミン酸へとアミノ転移反応を受ける．このように，Ala は窒素を，尿素に変換するために肝臓へと運ぶ(上図参照)．それゆえ尿素回路の欠損は結果として，アンモニア，Gln，Ala の上昇を起こす．上昇した NH_3 は，呼吸を促進し，過換気が pH の上昇(呼吸性アルカローシス)を起こす．[注：高アンモニア血症は神経系に有毒である．正確な機構は，完全には理解されてはいないが，(脳のアストロサイトでの)大量の NH_3 の Gln への代謝は結果として，脳に膨張をもたらす浸透圧効果を起こす．加えて，Gln の増加は，興奮性神経伝達物質であるグルタミン酸の入手可能性を減少させる．]

症例 10：深部静脈血栓症による腓腹部(ふくらはぎ)の腫脹と疼痛

Q1．　**答え＝C．** FV ライデンは，活性化されたプロテイン C 複合体によるタンパク質分解に抵抗性の FV 変異体である．FV を分解する能力の減少により，活性化型のトロンビンの産生が継続されて，血栓形成あるいは血栓形成傾向のリスクの増加が起こる．アンチトロンビンⅢ(ATⅢ)とプロテイン S は，抗凝固のタンパク質である．プロトロンビン産生の減少ではなく増加が結果として，血栓形成傾向を起こしうる．フォン・ウィルブランド因子の欠損は，FⅧの結合体としての影響と血小板凝集への影響を介して，血液凝固障害や血栓形成の欠損を起こす．

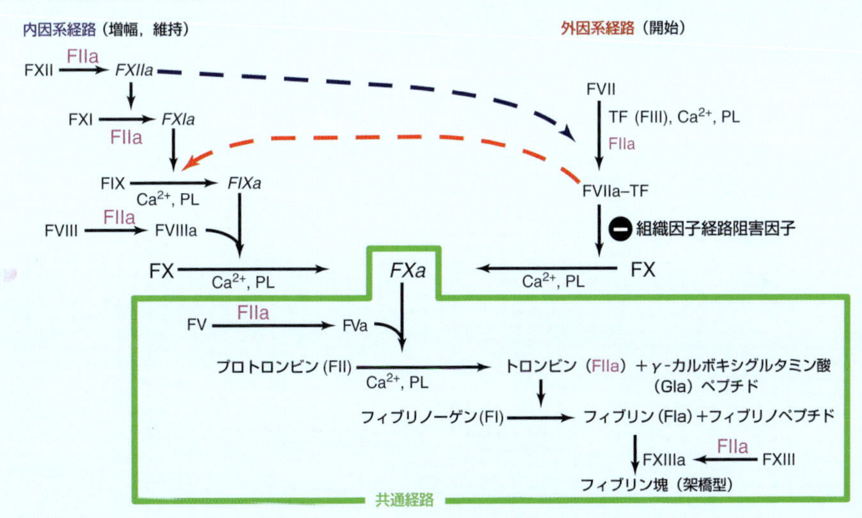

Q2．　ヘパリンはグリコサミノグリカンであり，抗凝固薬として働く．ヘパリンは，(ATⅢと呼ばれる)抗トロンビン因子を活性化して，トロンビンと FXa を阻害できるようにする．抗トロンビン因子はトロンビンと FXa を切断することによって不活性化させる．ワルファリンはビタミン K の合成アナログであり，ビタミン K エポキシド還元酵素を阻害して，FⅡ，FⅦ，FⅨと FX のグルタミン酸残基のγ-カルボキシグルタミン酸(Gla)残基への変化(γ-カルボキシ化反応)に必要な補酵素であるビタミン K を阻害する(次頁図 B 参照)．

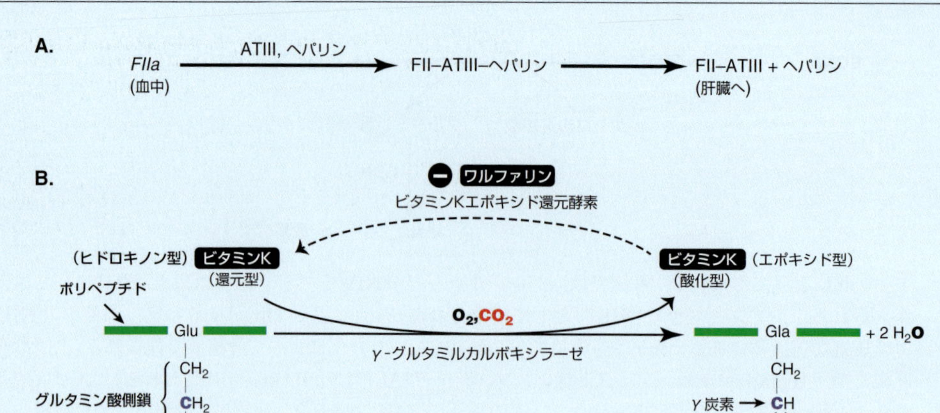
A.
FIIa
(血中)
ATIII, ヘパリン
FII–ATIII–ヘパリン
FII–ATIII + ヘパリン
(肝臓へ)
B.
ワルファリン
ビタミンKエポキシド還元酵素
(ヒドロキノン型) ビタミンK
(還元型)
ビタミンK (エポキシド型)
(酸化型)
ポリペプチド
Glu
O_2, CO_2
γ-グルタミルカルボキシラーゼ
Gla
+ 2 H_2O
グルタミン酸側鎖
CH_2
CH_2
COO^-
γ炭素
CH
COO^-
COO^-

〔索引使用上の注意〕

1. 本文中に外国語（アルファベット）のままで示した語および外国語で始まる語の索引は日本語索引とは別にしてある．
2. 化合物名において異性を表す接頭語（D-，L-，*o*-，*m*-，*p*-），結合部位を表す 1-, 2-, 3-, α-, β-, γ-, *N*-, *O*-, *S*- などは無視して配列した．

い

か

け

こ

さ

す

せ

そ

た

ち

つ

て

と

な

に

ぬ

ね

の

は

ひ

ふ

へ

ほ

ま

み

む

め

も

や

ゆ

よ

ら

り

れ

ろ

わ

A

B

D

E

H

I

J

K

L

N

O

P

Q

R

S

T

U

V

W

X

Z

Figure Sources

Figure 2.12. Modified from Garrett RH, Grisham CM. *Biochemistry*. Philadelphia, PA: Saunders College Publishing; 1995. Figure 6.36, p. 193.

Figure 2.13. From Dobson CM. Protein misfolding, evolution and disease. *Trends in Biochemical Sciences.* 1999;24(9):329–332, Figure 3.

Figure 3.1A. Illustration: Irving Geis. Rights owned by Howard Hughes Medical Institute. Not to be used without permission.

Figure 3.20. Photo From Fizkes/ Shutterstock.com.

Figure 3.21B. From Brown Emergency Medicine: Clinical Image of the Week 14: The Blue Man. https://blogs.brown.edu/emergency-medicine-residency/citw-14-the-blue-man/.

Figure 4.3. Electron micrograph of collagen from Natural Toxin Research Center. Texas A&M University Kingsville. Collagen molecule modified from Mathews CK, van Holde KE, Ahern KG. *Biochemistry*. 3rd ed. Boston, MA: Addison Wesley Longman, Inc.; 2000:175. Figure 6.13.

Figure 4.4. Modified from Yurchenco PD, Birk DE, Mecham RP, eds. *Extracellular Matrix Assembly and Structure*. San Diego, CA: Academic Press; 1994.

Figure 4.8. Buhler K. Images in clinical medicine. *N Engl J Med*. 1995;332(24):1611.

Figure 4.10. Gru AA. *Pediatric Dermatopathology and Dermatology*. Wolters Kluwer; 2019, Figure 9-1A.

Figure 4.11. Radiograph from Jorde LB, Carey JC, Bamshad MJ, et al. *Medical Genetics*. 2nd ed. St. Louis, MO: Mosby; 1999. http://medgen.genetics.utah.edu/index.htm.

Chapter 4, Question 4.2. Berge LN, Marton V, Tranebjaerg L, et al. Prenatal diagnosis of osteogenesis imperfecta. *Acta Obstet Gynecol Scand*. 1995;74(4):321–323.

Figure 17.13. *Urbana Atlas of Pathology*, University of Illinois College of Medicine at Urbana-Champaign. Image number 26.

Figure 17.20. Interactive Case Study Companion to Robbins Pathologic Basis of Disease.

Figure 18.9A. Based on https://commons.wikimedia.org/wiki/File:Cholic_acid.jpg.

Figure 18.13. From Husain AN, Stocker JT, Dehner LP. *Stocker and Dehner's Pediatric Pathology*. 4th ed. Wolters Kluwer; 2016, Figure 15–62D.

Figure 20.21. Success in MRCO path. http://www.mrcophth.com/iriscases/albinism.html.

Figure 20.23A. Bullough PG. *Orthopaedic Pathology*. 5th ed. Mosby, Inc.; 2010, Figure 11–31.

Figure 20.23B. Modified from Vigorita VJ. *Orthopaedic Pathology*. 3rd ed. Wolters Kluwer; 2016, Figure 16–53B.

Figure 21.6. Image provided by Stedman's.

Figure 21.7. Rich MW. Porphyria cutanea tarda. *Postgrad Med*. 1999;105:208–214.

Figure 21.11. From Zay Nyi Nyi/ Shutterstock.com.

Figure 21.14. Phototake.

Figure 22.16. Ballantyne JC, Fishman SM, Rathmell JP. *Bonica's Management of Pain*. 5th ed. Wolters Kluwer; 2019, Figure 34-10.

Figure 22.18. From Rubin E, Reisner HM. *Principles of Rubin's Pathology*. 7th ed. Wolters Kluwer; 2019, Figure 22–43D.

Figure 23.2. Childs G. http://www.cytochemistry.net/.

Figure 23.13. Modified from Cryer PE, Fisher JN, Shamoon H. Hypoglycemia. *Diabetes Care.* 1994;17:734–753.

Figure 24.11. Data from Baynes JW, Dominiczak MH. *Medical Biochemistry*. 4th ed. Saunders; 2014.

Figure 26.5. Gibson W, Farooqi IS, Moreau M, et al. Hypoglycemia. *J Clin Endocrinol Metab*. 2004;89(10):4821.

Figure 27.19. A, Corey Heitz, MD. https://www.flickr.com/photos/corey-heitzmd/3478702894. **B,** Centers for Disease Control and Prevention Public Health Image Library. Atlanta, GA.

Chapter 27, Question 27.1. From TknoxB. https://www.flickr.com/photos/tkb/18181998

Figure 28.4. Matthews JH. Queen's University Department of Medicine, Division of Hematology/Oncology, Kingston, Canada.

Figure 30.7. Nolan J. Department of Biochemistry, Tulane University, New Orleans, LA.

Figure 34.27. Based on Costa JR, Bejcek BE, McGee JE, et al. Genome Editing Using Engineered Nucleases and Their Use in Genomic Screening. 2017 November 20. In: Markossian S, Sittampalam GS, Grossman A, et al., eds. Assay Guidance Manual [Internet]. Bethesda (MD): Eli Lilly & Company and the National Center for Advancing Translational Sciences; 2004.

Figure 35.10. Foerster J, Lee G, Lukens J, et al. *Wintrobe's Clinical Hematology*. 10th ed. Philadelphia, PA: Lippincott Williams & Wilkins; 1998.

Figure 35.20. Cohen BJ, Taylor JJ. *Memmler's the Human Body in Health and Disease*. 10th ed. Baltimore, MD: Lippincott Williams & Wilkins; 2005.

Appendix, Integrative Cases, Case 1 Figures. Gold DH, Weingeist TA. Color Atlas of the Eye in Systemic Disease. Baltimore, MD: Lippincott Williams & Wilkins; 2001.

Appendix, Focused Cases, Case 2 Figure. Goodheart HP. *Goodheart's Photographs of Common Skin Disorders*. 2nd ed. Philadelphia, PA: Lippincott Williams & Wilkins; 2003.

Appendix, Focused Cases, Case 7 Figure. From Rubin E, Reisner HM. *Principles of Rubin's Pathology*. 7th ed. Wolters Kluwer; 2019, Figure 22–43D.

Appendix, Focused Cases, Case 6 Figure C. From Zay Nyi Nyi/Shutterstock.com.

リッピンコット シリーズ
イラストレイテッド生化学　原書 8 版

令和 5 年 11 月 25 日　発　行

監訳者　石　崎　泰　樹
　　　　丸　山　　　敬

発行者　池　田　和　博

発行所　丸善出版株式会社
〒101-0051 東京都千代田区神田神保町二丁目17番
編集：電話(03)3512-3261／FAX(03)3512-3272
営業：電話(03)3512-3256／FAX(03)3512-3270
https://www.maruzen-publishing.co.jp

組版印刷・富士美術印刷株式会社／製本・株式会社 松岳社

ISBN 978-4-621-30852-3　C 3047　　Printed in Japan